Kunz, M.

Geschichte der Blindenanstalt Illzach-Mülhausen

Kunz, M.

Geschichte der Blindenanstalt Illzach-Mülhausen

Inktank publishing, 2018

www.inktank-publishing.com

ISBN/EAN: 9783747746240

1856–1906

Geschichte

der

Blindenanstalt zu Illzach-Mülhausen i. E.

während der ersten fünfzig Jahre ihrer Tätigkeit,

ferner

deutsche, französische und italienische

Kongreßvorträge und Abhandlungen

über das Blindenwesen.

—

Verfaßt und im Namen des Verwaltungsrats herausgegeben

von

Prof. M. KUNZ,

Direktor der Anstalt

Mit einem Situationsplan der Anstalt, 143 Abbildungen und Figuren im Text
und 5 Hochdruckproben.

VERLAG VON WILHELM ENGELMANN · LEIPZIG

1907

Vorwort des Verwaltungsrats.

Im März 1906 hat der Verwaltungsrat der Blindenanstalt zu Illzach-Mülhausen in Els. beschlossen, im Juli desselben Jahres das fünfzigjährige Jubiläum dieser Anstalt zu feiern und bei diesem Anlasse auch der fünfundzwanzigjährigen Tätigkeit ihres Vorstehers zu gedenken. Es wurde ferner beschlossen, eine Anstaltsgeschichte zu veröffentlichen und derselben einen Neudruck der Kongreßvorträge und Abhandlungen des Direktors über das Blindenwesen folgen zu lassen, — einerseits, um so ein Bild dessen zu geben, was hier erstrebt und teilweise erreicht worden ist, anderseits aber auch, um die Schriften eines erfahrenen Lehrers und Anstaltsleiters weiteren Kreisen zugänglich zu machen.

Der Verlust dreier Mitglieder des Kuratoriums hat uns dann aber gezwungen, auf eine öffentliche Feier im Jahre 1906 zu verzichten. Auch die Herausgabe der „Festschrift" ist dadurch verzögert worden. Infolgedessen konnten noch zwei neue Kongreßvorträge des Direktors (Rom, Dez. 1906) und eine größere Arbeit über das Orientierungsvermögen und das Ferngefühl der Blinden und Taubblinden Berücksichtigung finden.

Viele von diesen Abhandlungen und Vorträgen sind als „Begleitschreiben" zu seinen Lehrmitteln zu betrachten, welche durch die ganze Welt gehen. Deshalb sind hier auch seine fremdsprachlichen Arbeiten aufgenommen worden.

So liegt denn ein Werk vor, aus welchem Menschenfreunde jeden Standes, Schul- und Verwaltungsbehörden, Geistliche, Ärzte und Lehrer, besonders Blindenlehrer, Anregung — und vielleicht auch Belehrung über das heutige Blindenwesen schöpfen können.

Möge das Buch recht viele Leser finden und das Interesse für die Blinden erhalten, wo es lebendig ist, — es wecken, wo es noch schläft!

Für den Verwaltungsrat

Der Präsident:

Ed. Alb. Schlumberger,

Kommerzienrat.

I. Teil.

Geschichte der Anstalt.

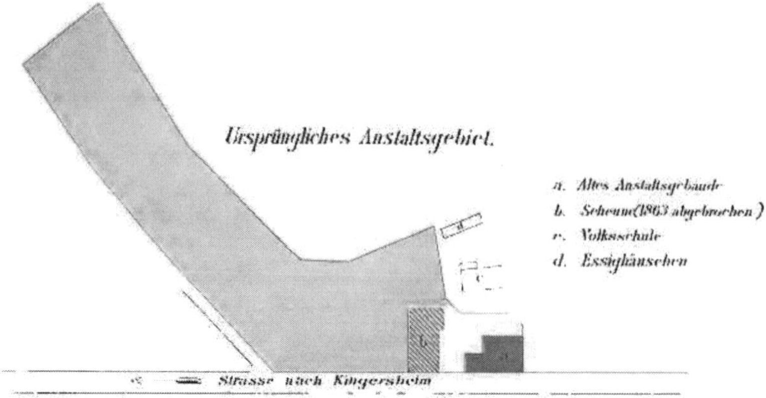

Situationsplan.

Ia. Hauptgebäude: I. Neubau 1888/89. Ib Früheres Hauptgebäude.
II. Ursprüngliche Anstalt z. Z. Verkaufsladen, Stuhlschreinerei, im westlichen Anbau Pförtnerwohnung.
III. Korbmacherei: Schlafsaal der ältesten Lehrlinge; Wohnung eines Meisters.
IV. Neue Bürstenbinderei
V. Druckerei, (Bücher, Karten, Bilder, .
VI. Magazin der Bürstenbinderei.
Ueber IV, V und VI. Turnhalle.
VII. Wagenschuppen; Hühnerstall.
VIII. Seilerbahn.
IX. Aborte (gebaut 1894).
X. Neuerworbenes Wohnhaus 1894: Meisterwohnungen,
XI. Neuerworbener Stall.
XII. Schuppen und Schweineställe (1894 gebaut).
XIII. Spielplatz und Garten der Mädchen.
XIV. Hof der Knaben.
XV. Gemüsegärten,
XVI. u. XVIII. Baumgärten.
XVII. Hügel (vom Erdaushub beim Neubau).
XVIII. Neuerworbenes Grundstück auf der Nordseite (Baumgarten).
XIX. " " " (Gemüsegarten).
XX. Seilschlagmaschine.

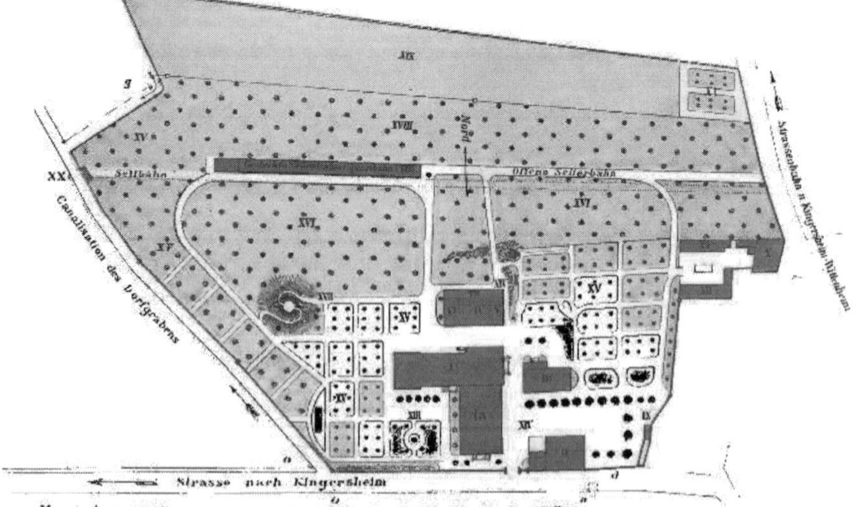

Massstab 1:1666

Situationsplan der Blindenunterrichtsanstalt zu Illzach bei Mülhausen.

Abb. 1. Gesamtansicht (von Nordwesten).

Zur Anstaltsgeschichte.

Die Blindenbildung ist ein Kind der neuesten Zeit, ein Kind des Jahrhunderts, welches einen Pestalozzi hervorgebracht und durch ihn auch die allgemeine Volksschule geschaffen hat.

Die Zeit der tiefsten Erniedrigung Deutschlands, das Todesjahr 1806 des alten Reichs, ist merkwürdigerweise auch das Geburtsjahr der deutschen Blindenbildung! Mitten in den Kriegswirren fand Friedrich Wilhelm III. noch Zeit, einer Anregung des Franzosen Valentin Haüy folgend, die erste Blinden-Erziehungsanstalt Deutschlands in Berlin ins Leben zu rufen! Dieselbe wurde eröffnet am 13. Oktober 1806, am Tage vor der vernichtenden Doppelschlacht von Jena und Auerstädt. Hatte das allgemeine, aber vorübergehende Elend den Fürsten und Völkern die Augen und Herzen geöffnet für das bleibende Elend der Blinden? Es scheint fast so; denn auch die Gründung der ersten österreichischen, schweizerischen, russischen, holländischen, dänischen und schwedischen Anstalten fällt in dasselbe Jahrzehnt. Frankreich und England waren schon vorausgegangen.

Die Geschichte der französischen Blindenschule umfaßt einen Zeitraum von 122, die der englischen einen solchen von 115 Jahren.

Einzelne bevorzugte, reiche Blinde sind ja schon früher der Teilnahme an dem allgemeinen Wissens- und Bildungsschatze gewürdigt worden. Sie und ihre Privatlehrer haben den Beweis der Bildungsfähigkeit Lichtloser erbracht und der modernen Blindenschule vorgearbeitet. Wir finden ihre Spuren heute noch in manchen Lehrmitteln. An

1*

die Ausbildung aller, auch der Armen, dachte man aber in früheren Jahrhunderten noch weniger als an das allgemeine Schulrecht der Sehenden, welches heutzutage auch dem ärmsten Kinde nicht verweigert werden darf.

Bis 1784 galt allgemein der Bettel als einziges legitimes Gewerbe der unbemittelten Blinden. Das Bedürfnis nach geistiger und beruflicher Ausbildung der Lichtberaubten zu menschwürdigem Dasein und nützlicher Tätigkeit hat sich also lange nicht fühlbar gemacht und ist mancherorts auch heute noch herzlich schwach.*)

Die neuen Ideen sind, wie schon gesagt, zuerst in Frankreich in größerem Maßstabe verwirklicht worden.

In Paris gründete der Übersetzer im Ministerium des Auswärtigen, Valentin Haüy, vielleicht angeregt durch Diderot und die blinde Musikerin Maria Theresia von Paradis aus Wien, im Jahre 1784 die erste Blindenschule der Welt, die heutige „Institution Nationale des jeunes aveugles" (Boulevard des Invalides 56).

Es ist bezeichnend, daß in Frankreich gerade die Generation, welche die Devise „Freiheit, Gleichheit und Brüderlichkeit" auf ihre Fahne schrieb, allerdings ohne ihr immer treu zu bleiben, einen Mann hervorbrachte, der auch die Blinden aus Geistesnacht und Bettelelend befreien wollte.

Das neue Evangelium der Blindenbefreiung durch Blindenbildung fand zuerst in England, dann im deutschen Sprachgebiete günstigen Boden, während es in den romanischen Ländern, die es zuerst verkündet, nur langsam zur Geltung kam. Der Prophet gilt nichts im Vaterlande.

Folgendes Verzeichnis der Blindenunterrichtsanstalten, welche vor der unseren bestanden, wird darüber Auskunft geben. Die Versorgungshäuser oder „Asyle", deren es in Europa bis vor 25 Jahren nur wenige gab, kommen hier nicht in Betracht.

Blinden-Erziehungsanstalten.

	Gründungsjahr
1. Paris (Institution Nationale des jeunes aveugles)	1784
2. Liverpool (Engl.) School for the Blind	1791
3. Edinburgh	1793
4. Bristol	1793
5. London	1799
6. Norwich (Engl.)	1805
7. Berlin (z. Z. in Steglitz)	1806
8. St. Petersburg	1807
9. Wien. Erste Anfänge 1804 als Anstalt eröffnet	1808
10. Prag	1808
11. Stockholm	1808
12. Amsterdam	1808
13. Zürich (heute mehr Taubstummenanstalt)	1809
14. Dresden	1809
15. Dublin	1810
16. Kopenhagen	1811
17. Aberdeen	1812
18. Breslau	1818
19. Brüssel	1819
20. Barcelona	1820
21. Linz (Österreich)	1824
22. Budapest	1825
23. München	1826
24. Glasgow	1827
25. Manchester	1827
26. Freiburg (Baden) jetzt Ilvesheim	1828
27. Hamburg	1830
28. New York	1831
29. Belfast	1831
30. Boston (Perkins Institution)	1832
31. Philadelphia (Amerika)	1833
32. York (England)	1833
33. Limmerik	1834
34. Bern	1836
35. Brügge (Belgien)	1836
36. Frankfurt a. M.	1837
37. Lüttich (Belgien)	1837
38. Padova (Italien) (Instituto dei ciechi)	1838
39. Exeter	1838
40. Newcastle-on-Tyne	1838
41. Milano (Italien)	1840
42. Maeseyk (Belgien)	1840
43. Warschau	1842
44. Lille	1842
45. Madrid	1842
46. Louisville (Amerika)	1842
47. Brighton (England)	1842
48. Hannover	1843
49. Nottingham (England)	1843
50. Brünn (Österreich)	1844
51. Lausanne (Schweiz)	1844
52. Düren (Rheinland)	1845
53. Birmingham	1845

*) Ich verweise auf meine Schriften „Zur Geschichte der Blindenbildung und Fürsorge" (1902) und „Rückblick, Umblick, Ausblick", Einleitungsvortrag, gehalten am allgemeinen Blindenlehrerkongreß zu Halle (1904). —

	Gründungsjahr
54. Königsberg in Preußen	1846
55. Paderborn (Westfalen)	1847
56. Soest (Westfalen)	1847
57. Neu-Torney (Stettin)	1850
58. Bath	1850
59. Friedberg (Hessen)	1850
60. Lemberg (Österreich)	1851
61. Clermont-Ferrand (Frankreich)	1851
62. Nancy	1852
63. Soissons (Frankreich)	1852
64. Bromberg (Posen)	1853
65. Nürnberg	1854
66. Würzburg	1854
67. Baltimore (Amerika)	1854
68. Stuttgart	1856
69. Illzach. Erste Anfänge in Mülhausen 1855. In Illzach als Anstalt eröffnet im Dezember	1856

In Halle a/S. (Provinz Sachsen) hatte von 1833–49 eine Privatblindenanstalt bestanden. Die heutige Provinzialblindenanstalt ist erst 1858 in Barby gegründet und 1898 nach Halle verlegt worden.

Es bestanden also vor Illzach schon 68 Blinden-Unterrichtsanstalten und zwar: 5 französische, 18 englische, 18 deutsche, 5 österreichische, 3 schweizerische, 4 belgische, 1 holländische, 1 dänische, 2 russische, 1 schwedische, 2 italienische, 2 spanische, 1 ungarische und mindstens 5 amerikanische.

Heute (1906) beläuft sich die Zahl der europäischen Blindenschulen auf 181 (die 182. wird im Herbst in Athen unter Leitung einer Hospitantin unserer Anstalt eröffnet), und die der außereuropäischen auf 60. Dazu kommen in Europa etwa 145, anderwärts 11 Versorgungshäuser, „Heime“ oder „Werkstätten“ für ausgebildete Arbeiter und Arbeiterinnen — und Asyle für alte, arbeitsunfähige Blinde. (S. Rückblick, Umblick, Ausblick.)

Hierzulande ist also das Bedürfnis nach Blindenbildung, obgleich das Elsaß damals zum Geburtslande der Blindenschule gehörte, spät erwacht.

Vor 52 Jahren war in Mülhausen, wie aus der Selbstbiographie meines erblindeten Vorgängers Alphons Köchlin hervorgeht, sogar das Pariser Nationalinstitut (L'Institution Nationale des jeunes aveugles) noch völlig unbekannt, obwohl dasselbe damals schon seit 64 Jahren bestand und durch die Staatskasse erhalten wurde, zu welcher ja auch die Elsässer beisteuerten! Niemals habe ich von einem wirklichen Elsässer gehört, der in das Pariser Blindeninstitut aufgenommen worden wäre. Es scheint sich dort keiner um Aufnahme beworben zu haben.

So ist denn unsere Anstalt nicht aus einem allgemein oder auch nur von mehreren Menschenfreunden empfundenen Bedürfnis nach Blindenbildung hervorgewachsen; es mußte dieses Bedürfnis erst geweckt werden durch einen Mann, der selbst das Unglück gehabt hatte, im Alter von 33 Jahren zu erblinden und der sich genötigt sah, eine neue Existenz zu suchen, weil er, der selbst unbemittelt war, nicht reichen Verwandten zur Last fallen wollte.

Dieser Blinde hieß Alphons Köchlin. Ein begüterter Schicksalsgenosse, der in späteren Jahren erblindete Herr Jacques Scheidecker vom Hause Ed. Vaucher u. Cie. in Mülhausen, stellte ihm 1856 für die im Werden begriffene Anstalt ein altes Wirtshaus in Illzach zur Verfügung. Herr Köchlin ist somit der ideelle, Herr Scheidecker der tatsächliche Gründer der Blindenanstalt zu Illzach. Deshalb figurieren die Bilder dieser beiden Blinden umstehend nebeneinander. Herr Alphons Köchlin ist am 22. März 1821 in Thann im Ober-Elsaß geboren. Die Familie war sehr zahlreich. Sie hatte, wie Köchlin sich scherzweise auszudrücken pflegte, ein ganzes Schweizerdutzend (d. h. 14) Kinder, die sich bald bei Verwandten zerstreuten, weil der Vater das Vermögen verloren hatte.

Alphons Köchlin besuchte in Thann die Schule, trat aber schon im 15. Jahre in die Handelslehre und erhielt eine Anstellung bei der Mülhauser Filiale der Banque de France.

Im Alter von 28 Jahren (1849) stellte sich bei Köchlin ein schweres Augenleiden ein, welches ihm die Arbeit sehr erschwerte und im Laufe einiger Jahre zunächst das rechte Auge zerstörte.

Da sein Arzt ihm nicht helfen konnte (ein wirklicher Augenarzt war wohl noch nicht in Mülhausen), suchte er vergebens Heilung bei verschiedenen „Schläfern“ und Magnetiseuren, Somnambülen und in der Gebetsheilanstalt des Pfarrers Blumhardt in Boll bei Göppingen (Württemberg)*). — Es nützte alles nichts, obwohl er von einer Reihe wunderbarer Heilungen „Besessener“ (Epileptischer) zu erzählen weiß. Seine Stelle in der Bank behielt er einstweilen noch bei und arbeitete, trotz der heftigsten Schmerzen, an der Buchhaltung

*) Ich entnehme alle diese Angaben und die folgenden der von ihm in Punktschrift hinterlassenen Selbstbiographie.

weiter, weil er auf sich selbst angewiesen war. Doch nun ergriff die Krankheit auch das linke Auge, und er mußte der kaufmännischen Laufbahn entsagen. Als er den Direktor der Bank von seinem bevorstehenden Austritte in Kenntnis setzte, antwortete ihm dieser: „So, nun kannst du dir einen Hund kaufen!" Es war indessen, wie Herr Köchlin selbst hinzufügt, „nicht so böse gemeint", denn derselbe Vorgesetzte verhalf ihm zu einer jährlichen Pension von 600 Franken, die ihm bis zu seinem Lebensende ausbezahlt wurde.

Abb. 2. Herr Alphons Köchlin, Dir.

Im Jahre 1853 suchte ihn eine Verwandte auf sein unabwendbares Schicksal völliger Erblindung vorzubereiten, indem sie zu ihm sagte: „Es könnte der Fall sein, daß Ihr Auge nicht mehr zu heilen wäre. Nun möchte ich Ihnen raten, mit Vorsicht zu handeln und nicht allein darauf auszugehen, wie Sie ihr Gesicht erhalten könnten! Ich habe neulich zu Lausanne*) in der Schweiz eine sehr merkwürdige Anstalt besucht. Da lesen, schreiben und rechnen die Blinden; ja sie spielen sogar Klavier und Orgel und arbeiten manches Nützliche. Es werden in derselben Anstalt allerlei Augenkranke mit Hilfe eines sehr geschickten Arztes um einen äußerst niederen Preis verpflegt. Beschäftigen Sie sich dort, als wären Sie schon blind! So schonen Sie Ihr schwaches Gesicht, und lassen Sie sich zugleich pflegen, so haben Sie doppelten Vorteil!" (Buchstäbliche Abschrift.) Köchlin setzt hinzu: „Das war mir gar neu und wunderbar, und ich konnte es kaum glauben; aber es zog mich ziemlich an und machte mich auf einige Tage unschlüssig. Aber die Wasserkur! Muß ich nicht

Abb. 3. Herr Jacques Scheidecker.

meine (durch Dampfbäder) geschwächte Haut stärken? Und wer weiß, was diese Kur noch mehr wirken könnte? Wie wäre es, wenn ich gar nicht müßte zu den Blinden gehen? Und wenn die Wasserkur nicht hilft, so ist es ja noch immer Zeit zu den Blinden zu gehen. Wie traurig muß es da sein!"

„Die Wasserkur bekam also den Vorzug und im März 1854 reiste ich in fröhlicher Hoffnung nach Albisbrunn (Zürich)."

Es erinnert mich diese Scheu vor den Blinden, die bei Köchlin auch später noch zum Ausdruck kommt, an einen der verdientesten Blindenlehrer der Gegenwart.

*) Von dem Pariser Nationalinstitut und der näher gelegenen Anstalt in Nancy wußte man also in Mülhausen noch nichts.

Als er die Leitung einer neugegründeten Anstalt übernehmen sollte, wurde er aufgefordert, sich zuerst im k. k. Blindeninstitute zu Wien umzusehen. Seine Frau begleitete ihn, um ihm Mut zu machen. Sie brachte ihn bis an die Haustüre. Dort ergriff ihn aber ein so tiefes Weh über das namenlose Unglück, daß er sich an beide Türpfosten anklammerte und um alles in der Welt nicht weiter zu bringen war. Seine Frau führte ihn auf eine Bank in einer Gartenanlage, bis er sich beruhigt hatte. Dann nahm er einen neuen Anlauf und überschritt wirklich die Schwelle der Anstalt. Seither gehört er der Blindensache ganz und zählt zu ihren eifrigsten Förderern.

Ähnlich wird es wohl, wie ich aus Erfahrung weiß, manchem andern gegangen sein. Wer die Hand gar zu leichten Herzens an diesen Pflug legt, hat eben in der Regel — ein leichtes Herz!

Doch kehren wir zu Herrn Köchlin zurück!

Seine Kur in Albisbrunn blieb erfolglos und so mußte er sich doch entschließen, „zu den Blinden zu gehen".

Im September 1854 trat er in die Augenklinik der Lausanner Anstalt ein. Diese Anstalt ist nicht das, was man gewöhnlich unter einer Blindenschule oder Blindenanstalt versteht. Sie umfaßt eigentlich vier getrennte Anstalten auf demselben Grundstück und unter einer Direktion.

Die Augenklinik (heute Universitätsaugenklinik) kennzeichnet sich schon äußerlich als Hauptsache*). Dieselbe ist durch einen scheinbar unterirdischen Gang mit dem **„Institut"**, der Erziehungsanstalt, verbunden, die nur Kinder unter 15 Jahren aufnimmt.

Neben der „Clinique" und dem **„Institut"** besteht als weiterer Bestandteil des Ganzen „l'Atelier", eine Blindenwerkstätte für ausgebildete Männer, welche dort für ihre Rechnung arbeiten können, aber auswärts wohnen und sich beköstigen müssen. Als viertes Glied ist neuerdings ein „Heim", also eine Werkstätte mit Internat, für erwachsene Mädchen hinzugekommen, das nach dem früheren Augenarzt Dr. Recordon benannt worden ist. Wir haben einstweilen nur das zweite Glied dieser Reihe völlig ausgestalten können.

Herr Köchlin trat also vorläufig in die „Clinique" ein und kam nur mit Augenkranken, nicht aber mit Blinden in Berührung, und doch schreibt er: „Entsetzlich traurig kam mir mein Eintritt in die Anstalt vor, und dieser Eindruck verlor sich nur langsam aus meinem Gemüt!" Es ist allerdings von böser Vorbedeutung, wenn man jeden Augenkranken von vornherein ins „Blindenasyl" schickt!*) Der Schrecken Köchlins wurde allerdings noch durch ein Haarseil verstärkt, das ihm Dr. Recordon plötzlich und unversehens durch den Nacken zog und das er ein Jahr lang mit sich herum trug. Von Erfolg war diese Kur nicht begleitet.

Eines Tages überwand dann Köchlin seine „Schüchternheit", wie er sich ausdrückt (er will wohl sagen Scheu), und „wagte sich" in das Arbeitszimmer der blinden Kinder, also in das „Institut", wo ihm Frau Dir. Hirzel alles zeigte und ihm aus einem in Lateinschrift gedruckten Evangelium (Stuttgarter Druck) vorlesen ließ.

Er versuchte dann selbst lesen zu lernen, was ihm nach vieler Mühe zur Not gelang . . . Da er, wie er selbst sagt, nicht wußte, „ob er sich je solche Bücher anschaffen könne", fing er an, das mühsam Gelesene auswendig zu lernen; er freute sich kindlich, als er das ganze Evangelium des Lukas auswendig hersagen konnte.

Im Januar 1855 teilte ihm Direktor Hirzel mit, daß er unheilbar erblindet sei; der Arzt hatte sich gescheut, es ihm zu sagen. Köchlin antwortete: „Ein Arzt sollte mehr Mut haben!" Nun entschloß er sich doch, „zu den Blinden zu gehen". Er bat sofort um Aufnahme in das **„Institut"**, die Lehranstalt, wurde aber abgewiesen, weil er das 15. Altersjahr seit 18 Jahren überschritten hatte. Erst als er erklärte, daß es seine Absicht sei, die Blinden seiner Heimat zu **unterrichten**, wurde ihm gestattet, dem Unterricht unter der Bedingung beizuwohnen, daß er Kost und Wohnung **außerhalb** der Anstalt suche.

Im „Institut" de Lausanne lernte Köchlin in den nächsten drei Monaten das Stuhl- und Netzflechten und die Anfertigung von Endsocken (Sahlbandschuhen); dann kehrte er nach Mülhausen zurück und sah sich nach Blinden um (Mai 1855).

Er fand einen solchen, den er früher nicht beachtet hatte, in seiner nächsten Nähe. Die Eltern des blinden Knaben Joh. Bapt. Böhrer willigten gerne ein, ihrem dreizehnjährigen blinden Sohne durch Herrn Köchlin Unterricht erteilen zu lassen. Köchlins erster Schüler starb zwar schon nach drei Monaten an der Cholera; es waren aber unter-

*) Noch in den Jahresberichten 1904 und 1905 figurieren unter dem Anstaltspersonal 4 Ärzte, aber weder ein Lehrer, noch eine Lehrerin. Der Direktor ist Theologe.

*) Es kommt mir dies vor, wie wenn man jeden Kranken gleich auf dem Gottesacker behandeln ließe.

dessen noch drei blinde Kinder und ein junger Mann ausfindig gemacht worden, von denen zwei bis dahin täglich einen mehrstündigen Weg zurückgelegt hatten, um in Mülhausen zu betteln. Besonders gedenkt Köchlin eines 15jährigen Jungen aus Illfurth, der täglich in Begleitung eines Brüderchens, das natürlich auch zum Bettler erzogen wurde, einen fünfstündigen Weg aus seiner Heimat und zurück machte, um für seine Mutter mit dem gesammelten Almosen jeden Tag einen Laib Brot kaufen zu können. Nur am Samstag sammelte er für zwei Brote, um Sonntags nicht betteln zu müssen. Damit der „Verdienst“ keinen Abbruch erleide, mußte Herr Köchlin anfänglich dem Knaben erlauben, noch die Hälfte der Zeit dem Bettel zu widmen. — Obwohl dieser Knabe später aus der Anstalt entwich, ist schließlich doch ein brauchbarer Mensch aus ihm geworden, der einige Jahre hier als Musiklehrer und später in Epinal als Organist und Flechter tätig war. — Weniger Freude hat die Anstalt an dem jungen Manne erlebt, den Köchlin als scheußlich zerlumpten Bettler schildert und der von seinem 4. bis zum 18. Jahre ein wahres Vagabundenleben geführt haben soll. Er war wohl der Anstifter und Leiter des „Ausflugs“, von dem schon die Rede gewesen ist. Nach seiner Rückkehr lernte er die Anfänge der Drechslerei. Von dieser wird in dem Kapitel Werkstätten noch die Rede sein. Herr Köchlin hatte drei von seinen auswärtigen Schülern bei der Mutter seines ersten Zöglings untergebracht; die Mülhauser wohnten bei ihren Angehörigen. Da, wie er selbst berichtet, die kleinen Ersparnisse, welche er als Angestellter gemacht hatte, durch die vielen Kuren beinahe aufgezehrt worden waren, sah er sich genötigt, Unterstützungen zu suchen und anzunehmen, um das Kostgeld seiner Schützlinge, für welche ihre Heimatgemeinden nichts tun wollten, bezahlen zu können. Er weist an dieser Stelle schon auf Herrn J. Scheidecker hin, ohne ihn zu nennen. So bestand denn seine kleine Blindenschule schon seit 1855 als Externat. Wir hätten also schon 1905 das fünfzigjährige Jubiläum feiern können, wie Wien 1904 das hundertjährige feierte, weil der „Blindenvater“ Klein daselbst 1804 die ersten Unterrichtsversuche mit einem Blinden angestellt hat, während die eigentliche Anstalt in Wien, das k. k. Blindeninstitut, erst 1808 entstanden ist.

Bei uns ist aber meistens das Jahr 1857 als Gründungsjahr angegeben worden, weil die 1856 nach Illzach verlegte und als Internat eröffnete Anstalt erst 1857 feierlich eingeweiht wurde. Man rechnete also das Alter nicht vom Geburtstage, sondern vom Tauftage an. Im Grunde ist dies nicht richtig.

Das Jahr 1855 ist für das keimende Blindenwerk auch sonst noch wichtig geworden. Herr Köchlin wurde nämlich zu einem plötzlich geisteskrank gewordenen Bruder, der später bis zu seinem 1889 erfolgten Tode hier gewesen ist, nach Nancy gerufen. In der dortigen Blindenanstalt lernte er die Braillesche Punktschrift kennen, welche heute in allen Blindenanstalten der Welt gelehrt wird, damals aber in Deutschland, der Schweiz — und wohl auch anderswo — noch unbekannt war.

Er erkannte den hohen Wert dieser Schrift und lehrte sie in seiner kleinen Blindenschule. Es ist mir Pflicht, dies hier zu sagen, weil die Einführung dieses Systems vielfach mir zugeschrieben wird. Ich habe demselben nur zum Übergewicht über die Lateinschrift verholfen.

Einige gedruckte Bücher in „Braille“ waren in Paris zu bekommen; dieselben paßten aber nicht für Anfänger und besonders nicht für Kinder, welche von Haus aus nicht französisch verstanden.

In Deutschland ist dieses Schriftsystem erst viel später allgemein eingeführt worden.

Gegen Ende des Jahres 1855 wurden auch drei weibliche externe Schülerinnen angenommen, denen eine Tochter des Herrn Georg Zipelius Unterricht erteilte.

An dieser Stelle seiner Lebensgeschichte flicht Herr Köchlin einige Betrachtungen ein, die hier Platz finden mögen. Nachdem er erzählt, daß er seit seinem Austritte aus dem Geschäft in der „Sonntagsschule“ — und einige sehende Schüler im Rechnen — unterrichtet habe, fährt er fort: „Jeden Abend 6 lernbegierige Schüler im Rechnen unterrichten, gibt weniger Mühe, als nur zweimal in der Woche einen widerspenstigen Schüler mit allen Anfangsgründen vertraut zu machen. Da ein Blinder zu allem dreimal so viel Zeit braucht als ein Sehender, so muß auch sein Lehrer dreimal so viel Geduld haben als ein anderer. Da lag ich denn jeden Abend auf den Knieen und flehte um Vergebung für meine Heftigkeit, um Sanftmut und Geduld, um Ruhe und Gelassenheit. Und der Zorn kam immer wieder als ein wahrer Quälgeist usw.“

Köchlin war sehr jähzornig; seine alten Schüler erzählen übereinstimmend, daß er von seinem eichenen Stock reichlichen Gebrauch machte. Er kannte den Fehler seines Temperaments, der vielleicht mit seiner Krankheit zusammenhing, und er suchte ihn zu bekämpfen. (K. hat später epileptische Anfälle bekommen und ist an Gehirnerweichung gestorben.) Besonders aus dem zweiten der oben angeführten Sätze des Autodidakten, der weder zünftiger Pädagoge noch Gelehrter war, spricht so viel pädagogische Einsicht, daß ihn gar mancher, der von pädagogischer „Wissenschaft" trieft, mit Nutzen zweimal lesen dürfte. Ich unterschätze den Wert der Pädagogik und besonders ihres Hilfsfaches, der Psychologie, keineswegs; denn ich habe selbst zehn Jahre lang in diesen Fächern mit Freude und, wie ich glaube, auch mit Erfolg unterrichtet. Beinahe alle meine Veröffentlichungen — und besonders meine Lehrmittel gehören diesem Gebiete an. Aber die Pädagogik allein macht den Erzieher so wenig, als die Musiktheorie den Musiker; besonders macht sie nicht den Blindenerzieher.

In erster Linie kommt es darauf an, daß dieser Herz und Kopf „auf dem rechten Fleck" habe, in dem noch jungen Gebiete seinen eigenen Weg zu finden wisse und nicht genötigt sei, den Anstaltswagen im traditionellen Geleise weiter zu schieben oder ihn und sich selbst schieben zu lassen. Der Blindenanstaltsleiter darf nicht nur Zug- oder Lokomotivführer sein; er muß die Fähigkeit besitzen, neue Bahnen zu bauen und neue Geleise zu legen. Nach meiner 25jährigen Erfahrung sollte er aber auch nicht nur zwei, sondern sechs Augen haben; denn der Augenmangel ist nirgends größer als in der Blindenanstalt!

Im 18. Jahresberichte sagt zwar der „Trésorier": „Je me plais à dire ici, sans blesser la modestie de notre Directeur, que notre administration est dirigée par un aveugle bien mieux que ne pourraient le faire des clairvoyants." Und doch ist es noch niemals vorgekommen, daß eine Anstaltsverwaltung einem ersten blinden Direktor (A. K. war nicht der einzige blinde Anstaltsgründer und -Leiter) wieder einen blinden Nachfolger gegeben hat! Es dürfte vielleicht erlaubt sein, der modernen Behauptung, daß ein Blinder eine Blindenanstalt besser leite, als Sehende dies tun könnten, die sehr alte Frage gegenüberzustellen: „Kann auch ein Blinder einen Blinden leiten? (Von vielen ist gar nicht die Rede.) Werden sie nicht beide in die Grube fallen?"

Der Herr „Schatzmeister" kannte eben keine andere Blindenanstalt!

Doch kehren wir zu der Anstaltsgründung zurück. Schon aus dem Jahre 1856 weiß Herr Köchlin von vier „Zugvögeln" zu berichten, welche nur sehr kurze Zeit bei ihm zubrachten und zum Teil mit List, Lug und Trug entführt wurden. Er hatte also schon damals die Annehmlichkeiten „durchkostet", welche wohl keinem Vorsteher einer Privatanstalt erspart bleiben.

Das Jahr 1856 brachte für Köchlin aber noch wichtigere Ereignisse.

Er hatte bis dahin bei seinem Vater gewohnt, welcher in Mülhausen noch ein kleines Haus besaß. Nun mußte sein Vater aber auch dieses Häuschen verlassen. „Dazu kam noch (ich lasse hier Herrn Köchlin wieder buchstäblich das Wort), daß Frau Böhrer den vierten Kostgänger nicht mehr annehmen konnte, und ich ihm ein zweites Kosthaus suchen mußte. Daher viel Fragens und Sinnens! Wohin wird der Vater ziehen? Wird er mir ein Schulzimmer einräumen können? Wie aber, wenn die Zahl meiner Zöglinge noch zunehmen sollte? Sollte ich nicht eine besondere Wohnung für die Blinden mieten, und die Erziehung der Kinder ganz übernehmen? Mein Vater hatte zwar Lust nach einem kleinen Hause in der Nähe, wo vorn heraus eine genügende Wohnung für unsere Familie, und nach hinten etliche Arbeitszimmer waren; — aber es kam mir zu einer ordentlichen Einrichtung kaum geeignet vor und wäre in der Tat bald zu klein gewesen; denn ich dachte auch an die Mädchen. Da kniete ich vor dem Herrn nieder und sprach: ‚Ach, lieber Heiland! Alles ist dein; gib du mir ein Haus für meine Blinden." Das war im Monat August. Im Laufe derselben Woche besuchte mich mein Schwager, der Schulmeister zu Illzach, welchem meine Not nicht unbekannt war, und sprach zu mir: ‚Ich glaube etwas für dich gefunden zu haben. Das Haus, in welchem ich zu Illzach wohne, ist feil.' — ‚Zu welchem Preise?' ‚7000 Franken.' ‚Wo soll ich aber so viel Geld hernehmen?' ‚Das wirst du schon finden! wende dich nur einmal an Herrn Scheidecker!' ‚Das wäre ja unverschämt von mir; er hat mir vor einigen Monaten schon hundert Franken gegeben.' ‚Nun, er wird dir doch immer einigen Rat erteilen.' ‚Um Rat darf ich ihn schon bitten; weiter aber werde ich nichts tun.' — Diese Unterredung geschah zwischen 11 und 12 Uhr morgens; nachmittags um 1 Uhr brachte ich meine Sache bei dem reichen und blinden Herrn vor. Er hörte mir geduldig zu, und sprach endlich zu mir: ‚Die Sache ist sehr einfach, lieber Herr Köchlin; ich hatte mir vorgenommen, jährlich 500 Franken Ihrem Werke beizutragen; das wären Zinsen gewesen. Nun gebe ich Ihnen das Kapital, damit werden Sie

Abb. 4. Ursprungshaus (Haus Scheidecker). Altes Wirtshaus zum Bock.) Jetziger Knabenhof.

wohl Ihr Haus kaufen und einrichten können.‘ ‚Ja Herr Scheidecker, sprach ich freudig, es ist in der Tat sehr leicht; aber es hätten es doch nur wenige gefunden.‘ Der liebe Mann hatte eine solche Freudigkeit zu diesem Werke der Barmherzigkeit, daß er denselben Abend noch nach Illzach fahren und das Haus sehen wollte. Es war nicht sehr groß und bedurfte zum erwünschten Zweck eines Anbaues*). Es stand ungefähr in der Mitte des Dorfes, ohnweit des öffentlichen Platzes, und hatte zum nächsten Nachbar einen Gastwirt; ein schmales Gärtchen wäre der einzige Zufluchtsort der stillen Seelen gewesen. Zu einem Erziehungshause war es kaum zweckmäßig gelegen. Herr Scheidecker erklärte sich zum Kauf bereit, stellte es uns aber frei, eine besser gelegene Wohnung zu suchen. Hierin kam uns der Herr zwiefach zu Hilfe: 1) Der Eigentümer erhöhte seinen früher angegebenen Verkaufspreis um 1000 Franken; 2) eine mit Schulden beladene Witwe hatte ihr von ihrem Manne hinterlassenes Wirtshaus feilgeboten. Dieses war viel größer als das erste, und hatte einen Hof, Scheune, Garten, Wiese und Acker. Die Witwe war bereit, es um 8000 Franken abzutreten. (Ich erwähne diese Zahlen nur, um die Beihilfe des Herrn besser ins Licht zu stellen.) Die Wahl wurde einstimmig getroffen, und das Wirtshaus*) wurde in Zeit von sechs Monaten in eine Blindenanstalt umgewandelt. Als aber die Rechnungen kamen, übertrafen die Ausgaben um etliche tausend Franken das von Herrn Scheidecker versprochene Kapital. Mit verschrockenem Herzen brachten wir ihm die Papiere und gaben ihm die Zahlen an. Da sprach er lächelnd: ‚Ich hatte mirs wohl gedacht. Wenn man aber eine Pille zu nehmen hat, so muß man sie gleich hinunterschlucken‘.— Und er zahlte sobald rund aus.“ (Buchstäbliche Abschrift.)

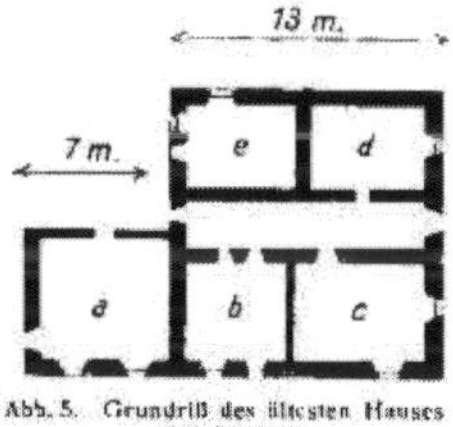

Abb. 5. Grundriß des ältesten Hauses (Scheidecker) 1:500

*) Es ist die Hälfte des Hauses, in welchem sich heute ein Konsumladen befindet, an der Ecke des Dorfplatzes und der Kingersheimerstraße.

*) Zum Bock.

So hatte das arme Kind als Patengeschenk eine Wiege bekommen.

Das „Wirtshaus zum Bock“, angeblich das älteste Haus der Gemeinde, soll ursprünglich ein Jagdhaus, später bis 1798 eine Schmugglerwirtschaft gewesen sein. Die Grenze zwischen der alten Republik Mülhausen (die mit Illzach bis 1798 „zugewandter Ort“ der Eidgenossenschaft war) und Österreich, von 1648 1798 Frankreich, befand sich in einer Entfernung von etwa 400 m.

Ein Grundriß des alten Hauses im Verhältnis von 1 zu 500, welcher die innere Einteilung nach dem Umbau veranschaulicht, ist hier beigegeben. Die Abb. 4 veranschaulicht das Äußere.

Das Erdgeschoß (ebener Erde ohne Unterkellerung) enthält ein Schulzimmer (a), welches gleichzeitig als Werkstätte für Stuhl- und Sockenflechter und während einiger Zeit auch als Druckerei -- diente. (Heute Portierloge.) Es maß 6,2 auf 6 m und war nur 2,65 hoch, hatte also einen Luftraum von nur 99 kbm. Daneben war die Küche — mit Backofen (b), zurzeit Verkaufsladen — und schließlich das Eßzimmer (c), welches auch als Andachtssaal diente. Es mißt 6,8 auf 4,6 m bei einer Höhe von 2,7 m, also 84 kbm. Jetzt Magazin. Die Blinden nennen diesen Raum seit langen Jahren „Räuberhöhle“. Auf der andern Seite des Ganges lag der „Schlafsaal“ der Mädchen, welcher gleichzeitig der Haushälterin und Arbeitslehrerin als Schlafzimmer diente (d). Er ist etwa 6 m lang, 4 m breit und 2$^{1}/_{2}$ m hoch, faßt also nur 52 kbm Luft und bietet somit nach den heutigen Vorschriften der Gesundheitslehre Raum für zwei Betten. Seit langen Jahren führt dieser Raum den Namen Holzkammer und dient als Korbmagazin. Daran schloß sich die Waschküche (e). Über dem Schul- und Arbeitszimmer, dem sogenannten „Atelier“, lag der gleichgroße „Schlafsaal“ der Knaben und Männer und daneben das Zimmer Köchlins. Der Rest des Stockwerks war in 6 Räume eingeteilt und dem Buchhalter (économe) Th. Sack, dem Schwager Köchlins, vorbehalten worden.

Abb. 6. Herr Georg Scheidecker (Straßburg-Lützelhausen.)

Alle den Blinden zugewiesenen Räume a, c, d und das Schlafzimmer der Knaben im ersten Stockwerke hatten zusammen einen Rauminhalt von nur 340 kbm, das heißt nicht mehr als eine kleinbürgerliche Familienwohnung mit vier Zimmern und Küche. — Der größte unserer sechs heutigen Schlafsäle mißt allein 575 kbm, der Speisesaal und der Andachtssaal je 450.

Die Wiege war also recht klein und bescheiden! Wie ganz anders sahen die aus einem Gusse entstandenen Staatsanstalten und auch viele Privatanstalten aus! Es war aber doch ein Anfang, ein Senfkorn, aus welchem ein Bäumchen werden konnte.

Zwischen Weihnachten und Neujahr 1856 wurde das noch Herrn Scheidecker gehörende Haus mit fünf Blinden bezogen (zwei andere folgten bald) und zu Ostern 1857 durch Herrn Pfr. Hoffet eingeweiht. (Am 19. April.) Zu diesem Anlasse schrieb Köchlin das Lied:

Weih' uns das Haus!
Treibe bald aus
Alles, was schädlich ist,
Lieber Herr Jesus Christ!

Blinde sind wir,
Flehen zu Dir:
Thu' uns die Augen auf,
Richt sie zu Dir hinauf.

Heilge durchs Wort
Uns diesen Ort;
Zieh durch Dein Liebesband
Uns in das Vaterland!

Da die kleine Anstalt damals noch nicht staatlich anerkannt war, konnte ihr Herr Scheidecker das Haus, welches er in seinem Namen gekauft hatte, nicht eigentlich schenken, sondern nur leihweise unentgeltlich überlassen. Der Schrecken war deshalb groß, als er am 7. August 1859 unerwartet schnell an den Folgen eines Schlagflusses starb. Man befürchtete, daß die Erben das Haus wieder an sich ziehen könnten. Sofort wandte man sich deshalb an den Bruder und Erben des verstorbenen Wohltäters, Herrn Georg Scheidecker

2*

(Lützelhausen) in Straßburg. Dieser erklärte nicht nur, daß er die Absicht seines verstorbenen Bruders achte, sondern fügte noch einen Rententitel von 500 Fr. hinzu.

Um die Schenkung für die Anstalt annehmen zu können, hatte sich Herr Köchlin noch im Laufe des Jahres 1859—1860 mit einem Kuratorium (Comité) umgeben, dem die Herren Pfarrer Hoffet als Präsident und die Herren Kaspar Weiß (Kingersheim), Mantz-Blech, Amédée Rieder (Napoleonsinsel), Friedrich Zuber und er selbst angehörten.

Die erste Sitzung fand am 2. November 1859 statt. Am 20. Juni 1860 wurde beschlossen, die Regierung auf Grund eines vorzulegenden Statutenentwurfs um Anerkennung der Anstalt als gemeinnütziges Werk („d'utilité publique") zu bitten. Eine Kopie dieses Gesuchs ist nicht in das Protokollbuch aufgenommen worden.

Aber ehe die Regierung zu diesem Gesuche und dem Statutenentwurf Stellung nehmen konnte, starb im August 1860 auch Herr Georges Scheidecker in Straßburg, welchem das der Anstalt leihweise und unentgeltlich überlassene Haus durch Erbschaft zugefallen war. Wenige Tage vor seinem unerwarteten Tode hatte er dem Blindenwerke dieses Haus und den Rententitel von 500 Fr., von welchem schon die Rede war, verschrieben. Die noch nicht anerkannte Anstalt war aber zur Annahme von Legaten auch jetzt noch nicht berechtigt. Nun war wieder alles gefährdet, das Haus und die Rente; denn die minderjährigen Erben Herrn Scheideckers hätten das Testament einfach umstoßen können. Frau Witwe G. Scheidecker, geborene Leopold, bestätigte aber dasselbe in edelster Weise auch namens der Kinder. Die Anerkennung der Anstalt von seite des Staats und die Ermächtigung zur Annahme des Legates ließen aber noch fast drei Jahre auf sich warten.

Das Ministerium in Paris machte Schwierigkeiten, vielleicht weil in dem Entwurfe von einem „evangelischen Blindenwerke" („Oeuvre évangelique en faveur des aveugles") die Rede war, während die keimende Anstalt bis dahin keinen konfessionellen Anstrich gehabt hatte. In den Jahresberichten tritt das Attribut „evangelisch" erst im Jahre 1864, also im 9. Jahre, zum erstenmal auf. — Es ist deshalb anzunehmen, das diese Änderung der Bezeichnung nicht auf Köchlin selbst zurückzuführen sei.

Auch machte das Kuratorium einen Unterschied zwischen dem „Werke" („l'œuvre") und der Anstalt; denn es heißt in den ersten Statuten: „Das Werk, die juridische Person, ‚besitzt' und ‚leitet' in Illzach eine Anstalt" („L'œuvre possède et dirige usw."). Das „Werk", die Stiftung — (nicht die Anstalt) — wurde somit, angeblich in Erfüllung eines von Herrn G. Scheidecker ausgesprochenen oder ihm aufgenötigten Wunsches, als evangelisch bezeichnet, vielleicht um festzustellen, daß die Stifter Protestanten waren.

Die Anstalt als solche ist von Anfang an simultan gewesen und ist es geblieben.

Sie hat weder bei der Aufnahme von Blinden, noch bei der späteren Fürsorge für die als ausgebildet entlassenen Zöglinge und Lehrlinge, jemals nach ihrer Konfession gefragt.

Bis heute sind 221 Katholiken, 190 Protestanten und 3 Angehörige anderer Konfessionen bei uns eingetreten.

Die Blinden werden als Blinde und nicht als Katholiken oder Protestanten oder Juden aufgenommen.

So mußte der Ausdruck „Oeuvre évangélique" aber nicht verstanden werden, und man hat ihn leider tatsächlich auf beiden Seiten vielfach anders aufgefaßt. „Anstalt" und „Werk" wurden eben allgemein identifiziert.

Mißverständnisse rächen sich aber früher oder später. — In solchen Dingen ist Klarheit erste Pflicht. Entweder hätte man fortan die Aufnahme auf Protestanten beschränken, oder dem Werke nicht nachträglich diese konfessionelle Etikette anhängen sollen.

Dieser Ansicht wird wohl auch das Ministerium gewesen sein, weil ihm die subtile Unterscheidung zwischen „Werk" und „Anstalt" nicht einleuchtete. So aber wird es zwischen dem Namen und der Sache einen doppelten Widerspruch gefunden haben.

Das „Werk" wurde „evangelisch" genannt, während fast alle Zöglinge und Lehrlinge der Anstalt katholisch waren. Letztere sollte im Sinne der Statuten eine Lehranstalt, eine Schule sein, aber „asile", also Spital oder Pfrundhaus heißen! Ich finde deshalb den langen Widerstand der französischen Regierung sehr begreiflich und sehr gerechtfertigt.

Diese doppelte Namenkonfusion, welche Mißverständnisse jeder Art hervorrufen mußte, hat der Blindensache in unserem Lande unendlich viel geschadet, weil sie, wie wir noch sehen werden, in erster Linie die so notwendige, auf allen anderen Gebieten als selbstverständlich angesehene Trennung nach Altersstufen verhinderte.

Sie mußte bei den Katholiken Mißtrauen erregen und so die unselige — wenigstens teilweise — konfessionelle Spaltung vorbereiten; sie mußte ferner die irrige, statutenwidrige Meinung verbreiten, daß unsere Anstalt von Anfang an zum Asyl, d. h. zu einem Pfrundhaus für lebenslängliche Versorgung der Blinden bestimmt gewesen sei, — während Köchlin nur eine Lehranstalt haben wollte — und erst später an die Gründung eines „Heims", einer Beschäftigungsanstalt für ausgebildete Blinde, dachte.

Abb. 7. Herr K. Hoffet. (Erster Präsident.)

Die Verhandlungen mit der Regierung, bei welchen der Deputierte A. de Bussières den Vermittler spielte, zogen sich, wie gesagt, in die Länge. Vorschlägen folgten Gegenvorschläge. Auf Anraten des Unterpräfekten de Jancigny wurde 1862 ein etwas abgeänderter Statutenentwurf eingereicht. Aber auch dieser genügte der Regierung nicht. Worin diese Abänderung bestand, kann den Protokollen wieder nicht entnommen werden. Um den Staatsrat mürbe zu machen, wurde schließlich am 10. September 1862 beschlossen, Frau Witwe G. Scheidecker zu veranlassen, sich weiteren Änderungen der vorgelegten Statuten zu widersetzen, beziehungsweise für den Fall der Nichtbestätigung mit Zurücknahme der Schenkung zu drohen. — Da erfolgte endlich am 27. Mai 1863 die Anerkennung „de l'oeuvre évangélique en faveur des aveugles" auf Grund des unwesentlich veränderten neuen Statutenentwurfs — und die Ermächtigung zur Annahme des Legats G. Scheidecker.

Abb. 8. Herr Amédée Rieder.

Nun erst — neun Jahre nach dem Entstehen der Anstalt — wurde das alte Haus freies Eigentum des „Werks" und auch der Rententitel von 500 Fr. ging in seinen Besitz über. Darin bestand das Gründungskapital; ein anderes gab es nicht!*) Man lebte von der Hand in den Mund.

Im Interesse der Wahrheit und Gerechtigkeit muß dies hier ausdrücklich betont werden, weil die Gründungsgeschichte durch eine üppige Fabel- und Legendenvegetation überwuchert worden ist.

In dem Sitzungsprotokoll unseres Kuratoriums vom 5. Mai 1862 wird Herr J. Scheidecker „erster Gründer und Wohltäter" („premier fondateur et donateur") genannt, und auch in den ersten Berichten ist auf die Gründung der Anstalt in Illzach durch die Familie Scheidecker hingewiesen worden. Dessenungeachtet sind die Verdienste dieser Familie in Stadt und Land unbekannt geblieben. Es war deshalb Pflicht, an dieser Stelle allfällig Versäumtes nachzuholen und Vergessenes in Erinnerung zu rufen. — Jedem das Seine!

*) Herr A. Köchlin hatte der Anstalt anfänglich M. 304.12 vorgestreckt. Diese kleine Summe wurde ihm, laut Ausweis seiner Berichte, in den beiden nächsten Jahren zurückbezahlt.

Was sollte die junge Anstalt sein und was sollte aus ihr werden?

Es gibt mancherlei Veranstaltungen oder Anstalten für Blinde, genau wie für Sehende.

Für letztere bestehen Schulen verschiedener Stufen, Werkstätten, Fabriken, landwirtschaftliche Betriebe usw. und endlich Spitäler und Versorgungshäuser oder Asyle zur Aufnahme der Kranken und Invaliden. Genau so, oder mindestens ähnlich, ist in den Ländern und Provinzen, welche sich rühmen können, auf der Höhe der Zeit zu stehen, auch das Blindenwesen geordnet.

Sie besitzen:

1. Unterrichts- und Erziehungsanstalten für junge Blinde, also Blindenschulen. (Im ganzen deutschen Sprachgebiete nennt man eine solche Anstalt gewöhnlich nur „Blindenanstalt", „Blinden-Unterrichtsanstalt" oder „Blindeninstitut"; in Frankreich heißt sie „Institution des jeunes aveugles", in Italien „Istituto dei ciechi", in England „Institution for the Blind", School for the Blind oder „Blindschool" usw. In neuester Zeit wird in Frankreich, um ja keine Verwechslung mit einem Asyl oder Pfrundhaus aufkommen zu lassen, vielfach auch der Ausdruck „école" gebraucht. — Keinem wirklichen Franzosen fällt es aber ein, eine Blindenschule „asile" zu schimpfen. Wenn er den Ausdruck nachspricht, ohne die Sache zu kennen, so denkt er eben naturgemäß an ein wirkliches Versorgungshaus. Ich weiß dies aus langer Erfahrung und aus dem Verkehr mit französischen Kollegen.)

2. Offene Werkstätten, d. h. gemeinsame Arbeits- und Verkaufslokale für ausgebildete Arbeiter, die dort Beschäftigung und entsprechenden Lohn finden, aber nicht beisammen wohnen. (In Frankreich nennt man sie einfach „Ateliers". — Solche Blindenwerkstätten bestehen nur in größeren Städten).

3. Blindenheime, die sich von den offenen Werkstätten dadurch unterscheiden, daß sie Wohnräume (Einzelzimmer) für ihre Arbeiter oder Arbeiterinnen enthalten. — (Nicht überall wird ein gemeinsamer Haushalt geführt; mancherorts kocht wenigstens jedes Mädchen teilweise für sich).

4. Versorgungshäuser oder Asyle für alte, arbeitsunfähige Blinde.

Zu welcher Kategorie sollte nun die Illzacher Anstalt gehören?

Der Name, welchen man der Anstalt allgemein gab, ließe darauf schließen, daß man mit Nummer 4, also hinten anfangen wollte. — Köchlin selbst beantwortet die Frage in seiner Lebensgeschichte aber ganz anders. Er spricht **immer** von einer **Blindenschule**, von seinen **Schülern** oder **Zöglingen** und niemals von seinen Pfründnern.

Gerade die alten, arbeitsunfähigen Blinden und **alle** Mädchen im Alter von mehr als 15 Jahren, also gerade diejenigen Blinden, welche allenfalls eines Asyls bedurft hätten, waren von der Aufnahme in die Anstalt **ausgeschlossen.**

Herr Köchlin, der von den damals bestehenden 67 Blindenschulen nur zwei oberflächlich kannte, hatte eben einfach die **Namen verwechselt.**

Er spürte die Folgen dieser Konfusion früh genug. — Schon im ersten Berichte (1858) klagt er darüber, daß man die Anstalt („l'asile") — wie natürlich — einfach als „hôpital à titre gratuit", als Spital, ansehe. Er ruft dann aus: „Qu'on ne s'y trompe pas! Notre asile est une école comme la plupart des asiles!" Man irre sich nicht! „Unser Asyl ist eine Schule, wie die meisten Asyle!" Er sah leider, wie hierzulande viele Leute, die Ausdrücke „asile" und „Anstalt" als gleichbedeutend an!

Statt sich über das selbstverschuldete Mißverständnis zu beklagen, hätte er besser getan, der Anstalt einen ihrer Bestimmung entsprechenden, d. h. den in Frankreich allgemein üblichen Namen zu geben. Dann hätte man ihn verstanden.

Ein Asyl ist eben keine Schule und eine Schule ist kein Spital!

Art. 1 der alten Statuten spricht sich über den Zweck des Blindenwerks deutlicher aus als der verkehrte Name.

Es heißt dort:

Art. 1er: „L'Oeuvre évangélique d'Illzach a pour but:

1. de recueillir et d'entretenir gratuitement, dans la limite de ses ressources, ou moyennant pen-

sion, **les jeunes aveugles**, et de leur donner, avec l'éducation chrétienne, **l'instruction** primaire élémentaire et la pratique des travaux manuels auxquels se prête le plus facilement la cécité;

2°. **d'enseigner** aux aveugles adultes*) une ou plusieurs branches d'industrie en rapport avec leur situation et qui les mette à même de subvenir à leurs besoins;

3°. d'assurer autant que possible le **placement** des uns et des autres **au dehors**, et de leur continuer le patronage dont ils ont besoin".

Die Anstalt sollte also **Schule**, Elementar- und Berufsschule sein und die ausgebildeten Zöglinge wieder bei ihren Angehörigen oder in ihren Gemeinden **unterbringen** („au dehors").

Die Einschränkung „autant que possible" und die Aufnahme von Männern läßt also vermuten, daß man an Versorgung der Schwachen und Alten in einer „Werkstätte" (Nr. 2) oder einem eigentlichen Versorgungshaus dachte.

Es steht somit fest, daß Köchlin **von Anfang an eine Schule** haben **wollte** und eine solche zu **haben glaubte**. Auffällig ist aber, daß er die werdende Blindenschule nicht, wie dies in Frankreich von Anfang an **allgemein üblich** war, „**Institution** des (jeunes) aveugles" nannte. Er wußte eben leider, wie wir schon gesehen haben, anfänglich nichts von diesen französischen Anstalten. So schleppte er denn aus Lausanne die leider unverstandene Bezeichnung „asile" (also Pfrundhaus) ein, ohne an ein wirkliches Asyl zu denken. — Aber auch in Lausanne wird diese Bezeichnung, wie wir gesehen haben, gerade für die Erziehungsanstalt als solche („l'Institut") nicht gebraucht.

Hier wurde der völlig verkehrte Name „asile" durch unser Publikum leider wörtlich genommen, so daß schließlich jedermann unsere Anstalt als wirkliches Pfrundhaus ansah, während Köchlin eine Schule zu haben **glaubte**.

Diese falsche Firma, welche zu Mißverständnissen führen **mußte**, hat denn auch den Blinden in Elsaß-Lothringen **unberechenbaren** Schaden zugefügt, weil sie von Anfang an einen vernünftigen Ausbau der **Fürsorge** für die aus der Erziehungsanstalt Entlassenen verhinderte und die Anstalt in den Augen aller Fachleute verächtlich machte.

Schon im 21. Jahresberichte hat Köchlin die Notwendigkeit betont, für ausgebildete, erwachsene Blinde, die keine Familie haben, oder aus anderen Gründen nicht selbständig werden können, eine Beschäftigungsanstalt oder ein wirkliches Asyl zu gründen, weil man sie nicht immer hier behalten könne. („Parce que nous ne pouvons pas les garder indéfiniment"). Sein Notschrei hat kein Echo gefunden.

Hoffentlich werden obige Zeilen gelesen werden und allmählich Klarheit schaffen!

Wir wollen noch heute genau das, was Köchlin wollte, wissen aber auch, daß man die Dinge beim **richtigen Namen** nennen muß, **wenn man verstanden sein will.**

Jeder Geschäftsmann hütet sich vor einer falschen Firma!

Doch kehren wir zum Jahre 1856 zurück! Herr Köchlin erteilte anfänglich allen Unterricht, auch den Berufsunterricht im Stuhlflechten und Sockenmachen allein; er hatte ja auch nur ein Lokal als Schule und Werkstatt; während einiger Zeit war sogar die Druckerei noch dort. — Der weibliche Handarbeitsunterricht war der Haushälterin übertragen. — Sein Schwager, Th. Sack, der anfänglich die Stelle an der Volksschule noch beibehielt, führte nur die Bücher und wurde dafür besonders honoriert. Später trat er als Buchhalter („Econome") ganz in den Dienst der Anstalt. Nach und nach zog sich Köchlin Schüler zu „Monitoren" (moniteurs) heran, die ihm beim Unterricht behülflich sein mußten. Sehende, oder überhaupt geprüfte Lehrkräfte haben zu Köchlins Zeit in der Anstalt nicht unterrichtet. — 1863 wurde die Stelle der Haushälterin von derjenigen der Arbeitslehrerin getrennt. Diakonissinnen führten von 1867—71 den Haushalt. Die Leitung der weiblichen Abteilung wurde 1871 Köchlins Schwester, Frl. Sophie, übertragen, welche den weiblichen Handarbeitsunterricht erteilte, während der Schulunterricht zwei weiblichen Blinden anvertraut war.

Köchlin selbst hatte die Oberleitung, und half seinen blinden „moniteurs" oder „sous-maîtres" beim Unterricht in der Knabenabteilung, wo er konnte. Für den eigentlichen Handwerksunterricht war inzwischen, außer dem Stuhlmacher, noch ein sehender Korbmachermeister angestellt worden. — Seit dem Eintritt seiner Schwester Sophie als Arbeitslehrerin hatte Köchlin zwei Schwestern, einen

*) Es bezieht sich dies nur auf männliche Blinde. Männer durften zur Zeit der Aufnahme nach Reglement nicht über 50, Mädchen aber nicht über 15 (fünfzehn) Jahre alt sein. — Im ersten Berichte (1858) hatte H. Köchlin übrigens gesagt: „Je dois dire ici que mon intention est de recevoir plutôt les enfants que les adultes."

Schwager und einen kranken Bruder (als Pensionär) in der Anstalt. Ein anderer Schwager Herr Dr. Kestner, stand als Hausarzt in regem Verkehr mit derselben und die ersten Präsidenten des Verwaltungsrats waren Köchlins Vettern.

Dadurch wurde dem Blinden die Arbeit, besonders die Aufrechterhaltung der Disziplin, welche ihm sonst, besonders infolge der Aufnahme von erwachsenen Lehrlingen, fast unmöglich geworden wäre, bedeutend erleichtert. Es arbeitete alles für ihn, niemand gegen ihn! Entscheidenden Einfluß auf den Gang der Anstalt gewährte er aber keinem Sehenden. Er herrschte in dem kleinen Reiche als Autokrat. Natürlicherweise war er aber doch auf fremde Augen angewiesen, und diese Abhängigkeit wird von Leuten (Sehenden und Blinden), welche die Verhältnisse kannten, bis auf den heutigen Tag bedauert.

Nachdem die kleine Anstalt in Illzach zur Not eingerichtet und organisiert war, galt Köchlins erste Sorge der Ausführung seiner Lieblingsidee, dem Drucke der ganzen Bibel, von welcher im Verlage der Stuttgarter Bibelgesellschaft der Psalter, die Apostelgeschichte, das Evangelium Lucae und der Römerbrief schon in Lateinschrift-Reliefdruck erschienen waren. — Er wußte sich schon 1856 Aufträge der Stuttgarter Gesellschaft zu sichern, für den Fall, daß es ihm gelingen sollte, in Illzach eine Druckerei einzurichten. — Köchlin hatte aber damals weder ein Haus, noch eine Druckereieinrichtung, noch kannte er ein Druckverfahren! Wie er noch am Ende desselben Jahres durch Herrn J. Scheideckers Güte zu einem Hause kam, haben wir gesehen.

Es war nun sein nächster Wunsch eine Reliefdruckerei zu Gesicht zu bekommen. Deshalb reiste er, eine Gelegenheit benutzend, im September 1856 nach Stuttgart, wo ihm der Vorstand der Bibelgesellschaft bei einem Buchbinder eine Art schwerfälliger Packpresse zeigte, mit welcher die bis dahin erschienenen Bibelteile gedruckt worden waren.

Er bestellte sofort etwas Letternmaterial. Dasselbe kam bald darauf in Straßburg an, blieb aber auf dem dortigen französischen Zollamte liegen, bis die Zollgebühr von etwa 100 Franken entrichtet werden konnte. Ein Gönner, der Industriezeichner G. Zipelius, kam Köchlin auf zartsinnige Weise zu Hülfe. — Nun fehlten aber noch Presse, Druckverfahren und Drucker. — Da die Maschinenfabrik seiner reichen Verwandten auch nicht einmal „Zeit und Weile fand", wie er sich ausdrückt, ihm ein kleines Preßchen zu liefern, schenkten ihm die Ateliers Ducommun eine große Kopierpresse, welche wenigstens für die ersten Versuche ausreichte. Später wurde dieselbe durch eine Schwarzdruckpresse ersetzt, welche Herr G. Scheidecker geschenkt hatte. Als Drucker wurde noch vor der Verlegung der kleinen Blindenschule nach Illzach Herr Ed. Sack, der Bruder seines Schwagers, angestellt, der damals im Elsaß Arbeit suchte, und ein Arbeitslokal wurde in einem Häuschen gemietet, das an die Illzacher Kirche angebaut ist. So war denn die Druckerei schon einige Wochen vor der Blindenanstalt in Illzach. Der sehende Schriftsetzer von Beruf setzte die beweglichen lateinischen Lettern (Typen) selbst. Blinde leisteten später nur Handlangerdienste; Herr Köchlin hatte nichts damit zu tun, weil der Drucker nach der Bibelausgabe für Sehende setzen konnte. Ein vorheriges Übertragen in Blindenschrift war also nicht nötig. Der Druck der 1856 noch fehlenden Bibelteile nahm sechs Jahre in Anspruch. Zum Druck der ganzen Bibel hatte sich die Stuttgarter Gesellschaft erst entschlossen, als Köchlin sich bereit erklärte, im Weigerungsfalle den letzten Rest seiner Ersparnisse zu opfern. — Stuttgart übernahm dann alle Ausgaben und alle Bücher, abgesehen von 20 Exemplaren, welche hier blieben und von elsässischen Bibelgesellschaften bezahlt wurden. — Nur auf diesen 20 Exemplaren ist der Druckort Illzach angegeben. Was nach Stuttgart ging, hieß überall „Stuttgarter Blindenbibel". — Es war diese Bezeichnung, gegen die ich später aus Lokalpatriotismus natürlich protestiert habe, in gewissem Sinne berechtigt; denn Stuttgart hat für diese Bibelausgabe 20 186,05 Franken verausgabt, während die drei Bibelgesellschaften Straßburg, Colmar und Mülhausen nur 2625 Fr. und Privatpersonen 1301,50 Fr. beisteuerten.

Schließlich ist der Anstalt nach Abzug aller Auslagen für Papier und Löhne für Setzer und blinde Gehilfen, von denen jeder jährlich 400 Franken bezog, noch ein Reingewinn von 3357,50 Fr. übrig geblieben.

Nachbestellungen standen nicht in Aussicht, weil Vorrat für viele Jahre vorhanden war und die Bibelgesellschaft, wohl durch den zitierten Reingewinn stutzig gemacht, künftig wieder in Stuttgart drucken lassen wollte. — An andere Lehrmittel — Lesebücher usw. — dachte Köchlin damals noch nicht. Die meisten anderen Anstalten deutscher Zunge besaßen ja auch nicht mehr. Deshalb wurde die Druckerei im Jahre 1863 aufgelöst. Das Haus Berger-Levrault in Straßburg kaufte die Presse; das Letternmaterial aber wanderte mit dem Drucker nach Lausanne. Der Gesamterlös betrug Fr. 757,60. So hat denn von 1863 bis 1882 in Illzach keine Druckerei bestanden. — Die neue Druckerei hat nie einen sehenden Schriftsetzer von Beruf beschäftigt. Wir haben die Übertragung der Bücher in Blindenschrift und den Druck unter uns besorgt. Ich verweise auf das Kapitel „Der Hochdruck für Blinde".

Man frägt sich nun billig, warum Herr Köchlin, der die Braillesche Punktschrift schon kannte, für den Bibeldruck die alte Lateinschrift gewählt habe. — Die Wahl stand eben nicht bei ihm. Damals war die Punktschrift im deutschen Sprachgebiete noch unbekannt; sie hat dort erst 30 Jahre später mühsam die Herrschaft errungen. — Deshalb verlangte Stuttgart natürlich Lateindruck. Dieser Umstand hat auch Köchlins Unterricht beeinflußt. Da ihm deutscher Lesestoff nur in Lateindruck zur Verfügung stand, so mußte beim Unterricht natürlich der Lateinschrift der Vorrang eingeräumt werden, obgleich Köchlin die Punktschrift vorgezogen hätte, welche leichter gelernt und auch geläufig geschrieben werden kann. — Köchlin sagt im 7. Berichte, in welchem er die Vorzüge der Punktschrift aufzählt, selbst, er könne (trotz zehnjähriger Übung) gewisse Buchstaben des Lateindrucks nicht entziffern, sondern müsse sie aus dem Sinne der Wörter erraten! Für die sogenannte Stachelschrift in lateinischer Form, die mancherorts gebraucht wurde und noch wird, konnte er sich ebensowenig begeistern als ich.

Ihm ist es 1863 gelungen, Dir. Hirzel in Lausanne zur Einführung der Punktschrift und zum Druck einer französischen Bibelausgabe zu bewegen. Dort sind dann meines Wissens auch 1866—67 die ersten deutschen Punktschriftbücher (Das Evangelium Johannis, Thomas Scherrs Sprachübungen, 100 Kirchenlieder und Grimms Märchen) gedruckt worden.

Es muß überhaupt gesagt werden, daß die Blinden selbst sehr viel zum Siege der Punktschrift beigetragen haben. Sie erkannten früher als die meisten Sehenden, was ihnen wahrhaft nützlich war. — Den Blinden, Schülern wie Lehrern, wurde durch die Punktschrift die Arbeit erleichtert, den sehenden Lehrern aber erschwert. — Wer da weiß, welche Unmasse von Kleinkram der Leiter einer Blindenanstalt Tag für Tag zu bewältigen hat, wird begreifen, daß sich mancher sehende Kollege in seinen alten Tagen nicht mehr mit großer Begeisterung in diese „Nihilistenschrift", wie ein früherer preußischer Kultusminister sie getauft haben soll, einarbeitete, die besonders die Augen sehr ermüdet. „Sollen wir denn auch noch erblinden, um den Blinden die Arbeit leichter zu machen?!" Diese Frage konnte man in den achtziger Jahren öfter hören*). — Um die Augen der Lehrer zu schonen, hat man damals den Vorschlag gemacht, wenigstens die neuen Schullesebücher gleichzeitig in gewöhnlichem Schwarzdruck herzustellen, oder mindestens die Kuppen der Punkte in den Blindenbüchern zu schwärzen. — Ein derartiger Versuch ist mir zwar 1885 gelungen; aber der Preis des Blindendrucks wäre dadurch noch bedeutend erhöht worden. Auch war das Schwärzen der Punkte nur bei Typendruck möglich, und dieser ist längst durch den Stereotypplattendruck ersetzt (siehe Kapitel Hochdruck!).

Weitere Entwicklung der Anstalt 1863—81.

Das Äußere der im Dezember 1856 nach Illzach verlegten Anstalt blieb bis 1863 unverändert. Unterdessen war aber die Zahl der Zöglinge und Lehrlinge auf zwölf angewachsen, von denen zwei schon auswärts untergebracht werden mußten, obwohl die Betten in den beiden Schlaf„sälen" einander fast berührten. Deshalb entschloß man sich zu einem Neubau, der an die Stelle der alten Scheune zu stehen kommen sollte. - Um diese räumen zu können, mußte vorerst ein anderer Stall gebaut werden. Dazu fehlte aber ein geeigneter Platz. Man kaufte deshalb eine auf der Nordseite an das kleine Gebiet anstoßende Wiese von 25,9 Ar. — 1863 wurde dort eine neue Scheune gebaut (IV, V und VI des Situationsplans), welche auch eine Werkstätte für

*) In den romanischen Ländern, die fast ausschließlich Blinde als Blindenlehrer beschäftigen, kam dies nicht in Betracht. —

3

den sehenden Stuhlschreiner und zwei Zimmer enthielt.

Im Jahre 1864 wurde dann der alte Flügel unseres jetzigen Hauptgebäudes aufgeführt (I[a] des Situationsplanes). Derselbe ist 24 Meter lang und 15 Meter breit und hat ein Stockwerk über dem Erdgeschoß. — (Der Dachraum ist 1882 und 1889 ausgebaut worden.)

Das von einem Gang durchschnittene Erdgeschoß enthielt rechts vom Eingange das Verwaltungsbureau *a* (Nr. 16), wie es heute noch besteht, das Bügelzimmer *b*, das Eßzimmer *c* und die Küche *d*; links das „Atelier" der Knaben *e* (Schulzimmer und „Arbeits"zimmer), die Knabenaborte *f*, das Amtszimmer des Direktors (zugleich Bibliothek) *g*, das Schulzimmer *h*, die Mädchenaborte *i* und das „Atelier" der Mädchen *k*, welches gleichzeitig

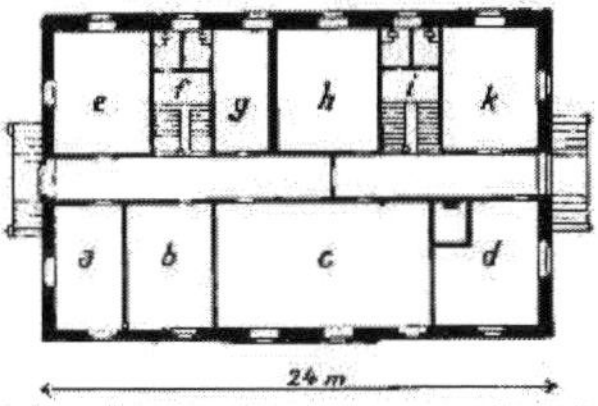

Abb. 9. Erdgeschoß des Neubaues vom Jahre 1864.

Wohn-, Arbeits- und Musikzimmer aller Mädchen und „Gesangssaal" war (heute das Amtszimmer des Direktors Nr. 19).

Der größte dieser Räume, der Speisesaal, maß 55 qm (10 m Länge auf 5,5 m Breite). — Als aber später eine Orgel hinein kam, blieben für den Speisesaal, der auch als Andachtssaal diente, nur 40 qm übrig. Das Stockwerk über dem Erdgeschoß enthielt vier „Schlafsäle", zwei für Knaben (*l* und *z*) und zwei für Mädchen (*q* und *u*), das „Magazin" (Verkaufsladen) *s* und die Schlafzimmer des ledigen Direktors *m*, der Arbeitslehrerin *p*, der Haushälterin *t*, das Krankenzimmer *o* und ein verfügbares Zimmer *n*. — Im Gange waren die Wascheinrichtungen (Blechbecken) angebracht. Der Dachraum enthielt eine Mansarde für die Dienstboten.

Die Zahl der Räume hätte also für damalige Verhältnisse wohl genügt. Man beging aber den Fehler, ihr Volumen, selbst für eine sehr kleine Zahl von Zöglingen, zu eng zu bemessen. So waren beispielsweise die „Schlafsäle" und die sogenannten Ateliers unwesentlich größer als die Privatzimmer (Fig. 10). Alle vier Schlafsäle des Hauptgebäudes hatten zusammen 106 qm Grundfläche oder 402 cbm Luftraum. (Heute haben sie, abgesehen vom großen Schlafsaal im Nebengebäude III (alter Gemeindeschulsaal), 1900 cbm und mit diesem etwa 2300 cbm.). Lüftungsvorrichtungen waren nicht vorhanden. Man hätte in diesen vier „Dortoirs" höchstens 20 kränkliche Kinder und junge Leute unterbringen dürfen; — tatsächlich standen aber schließlich in einem solchem Zimmer von $5\frac{1}{2}$ m Länge auf $4\frac{1}{2}$ m Breite je 8 Betten!

Das einzige wirkliche Schulzimmer *h* von $5\frac{1}{2}$ m Länge und 5 m Breite war den Mädchen vorbehalten. Die Knaben waren auf das sogenannte „kleine Atelier" *e* (heute Stimmzimmer) angewiesen, welches — nach Abzug des durch gewaltige Bücherschränke und das Klavier belegten Raumes — nur

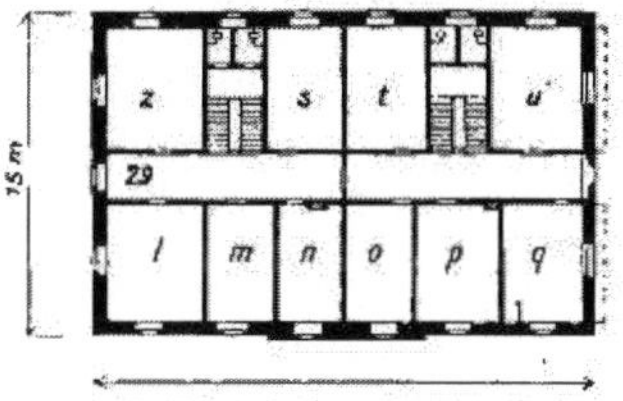

Abb. 10. Stockwerk über dem Erdgeschoß.

noch eine Fläche von 4 auf 5 m für Schultische und Arbeitsbänke frei ließ. Zur Zeit meines Eintritts (1881) saßen dort die Schüler jeder Größe auf lehnenlosen Schemeln derselben Höhe um einen gewöhnlichen Tisch*) herum. Auf einer Seite dieses Tisches gab ein blinder Gehilfe Köchlins eine deutsche, auf der anderen ein zweiter gleichzeitig eine französische Stunde, und in einer Ecke erteilte ein dritter Klavierunterricht. Diejenigen Knaben, welche momentan keine Schul- oder Musikstunden hatten, saßen längs der Schränke auf niederen Schemeln und flochten Endsocken. — Da sich nach und nach an den Wänden eine 3—4 mm dicke Tapetenschicht angesammelt hatte, herrschte im ganzen Hause ein „Spitalgeruch" allererster Güte. — Die Aborte im Hause waren ländlich-sittlich eingerichtet; von Verschluß oder Wasserspülung keine Spur. Selbst die Bretterverschalung war nicht dicht. (Heute haben wir Wasserspülung und Wasserverschluß.)

Man hat sich dann zwar 25 Jahre lang mit diesen beschränkten Räumen und primitiven Ein-

*) Heute Modelliertische. —

Knabenflügel — Ursprungshaus — Portnerwohnung und Stuhlmacherei

Abb. 11. Ansicht des älteren Teils von der Straße aus.

richtungen beholfen und behelfen müssen. Es darf aber doch nicht verschwiegen werden, daß es auch nach Vollendung des Neubaues von 1864 an Luft fehlte! — Man wollte sich eben nach der Decke strecken, — und die Decke war kurz!

Hier drängt sich die Frage auf, wie 1864 die Bausumme beschafft werden konnte.

Die jährliche Kollekte in den größeren Ortschaften hatte seit 1856 durchschnittlich 12000 bis 18000 Franken eingebracht. Dies machte in den ersten Jahren pro Zögling 1500 bis 1800 Franken (heute noch 120). Dazu waren einmalige Gaben und Legate gekommen (zu vergleichen S. 42). So war es in den ersten neun Jahren gelungen, ein Reservekapital von rund Frs. 37000 zu sammeln. Diesem Reservefonds wurden für die Bauten 36920,85 Franken entnommen. Eine besondere Kollekte für denselben Zweck brachte in den Jahren 1863—64 die Summe von Frs. 11665,90. — Eine Ungenannte (Frau Pfr. H. in I.) steuerte 1863 Frs. 8000 bei; weiter wurden Anleihen im Betrage von rund 27000 Frs. aufgenommen, welche man wahrscheinlich durch Wechsel „auf ewige Sicht" zurückzubezahlen hoffte. — Es ist dies später teilweise gelungen. Der noch fehlende Teil der Baukosten wurde nach und nach abbezahlt.

Am 31. März 1865, also 10 Jahre nach den ersten Anfängen, figurieren in den Rechnungen als Vermögen:

Das Hauptgebäude	mit Frcs.	62680.80
Der Stall und die Wiese. .	„ „	16623.
Das alte Haus Scheidecker	„ „	16000.
Mobiliar, Bettzeug, Kleider	„ „	21170.25
Fertige Arbeiten und Rohmaterial	„ „	5731.05
Noch abzuliefernde Bibelbücher	„ „	3843.85
Vorräte des Haushalts, Vieh	„ „	2418.70
Kasse	„ „	632.40
Ausstände.	„ „	480.45
Wert der Rente Scheidecker	„ „	10000.—
	Frcs.	139580.50

Abb. 12. Korbmacherei (altes Gemeindeschulhaus) III des Situationsplanes.

		Frcs. 139580.50
Davon gehen ab:		
Anleihen.	Frcs. 27011.45	
Für nicht bezahlte Baurechnungen	„ 13149.25	
Andere Passiven . . .	„ 832.25	
		40992.95
Rest		Frcs. 98587.55
oder in Mark:		78870.04.

Es bleibt also ein scheinbarer Vermögensbestand von Mk. 78870.04.

Weiterer Zuwachs.

Es ist schon darauf hingewiesen worden, daß die den Blinden vorbehaltenen Räume auch nach Aufführung des neuen Hauses sehr beschränkt blieben.

Aber auch äußerlich war die Anstalt auf drei Seiten eingeengt. Der heutige Knabenhof (XIV) zwischen den Häusern I[a], II und III gehörte größtenteils der Gemeinde und war der Volksschule vorbehalten. Dies hatte mancherlei Unannehmlichkeiten zur Folge. An das Volksschulhaus war auf der Ostseite die „Amtswohnung" des Dorfschäfers angebaut und weiter rechts in der heutigen Gartenanlage stand noch ein baufälliges Bauernhaus. Diese alten Hütten, das Dorfschulhaus und die Anstalt hatten den östlichen Teil des heutigen Knabenhofes als gemeinsamen Zugang von der Straße her. (Der Haupteingang war nicht vor dem jetzigen Hauptgebäude). Um diesem unleidlichen Zustand ein Ende zu machen, entschloß sich ein Gönner der Anstalt, Herr Hartmann-Liebach, die beiden Häuschen mit Zubehör auf Abbruch zu kaufen (1873 bis 1874). Sie blieben dann allerdings bis 1893 stehen.

Dieser Platz war nicht billig. Ich kenne zwar die Kaufsumme nicht genau. Es soll sich um etwa 10,000 Mark gehandelt haben. Wenn dies stimmt, so dürfte das Ar Boden etwa 800—1000 Mark gekostet haben, während 20 25 Jahre später der größte Teil des jetzigen Gebiets für durchschnittlich 42 Mark pro Ar gekauft worden ist. Man benutzte eben die Gelegenheit, weil für die Anstalt kein anderer Ausweg übrig blieb, um Luft zu bekommen.

Gleichzeitig bot auch die Gemeinde der Anstalt das alte Schulhaus (III) zum Kaufe an, weil dasselbe den Anforderungen der Neuzeit nicht mehr entsprach und durch ein anderes ersetzt werden sollte. Es wurde 1873 für (12,000 Fr.) 9600 Mark erworben. Mit den Unkosten kam es auf 10,312,36 Mark zu stehen. Herr Hartmann-Liebach hatte auch zu diesem Kaufe noch 800 Mark beigesteuert.

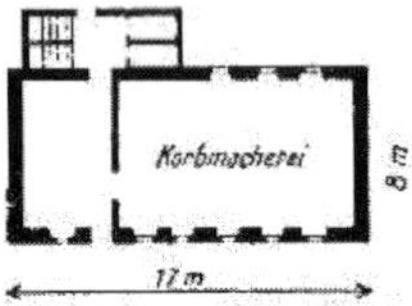

Abb. 13 Altes Schulhaus. (III des Situationsplanes) Korbmacherei; darüber 1 Meisterwohnung und ein Schlafsaal für Spätterblindete.

In das obere Schulzimmer wurde das Verkaufsmagazin verlegt; im unteren wurde die Flechterwerkstätte eingerichtet. Sie ist bis heute dort geblieben.

Die Volksschule war angeblich seit 1846 dort untergebracht gewesen; früher hatte das 17 m lange und 8 m breite Haus der alten „Wirtschaft zum Bock" (ältestes Anstaltsgebäude, Haus Scheidecker) als Brauerei gedient. Hinter dem Schulhause stand deshalb das sog. „Essighäuschen", wo die Abgänge der Brauerei zur Essigfabrikation verwendet worden waren. Das Verschwinden dieses „Palastes", dessen Dach ein halbwüchsiger Knabe mit den Händen erreichen konnte und der trotz alljährlicher Reparaturen nicht mehr aufrecht zu erhalten war, ist dann im Jahre 1889 von übereifrigen Bewunderern der „guten alten Zeit" doch noch als Mangel an Pietät gebrandmarkt worden.

So war denn das Äußere der alten Anstalt vorläufig fertig.

Hierzulande sprach man in Berichten und Reden von einer „großen", „geräumigen" Anstalt, von „großen" Gebäuden usw., ein Kollege französischer Zunge aber, der 1887 eine Rundreise durch Deutschland, Holland und England gemacht und auch unsere Anstalt besucht hatte, schrieb in seinem Reiseberichte: "L'établissement d'Illzach se compose d'un hameau de toutes sortes de huttes."

So verschieden sind die Ansichten!

Der Verwaltungsrat hatte längst die Unzulänglichkeit der Einrichtungen erkannt; denn schon während unserer Verhandlungen im Jahre 1881 stellte er mir einen Neubau in sichere Aussicht, wünschte aber damit zu warten, bis ich mich eingelebt, andere Anstalten kennen gelernt und so die Befähigung erlangt habe, ein praktisches Bauprogramm aufzustellen. Ein Rundschreiben vom 1. August 1881 kündigte die Absicht einer Anstaltserweiterung an.

Unterdessen waren aber in der Anstaltsverwaltung und Leitung bedeutende Veränderungen vor sich gegangen. Kurze Zeit nach dem Tode des Buchhalters (économe) Th. Sack (1880), der seit 1864 ganz im Dienste der Anstalt gestanden und das Materielle besorgt hatte, bekam A. Köchlin infolge unliebsamer Vorgänge einen starken epileptischen Anfall. (Leichtere Nervenkrisen waren seit 1876 öfter eingetreten.) Es war dies das erste auffällige Symptom einer schon weit vorgeschrittenen Gehirnerweichung, die dem Leben und Wirken Köchlins, nach fast zweijährigem Siechtum, am 1. Juni 1882 ein Ziel setzte. Die Anstalt hat ihm auf dem Illzacher Kirchhof ein Denkmal errichtet, welches die Inschrift trägt: „J'étais aveugle; maintenant je vois." („Ich war blind, nun sehe ich.")

Seine Schwester Sophie, welche seit 1871 als Arbeitslehrerin die weibliche Abteilung mit großer Hingabe geleitet hatte, folgte ihm am 20. Juni 1883. Sie wurde in Köchlins Grab gebettet. Auch der verdiente Schatzmeister des „Werks", Herr Amédée Rieder und Herr Mantz-Blech waren im Laufe des Jahres 1880—81 abberufen worden, um zu ernten, was sie gesät hatten. Als „Trésorier" trat an Herrn Rieders Stelle bis 1894 Herr Viktor Zuber und dann bis vor wenigen Wochen (1906) Herr Ernest Zuber, der uns in der Vollkraft des reifen Mannesalters entrissen worden ist. Für Herrn Mantz-Blech trat dessen Schwiegersohn, unser hochverdienter, ehrwürdiger Präsident, Herr Spoerry-Mantz, im Jahre 1880 in den Verwaltungsrat. (Auch diese Hauptstütze der Anstalt ist am 7. August 1906 zu unserem großen Schmerze unter der Last seiner 87 Jahre zusammengebrochen.)

Im Juli 1881, d. h. ungefähr ein Jahr vor dem Ableben A. Köchlins, sah sich die Verwaltung genötigt, ihm in der Person des Schreibers dieser Zeilen einen Nachfolger zu geben, weil er seines Amtes nicht mehr walten konnte.

Schon 1882 wurden die Beratungen über den geplanten Erweiterungsbau wieder aufgenommen; denn es fehlte, besonders in den Schlaf„sälen" buchstäblich an Luft. In jedem der kleinen Schlafzimmer, die für 2 3 Personen nicht zu groß wären, standen 8 Betten, 7 für Zöglinge und je eines für die blinden Lehrer und Lehrerinnen. Es konnten höchstens 14 Mädchen aufgenommen werden. Auch war keine Familienwohnung für den

Vorsteher vorhanden, weil das Ganze eben auf den Leib Köchlins zugeschnitten worden war. Man konnte sich aber über Bauplatz und Baupläne nicht einigen. Ich selbst war noch zu sehr Neuling im Blindenfache, wenn auch nicht in der Leitung einer Schule, um einen Plan aufstellen und mit Entschiedenheit verfechten zu können.

Die deutschen und französischen Anstalten, welche ich im Auftrage des Verwaltungsrates besucht hatte, konnten uns nicht als Vorbilder dienen, weil dieselben als große Staatsanstalten aus einem Guß entstanden waren und über reiche Mittel verfügten, während wir uns nach der kurzen Decke strecken und auf das Vorhandene Rücksicht nehmen mußten. Es waren für den Erweiterungsbau anfänglich nur 24,000 Mark vorgesehen worden; die erwähnten Anstalten hatten aber 3—500,000 Mark gekostet. Deshalb machte ich den Vorschlag, vorläufig nur den Dachboden auszubauen, um etwas Raum zu gewinnen und unterdessen Erfahrungen und besonders Geld zu sammeln. Ein Erweiterungsbau für 24,000 Mark wäre wieder nur Flickwerk gewesen — und die meines Erachtens für Bauten und Einrichtungen unbedingt nötige Summe konnte nicht flüssig gemacht werden. Mit Schulden bauen und nachträglich den lieben Nächsten um Tilgung derselben anbetteln, wie das vielfach üblich ist, wollten wir aber nicht. Deshalb wurde mein Vorschlag, den Neubau zu vertagen, als erlösendes Wort empfunden. So entstanden vorläufig eine größere Mansarde mit doppelter Gipsdecke als Schlafraum und ein Giebelzimmer im Dachraum als Krankenzimmer. Auch die frühere Wohnung des Buchhalters im alten Hause konnte anderweitige Verwendung finden.

Nun begannen die „Lehr- und Wanderjahre". Je nach der Zahl der jüngeren oder älteren Zöglinge und Lehrlinge, der Mädchen und Knaben, mußten die Räume verteilt, d. h. bald dieser und bald jener Abteilung zugewiesen und bald als Schlafzimmer, bald als Werkstätten, bald als Schulzimmer verwendet werden. — So hat z. B. die Bürstenbinderei der Knaben fünfmal, die der Mädchen viermal verlegt werden müssen. Nicht anders ging es mit den Schulzimmern; es war ein unaufhörliches Wandern von einem Haus zum andern. Unterdessen klärten sich aber die Ansichten und die materielle Lage besserte sich.

Auch kam unser Verwaltungsrat zu der Ansicht, daß auch der Staat Pflichten gegen eine Lehranstalt habe, welche sich der ärmsten Kinder ohne Unterschied der Konfession annimmt, weil diese Kinder auf Grund des Gesetzes über den sogenannten Schulzwang (besser gesagt Schulrecht) auch ein Anrecht auf Schulbildung besitzen, — obwohl unser Schulgesetz sie vergißt. Diese Pflicht ist später auch anerkannt worden.

Neue Anstaltserweiterung.

So haben wir denn, um den Bedürfnissen des ganzen Landes genügen zu können, eine Anstaltserweiterung in Aussicht genommen, welche weit über den ersten Rahmen hinausging.

Zunächst kam die Seilerei an die Reihe, die wir 1885 eingeführt hatten. — (Das Klöppeln von Wäscheleinen aus gekauften Schnüren, welches früher als Beschäftigung für die Ungeschickten gewählt worden war, hat mit der eigentlichen Seilerei nicht mehr und nicht weniger zu tun, als der Strickstrumpf mit einer Wollspinnerei).

Der erste 1885 erbaute Schuppen erwies sich als zu kurz. Eine genügend lange Linie war im Anstaltsgebiet nicht zu finden. Deshalb entschloß ich mich, um eine sich bietende Gelegenheit rasch benutzen zu können, für eigene Rechnung und Gefahr ein anstoßendes Grundstück von 64 ar Fläche zu kaufen (XVI des Planes). — Der Verwaltungsrat, welcher das Geschäft als gut betrachtete, übernahm dann den Vertrag. So erhielt das Gebiet eine Gesamtlänge von etwa 280 Metern, was uns erlaubte, eine Seilerbahn anzulegen, wie es wenige, in Anstalten überhaupt keine, gibt.

Nun stand uns aber noch der schmutzige Dorfgraben im Wege, welcher auf der Straße vor dem alten Hofeingange (*d*) fast fortwährend ein „schwarzes Meer" von 5—6 Meter Länge und etwa 2 Meter Breite bildete, einen Teil des Anstaltsgebietes in nächster Nähe der Häuser im Zickzack durchzog und schließlich auf der Nordseite begrenzte, also

Neue Anstaltserweiterung.

das neuerworbene Grundstück von dem alten trennte. Man hätte wohl die Gemeinde nötigen können, wenigstens auf der Straße und zwischen den Häusern Ordnung zu schaffen. Des lieben Friedens wegen zogen wir aber vor, den Graben durch eine große 90 cm weite Zementdohle längs der Kingersheimerstraße (von *a* nach *o* des Planes) für unsere Rechnung abzuleiten und auch die Abwasser des Hofes, der Waschküche und Küche durch Zementröhren diesem Kanal zuzuführen. (Eine andere Röhrenleitung mit Putzlöchern und Schlammfängern wurde später (1889) vom neuen Hauptgebäude aus in nordwestlicher Richtung nach dem Feldgraben bei *g* geführt, um das Abwasser der neuen Küche, der Waschbecken usw. abzuleiten. Eine große in die Ableitung eingeschaltete Grube in der Nähe des Hügels gestattet die Benutzung dieses Wassers zum Spritzen des Gartens).

So konnte denn 1887 mit dem Bau der neuen Seilerbahn begonnen werden. — Die gedeckte Halle mit Hechelei und Hanfmagazin ist 74 Meter, die offene Bahn 280 Meter lang. Siehe Situationsplan.

Im folgenden Jahre (1888) wurde der große Anstaltsneubau in Angriff genommen, im Frühjahre 1889 vollendet, im Juli bezogen und am 4. August feierlich eingeweiht.

Der 32. Jahresbericht sagt darüber:

Sonntag den 4. August 1889, um 3 Uhr nachmittags, versammelten sich 1200—1500 Freunde und Freundinnen der Blinden in einem der Höfe unseres Instituts, um der Einweihung des neuen Anstaltsgebäudes beizuwohnen.

Als Vertreter S. Exzellenz des Herrn Staatssekretärs von Puttkammer — der uns seither mit einem Besuche beehrt hat — war erschienen Herr Ministerialrat Richter, Präsident des K. Oberschulrats für Elsaß-Lothringen. Der Landesausschuß war vertreten durch seinen Präsidenten, Herrn Dr. J. v. Schlumberger und Herrn Speckel-Dietz, das Bezirkspräsidium in Colmar durch Herrn Oberregierungsrat Böhm, die Kreisdirektion Mülhausen durch Herrn Regierungsassessor Dr. Buff und Herrn Kreisbauinspektor Böhm, die Kreisdirektion Thann durch Herrn Kreisdirektor Dr. Curtius, das Konsistorium Mülhausen durch die Herren Pfarrer Schön und Hoffet, Vater und Sohn, Herrn Stricker und Herrn M. Frey, die Gemeinde Illzach durch den Herrn Bürgermeister Meyer-Persohn an der Spitze des Gemeinderates, den Kirchenvorstand und die Lehrerschaft, der Verwaltungsrat der Anstalt durch den Herrn Präsidenten Weiß-Fries und die meisten seiner Mitglieder.

Abb. 15. Gedeckte Seilerbahn. (VIII des Situationsplans.)

Brieflich oder telegraphisch hatten ihre Abwesenheit entschuldigt oder ihre Glückwünsche gesandt:

Die Herren Unterstaatssekretäre im Ministerium für Elsaß-Lothringen, mehrere Herren Oberschulräte, Ministerial- und Medizinalräte, die Herren Bezirkspräsidenten, Oberregierungs- und Schulräte in Colmar, Straßburg und Metz, die Mehrzahl der Herren Kreisdirektoren oder deren Vertreter, die Herren Bürgermeister von Straßburg, Metz und Colmar, der Herr Präsident der Handelskammer in Mülhausen, mehrere Herren Schulinspektoren, die Vorstände vieler Schwesteranstalten des In- und Auslandes und eine Anzahl Privatpersonen.

Die Feier wurde eröffnet durch das von der Gemeinde gesungene Lied: „Jehova, Deinem Namen sei Ehre, Preis und Lob".

Darauf bestieg Herr Pfarrer Hoffet, Sohn, die Rednerbühne, um anschließend an Psalm 103 dem Herrn die Ehre zu geben für das Gedeihen des Werkes und dasselbe in seine fernere Obhut zu befehlen. Die blinden Zöglinge stimmten darauf das Lied an: „Die Himmel rühmen des Ewigen Ehre!"

Herr Präsident Weiß-Fries begrüßte die Herren Vertreter der hohen Regierung und die Festgäste im Namen des Verwaltungsrates und dankte allen denen, welche sich um das Gedeihen der Anstalt verdient gemacht haben.

Dem vom Direktor erstatteten Fest- und Jahresberichte folgte ein Lied, worauf Herr Pfarrer Schön aus Sennheim die Tribüne bestieg, um die Festrede zu halten über die Bibelworte: „Danket dem Herrn, denn er ist freundlich und seine Güte währet ewiglich!" und „Der Herr ist mein Licht". Ein Loblied, Gebet und Segen schlossen die erhebende Feier.

Die verehrten Gäste begaben sich sodann in das neue Gebäude, um die inneren Einrichtungen desselben in Augenschein zu nehmen.

Abends 8 Uhr versammelten sich die Insassen der Anstalt zu einem einfachen Festmahle, an welches sich eine im neuen Versammlungssaale gegebene Abendunterhaltung nach folgendem Programm anschloß:

1. „Willkommen." Für gemischten Chor.
2. Orgelstück.
3. „Phantasiestück", komponiert von einer Blinden. Für Klavier zu 6 Händen.
4. „Romanze von Campagnoli". Für Klavier und Violine.
5. Zwei Kinderlieder: a) „Tirolerlied", b) „Der Mutter Trost". Mit Klavierbegleitung.
6. „Jeanne d'Arc", von Casimir Delavigne. Deklamation.
7. „Erlkönig", komponiert von Fr. Schubert. Für eine Altstimme mit Klavierbegleitung.
8. „Wanderlust". Dreistimmiger Chor.
9. „Präludium und Fuge" in Es-dur von J. S. Bach. Für Orgel.

Kleines Intermezzo:

10. „Variationen", von Rode. Für Klavier und 3 Violinen.
11. „Im Konzert". Deklamation.
12. „Festmarsch", von Rich. Wagner. Für 2 Klaviere zu 8 Händen.
13. „Toccata", von J. S. Bach. Für Orgel.
14. „Festspiel", von F. Ludwigs, katholischer Religionslehrer der Blindenanstalt Düren, (Nacht, Licht, Religion).
15. „Psalm 126" (Gesang).

Ansprache des Herrn Präsidenten des Verwaltungsrates.

Hochgeehrte Festversammlung!

Es wird mir heute die ehrenvolle Aufgabe zuteil, im Namen des Verwaltungsrates der Blindenanstalt, die Herren Vertreter der hohen Regierung, des Konsistoriums und die zahlreichen Freunde dieser Anstalt willkommen zu heißen.

Groß ist die Verantwortung und schwer die Last, die auf den Personen ruht, welche ihre ganze Kraft in den Dienst dieses Werkes der Humanität im besten Sinne des Wortes gestellt haben und erhebend für sie alle der Gedanke, daß an diesem Tage sich tausend Herzen mit ihnen eins fühlen im Bewußtsein, nach Maßgabe der empfangenen Kraft und Stellung beigetragen zu haben zum Ausbau und zur Entwicklung des schönen Werkes, welches heute einen neuen wichtigen Lebensabschnitt beginnt.

Die Gewißheit, daß wir nicht allein stehen, daß im Gegenteil die Besten aller Stände dem Werke, das schon schweres Unglück gelindert, schon manche Träne getrocknet hat, treu zur Seite stehen, ermutigt uns zu stetigem Fortschreiten auf der betretenen Bahn und bestärkt uns im Glauben, daß unsere Anstalt auf breiter Basis feststeht und weiter gedeihen wird zum Heile der Lichtlosen unseres Landes.

Groß und schön ist die Aufgabe, welche die Anstalt sich stellt. Sie will allen bildungsfähigen jungen Blinden des Landes, ohne Unterschied des Bekenntnisses, nicht nur das Brot des Leibes, sondern auch das des Geistes und des Herzens brechen, sie religiös erziehen, geistig und

4

technisch ausbilden und sie der Gesellschaft als gute, brauchbare und nützliche Glieder zurückgeben.

Sie will aber nicht nur ihre Schule, sondern auch ihr Vaterhaus sein, welches sie auch nach ihrem Austritte nicht verläßt, sondern ihnen mit Rat und Tat zur Seite steht und ihnen im Notfalle wieder im Blindenheim die Arme öffnet.

Um dieser großen und vielseitigen Aufgabe gerecht zu werden, bedarf sie aber allseitiger materieller und moralischer Unterstützung. Ich richte deshalb an alle unsere Gönner, an alle Freunde der leidenden Menschheit, besonders auch an die hohe Regierung die warme Bitte, der Anstalt auch in Zukunft die ihr so oft bewiesene freundliche Gesinnung zu bewahren und ihr neue Freunde zu werben.

Wenn wir heute zurückblicken auf die letzten 32 Jahre, auf die kleinen Anfänge und die kräftige Entwicklung unserer Anstalt, so empfinden wir ein Gefühl des Dankes gegen denjenigen, dessen Segen augenscheinlich auf ihr geruht hat, so wie auch gegen alle die Männer, welche dieselbe gegründet oder durch ihre Mitarbeit gefördert haben.

Ich habe ferner herzlich zu danken allen jetzigen und früheren Freunden der Anstalt, deren langjährige Beiträge das Gelingen des Werkes, das wir heute einweihen, ermöglichten, zu danken der hohen Regierung und allen ihren Organen für ihre vielfachen Beweise der Sympathie, ganz besonders für die Zuwendung eines Staatsbeitrages und die Schaffung von zwanzig Freistellen, welche die Weiterentwicklung der Anstalt sichern, dem Landesausschusse von Elsaß-Lothringen für die Bereitwilligkeit, mit der er die hohe Regierung in ihrem Streben unterstützt hat, den Vertretern unseres Kantons und der Stadt Mülhausen beim Landesausschusse, dem Herrn Unterstaats-Sekretär und Bürgermeister Back und Herrn Ministerialrat Pietzsch, unseren Fürsprechern bei der hohen Regierung, Herrn Baurat Walloth und allen anderen Freunden des Werkes.

Abb. 16. Herr G. Weiß-Fries, Präsident.

Zum Schluß noch ein Wort an unseren teuern Direktor, Herrn Kunz! Alle hier Anwesenden kennen den Ursprung dieses Werkes und wissen, daß Herr Alphons Köchlin dessen (ideeller) Gründer ist. Ungeachtet seiner Blindheit hat er dasselbe 25 Jahre lang mit viel christlicher Liebe und Aufopferung geleitet. Aber die besonderen Fortschritte und Erfolge, die seit 6 bis 8 Jahren erzielt worden sind, verdanken wir Herrn Direktor Kunz, welcher seine besten Kräfte den Blinden widmet, und ungeachtet der zahlreichen Schwierigkeiten, die er zu überwinden hat, sein Ziel mit Mut und Beharrlichkeit verfolgt, ermutigt durch den Erfolg und gestützt auf die Liebe zu seinem Berufe.

Das Feld seiner Tätigkeit beschränkt sich nicht allein auf Illzach. Seine zahlreichen Lehrmittel für beinahe alle Unterrichtsfächer sind schon jetzt Gemeingut der ganzen Blindenwelt geworden. Höchste und einzige Auszeichnungen, die ihm von den kompetentesten Richtern, nicht nur in Europa, sondern auch jenseits des Ozeans, verliehen worden sind, zeigen deutlich, welchen Wert die Fachgenossen seiner Tätigkeit zuerkennen.

Im Namen des Verwaltungsrates drücke ich Herrn Direktor Kunz meinen wärmsten Dank aus für die großen Dienste, welche er den Blinden geleistet hat und noch in der Zukunft leisten wird.

Möge er noch lange mitwirken! Möge unsere Anstalt weiter wachsen und gedeihen zum Heil der Menschheit und zu Gottes Ehre!

G. Weiß-Fries.
Präsident.

Der Direktor leitete den von ihm erstatteten Jahresbericht mit folgenden Worten ein:

Verehrte Freunde und Gönner des Blindenwerks!

„Wir feiern heute den Beginn eines neuen Abschnittes in dem Leben und der Geschichte unserer

Anstalt. Die Tage ihrer Kindheit sind vorüber. Sie hat lehrend und lernend mancherlei Erfahrungen gesammelt, auch vielfache Prüfungen mit der Note „größtenteils genügend" bestanden, Anfechtungen jeder Art erduldet und so Zeit und Gelegenheit gehabt, über ihre Natur und Aufgabe, sowie über ihre Ziele ins Klare zu kommen und aus der eigenen Erfahrung, ganz besonders aber auch aus der Geschichte der Schwesternanstalten, Grundsätze abzuleiten für das Leben.

Mangel an Raum nur vorübergehend und ungenügend abzuhelfen, bis endlich das Zusammenwirken unserer Verwaltung und der hohen Regierung die Ausführung dieses Neubaues ermöglichte. So steht denn die Anstalt heute in einem größtenteils neuen Gewande vor Ihnen und legt als Konfirmandin das Gelübde ab, unentwegt und unbeirrt durch alle Anfechtungen, nach der ihr von Gott verliehenen Kraft, vorwärts zu streben und zu ringen zum Heile der ihr anvertrauten Lichtlosen —

Mädchenflügel — Knabenflügel

Abb. 17. Rückansicht des Hauptgebäudes (Westseite) Mädchengarten.

So möchte ich denn das heutige Fest als Konfirmation der Anstalt betrachten, wenn die Konfirmandin auch schon 32 Jahre alt ist.

Anno 1856 als armes Kind geboren, wurde sie in jene Windeln gewickelt, (Haus II des Situations-Planes) die Herr Georg Scheidecker vom Hause Vaucher & Cie. ihr aus Erbarmen geschenkt hatte.

Denselben entwachsen, erhielt sie 1864 als Taufkleidchen das Haus Ia des Planes. Nach und nach ist aber dieses Kleidchen der sich entwickelnden Kleinen zu kurz und zu eng geworden. Mancherlei Änderungen und Ergänzungen vermochten dem

zu glauben an deren Recht auf Erziehung und Bildung, auf ein menschwürdiges Dasein,

zu hoffen auf eine bessere Zukunft, in welcher dieses Recht auch im Volksbewußtsein an Stelle des Bettlerprivilegiums tritt, an eine Zukunft, in welcher jeder Blinde, seiner Menschenwürde bewußt, zwar mit ungleichen physischen, aber möglichst ebenbürtigen geistigen und sittlichen Waffen und veredeltem Herzen, im Hinblick auf seine zeitliche und ewige Bestimmung, den Kampf des Lebens kämpfen und bestehen wird — eine Zeit, in welcher es jedem Menschen zum Bewußtsein

4

kommt, daß ein Blinder, der, mit oder ohne Musikinstrument, bettelnd im Lande herumzieht, weil ihm nicht Gelegenheit geboten wurde, ein Handwerk zu lernen und durch Ausübung desselben doch wenigstens einen Teil seines Unterhaltes anständig zu verdienen, ein Brandmal der Schande ist an der Stirne seiner Angehörigen, seiner Gemeinde und der Gesellschaft überhaupt — und daß derjenige Blinde, welcher nichts lernen wollte und nicht arbeiten will, keinerlei Rücksicht verdient.

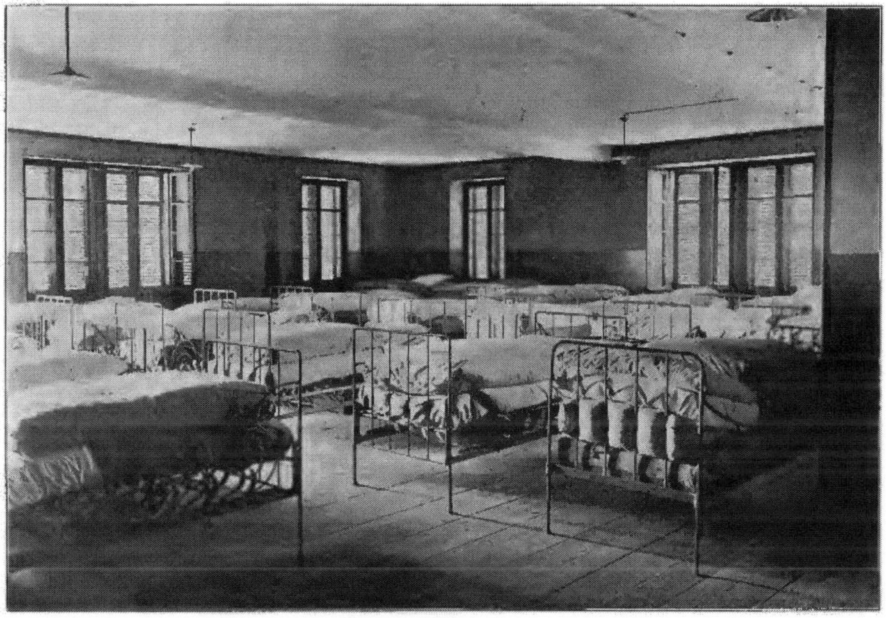

Abb. 18. Blick in den Schlafsaal der jüngsten Knaben. (No. 51 des Planes.)

Der Leichtsinn, mit welchem blinde Bettelmusikanten und Herumstreifer mit ihren Führern oder Führerinnen unterstützt werden, richtet mehr Unheil an, als die Blindheit selbst! Wer den Blindenbettel durch Almosen fördert, und dem strebsamen, ehrlichen Blinden grundsätzlich, ohne sich von seiner Leistungsfähigkeit auch nur überzeugen zu wollen, jede Arbeit verweigert und ihn auf die Bettelstraße verweist, wie dies auch der Anstalt gegenüber oft genug geschieht, der ärgert, d. h. er verführt den Kleinen, den sittlich Schwachen, verbittert den charaktervollen Blinden und verdient dafür den Mühlstein, von welchem Math. 18 die Rede ist!"

Doch kehren wir zum Neubau zurück.

Der neue Teil des Anstaltsgebäudes bildet den rechten Flügel und den höheren Mittelbau des jetzigen Hauptgebäudes; das 1865 gebaute Haus den linken Flügel (von NO. gesehen). — Der Flügelbau des neuen Teils ist den Mädchen vorbehalten. — Die drei untersten Stockwerke des Mittelbaues (Küche, eine Zentralheizung, Speisesaal und Andachtssaal sind allen zugänglich, haben aber für jedes Geschlecht und die verschiedenen Altersstufen besondere Türen. Der linke Flügel (alter Teil) ist Knabenhaus und enthält überdies die Verwaltungsräume und die Familienwohnung des Anstaltsvorstandes. Der oberste große Saal des Mittelbaues (No. 51) ist den jüngeren Knaben als Schlafsaal zugeteilt worden, um — der Aufsicht wegen — die drei Knabenschlafsäle in demselben Stockwerke zu haben (No 46, 47 und 51). Auch der alte Flügel wurde, um ihn den neuen Bedürf-

Abb. 19. Sockelgeschoß

1, 2, 3, 5, 7, 11: Keller.
4. Kohlenraum.
6. Backstube.
8. Baderaum.
9. Küche.
10 u. 13. Zentralheizung.
12. Bügelzimmer.
14. Modellierraum.

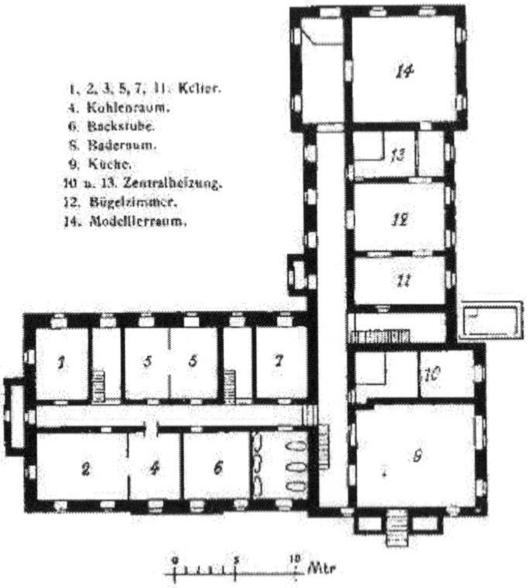

Abb. 20. Erdgeschoß

15. Stimmzimmer. (Bis 1881 einziges Wohn-, Schul- u. Musikzimmer u. Werkstatt aller Knaben). (97 kbm.)
16. Bureau.
17. Schul- u. Wohnzimmer der großen Knaben, entstanden aus dem bisherigen Arbeitszimmer des Direktors u. dem sogenannten Lehrsaal. (172 kbm.)
18. u. 20. Wohn- und Schulzimmer der kleinen Knaben. (Bisher Bügelzimmer). Speise- u. Versammlungssaal, mit Orgel). (155 kbm.)
19. Arbeitszimmer des Direktors. (Bisher Wohnzimmer, Schule u. Werkstätte aller Mädchen und „Gesangssaal"). (75 kbm.)
21. Museum (bisher Küche.)
22. Office.
23. Speisesaal. (448 kbm.)
24. Bibliothek.
25. Arbeitszimmer der Mädchen. (163 kbm.)
26. Schul- u. Wohnzimmer für größere Mädchen. (112 kbm.)
27. Schul- u. Wohnzimmer für kleinere Mädchen (202 kbm.)

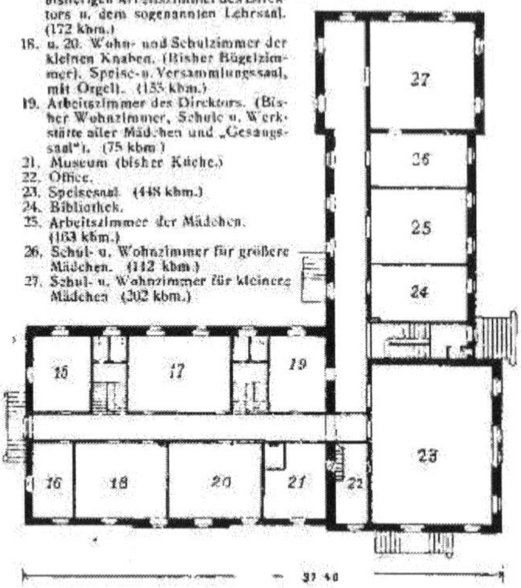

Abb. 21. I. Stock.

28–35. Wohnung des Direktors, Gastzimmer, Lehrer- u. Wärterzimmer, usw.
37. Krankenzimmer mit Badeeinrichtung. (Vor 1889 Schlafsaal für 8 Mädchen.) (92 kbm.)
36 und 38. Privatzimmer.
39. Andachts- und Musiksaal, mit Orgel. (407 kbm.)
40. Schlafsaal der großen Mädchen (272 kbm).
41 und 43. Zimmer einer Lehrerin.
43. Schlafsaal der kleinen Mädchen (350 kbm).

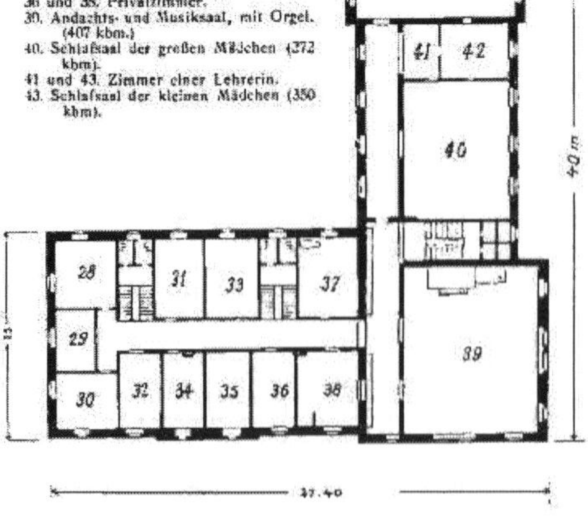

Abb. 22. II. Stock.

44. Lehrerzimmer.
45 und 48. Räume für Allerlei.
46. Schlafsaal der großen Knaben (164 kbm).
47. Schlafsaal der mittleren Knaben (197 kbm).
49. Waschraum für diese Schlafsäle.
50. Kleiderraum für kleine Knaben.
51. Schlafsaal für kleine Knaben (475 kbm), mit dem Waschraum (551 kbm).
52. Waschraum mit Kippbecken für No. 51.
53. Kleiderraum für kleine Mädchen.
54, 55, 56, 57, 58. Zimmer für weibliches Dienstpersonal.
59. Zimmer der Haushälterin.
60. Verfügbar als Privatzimmer.
61. Krankenzimmer.
62 und 63. Lehrerin.

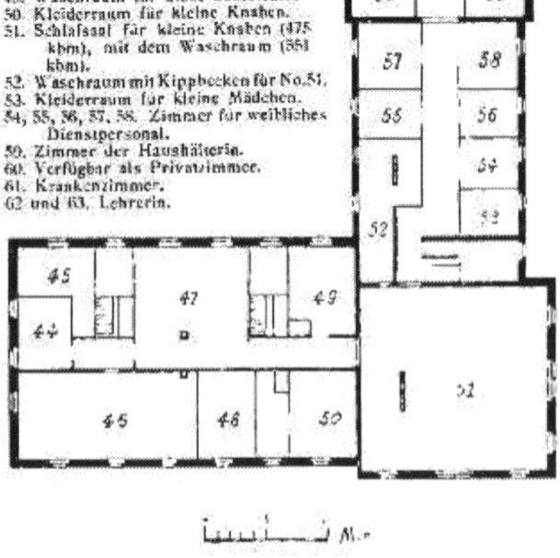

nissen anzupassen, im Inneren teilweise umgebaut und vollständig erneuert. —

Scheidewände wurden entfernt, so daß nun auch in diesem Teil drei geräumige Schulsäle vorhanden sind. — Die früheren Mädchenschlafzimmer (37 und 38) haben wir als Krankenzimmer eingerichtet, die Tapeten entfernt und durch Ölfarbenanstrich ersetzt; eines derselben ist auch mit Badeeinrich-

Abb. 23. Waschgang der Mädchen.
Erste Türe rechts: Schlafsaal der älteren Mädchen; zweite Türe: Zimmer einer Lehrerin; im Hintergrund: Schlafsaal der jüngeren Mädchen.

tung versehen. — In dem alten Schulhause ist der obere Saal, der seit dessen Ankauf als Magazin gedient hatte, in einen Schlafsaal für ältere Lehrlinge umgewandelt worden. —

Die fünf heutigen Schulzimmer (No. 17, 18, 20, 26 und 27) haben zusammen einen Luftraum von 1118 Kubikmetern (das frühere hatte 78). Wenn wir den Inhalt des Stimmzimmers, des früheren „Ateliers", welches nebenher auch als Schulzimmer benutzt werden mußte, mit 96 Kubikmetern hinzurechnen, so kommen wir heute auf 1214, vor 1889 aber auf 194 Raummeter. — Die fünf heutigen Schlafsäle im Hauptgebäude (No. 40, 43, 46, 47 und 51) messen zusammen 1454 Kubikmeter, die vier früheren (s. Zeichnung No. 22) aber nur 370. Der 163 Kubikmeter messende Schlafsaal im alten Schulhause hat das sehr viel kleinere Schlafzimmer im Ursprungshause ersetzt. —

Es ist noch zu bemerken, daß die früheren engen Räume keinerlei Lüftungsvorrichtungen besaßen. Im Neubau sind überall Lüftungsklappen für Winter und Sommer, d. h. mit oder ohne Heizung, angebracht. —

Heute trifft es in den Schlafzimmern auf den Kopf 20—25 Raummeter Luft, die sich überdies durch die Ventilationszüge im Laufe der Nacht fortwährend erneuert; früher hatte jeder Zögling — trotz der viel kleineren Kopfzahl — nur etwa 11 Raummeter Luft zur Verfügung, die nicht erneuert werden konnte. — In den Schulzimmern sind die Raumverhältnisse noch günstiger. —

Der Neubau ist mit Niederdruck-Luftheizung versehen. Die Luft, welche den Heizkammern direkt aus dem Garten zugeführt und dort erwärmt wird, strömt auf halber Zimmerhöhe aus und nach oben, drückt die im Zimmer befindliche, also schon gebrauchte Luft in die Tiefe, wo sie abströmt und wenigstens einen Teil des Staubes und die durch das Atmen entstandene Kohlensäure mitnimmt. —

Sobald nicht geheizt wird, öffnet man die Lüftungsklappe unmittelbar unter der Zimmerdecke. —

Das Haus hat eigene Wasserversorgung, weil Illzach noch nicht an die Mülhauser Trinkwasserleitung angeschlossen ist. —

Der Anfang dazu ist 1882 gemacht worden; (1892 haben wir das Wasser 13 Meter tief in

30 cm weite eiserne Röhren gefaßt.) Schon 1882 war im alten Flügel eine Röhrenleitung angelegt und Wasserspülung in den Aborten eingerichtet worden.

Das Wasser mußte aber von Hand gepumpt werden; es hatte niemand große Freude an dieser Arbeit. Später hat uns Herr V.-Präsident A. Schlumberger ein Göpelwerk mit Pumpe geschenkt. Dort ging dann der legendäre Anstaltsesel „wie des Müllers Gaul, stets im Kreis herum" — und verdiente das „Gnadenbrot". — Als er den Weg alles Fleisches gegangen war, trat ein im Dienste erblindetes Pferd an seine Stelle. —

1905 hat uns dann Herr Vizepräsident A. Schlumberger außer der elektrischen Beleuchtung im ganzen Hause (170 Flammen) auch ein elektrisches Pumpwerk einrichten lassen. —

Heute kostet also das Wasser, wie unsere Leute glauben, „nichts mehr", das heißt keinen teuern Schweiß. —

Im neuen Teil des Hauses, also bei den drei größten Schlafsälen, hat nun jeder Zögling sein weißemailliertes Kippbecken im Toilettenkästchen und den Wasserhahn darüber (s. Abb. No. 23). Der 3000 Liter fassende Kaltwasserbehälter befindet sich im hohen Dache des Mittelbaues. Sogenannte Schlangen im Herde wärmen das Wasser eines zweiten Behälters, der neben dem anderen und mit diesem in Verbindung steht. So ist für die Küche und für Bäder fortwährend warmes Wasser vorhanden. Wenn eine ganze Abteilung badet, hilft ein besonderer Ofen nach. Im Baderaum haben wir fünf Wannen und Brause mit Mischungskugel; eine sechste Wanne steht in einem Krankenzimmer.

In jedem Stockwerke ist noch ein Feuerhahn angebracht, ein anderer im Hof. An jedem Hahn hängen Schläuche, die durch das ganze Stockwerk reichen und aneinander geschraubt werden können. —

Das Schulmobiliar wurde den Forderungen der Neuzeit angepaßt.

Die großen alten Tische — gleicher Höhe für alle — wanderten in den Modellierraum (14), die lehnenlosen Stühle in das Eßzimmer, wo sie nicht schaden, weil man sich dort nicht lange aufhält.

Abb. 24 Spielgang der Kleinen.

Abb. 25. Im Mädchengarten. (Westseite.) Spielplatz der Kleinsten.

Schon 1882 habe ich die zweiplätzige Schulbank mit beweglichem Sitz und beweglicher, geneigter Tischplatte (System Elsässer in Mannheim) unseren besonderen Bedürfnissen anpassen lassen und, trotz des heftigsten Widerwillens alter blinder Lehrkräfte gegen jede Neuerung, die nötige Anzahl dieser Schultische bestellt. — Heute findet jeder Schüler eine seiner Körpergröße genau entsprechende Schulbank. Rückgratsverkrümmungen, welche bei dem früheren Schulmobiliar selten ausblieben, kommen heute nicht mehr vor, wenn sie nicht schon vor dem Eintritte der Blinden in die Anstalt vorhanden waren. —

Die Nahrung ist einfach aber reichlich und gesund. Die Zöglinge bekommen, außer Freitags, täglich Fleisch, $^3/_4$–$^7/_8$ Liter Milch, ein gutes Brot, reichlich Gemüse, das wir großenteils selbst pflanzen, das Obst des großen Gartens und noch mehr — und täglich zum Mittagessen — Sonntags auch um 4 Uhr — ein Glas Wein.

Die Häuser sind von schattigen Gärten und Höfen umgeben. (30600 Quadratmeter).

Außer den Zierbäumen (Platanen, Kastanien, Linden, Tannen usw.) stehen im Garten fruchttragende Sträucher und rund 500 Obstbäume, die fast alle in den Jahren 1882, 1887 und 1893 gepflanzt worden sind. Ihre „Blütenpracht" wird im Sommer und Herbst am meisten bewundert. — Im Schatten dieser Linden, Kastanienbäume und Tannen wird im Sommer vielfach der Unterricht erteilt. Dann haben wir die Waldschule für alle.

Tägliche Spaziergänge außerhalb der Anstalt, — wenn das Wetter es irgend erlaubt — und Turnunterricht sorgen für kräftigende Bewegung, die Badeeinrichtung für Reinlichkeit. Im Sommer wird auch Gelegenheit zu Freiluftbädern im sogenannten Dollerbach geboten. Wir haben dort einen eigenen Badeplatz gekauft und einen Teich gegraben. Leider fehlt es dort in trockenen Jahrgängen öfter an Wasser, so daß wir den Mühlbach bei Modenheim benutzen müssen. — Das Gesagte dürfte beweisen, daß wir auch der körperlichen Entwicklung der Zöglinge und der Gesundheitspflege die nötige Aufmerksamkeit schenken. —

Mit der Vollendung des großen Neubaues war aber die Anstaltserweiterung noch nicht abgeschlossen, wenn auch vorläufig eine Pause eintrat. —

Wir haben hinter der Seilerbahn noch 10000 Quadratmeter (ein Hektar) Garten und auf der Ostseite ein Bauernhaus mit Stallung erworben, das mit seinem Garten in der Nähe des Hauptgebäudes eine Enklave im neuen Anstaltsgebiet bildete und sehr unbequem werden konnte. —

Das Haus wurde zwei Werkmeistern als Wohnung übergeben; den Stall ließen wir als Pferdestall herrichten, Schweineställe für 10 Stück dieser Specklieferanten und einen Holz- und Wagenschuppen bauen, — um die bisherige Scheune unmittelbar vor der Front des Neubaues anderweitig verwenden zu können. —

Es fehlte uns eine eigentliche Turnhalle; ferner lag die Bürstenbinderei im Ursprungshause, besonders für die Mädchen zu unbequem. Letztere mußten sich bei ungünstiger Witterung durch die Knabenabteilung dorthin begeben und dort mit den Lehrlingen in einem Lokale arbeiten, das für eine wirksame Aufsicht zu abgelegen war. —

Wir wollten die rußige Pecherei im Neubaue nicht einrichten.

Deshalb ließen wir 1893 die 1863 gebaute Scheune, deren Holzwerk an vielen Stellen faul war, größtenteils abbrechen, unten eine Bürstenbinderei mit zwei Abteilungen und getrennten Eingängen herrichten, — die zu eng gewordene Druckerei vergrößern (Seite 34), oben eine einfache Turnhalle bauen und mit neuen Geräten aus Chemnitz ausstatten. —

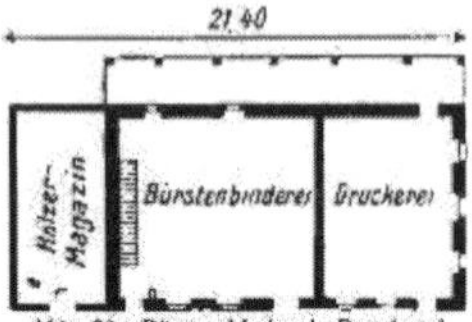

Abb. 26. Bürstenbinderei, Druckerei, darüber Turnsaal. IV, V und VI des Situationsplanes.

Der Eingang zur neuen Bürstenbinderei der Mädchen liegt so ihrem Hauseingange gerade gegenüber und ist von der weiblichen Abteilung aus zu übersehen. — -

Bienenhaus und Hühnerställe mit Hühnerhof bilden das letzte und kleinste Glied in der Kette der eigentlichen größeren oder kleineren Bauten. — Aber auch der Rahmen des Bildes bedurfte der

Stall und Scheune. Abb. 27. Rückseite des Meisterhauses. Schuppen und Schweineställe.

5

Abb. 28. Druckerei, Bürstenbinderei und Turnhalle.

Abb. 29. Ostseite der Korbmacherei (III). Teil des Knabenhofs.

Erneuerung. — Die alten Schwartenzäune und das aus demselben Material gefertigte Hoftor waren baufällig, erforderten jährlich bedeutende Reparaturkosten und sahen erbärmlich aus. — Wir glaubten deshalb dieselben vorteilhaft durch eine Zement- oder Kohlenschuttmauer ersetzen zu können. Der laufende Meter Schwartenzaun kam ungefähr auf 5 Mk. zu stehen; alle 5—8 Jahre mußte er erneuert werden. Die Schuttmauer kostete nicht ganz das Doppelte, verlangt aber keine Reparaturen. Sie hat sich also in zwölf Jahren durch Reparaturersparnisse bezahlt — und wird in hundert Jahren noch stehen, wenn sie nicht abgebrochen wird. So haben wir bis heute ³/₄ des großen Gebietes mit Mauern (500 Meter) und den Rest (etwa 340 Meter) mit einem Drahtzaun umgeben, den Hofeingang vor das Hauptgebäude verlegt, wo er überblickt werden kann — und endlich im Anbau des ältesten Hauses eine Pförtnerwohnung eingerichtet, um Hof und Garten nicht zur Allmende werden zu lassen. —

Die seit 1881 für Landankauf (ca. 230 Ar) und Bauten verausgabte Summe beläuft sich auf	Mk. 165 285.81
Die Auslagen für Mobiliar und Einrichtungen auf	„ 20 399.82
	Mk. 185 685.63
Die Kosten der Veränderungen, welche auf dem Reparaturkonto figurieren, dürften veranschlagt werden zu	„ 15 000.

Wir kommen also auf eine Totalsumme von rund Mk. 200 000, welche für die Anstaltserweiterung aufgebracht worden ist.

Daran hat der Staat Mk. 50 000 geleistet.

Heute stehen Immobilien, Mobilien, Bücher und Lehrmittel, trotz mehrmaliger Abschreibungen, mit Mk. 301 993 zu Buch.

Wenn der wirkliche Kostenaufwand pro Zögling geschäftlich richtig berechnet werden soll, so müssen auch die Zinsen dieses Kapitals zu mindestens 4 Prozent mit Mk. 12 080. zu den Barauslagen hinzugezählt werden.

Verwaltung.

Über die Gründe, welche 1859 zur Berufung eines Kuratoriums Veranlassung gaben, sowie über dessen Tätigkeit bis 1863 ist schon berichtet worden. Nachdem die staatliche Anerkennung des „Werkes" am 27. Mai 1863 erfolgt war, mußte sich die Verwaltung auf Grund der Statuten neu konstituieren.

Zu den seitherigen Mitgliedern, den Herren C. Hoffet (Präsident), G. Weiß-Fries (Schriftführer), Amédée Rieder („Trésorier"), Mantz-Blech, Friedr. Zuber und dem Direktor, der im Verwaltungsrat Sitz und Stimme hat, trat nun noch Herr Alphons Schlumberger hinzu. In den nächsten drei Jahren bilden die Beratungen über die erste Anstaltserweiterung (1863 und 1864), von der früher die Rede war, das Hauptthema der Sitzungen des Kuratoriums (Verwaltungsrates).

Abb. 30.
Herr Alphons Schlumberger.

In das Jahr 1866 fällt die Aufstellung eines „Reglements", welches in sechs Artikeln des I. Titels („Titre I") die Kompetenzen des Verwaltungsrates genau umschreibt. Unter „Titre II", Sektion I folgt mit drei Artikeln der Direktor und unter dem etwas pompösen Titel „Fonctionnaires principaux" figurieren (Artikel 10 bis 20), der Buchhalter (l'économe), die Arbeitslehrerin („l'institutrice") und die Haushälterin („la ménagère-infirmière"). [Von 1863—1871 standen Diakonissinnen dem Haushalt vor.] Die blinden Lehrkräfte für Schulunterricht sind in Sektion III unter dem Titel „sous-maitres" et „sous-maitresses" neben den „contre-maitres" (Werkmeistern), den „surveillants" usw. als „employés subalternes" untergebracht. — Endlich folgen die Vorschriften für die Zöglinge.

5*

Diese Klassifikation legt die Vermutung nahe, daß auch das Comité, welches ja erst nachträglich hinzugekommen war, durch die eingeschleppte falsche Bezeichnung „asile" irregeleitet worden sei; denn in einer Blinden-Schule, wie sie Köchlin vorschwebte und von der er in seiner Lebensgeschichte immer sprach (der Ausdruck Asyl kommt dort gar nicht vor), gehören doch die Lehrer und Lehrerinnen nicht als „subalterne Angestellte" auf eine Stufe mit den Dienstboten. Wenn man aber den ungenügend vorgebildeten „moniteurs" den Titel Lehrer oder Lehrerinnen nicht geben konnte, so hätte man eben für eine „Schule" auch wirkliche Lehrer oder Lehrerinnen anstellen sollen!

Die von Anfang an bestehende Unklarheit über Zweck und Ziele der Anstalt wurde also durch dieses Reglement gewissermaßen sanktioniert, obwohl es anderseits wieder die Aufnahme von Mädchen auf das 15. Altersjahr und diejenige von Männern in die Lehrwerkstätten auf das 50. Jahr beschränkte und an die Bedingung knüpfte, daß sie arbeits- d. h. bildungsfähig seien.

Abb. 31. Herr Emile Köchlin.

Tatsächlich sind zu Köchlins Zeit Mädchen im Alter von mehr als 15 Jahren und alte Männer, also gerade diejenigen Personen, welche vielleicht eines Asyls bedurft hätten, niemals aufgenommen worden.

Drei weibliche Personen, welche in späteren Jahren erblindet waren und die man nicht ganz abweisen konnte, wurden bei Werkmeistern außerhalb der Anstalt untergebracht, — und doch war eine derselben ein früheres Dienstmädchen der Anstalt!

Kein Blinder ist einfach zum Zwecke der Versorgung aufgenommen worden. — Wenn die Anstalt wirklich das sein sollte, was man in der ganzen Welt unter einem Asyl versteht, so hätte man sie aber gerade den alten, arbeitsunfähigen Blinden, besonders auch erwachsenen weiblichen Personen **öffnen**, den Kindern aber **verschließen** müssen!

Es wird schwer halten, hier jemals Klarheit zu schaffen. Ich verzweifle schließlich an dieser Sisyphusarbeit! Der Blindenunterricht ist daneben nur Kinderspiel!

Abb. 32. Herr Viktor Zuber.

Abb. 33. Herr Schatzmeister Ernest Zuber.

Kuratorium (Comité).

Herr Hoffet, der offenbar dieses Reglement noch verfaßt hat, (er hat es eigenhändig in das Protokollbuch eingetragen), gehörte dem Verwaltungsrate nur noch wenige Monate, d. h. bis zum 12. März 1867 an; dann nahm er seine Entlassung, angeblich infolge von Reibungen mit einem Teile der „fonctionnaires principaux". —

Ihm folgte als neues Mitglied und zugleich als Präsident Herr Emil Köchlin bis 1880 und als Ehrenpräsident bis 1883. — Herr Amédée Rieder blieb Schatzmeister bis zu seinem Tode 1881. -

Ihm folgte in gleicher Eigenschaft Herr Viktor Zuber bis 1894 und diesem bis zum 29. März 1906 Herr Ernest Zuber-Rieder. —

Nach dem Ableben seines verdienten Vaters (1881) war auch Herr Jaques Rieder in Wesserling eingetreten, der dem Vorstande heute noch angehört.

Herr G. Weiß-Fries verwaltete das Amt des Schriftführers bis zum Eintritte des gegenwärtigen Direktors, dem es 1881 übertragen wurde. Im Jahre 1880 war Herr Weiß als Nachfolger Herrn Emil Köchlins zum Präsidenten gewählt worden. Er blieb in dieser Stellung bis zu seinem Tode am 19. Januar 1894. Herr Weiß hat der Anstalt

Abb. 34. Herr Mantz-Blech.

Abb. 35. Herr Georg Zipelius.

namentlich durch große Bestellungen für seine Fabrik (Bürsten- und Seilerwaren) reele Sympathie bewiesen und sich besonders lebhaft für die Anstaltserweiterung interessiert. — Als Mitglied der Verwaltung trat an seine Stelle sein Sohn, Herr Gustav Weiß-Heilmann. —

Herr Mantz-Blech wurde 1880 nach seinem Ableben durch seinen Schwiegersohn, Herrn Spoerry-Mantz, unseren hochverdienten, ehrwürdigen Präsidenten ersetzt. Den Vorsitz hat derselbe 1894 nach dem Tode des Herrn Weiß übernommen.

Für Herrn Friedrich Zuber, welcher 1874 starb, trat bis 1894 Herr Vincent Steinlen ein, auf welchen Herr Math. Mieg-Kroh folgte.

Im Jahre 1889 starb nach dreißigjähriger Mitgliedschaft Herr Georg Zipelius; seine Stelle übernahm unser jetziger Vize-Präsident, Herr Ed. Alb. Schlumberger, und Herr Edmond Schlumberger ersetzte seit 1898 seinen verewigten Vater, Herrn Alph. Schlumberger. -

Der Wechsel in der Verwaltung ist also nicht sehr groß gewesen. „Kabinettskrisen" hat es nie gegeben.

Folgende chronologische Tabelle wird dies noch besser veranschaulichen.

Herr Hoffet	Nov.	1859 - 1867	mithin	8	Jahre
„ G. Weiß-Fries		1859 1894	„	35	„
„ A. Rieder		1859 1881	„	22	„
„ Mantz-Blech		1859 1880	„	21	„

Herr Zipelius	1859–1889	mithin	30	Jahre
„ Fr. Zuber	1859–1874	„	15	„
„ Alph. Schlumberger	1863–1898	„	35	„
„ Emil Köchlin	1867–1883	„	16	„
„ Vincent Steinlen	1874–1894	„	20	„
„ Spoerry-Mantz	1880–1906	„	26	„
„ Viktor Zuber	1881–1894	„	13	„
„ J. Rieder	1881 bis jetzt	„	25	„
„ E. Alb. Schlumberger	1889 „ „	„	17	„
„ Math. Mieg-Kroh	1894 „ „	„	12	„
„ Ernest Zuber	1894–1906	„	12	„
„ Gust. Weiß	1894 bis jetzt	„	12	„
„ Edmond Schlumberger	1898 „ „	„	8	„

Seit obige Zeilen geschrieben worden sind, ist uns leider am 7. August 1906 Herr Präsident Henri Spoerry-Mantz durch den Tod entrissen worden.

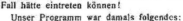

Abb. 36. Herr Präsident Spoerry-Mantz, Mitglied 1880–1906. Präsident 1894–1906.

Er war für uns ein weiser Berater und tatkräftiger Helfer, der seit langen Jahren mit seinen nächsten Angehörigen einen bedeutenden Teil des Ertrags der Jahreskollekte aufbrachte und zu Weihnachten auch noch unsere Angestellten und Zöglinge reichlich beschenkte. Darüber hinaus hat er, wieder mit seiner Familie, der Anstalt noch einmalige Gaben im Betrage von mehr als 70000 M. zugewandt.

Er war aber auch immer zu **persönlichen** — nicht nur materiellen — Opfern bereit. In 26 Jahren hat er nicht eine einzige Sitzung des Verwaltungsrats versäumt. Er ist selbst im hohen Greisenalter auch dann noch erschienen, wenn er im Sommer und Herbst in der Schweiz wohnte und die Reise für ihn mit Beschwerden verbunden war.

Die Anstalt hat an ihm einen treuen Freund verloren! — Zum Glück für die Blinden hat sich seine Gesinnung auf seine Familie vererbt. — Die Herren Jean Vaucher-Spoerry und Henri Spoerry, sein Schwiegersohn und sein Enkel, haben sich bereit erklärt, in den Verwaltungsrat einzutreten. —

Für den ausgewanderten Herrn Gustav Weiß ist Herr Henri Schlumberger in das Kuratorium berufen worden. Derselbe hat an Stelle des im März 1906 verstorbenen Herrn Ernest Zuber das Schatzmeisteramt übernommen.

Der bisherige Herr Vizepräsident Eduard Albert Schlumberger ist als Präsident an die Stelle von Herrn Spoerry-Mantz getreten. —

Seit 1881 stand naturgemäß die schon damals geplante kleine Anstaltserweiterung im Vordergrunde des Interesses, weil die Gebäude den Anforderungen nicht mehr genügen konnten. —

Da von einer konfessionellen Trennung, d. h. von der Gründung einer rein katholischen Anstalt, damals noch nicht die Rede war, hielten wir es für unsere Pflicht, wie früher, **allen** jungen Blinden des Landes, welche Aufnahme begehrten, dieselbe auch zu gewähren.

Konfessionelle Rücksichten kamen bei der Aufnahme **nicht** in Frage. Um über diesen Punkt keinen Menschen im Zweifel zu lassen, verzichteten wir auf Vorlage des Taufscheines bei der Anmeldung, bis wir entdeckten, daß ein evangelisches Kind (aus der Schweiz), das seine Konfession nicht kannte und das uns durch den Begleiter als katholisch bezeichnet worden war, zu Unrecht während eines Jahres den katholischen Religionsunterricht und die katholische Kirche besucht hatte. — Der Knabe hat keinen Schaden genommen. Wir wurden aber vorsichtiger, weil auch der umgekehrte Fall hätte eintreten können!

Unser Programm war damals folgendes:

1. Vorschule für kleine Kinder im vorschulpflichtigen Alter.
2. Hauptanstalt. (Schule für schulpflichtige Kinder; Fortbildungsschule; Berufslehranstalt für junge Handwerkslehrlinge);
3. „Heime“ oder Beschäftigungsanstalten für ausgebildete Blinde, die allein in der Welt stehen aber nicht ganz selbständig werden können.
4. In weiter Ferne ein „Altenheim“, „Feierabendhaus“ oder „**Asyl**“ für arbeitsunfähig gewordene,

alte Blinde, wie sie heute schon in verschiedenen Provinzen bestehen.

Da zahlreiche Anmeldungen für die Hauptanstalt vorlagen, wurde diese zuerst in Angriff genommen. Über die Erweiterung der Lehranstalt in den Jahren 1887—1894 ist berichtet worden. -

Wir mußten dann vorläufig halt machen, um wieder „Atem zu schöpfen"; denn die Voranschläge waren eben doch, wie das gewöhnlich geht, bedeutend überschritten worden. —

Da sich die Vorschule in bescheidenem Umfange mit der Hauptanstalt vereinigen ließ, wurden in erster Linie die „Heimstätten" für erwachsene ausgebildete Arbeiterinnen, (später auch für Arbeiter) in Aussicht genommen, um die von Köchlin schon vor 27 Jahren als notwendig bezeichnete Trennung nach Altersstufen durchführen zu können. Unterdessen hatten sich aber auf katholischer Seite konfessionelle Sonderbestrebungen geregt, welche zur Vorsicht und zum Abwarten mahnten. Wir durften nicht nochmals Geld, das den Blinden gehört, unnütz in Mauern anlegen. —

Der konfessionell-evangelische Anstrich, welcher unserer Anstalt mehrere Jahre nach ihrem Entstehen gegeben worden war, schien solche Bestrebungen zu rechtfertigen, wenn auch, nach meiner Überzeugung, kein Grund zur Unzufriedenheit vorlag; es hatten bei uns alle gleiche Rechte; allerdings verlangten wir auch von allen dieselbe Pflichterfüllung. Dies erklärt manche sogenannte „Unzufriedenheit".

Tatsächlich haben wir alle billigen Wünsche der Katholiken, die auf offiziellem Wege zu unserer Kenntnis gelangten, erfüllt, d. h. katholische Lehrkräfte für Schulunterricht, nicht nur für Handarbeitsunterricht usw., angestellt, die Katholiken, wie von jeher, zur Erfüllung ihrer religiösen Pflichten angehalten und die Andachten getrennt, obwohl in denselben nichts vorkam, das einem Katholiken hätte schaden können; die gemeinsamen Andachten wurden ja oft von katholischen Lehrkräften gehalten. - Wir haben ferner am 5. März 1890 beide Geistliche gleichzeitig zu Religionslehrern und Seelsorgern der Anstalt ernannt, während früher der konfessionelle Religionsunterricht von beiden außerhalb der Anstalt erteilt worden war. (Die Blinden nahmen am Religionsunterricht der Sehenden teil). Wir haben aber noch mehr getan, mehr als von uns verlangt werden konnte und tatsächlich verlangt wurde. In den Jahren 1880-1885) also zum Teil noch zu Köchlins Lebzeiten) ist die Kirchenmusik der Diözese mit bedeutendem Kostenaufwand in die Blindenschrift übertragen worden, um katholischen Zöglingen den Organistendienst zu ermöglichen - und schon 1887 haben wir, vor jeder anderen Anstalt deutscher Zunge, den Katechismus der Diözese in Punktschrift gedruckt, um es den katholischen Kindern zu ermöglichen, dem Religionsunterricht mit ihren sehenden Altersgenossen folgen zu können. Sie gehörten dann auch anerkanntermaßen in der Regel zu den besten Schülern; — katholische Blätter haben dies bestätigt. - Ich sage dies hier nicht, um uns dieses „Entgegenkommens" zu rühmen, das uns zur Pflicht wurde, sobald wir Katholiken aufnahmen, sondern um uns gegen ungerechte Angriffe zu wehren.

Ich weiß ja, daß es in beiden Lagern Anhänger der konfessionellen Trennung gibt. Für sie ist eben die Konfession die Hauptsache. Ich weiß auch, daß die Leitung einer reinkonfessionellen Anstalt sehr viel einfacher und leichter wäre, als die eines gemischten Internats.

Das Land ist aber für zwei vollständige Organisationen in dem oben angedeuteten Sinne viel zu klein. Vor 1870, d. h. zu einer Zeit, wo das natürliche Rekrutierungsgebiet der Anstalten nicht so scharf begrenzt war, hätte konfessionelle Spaltung weniger geschadet. Das viermal volkreichere Rheinland erträgt ja seit einigen Jahren die Trennung der staatlichen Erziehungsanstalt auch; aber die „Heime" und Werkstätten für Erwachsene, welche von der Privatwohltätigkeit abhängen, sind auch dort simultan geblieben. —

Wie die Dinge heute bei uns liegen, verhindert oder verzögert die Spaltung im Verein mit der Namenkonfusion — hüben wie drüben — einen vernünftigen Ausbau der Blindenfürsorge. — Das ist ein Unglück!

Um dieses Unglück zu verhüten, hat sich unsere Verwaltung schon am 7. März 1894 schweren Herzens dazu entschlossen, die Anstalt nach Umwandlung des beweglichen Vermögens in einen Unterstützungsfonds für entlassene Zöglinge — dem Staate zu übergeben, wenn dadurch die unselige Zersplitterung verhütet werden könne.

Der Verwaltungsrat hat in diesem Sinne bei der hohen Regierung Schritte getan, ist aber abgewiesen worden.

Aus Eigennutz haben wir dem Staate dieses Angebot nicht gemacht, auch nicht aus konfessioneller Engherzigkeit oder aus Eitelkeit, sondern aus

Pflichtgefühl. Leicht ist der Entschluß den Herren, welche unserem Verwaltungsrate seit 1859 angehört hatten, oder würdigen Vätern gefolgt waren, nicht geworden!

So blieb hier alles beim alten; aber schon 1895 eröffnete eine Schwesternkongregation eine Anstalt im Unterelsaß. —

Die wenigstens teilweise konfessionelle Spaltung war da — aber die völlige Trennung nach Altersstufen, d. h. die Einrichtung einer örtlich von der Erziehungsanstalt getrennten Beschäftigungsanstalt (eines „Heims" oder Werkstättenhauses) war in weite Ferne gerückt!

Eine solche Trennung wäre aber viel nützlicher gewesen, als konfessionelle Spaltung. Jetzt ist jede Anstalt genötigt, neben Kindern auch später erblindete, oder von Jugend auf vernachlässigte Leute aufzunehmen, die oft, ohne daß man es rechtzeitig erfährt, ein sehr bewegtes Leben hinter sich haben. Solche Menschen bilden stets eine sittliche Gefahr für junge Zöglinge und finden bei Leuten, welche keine Lebenserfahrung haben, für ihre ultra-sozialistischen Ansichten gar leicht mehr Gläubige, als beide Pfarrer zusammen. — Langjährige ernste Bemühungen reichen oft nicht aus, um solches Unkraut wieder auszurotten. —

Wir sehen übrigens nicht ein, warum Angehörige verschiedener Konfessionen, abgesehen vom Religionsunterricht, nicht auf derselben Schulbank sitzen und durch Lehrkräfte beider Konfessionen in den Schulfächern unterrichtet werden sollten, wenn sie später doch miteinander leben müssen, — solange wir nicht konfessionelle Regimenter, Fabriken und Eisenbahnen haben! —

Unsere Verwaltung weiß sehr wohl, daß diese Ausführungen den Gang der Dinge nicht ändern. Hat doch ein hochgestellter katholischer Geistlicher, der früher selbst eine Blindenanstalt geleitet hatte, vergeblich gewarnt! Wir möchten nur von dem künftigen Geschlechte nicht falsch beurteilt werden! —

Knabenhof Mittelbau

Abb. 37. Knabenflügel des Hauptgebäudes (vom Eingangstore aus gesehen).

Stuhlmacherei Korbmacherei Knabenflügel Druckerei Mädchenflügel

Abb. 38. Nordansicht.

Verwaltung.

Seit den Neunzigerjahren sind schwerwiegende Prinzipienfragen nicht mehr an den Verwaltungsrat herangetreten. Ich kann deshalb zu dem übergehen, was er eigentlich zu verwalten hatte. —

(Die gesamte Buchhaltung ist immer in der Anstalt selbst geführt worden.)

Daß kein Anfangs- oder Gründungskapital vorhanden war, haben wir schon gesehen. Die Schenkungen der Herren Scheidecker wurden erst 1863 freies Eigentum des „Werks". —

Für die allererste Zeit genügten wahrscheinlich die freiwilligen Beiträge, welche ungesucht eingingen; der erste Jahresbericht, welcher erst 1858 erschienen ist, macht darüber keine Angaben. — Er enthält nur die Gabenliste für das Rechnungsjahr 1857—1858. — Auch in Köchlins Lebensgeschichte sind sachbezügliche Aufzeichnungen nicht zu finden, und Protokolle sind aus dieser Zeit nicht vorhanden, weil bis Ende 1859 kein Kuratorium oder Comité bestand. Aus dem ersten Berichte scheint aber hervorzugehen, daß 1857 eine regelrechte **Kollekte** in Mülhausen, Sennheim, Thann, Gebweiler, Montbéliard und Markirch organisiert wurde, die mit einigen anderen Gaben brutto Frcs. 13624.30 einbrachte.

Für 8—10 Blinde (Köchlin zählte sich selbst und die blinden Gehilfen immer mit) war diese Einnahme mehr als ausreichend; traf es doch etwa 1300 Frcs. auf den Kopf. Seither ist dies anders geworden! —

Folgendes Verzeichnis zeigt den Rohertrag der Kollekte seit 1857—1858. (Von dem Rohertrag wären abzuziehen die Kollektenspesen und die Ausgaben für Druck und Verteilung der Jahresberichte). Die Franken, welche in den Jahresberichten figurieren, sind hier in Mark umgerechnet.

1857—1858	Mk.	10899.44	1881—1882	Mk.	10851.88
1858—1859	„	8570.64	1882—1883	„	11801.03
1859—1860	„	8163.88	1883—1884	„	11493.89
1860—1861	„	8998.72	1884—1885	„	11396.96
1861—1862	„	9622.24	1885—1886	„	11608.52
1862—1863	„	9829.72	1886—1887	„	11786.30
1863—1864	„	10046.64	1887—1888	„	11772.51
1864—1865	„	10217.20	1888—1889	„	11442.40
1865—1866	„	11459.80	1889—1890	„	11221.92
1866—1867	„	13461.40	1890—1891	„	11694.72
1867—1868	„	12362.16	1891—1892	„	10620.15
1868—1869	„	12440.04	1892—1893	„	10748.24
1869—1870	„	12227.84	1893—1894	„	10219.82
1870—1871	„	7262.08	1894—1895	„	10025.99
1871—1872	„	11526.28	1895—1896	„	10132.25
1872—1873	„	10901.72	1896—1897	„	10212.21
1873—1874	„	12985.12	1897—1898	„	10187.27
1874—1875	„	12360.32	1898—1899	„	10003.—
1875—1876	„	12230.88	1899—1900	„	9960.04
1876—1877	„	12477.32	1900—1901	„	9485.55
1877—1878	„	12459.—	1901—1902	„	9337.71
1878—1879	„	11807.20	1902—1903	„	9228.38
1879—1880	„	11475.96	1903—1904	„	8723.23
1880—1881	„	10512.56	1904—1905	„	9072.44

1905—1906 8654.73 Mk.

6

Einmalige Handgeschenke und Legate.

1. Periode (1858—1880).

		Handgeschenke für laufende Ausgaben der Anstalt Mk.	Pf.	Legate Mk.	Pf.
	Im ersten Berichte (1858) sind einmalige Gaben oder Handgeschenke und Legate nicht verzeichnet.				
	Als erste Gabe, abgesehen von der Kollekte, wird deshalb das von Herrn Jacques Scheidecker „geliehene", aber erst 1863 freies Eigentum des „Werks" gewordene Haus im Werte von etwa 12000 Frcs. zu verzeichnen sein. Ein Jahr später kam der Rententitel von Herrn Georg Scheidecker in Straßburg hinzu, dessen Betrag von 500 Frcs. schon damals der Anstalt zufloß, obwohl derselbe erst 1863 förmlich in ihren Besitz überging. Er wird zu schätzen sein			8000	
	Dazu kommt:				
1858 1859	eine Gabe des H. G. Zipelius, Mülhausen	160		—	
1859—1860	. . . .	—			
1860—1861	Geschenk von Frau Henriette Dollfus, Mülhausen	1600			
1861 1862	Ungenannt.	400			—
1862 1863	. . . .	—			—
1863—1864	anonyme Gabe für Bauten (Frau Pf. H. in Illzach)	6400			
	Kollekte für die Bauten	5708	72		
1864—1865	Kollekte für die Bauten	3624			
1865 1866	Geschenk der Familie Paul Lehr, Straßburg	160			
1866—1867	Ungenannt aus Gebweiler	2000			
1867—1868	Geschenk der Familie Zipelius Mülhausen	160			
	Frau Gust. Schwartz zur Erinnerung an Herrn Gust. Schwartz	400			
	Herr Ulrich Meyer	800			
	Herr Kasper Baumgartner zur Erinnerung an Frl. Anna Baumgartner . .	240			
1868—1869	Herr Jean Schmerber zur Erinnerung an Frau Schmerber-Schlumberger .	240			
	Herr Henri Schlumberger Gebweiler (Verzicht auf Zins)	400			
	Frau E. K. zur Erinnerung an Herrn A. K.	400			
1869—1870	H. Henri Schlumberger, Gebweiler (Verzicht auf Zins).	400			
1870 1871	Frau Ww. Köchlin Dollfus zur Erinnerung an Herrn Jean Köchlin . . .	800			
	Herr H. Schlumberger, Gebweiler (Verzicht auf schuldigen Zins)	400			
	Geschenk der Familie Jean Schmerber	240			
1871 1872	Herr Albert Tachard zur Erinnerung an Frau Tachard-Köchlin.	400			
	Geschenk der Erben von Frau Jean Schlumberger, Mülhausen.	400			
	Herr H. Schlumberger, Gebweiler (Verzicht auf schuldigen Zins)	400			
	Geschenk der Familie von Frl. Pauline Köchlin	80			
	Herr Schlumberger-Sengelin zur Erinnerung an seine verstorbene Frau .	80			
1872 1873	Herr Alfred Köchlin-Steinbach zur Erinnerung an seine Frau	800			
	Herr Henri Schlumberger, Gebweiler (Verzicht auf schuldigen Zins) . .	676	64		
	id. Geschenk.	3200			
	Geschenk der Erben von Frl. Elise Schlumberger (Mülhausen).	160			
	Frau Bischoff-Respinger, Basel	240			
	Frl. Pauline Lehr, Straßburg	80			
	Geschenk der Erben von Herrn Aug. Kern, Straßburg	160			
	Geschenk von Herrn Amédée Schlumberger, Mülhausen	400			
1873 1874	Erben von Herrn Eduard Huguenin, Mülh.	400			
	Herr u. Frau A. Schlumberger (Mulh?) zur Erinnerung an ihren Sohn Jean	240			
	Herr Mathieu Mieg	240			
	Herr Hartmann Liebach (Mülhausen) zum Ankauf des alten Schulhauses.	800			
	id. zum Ankauf des „Schäferhäuschens"	3040			
	Seitenbetrag	36329	36	8000	—

		Handgeschenke für laufende Ausgaben der Anstalt		Legate	
		Mk.	Pf.	Mk.	Pf.
	Übertrag	36320	36	8000	
	Von Albert Salathé zum Andenken an Herrn Alb. Salathé	400			
	(Erster Staatszuschuß Frcs. 500)				
1874—1875	Frau Iwan Schlumberger zur Erinnerung an Herrn Iwan Schlumberger Mülhausen	800			
	Frau Eduard Vancher zur Erinnerung an ihren verstorbenen Gatten	1600			
	Herr Julius Hecht, Straßburg	160			
	Herr Louis Ehrlen, Colmar	80			
1875—1876	Die Erben von Herrn und Frau Nicolas Köchlin (Mülhausen)	800			
	Die Familie von Herrn André Köchlin	800			
	Ungenannt in Erinnerung an einen Verwandten	400			
	Geschenk der Erben von Frau Scheidecker-Benner	40			
	Familie Zipelius zur Erinnerung an eine verstorbene Schwester	80			
	Frau Ww. Schmalzer-Köchlin zur Erinnerung an H. Schmalzer	1600			
	Durch die Familie Gustav Ehrlen in Colmar, Sammlung für eine Pfeffelstiftung (diese Summe war, gelegentlich der Errichtung des Pfeffeldenkmals in Colmar für das dortige evangelische Krankenhaus bestimmt, damit es Augenkranke unentgeltlich aufnehme. — Das Geschenk wurde abgelehnt und deshalb unserer Anstalt überwiesen)	2289	40		
1876—1877	Ungenannt aus Mülhausen	80			
	Frl. M. Z. aus Colmar	24			
	Geschenk der Kinder von Herrn Jeremias Spörlin-Wick, Mülhausen	400			
	Anonym aus einem Trauerhause	80			
	Anonym bei Anlaß eines Familienfestes	240			
	Geschenk der Kinder von Frau Ww. Ösinger-Zimmer in Straßburg	400			
	Herren Dock und Weber aus Anlaß der Verheiratung ihrer Kinder	40			
	Geschenk von Frl. Albertine Köchlin (durch Herrn Pf. Boegner-Straßburg)	800			
	Herr Eugen Ehrmann, Mülhausen für die Pfeffelstiftung	240			
	Herr Amédée Rieder, Napoleonsinsel ebenso	240			
	Legat des Herrn August Ehrmann aus Straßburg	—		16000	
1877—1878	Zum Andenken an Herrn Fries-Reber, Kingersheim	400			
	Herr Dr. Hermann Kestner zum Andenken an Frl. Charlotte Kestner (gest. in Basel)	160			
	Familie J. Albert Schlumberger zum Andenken an Herrn Arthur Schlumberger Mülhausen	400			
	Herr Jules Albert Schlumberger im Auftrag von Frau Marg. Schlumberger-Schwartz	80			
	Herr und Frau Fritz Köchlin bei ihrer goldenen Hochzeit	400			
	Frau Ww. Zeller, Pratteln (Schweiz)	40			
	Geschenk der Erben des Herrn Nicolas Schlumberger in Gebweiler	4000			
	Herr Amédée Rieder, Pfeffelstift	240			
1878—1879	Herr Camille Schmerber zur Erinnerung an Frau Ww. Marie König (Mülh.)	160			
	Legat von Herrn Jacques Elles, Mülhausen, Frcs. 3000; nach Abzug der Spesen			2122	80
	Geschenk der Erben von Frau Iwan Schlumberger, geb. Köchlin	800			
	Frau Ww. Nicol. Schlumberger, Gebweiler (Verzicht auf Guthaben)	458	92		
	Herr Louis Sers zu Pau	458	92		
	Herr Jules Schlumberger, Gebweiler	458	92		
1879—1880	Frau Ww. Ch. Laederich zur Erinnerung an Herrn Charles Laederich (Mülhausen)	400			
	Frau Ww. Henri Bock zur Erinnerung an ihren Gemahl	400			
	Erben der Frau Ww. Georg Mieg-Blech	400			
	Geschenk der Erben von Frau Ww. Julie Bock, geb. Bourcart	400			
	Seitenbetrag	57579	52	26122	80

6*

			Handgeschenke für laufende Ausgaben der Anstalt Mk.	Pf.	Legate Mk.	Pf.
		Übertrag	57579	52	26122	80
		Frl. Sophie Trautwein sel.	40			
		Frau Lugensland-Diehl, Barr, zum Andenken an Frl. Sal. Diehl	80			
		Legat von Herrn Martin Hanhart Colmar. Mk. 80000, nach Abzug der sich auf Mk. 12990.60 belaufenden Steuern und Spesen	-		67009	40
1880	1881	Frau Ww. Mantz, zur Erinnerung an Herrn J. Mantz.	800			
		Herr Henri Thorens zur Erinnerung an seinen Vater	80			
		Geschenk der Erben von Frau Köchlin-Ziegler, Mülhausen	800			
		Geschenk der Erben von Herrn Jeremias Risler, Mülhausen.	800	–		
		Ungenannt.	160			
		Geschenk der Erben des Herrn Weiß-Schlumberger	400			
		Summa	60739	52	93132	20

Von der Summe der Handgeschenke für laufende Ausgaben	60739	52
kommen die Gaben für besondere Zwecke (Pfeffelstiftung) in Abzug mit	3009	40
Es blieben somit für das Laufende	57730	12

Es macht dies also für die I. Periode von 25 Jahren:

1. Altes Haus . . . . etwa Mk. 10000.—
2. Legate . . . . „ 93132.20
3. Handgeschenke für Laufendes. „ 57730.12
4. Pfeffelstiftung. . . . . „ 3009.40

Total: Mk. 163871.72

Von den Legaten entfallen in den ersten 25 Jahren

auf Straßburg . . . . Mk. 24000.—
„ Colmar . . . . „ 67009.40
„ Mülhausen. . . . . „ 2122.80

Wenn man das Ursprungshaus mit Mk. 10000 hinzurechnet, so stellt sich die Summe für Mülhausen auf Mk. 12122.80.

Bei den Handgeschenken für laufende Ausgaben figuriert Mülhausen mit . Mk. 26704.—
und bei der besonderen Kollekte für die Bauten ist es mit . . . . „ 5990.40
beteiligt. Dies macht zusammen . . Mk. 32694.40

Colmar figuriert auf dieser Liste mit Einschluß der Gaben für die Bauten

mit . . . . Mk. 570.—
Straßburg mit . . . . „ 960.—
Gebweiler mit . . . . „ 13910.60
Illzach mit . . . . „ 6492.80

Wir finden also für die genannten Ortschaften folgende Summen an Handgeschenken und Legaten:

	Mülhausen	Colmar	Straßburg	Gebweiler	Illzach
Handgeschenke	Mk. 32694.40	750.—	960.—	13916.60	6492.80
Legate	„ 2122.80	67009.40	24000.—	—	—
Altes Haus	„ 10000.		—	—	—
Pfeffelstiftung	„ 240.—	2289.40			480.—
	Mk. 45057.20	70048.80	24960.—	13916.60	6972.80

Auf andere Ortschaften entfallen noch Mk. 2922.— Hier ist noch einzuschalten, daß Herr Alphons Köchlin, der inzwischen von einem Onkel einige tausend Mark geerbt hatte, der Anstalt 1865 eine Übungsorgel im Werte von etwa 1600 Mk. und einige Schränke usw. schenkte. Die Gesamtausgabe dürfte sich auf 2000 bis 2400 Mk. belaufen haben. —

Mülhausen, das die Anstalt wenigstens früher — als „Oeuvre locale“ betrachtete, stand bezüglich des Ertrags der Jahreskollekte von Anfang an immer an erster Stelle. Größere Legate oder Handgeschenke sind aber der Anstalt aus Mülhausen nicht zugeflossen.

In der zweiten Periode steht Mühlhausen weit vor allen anderen Ortschaften des Landes — obwohl z. B. die Landeshauptstadt die Anstalt ausgiebiger benutzt hat als Mülhausen.

II. Periode 1881—1906.

		Handgeschenke für laufende Ausgaben der Anstalt Mk.	Pf.	Legate Mk.	Pf.
1881—1882	Herr Henri Baumgartner zur Erinnerung an Frau Baumgartner	160	-		
	Herr Daniel Schoen zur Erinnerung an seinen verst. Vater	200			
	Geschenk der Erben des Herrn Jean Ulrich Meyer, Mülhausen	800			
1882—1883	Geschenk der Familie König, Markirch, zur Erinnerung an Frau Witwe Alex. König	400			
	Herr Royet, Mülhausen, zur Erinnerung an Frau Royet	400	—		
	Madame Jules Tesché, Mülhausen, zur Erinnerung an ihren Gatten .	400			
	Familie Math. Thierry, Mülhausen, zur Erinnerung an ihren Vater . .	400			
1883—1884	Frau Emil Köchlin, Mülhausen, zur Erinnerung an ihren verst. Gatten .	1600			
	Frau Herm. Schoen, Mülhausen, zur Erinnerung an ihren Gemahl . . .	160			
	Legat von Frl. Marie Köchlin	—		3200	
	„ „ Frl. Sophie Köchlin, Arbeitslehrerin			240	
	Schwester Emma Arlenspach, Mülhausen, zur Erinnerung an ihren hier verst. blinden Bruder	64			
	Herren Dollenmeyer und Schiffmacher, Mülhausen	80			
1884—1885	Herr Alb. Köchlin, Basel	375			
	Geschenk der Familie Schoen, Mülhausen	320		—	
	Legat von Herrn Fried. Griesbach, Straßburg	210	80		
1885—1886	Frauen Eugen und Emil Köchlin, Mülhausen	800			
	Herr Royet, Mülhausen	400			
	Herr Pierre Boeringer, Mülhausen	200			
	Herr Benner, Modenheim	160			
	Familie Kullmann, Mülhausen, zur Erinnerung an ihren Vater	400			
	Frau Schweisguth, Mülhausen	400	-	—	
1886—1887	Ungenannt, Mülhausen	100	-		
1887—1888	Handgeschenk der Erben des Herrn Jean Dollfus, Mülhausen . . .	3200			
	Legat des Herrn Henri Zündel, Mülhausen	—		2400	
	Handgeschenk von Herrn Ed. Thierry-Mieg	240			
	Handgeschenk von Herrn J. A. Schlumberger, Mülhausen	2000			
	Handgeschenk der Familie Schmid-Ostermann, Rappoltsweiler	400	—		
1888—1889	. . . .	-			
1889—1890	Handgeschenk der Erben des Herrn Zipelius, Mülhausen	400			
	Geschenk des Herrn Royet, Mülhausen	400			
	Herr C. Schmerber, Mülhausen, zum Andenken an seine Gemahlin . .	240			-
	Herr Vogelsang-Zipelius zur Einweihung des Neubaues	80			
1890—1891	Geschenk von Herrn E. Hofer-Grosjean, Mülhausen	240			
	Geschenk von Frau Ruff, geb. Henriette Geck, Straßburg	716			
	Geschenk von Herrn Ernest Zuber, Nap.-Insel, zum Andenken an Frau Jean Zuber	200			
	Geschenk der Erben von Frau Gust. Schwartz sel. (durch Frau Wwe. Carlos Köchlin)	2400			
1891—1892	Geschenk der Familie Schoen zum Andenken an Frau Hirn-Schön . . .	200			
	Geschenk von Frau Henri Schlumberger, Gebweiler	2400			
	Geschenk der Familie Zuber zum Andenken an Herrn Fr. Zuber sel., Mülhausen	2400			
	Geschenk der Erben von Frau Wwe. Jean Köchlin-Dollfus, Mülhausen .	2400			
	Geschenk von Herrn Pret-Thierry	400			
1892—1893	Geschenk der Erben von Frau E. Köchlin	840			
	Zum Andenken an Frl. Lina Süffert, Rappoltsweiler, durch Herrn Notar Kastler in Paris	160	-		—
	Seitenbetrag	27345	80	5840	—

		Handgeschenke für laufende Ausgaben der Anstalt Mk.	Pf.	Legate Mk.	Pf.
	Übertrag	27345	80	5840	—
	Geschenk von Frl. C. Schmidt	80		—	
	Geschenk von Frl. W. Blank, Heidelberg	200			
	Geschenk von Frau Wwe. Ch. Sutter zum Andenken an ihren Gatten	160			
	Geschenk von Frau Wwe. Brüstlein, Nap.-Insel, zum Andenken an ihren Gatten	200			
	Geschenk der Erben des Herrn Jules Albert Schlumberger	2000			
	Herr Fret-Thierry zum Andenken an seine Mutter	400			
	Zum Andenken an Frl. Lucie Ehrmann, Straßburg	160			
1893–1894	Geschenk der Erben des Herrn Fritz Köchlin, Mülhausen	200			
	Von der Familie Baumgartner, Mülhausen, zum Andenken an Frau Leo Baumgartner	2000			
	Geschenk von Frau Ed. Mieg, Mülhausen, zum Andenken an ihren Gatten	800			
	Von der Familie des Herrn Präsidenten G. Weiß-Fries, Kingersheim	800			
	Legat des Herrn Georges Steinbach			4000	
1894–1895	Geschenk von Herrn Camille Châtel, Mülhausen	250			
	Geschenk von Herrn Chr. Arnold Heyden, Mülhausen	1000			
	Geschenk von Herrn Maillet, erstem Präsidenten des Appellhofs in Dijon, zum Andenken an Herrn F. Klenck	704			
	Geschenk von Frau Wwe. H. Thierry-Köchlin zum Andenken an ihren Gatten	800			
	Geschenk der Erben des Herrn Victor Zuber	800			
	Geschenk von Frau Wwe. Anstett, Ittenheim	500			
1895–1896	Vermächtnis von Frau Blankenstein-Imbert			728	
	Geschenk von Frau Gust. Schäffer zum Andenken an ihren Gatten	400		—	
	Geschenk von Herrn Alphons Schlumberger zum Andenken an seine verstorbene Gattin	400			
	Geschenk von Herrn Ch. Laederich in Épinal zum Andenken an seine Mutter	400		—	
	Von den Erben der Frau Thierry-Mieg zum Andenken an ihre Mutter	300			
	Geschenk von Frau Schmerber-Frank zum Andenken an ihren Gatten	200			
	Vermächtnis von Frau Anna Elise Philipp, geb. Schlumberger			364	
	Zum Andenken an Herrn Marozeau	800			
1896–1897	Handgeschenk des Herrn Präsidenten H. Spoerry-Mantz, Mülhausen	40000			
	Geschenk von Frau Laederich-Weber bei ihrer goldenen Hochzeit	400			
	Geschenk der Erben von Frau Wwe. Henri Schlumberger, Gebweiler	1600			
	Legat des Herrn J. Heilmann	—		1600	
	Geschenk der Familie Fleischhauer in Colmar	250			
	Vermächtnis von Frau Wwe. Rübling in Straßburg	—		400	
	Zum Andenken an Frau Christian Junker in Brumath	100	—		—
1897–1898	Legat von Frau Valentin Meyer, Mülhausen	—	—	400	
	Legat von Frau Rollé (seit Frühjahr 1881 pensionierte Haushälterin der Anstalt), Straßburg			1000	
	Legat von Frl. Biarowsky			240	
1898–1899	Zur Erinnerung an Herrn Alphons Schlumberger, Mülhausen	1000	—		
	Zur Erinnerung an Theodor Mantz-Blech, Mülhausen, Geschenk der Familie	800			
	Geschenk der Familie Ed. Vaucher, Mülhausen, zur Erinnerung an ihre Mutter	4000			
1899–1900	Geschenk von Herrn Mantz-Thierry, Mülhausen	500	—		
1900–1901	Geschenk der Frau Klose, geb. Köchlin, Straßburg	100			
	Frau Grosheinz-Scheurer, Colmar, zur Erinnerung an ihre Mutter	80			
	Geschenk der Erben von Frl. Laura Käuffer, Mülhausen	400			
	Geschenk von Frau Jean Schmerber	200			
	Geschenk der Familie Ch. Mieg	800			
	Seitenbetrag	91129	80	14572	—

		Handgeschenke für laufende Ausgaben der Anstalt Mk.	Pf.	Legate Mk.	Pf.
	Übertrag	91129	80	14572	
1901—1902	Von Herrn Edmond Schlumberger, Mülhausen	160			
	Von Frau Emma Weihl, Straßburg	100			
	Von Herrn Eug. König, Mülhausen	160		—	
	Von Frl. Judith Mieg, Mülhausen	400		—	
	Erben von Frau Schmerber, Mülhausen	200		—	
	Von den Erben der Frau Laederich-Weber, Mülhausen, zum Andenken an ihre Mutter	1000		—	
	Vermächtnis von Herrn Franz Heinrich Krauß, Barr	—		4000	
	Vermächtnis von Frau Wwe. F. H. Krauß, Barr			800	—
	Vermächtnis von Herrn Donald Schlumberger, Mülhausen	—		20000	—
	Vermächtnis von Frau Imbert-Schmerber		—	80	—
	Geschenk von Herrn Rentmeister Vogel, Kurzel (Lothr.)	50		—	
	Geschenk von Frau Emma Weihl, Straßburg	100	—	—	
	Vermächtnis von Frau Marie Benner, geb. Haury, Mülhausen	—	—	800	
1902—1903	Vermächtnis von Frl. Burst, Mülhausen		—	1000	
	Geschenk der Erben von Frau Wolf, Mülhausen	80	—	—	
	Vermächtnis von Frl. Sophie Pfauth, Straßburg		—	691	58
	Vermächtnis von Frl. Anna Schneegans, Straßburg			2000	
	Vermächtnis von Frl. A. Fries, Mülhausen			7850	
	Geschenk der Erben von Herrn Jean Mieg-Köchlin, Mülhausen	500		—	
1903—1904	Von Herrn A. Böhringer, Mülhausen	200	—		
	Von Herrn Jules de Neufville, Reichenweier	400	—	—	
	Legat von Herrn Daniel Rieffel, Straßburg			2184	
	Legat von Frau Wwe. Engel, geb. Dannenberger, Mülhausen	—		719	55
	Geschenk der Erben von Herrn Gust. Grimm, Mülhausen	1000		—	
1904—1905	Herr Daniel Mieg zum Andenken an Herrn Jean Mieg-Köchlin	800		—	—
	Zum Andenken an die Familie Schlumberger-Sengelin	2000	—		
	Frau Wwe. Albert Spoerry-Engel, Mülhausen, zum Andenken an ihren Gemahl	8000			
	Zum Andenken an Herrn Gustav Dollfuß, Mülhausen, durch Herrn P. Kullmann	4000	—		—
	Von Herrn Vicepräsident Albert Schlumberger an die Einrichtung der elektrischen Beleuchtung und des Pumpwerks	6000			—
1905—1906	Von Herrn von der Mühll, Illzach-Modenheim, zum Andenken an seine Mutter	100		—	—
	Legat von Frau Wwe. Schleicher-Wegelin, Straßburg			1000	
1906—1907	Frau Wwe. Ernst Zuber, Napoleonsinsel (Illzach), zum Andenken an Herrn E. Zuber	200	—	—	—
	Der Erbe des in Interlaken ermordeten Herrn Ch. Müller aus Paris	300	80	—	—
	Von der Familie Spoerry zum Andenken an den Herrn Präsidenten H. Spoerry-Mantz	20000	—	—	—
	Summa	136879	80	55697	13
	Heimfonds. Summe aller bisherigen Gaben	. . .	. .	3743	39
	Insgesamt	. . .	. .	59440	52

Summe der Geschenke und Legate in der zweiten Periode von 25 Jahren

M. 196320,32.

Erste Periode von 25 Jahren:

Altes Haus . .	ca. Mk.	10000.—	
Legate	„ „	93132.20	
Handgeschenke für laufende Ausgaben . .	„ „	57730.12	
Pfeffelstiftung .	„ „	3009.40	Mk. 163871.72

Zweite Periode von 25 Jahren:

Legate	ca. Mk.	55697.13	
Handgeschenke für laufende Ausgaben . .	„ „	136879.80	
Gaben für Heimfonds. .	„ „	3743.39	Mk. 196320.32
		Total	Mk. 360192.04

Dies macht pro Jahr:

Mk. 7323.82

und im Durchschnitt auf jeden der 413 Zöglinge und Lehrlinge, die bis jetzt in die Anstalt eingetreten sind, für die ganze Zeit seines Aufenthalts in der Anstalt: Mk. 870.10.

Während Mülhausen, die Stadt der Anstaltsgründer, in der ersten Periode, abgesehen von der regelmäßigen Kollekte, an zweiter Stelle stand, weil das Legat Hanhart die Stadt Colmar an den ersten Platz stellte, entfallen von den außerordentlichen Gaben und Legaten der zweiten Periode in Höhe von 196320.32.

Auf Mülhausen 85%, nämlich . . .	Mk.	167547.35
„ Straßburg	„	8715.08
„ Gebweiler.	„	5600.
„ Barr	„	4800.
„ Napoleonsinsel-Illzach	„	1300.-
„ Kingersheim	„	800.
„ Dijon	„	704.—
„ Ittenheim	„	500.
„ Weissenburg (Heimfonds)	„	500.
„ Basel	„	468.75
„ Rappoltsweiler	„	400.
„ Reichenweier	„	400.
„ Epinal	„	400.
„ Colmar	„	330.
„ Heidelberg	„	200.
„ Paris.	„	460.-
„ Brumath.	„	100.-
„ Kurzel	„	50.—

Für beide Perioden zusammen kommen also auf:

	I. Periode	II. Periode		Total
Mülhausen. . .	45057.20	167547.35	=	212604.35
Colmar	70048.80	330.—	=	70378.80
Straßburg . . .	24960.-	8715.18	=	33675.08
Gebweiler. . .	13910.60	5600.-	=	19510.60
Illzach mit Napoleon-Insel	6972.80	1100.	=	8272.80
Barr	-	4800.	=	4800.
Kingersheim. .	—	800.	=	800.—
Dijon.	-	704.-	=	704.—
Ittenheim . . .	—	500.	=	500.—
Weissenburg .	—	500.— („Heim“)	=	500.—
Verschiedene Gemeinden . .	2922.—	2508.75	=	5430.75

Pflegegelder (Kostgelder).

(In Markwährung umgerechnet.)

1857—1858	Mk.	— —	1881—1882	Mk.	11383.84
1858—1859	„	350.96	1882—1883	„	12172.88
1859—1860	„	1710.64	1883—1884	„	12954.12
1860—1861	„	1470.76	1884—1885	„	13494.65
1861—1862	„	1315.76	1885 1886	„	13752.93
1862—1863	„	1111.20	1886—1887	„	12750.04
1863—1864	„	1442.—	1887 · 1888	„	14426.68
1864—1865	„	1775.32	1888—1889	„	16249.82
1865—1866	„	2188.92	1889—1890	„	24114.34
1866—1867	„	3756.56	1890—1891	„	28036.91
1867—1868	„	4550.12	1991—1892	„	27991.91
1868 1869	„	4590.20	1892—1893	„	29665.04
1869 1870	„	6032.28	1893—1894	„	28253.63
1870—1871	„	4618.28	1894—1895	„	30544.48
1871—1872	„	7110.72	1895—1896	„	30369.82
1872—1873	„	7223.16	1896—1897	„	30658.54
1873 1874	„	9506.08	1897—1898	„	32582.70
1874 1875	„	9566.68	1998 1899	„	29751.89
1875—1876	„	10458.84	1899—1900	„	28264.14
1876—1877	„	9942.76	1900—1901	„	28435.08
1877—1878	„	10422.60	1901—1902	„	29090.13
1878 1879	„	10890.80	1902—1903	„	24661.28
1879—1880	„	9868.28	1903—1904	„	28047.26
1880—1881	„	11709.72	1904—1905	„	26171.07

1905—1906 Mk. 26229.16

Obige Ziffern zeigen die für die betreffenden Rechnungsjahre bezahlten Pflegegelder, welche nicht immer im Rechnungsjahre selbst (1. April bis 31. März) eingehen. Ein großer Teil wird erst nach Rechnungsschluß für das vorhergehende Jahr oder Semester bezahlt. Die Einnahmen für das Jahr stimmen deshalb mit den im Laufe des Jahres bezogenen nicht überein. Vom 1. April 1905 bis zum 31. März 1906 sind an Pflegegeldern eingegangen:

Von dem Staate	Mk.	8240.
„ „ Bezirk Oberelsaß	„	4566.66
„ „ „ Unterelsaß	„	700.—
„ „ „ Lothringen	„	251.66
„ der Stadt Straßburg	„	4000.—
(Aus Mitteln des Strauß-Dürkheimschen Legats.)		
Von der Stadt Mülhausen	„	1712.16
„ „ „ Colmar	„	400.—
„ „ „ Hagenau	„	200.
„ „ „ Chur	„	400.—
„ „ „ Münster	„	200.—
Von anderen Gemeinden	„	301.65
Von Privaten für fremde Kinder	„	930.—
Von Eltern	„	1933.—
	„	23835.13
Dazu kommen noch Kostgelder, welche die Schul- und Werkstättenkonti dem Pflegegeldkonto für in der Anstalt verpflegtes Lehrpersonal vergütet haben:	„	2623.50
	„	26458.63

Seit 1872 hat der Herr Bezirkspräsident des Ober-Elsaß der Anstalt einen jährlichen Zuschuß bewilligt, der anfänglich Mk. 240 betrug, 1873 auf Mk. 320 und von 1874 -1891 auf Mk. 400 stieg, dann aber auf Mk. 300 zurückging. —

Seit 1897 bezahlt auch der Staat einen Beitrag von Mk. 8000.— an die Kosten der Schule.—

Ausgaben.

Den Einnahmen stehen naturgemäß die Ausgaben gegenüber.

Von den Aufwendungen für Landerwerb, Bauten und Einrichtungen ist schon die Rede gewesen. Ich kann mich hier also auf ein Verzeichnis der allgemeinen Spesen (Frais généraux), der Kosten des Haushalts, der Schulkosten, der Bureauspesen und der Ausgaben für Reparaturen beschränken.

Unter den allgemeinen Ausgaben figurieren bis 1881 die Besoldungen des hl. Direktors (seit 1867) und des Buchhalters, die Ausgaben für die Kollekte, den Druck und die Verteilung der Jahresberichte, die Versicherungsprämien und Steuern, ferner die Auslagen für Heizung und Beleuchtung usw.

In dem folgenden Verzeichnisse rechne ich auch die Bureauausgaben (Bücher, Schreibmaterial und Frankaturen), ferner die Reparaturkosten hinzu. Seit 1882 ist ein Teil der Besoldung des Direktors auf den Schulkonto*) gestellt worden, weil er sich lange Jahre wesentlich der Schule gewidmet hat.

Auf dem Haushaltungskonto standen von Anfang an und stehen noch die Ausgaben für Nahrung, Getränke, Kleidung, Wäsche, Bettzeug, Krankenpflege (Ärzte, Apotheke, Spitalpflege), das Brennmaterial für die Küche, ferner die Besoldung der Haushälterin und die Löhne der Dienstboten und des Gärtners, endlich die Weihnachtsgeschenke und die Ferienreisespesen der Zöglinge. Dieser Konto zerfällt in etwa 20 Unterabteilungen. Der Schulkonto ist belastet mit den Ausgaben für Lehrmittel, den kleinen Besoldungen, welche in den ersten 25 Jahren die Arbeitslehrerin und die blinden Hilfskräfte erhielten und einem Teil der Pflegekosten dieser blinden Gehülfen.

Die Besoldungen der Werkmeister und des Kommissionärs wurden von Anfang an — und werden noch — durch den Werkstättenkonto bezahlt; sie kommen also hier nicht in Rechnung.

Der erste Bericht umfaßt das Jahr 1857—58 (April 1857 bis März 1858). Über die Jahre 1855 bis 1857 fehlt es an Aufzeichnungen. Die beiden ersten Berichte verzeichnen noch 7362.37 Mk. für Einrichtungskosten.

Der leichteren Übersicht wegen rechne ich für umstehendes Verzeichnis (Seite 50) die Franken in Mark um.

Auffällige Schwankungen in der Rubrik „Allgemeines“ (Frais généraux) „Bureauausgaben“ und Reparaturen“ sind meistens größeren Reparaturen zuzuschreiben.

Das allmähliche Anwachsen dieses Kontos erklärt sich zur Genüge aus den viel größeren Gebäuden, den Wasserversorgungs- und Spülanlagen, die größere Reparaturkosten erforden, sowie aus den Mehrausgaben für Heizung, Beleuchtung, Steuern und Versicherungen jeder Art. — (Feuerversicherung, Kranken-, Alters-, Unfall- und Haftpflichtversicherung usw.)

Die Ausgaben betrugen

		1881—82	1905—06
Für Heizung	Mk.	811.20	1537.42
„ Beleuchtung	„	60.52	951.66
„ Steuern	„	153.84	879.88
„ Versicherung	„	102.68	1021.04
	Mk.	1128.24	4390.00

*) Ich schreibe bewußt „der Konto“, weil das Wort italienisch ist und im Italienischen „il conto“ heißt.

	Allgemeines Bureauausgaben und Reparaturen		Pensionen und Begräbniskosten		Ausgaben für die Schule		Haushalt		Total		Anmerkungen
	Mk.	Pf.	Mk.	Pf.	Mk.	Pf.	Mk.	Pf.	Mk.	Pf.	
1855–57	?				?						
1857–58	82	52		—	125	12	3152	34	3350	98	
1858 59	278	76		—	324	64	3752	96	4356	36	
1859 60	1119	88			501	08	5088	36	6709	32	
1860 61	1400	04			920	80	6208	48	8529	32	
1361 62	3669	20	—		? 920		6374	72	10963	92	In den Jahren 1861—64 greift eine Berechnungsweise Platz, aus der ich nicht klug werde. Ich finde in den Berichten und im Hauptbuch nicht „Schulausgaben", sondern „Verlust der Schule" — und 1863 64 sogar „Gewinn des Haushalts", statt „Haushaltungskosten" verzeichnet.
1862 63	3614	80	—	-	? 920	—	5267	92	? 9802	72	
1863 64									?		
1864 65	2976	08		—	597	92	5909	32	9483	32	
1865 66	4001	28		—	949	44	6647	16	11597	88	
1860 67	3191	20	240	-	1470	—	5478	92	10380	12	
1867–68	4805	—	240	-	1019	96	9003	64	15068	60	
1868–69	5867	08	240		1922	20	9797	20	17826	48	
1369 70	5337	84	240	—	1617	44	8862	08	16057	36	
1870 71	5705	36	240		1110	-	9139	60	16194	96	
1871–72	5521	36	240		1050	52	8971	20	15783	08	
1872–73	6754	92	240		1060	64	9401	28	17456	84	
1873–74	5701	08	240		1152	80	13030	92	20125	40	
1874–75	10445	12	240		1277	56	12545	24	24507	92	
1875–76	8084	64	240		1517	92	12311	72	22154	28	
1876 77	7422		240		2089	20	11315	92	21067	12	
1877 78	6495	40	240		2270	40	13795	88	22801	68	
1878 79	6039	12	240		2913	04	12409	56	21601	72	
1879 80	7199	12	240		3058	36	12817	28	23314	76	
1880 81	5367	68	2640		3699	60	12231	16	23938	44	
1881 82	7476	44	4908		3848	28	13255	64	29488	36	
1882 83	7779	66	3336	08	4894	26	12607	91	28617	91	
1883 84	7841	96	1735	80	4377	15	12290	17	26245	08	
1884 85	7938	79	1728	56	5158	57	12334	18	27160	10	
1885 86	10567	63	960		4895	03	13126	61	29549	27	
1886–87	10167	05	960		4949	58	14179	24	30255	87	
1887 88	8768	32	960		5227	76	16526	–	31482	08	
1888 89	9907	98	960		4271	54	17500	62	32640	14	
1889 90	10765	91	960	-	4840	34	24309	35	40875	60	Anstaltserweiterung.
1890 91	10476	91	960		4643	69	24905	33	40985	93	
1891 92	10631	44	960		5350	65	25514	56	42456	65	
1892–93	11002	90	910		5021	94	26500	93	43435	77	
1893–94	11264	68	720		5597	69	26941	34	44523	71	
1894 95	10347		720	--	4871	60	27877	55	43816	15	
1895–96	10999	23	720	--	5563	20	29337		46619	43	
1896 97	10295	56	720		7443	20	29562	44	48021	20	
1897 98	8616	06	720		13473	01	29523	33	52332	40	
1898 99	8703	09	540		13353	05	28346	83	50942	97	
1899 00	8378	43	480		12582	29	26358	52	47799	24	
1900–01	10370	41	480		13279	86	28256	60	52386	96	
1901–02	8650	11	480		12704	18	26631	25	48465	54	
1902 03	9006	18	565		12901	36	25887	21	48359	75	
1903 04	8674	02	565		11597	—	26162	11	46998	13	
1904 05	10505	46	565		13148	51	26484	31	50703	28	
1905 06	8787	06	615		12331	26	25068	12	46801	44	
	349002	36	33228	44	228813	64	773000	10	1384044	54	

Da wir neuerdings das ganze Personal gegen Unfälle versichert haben, werden die Versicherungsausgaben im laufenden Jahre die Höhe von 1400 Mk. erreichen. — Die Summe dieser vier Posten hat sich also im Laufe von 25 Jahren mehr als vervierfacht, obgleich man Sparsamkeit predigt und dadurch Unzufriedenheit erregt.

Die Schulrechnung ist bis 1885 mit einem kleinen Pflegegeld für das Lehrpersonal (höchstens 320 Mk. für die Person) belastet worden. Infolge der Anstellung eines sehenden Direktors und vollsinniger Mitarbeiter und der Anschaffung von Lehrmitteln sind dann aber die Schulausgaben naturgemäß gestiegen. Da auch in damaliger Zeit für eine wesentliche Erhöhung der Schulkosten in einer Blindenanstalt, die man für ein Asyl hielt, noch wenig Verständnis zu finden war, haben wir das Kostgeld der Lehrpersonen nicht mehr auf das Schulkonto gestellt, sondern die Lehrkräfte für Rechnung des Haushalts verpflegt. Von 1891—1897 hat auch der Staat die Besoldungen von zwei weiteren Lehrkräften übernommen. Diese stehen also wieder nicht in unseren Rechnungen. So erscheinen denn die Anforderungen für den Unterricht in den Jahresberichten (also auch in obiger Liste) von 1885—97 viel geringer, als sie tatsächlich waren. Die Schule kam so äußerlich nicht zu der ihr gebührenden Geltung.

Als dann 1897 die hohe Regierung, welche nicht alle Lehrpersonen auf Staatsrechnung übernehmen wollte, um dem leidigen Dualismus ein Ende zu machen, auf unseren Wunsch die staatlichen Lehrkräfte zurückzog, der Anstalt aber als Ersatz und weitere Beihülfe für die Schule einen Staatszuschuß von 8000 Mk. gewährte, entschlossen wir uns, die Ausgaben für den Unterricht auch in ihrer wirklichen Höhe erscheinen zu lassen. — Es wurde deshalb, wie billig, seit 1897 der größere Teil der Besoldung des Direktors auf die Schulrechnung gestellt, welche auch wieder, wie vor 1885, für die Verpflegung des Lehrpersonals in bescheidener Weise aufzukommen hatte. Das Kostgeld der in der Anstalt verpflegten Lehrkräfte wurde aber von da an nicht wieder, wie vor 1885, dem Haushaltungskonto, sondern dem Pensions- oder Kostgelderkonto gutgeschrieben, dessen Einnahmen dadurch vermehrt werden. So erklärt sich das scheinbar plötzliche Anschwellen der Schulausgaben seit 1897. In Wirklichkeit haben dieselben keine plötzliche Steigerung erfahren.

Das allmähliche Anwachsen der Haushaltungsausgaben erklärt sich aus dem Wachstum der Anstalt und dem Steigen aller Preise und Ansprüche. Gegen das Ende der Fünfzigerjahre kostete z. B. das Pfund Fleisch 32—40 Pfennige, heute mehr als das Doppelte. Die Dienstbotenlöhne schwankten damals zwischen 6.40 und 8 Mk. für den Monat. Die Köchin bekam in den ersten Jahren 7—10 Mk. — Es ist anders geworden! Die Rechnungen des Jahres 1857—58 verzeichnen an Ausgaben für Fleisch 361.20 Mk., für Brot 603 Mk. usw.

Die Rechnungen für 1905 auf 1906 dagegen verzeichnen

für Fleisch	Mk. 4597.86
„ Brot	„ 3077.35
„ Milch	„ 2942.04
„ verschied. Nahrungsmittel (Teigwaren, Mehl, Kartoffeln, frisches und dürres Gemüse, Dürrobst, Kaffee, Spezereien usw.)	„ 4435.52
„ Getränke	„ 805.78
„ Wäsche	„ 2650.19
„ Kleidung	„ 1916.75
„ Löhne des Dienstpersonals	„ 2980.90
„ Brennmaterial für die Küche	„ 707.20
„ Verschiedenes (Bettzeug, Geschirr usw.)	„ 1702.06
„ Weihnachtsgeschenke	„ 1453.15*)
	Mk. 27268.80

Durch die verschiedenen Einnahmen des Haushalts für Weihnachten, an Rückzahlungen für Kleidung, für hier gezüchtete und geschlachtete Schweine, welche eine Abteilung des Haushalts einer anderen (Küche) verkauft, die also in Ausgaben und Einnahmen figurieren, werden die Haushaltungsausgaben auf die in der Haupttabelle nach dem Hauptbuche angegebene Summe von 25068.62 Mk. herabgemindert. Wenn man den Ertrag des 30000 Quadratmeter großen Gartens und des Kartoffelackers, also Obst und Gemüse, hinzurechnete, so stiege aber die Summe der Haushaltungsausgaben wieder um mindestens 2500 Mk. Es läßt sich also zur Zeit der Gesamtaufwand der Anstalt für ihre Insassen, — (Mietswert der Gebäude und Mobilien, Allgemeines, Reparaturen, Pensionen, Schule und Haushalt) auf rund 60000 Mk. festsetzen. — Davon bringt die Kollekte nach Abzug der Spesen noch etwa 7000 Mk. auf. In den ersten Jahren, als sich der Ertrag der Kollekte noch

*) Letztere Ausgabe ist durch besondere Geschenke für diesen Zweck gedeckt. Der Kontrolle wegen müssen aber auch diese Geschenke in Einnahmen und Ausgaben gebracht werden.

7*

viel höher stellte konnte man mit 4000—6000 Mark auskommen. — Aber trotz der damaligen geringen Lebensmittelpreise und Arbeitslöhne — und obwohl keine sehende oder geprüfte Lehrkraft in der Schule tätig war, stellten sich die Pflege- und Unterrichtskosten in den drei ersten Jahren im Durchschnitt auf Mk. 640.69, während das verlangte Pflegegeld schon damals, wie heute Mk. 400 pro Kopf und Jahr betrug. —

Selbst wenn das vorgeschriebene Pflegegeld von 400 Mk. für alle bezahlt worden wäre, hätte also die Anstalt schon damals aus Mitteln der Privatwohltätigkeit jährlich noch für jeden Blinden Mk. 240.— aufbringen müssen. Für das Rechnungsjahr 1880—1881, also zu einer Zeit, wo sich die allgemeinen Ausgaben, welche nicht im Verhältnis der Kopfzahl steigen, sich schon auf eine größere Zahl von Blinden verteilten, beliefen sich die Tageskosten pro Zögling auf Frcs. 2.02, die Jahreskosten also auf Frcs. 737.30 = Mk. 589.84, obgleich der Mietswert der Gebäude und der Mobilien und Lehrmittel, ferner der Ertrag des Gartens nicht in Rechnung gebracht war. —

Wenn wir 4 Prozent des damals in Liegenschaften und Mobiliar festgelegten Kapitals mit rund Mk. 5000 hinzurechnen, so erhöht sich die Summe der Ausgaben für 1880- 1881 auf Mk. 715 pro Zögling oder Lehrling; 1881—1882 steigt sie infolge von außerordentlichen Ausgaben für Pflege des kranken H. Köchlin und Pensionierung der Witwe des Buchhalters, Frau Sack, und der frühern Haushälterin, Frau Rollé, auf Mk. 880.

Heute sind die Wohnungsverhältnisse besser und die Gärten viel größer. — Immobilien und Mobilien stehen heute, trotz mehrmaliger Abschreibungen, mit Mk. 301993 in unseren Rechnungen. — Zu 4 Prozent entspräche dies einem Zinsertrage von rund 12080 Mark — gegen Mk. 5000 vom Jahre 1881. Wenn man streng geschäftlich rechnen will, muß also obige Summe von Mk. 12080 zu den Barauslagen hinzugerechnet werden. Alle Lebensbedürfnisse sind seit 1881 um 20—30 Prozent, (seit 1856 z. T. um 100 Prozent) im Preise gestiegen. Der blinde Direktor und die ebenfalls blinden Gehilfen für Schul- und Arbeitsunterricht sind größtenteils durch sehende Lehrkräfte ersetzt worden, wodurch die Auslagen im Interesse der Zöglinge wieder erhöht worden sind. So stellt sich denn heute der wirkliche Kostenaufwand pro Kopf auf etwa 930 Mark, abgesehen von der Unterstützung Entlassener. Der Pflegesatz von Mk. 400 ist aber seit 1856 derselbe geblieben. Selbst wenn dieses Pflegegeld immer entrichtet würde, was nicht der Fall ist, müßten also noch Mk. 530 aus anderen Mitteln gedeckt werden. — Ein „Geschäft“ ist mit Blinden nicht zu machen, obschon dies oft geglaubt wird. Privatkrankenhäuser, die reichlicher mit Legaten bedacht werden als wir, verlangen allein für die körperliche Pflege — ohne Unterricht und Kleidung usw. — täglich Mk. 2.50 bis Mk. 8.—; unserer Anstalt hingegen vergütet man für alles zusammen höchstens Mk. 1.10. — Dafür hat die Anstalt für Wohnung, Nahrung, Krankenpflege, Kleidung, Wäsche, Schul- und Berufsunterricht usw. aufzukommen und sollte noch den ausgebildeten Blinden eine hilfreiche Hand bieten! —

Auch der Staat scheint nicht billiger zu wirtschaften als wir; in der staatlichen Taubstummenanstalt in Metz, die nur Kinder unter 15 Jahren beherbergt, kommt der Unterricht allein auf 500 Mark pro Zögling und Jahr zu stehen. Die Verpflegung kostet weitere 400 Mark. Steuern bezahlt die Staatsanstalt nicht. Ausgaben für Reparaturen, Bauten, Mobiliar, Versicherungen, Ruhegehälter usw. trägt die Staatskasse. Die Anstalt übernimmt als solche keine Fürsorge für austretende Zöglinge, und doch dürften die Kosten pro Schüler die Summe von 1000 Mark bedeutend übersteigen.

Die Preußische Staatsblindenanstalt in Steglitz hat das Pflegegeld schon lange auf Mk. 600 erhöht, obwohl die Angehörigen der Zöglinge oder ihre Heimatgemeinden das Bett und die Kleider liefern müssen — und der Staat die allgemeinen Kosten deckt und das Lehrpersonal reichlich besoldet und pensioniert. Auch sind die Lebensmittel in Brandenburg billiger als hier. —

In Breslau beträgt die Summe der Besoldungen und Löhne jährlich rund 42000 Mark, und in Chemnitz bezahlt der sächsische Staat

an Lehrerbesoldungen	Mk. 35700
und an Meisterbesoldungen . . .	„ 14000
	Mk. 49700

Die Löhne der Wärter, Wärterinnen und Dienstboten sind nicht inbegriffen. Im Ganzen bringt der Staat für die Chemnitzer Landesanstalt für Blinde und Schwachsinnige jährlich Mk. 324000 auf!

Unser „Werk“ hat aber, außer der Anstalt, noch andere Lasten zu tragen. Ihm ist durch die Statuten auch die **Fürsorge** für die als ausgebildet entlassenen Zöglinge nach Maßgabe der Mittel überbunden. —

Im 21. Berichte (1868—1869), in welchem H. Köchlin von den Blinden sagt: „Nous ne pouvons pas les garder indéfiniment", ist zum ersten Male unter Hinweis auf Paris und Dresden von dieser Fürsorge die Rede, und (1870) ist der erste Betrag für Unterstützungs- oder Fürsorgezwecke gebucht. Es wird der „Fürsorge" noch in einem besonderen Kapitel eingehender gedacht werden. Hier mag nur die Bemerkung Raum finden, daß das „Werk" zu Fürsorgezwecken bis jetzt Mk. 45017.73 flüssig gemacht hat.

Wenn man bedenkt, daß sich diese Summe auf 39 Jahre verteilt, so imponiert sie nicht. Das Königreich Sachsen und die Rheinprovinz bringen für diesen Zweck jährlich drei- bis viermal mehr auf! — Allerdings hat sich dort die Privatwohltätigkeit um die Erziehungsanstalten nicht zu kümmern. Für diese sorgt der Staat, bzw. die Provinz. — Wenn es bei uns auch so wäre, dann stände auch unsere Fürsorge-Organisation auf einer höheren Stufe und das im Elsaß noch fehlende „Heim" für Mädchen gehörte nicht mehr in das Reich der frommen Wünsche. —

In der letzten größeren Tabelle sind nur die Ausgaben für Allgemeines, Reparaturen und Haushalt berücksichtigt worden; die Auslagen für Bodenerwerb, Gebäulichkeiten, Mobilien, ferner die Auslagen der „Fürsorge für Entlassene" sind dort nicht berücksichtigt. — Es mag deshalb hier noch ein Verzeichnis aller Ausgaben folgen, die nicht mit dem Geschäftsbetrieb der Werkstätten zusammenhängen. — Für letztere (Seilerei, Bürstenbinderei, Korbmacherei, Stuhlmacherei, weibliche Handarbeiten und Druckerei) werden besondere Rechnungen geführt. Auch die Besoldungen der Werkmeister und des Fuhrmanns, ferner die Gratifikationen (Verdienstanteil) der Lehrlinge werden durch den Werkstättenkonto getragen.

Gesamtausgaben ohne Werkstätte und Druckerei.

I. Periode:			II. Periode:		
1855—57	fehlen die Angaben		1881 82	Mk.	33304.32
1857—58	Mk.	8197,36	1882—83	„	37116.49
1858 59	„	6838.55	1883—84	„	34347.47
1859 60	„	6709.32	1884 85	„	33299.62
1860 61	„	8515.72	1885 86	„	36154.64
1861 62	„	10069.20	1886—87	„	34605.71
1862—63	„	10336.	1887—88	„	38142.63
1863 64	„	22513.04	1888—89	„	77464.60
1864 65	„	52997.24	1889 90	„	109339.09
1865 66	„	33290.88	1890 91	„	79033.72
1866—67	„	19821.60	1891—92	„	53004.28
	Mk.	179288.91		Mk.	566412.57

I. Periode:			II. Periode:		
Übertrag	Mk.	179288.91	Übertrag	Mk.	566412.57
1867 68	„	22224.52	1892 93	„	50566.18
1868—69	„	21801.12	1893—94	„	50167.24
1869 70	„	20685.72	1894—95	„	57666.05
1870—71	„	19064.04	1895 96	„	54655.62
1871—72	„	19055.64	1896—97	„	52465.78
1872 73	„	20262.88	1897—98	„	56576.73
1873—74	„	24390.20	1898—99	„	55375.90
1874 75	„	37327.84	1899—00	„	49352.52
1875—76	„	25067.24	1900 01	„	54198.06
1876—77	„	22750.24	1901—02	„	50830.67
1877—78	„	25470.42	1902—03	„	50196.67
1878—79	„	24986.75	1903—04	„	48602.22
1879—80	„	26112.52	1904 05	„	57415.45
1880—81	„	27380.48	1905—06	„	48610.66
	Mk.	516768.52		Mk.	1303191.32

Wenn wir das alte Haus, welches mit Mk. 10000 als Geschenk J. Scheidecker in den Einnahmen figuriert, hier auch zu Mk. 10000 ansetzen und die Kosten für 1855 57 zu Mk. 6000 veranschlagen, so erhalten wir als Ausgaben der ersten Periode Mk. 532768.52.

Erste Periode	Mk.	532768,52
Zweite „	„	1303191.32
Total:	Mk.	1835959.84

In diesen „Gesamtausgaben" sind, wie schon gesagt, die Auslagen der Werkstätten für Rohmaterial und Arbeitslöhne (Meisterbesoldungen und Gratifikationen an Lehrlinge) nicht inbegriffen.

Die Ausgaben der Werkstätten beziffern sich in den ersten 25 Jahren auf	Mk.	178493.44
und in der zweiten Periode unter Einschluß der Druckerei auf . . .	„	495110.65
Zusammen:	Mk.	673604.09

Davon entfallen nach meiner Schätzung rund Mk. 250000 auf Besoldungen der Meister, des Fuhrmanns und auf Gratifikationen an Lehrlinge (zurzeit ca. Mk. 6700 pro Jahr). — Genau läßt sich dies nicht festsetzen, ohne die Werkstättenkonti seit 50 Jahren nochmals aufzustellen. Das Ergebnis wäre diese lange Arbeit nicht wert. Meine Schätzung, die sich auf die Besoldungssätze stützt, dürfte nicht allzu sehr von der Wirklichkeit abweichen. — In anderen Anstalten werden alle Angestellten, auch die Werkmeister usw. aus dem allgemeinen Konto besoldet.

Die Roheinnahmen der Werkstätten		
betrugen in der ersten Periode. .	Mk.	193647.72
betrugen in der zweiten Periode (mit Druckerei)	„	546365.27
Summe der Einnahmen	Mk.	740012.79
„ „ Ausgaben	„	673604.09
Überschuß	Mk.	66408.70
Dazu der jetzige Warenbestand	„	27900.-
	Mk.	94308.70

Die Werkstätten haben somit außer den Besoldungen und den Gratifikationen des Werkstättenpersonals in 50 Jahren nur Mk. 94308.70 verdient, d. h. durchschnittlich Mk. 1888. pro Jahr. — Dieser Bruttoverdienst deckt etwa die Kosten der Heizung und Beleuchtung der Arbeitslokale und die Prämien für Alters-, Unfall- und Haftpflichtversicherung, sowie die Gewerbesteuer.

Für Verwaltungskosten, Lokalmiete, Reparaturen und besonders für den Lebensunterhalt bleibt aber nichts übrig. — Mit Blinden-Lehrwerkstätten ist eben kein Geschäft zu machen! Ihr Zweck ist die Handwerkslehre, die berufliche Ausbildung der Blinden.

Zusammenstellung aller Ausgaben:

a) für die Werkstätten	Mk.	673604.09
b) für alle übrigen Konti (ohne die Fürsorge)	„	1835959.84
Summe:	Mk.	2509563.93

Schule.

Es ist schon wiederholt darauf hingewiesen worden, daß Herr Köchlin die Anstalt als **Schule** und zwar als Elementar- und Berufsschule ansah und angesehen wissen wollte. Es geht dies hervor aus seiner Selbstbiographie, dem Sinne der Statuten, welche der Anstalt als solcher nur die **Ausbildung** der Blinden zur Pflicht machten, aus der früher zitierten Stelle im ersten Jahresberichte („Qu'on ne s'y trompe pas! Notre „asile" est une **école**, comme la plupart des asiles") und endlich aus folgender Stelle im 21. Jahresberichte: „Notre plus grande difficulteé est le placement de nos éleves sortis d'apprentissage. . . . . . .

Et cependant nous ne pouvons les garder indéfiniment". —

Er fand aber für seine Idee herzlich wenig Verständnis — wahrscheinlich, weil der von ihm für die Schule gewählte Name „asile" für jeden Gebildeten das Gegenteil von dem bedeutet, was er zu haben glaubte.

Schon im ersten Berichte beklagt er sich bitter über diesen „Mangel an Verständnis". —

Er sagt dort: „Les enfants qui ont pris part à l'instruction sont au nombre de six, dont deux de Mulhouse nous ont quittés, leurs parents ayant renoncé aux bienfaits de nos leçons. L'instruction primaire qui est si peu appréciée en France par la majeure partie de la classe ouvrière, l'est bien moins encore par les parents d'enfants aveugles etc." . . . . . . Les deux familles ne voyaient dans notre maison qu'un hôpital à titre gratuit".

Ich finde dies sehr natürlich! Ein Asyl ist eben in der ganzen Welt ein „hôpital", ein Spital oder Pfrundhaus, niemals aber eine Schule. Wenn sich aber eine Anstalt, die Schule sein will und sein soll, selbst als Spital bezeichnet, darf sie sich eben nicht wundern, wenn man ihr Kranke oder alte Leute bringt und von ihr Pflege oder Versorgung, nicht aber Unterricht verlangt!

Was Herr Köchlin im Jahre 1858 über die Wertschätzung der Blindenbildung schrieb, könnte ich übrigens heute noch unterzeichnen und auf weitere Kreise ausdehnen. —

Der Unterricht wurde bei uns bis 1880 durch Köchlin und drei bis vier blinde Gehilfen erteilt. Da er selbst nur bis zum fünfzehnten Jahre die Schule besucht hatte und blinde Zöglinge schon nach zwei- bis dreijährigem Schulbesuch zu Monitoren oder Hilfslehrern beförderte, war allerdings von einem pädagogisch vorgebildeten Lehrpersonal nicht die Rede. —

Zur Zeit meines Eintrittes in die Anstalt bestand dasselbe aus drei früheren Zöglingen der Anstalt, einer früheren Schülerin des Pariser Nationalinstituts und einem alten Zögling der Lausanner Anstalt. —

Der Unterricht beschränkte sich auf Religion, Lesen und Schreiben in beiden Sprachen, etwas

Sprachlehre, elementares Rechnen und die Elemente der Geographie, soweit die damaligen Lehrmittel solchen Unterricht ermöglichten. — Man konnte eben von Blinden, die keine oder nur sehr spärliche Vorstellungen von der realen Welt besaßen, nicht verlangen, daß sie ihren Schülern solche vermitteln sollten. — Lehrmittel zur Veranschaulichung des Lesestoffes waren nicht vorhanden. In der Blindenanstalt ist aber mehr als irgendwo die Frage am Platze: „Verstehst du auch, was du

Im eigentlichen Sprachunterricht, d. h. in der Sprachfertigkeit, wurden hier dennoch sehr befriedigende Resultate erzielt, weil jede Lehrkraft ihre Muttersprache praktisch lehrte, d. h. dieselbe auch als Unterrichtssprache für andere Schulfächer gebrauchte. — Auch konnte bei der kleinen Schülerzahl — zwei bis drei auf eine Lehrkraft — eigentlich Einzelunterricht erteilt werden. —

Wir haben s. Z. in der von mir geleiteten Fremden-Schule in Genua, deren Lehrkräfte den vier

Abb. 39. Lesestunde in der Unterklasse.

liesest?" Die Sprache der Sehenden, die ja auch von den Blinden gesprochen und gelesen wird, stützt sich eben doch wesentlich auf Gesichtswahrnehmungen. — Der Tastsinn kann beim Blinden in die Lücke treten, wenn passende Gegenstände zum Betasten (Veranschaulichungsmittel) in genügender Zahl vorhanden sind. Andernfalls bleibt der ganze scheinbare Wissenskram fauler Zauber. — Worte können nie Sachvorstellungen erzeugen, sondern nur solche, die im Geiste schlummern, wecken, ins Bewußtsein rufen. — Es gilt dies nicht nur vom Blindenunterricht. —

Hauptnationen angehörten, jede Sprache auch als Unterrichtssprache für andere Fächer gebraucht und mit diesem System sehr schöne Resultate erzielt. Eine dortige Schülerin hat ohne weiteres Studium an der Universität Genua die Doktoratsprüfung in den sprachlichen Fächern (vier Sprachen) bestanden. —

In Illzach war der französische Unterricht zu Köchlins Zeit leichter als der deutsche, weil die Franzosen damals schon verschiedene Grammatiken und eine bedeutende Literatur in Blindenschrift besaßen, während die deutschen Anstalten fast ausschließlich auf die hier gedruckte Bibel in Lateinschrift angewiesen waren. Eine deutsche Elementargrammatik (Formenlehre) ist auch heute noch nicht gedruckt (wir haben sie handschriftlich), und die hier herausgegebene Satzlehre (Musterbeispiele von Schulrat Dr. Stehle) wird anderswo nicht gebraucht! In meinen Augen ist dies auch ein Barometer der Blindenbildung und der Wertschätzung derselben. —

Den Franzosen fehlte — und fehlt — nur ein eigentliches Schullesebuch. - Deshalb wurde für Rechnung unserer Anstalt (1879—1881) ein solches in Neuchâtel abgedruckt — (Janin, Chrestomathie des écoles). Man gab sich hier der Hoffnung hin, daß auch die Franzosen es einführen und so dessen Absatz vergrößern würden, erhielt aber, wie mir erzählt worden ist, die Antwort: „Ce n'est pas francais; c'est alsacien!" Das Buch ist jetzt aber doch vergriffen. —

Möglicherweise fragten sich die französischen Institute, wie ein Asyl dazu komme, ihnen Lehrmittel anzubieten; denn daß man uns in Frankreich für ein wirkliches „asile" hielt, weil man den Ausdruck verstand, weiß ich.

Hier wurde in früherer Zeit — z. T. noch heute - besonders viel geschrieben, und einzelne Zöglinge hatten es zu einer fabelhaften Schreibfertigkeit gebracht. Ich habe vor längeren Jahren das „Eleusische Fest" von Schiller (28 Strophen zu je acht Versen, d. h. etwa 1100 Wörter) durch eine Klasse in alphabetischer Schrift, nicht etwa in Stenographie, niederschreiben lassen. Die gewandteste Schreiberin brauchte dazu eine Stunde, die langsamste eine Stunde und zehn Minuten. — Sehende Schüler wären einer solchen Leistung kaum fähig; sie würden den Schreibkampf bekommen. — Einzelne Schülerinnen schrieben sich ganze Bibliotheken zusammen. — Seit an allen Ecken und Enden so viel und vielerlei gedruckt wird, daß man nicht mehr alles kaufen kann und mag, hat leider mit dem Schreibeifer auch die Schreibflüchtigkeit etwas abgenommen.

Der **Religionsunterricht** beschränkte sich in der Anstalt selbst auf die biblische Geschichte. Vor etwa 22 Jahren haben wir für diesen Unterricht die Mittelstufe und Oberstufe von Schollenbruch in Blindenschrift herausgegeben und für die Katholiken Schusters biblische Geschichte angeschafft, als auch diese für Rechnung der Anstalt Düren (Rheinland) gedruckt worden war. — Es konnte dann ein Austausch stattfinden. — Düren bezog von uns eine Anzahl Schollenbruch und wir von dort eine entsprechende Anzahl Schuster. — Die Konfessionen wurden aber für diesen Geschichtsunterricht nicht getrennt. In den Neunzigerjahren erteilte jeder Lehrer, ob Katholik oder Protestant, diesen Unterricht in seiner Klasse. Erst vor elf Jahren ist auf Wunsch der hohen Regierung die konfessionelle Trennung durchgeführt worden.

Katechismusunterricht, also konfessioneller Religionsunterricht, wurde in der Anstalt **nicht** erteilt. Derselbe war von jeher den Herren Geistlichen beider Bekenntnisse überlassen, welche die Blinden gemeinsam mit den sehenden Kindern der Pfarrei unterrichteten. Die Anstaltsleitung hat sich niemals in diesen Unterricht eingemischt, wohl aber, wenn nötig, für Nachhilfe gesorgt. Den Katholiken wurde es einigermaßen schwer, dem Unterrichte mit den Sehenden zu folgen, weil weder hier noch anderswo ein katholischer Katechismus in Blindenschrift vorhanden war. Wir mußten ihnen denselben Jahr für Jahr diktieren; sie „verloren" aber regelmäßig die Blätter, wenn sie nichts lernen wollten. Um dieser ewig wiederkehrenden, fruchtlosen Arbeit ein Ende zu machen, haben wir 1887 aus eigenem Antrieb den katholischen Diözesankatechismus in Blindenschrift gedruckt. — Unser Grundsatz war: „Jedem das Seine!"

Wenn katholische Eltern uns ihre Kinder anvertrauen, so geschieht dies in der berechtigten Erwartung, daß wir sie ihnen nicht entfremden. —

Die Herren Geistlichen beider Konfessionen hatten amtlich nicht mehr und nicht weniger mit der Anstalt zu tun, als mit jedem anderen Privathause, in welchem Angehörige ihrer Pfarrei lebten. Sie waren also völlig „gleichberechtigt". So ist es bis 1891 geblieben, d. h. bis der kaiserliche Oberschulrat den „Wunsch" aussprach, daß der katholische Pfarrer den Religionsunterricht in der Anstalt erteilen dürfe. Selbstverständlich wurde auch dem evangelischen Pfarrer dasselbe Recht eingeräumt. Über die weitere Entwicklung der Dinge ist in dem Kapitel über den Verwaltungsrat schon berichtet worden. —

Der **Rechenunterricht** beschränkte sich zu Köchlins Zeit auf die Elemente mit Einschluß der Bruchrechnung. —

In Lausanne hatte Köchlin einen Rechenapparat gefunden, der ihm praktisch zu sein schien. Derselbe besteht aus einem mit regelmäßigen Lochreihen versehenen Brette, auf welchem Holzziffern

*) Unter 417 Blinden waren 221 Katholiken, 195 Protestanten und 1 Israelit. —

(Stäbchen, Pinnen) mit 1–9 Spitzen in Reihen, wie Soldaten, aufgestellt werden können. (540–600 Löcher.)

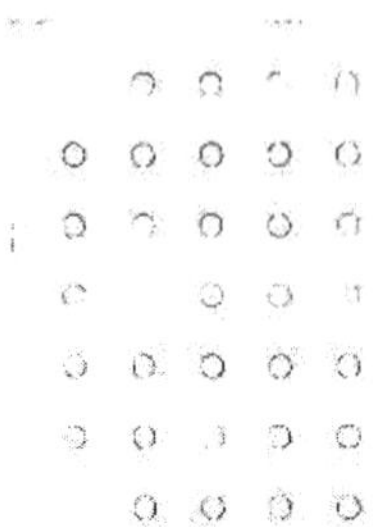

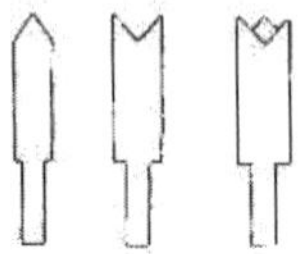

Holzziffern.

Abb. 40. Rechenapparat (540–600 Löcher).

Die vier Operationen werden so gemacht, wie mit geschriebenen Ziffern. —

Diese Holzziffern werden in einem „Setzkasten" aufbewahrt. Unsere neuen Schultische habe ich s. Z. besonders dafür einrichten lassen. —

Es ist dieser einfache Apparat dem englischen von Tylor, bei welchem Pinnen von einerlei Form durch Drehen in die richtige Lage die gewollte Bedeutung erhalten, — und auch dem französischen cube-arithme, bei welchem die Zahlen in Brailleschrift (Punktschrift) auf den sechs Flächen eines Zentimeterwürfels angebracht sind und auch durch Drehen und Wälzen in die richtige Lage gebracht werden müssen, für den Schulgebrauch entschieden vorzuziehen. Er hat aber den Nachteil, daß er zu voluminös und zu teuer ist. Man kann nicht jedem Zögling beim Austritte einen solchen mitgeben. Aber selbst wenn er einen hätte, könnte er denselben doch nur zu Hause gebrauchen, weil er nicht in der Tasche nachgetragen werden kann. —

Wir haben deshalb hier vor etwa zwölf Jahren das schriftliche Rechnen auf der Schreibtafel eingeführt. Mit dem Kopfrechnen allein, auf welches in der Blindenanstalt naturgemäß das Hauptgewicht gelegt wird, kann eben auch der Blinde, welcher ein eigenes Geschäftchen betreibt, nicht immer auskommen. Bezüglich der Zahlzeichen verweise ich auf die Hochdruckbeilagen und den Artikel über Hochdruck.

Die ersten zehn Buchstaben des Alphabets, denen man das Zahlzeichen  vorsetzt, bezeichnen auch die Ziffern 1—9 und 0.

 1,  4, 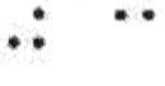 10,

 567,  29,7

Das Zahlzeichen steht nur vor der ersten Ziffer.

Die Aufgabe, z. B. eine Multiplikation, wird in gewöhnlicher Reihenfolge auf die Tafel geschrieben; dann wird das Blatt gewendet, sodaß die erhöhten Punkte nach oben zu stehen kommen. Nun wird die Multiplikation mit jeder Zahlstelle ausgeführt wie gewöhnlich, und die festzuhaltende Ziffer wird in die richtige Kolonne (Einer, Zehner usw.) geschrieben. —

Um die Addition der Teilprodukte zu machen, muß das Blatt wieder umgekehrt werden. Die Summen werden eingetragen, sodaß das Resultat wieder auf der Vorderseite erscheint wie die Aufgabe. —

Beiliegendes Hochdruckblatt zeigt je eine Addition, eine Subtraktion, eine Multiplikation und eine Division. Es kann dieses Blatt zur Verbreitung des Verfahrens, das noch ziemlich unbekannt zu sein scheint, beitragen. —

Sogar auf der Taschenschreibtafel können auf diese Weise die größten Operationen ausgeführt werden.

Der **Geographieunterricht** mußte zu Herrn Köchlins Zeit auf das mehr als bescheidene damalige Karten- oder Skizzenmaterial beschränkt werden. K. war natürlich noch weniger als sehende Kollegen befähigt, geographisches Anschauungsmaterial zu schaffen.

Naturkunde und **Geschichte** figurierten nicht auf dem Lehrplan. Es waren weder Lehrmittel, noch Lehrkräfte vorhanden, die solchen Unterricht ermöglicht hätten. Herr Köchlin ließ aber wenigstens für die Privatlektüre ein Geschichtswerk übertragen. Es wurde nach und nach der Leitfaden von Vuillet (Mittelalter und Neuzeit) einzelnen Schülern durch den Buchhalter (é'conome) Th. Sack für die Bibliothek diktiert. —

Der **Musikunterricht** spielte — nach französischem Muster — eine ziemlich große Rolle, weil man immer hoffte, wie jenseits der Vogesen, Blinde als Organisten unterzubringen. Man übersah dabei, daß der Organistendienst im Elsaß, wie in Deutschland, in der Regel mit dem Schuldienst vereinigt war. Dank der Aufopferung des Herrn Organisten Stern in Straßburg konnte zwar ein früherer Schüler der Anstalt die Organistenstelle an der Wilhelmerkirche in Straßburg erhalten, nachdem ihm Herr

Stern längere Zeit unentgeltlich Unterricht erteilt hatte. Er mußte aber das hier Gelernte zuerst vergessen, weil unsere damalige Übungsorgel, die Herr Köchlin geschenkt hatte, bezüglich der Pedalweite usw., mit keiner anderen übereinstimmte. — Der Umbau derselben im Jahre 1890 hat vielmehr gekostet als s. Z. der Ankauf, und auch heute noch ist immer daran zu flicken. (Ankauf Mk. 1600, Umbau Mk. 2700.)

Um auch Katholiken auf den Organistendienst vorbereiten zu können, ließ die Anstalt seit 1880 unter Leitung des Herrn Organisten Meyer in Mülhausen die ganze Kirchenmusik der Straßburger Diözese in Blindenschrift übertragen. Der Erfolg ist aber — wohl aus anderen als musikalischen Gründen — ausgeblieben. —

Als ich 1881 die Leitung der Anstalt übernahm, steckte ich meine Ziele — bei aller Anerkennung des Geleisteten — etwas höher. —

Ich war zwar Neuling auf dem Gebiete der Blindenbildung, nicht aber auf dem des Unterrichts überhaupt.

Unsere Anstalt hatte damals — nach französischem Vorbild — nur blinde Lehrkräfte, deren wissenschaftliche und pädagogische Vorbildung, hier wie anderswo, sehr viel zu wünschen übrig ließ, weil sie eben doch nur eine Elementarschule besucht hatten. Der blinde H. Köchlin selbst war ja über diese Stufe kaum hinausgekommen. —

Sie leisteten trotz alledem auf sprachlichem Gebiete mehr, als ich von ihnen erwartete. Deshalb sagte ich mir, daß Blinde bei genügender Vorbildung, abgesehen von der Aufsicht, als Blindenlehrer allen billigen Anforderungen zu genügen vermöchten. Dazu kam die Beobachtung, daß sehr intelligente Blinde sich oft für das Handwerk nur wenig eignen. (Zu vergleichen meine Arbeit über Blindenphysiologie, ferner meine Berliner und Pariser Kongreßvorträge „Ist es ratsam, Blinde zu Musik- und Sprachlehrern auszubilden?“ und „Faut-il confier l'enseignement et l'éducation des aveugles à des aveugles?“ Da es in meiner früheren Stellung eine meiner Aufgaben gewesen war, sehende Töchter auf die höhere Prüfung vorzubereiten, glaubte ich, gerade auf diesem Gebiete fördernd eingreifen zu können. — Ich richtete deshalb schon in den ersten Jahren eine höhere Klasse ein. —

Über dieselbe habe ich mich im ersten französischen Berichte (1882) folgendermaßen ausgesprochen: „Les élèves du cours supérieur ou normal qui ont l'intention de se vouer à l'éducation des aveugles, ont en général répondu á mon attente. Nous avons des aveugles qui me donnent tout autant de satisfaction que plusieurs élèves voyantes que, dans une autre école, j'ai préparées aux examens pour l'enseignement secondaire.“

Ich hatte hier besonders ein Mädchen gefunden, dem ich die Fähigkeit zutraute, sich später im Blindenfache nützlich machen zu können. Das Ziel ist tatsächlich in verhältnismäßig kurzer Zeit erreicht worden. Diese Schülerin ist seit bald 20 Jahren im Lehrfach tätig (etwa zehn Jahre in Frankreich, die übrige Zeit in Deutschland); sie hat Blinde und — als Instituts- und Hauslehrerin — auch Sehende unterrichtet. — Andere Zöglinge haben hauptsächlich als Arbeitslehrer oder -lehrerinnen in Frankreich, Deutschland und der Schweiz Stellung gefunden.

Die Erreichung des Zieles wurde durch den gänzlichen Mangel an Lehrmitteln für alle Fächer, später für alles, was über die Elementarstufe hinausging, bedeutend erschwert. Wir Blindenlehrer müssen alles selbst schaffen, oder uns mit nichts begnügen. Die Lehrmittelspekulation verlegt sich nicht auf unser Gebiet.

Da ich an die vorhandenen blinden Hilfskräfte größere Anforderungen nicht stellen konnte, übernahm ich in den ersten Jahren 45 bis 50 wöchentliche Unterrichtsstunden und las noch jeden Abend 1—2 Stunden vor, bis mir nach einigen Jahren sehende, geprüfte Lehrkräfte bewilligt wurden. Lese- und Lehrbücher für den Unterricht, wie ich mir denselben dachte, waren anfänglich nicht vorhanden. Die beiden Bändchen von Rösner und Brandstätter und einige Gedichte von Schiller waren bald ausgelesen. Der Lateindruck der Bibel konnte nicht fließend gelesen werden*). Wer geläufig zu lesen schien, wußte den Text auswendig. Auch ist die Bibel wohl nicht als Schullesebuch geschrieben worden. Jedes Lesestück, das man behandeln, jedes Lehrbuch, das man benutzen wollte, mußte man zuerst diktieren und es dann abschreiben lassen.

Ich hatte gesehen, daß unsere Arbeitslehrerin, Fräulein Köchlin, gleichzeitig vorlesen und stricken konnte.

Deshalb sagte ich mir: „Du wirst doch wohl auch zwischen den Bureau- und Schulstunden und abends gleichzeitig Kartenformen gravieren und Bücher diktieren können!“ Es ging auch tatsäch-

*) A. Köchlin selbst erzählt, daß er einzelne Buchstaben immer nur aus dem Zusammenhang erraten konnte.

lich. Während die Schüler einen vorgelesenen Satz niederschrieben, gravierte ich weiter an meinen Kartenbrettern. (Siehe Kapitel „Hochdruck für Blinde".)

Unsere damalige Tätigkeit gemahnt mich noch heute an die Benediktinerarbeit vergangener Tage.

Nach und nach erschien dann aber im Verlage des „Vereins zur Förderung der Blindenbildung", der das ganze deutsche Sprachgebiet umfaßte, doch wenigstens ein deutsches Lesebuch (größtenteils in Punktschrift), das die Arbeit auf dem Gebiete des Sprachunterrichts erleichterte und vereinfachte. Auch Direktor Heller in Wien gab ein solches heraus. Daran schlossen sich Klassikerausgaben usw. Auch wir haben allgemeinen Lesestoff, Klassiker usw. gedruckt, wenn wir auch unsere Hauptaufgabe in der Herausgabe von Lehrmitteln für die verschiedensten Unterrichtsgebiete (deutsche und französische Grammatiken, Geschichtswerke, geographische, naturkundliche, mathematische, und musikalische Unterrichtsmittel) erkannten. — Unterhaltungsschriften kann schließlich jeder gebildete Blinde drucken, wenn man ihm Manuskript und Werkzeug zur Verfügung stellt. – Die Unsumme von Schreibfehlern, die man in verschiedenen Blindenbüchern findet, beweist übrigens, daß man mancherorts auch Blinde selbständig drukken läßt, die dazu nicht befähigt sind. —

Vor allem suchte ich die nötigen Veranschaulichungsmittel herbeizuschaffen, um die tausend und abertausend Ausdrücke, welche die Blinden täglich hören oder lesen, einigermaßen „begreiflich" machen zu können; denn wenn irgendwo, so ist wie gesagt beim Blinden die Frage am Platze: „Verstehst du auch, was du liesest?" —

Schon in meinem ersten deutschen Jahresberichte (1882), den ich mehr für die Kollegen als für unsere Subskribenten schrieb, weil diese den französischen „Rapport" erhielten, habe ich mich darüber folgendermaßen ausgesprochen:

„Der Blindenunterricht hat seine eigenen Schwierigkeiten und Klippen, die sich dem Auge des oberflächlichen Beobachters, welcher die am leichtesten errungenen Resultate am meisten bewundert, meistenteils gänzlich entziehen. Die Blinden entwickeln sich vielfach ebenso rasch als die Sehenden, und oft, bei sonst gleichen natürlichen Anlagen und gleichem Fleiße, scheinbar viel rascher als diese, weil bei ihnen hauptsächlich das Namen- und Zahlen-Gedächtnis arbeitet, die Vorstellungs- und Begriffsbildung aber weit hinter dem ihr naturgemäß entsprechenden Wortschatze zurückbleibt, ja bei unkundiger oder nur den Schein suchender Leitung ganz stillsteht. Die Blinden eignen sich die Namen der Dinge und fremde Urteile über dieselben mit großer Leichtigkeit an, auch wenn sie von den betreffenden Gegenständen nicht die geringste Vorstellung haben, und täuschen dadurch, ohne es zu wollen oder zu ahnen, nicht nur den Uneingeweihten, der nicht leicht Gelegenheit hat, ihre Vorstellungen und Begriffe und somit die subjektive Wahrheit der von ihnen ausgesprochenen Urteile zu prüfen, sondern vor allem sich selbst und vielfach auch den Lehrer, der gewöhnlich nur zu sehr geneigt ist, das Wort für die Sache zu nehmen, respektive dasselbe als Beweis des Vorhandenseins der entsprechenden Seelengebilde anzuschauen. Die Blinden reden von tausend und abertausend Dingen, welche sie aus Anschauung, beziehungsweise Betastung, nicht kennen können, wenn der Lehrer sie ihnen nicht selbst in die Hände gegeben hat; sie reden eben die Sprache der sie umgebenden sehenden Menscheit, welche ihrem Zustande nicht entspricht und für sie in allen Fällen unwahr ist, wo dieselbe sich auf Gesichtswarnehmungen bezieht. Der Blindgeborene sagt ganz wie wir: „Ich habe den und den Gegenstand gesehen, er ist sehr schön. „Er sieht eben mit den Fingern, und schön ist für ihn, was sich angenehm anfühlt. Allein auch Formvorstellungen, die lediglich auf dem Tastsinn beruhen und mit Hilfe der täglich im Gebrauch stehenden Gegenstände leicht gewonnen werden können, sind den Blindgeborenen nur allzuoft fremd. Viele von ihnen fühlen gar kein Bedürfnis darnach und verraten eine entschiedene Abneigung gegen sinnliche Wahrnehmungen durch dasjenige Organ, welches ihnen das Gesicht ersetzen sollte. Von der Neugierde sehender Kinder, ihrem wahren Heißhunger nach neuen Vorstellungen, ist bei manchen Lichtberaubten keine Spur vorhanden; man muß sie fortwährend nötigen, die Gegenstände, die man ihnen zum Zwecke der Betastung vorlegt, auch nur anzurühren. (Es ist dies ganz anders geworden, seit wir sehendes Lehrpersonal und Veranschaulichungsmittel haben.) — Dieser Mangel an Interesse zeigt sich sogar bei Schülern, welche in den Unterrichtsfächern oder in der Musik, rasche Fortschritte machen, so lange sich der Unterricht hauptsächlich an ihr Gedächtnis wendet und sich mit auswendig gelernten Definitionen begnügt. Ihr Wissen ist eben nur Schein, unbewußte Unwahrheit, und diese ist eine Klippe, an der die Blinden nur allzuoft Schiffbruch leiden, sobald das praktische Leben eine im

8*

Abb. 41. Sprachstunde in der Mittelklasse.

Auffassen von Formen und Größen geübte Hand und einen denkenden Kopf fordert. Wir machen täglich die Erfahrung, daß bei Blinden, welche geläufig lesen, die also feinfühlende Fingerspitzen haben*), der Tastsinn im allgemeinen sehr wenig entwickelt sein kann; es tritt dies im Arbeitsunterrichte genügend zu Tage. Das Streben nach Wahrheit in der Blindenbildung ist daher für jeden Lehrer heilige Pflicht, erstens aus sittlichen Gründen und zweitens, weil es nur dadurch möglich wird, dem Blinden dasjenige Arbeitsfeld zuzuweisen, für welches er am meisten befähigt ist und so ihn und die Anstalt möglichst vor Enttäuschungen zu bewahren. Hebung der Erwerbsfähigkeit der Blinden ist, nächst der sittlich-religiösen Erziehung derselben, Hauptaufgabe der Blinden-Bildung, und diese wird nur möglich bei einem praktischen, d. h. auf Anschauung, respektive Betastung der Gegenstände sich stützenden Unterrichte. Die Hände sind die Augen und die Werkzeuge der Blinden. — Sie sollen daher schon in frühester Jugend auf die mannigfaltigste Weise und nicht nur im Lesen und Schreiben geübt werden, wie man die Sehenden im Anschauen übt, trotzdem die ganze Welt vor ihren Augen offen liegt. Man sieht heutzutage immer mehr ein, daß nur die plastische Nachbildung von Formen durch die Schüler, es dem Lehrer ermöglicht, ihre Vorstellungen zu kontrollieren und auf deren Berichtigung hinzuwirken. Die mit dem diesjährigen allgemeinen Kongresse der Lehrer und Leiter von Blindenanstalten verbundene Ausstellung war in dieser Beziehung äußerst lehrreich und hat wohl manchen von der Notwendigkeit einer Reform des Blindenunterrichtes in diesem Sinne überzeugt. Unserer Anstalt fehlt vor allem eine Sammlung von Geräten, Naturgegenständen jeder Art, oder getreuen Nachbildungen von Natur- und Kunstprodukten, wie sie als Spielsachen in jeder Kinderstube zu treffen sind. Der Unterricht müßte an der Hand einer solchen Sammlung an Gründlichkeit und Wahrheit unendlich gewinnen und der Erfolg würde, wenn

*) Ich stand damals, wie alle Welt, auch noch im Banne des Dogmas vom „Sinnenvicariate" — und hielt den lederigen Lesefinger für feinfühlig! Das Gegenteil ist wahr. — Zu vergleichen das Kapitel „Zur Blindenphysiologie".

auch nicht augenfällig und glänzend, so doch für allen weiteren Unterricht und besonders für die berufliche Ausbildung unserer Zöglinge von mächtiger und nachhaltiger Wirkung sein. Ich bin überzeugt, daß viele Freunde des Werkes uns derartige Gegenstände abtreten und uns bei der Gründung einer Art kleinen Museums behilflich sein könnten, ohne Opfer zu bringen. Ein Anfang ist jetzt schon gemacht." So stand es 1881—82.

Den **Sprachunterricht** suchte ich auf solide grammatische Grundlage zu stellen und die Schülerinnen der Oberklasse auch in das Verständnis der geschichtlichen Entwicklung der Sprachformen einzuführen. Deshalb wurden neben mittelhochdeutschen Sprachproben (Nibelungenlied und Gedichte von Walther von der Vogelweide, die wir gedruckt haben) auch alte französische und provençalische Texte übersetzt und sprachlich erklärt. (Das Rolandslied [4002 Verse] ganz) Chronisten usw. und Gedichte von Bertran de Born. (Zu vergleichen der Berliner Vortrag, Seite 129.)

Im **Rechnen** kamen alle bürgerlichen Rechnungsarten, ferner die Wurzelgrößen (Quadrat- und Kubikwurzel mit Hilfe besonderer Apparate (siehe Katalog), die Progressionen, sowie die Zinseszins- und Rentenrechnung zur Behandlung. Für letztere wurden als Ersatz für die fehlenden Logarithmentafeln Potenzentabellen ausgerechnet. — In Amerika sind jetzt auch fünfstellige Logarithmentafeln in Blindendruck zu haben.

Der Unterricht in **Planimetrie** konnte mit Hilfe der geometrischen Scheibe von Hebold, eines kreisförmigen Brettes, dessen Rand in 36 Teile geteilt ist (360 Grade) erteilt werden.

Auf dieser Scheibe lassen sich mit Hilfe einer dünnen Schnur sehr viele tastbare Figuren herstellen. Andere wurden aus Pappe geschnitten oder in Holz und Metall modelliert und geprägt. Direktor Mohr-Hannover hat später ein ganzes Heft solcher Zeichnungen herausgegeben und auch einen Apparat für das geometrische Zeichnen nach seinen Angaben herstellen lassen. Die Figuren werden mit Stecknadeln auf ein Blatt Papier gezeichnet, welches auf einem Filzkissen liegt. —

Das neu eingeführte **Modellieren** leistet beim Unterricht in der Stereometrie gute Dienste. Die Schüler modellieren die verschiedenen Körper selbst aus Töpfererde. Zur Trigonometrie haben wir uns nicht verstiegen, wenn auch die Ausdrücke Sinus und Cosinus für den Unterricht in der Physik veranschaulicht werden mußten. Dies kann wieder am besten mit der Schnur an der Heboldscheibe geschehen. —

Die **Geschichte** wurde in den Lehrplan aufgenommen. Ich habe in meinem ersten französischen Berichte (1882) darüber gesagt: „L'histoire me semble faite pour les aveugles. On peut la leur raconter et elle les intéresse; elle fournit un aliment utile à des esprits sans cesse portés à se replier sur eux-mêmes ou à s'occuper des affaires des autres; elle élève les intelligences et donne aux caractères de nobles et sérieuses leçons." —

Anfänglich waren keine gedruckten Lehrmittel in Blindenschrift vorhanden. Später wurden vom Verein zur Förderung der Blindenbildung Grubes Charakterbilder und von der Dresdener Anstalt Andraes Erzählungen herausgegeben. Wir selbst haben hier die „Hauptdaten" und den „Auszug" von Ploetz, ferner das Lehrbuch von Duperrex, Professor an der Universität Lausanne (Histoire universelle, 12 Bände), in Blindenschrift übertragen und gedruckt. Einige Damen sind uns bei der Übertragung dieses Werkes behilflich gewesen. —

Da ich den Geschichtsunterricht nicht mehr selbst erteile, sondern ihn einer früheren Schülerin abgetreten habe, glaube ich heute sagen zu dürfen, daß auf diesem Gebiete bei uns viel geleistet wird. —

Es kommt, wie in höheren Schulen, das ganze Gebiet der Geschichte von der ältesten Zeit bis zur Gegenwart zur Behandlung. — In der obersten Klasse wird Duperrex benutzt, also der französische Sprachunterricht mit dem Geschichtsunterricht verbunden. —

Um den **geogarphischen Unterricht** auf Anschauung stützen zu können, habe ich gleich im ersten Jahre ein Modell der Anstalt im Maßstabe von 1 : 200 hergestellt und dasselbe später ergänzt. Alle Gebäude sind naturgetreu modelliert; es fehlt weder ein Kamin, noch ein Fenster.

Zur Veranschaulichung der Grundbegriffe (Meer, Halbinsel, Vorgebirge, Strand, Küste, Ebene, Hügel, Berg, Bergkette, Spitze, Paß, Böschung, Haupt- und Nebentäler, See usw.), dient hier und anderswo ein von mir s. Z. nach eigenen Höhenmessungen naturgetreu modelliertes Relief von Genua. — In jüngster Zeit ist noch ein genaues Modell von Mülhausen und Umgegend dazu gekommen. —

Abb. 42. Geographiestunde.

Ein erhöht gedruckter Plan des Anstaltsgebietes und der Gemeinde führt zur Karte über. Ich habe im Laufe von 25 Jahren Platten zu einem Reliefatlas in 87 Karten hergestellt, die in allen gesitteten Ländern der Welt gebraucht werden. Es sind über 100000 Exemplare in alle Erdteile gegangen.

Sogar ein taubstummblindes Mädchen unserer Anstalt findet sich auf diesen Handkarten vorzüglich zurecht; auch Helene Keller hat sie erhalten.

Dieselben geben wirkliche, verkleinerte Bilder der Bodengestalt; sie

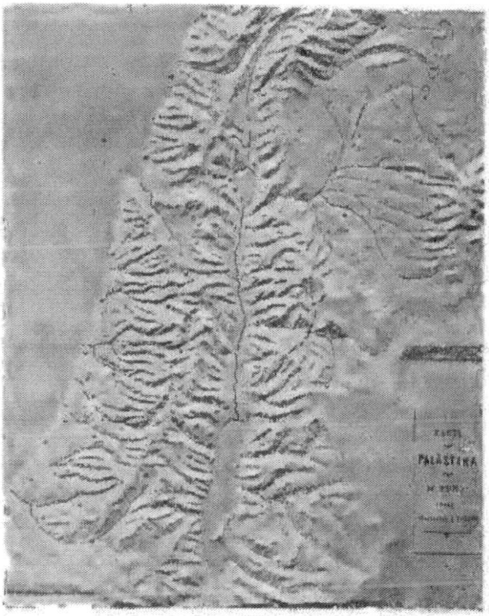

Abb. 43. Palästina von M. Kunz. Maßstab 1:100000.

sind Miniaturbüsten und nicht nur Hieroglyphen. — Vor allem haben sie den Zweck, Klassenunterricht zu ermöglichen, während die sogenannten Wandkarten — wenn man die benagelten Bretter so nennen darf — zum Einzelunterricht zwingen. Während ein Schüler ein solches Brett abtastet, sitzen alle anderen müßig auf ihren Bänken und — „machen Kalender". — Zu vergleichen: „Der geographische Unterricht", Frankfurter Kongreßvortrag 1882, „Der geographische Unterricht in der Blindenschule, Wien 1900 und der Hochdruck für Blinde", Leipzig 1905.

Für den **naturkundlichen Unterricht** kaufte und bettelte ich Naturgegenstände jeder Art. Wir haben zurzeit über hundert ausgestopfte Tiere, viele Tierteile (Gehörne, Geweihe, Flügel und Füße, Knochen usw. usw.), Muscheln, Schnecken, Krebse, Schlangen und anatomische Modelle. Auch werden in der Anstalt lebende Tiere gehalten, die dem Anschauungsunterrichte dienlich sind.

Es wird aber niemals gelingen, auch nur den hundertsten Teil der Dinge, die in den Büchern genannt werden, oder von denen der Blinde sonst hört, in natura zu erhalten. Auch ist gar vieles nicht nur unzugänglich, sondern auch zu groß, zu klein oder zu gefährlich.

Naturgetreue, verkleinerte Modelle sind nur selten zu finden und dann sehr teuer. Deshalb habe ich schon vor 21 Jahren einige Reliefbilder (Halbmodelle) naturgetreu in Holz geschnitten und in Papier geprägt wie die Karten — und diese Arbeit seither fortgesetzt. Es sind heute Druckplatten zu 186 Bildern von Tieren und von Pflanzenteilen, ferner zu 130 Reliefzeichnungen für den physikalischen Unterricht, vorhanden. — (Siehe Katalog der Druckerei, den Kieler Vortrag über das Bild, Seite 117, den Artikel über Bilder und Zeichnungen und den Artikel über Hochdruck; ferner die hier beigefügten Illustrationen. —)

Bilder allein tun es freilich nicht! Wo sonst nichts ist, können sie auch nicht helfen, weil der Blinde an der Hand von Naturgegenständen Bilder verstehen (lesen) lernen muß.

Abb. 44. Lehrmittelsammlung. Ausgestopfte Tiere.

Sie bilden nur eine Ergänzung der naturhistorischen Sammlung. —

Vor etlichen Jahren schrieb ein Blindenlehrer: „Reliefabbildungen sind nur ein Notbehelf! Wir können sie nicht brauchen; für uns ist nur das Beste gut genug! Das Beste ist aber der Naturgegenstand". „Potztausend, sagte ich mir damals, der Mann muß aber reich sein! Der hat sicher einen ganzen zoologischen Garten mit zahmen Tigern, Krokodillen und Haifischen! Das mußt du sehen!" Ich besuchte die betreffende Anstalt und fand — weder ein lebendes, noch ein ausgestopftes Tier, noch ein Modell, sondern — alles in allem — einen gebrochenen Hebelapparat. — Abbildungen allein hätten dem Manne also wirklich auch nicht helfen können — und er schien auch nicht sehr hilfsbedürftig zu sein. —

Noch vor 20 Jahren hieß es in unseren Reihen: „Wir müssen sehr viel haben, wenn wir den Blinden auch nur einen kleinen Teil von dem veranschaulichen wollen, was sie hören und in den wenigen vorhandenen Büchern lesen." —

Die jüngere Generation scheint nun allerdings etwas weniger „habsüchtig" zu sein. Ich bedaure es; denn es werden von den vielen Druckereien ganze Haufen von Unterhaltungsbüchern gedruckt, die von unendlich vielen Dingen reden, welche den Blinden nur zu einem verschwindend kleinen Teil wirklich veranschaulicht werden könnten, selbst wenn wir sehr viele Veranschaulichungsmittel besäßen. An Gründlichkeit und „Wahrheit" gewinnt die Blindenbildung dadurch jedenfalls nicht! Wenn wir uns auf die Veranschaulichung dessen beschränken wollen, was in den meisten Anstalten im „Gesichtskreise" der Hand des Blinden liegt, dann sind wir allerdings bald fertig. Dann können wir aber auch unsere Bücher verbrennen, — statt immer neue zu drucken; sonst wird der Blinde einfach zum Echo fremder Urteile, zu deren Bildung ihm die Voraussetzungen fehlen. — —

Abb. 45. Lehrmittelsammlung. Ausgestopfte Fische, anatomische Modelle, Versteinerungen.

Sollte nicht Helene Keller das vollkommenste derartige „Echo" der Neuzeit sein?

Alle Bewunderung für ihr Talent und die Opferwilligkeit der Amerikaner hilft mir über dieses Fragezeichen nicht hinweg.

Für den **physikalischen Unterricht** wurden ebenfalls Apparate angeschafft (Elektrisiermaschine mit Zubehör, Induktionsapparat, Sirene, Monochord, Rollen, Hebelapparat usw. usw.) und Zeichnungen hergestellt. Dieser Unterricht kann ja auch in Schulen Sehender ohne Zeichnungen nicht erteilt werden. —

Man denke nur an den Sehvorgang, soweit er auf physikalischen Gesetzen beruht! Gerade solche Dinge interessieren aber intelligente Blinde und Halbblinde sehr lebhaft. Es ist dies kürzlich am italienischen „Congresso di Tiflologia" in Rom — ohne mein Zutun — durch gebildete Blinde besonders hervorgehoben worden. — Auch die

Abb. 46. Tafel 9 aus dem zoologischen Reliefatlas von M. Kunz.

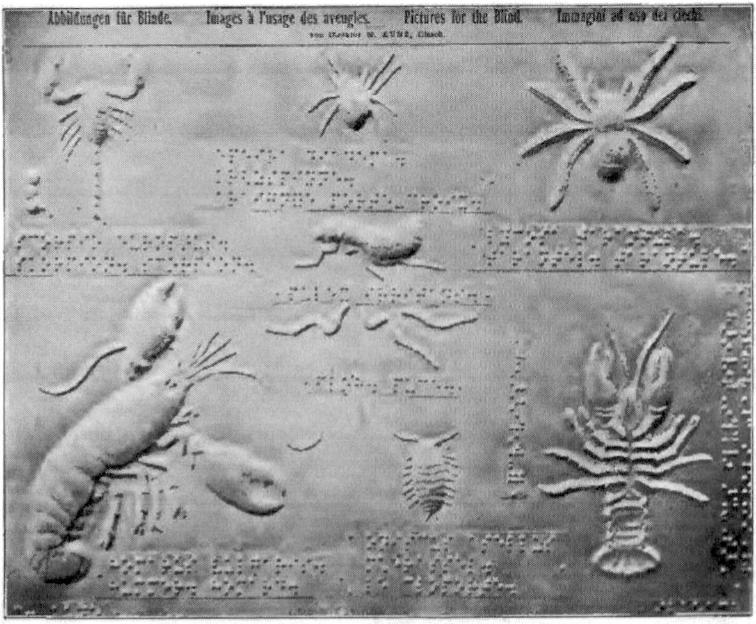

Abb. 47. Blatt 33 aus dem zoologischen Atlas von M. Kunz.

Vollsinnigen interessieren sich für ein inneres Organ in der Regel erst, wenn es seinen Dienst teilweise oder ganz versagt. Sobald der Blinde im geometrischen Unterrichte erfahren hat, was ein Winkel ist, versteht er den äußeren Sehvorgang genau so gut wie ein Sehender desselben Bildungsgrades — und viel besser als die meisten Vollsinnigen, welche überhaupt nicht wissen, warum sie sehen. —

An dem letzten italienischen Kongresse „Pro ciechi" in Rom hat der blinde Dr. Regnoli denselben Gedanken ausgesprochen. — Auch ist ja der blinde Saunderson Professor der Optik in Cambridge gewesen.

Abb. 48. Modellierstunde in der Blindenanstalt.
(Nach dem Gemälde von Aug. Zwiller.)

Der Blinde kennt die Zurückwerfung der Schallwellen, d. h. das Echo. Sollte ihm die Zurückwerfung der Lichtwellen unbegreiflich sein, wenn er auch den Effekt dieser Wellen nicht sieht? Er kennt den Weg eines auf den Boden oder an die Wand geworfenen Gummiballs. Denselben Weg nehmen die vom Spiegel zurückgeworfenen „Lichtstrahlen". — Der ganze Vorgang kann dem Blinden durch eine Zeichnung veranschaulicht werden, welche viel einfacher ist, als manche geometrische Figur, die er mühelos erfaßt. — Wir kennen den Verlauf der ultravioletten, sogenannten chemischen Strahlen im Spektrum und ihre Wirkung auf die photographische Platte, obwohl wir sie selbst nicht sehen. —

Wir reden also auch mit Sehenden, nicht nur im Religions-, sondern auch im naturkundlichen Unterrichte, von Dingen, zu deren Wahrnehmung ihnen ein Sinnesorgan fehlt. — Wenn wir im Blindenunterricht alles umgehen wollen, was sich der Gesichtswahrnehmung entzieht, können wir alle Blindenbücher verbrennen und die Blinden von der Menschheit absondern! — Dann ist es Zeit, das neuentdeckte „Wolkenkukuksheim", die Blindenstadt, zu bevölkern!"

Das **Modellieren** in Ton, Plastilina oder Wachs hat den Zweck, die Handmuskeln zu stärken, die Handfertigkeit zu fördern, Anschauungen zu vermitteln, die Vorstellungen zu prüfen und die gestaltende Phantasie der Kinder anzuregen. Es kann deshalb, wie das Zeichnen bei den Sehenden, als Hilfsfach für alle Gebiete betrachtet werden. — Ich möchte aber auf die beiden ersten Punkte ganz besonders Gewicht legen. Blinde Kinder, die zu Hause nicht regelmäßig beschäftigt worden sind, kommen meistens mit zwei linken Händen in die Anstalt. Sie wissen kaum, wozu ihre weichen, wurstartigen Froschfinger da sind, und doch ist die Hand des Blinden Auge und sein Werkzeug! — Wenn dieselbe in der Zeit ihrer Entwicklung nicht geübt wird, ist später nichts mehr mit ihr anzufangen! Sie ist auch blind! Es kann deshalb Eltern blinder Kinder nie genug empfohlen werden, dieselben zu beschäftigen, wie wenn sie sähen. Gewöhnlich geschieht dies aus mißverstandenem, übel angebrachtem Mitleid, aus Affenliebe, nicht. — Dann soll später die Anstalt aus unbeholfenen Fleischklumpen oder hölzernen Fetischen brauchbare Menschen machen, aber ja nicht von ihnen verlangen, daß sie sich rühren!

— Die Arbeit mit Töpferton verlangt nun eine gewisse Anstrengung der Muskeln aller Finger und ist deshalb in der Anstalt das beste Mittel zur Ausbildung und Kräftigung der Hände junger Kinder. Das Modellieren hat deshalb noch besonderen Wert, weil beide Hände gleichmäßig geübt und gekräftigt werden. —

Auch der **Turnunterricht** hat für die Blinden, welche zum Stillsitzen neigen, in physischer und moralischer Hinsicht ganz besondere Bedeutung.

Abb. 49. Turnstunde.

Unsere einfache Turnhalle ist mit den neuesten Geräten aus der Chemnitzer Fabrik ausgestattet (Doppelreck, zwei Barren, Leitern, Kletterstangen, Schwebereck, Eisenstäben, Keulen usw.). Tanzunterricht, der in manchen Anstalten eingeführt und auch uns schon angedichtet worden ist, erteilen wir allerdings nicht. Kinderreigen sind nicht dahin zu rechnen. —

Über den **Musikunterricht** (Gesang, Klavier, Orgel, Stimmen), über den ich mich in vielen Jahresberichten und auch im ersten Teile meines Berliner Kongreßvortrages (1898) ausgesprochen habe (Seiten 125—28) lasse ich hier folgen, was ich zusammenfassend im 48. Jahresberichte gesagt habe:

„Es möge mir nochmals ein Wort über die Stellung des Musikunterrichtes in einer Blindenanstalt gestattet sein! Ich habe im letzten Berichte gesagt, daß es nicht unser Zweck ist und sein kann, Berufsmusiker auszubilden, die mit konservatorisch gebildeten Sehenden in Wettbewerb treten können. Für uns kommt — neben dem Wert der Musik als Bildungsmittel — hauptsächlich das Stimmenlernen in Betracht; denn das Klavierstimmen ist, wie uns die Erfahrung lehrt, für viele immer noch das beste Blindenhandwerk, wenn sie systematisch und gründlich vorgebildet werden, was bei Sehenden nicht immer der Fall ist, weil es Stimmschulen für Vollsinnige nicht gibt. Es sind in Elsaß-Lothringen, Frankreich, der Schweiz und Nord-Amerika 15 frühere Zöglinge als Stimmer tätig. Mehrere von ihnen würden mit manchem Blindenlehrer nicht tauschen. —

Auch genügt die bei uns erhaltene Vorbildung begabten Zöglingen, um Organistenstellen, mit denen nicht die Leitung größerer Kirchenchöre verbunden ist, anständig ausfüllen zu können. Es haben drei frühere Zöglinge Stellung als Organisten gefunden und zwar in Straßburg, Epinal und Belfort. Zurzeit studieren mehrere am Konservatorium in Straßburg. Einer derselben zählt seit Jahren zu den besten Schülern dieser Anstalt. Unsere Zöglinge haben Gelegenheit, jeden Abend den Gesang auf der Orgel zu begleiten und für Festlichkeiten auch große Stücke einzuüben. — Wer aber Künstler werden will, muß an das Konservatorium. (Siehe Berliner Kongressvortrag I. Teil.)

Der Durchschnittsblinde hat weder weniger, noch mehr musikalische Begabung als andere Leute.

Man gibt sich bei uns nur mehr Mühe, um auch im Kreise der Ärmsten allfällige bescheidene Talente nach Möglichkeit auszubilden. Wer aber aus jedem Blinden einen Musiker machen will, wie dies in romanischen Ländern bisher üblich war, geht fehl! In Deutschland hält man im allgemeinen nicht große Stücke auf die Blindenmusik, weil nur selten Organistenstellen für Blinde zu finden sind. Dieselben sind meistens mit den Schulstellen verbunden. In überwiegend katholischen Ländern romanischer Zunge mit vielen klösterlichen Pensionaten ist dies anders. Aber auch in Rom ist kürzlich beschlossen worden, der Musik nicht mehr die erste Stelle einzuräumen. — Jeder muß sich eben nach den Verhältnissen richten, in denen seine Zöglinge später zu leben haben, vorausgesetzt, daß er nicht darauf ausgehe, alle lebenslänglich zu kasernieren. — Unser Zweck ist dies nicht.

Franzosen, Italiener usw. wollen oft nicht begreifen, daß man in Deutschland die Musik nicht unter allen Umständen obenanstelle, wie dies auf den sogenannten internationalen (d.h. französischen) Kongressen immer noch geschieht.

Als ich 1881 das Pariser Nationalinstitut besuchte, sagte mir der damalige pädagogische Leiter der Anstalt: „Es ist doch sonderbar, daß die Deutschen die Musik nicht zu schätzen wissen. Sie sind eben immer Protestanten; sie protestieren gegen alles!" Ich hatte mir damals noch keine eigene Meinung gebildet. Deshalb fragte ich ihn: „Wie viele Volksschullehrer sind in Frankreich auch Organisten?" „Keine" antwortete er. „Der Lehrer ist Staatsangestellter; der Organist ist Kirchendiener. Der Staat erlaubt nicht, daß seine Beamten zugleich im Dienste der Kirche stehen!" Ich erzählte ihm dann, wie es in dieser Hinsicht in Altdeutschland und auch im Elsaß aussehe. Darauf wurde er nachdenklich — und schwieg.

Gerade in Paris scheinen einflußreiche Kreise mit der ausschließlich musikalischen Richtung des Nationalinstituts nicht einverstanden gewesen zu sein. Wenigstens tritt der Musikunterricht in der jüngeren Blindenanstalt des Départements de la Seine (École Braille in St.-Mandé-Paris) völlig in den Hintergrund, und das Handwerk nimmt die erste Stelle ein. Eines schickt sich eben nicht für alle!"

Abb. 50. Blick in den Andachts- und Musiksaal. Gesangstunde.

Zur Ausbildung von Lehrkräften gehört auch Unterricht in **Pädagogik** und zwar besonders in Psychologie, Logik und Erziehungsgeschichte. Auf methodische Dressur, den „pädagogischen Langsamschritt", habe ich auch bei Sehenden nie großen Wert gelegt. — Man öffne den Leuten die Köpfe und lasse sie marschieren, wie ihnen die Beine gewachsen sind. Sie werden ihren Weg schon finden und das Ziel erreichen.

Mich erinnert die methodische Schablone, die übrigens alle paar Jahre wechselt, immer an das Laden des Gewehres in vierundzwanzig „Tempos", wie es zur Zeit der hl. Allianz üblich war. Die Methode ergibt sich von selbst aus den psychologischen Grundwahrheiten.

Die Lehrer höherer Schulen sind auch nicht methodisch gedrillt, und doch vertraut man ihnen die Kinder der gebildeten Stände an!

Wir haben für den pädagogischen Unterricht Volkmers Bücher (Psychologie und Logik, Erziehungsgeschichte und Methodik) in Punktschrift übertragen und benutzt. — Der Erfolg hat gezeigt, daß dieser Unterricht nicht nutzlos gewesen ist.

Einen bindenden Lehrplan für alle Klassen und alle Fächer haben wir nie aufgestellt, weil ein solcher in einem Lande, in welchem das Schulrecht der Blinden nicht anerkannt wird, überhaupt unmöglich ist:

Ein Kind kommt im Alter von 6, ein anderes mit 12 oder 14 Jahren und zwar zu jeder Jahreszeit — ganz nach dem Belieben und der Bequemlichkeit der Eltern.

Das eine ist an einer Krankheit des äußeren Organs, ein anderes an einer Gehirnkrankheit erblindet. In eine Klassenschablone mit „Normallehrplan" lassen sich so verschiedene Elemente, wenigstens anfänglich, nicht hineindrücken, wenn überhaupt etwas geleistet werden soll. Wir haben deshalb eine Hilfsklasse, welche ihre Schüler an diese oder jene regelmäßige Klasse abgibt, sobald sie für eine solche reif sind. Zwölf- bis vierzehnjährige Kinder würden bei sechsjährigen Anfängern einfach ihre Zeit verlieren und verbummeln, während sie sonst vielfach ihre Altersgenossen in verhältnismäßig kurzer Zeit einholen. Dies gilt besonders von Bauernkindern, die von verständigen Eltern zur Feldarbeit mitgenommen worden sind, und die eine Volksschule besucht haben, wo ihnen wenigstens Gelegenheit geboten war, zuzuhören und mit sehenden Altersgenossen zu spielen. Das Lesen und Schreiben ist in solchen Fällen Nebensache. Das lernen solche Kinder später in wenigen Wochen, und für die Literatur, welche die Menschheit von ihnen erwartet, bleibt noch genug Zeit übrig.

In Staatsanstalten, in welchen regelmäßiger Eintritt in bestimmtem Alter und am Anfang des Schuljahres zu erzwingen ist, wird sich von Anfang an eine genaue Klassifikation strenger durchführen lassen als bei uns; aber auch dort müssen Kinder und junge Leute aufgenommen werden, welche erst während des schulpflichtigen Alters oder noch später erblinden, also nicht mehr in den Rahmen der Anfängerklasse hinein passen.

Auch dort ist der Prozentsatz derer groß — und wird immer größer, die an Gehirnkrankheiten erblindet, schwachsinnig oder schwerhörig sind und deshalb wieder nicht mit geistig normalen Altersgenossen fortschreiten können. (Ich habe in den Jahresberichten schon vor langen Jahren auf diese Tatsachen hingewiesen, deren auch im neuesten Berichte der Lausanner Anstalt Erwähnung getan wird.) — Auch die Schulverhältnisse der Anstalten sind sehr verschieden. Mancherorts arbeitet man mit 1 2 Lehrkräften, während andere Blindenschulen über ein ganzes Heer von Lehrern und Lehrerinnen verfügen. —

Für abnorme Verhältnisse und abnorme Menschen ist aber ein sogenannter Normallehrplan, von dem man mancherorts fabelt, ein Unding. — Er mutet mich an, wie ein Normal-Heilplan mit Normalrezepten für alle Krankheiten ohne Rücksicht auf die Kranken. — Tatsächlich ist der „Normallehrplan", welcher mehrere Kongresse beschäftigte, aufgegeben worden. Man will sich jetzt mit leitenden Grundsätzen begnügen. Geradezu als faulen Zauber betrachte ich es, wenn eine Anstalt behauptet, sie arbeite nach dem „Normallehrplan" der Volksschule. —

Ich kann also nicht sagen, welches Lehrziel wir mit allen erreichen wollen oder müssen, sondern nur was wir mit geistig normalen und auch mit taubstummen Blinden — bis jetzt erreicht haben.

Normale Blinde stehen in bezug auf Schulbildung jedenfalls nicht hinter ihren sehenden Altersgenossen verschiedener Schulstufen zurück. Sie kommen in der Regel viel rascher vorwärts, wenn auch auf anderem Wege, als die Sehenden in großen Klassen öffentlicher Schulen. Um dies zu beweisen, lasse ich hier einen Auszug aus dem dreiundvierzigsten Jahresberichte folgen. —

„Wir können mit Genugtuung auf das letzte Schuljahr (1899—1900) zurückblicken. Wie schon in der Einleitung bemerkt worden ist, hat sich eine Schülerin unseres höheren Kurses, die seit sechs Jahren bei uns ist*), in der Schulstadt Basel mit bestem Erfolg der Lehramtsprüfung unterzogen und zwar mit zehn jungen Herren, welche 1898, teils am Obergymnasium, teils an der Oberrealschule, die Abiturientenprüfung bestanden und seither am „Pädagogischen Seminar“ (Universität und Spezialkurse) ihre Studien fortgesetzt hatten**).

Sie hat in zehn Fächern (Religion, deutsche und französische Sprache und Literatur, allgemeine Pädagogik, Methodik, Methodik der Realfächer, Geschichte, Geographie, Naturkunde und Musik die Note vorzüglich und in den mathematischen Fächern die Note gut erhalten. Alle Examinatoren werden bezeugen, daß unsere Schülerin — wenn auch sehr wohlwollend in der Form — mindestens nicht leichter geprüft worden ist, als die vollsinnigen Kandidaten. Nur in den mathematischen Fächern kam das (leichtere) Prüfungsreglement für Lehrerinnen zur Anwendung.

Die Zulassung zur Prüfung war ohne mein Vorwissen durch Freunde unserer Schülerin erwirkt worden; ich hätte noch nicht daran gedacht und sie unter allen Umständen zuerst in Straßburg angemeldet. Dort könnte sie aber, wie mir an maßgebender Stelle erklärt worden ist, ihres Gebrechens wegen nicht zur Prüfung zugelassen werden. Dagegen hat der K. Oberschulrat bereitwilligst das Baseler Zeugnis anerkannt.

Er durfte es tun; denn es kann von Gymnasial- und Oberrealschul-Abiturienten, welche noch 3—4 Semester an der Hochschule studiert haben, in bezug auf allgemeine Bildung gewiß mehr verlangt werden, als von Seminaristen, welche vor ihrem Eintritt in das dreiklassige Seminar nur eine gehobene Elementarschule (Präparandenschule) durchgemacht hatten und deren Abgangszeugnis jetzt dem Einjährigenschein gleichgestellt wird.

Die Prüfung erstreckte sich auf folgende Gegenstände:

*) Sie hatte zwar früher die Elementarschule ihrer Heimat besucht, ohne dem Unterricht folgen zu können; es mußte hier von vorn angefangen werden. Immerhin war sie geistig angeregt worden und kam deshalb rasch vorwärts.

**) Basel hat nicht ein Lehrerseminar im gewöhnlichen Sinne. Die künftigen Elementarlehrer erhalten dieselbe Vorbildung wie Juristen, Mediziner, Theologen, Ingenieure usw. — Nach bestandener Abiturientenprüfung beziehen sie für mindestens 3 Semester die Universität und erhalten noch Unterricht in Pädagogik usw.

Religion: (Examinatoren: Herr Dekan Finsler und Herr Präsident Dr. Hess).
Bibelkunde; Methodik des Religionsunterrichts. Jesus als Pädagoge.

Deutsche Sprache und Literatur. (Dir. Dr. Moosherr und Präsident Dr. Hess.)

($^3/_4$ Stunden allein.)*)

Poetik: Sprachfiguren, Versbau. Literatur: Volksepen des Mittelalters. Inhalt des Nibelungenliedes; Gestaltung der Nibelungensage in der Edda. Lyriker des Mittelalters. Rezitation eines längeren Gedichts von Walther von der Vogelweide nach dem Urtext. (Owê war sint verswunden alliu miniu jâr, ist mir mîn leben getroumet oder ist ez wâr? usw.) Kurze Biographien der Klassiker in chronologischer Reihenfolge. Hauptwerke. Inhalt der Messiade von Klopstock und der Jungfrau von Orleans von Schiller. Aufsatz über „die leitenden Gedanken der Bestrebungen Pestallozzi's“.

Da unsere Schülerin an demselben Morgen schon beinahe zwei Stunden in Geschichte und Sprache mündlich und allein geprüft worden war, blieben ihr für den Aufsatz nur noch $2^1/_4$ Stunden, während die sehenden Kandidaten vier Stunden zur Verfügung hatten. Sie schrieb ihn in Blindenstenographie und legte den ersten Entwurf ohne irgend welche Korrekturen vor. Die versammelte Kommission fand an Inhalt und Form nichts auszusetzen. Um auch die Beurteilung der Orthographie und der Interpunktion zu ermöglichen, schrieb Alice Hiller den Aufsatz mit einer Schreibmaschine für Schwarzschrift ab. Original und Abschrift liegen in Basel bei den Akten.

Französisch. (Dr. Schild und Dr. Hess.)

($^1/_2$ Stunde allein.)

Übersetzen zweier Szenen aus Athalie von J. Racine. Übersetzen eines deutschen Lesestücks. Grammatik. (Participe passé und Subjonctif.)

Meinem Wunsche, daß auch über historische Grammatik und Altfranzösisch geprüft werde, wurde nicht entsprochen, weil das Reglement die Anforderungen nicht so hoch spannt**).

*) Den Herren Kandidaten wurden für die Realfächer die Mathematik und die französische Sprache die Noten des Abiturientenzeugnisses als Prüfungsnoten angerechnet. Sie waren also in diesen Fächern von der Prüfung dispensiert, während unsere Schülerin dieselbe in allen Fächern bestehen mußte. Deshalb ist sie wiederholt allein geprüft worden.

**) Wir hatten hier einige Kapitel aus den Chroniken von Villehardoin und Joinville aus dem XIII. Jahrhundert, das ganze Rolandslied (4002 Verse) aus dem XI., das Eulalialied aus dem X. und die Straßburger Eide aus dem IX. Jahrhundert, sowie altprovençalische Gedichte von Bertran de Born übersetzt und die Lautlehre an den Lesestoff angeknüpft. Siehe Berliner Kongreßvortrag.

Pädagogik. (Universitätsprofessor Dr. Heman und Inspektor Dr. Fæh.)
Psychologie und Logik (bes. Begriffe und Schlüsse). Allgemeine Erziehungslehre. Pädagogik der Herbartschen Schule. Erziehungsgeschichte, besonders Amos Comenius.

Methodik. (Dr. Wetterwald, Inspektor Dr. Fæh und Inspektor Tuchschmidt.)
Allgemeine Methodik. Veranschaulichung des Bruchrechnens.

Methodik der Realfächer. (Dr. Zollinger und Herr Reallehrer Glatz.)
Der Unterricht in der Naturkunde und in der Geographie. Veranschaulichung in der Blindenschule.

Geschichte. (Dr. Moosherr und Präsident Dr. Hess.) (45 Minuten allein.)
Römische Geschichte bis zum Sturz der Republik, besonders das Leben Cäsars. Alle Kaiser in chronologischer Ordnung bis auf Decius (251), dann wieder von Diocletian bis zum Untergang des Reichs. Mittelalter, besonders von 1200 1500. Überblick über die Geschichte Preußens bis zur Gegenwart. Schweizergeschichte*).

Geographie. (Dr. Zollinger und Herr Glatz.)
Allgemeines. Rußland, Balkanhalbinsel, Italien, Deutschland (politisch), Schweiz (alle Pässe der Zentralalpen).

Naturkunde. (Dr. Zollinger und Herr Glatz.)
Der menschliche Körper; Ernährung und Blutumlauf. Systematik des Tierreichs. Physik: Akustik usw.

Mathematik. (Nach den Anforderungen des Prüfungsreglements für Lehrerinnen.) (Dr. Wetterwald und Inspektor Dr. Faeh.)
Bürgerliche Rechnungsarten; Planimetrie (Beweis von Lehrsätzen, u. a. des „Pythagoras") Flächenberechnungen. Berechnung der Säule, der Pyramide, des Kegels, der Kugel und ihrer Teile. Quadrat- und Kubikwurzel (Ableitung der Formeln; Anwendung).

Musik (Herr Musikdirektor Bollinger und Dr. Hess).
Musiktheorie: Vortrag eines Liedes und eines Klavierstückchens.

[In der Musik waren die Anforderungen schwach, weil die meisten Examinanden erst seit ihrem Austritt aus dem Gymnasium oder der Oberrealschule eigentlichen Musikunterricht genossen hatten.]

Ich gebe diesen kurzen Überblick über den recht „langen" Prüfungsstoff, weil man auf den Gedanken kommen könnte, es sei „Gnade vor Recht ergangen" und diejenigen früheren Zöglinge, welche ohne Prüfung in auswärtigen Anstalten Stellen fanden, seien eben einfach aus „Mitleid" genommen worden. Ich weiß nicht, ob sich jemand nur aus Mitgefühl einen ihm völlig fremden Menschen zum Gehilfen wählt, von dem er voraussetzt, daß er ihm später auf Jahre hinaus die Arbeit erschwere.

Das Gesagte gibt aber ein ungefähres Bild von dem Stande unserer Schule. Ich kann deshalb auf weitere Mitteilungen über den in den verschiedenen Abteilungen behandelten Lehrstoff verzichten.

Unsere blinde Schülerin hat also in sechs Jahren den Lehrstoff bewältigen müssen, der sich für Sehende auf 13 bis 14 Schuljahre verteilt.

Ich kann noch hinzufügen, daß eine von Geburt an blinde frühere Schülerin, die in ihrem ganzen Leben nur anderthalb Jahre die Schule besucht und zu Hause keinen Privatunterricht in Schulfächern erhalten hat, nach ihrem leider zu früh erfolgten Austritte — auch ohne Examen — als Lehrerin gesucht worden ist. Dieselbe hat kürzlich unter dem Pseudonym Elma Konstanze Maxen ein der Königin von Rumänien (Carmen Sylva) mit allerhöchster Genehmigung — gewidmetes Bändchen Erzählungen („Feldblümchen") herausgegeben, dessen erste Auflage schon nach wenigen Monaten vergriffen war. Wenn diese Erstlinge auch nicht klassisch sind, so zeugen sie doch von Talent und eisernem Fleiß. Man wird jedenfalls noch mehr von der jungen Schriftstellerin hören. —

In den meisten größeren Städten der deutschen Schweiz hat sie auch sehr beifällig aufgenommene Vorträge über Blindenbildung gehalten und ist um weitere gebeten worden.

Mehr kann man billigerweise von anderthalbjährigem Schulbesuch nicht verlangen.

Es beweist diese Tatsache, daß es im praktischen Leben nicht immer darauf ankommt, wie lange man die Schulbank mit seiner Gegenwart beglückt hat. —

Es würde viel zu weit führen, wenn ich hier den Unterrichtsgang im einzelnen nur skizzieren wollte. Wer mehr zu erfahren wünscht, muß die Jahresberichte und die Aufsätze des zweiten Teils lesen, welche darüber Auskunft geben. —

Unser derzeitiges Lehrpersonal unterzieht sich seiner schweren Pflicht mit einer Hingabe, welche die höchste Anerkennung verdient. Abgesehen von dem blinden Musiklehrer und dem Direktor, erteilt jede Lehrperson wöchentlich 30—35 Unterrichtsstunden. Dazu kommt das Übertragen von Lehrbüchern für den Druck, die Korrektur der Druckplatten usw. überhaupt die Herstellung von Lehrmitteln, welche der Blindenlehrer selbst besorgen muß. —

*) Nach der Prüfung erklärte mir der Examinator: „Ich habe viel mehr verlangt, als ich hätte verlangen dürfen; ich bin weit über die Anforderungen des Reglements hinaus gegangen. Die Antworten haben mich zu immer weiteren Fragen ermutigt; es ist das reinste Kreuzfeuer gewesen." Fünf Jahre später schrieb mir derselbe Herr: „Solche Leistungen vergißt man nicht!" Ein anderes Mitglied der Prüfungskommission bestätigte mir dies vor einiger Zeit mündlich. —

Mit dem Unterricht allein ist es eben in einer Anstalt nicht getan. Er ist ja nur Erziehungsmittel, nicht Selbstzweck. Die Zucht, beziehungsweise deren Vorbedingung, die Aufsicht, ist ebenso wichtig. — Diese Aufsicht erstreckt sich aber auf den ganzen Tag von früh 6 bis abends 10 Uhr und auf 7 Wochentage. In Krankheitsfällen kommen noch freiwillig übernommene Nachtwachen hinzu. — Da wir Zöglinge und Lehrlinge beider Geschlechter und sehr verschiedenen Alters in der Anstalt haben, die auch in der Freizeit möglichst nach Altersstufen getrennt werden müssen, so sind fortwährend 4 Personen zur Aufsicht erforderlich. — Wir haben aber auch Katholiken und Protestanten, mit denen die Abendandachten getrennt gehalten und die in verschiedene Kirchen geführt werden müssen. Besonders die Trennung der Andachten, die von der hohen Regierung verlangt worden ist, bedeutet eine weitere Erschwerung der Aufsicht. —

Auch während der Schulferien nimmt die Arbeit des Personals nur unwesentlich ab. In den Weihnachtsferien sind die Weihnachtsgeschenke für die vielen ausgetretenen Zöglinge auszusuchen, zu verpacken, zu versenden und zu verrechnen; in den Osterferien müssen alle einander helfen, um das Inventar der Werkstätten, der Druckerei, des Haushalts usw. aufzunehmen, d. h. um die mehr als 30000 Artikel (Stück) unserer Bürstenbinderei, Korbmacherei, Stuhlmacherei, Seilerei, Druckerei usw. zu zählen oder abzuwägen und zu berechnen. In den Sommerferien bleiben immer 20—25 blinde Waisen beiderlei Geschlechts, verschiedener Altersstufen und beider Konfessionen hier zurück. Der Arbeitsbetrieb und die Schreibarbeit nehmen ihren regelmäßigen Fortgang. Die Kinder können aber nicht so regelmäßig beschäftigt werden wie während der Schulzeit. Die Aufsicht muß deshalb mit um so größerer Peinlichkeit geführt werden. — So kommt es denn, daß sich unser Lehrpersonal — trotz der täglichen Mehrarbeit und der 7 wöchentlichen Arbeitstage — mit durchschnittlich 2 bis 3 Ferienwochen im Jahre begnügen muß. —

Ein alter Kollege hat vor Jahren den Ausspruch getan: „Ein Kriegsjahr zählt für zwei Friedensjahre und ein Anstaltsjahr für zwei Kriegsjahre." — Und doch war er Direktor einer Staatsanstalt, wo man sich in der Regel etwas bequemer einrichten kann. — Ich weiß auch nicht, ob ihm die Dienstjahre vierfach angerechnet worden sind. Das aber weiß ich, daß sie bei uns nicht zählen, daß das Lehrpersonal unserer Anstalt keinerlei Anspruch auf Alters- und Invalidenversorgung hat, während Privat-Taubstummen-, Blöden- und Waisenanstaltslehrer auch in Elsaß-Lothringen pensionsberechtigt bleiben. Und doch sind auch die Blindenlehrer Lehrer des Volks, der Ärmsten aus dem Volke. Sie sind auch Waisenlehrer; denn sehr viele, wenn nicht die meisten von unseren Zöglingen sind Waisen oder Doppelwaisen. Sie sind ferner auch Taubstummenlehrer; denn wir haben fortwährend 4—6 Taubblinde, welche die Taubstummenanstalten nicht aufnehmen.

Eine von der Wohltätigkeit abhängende Privatanstalt kann aber weder Lebensstellungen noch Pensionsrechte versprechen, weil sie weder ihres Bestandes, noch ihrer fortdauernden Leistungsfähigkeit sicher ist*). — Nur der Staat könnte bei uns Wandel schaffen! Es wäre gewiß nur ein Akt der Billigkeit, wenn er auch den geplagten Blindenlehrern gewährte, was er keinem andern Lehrer versagt: Pensionsrechte.

Wir würden unsere Pflicht gegen unsere Mitarbeiter verletzen, wenn wir es unterließen, die Aufmerksamkeit der hohen Regierung auf diesen wunden Punkt zu lenken.

Werkstätten.

Es sind bei uns alle Handwerke vertreten, die in Blindenanstalten gelehrt werden: Seilerei, Bürstenbinderei, Korbmacherei und Stuhlflechterei. — Auch mit dem Anfertigen von Matratzen ist ein Versuch gemacht worden. Die sogenannten weiblichen Handarbeiten, wie Stricken, Häkeln, Knüpfen, bedürfen keiner besonderen Erwähnung, weil sie nach dem Austritte der weiblichen Zöglinge aus der Anstalt für den Broterwerb kaum in Betracht kommen; gelehrt werden sie aber doch. — Auch die Buchdruckerei kann nicht als Blindenhandwerk bezeichnet werden, ob-

*) Die Privat-Taubstummen-, Blöden- und Waisenanstalten können es, wie es scheint, auch nicht.

gleich der Buchdruck, sobald der zu druckende Text diktiert ist, abgesehen von der Korrektur, ausschließlich durch Blinde besorgt wird. —

Unsere Werkstätten unterscheiden sich dadurch von denen der meisten anderen Anstalten, daß wir für jedes Handwerk ein besonderes Haus haben; sie sind nicht im Hauptgebäude untergebracht.

Das Ursprungshaus am Eingange enthält neben der Pförtnerwohnung dem Verkaufsladen und Magazinen noch die Stuhlschreinerei; das Erdgeschoß des alten Dorfschulhauses (Nr. III des Situationsplanes) dient als Korbmacherei und Flechterei; in der umgebauten früheren Scheune sind die Werkstätten für Bürstenbinderei und Druckerei (ferner der Turnsaal) untergebracht), und für die Seilerei haben wir 1887 eine 74 Meter lange Halle mit Hanfmagazin gebaut. Durch diese Einrichtung wird die Verunreinigung des Hauptgebäudes mit Rohmaterialabfällen vermieden; jeder Meister herrscht allein in seinem kleinen Reiche und kommt weniger in die Lage, sich an den Kollegen zu reiben, als wenn sie s. z. s. die Werkstätte teilen müssen, — und keiner kann die Verantwortung für das, was in und bei seiner Werkstätte vorgeht, auf andere Schulter abwälzen.

Die Anstalt wird dadurch allerdings sehr weitläufig und die Verwaltungsarbeit wird erschwert. Das Haustelephon, welches alle Werkstätten mit dem Bureau im Hauptgebäude verbindet, erspart aber wieder manchen Gang.

Von den Werkstättenräumen ist auch schon früher die Rede gewesen; ich kann deshalb auf eine Beschreibung derselben um so mehr verzichten, als sie durch Bilder veranschaulicht werden. Dagegen ist der in den Werkstätten verfertigten Arbeiten bis jetzt nicht gedacht worden. — Anfänglich beschränkte sich die Handarbeit in der männlichen Abteilung auf das Endsockenflechten, die Stuhlflechterei und einige andere Kleinigkeiten. Es sollen einige Marktnetze und einige Schultaschen aus Strohzöpfchen geflochten worden sein. Dem Vorbilde von Lausanne folgend, wollte man auch hier die Drechslerei einführen. Schon 1856 wurde ein Drechsler von Beruf als Meister angestellt. Derselbe arbeitet heute noch teilweise als Stuhlschreiner für die Anstalt, obwohl

Abb. 51. Handarbeitszimmer der Mädchen.

10

er seit 23 Jahren nicht mehr eigentlich in ihrem Dienste steht. –

Es wurden kleine Sächelchen, wie Kreisel, Strumpfkugeln usw. gedrechselt, die man den Anstaltsbesuchern als Andenken verkaufte. Solche Dinge gehen ja als Kuriositäten in einer neuen Anstalt; praktischen Wert haben sie aber nicht. — Die Drechslerei blieb hier, wie in Lausanne und Paris, unpraktische Spielerei, die man bei uns bald aufsteckte, während ich in den genannten Anstalten noch vor 17 Jahren die letzten Überreste derselben gefunden habe. Nachdem sie hier aufgegeben war, wurde ein Drechslerlehrling, welcher etwelche Fortschritte gemacht hatte, nach Lausanne geschickt, um dort die Handwerkslehre fortzusetzen. Er hat später für die Elsässische Maschinenfabrik Feilenhefte und Holzhämmer gedrechselt. —

Da man in der Anstalt oft Stühle zu flechten bekam, deren Gestelle reparaturbedürftig waren, übertrug man diese Flickarbeit dem überflüssig gewordenen Drechslermeister, um diesen Familienvater nicht entlassen zu müssen. – Auf Flickarbeit allein ist aber kein Verlaß; sie geht oft aus, und auf Lager kann man nicht reparieren. — Deshalb versuchte sich der Drechsler in der Anfertigung neuer Stuhlgestelle, obwohl Drechslerei und Stuhlschreinerei ganz verschiedene Dinge sind.

Sobald man neue Stühle verkaufen wollte, mußte man aber auch Auswahl haben; deshalb wurden auch andere Stuhlgestelle in Straßburg, später auch in der Haute Saône gekauft, hier eingeflochten und verkauft. — So hat sich unsere Anstalt, wohl als einzige ihrer Art, auf dem Umwege über die Drechslerei auf das Gebiet der Stuhlschreinerei verirrt, — und wir sind, der Tradition wegen, genötigt, sie weiter zu schleppen, obwohl bei derselben seit langen Jahren immer Geld zugesetzt worden ist. Ich rede hier von der Schreinerei, nicht von der nützlichen Stuhlflechterei.

Es ist immer unrichtig, für Blinde Arbeiten zu wählen, bei denen der größte Teil durch Sehende gemacht werden muß. Bei einem besseren Stuhle repräsentiert aber die Arbeit des Blinden, d. h. das Geflecht, nur den sechsten bis zehnten Teil des Verkaufswertes. —

Früher war ja in weiten Kreisen die drollige Ansicht verbreitet, daß die Blinden auch die Gestelle machten. Jeder „Besuch“ wurde regelmäßig in das Stuhlmagazin geführt, in welchem 200 und mehr Stühle aufgespeichert waren. Dort lautete die stereotype Frage: „Dies alles machen die Blinden?“ Wenn ich den Leuten wahrheitsgemäß antwortete: „Der Blinde macht nur das Geflecht“, so bekam ich oft genug die Antwort: „Nun, Sie scheinen gehörig rückwärts gegangen zu sein!“ „Früher machten die Blinden alles!“

In einigen ausländischen Anstalten wurde früher auch die eigentliche Schuhmacherei betrieben. Wenn man aber genauer zusah (ich habe es selbst getan) stellte sich heraus, daß der sehende Meister die Schuhe machte und daß der Blinde sie „wichste“.

Es ist unglaublich, was man den Blinden alles andichtet und wie wenig Glauben man der Wirklichkeit entgegenbringt! Als vor etlichen Jahren der bekannte Pariser Maler Aug. Zwiller in unserem Andachtssaale ein großes Ölgemälde malte, kam ein in Paris ansässiger Elsässer dazu, der einen blinden Neffen in der Anstalt besuchte. „Ach, Sie malen“, sagte er zu Herrn Zwiller, den er offenbar für einen Blinden hielt. „In Paris malen die Blinden auch.“ „Ah, wirklich?“ entgegnete der belustigte Künstler. „Ich wohne auch in Paris; aber das habe ich nie gesehen!“ „Oh doch“, beteuerte der andere; „dort machen sie auch alle diese Möbel (dabei zeigte er auf die Orgel) et ça coûte encore moins cher qu'ici!“ In Wirklichkeit lehrt das Pariser Nationalinstitut gar kein Handwerk. Wenn man den Leuten Bären aufbindet, findet man willige Lastträger genug; wenn man ihnen aber die Wahrheit sagt, schütteln sie die Köpfe. — Daß die Blinden Stuhlgestelle machen, wurde und wird geglaubt; wenn man aber behauptet, daß sie selbständig eine gute Bürste einziehen oder einpichen und beschneiden, einen guten Korb oder ein gutes Seil selbständig machen können, dann findet man viel weniger Gläubige! Und doch ist bei diesen Dingen die Form sozusagen gegeben, und die Qualität des Fabrikats hängt wesentlich vom verwendeten Rohmaterial ab. Dieses macht der Arbeiter aber nicht selbst. – – Wie soll aber der Blinde befähigt sein, aus rohen Brettern einen geradestehenden Stuhl zu zimmern?! Es ist in manchen Anstalten durch Übertreibung und absichtliche oder unabsichtliche Täuschung viel gesündigt worden. Man dient dem Blinden nicht damit, daß man ihn als Hexenmeister hinstellt. Sobald er allein in der Welt steht, kommt die Wahrheit zu seinem Schaden heraus!

Die **Korbmacherei**, die in den meisten Anstalten — außer Paris — von Anfang an Aufnahme gefunden hatte, wurde in Illzach im Jahre 1865 eingeführt. — Es wollte aber damit nicht recht vorwärts gehen, vielleicht, weil die sehenden Meister

Abb. 52. Blick in die Korbmacherei. (Westseite.)

den Blinden zu wenig zutrauten und fast alles selbst machten, was über den Kartoffelkorb hinausging. Sobald bessere Arbeiten angefertigt werden mußten, leisteten die Blinden in der Regel nur Handlangerdienste. — Bei der Berechnung der Gratifikationen, welche die Lehrlinge für ihre Arbeit erhielten, bildete der Kartoffelkorb die Einheit und wurde mit 4 Pfg. bezahlt. Für einen Wäschekorb, den ein Blinder vielleicht größtenteils gemacht hatte, schrieb man ihm 5 Kortoffelkörbe gut. Selbst bei solcher Berechnung weist der 24. Bericht (1880—81) nur 545 Körbe auf, und doch waren damals mehr Arbeiter als Schüler hier, und es arbeiteten fast alle in der Flechterwerkstätte; denn Bürstenbinderei und Seilerei wurden in der Anstalt noch nicht betrieben; auch bestand keine Druckerei. Als ich im folgenden Jahre 1881 bis 1882 auf diese künstliche Berechnung verzichtete, d. h. für einen besseren Korb nicht mehr 4 oder 5 aufschrieb, fand ich eine Stückzahl von nur 224. Dabei war man fest überzeugt, in der Handarbeit jeder anderen Anstalt überlegen zu sein. — Wenn ich mich anderswo umsah und Blindenarbeiten mit nach Hause brachte, hieß es regelmäßig: „Das ist Schwindel; das hat kein Blinder gemacht! Mehr als wir bringt keiner fertig!" Es ist dies eine natürliche Folge der Absonderung und des fast unüberwindlichen Vorurteils der meisten Sehenden gegen die Leistungsfähigkeit der Blinden. Diese leisten nichts, sobald sie merken, daß man ihnen nichts zutraut; sie leisten viel, wenn sie sehen, daß man in ihr Können Vertrauen setzt. Es ging dann wirklich auch bei uns, sobald ich dem Meister und den Lehrlingen bestimmt erklärte: „Anderswo bringen Blinde diese Arbeiten fertig. Ihr werdet auch nicht dümmer sein als andere Leute! Versucht es einmal ernstlich!"

Nach kurzer Zeit hieß es dann in der Regel: „Oh, das geht ganz gut; was andere können, können wir auch!" Wenn die Korbmacherei auch kein sehr einträgliches Gewerbe ist, so verdienen heute doch eine Reihe von Blinden als Korbmacher und Flechter außerhalb der Anstalt ihr bescheidenes Brot. Da die technische Ausbildung der Lehrlinge jetzt besser ist als früher, dürfen wir hoffen, daß sie in Zukunft ihr Auskommen leichter finden als bisher. —

Die rasch zunehmenden Materialbestellungen von Seite der Blinden berechtigen uns dazu. Es werden zurzeit durch 6—7 Lehrlinge, von denen einige noch viel Zeit der Musik und dem Stimmen widmen, mehr als 2000 Körbe jeder Art hergestellt. In der Korbmacherei sind von Anfang an, d. h. seit der Einführung derselben im Jahre 1865,

10*

Abb. 53. Blick in die Korbmacherei und Stuhlflechterei (Ostseite).

Abb. 54. Blick in die Korbmacherei und Flechterei 1906.

nur sehende Meister tätig gewesen. Der erste waltete seines Amtes von 1865—69, der zweite von 1869—1902, und der jetzige, welcher früher in der Provinzial-Blindenanstalt in Soest zweiter Meister war, seit 1902.

Die ersten Anfänge unserer **Bürstenbinderei** reichen in das Jahr 1880—81 zurück. Es war ein erblindeter Bürstenmacher aus Straßburg (Jules Gillant) in die Anstalt eingetreten, um ein anderes Handwerk zu lernen. Er fand dann aber, daß gewisse Zweige der Bürstenbinderei auch für Blinde immer noch leichter und lohnender seien als manches Andere. —

Auf seinen Wunsch wurde etwas Werkzeug angeschafft und ihm die Erlaubnis erteilt, auch einem anderen Lehrling das Einziehen der Wurzelbürsten und das Reinigen gewöhnlicher Schweinshaare zu zeigen, die man bei hiesigen Metzgern fand. — Im Sommer 1882 konnten wir beim Frankfurter Kongresse schon einige Wurzel- und Fiberbürsten und ein Bündel gekämmter Schweinshaare ausstellen. Dort sah ich aber auch, was anderswo auf diesem Gebiete damals schon geleistet wurde. Nun hieß es vorwärts! Der blinde Vorarbeiter trat bald nachher aus, um in Straßburg für eigene Rechnung zu arbeiten. Ich übergab nun die Leitung der kleinen Bürstenbinderei seinem Schüler, der heute noch in der Blindenanstalt zu Nancy als Arbeitslehrer tätig ist. Von allen Seiten schleppte ich neue Bürstenmodelle herbei (Kleiderbürsten, Möbel-, Hut- und Kopfbürsten usw.). Der blinde Vorarbeiter, wie sein ebenfalls blinder Nachfolger, der heute im Unter-Elsaß eine gutgehende Bürstenbinderei betreibt, sahen jedes neue Bürstenmodell, das ich irgendwo in einem Bürstengeschäft auftreiben konnte, gewissermaßen als persönliches Geschenk an. — „So", sagte ich ihnen, „da habe ich wieder etwas Neues für euch. Was meint ihr, bringen wir das auch fertig?" „Warum nicht, wenn andere es fertig bringen!" So hatten wir denn schon nach wenigen Jahren ein Bürstensortiment von mehreren hundert Nummern. — Das Einziehen und auch die Pecharbeit, die man man-

Abb. 55. Blick in die Bürstenbinderei der männlichen Abteilung.

cherorts aus Angst vor Unfällen nicht, oder nur widerstrebend eingeführt hat, machten keine Schwierigkeiten, nachdem besondere Apparate gefunden waren, um Brandwunden zu verhüten; — aber die Bürstenhölzer waren schwer zu bekommen. Die Fabriken für feine Hölzer — in München und anderswo — waren uns unbekannt, und der Hölzermacher in Mülhausen, der nur für Industriebürsten eingerichtet war, wünschte uns ins Pfefferland, wenn wir immer wieder mit neuen Phantasieartikeln kamen. — Da richtete ich mir eine kleine Werkstätte ein und machte selbst Modelle. Eine Bohrmaschine hatte ich nicht, benutzte aber die Drehbank. Die Modelle schickte ich dann nach Mülhausen. Dort hieß es natürlich auch wieder: „Was der Dilettant da draußen fertig bringt, können wir auch nachmachen. So bekamen wir unsere Hölzer. Nachträglich wurden uns dann für feine Bürstenbrettchen bessere Bezugsquellen bekannt, wo wir auch eigene Hölzerformen anfertigen lassen können. —

Da unser Bekanntenkreis bald mit Kleiderbürsten, Hut-, Haar- und Möbelbürsten usw. „gesättigt" war, mußten und müssen — wir uns natürlich besonders auf Industrieartikel (Fabrikbesen und Handbesen, Graveurbürsten, Walzen usw. verlegen). Unser Katalog weist, abgesehen von den besonderen Formen der einzelnen Fabriken, ca. 400 Nummern auf. Am schwierigsten ist für den Blinden natürlich die Arbeit mit dem kochenden Pech. Merkwürdigerweise verlangen aber die Fabriken, welche

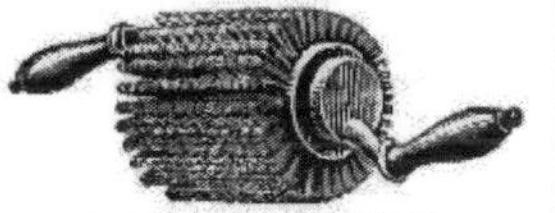

Abb. 56—72. Besen und Bürsten gefertigt in unserer Werkstätte.

uns überhaupt etwas abnehmen, hauptsächlich gepichte Besen und Handbesen, während sie die eingezogenen Bürsten, die ein Blinder nach vierzehntägiger Lehre machen kann, bei Sehenden kaufen".

Unsere blinden Vorarbeiter oder Meister kannten die Qualität und das Gewicht der zu jeder Bürste erforderlichen Borsten und deren Preise, sowie die Spezialartikel jeder Fabrik ganz genau. Als auch der Dritte ausschied, war kein Blinder da, der einen Überblick über den ganzen Betrieb gehabt und die besonderen Ansprüche jedes einzelnen größeren Kunden gekannt hätte. — Dann arbeiteten schon seit mehreren Jahren auch Mädchen in der Bürstenbinderei. So wurde die Anstellung eines sehenden Meisters nötig.

Ein Blinder, welcher mit seiner Werkstätte gewachsen ist, kann dieselbe ganz gut leiten, vorausgesetzt, daß der Anstaltsvorstand mit Sachkenntnis etwas praktisches Geschick verbinde und dem Blinden in besonderen Fällen seine Augen „leihe". — Bei sonst gleicher Qualifikation wird er eine neue Werkstätte rascher vorwärts bringen als ein Sehender; denn er hat ein Interesse daran, die Leistungsfähigkeit der Blinden zu zeigen, während es beim sehenden Meister nur zu leicht heißt: „Ich muß doch alles selbst machen."

So haben mehrere unserer früheren Zöglinge auch in anderen Anstalten (Ilvesheim [Baden], Bern u. a.) die Bürstenbinderei eingerichtet und geleitet und ihre Werkstätten rasch in die Höhe gebracht. (Auch den sehenden Vorstand und Werkstättenleiter des Blindenheims Zürich haben wir auf seinen Beruf vorbereitet.) Einem Blinden wird es aber kaum möglich sein, sich in einen im Gange befindlichen Betrieb in kürzester Zeit einzuarbeiten und einen klaren Überblick über denselben zu gewinnen. Deshalb haben wir uns nach dem Ausscheiden des dritten blinden Vorarbeiters entschließen müssen, ihn durch einen Sehenden zu ersetzen.

Leider ist auch nachher mehrmaliger Meisterwechsel nötig geworden, weil die ersten Inhaber der Meisterstelle nicht die erforderlichen Charakter-

Abb. 73. Bürstenbinderei der weiblichen Abteilung.

Abb. 74. Blick in die gedeckte Seilerbahn.

eigenschaften besaßen, um auch erzieherisch wirken zu können.

Seit 13 Jahren haben wir denselben Meister und wir sind so zu relativer Ruhe gekommen. Da er von 1880–94 die Bürstenbinderei der Maschinenbauabteilung des Hauses Dollfus-Mieg et C geleitet hat (D. M. C.) ist er besonders mit den Industrieartikeln vertraut.

Mit der **Seilerei** haben wir 1884 begonnen und zwar auch wieder unter Leitung eines Blinden, der sein Handwerk in Düren gelernt hatte. — Früher wurden wohl Wäscheleinen aus gekauften Schnüren geflochten. Das Klöppeln solcher Seile aus fertigen Schnüren hat aber mit der eigentlichen Seilerei nichts gemein. Es war dies einfach eine Beschäftigung für einen ungeschickten Blinden, der sonst nichts lernen konnte. Wir haben es, wie das Sockenmachen, längst aufgegeben. Einige Klöppelleinen liegen aber noch als Reliquien in unserem Verkaufsladen.

Von der äußeren Entwicklung unserer Seilerei ist früher schon die Rede gewesen. — Wir haben eine gedeckte Bahn (Halle) von 74 Meter und eine offene Seilbahn von 280 Meter Länge. — S. Abbildungen Nr. 15, 74 und 75.

Schon nach zweijährigem Betriebe dieses Handwerks waren wir in der Lage, den Maschinenbauwerkstätten Heilmann-Ducommun & Steinlen in Mülhausen Taue (Schlingen) erster Qualität von 9 Centimeter Durchmesser zu liefern. In Freiburg hatten wir 1887 ein Seil von 14 Centimeter Durchmesser ausgestellt. Eine sechsfache Transmission, die wir vor 13 Jahren in Kingersheim eingerichtet haben, läuft heute noch. —

Vor 12 Jahren haben wir in der königlichen Versuchsanstalt in Charlottenburg ein Seil prüfen, d. h. viermal zerreißen lassen. Dasselbe zeigte eine Tragkraft (Bruchfestigkeit) von durchschnittlich 13 Kilogramm auf den Quadratmillimeter des Querschnitts, während die Handbücher der Ingenieure als Maximaltragkraft 7 Kilogramm auf den Quadratmillimeter angeben. Wir besaßen damals schon einen sogenannten Siebapparat mit „Buxen", der es uns erlaubt, Seile herzustellen, in denen ein Garn vom Anfang bis zum Ende an derselben

Stelle bleibt (sich also nicht bald an der Oberfläche, bald in der Mitte befindet), so daß die Seile, selbst wenn die äußerste Schicht ganz abgenutzt ist, immer noch eine gewisse Tragkraft besitzen und nicht plötzlich zerreißen. Wir hecheln den meisten Hanf selbst und spinnen Bindfaden und Seilfaden zu Stricken, Leitseilen, Wagenseilen, Maurer- und Zug-Stricken, Packleinen, Flaschenzügen, Transmissionsseilen, Spitzsträngen und Tauen. — Auch machen wir Transmissionsseile aus Baumwolle und Stahldraht, ferner feine Treibschnüre und Treibleinen für Spinnereien und Webereien. Roßhaare werden als Matratzenhaar gesponnen (gekräuselt), wenn wir solche am Platze kaufen können. Wir sind in der Lage neue Matratzen zu liefern. Bis jetzt haben hier 3 blinde Mädchen, die nicht mehr in der Anstalt sind, das Matratzenmachen gelernt. Es bildet für sie eine Nebenbeschäftigung. Zwei von ihnen betreiben hauptsächlich Bürstenbinderei. Öfter spinnen wir auch Roßhaare für Pferdeschlächter, die sie dann selbst weiter verkaufen. — —

Seit etwa 15 Jahren bildet das Anfertigen von Garbenbändern aus Jute eine willkommene Beschäftigung für Schwachbegabte. Dasselbe hat die Sockenmacherei und das Klöppeln ersetzt. Wir liefern jährlich 150000 bis 300000 Stück. Das Knüpfen von Hängematten, Fisch- und Marktnetzen, womit wir seit 2 Jahren die Kleinen in den Arbeitsstunden beschäftigen, ist als Handfertigkeitsunterricht zu betrachten. Diese Arbeit ist sehr wenig lohnend; sie macht aber steife Finger gelenkig und kann deshalb als sehr gute Vorübung für jedes Handwerk und, wie es scheint, auch für das Klavierspiel betrachtet werden. Aus letzterem Grunde hat man sie im Pariser Nationalinstitut, wo jede andere Handarbeit aufgegeben worden ist, beibehalten. —

Es ist eingangs gesagt worden, daß wir die Seilerei 1885 mit einem blinden Meister begonnen haben. Als derselbe 1888 austrat, um in Köln ein eigenes Geschäft anzufangen, wurde der jetzige, sehende Meister angestellt, der früher in dem großen Geschäfte E. F. W. Berg in Berlin (Verlag der Deutschen Seilerzeitung) eine Meisterstelle bekleidet hatte. —

Zum Schlusse kann ich nur wiederholen, was ich im 47. Jahresberichte über die Handwerkslehre gesagt habe, nämlich:

„Die technische Ausbildung der Zöglinge ist in einer Blindenanstalt mindestens so wichtig als die Schulweisheit, die ich gewiß auch nicht verachte; meine Lehrmittel beweisen es. Eine vollwertige Handwerkslehre ist aber nur bei

Abb. 75. Seiler an der Arbeit. Aufnahme 1895.

Werkmeistern möglich, die ihr Handwerk selbst richtig gelernt haben. Nichts schadet in dieser Hinsicht mehr, als Dilettantismus." Unser Zweck ist es nicht, möglichst viele Blinde lebenslänglich zu kasernieren. Wir wollen sie möglichst selbständig machen und der Gesellschaft als brauchbare Glieder zurückgeben. Die Handwerkslehre ist uns deshalb Hauptsache, das materielle Ergebnis Nebensache, selbst wenn wir für die Werkstätten Opfer bringen müssen. die auswärtige Blindenwerkstätten leiteten, haben ein eigenes Geschäftchen vorgezogen; 15 verdienen als Klavierstimmer im Elsaß (einer auch als Organist in Belfort), in der Schweiz, in Frankreich und Nordamerika, 40–45 als Flechter und Korbmacher, 22 als selbständige Bürstenbinder und 2 als selbständige Seiler (letztere mit sehr gutem Erfolg) ihr Brot. Es handelt sich hier in den meisten Fällen um wirkliche Selbständigkeit ohne Krücken; denn wir sind nicht in der Lage, die

Abb. 76. Handarbeiten.

Wir haben auch eine ganze Reihe von Zöglingen zur wirklichen Selbständigkeit gebracht, d. h. ihnen die Möglichkeit verschafft, ihr eigenes Brot zu essen. — Von der älteren Generation sind zwar viele gestorben oder verschollen, andere, besonders Geistesschwache, sind in Versorgungshäusern untergebracht worden, mehrere sind auch dem Mangel an Zutrauen von Seite der Sehenden, oder Versuchungen erlegen und haben schließlich den leichten Bettel mit einem Musikinstrument der schweren Arbeit vorgezogen. Sechs frühere Zöglinge sind im Blindenlehrerberuf tätig. Mehrere, Entlassenen wirksam zu unterstützen. Anderwärts bezeichnet man auch diejenigen noch als selbständig, denen ein Fürsorgeverein jährlich 200 bis 400 Mk. zuwenden kann. – (Sachsen.) Mehrere frühere Lehrlinge arbeiten auch als Flechter oder Bürstenmacher bei blinden oder sehenden Meistern.

Die ausgetretenen Mädchen beschäftigen sich meistens mit weiblichen Handarbeiten und Flechterei, einige auch mit Bürstenbinderei. Etwa 10 frühere Lehrlinge beiderlei Geschlechts scheinen in auswärtigen „Heimen" ihr Auskommen selbst zu finden.

Wenn dieses Resultat auch nicht glänzend ist, so scheint es mir doch befriedigend zu sein. Jedenfalls widerlegt es mindestens die Behauptung, daß Blinde nie selbständig werden können und deshalb ausnahmslos lebenslänglich in Versorgungshäusern oder Heimen untergebracht werden müssen. —

Wenn es uns nur auf die Zahl ankäme, würden wir bei der Handwerkslehre weniger auf Erziehung, zur Selbständigkeit dringen. Die Zöglinge würden dann nie zum Bewußtsein selbständigen Könnens gelangen und ganz von selbst in der Anstalt sitzen bleiben, so daß wir uns einer größeren Frequenz rühmen könnten. — Eine Lehranstalt hört aber auf, dies zu sein, sobald sie bestrebt ist, ihre Leute für immer zu behalten. Wir haben nun aber eine ganze Reihe von Bürstenbindern und Flechtern draußen, die überhaupt nur ein Jahr gelernt haben und doch befähigt sind, selbständig für eigene Rechnung zu arbeiten und jeden gangbaren Artikel anzufertigen. Auch unsere fünf Taubblinden sind, mit einer Ausnahme, ganz tüchtige Arbeiter und Arbeiterinnen. —

Daß es aber auch wieder solche Blinde gibt, mit denen man das Ziel in zehn und mehr Jahren nicht erreicht, die überhaupt nie selbständig werden können, wissen wir leider nur zu gut. Sie bilden den Ballast einer Blindenschule, so lange diese kein geordnetes Heim besitzt. — Übrigens bringt es auch nicht jeder Sehende zur Selbständigkeit.

Druckerei.

Über die Druckerei habe ich mich schon in dem ersten Kapitel und in dem Artikel über die Schule gelegentlich ausgesprochen; auch wird weiter hinten noch ein Aufsatz über den „Hochdruck für Blinde" folgen, den ich 1905 im Auftrage der Schriftleitung des „Archiv für Buchgewerbe" (Leipzig) für dieses Organ des Deutschen Buchgewerbevereins geschrieben habe. Die Druckerei gehört aber gewissermaßen zu den Werkstätten. Deshalb muß hier derselben noch gedacht werden. —

Von der in einem hiesigen Bauernhause untergebrachten Druckerei, die eigentlich im Dienste der Stuttgarter Bibelgesellschaft stand — und nach Vollendung des Bibeldrucks (in Lateinschrift) 1864 aufgelöst wurde, ist im ersten Kapitel die Rede gewesen. In den siebziger Jahren richtete der einstige Bibeldrucker Eduard Sack in Fontaines, Neuchâtel (Schweiz), in seiner Zeitungsdruckerei auch eine kleine Blindendruckerei ein, für welche ihm unsere Anstalt das Letternmaterial für Punktschrift gekauft hatte. Dort wurden für Rechnung der Anstalt das französische Lesebuch von Janin und eine Sammlung deutscher Kinderlieder gedruckt. Letztere durfte ihrer vorweltlichen Orthographie wegen nicht verkauft werden. —

Als ich 1881 die Leitung der Anstalt übernahm — und keinerlei Lehrmittel vorfand, regte sich in mir der Wunsch, es hier mit dem Drucken zu versuchen, aber Blinde damit zu beschäftigen. In Fontaines war der Druck sehr teuer. — Ich ließ deshalb das Letternmaterial und eine gewöhnliche alte Zeitungs-Handpresse aus Fontaines kommen und machte die ersten Versuche. Dieselben fielen unbefriedigend aus, weil die Presse schon für einfachen Schriftdruck nicht ausreichte, für Kartenprägung aber ganz unbrauchbar war. —

Erst als mich die Verwaltung ermächtigte, eine meinen Anforderungen entsprechende Balancierpresse bauen zu lassen, konnte 1884 ernstlich mit der Arbeit begonnen werden. —

Es erschienen dann (neben Karten und Bildern, die später verzeichnet werden, obwohl mit ihnen der Versuch gemacht wurde) folgende Druckwerke:

1883—1885. Schollenbruch, Biblische Geschichte. Mittelstufe (Punkttypendruck). 2 Bände.
1886—88. Schollenbruch, Oberstufe. 5 Bände.
1886. Kunz u. Krage, Die Musikzeichen der Sehenden. Relief-Notenbilder mit Erklärungen.
1887. Stumpf, Katholischer Katechismus.
1892. Duperrex, Historie romaine. 2 Bände.
1893. Grubemann, Andachtsbuch. 1 Band. Illzacher Liniendruck in Braille-Form.
1894. Dr. Reiche, Führer auf dem Lebenswege. 2 Bände. Kurzschrift.
1894. Choix de poésies françaises. 1 Band.
1894. Breitinger, Französ. Elementarbuch. 1 Band.
1895. Gaß-Neßler, Caroline, Poetisches Kindergärtchen. 1 Band.
1895. Gaß-Neßler, Caroline, Aus dem Seelenleben einer Blinden. 1 Band.
1895. Gemischte Chöre (30). 1 Band.
1895—97. Marcillac, Histoire de la littérature française. 3 Bände.
1896. Gerock, Der letzte Strauß. 1 Band.
1896. Duperrex, Historie moderne. 1 volume.
1897. „ „ „ II „
1897. Goethe, Iphigenie in Tauris. 1 Band.
1897. Johanna Spyri, Heidi's Lehr- und Wanderjahre. 2 Bände.
1897. Schollenbruch, Mittelstufe, Plattendruck. 2 Bände.
1898. Duperrex, Hist. moderne. III. volume.
1898. Ploetz, franz. Elementarbuch. 4 Bände.
1898. Joha. Spyri, Heidi kann gebrauchen, was es gelernt hat. 1 Band.
1899. Walther von der Vogelweide, Gedichte im Urtext. 1 Band.

11*

1899. Pestalozzi, Lienhard u. Gertrud. 5 Bände.
1899. Breitinger, Syntaxe française. 2 Bände.
1899. Ploetz, Auszug aus der Geschichte. Mittelalter. 1 Band.
1899. Plötz, Hauptdaten der Weltgeschichte, Altertum. 1 Band.
1899. — La predicacion en la montaña. (Spanisch.)
1899. Duperrex, Hist. moderne. IV. volume.
1900. Schollenbruch, Altes Testament, Oberstufe. Neue Ausgabe, Plattendruck. 2 Bände.
1900. Duperrex, Hist. moderne. V. volume
1901. „ „ „ VI. „
1901. L. Schorsch, Ein Königskind. 1 Band. Kurzschrift.
1902. Konrad Ferd. Meyer, Huttens letzte Tage. 1 Band.
1903. Dr. Vogel, Correspondance commerciale française. 13 Hefte.
1903. Locher, Carl, Erklärung der Orgelregister und ihrer Klangfarben. I. Band.
1904. Locher, Carl, Erklärung der Orgelregister und ihrer Klangfarben. II. Band.
1904. Ploetz, Hauptdaten der Weltgeschichte, Neuzeit. 2 Bände.
1904. J. F. Müller, Weihnachtsoratorium. Neue Ausgabe. Plattendruck.
1904. Dr. Stehle, Musterbeispiele zur Satzlehre. 1 Band.
1904. Kuoni, Verwaist, aber nicht verlassen, Kurzschrift. I. Band.
1905. Kuoni, Verwaist, aber nicht verlassen, Kurzschrift. II. Band.
1906. Wiedemann, Rechenaufgaben. 2 Bände.
1906. Ploetz, Hauptdaten. Mittelalter. 1 Band.
1906. Die Kinder des Waldes (aus dem Englischen von Th. Kretsmar).

Unter der Presse:

Festspiele und Musikstücke, die am 26. Juli 1906 bei Abschluß der 25jährigen Tätigkeit des Anstaltsvorstehers vorgetragen wurden. —

Karten, Bilder, Zeichnungen.

Die ersten Prägversuche wurden mit der alten aus Fontaines übernommenen Presse an Schichten-Kartenformen angestellt, die von meinen sehenden Schülerinnen in Genua modelliert worden waren. Diese Versuche führten später zur Herausgabe des kleinen „Repetitionsatlasses" für Sehende. Für Blinde waren die Blätter unbrauchbar. — Ich versuchte dann, die Kartenbilder, wie Punktschrift, in Blechplatten zu klopfen oder sie in Plastilina zu modellieren, in Gips abzugießen und zu prägen, aber beides ohne befriedigenden Erfolg. Schließlich verfiel ich auf das Gravieren in Holz (Holzschnitt), welches 1883—84 wohl brauchbare, aber nicht gute Karten lieferte. Schon 1885 wurde der Holzschnitt durch Modelle aus Holz, Pappe, Messingstreifen, Stifte und Kitt ersetzt. (Genaueres darüber im Kapitel Hochdruck für Blinde). Die ältesten Kartenskizzen haben für mich und vielleicht auch für die Geschichte der Blindenbildung nur historischen Wert.

Die ersten auf Holzschnitt geprägten Karten erschienen in folgender Reihenfolge:

1883—84. 1. Italien.
2. Spanien und Portugal.
3. England.
4. Südwest-Deutschland, physikalisch.
5. „ „ politisch.
6. Nordwest-Deutschland, physikalisch.
7. „ „ politisch.
8. Nordost-Deutschland.
9. Südost-Deutschland, physikalisch.
10. „ „ politisch, ferner Jahdebusen und Kieler Bucht.

1884—85. 11. Europa.
12. Asien, politisch.
13. Afrika, „
14. Nordamerika.
15. Südamerika.
16. Australien.
17. Hinterindien und Sundainseln.
18. Kleinasien (historisch).
19. Frankreich mit Provinzialgrenzen.
20. Deutschland, Übersichtskarte.
21. Österreich-Ungarn (politisch).
22. Niederlande.
23. Griechenland.
24. Schweiz, politisch.
25. Der Regierungsbezirk Aachen, physikalisch.
26. „ „ „ politisch.

Letztere wurden ausgeführt im Auftrage der Rheinischen Provinzialanstalt in Düren.

Im Frühjahr 1885 fand ich mein jetziges Verfahren (Modellieren in Holz, Pappe, Messingstreifen, Stifte und Kitt). Die folgenden Karten sind mit weniger Ausnahme nach demselben hergestellt.

1884—85. 27. West- und Mitteleuropa mit vertieften Flüssen. (Auftrag der königl. Blindenanstalt in Kopenhagen.)
28. Spanien und Portugal. (Neue modellierte Form.)

1885—86. 29. Planigloben.
30. West- und Mitteleuropa mit erhöhten Flüssen.
31. Asien, physikalisch.
32. Afrika, „
33. Australien. (Ausgabe mit vertieften Flüssen, um den Wünschen der Engländer zu entsprechen.)
34. Palästina, physikalisch, als Beilage zu Schollenbruch.
35. Palästina, historisch, als Beilage zu Schollenbruch.
36. Zentraleuropa, physikalisch.
37. Elsaß-Lothringen, physikalisch.
38. „ „ politisch.
39. „ „ Eisenbahnkarte.

Im Dezember 1885 hat der „Verein zur Förderung der Blindenbildung" (damaliger Sitz Steglitz-Berlin, heute Hannover), nach Überwindung kleinlicher Eifersucht, beschlossen, 30000 Karten, die nach seiner Stoffauswahl bearbeitet werden sollten, in Verlag zu nehmen und dieselben unter dem Ankaufspreise abzugeben. Da die Mitglieder des Vereinsvorstandes, der geogr. Kommission und des Begutachtungsausschusses in ganz Deutschland, Österreich, Dänemark und Holland zerstreut waren,

1887—88. 43. Plan von St. Petersburg. Für die russischen Blinden.
43a. Rußland, physikalisch. Für die russischen Blinden.
43b. Rußland, politisch. Für die russischen Blinden.
44. Dänemark, politisch. Für die dänischen Blinden.
45. Dänemark, Eisenbahnkarte. Für die dänischen Blinden.
46. Schleswig-Holstein. (Für Kiel.)
47. Ostpreußen. (Für Königsberg.)

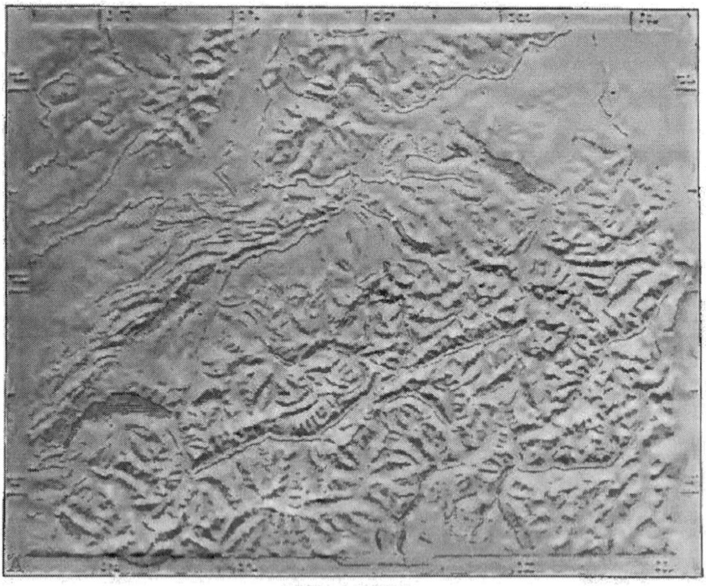

Abb. 77. Die Schweiz.

arbeitete der Apparat sehr langsam. — Die Stoffauswahl dauerte immer länger als hier die Ausführung der Modelle. Die später für den „Verein" in je 1000 Exemplaren hergestellten Karten sind mit * bezeichnet.

1886—87. 40. *Italien.
41. *Spanien und Portugal.
42. *England.

Andere Aufträge wurden während dieser Zeit ausgeführt für den „Marienverein" in St. Petersburg (Kanzlei Ihrer Majestät der Kaiserin) der fast alle russischen Anstalten gegründet hat und leitet, — für die königl. Blindenanstalt in Kopenhagen und die Anstalten in Kiel und Königsberg.

1888—89. 48. *Frankreich.
49. *Schweiz. Abänderung nach den Wünschen des Vereins.
50. *Europa.
51. *Afrika (Abänderung).
52. Australien.
53. *Nordamerika (neue erhöhte Form).
54. *Südamerika „ „ „
55. *Dänemark u. Kolonien (neue erhöhte Form).
56. *Asien, umgearbeitet.
57. *Niederlande, umgearbeitet.
58. *Deutsches Reich, politisch.
59. *Deutsches Reich, physikalisch.
60. *Österreich-Ungarn, politisch (für österreichische Anstalten).
61. *Österreich-Ungarn, politisch (für andere Anstalten).

1889—90. 62. *Österreich-Ungarn, physik. (für Österreich).
63. *Österreich-Ungarn, „ (für andere Anstalten).
64. Steiermark für die Anstalt in Graz.
1890—91. 65. *Palästina, größere Ausgabe.
66. *Rußland.
67. *Balkanhalbinsel.
68. *Nordwest-Deutschland (einfache Ausgabe).
69. *Nordwest-Deutschland mit inneren Grenzen.
70. *Nordost-Deutschland.
71. *Südwest-Deutschland.

1898—99. 85. Paris und Umgegend.
86. Der Kreis Neuwied, für die dortige Provinzialanstalt.
87. *Frankreich.
88. Frankreich, ergänzte Ausgabe (zweisprachig).
1902—03. 89. Elsaß-Lothringen und Schwarzwald, größere Ausgabe.
90. Plan von Illzach.
91. Karte der Provinz Brandenburg. Auftrag der königl. Blindenanstalt Steglitz-Berlin.
1905—06. 92. Neue Karte von Griechenland für Athen.

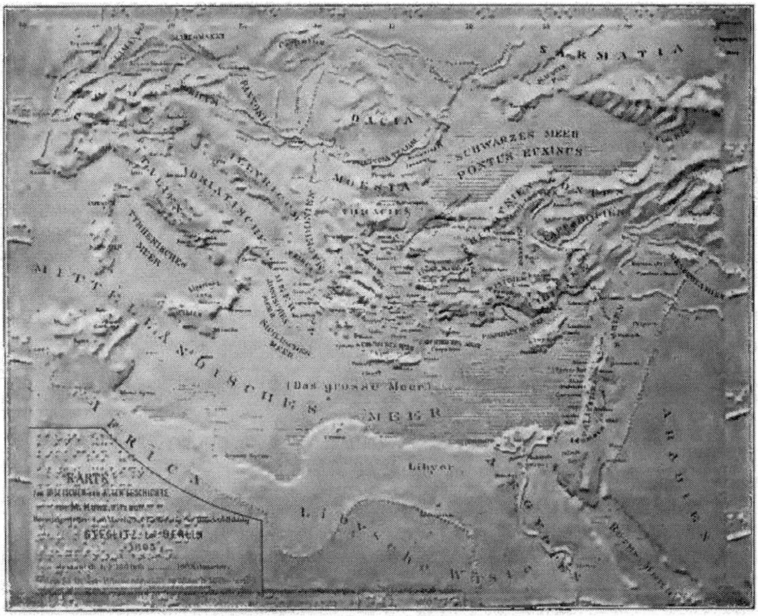

Abb. 78. Karte No. 74 aus dem Blindenatlas von Kunz.

1891—92. 72. *Stiller Ozean mit starker Gradteilung behufs Veranschaulichung der Meridiane, Parallelkreise usw.
73. *Stiller Ozean, mit schwachen Teilungslinien.
74. Teilkarte der Vereinigten Staaten.
75. Karte zur Veranschaulichung der Entstehung der Jahreszeiten.
1892—93. 76. Alpenseen als Ergänzungsblatt zu den Karten von Mitteleuropa.
77. Plan des alten Rom. (Geschichtskarte.)
1893—96. 78. *Planigloben. (Neue Form.)
79. *Skandinavien „ „
80. *Thüringen.
81. *Deutsch-Ostafrika.
1896—97. 82. *Geschichtskarte zur alten und biblischen Geschichte.
83. *Geschichtskarte ohne Gebirge.
84. * „ einfache Ausgabe.

Da die Formen zu mehreren Blättern durch Umarbeitung verschwunden sind, können zurzeit nur 87 verschiedene Karten geliefert werden.

An die geprägten Handkarten schließe ich hier noch an die Lehrmittel, welche zur Vorbereitung auf dieselben oder zu ihrer Ergänzung dienen.

1. Die Modelle der Anstaltsgebäude. (1881 und 1889.)
2. Das Relief von Mülhausen und Umgegend von Kunz und Barthel. 1905.
3. Das Wandrelief von Genua zur Entwicklung der Grundbegriffe. (Nach eigenen Höhenmessungen modelliert von 1874—80.)
4. Das Wandrelief von Südtyrol 1876—81. (Genaue Darstellung eines Ausschnitts aus dem Alpengebiete.)
5. Das große Wandrelief von Asien, das leider nur noch teilweise brauchbar ist.
6. Der Reliefglobus aus Gummi.

Aus der Druckerei sind in den letzten 25 Jahren ferner hervorgegangen:

II. Naturkunde.

Naturgeschichtliche Reliefabbildungen von M. Kunz.

a) Zoologie, erschienen sind 36 Blätter mit 94 Bildern.

Blatt 1. Löwe, Tiger.
„ 2. Elefant.
„ 3. Pferd im Trabe.
Blatt 19. Krokodil.
„ 20. Alligator.
„ 21. Alpensalamander, Olm, Kamm-Molch, Sirene.
„ 22. Barsch, Zander.
„ 23. Meerschwalbe (fliegender Fisch).
„ 24. Barbe, Goldfisch, Stichling, Grundel und Salm.
„ 25. Thunfisch und Schwertfisch.
„ 26. Donauwels, Sardelle, Hering.
„ 27. Hecht und Hornhecht.
„ 28. Glattbutt, Heringskönig, Klumpfisch.

Abb. 79. Blatt 19 aus dem zoolog. Reliefatlas von Kunz.

Blatt 4. Kamel.
„ 5. Edelhirsch und Damhirsch.
„ 6. Wale: Narwal, Delphin, Lamantin (Sirene).
„ 7. Elster, Häher, Alpendohle, Nebelkrähe.
„ 8. Haushahn, Auerhahn.
„ 9. Truthahn, Birkhahn, Perlhuhn, Rebhuhn.
„ 10. Goldfasan, Silberfasan.
„ 11. Argus.
„ 12. Afrikanischer Strauß, amerikanischer Strauß.
„ 13. Trappe, Kasuar.
„ 14. Storch, Marabu, Flamingo (in zwei Stellungen).
„ 15. Kampfhahn, Kiebitz, Schnepfe, kleine Rohrdommel, Möve.
„ 16. Kranich, Ibis, Purpurreiher, Stachelreiher, Rohrdommel.
„ 17. Pelikan, Schwan.
„ 18. Ente, Gans.
Blatt 29. Aal, Zitteraal und Schnabelfisch.
„ 30. Gemeiner Stör, Hausen.
„ 31. Menschenhai, Sägefisch.
„ 32. Zitterrochen (Torpedo) und Stachelrochen.
„ 33. Hummer, Flußkrebs, Skorpion, Kreuzspinne, Tarantel, Assel, Floh.
„ 34. Tintenfisch (Sepia).
„ 35. Seepolyp.
„ 36. Schlangenstern und vergrößerter Körper desselben, gemeiner Seestern.

Anmerkung: Man hat diesen Bildern den Vorwurf gemacht, daß sie unlackiert nicht haltbar genug seien und daß die gefirnißten sich anfühlen wie Blech. Diese Übelstände sind beseitigt, seit es gelungen ist, den Bildern eine natürliche Bekleidung aus Woll- oder Seidenfasern zu geben.

b) Botanik. 1 Heft, Blattformen und Blütenstände. 10 Tafeln mit 104 Abbildungen und Erklärungen.

Reliefabbildungen

für den physikalischen Unterricht.

Bis jetzt erschienen 28 Tafeln mit ca. 130 Zeichnungen.

Kammräder, Fallgesetz und Wurfbahnen, Parallelogramm der Kräfte. Anwendung derselben auf Zug, Schub, Keil, Kniehebelpresse und schiefe Ebenen. Hebelgesetze. Rollen, Flaschenzüge, Schnell- und Dezimalwage, Blasebälge, Pumpen, Feuerspritze, Heber und Barometer, Orgelpfeifen, Spiegelung von Licht und Wärme. Flach-, Konkav- und Konvexspiegel, Konstruktionen. Lichtbrechung, Entstehung der „Farben", Linsen, Auge, Brillen und optische Instrumente (Konstruktionen), Schneeflocken. (Für den Bau des Auges und den Sehvorgang interessieren sich intelligente Blinde und Halbblinde ganz besonders.)

Der übrigen Lehrmittel, die hier geschaffen worden sind, aber mit der Druckerei nichts zu tun haben (Bruchrechenapparat, zerlegbarer Würfel zur Veranschaulichung der Quadrat- und Kubikwurzel und Schreibtafeln usw.) ist früher schon gedacht worden. Dagegen habe ich noch auf die Reliefatlanten usw. für Sehende hinzuweisen, die gleichsam als Nebenprodukte aus unserer Druckerei hervorgehen.

Lehrmittel für Sehende.

43. Höhenschichten-Reliefatlas für Sehende, von M. Kunz, neue Auflage . . . . M. 2.80

Karten:

Europa.	Italien.
Asien.	Balkan-Halbinsel.
Afrika.	Deutschland.
Australien.	Frankreich.
Nordamerika.	England.
Südamerika.	Schweiz.
Indien.	Österreich.
Palästina.	Skandinavien.
Spanien und Portugal.	

44. Relief-Atlas in natürlicher Modellierung zum Ausfüllen durch die Schüler, M. Kunz. Bis jetzt sind erschienen:

Die Schweiz.	Balkan-Halbinsel.
Italien.	Steiermark.
Europa.	Palästina.
Deutschland.	Elsaß-Lothringen.
Asien.	Skandinavien.
Südamerika.	West- und Mitteleuropa.
Frankreich.	Elsaß-Lothringen und Schwarzwald.
Spanien und Portugal.	
England.	

45. Schichten-Reliefkarte von Mitteleuropa, von M. Kunz. M. 0.30

46. Reliefkarte von Palästina, v. M. Kunz. Koloriert, mit Namen oder weiß.

Den Erzeugnissen unserer Werkstätten oder unserer Druckerei sind folgende Anerkennungen zuteil geworden:

1887. Newcastle-upon-Tyne. Einzige Medaille für Blindenlehrmittel.

1887. Freiburg i. B. (wo auch Handarbeiten ausgestellt waren). Goldene Medaille.

1888. Lyon. Internationale Ausstellung. (Wir hatten nicht in eigenem Namen ausgestellt.) Goldene Medaille für Mitarbeit.

1888. Brüssel (Grand Concours). Premier Prix. (Goldene Medaille.)

1888. Köln (Allgemeiner Blindenlehrerkongreß). Einzige bis heute im Blindenfach verliehene große goldene Staatsmedaille. (Preuß. Kultusministerium.)

1888. Köln. Medaille der Rheinprovinz für die „beste Schreibtafel".

1889. Melbourne (Australien). First-Order-of-Merit.

1891. Agram (Jubiläumsausst.). (Wir hatten nicht selbst ausgestellt.) Ehrendiplom.

1891. Bern. Geographischer Weltkongreß. (Lehrmittel für Sehende.) II. Preis.

1892—93. Chicago (Weltausstellung). Zwei erste Medaillen.

1895. Straßburg. Zwei Ehrendiplome mit Medaillen.

1900. Paris (Weltausstellung). Zwei Silbermedaillen*) (Lehrmittel für Sehende).

1900. Paris, Internationaler Kongreß. Valentin-Haüy-Medaille.

1901. Ehrenmedaille der Industriellen Gesellschaft Mülhausen.

1904. Athen (Internat. Lehrmittelausstellung). Großer Preis.

1904. St. Louis (Weltausstellung). Großer Preis und Goldene Medaille. (Unterrichtsausstellung.)

Auf mehreren Ausstellungen haben unsere Blinden-Lehrmittel ohne unser Zutun und Vorwissen, auch fremde Hüte geschmückt, so 1889 in Paris, 1902 in Chicago, 1895 in Genf, 1900 in Paris usw. Sie haben den Ausstellern hohe und höchste Preise erringen helfen.

Nach der Arbeit das Vergnügen.

„Wie traurig muß es doch bei den Blinden sein!" So hat sich A. Köchlin seiner Zeit ausgedrückt, als er in die Augenklinik der Anstalt in Lausanne eintreten sollte. — Gar mancher, der jede Anstalt mit einem gewissen Vorurteil betrachtet, denkt heute noch so.

Nun, wer unsere Kinder während des Unterrichts, auch bei den Prüfungen, die für die Kleinen

*) Die Blindenlehrmittel figurierten nicht im Katalog, waren also außer Wettbewerb.

Feste bedeuten, ferner beim Spiel in den Gängen und auf den Spielplätzen des Gartens beobachtet, — wer da sieht, wie frei und lebhaft sie sich tummeln, wie fröhlich es dabei zugeht, wie sie singen und jubeln, der wird doch anderer Meinung werden.

Auch nach den Ferien kehren die meisten Kinder freudig in die Anstalt zurück. Es wird mir dies von fast allen Eltern mitgeteilt.

Unzufriedene Elemente gibt es ja auch, besonders unter den späterblindeten oder erst spät eingetretenen Lehrlingen, die sich natürlich der Hausordnung fügen sollen und denen das Wirtshaus verboten ist. Nur zu oft färbt ihre Unzufriedenheit auch auf jüngere Blinde ab. —

Ewig mißvergnügte Leute gibt es aber auch unter den Sehenden, in genügender Zahl! — Kann man nun wirklich verlangen, oder erwarten, daß der Späterblindete, der sich mit seinem Schicksal nur langsam oder nie aussöhnt, zufriedener und besser sei als der Durchschnittssehende seines Standes? Kann man es ferner erwarten von Leuten, die man erst in eine Blindenanstalt hineinlobt, wenn man draußen nicht mehr mit ihnen fertig zu werden weiß?

Solche Menschen kann man nur schwer — und nicht immer — an ein regelmäßiges Leben und an Arbeit gewöhnen. — Alle Tage ist eben nicht Kirchweih, und es gilt auch bei uns das Losungswort: „Saure Wochen, frohe Feste." Unter letzteren nimmt natürlich das Weihnachtsfest in den Gedanken der Kinder die erste Stelle ein, und auch die Großen denken wohl schon lange vorher an die „fröhliche", „selige", „gabenbringende" Weihnachtszeit. —

Wir schmücken einen großen Baum mit „Mundvorrat", Flitter und auch mit vielen Lichtern, die allen denen Freude machen, welche noch einen „Schein" haben. Die größeren Geschenke, welche jeder erhält, füllen die Tische des Festsaales. —

Orgel- und Klaviervorträge und Deklamationen wechseln mit Gesängen und einer kurzen Ansprache ab. Die Hauptsache ist aber für die Kleinen das Weihnachtsfestspiel, welches nicht fehlen darf. — Es haben diese kleinen Vorstellungen noch jeden Sehenden entzückt, der ihnen beigewohnt hat. — Die Einstudierung derselben (des Textes, der Musik und der Bewegungen), sowie die Kostümierung verlangt natürlich von den Lehrerinnen große Hingabe.

Abb. 80. Szene aus dem Weihnachtsfestspiel 1905 „Bärbels Weihnachten" von M. Frohmuth. Reigen der „Schneeflocken" vor Bärbels kleinem Christbaum.

Abb. 81. Szene aus dem Weihnachtsfestspiel 1905 „Bärbels Weihnachten“ von M. Frohmuth.

Sie dürfen mit ihrer „Freizeit“ nicht rechnen, und sie tun es auch nicht. Es handelt sich bei solchen Aufführungen zu Weihnachten, am Kaisertag usw. nicht nur um ein vorübergehendes Vergnügen, sondern auch um Gewöhnung der von Natur unbeholfenen und linkischen blinden Kinder an möglichst freie, natürliche Bewegung. Abb. 76 und 77 vermögen eine schwache Vorstellung davon zu geben!

„Fürsorge“

für die als ausgebildet entlassenen Zöglinge und Lehrlinge.

Punkt 3 des ersten Artikels der 1856 genehmigten Statuten schreibt dem „Werke“ vor, die in „seiner Anstalt“ ausgebildeten Zöglinge nach Möglichkeit auswärts, d. h. bei ihren Angehörigen, oder überhaupt in ihren Heimatsgemeinden unterzubringen und ihnen, nach Maßgabe der verfügbaren Mittel, auch fernerhin die Fürsorge angedeihen zu lassen, welche ihr Zustand erfordert.

Das „Werk“, die Rechtsperson, hatte sich also die doppelte Aufgabe der Ausbildung der Blinden und der Fürsorge für dieselben nach ihrem Austritte aus der Lehranstalt gestellt.

Die Lösung der ersten von diesen beiden Aufgaben, die Ausbildung der Blinden, ist der dem „Werke“ unterstellten Anstalt überbunden; die zweite, die Fürsorge für die Entlassenen, geht nach dem Wortlaute der ersten Statuten die Anstalt als solche nichts an. Der Verwaltungsrat des „Werks“ hat sie aber von Anfang an dem Anstaltsdirektor, welcher laut Statuten auch Mitglied der Verwaltung ist, übertragen. Er übt dieselbe also nicht als Anstaltsdirektor, sondern als Vertreter des Werks aus, soweit die Mittel, welche nach Lösung der ersten Aufgabe verfügbar bleiben, dies erlauben. Es wird davon später noch eingehend die Rede sein.

Im Altertum wurden die Blinden, von denen wir Kenntnis haben, beschützt und „verehrt“, später durch Almosen „ernährt“ und erst in neuester Zeit auch „belehrt“.

Wohl um dem lästigen Straßen- und Hausbettel ein Ende zu machen, hat Ludwig der IX., der „Heilige“, schon 1254 das Versorgungshaus der Quinze-Vingts in Paris für 300 (d. h. 15 × 20) arme Pariser Blinde (nicht für 300 in Ägypten geblendete Ritter) gegründet und dasselbe als Kongregation von Brüdern und Schwestern organisiert.

An die Stelle des Bettels im Kleinen trat nun der staatlich und kirchlich geschützte Bettel im Großen.

Das Beispiel, welches diese „Brüder“ und „Schwestern“ später gaben, scheint nicht zur Nachahmung dieser Art der Fürsorge angespornt zu haben. Bis auf den heutigen Tag ist in Frankreich, das ca. 30000 Blinde zählt, kein weiteres Asyl oder Versorgungshaus entstanden. Das „Hospice National des Quinze-Vingts“ besteht aber, wenn auch nicht mehr als Kongregation, heute noch in der alten Kaserne der „schwarzen Musketiere“, rue de Charenton 28. Erst 530 Jahre nach den Quinze-Vingts entstand in Paris durch Valentin Haüy die erste Blinden-Erziehungsanstalt der Welt, die Institution Nationale. —

Mit dem Beginn der Blindenbildung änderte sich auch der Charakter der Blindenfürsorge. Es handelte sich jetzt nicht mehr darum, ausschließlich unnütze, unbrauchbare Geschöpfe einfach zu ernähren, sondern es galt jetzt, zu nützlicher Arbeit erzogenen blinden Menschen im ungleichen, schweren Kampfe um ein ehrliches Dasein zur Seite zu stehen, ihnen den Weg zu ebnen und ihnen zu helfen, wenn sie erlahmten, oder infolge ungünstiger Verhältnisse ihr Brot nicht ganz allein zu verdienen vermochten. Von Kasernierung dieser Hilfsbedürftigen wollte man aber im ersten Jahrhundert der Blindenbildung nichts wissen. Auch die Blinden, welche etwas Charakter haben und zum Bewußtsein eigener Kraft, selbständigen Könnens erwacht sind, wollen sich nicht lebenslänglich in einem Spital dieses oder jenen Namens kasernieren lassen; sie wollen „hinaus ins feindliche Leben und wirken und streben!“

Aber nur zu oft unterschätzen sie die ihrer harrenden Schwierigkeiten und überschätzen ihre Kraft und das verständige Wohlwollen ihrer Mitmenschen, die ihnen nach alter Gewohnheit lieber ein kleines Almosen als lohnende Arbeit geben. Da muß dann — in der Regel schon für die erste Ausstattung — die „Fürsorge“ eingreifen, welche in den meisten Ländern, namentlich da, wo der Staat die Blindenbildung ganz übernimmt, durch besondere Fürsorgevereine ausgeübt wird.

So hat sich das sogenannte sächsische Fürsorgesystem ausgebildet, welches diesen Namen trägt, weil es im Königreich Sachsen schon früh zur höchsten Vollkommenheit gelangt ist, oder wenigstens über die größten Mittel verfügt. (M. 1800000.— Kapital und ca. M. 8000 Jahresbeiträge.) Es können dort jedem ausgebildeten Blinden jährlich im Durchschnitt M. 250 zugewandt werden. Die Vereinsmitglieder besorgen den Blinden auch Arbeitsaufträge und dienen schwachen Charakteren als moralische Stützen. Diese Art der Fürsorge schwebte, wie aus den ersten Statuten hervorgeht, offenbar auch Herrn Köchlin von Anfang an vor, obwohl er die sächsischen Einrichtungen, die vorbildlich geworden sind, in der ersten Zeit nicht kannte. Ein solches Fürsorgesystem erfordert aber:

1. eine tüchtige berufliche Ausbildung der Blinden,
2. persönliche Hingabe der Vereinsmitglieder,
3. bedeutende Geldmittel.

Nummer 1 ist Aufgabe der Lehranstalt, und ich darf wohl sagen, daß die unsrige redlich bestrebt ist, dieselbe zu lösen. Für Nummer 2 und besonders 3 können wir aber das rechte Rezept nicht schreiben. Dazu fehlt uns die richtige „Tinte"!

Das „Werk" hat in erster Linie für die Privat-Erziehungsanstalt zu sorgen, — und was übrig bleibt, reicht für eine wirksame Fürsorge in sächsischem Sinne nicht aus. In ähnlicher Lage scheint man sich auch noch in andern Ländern zu befinden. Als 1900 beim Pariser Kongresse (Congrès international pour l'amélioration du sort des aveugles) die Fürsorge zur Sprache kam, wurde von verschiedenen Franzosen auch auf das sächsische System hingewiesen. Endlich fragte der Präsident, der nicht Blindenlehrer ist, worin denn dieses System bestehe. Da antwortete ein Pariser: „Le système saxon ne vaut rien pour nous; mais il sera très bon, quand nous serons riches!" (Das sächsische System taugt nichts für uns; es wird aber sehr gut sein, sobald wir reich sind.) Damit hatte er den Nagel auf den Kopf getroffen.

Die französische „Association Valentin Haüy" und die „Société Nationale de patronage" sind zwar ganz nach „sächsischen" Ideen organisiert. „Elles font de la prose sans le savoir." Ihre Mittel reichen aber für die vielen Blinden Frankreichs nicht aus, um „sächsisch" für alle zu sorgen. Nur darin besteht der Unterschied. Wohl um die Fürsorge für die in einem ganzen Lande zerstreuten, bedürftigen Blinden zu vereinfachen, vielleicht auch, um eine wirksamere Kontrolle zu ermöglichen, ist man vor etwa 24 Jahren — zuerst in Österreich, dann auch in Norddeutschland und anderswo — teilweise zum mittelalterlich-französischen Kasernierungssystem zurückgekehrt. An Stelle der humanitären Einzelarbeit traten „Fürsorgefabriken". Man hatte auch die Erfahrung gemacht, daß alleinstehende Mädchen draußen vielen Gefahren ausgesetzt sind, die in einer besonderen Anstalt für Mädchen vermieden werden können. So gründete denn 1882 in Linz (Österreich) mein Freund Helletsgruber, der spätere Domkapitular, das erste sogenannte „Blindenheim" für alleinstehende ausgebildete Mädchen, welche vernünftigerweise so wenig in eine Erziehungsanstalt hinein gehören, als das Pfrundhaus in die Volksschule.

Vielleicht dachten Menschenkenner auch, daß einer sichtbaren Fürsorgeanstalt leichter Unterstützungen zufließen würden, als der unsichtbaren Einzelfürsorge, bei welcher die linke Hand nicht wissen soll, was die rechte tut.

Ein derartiges „Heim" soll den Blinden Lohnarbeit verschaffen, für möglichst niedriges Entgelt jedem ein wohnliches Zimmer überlassen und es ihm freistellen, sich nach Geschmack und Vermögen zu beköstigen, ihn überhaupt als freien Lohnarbeiter betrachten und behandeln.

Anfänglich wurde die 1882 auf dem Frankfurter Kongresse gemachte Mitteilung Helletsgrubers mit Kopfschütteln aufgenommen. Aber bald fand sein Vorgehen in Norddeutschland Nachahmung. Die „Heime" schossen an allen Ecken und Enden aus dem Boden, wie die Pilze nach Regenwetter.

Es ist soweit gekommen, daß die Heimversorgung am Breslauer Kongresse 1901 als „preußisches" Fürsorgesystem dem sächsischen gegenübergestellt wurde. Man hatte, wie es scheint, ganz übersehen, daß es sich nur um eine Abart der mittelalterlich-französischen Fürsorge (Quinze-Vingts) handelt, die in ihrem Mutterlande steril geblieben ist. So geht man im Kreis herum! In Halle wurde dann 1904 von einem preußischen Heimvorsteher die Heimversorgung aller — allerdings unter lebhaftem Protest — als zu erstrebendes Ideal hingestellt, während ich dieselbe als Insolvenzerklärung der Blindenbildung bezeichnete, weil die Aussicht auf Heimversorgung unter allen Umständen die Tatkraft der Erziehungsanstalten wie der einzelnen Blinden lähmen müsse.*)

Es wäre dies meines Erachtens genau so, wie wenn man alle Sehenden, gescheite wie dumme, fleißige wie faule, lebenslänglich in Kasernen oder

*) In demselben Preußen werden aber sogar die Schüler der Taubstummenschulen vielfach nicht in geschlossenen Anstalten, sondern bei Privatleuten untergebracht. Auch die städtische Blindenanstalt Berlin ist ein Externat. Die Blinden wohnen bei ihren Angehörigen oder in Kosthäusern.

Spitälern versorgen und allen dieselbe schwarze Spartanersuppe vorsetzen wollte! Das mag der „Zukunft“ vorbehalten bleiben!

Das „Heim für alle“, auch für superkluge, bequeme Leute, geht mir viel zu weit! Wer irgendwie selbständig werden kann, gehört nicht in ein „Heim“; man brauchte sonst für das Reich mehr als 100 Quinze-Vingts! Das Heim ist nur ein Notbehelf!

Für alleinstehende blinde Mädchen, für schwachbegabte Knaben, besonders für taubblinde Waisen, überhaupt für alle diejenigen, welche nicht selbständig werden können, ist es aber ein notwendiges Übel.

Herr Köchlin hat schon vor 30 Jahren eine solche Ergänzung der Lehranstalt als wünschenswert bezeichnet, aber, wie früher schon gesagt, für seine Bestrebungen kein Verständnis gefunden, weil man eben nicht nur das „Heim“, sondern sogar das „Asyl“ schon zu haben glaubte, also irrtümlicherweise annahm, daß die bestehende Anstalt dazu bestimmt sei, die Blinden lebenslänglich zu beherbergen. Die falsche Bezeichnung der Erziehungsanstalt als „asile“ hat hier von Anfang an und für alle Zeiten alles verdorben! Köchlin mußte dann tatsächlich zum großen Schaden der Kinder eine Reihe von Leuten in der Erziehungsanstalt behalten, die längst nicht mehr in dieselbe hinein gehörten. Junge Mädchen wurden zwar nach dem 15. Lebensjahr nicht mehr aufgenommen; aber schnippiche alte Weiber und heuchelnde Männer blieben ihm bei den Kindern sitzen! Um diesem unleidlichen Zustand ein Ende zu machen und auch einige Auswärtige zu versorgen, welche nur die Stuhlflechterei gelernt hatten und mit dieser allein nicht auszukommen vermochten, suchte ich anfangs der Achtzigerjahre Köchlins Idee zu verwirklichen. (Ich habe schon in meinem ersten Berichte 1881—82 darauf hingewiesen.)

Es fanden zu diesem Behufe in Straßburg, Mülhausen und Illzach Besprechungen statt, an welchen der damalige Herr Bezirkspräsident, der spätere Unterstaatssekretär und Bürgermeister von Straßburg, Exc. Dr. Back, der Herr Beigeordnete Hochapfel (Vater), Herr Medizinalrat Dr. Krieger, Herr Kreisdirektor von Saldern, der Vorsitzende unseres Verwaltungsrates, Herr Weiß-Fries, der jetzige Präsident Herr Spoerry-Mantz und der Schreiber dieser Zeilen teilnahmen. Die Einrichtung einer „Blindenwerkstätte“ für Erwachsene (der Name „Heim“ war noch wenig bekannt) war so gut wie beschlossen. Ich wurde mit den Vorarbeiten beauftragt. Unterdessen war aber der Herr Beigeordnete Hochapfel nach Dresden gekommen, hatte die dortige Blindenanstalt besucht und mit Dir. Hofrat Büttner über die Sache gesprochen. Dieser vertrat natürlich das reine sächsische Fürsorgesystem, welches Anstalten für Erwachsene nicht kennt, und entwarf ein sehr abschreckendes Bild von solchen Internaten für erwachsene Blinde. Er behauptete, man sei dort seines Lebens nicht sicher. (Mir ist es allerdings auch vorgekommen, daß ein Späterblindeter mit dem Messer auf mich losgegangen ist, weil er Geld, das er einem Kameraden gestohlen hatte, zurückgeben sollte.) Herr Hochapfel berichtete in einem acht engbeschriebene Seiten umfassenden Briefe, der mir vorgelegen hat, an den Herrn Bezirkspräsidenten Back. Das Urteil eines Hofrats, den ich übrigens hochachtete, hatte natürlich mehr Gewicht als das eines Neulings.

So wurde unser Plan zu Wasser, während in anderen deutschen Staaten und später auch in der Schweiz die „Heime“ mit „unheimlicher Schnelligkeit aus dem Boden schossen.

Erste werden letzte sein!

Ich mußte also die alten, zum Teil bösen Elemente bei den Kindern behalten, oder sie auf die Straße setzen. Es gelang dann, mehrere von ihnen anderwärts unterzubringen.

Die Hoffnung, schließlich für erwachsene, unselbständige Blinde doch noch eine „Werkstätte“ oder ein Heim zu bekommen, wurde nicht begraben.

Unterdessen war aber eine neue Anstaltserweiterung nötig geworden, über welche ich schon berichtet habe. Da im Jahre 1888 von konfessioneller Spaltung noch nicht die Rede war, wurde in erster Linie eine Erziehungsanstalt gebaut, welche als solche den Bedürfnissen des ganzen Landes und aller Konfessionen genügen konnte. Das „Heim“ sollte später als Ergänzung hinzu kommen, um eine gründliche Trennung nach Altersstufen durchführen zu können. Bei der Einweihung des Neubaues (1889) wurde dessen Gründung durch den Herrn Präsidenten Weiß-Fries angekündigt. — Immer deutlicher zutage tretende konfessionelle Sonderbestrebungen mahnten dann aber zur Vorsicht. Unsere Verwaltung konnte sich nicht entschließen, abermals Geld in Mauern anzulegen für Leute, welche vielleicht keinen Gebrauch davon machen würden. Auch war für eine solche Anstalt nicht auf große Unterstützung zu hoffen, solange ein großer Teil der Bevölkerung, durch die falsche ursprüngliche Bezeichnung irregeleitet, die Lehranstalt selbst als Asyl ansah — oder ansieht. Um aber doch endlich einen ersten Schritt zu tun und die Idee wenigstens nicht einschlafen zu lassen, entschloß ich mich, auf eigene Verantwortung hin für einen „Heimfonds" zu sammeln.

Der erste Anfang wurde 1894 mit einem Konzerte gemacht, welches M. 143.88 eintrug. Frau Witwe Henri Schlumberger in Gebweiler legte M. 1600 dazu. Seither haben hauptsächlich Blinde, Angehörige von solchen und auch Angestellte unseres Hauses zu diesem kleinen Heimfonds beigetragen und für denselben gesammelt. Heute beläuft er sich auf M. 5360.87.

Damit ist noch nichts anzufangen; aber der Fortbestand der Idee ist gesichert, und schließlich wird hoffentlich auch im Elsaß möglich werden, was sonst überall möglich war!

Ich bin gewiß kein Heimfanatiker, der einfach alle Blinden lebenslänglich kasernieren will; aber ich weiß doch auch, daß es für viele von ihnen keine andere Rettung gibt, wenn man sie nicht lebenslänglich bei Kindern in der Erziehungsanstalt behalten will. Dies zu tun, kann kein Mensch verantworten!

Das Heim könnte auch als Übergangsstadium von der Gebundenheit in der Erziehungsanstalt zur absoluten Freiheit (Gesellenstufe) dienen und besonders ein Zufluchtsort für solche sein, die trotz ehrlichen Strebens, oder auch durch eigene Schuld, Schiffbruch leiden, aber doch nicht ganz untergehen möchten.

Freiheit und Selbständigkeit durch Selbsttätigkeit für die Tüchtigen, das Heim für die Schwachen, welche der Stütze und Nachhilfe bedürfen, also ein gemischtes, ein modifiziert-sächsisches Fürsorgesystem, wie es heute in den meisten deutschen Staaten besteht, dies ist unser Fürsorgeideal! Dasselbe ist nicht erreicht, weil uns das Heim für die Schwachen fehlt.

Die Anstalt hilft den Entlassenen, so gut sie kann, durch Abgabe von Werkzeug und Rohmaterial, sei es unentgeltlich, sei es zum Ankaufspreise und auf Kredit, sei es durch Barunterstützungen in Notfällen. Unser System ist also zurzeit noch rein „sächsisch"; der Geldbeutel ist es aber nicht! In alten Berichten ist vielfach von einem „Fonds de patronage", einem „Fürsorgefonds", die Rede gewesen. Ein solcher „Fonds" hat aber niemals bestanden; man dachte vielleicht, er komme wie der Wolf, wenn man von ihm spreche. Die gewährten Unterstützungen — vielfach in Form des Ausgleichs unbezahlter Materialrechnungen — müssen einfach den laufenden Einnahmen entnommen werden. Da diese ohne die Zinsen des Reservefonds für die Bedürfnisse der Anstalt selbst meistens nicht ausreichen, müssen wir uns bei der Fürsorge oft schmerzliche Zurückhaltung auferlegen. Es wird deshalb schon lange die Frage erwogen, ob die Fürsorge nicht, wie sonst überall, einem besonderen Vereine übertragen werden sollte, der dann, weil sein Zweck von vornherein verstanden würde, wohl auch das Heim zustande brächte.

Es ist zu beachten, daß sich in den meisten deutschen Staaten und preußischen Provinzen diese Vereine nicht um die Blindenerziehungsanstalten zu kümmern brauchen. Für diese sorgt meistens der Staat, bzw. die Provinz, in freigebiger Weise. Die Vereine können also ihre Mittel ganz der Fürsorge für die Entlassenen widmen, sei es durch Gründung und Unterhaltung von „Heimen", sei es durch Unterstützung der freien Arbeiter und Arbeiterinnen. Die Heimstätten sind mehreren von ihnen geradezu als reife Früchte in den Schoß gefallen. So hat Düren (Rheinprovinz) von einem dortigen protestantischen Fabrikanten allein für ein Mädchenheim ein Sümmchen von M. 600000 erhalten (vielleicht hat man dort aus diesem Grunde auf konfessionelle Trennung der Fürsorge verzichtet), und der Verein verfügt jährlich für Unterstützungszwecke über M. 160000—170000, während wir der Fürsorge in 50 Jahren zusamen erst M. 45017 zuwenden konnten. Bei uns belaufen sich eben die freiwilligen Gaben für die Erziehungsanstalt und die Fürsorge zusammen nur auf jährlich M. 8—10000. In Hamburg bestand seit 1830 eine Privat-Blindenerziehungsanstalt. Die Schule derselben hat nun, wie billig, der Staat übernommen. Sie sollte aber durch Werkstätten für Erwachsene (Arbeiterheim) und ein Altenheim oder Asyl für arbeitsunfähig gewordene Blinde ergänzt werden. Zu diesem Doppelzweck spendete ein Herr M. 500000, ein anderer M. 100000 usw. Ein weiterer Hanseate hat M. 500000 an das „Heim" für das ganze Reich in Königswusterhausen gespendet. —

Das klingt hierzulande wie orientalische Märchen! Ein auf breiterer Basis aufgebauter Fürsorgeverein könnte aber vielleicht doch auch hier einen Schritt weiter kommen und das ersehnte Heim für „heimatlose" Erwachsene ins Leben rufen. Allerdings läge die Gefahr der Rivalität zwischen

Anstaltsverein und Fürsorgeverein doch recht nahe, solange auch die Erziehungsanstalt auf die Privatwohltätigkeit angewiesen ist. Besser wäre es ohne Zweifel, wenn das Kuratorium der Anstalt genügende Mittel finden könnte, um beide Aufgaben, die Blindenbildung und die Blindenfürsorge, in befriedigender Weise zu lösen.

Jahresbericht.

Die Anstalt hat seit 1858 Jahresberichte herausgegeben. Diese „Rapports" waren natürlich französisch verfaßt. Da sich dieselben besonders an die Wohltäter der Anstalt wandten, denen das Französische geläufiger war als das Schriftdeutsche, vielleicht auch, weil die Anstaltsfreunde in zehn Gemeinden des Ländchens Montbeliard, in Belfort und Besançon, die zum Teil bis 1905 ihre Beiträge bezahlt haben, überhaupt nicht Deutsch verstehen, wurde die französische Sprache für die Berichterstattung auch nach 1870 beibehalten. Im Jahre 1882 schrieb ich zum ersten Male — neben dem französischen — auch einen deutschen Bericht, besonders um Blindenfreunden und Kollegen deutscher Zunge von unserer Existenz und Tätigkeit Kenntnis zu geben. Die Anstalt feierte ja damals — auch ein Jahr zu spät — ihr fünfundzwanzigjähres Jubiläum!

Die nächsten drei Berichte wurden wieder französisch verfaßt. Für das Jahr 1885—86 schrieb ich abermals eine deutsche „Beilage" zum „Rapport", welche mit letzterem nicht genau übereinstimmte, weil sie sich an einen Leserkreis wandte, bei dem ich mehr Interesse für pädagogische Fragen als für unser Rechnungswesen voraussetzte. — Auch sollte jene Beilage, wie ich im Vorworte bemerkte, über die wesentlichen Vorkommnisse der letzten drei Jahre Auskunft geben.

Der Bericht für 1886 auf 87 war zweisprachig, ohne daß beide Teile inhaltlich genau übereinstimmten; der eine ergänzte und erweiterte den andern. Ich konnte bei den meisten Empfängern des Berichts das Verständnis beider Sprachen voraussetzen, und ich wünschte, daß beide Teile von denselben gelesen würden. Dies konnte aber nicht erwartet werden, sobald man sich auf wörtliche Übersetzung einer kurszettelartigen, trockenen Aufzählung von Namen und Daten beschränkte. —

Es ist immer mein Bestreben gewesen, den Berichten durch Besprechung allgemeiner Fragen etwas mehr Inhalt zu geben. Seit 1888 sind unsere Berichte und Preisverzeichnisse auf Weisung des Kaiserl. Bezirkspräsidiums ausschließlich in deutscher Sprache erschienen. — Auf diese Berichte — französische und deutsche — muß ich alle diejenigen verweisen, welche über diesen oder jenen Punkt noch Genaueres erfahren möchten. — Es läßt sich in einer Jubiläumsschrift unmöglich alles wiederholen, was in 50 Jahren gesagt und geschrieben worden ist.

So schließe ich denn diesen geschichtlichen Überblick, indem ich der Hoffnung Ausdruck gebe, daß derselbe dazu beitragen möge, Mißverständnisse aufzuklären, Vorurteile zu zerstreuen und das Interesse für die Blindensache wach zu erhalten oder neu zu beleben.

Fürsorge.

II. Teil.

Kongreßvorträge und Aufsätze über das Blindenwesen.

Die hier folgenden Arbeiten, meistens Vorträge oder Referate, welche der Berichterstatter an deutschen („allgemeinen“), französischen („internationalen“) und italienischen Kongressen für das Blindenwesen gehalten hat, sind wesentlich als Geleitbriefe zu seinen Lehrmitteln zu betrachten. —

Wie die Dinge vor 25 Jahren lagen, konnte der Blindenbildung nicht durch theoretische Abhandlungen aufgeholfen werden. Damals hieß es: „Hand ans Werk, um Lehrmittel zu schaffen!“

Es mußte tatsächlich Handarbeit — allerdings nicht kopflose Handarbeit — geleistet werden. Schon in der ersten Kongreßarbeit vom Jahre 1882 ist auf diese Notwendigkeit hingewiesen worden. —

Aber die Theorie durfte doch hinter der Praxis nicht allzusehr zurückbleiben, sondern mußte dieselbe ergänzen und ihr in manchen Fällen als Wegweiserin dienen.

Aus dieser Erwägung heraus sind mehrere der folgenden Arbeiten entstanden.

Da dieselben in Kongreßberichten und Zeitschriften verschiedener Länder zerstreut sind, hat der Verwaltungsrat beschlossen, sie zu sammeln, um ein Bild dessen zu geben, was hier erstrebt worden ist. —

Wiederholungen, die vorkommen werden, erklären sich aus dem Umstand, daß Vorträge und Aufsätze über dasselbe Thema für sehr verschiedene Hörer- oder Leserkreise bestimmt waren, so daß sich die Wahl neuer Formen für wiederkehrende Gedanken nicht unbedingt aufdrängte. Größere Wiederholungen sind durch Hinweis auf die entsprechenden Abschnitte anderer Artikel vermieden. —

Es gibt übrigens Dinge, welche man dreimal sagen kann, ohne daß es viel — — nützt. —

Korbmacherei — Mittelbau und Mädchenflügel — Druckerei

Abb. 83. Ostansicht (Winteraufnahme).

Über den geographischen Unterricht in der Blindenanstalt.

Vortrag, gehalten am allgemeinen Blindenlehrerkongresse zu Frankfurt a. M. am 27. Juli 1882.

(Abdruck aus dem Kongreßberichte.)

Hochgeehrte Herren Kollegen! Entschuldigen Sie, wenn ich, als Anfänger auf dem Gebiete der Blindenbildung, es wage, vor die bewährten Meister hinzutreten und die Diskussion über einen Unterrichtsgegenstand einzuleiten, der mir für die Ausbildung unsrer Blinden ebenso wichtig zu sein scheint, als dessen Behandlung mit blinden Schülern schwierig ist. Es mag mir die Tatsache als mildernder Umstand angerechnet werden, daß ich mich erst zur Übernahme dieses Referates entschlossen habe, als ich vor ca. 14 Tagen durch unsern Herrn Präsidenten erfuhr, daß keiner meiner kompetenten Herren Kollegen dieses bis jetzt noch von keinem Kongresse behandelte Thema hier zur Sprache bringen werde. Wollen Sie mich also gefälligst als Lückenbüßer betrachten, der hierher kommt, um zu lernen und nicht um zu belehren, der also vor allem Ihre Ansichten über den geographischen Unterricht kennen lernen und seine in Schulen Sehender gemachten Erfahrungen durch die Ihrigen ergänzen möchte.

Die Wahl des Themas, die vom Komitee in Frankfurt ausgegangen ist, bedarf keiner Rechtfertigung von meiner Seite; ich habe auch nicht von dem Wesen und dem Werte des geographischen Unterrichts im allgemeinen zu sprechen; denn die Erdkunde hat sich heutzutage, dank der bahnbrechenden Arbeiten Humboldts, Ritters und Oskar Peschels in allen, selbst den höchsten Lehranstalten eingebürgert und wird, wie die internationalen geographischen Kongresse und die jährlich stattfindenden deutschen Geographentage beweisen, mit Eifer gepflegt — bedarf also meiner Empfehlung nicht. Es könnte mir höchstens die Frage entgegengehalten werden, ob es möglich, ratsam oder gar notwendig sei, den Blinden in die Elemente eines Wissenszweiges einzuführen, der sich vorzüglich auf solche Form- und Raumbegriffe stützt, welche

13*

dem Blindgeborenen beinahe so fern liegen als die Farben und ihm mit Hilfe der zurzeit vorhandenen Veranschaulichungsmittel kaum in irgendwie genügender Weise vermittelt werden können? Ich glaube, diese Frage müsse bejaht werden und bin sicher, keinem Widerspruch zu begegnen.

Wenn der Blinde als vollberechtigter Bürger der Gesellschaft zurückgegeben werden soll, muß er sein Vaterland und dessen politische Institutionen kennen und sich in der engen Welt, in der er sich bewegt, zurechtzufinden wissen. Doch auch abgesehen von ihrem materialen Werte ist die Geographie ein wichtiges Mittel allgemein menschlicher Bildung; die großartigste und unanfechtbarste Offenbarung der Macht, Weisheit und Güte des Schöpfers ist eben die Schöpfung selbst und nicht das, was Spätgeborene über sie gesagt und gesungen haben! Und dieses Buch sollte für den Blinden versiegelt bleiben? Nein, keiner von uns kann es wollen! — Die Frage, ob die Erdkunde in die Blindenanstalt gehöre, muß also unbedingt bejaht werden und wird auch von Ihnen allen bejaht; die Ausstellung beweist es. — Wann soll nun aber der Unterricht in der Heimatkunde und der Erdkunde überhaupt seinen Anfang nehmen? Meine Herren, ich glaube, es habe das zu geschehen mit dem Tage des Eintrittes unserer Zöglinge in ihre neue Heimat, die Blindenanstalt, in welchem Alter dieser auch erfolgen möge.

Mit den Sehenden wird der Unterricht in der Heimatkunde in der Regel im dritten Schuljahre, also im zehnten oder elften Lebensjahre begonnen, und im gleichen Alter treten die meisten Blinden in unsere Anstalten. Allein auch mit jüngeren Kindern sollte, wie ich glaube, der Unterricht in der Heimatkunde sofort begonnen werden, weil bei ihnen vorerst der materiale Unterrichtszweck, die Orientation, in den Vordergrund tritt, während die Heimatkunde bei dem sehenden Kinde, das sich in seiner Heimatgemeinde und deren Umgebung ohne alle Schwierigkeiten bewegt und zurechtfindet, hauptsächlich dem formalen Zwecke dient. Der Blinde muß sich in der Anstalt und deren Umgebung orientieren lernen und das ist schon ein schönes Stück Heimatkunde.

Absolute Grundbedingung eines ersprießlichen Unterrichts in diesem Fache ist das Vorhandensein eines nach einfachen Reduktionsverhältnissen (1 : 100; 1 : 200; 1 : 1000) ausgeführten Reliefplanes der Anstalt und ihrer Umgebung, auf dem die Anstalts- und andre benachbarte Gebäude in ihren natürlichen Formen und Verhältnissen dargestellt sind, so daß die Schüler wenigstens die Horizontaldimensionen in der Natur und am Modelle nachmessen und vergleichen können. Um dieselben in das Verständnis des Kartenmaßstabes überhaupt einzuführen, wäre zu wünschen, daß dieser Plan nach verschiedenen Maßstäben (1 : 100; 1 : 1000 usw.) ausgeführt würde und so immer größere Räume zur Darstellung brächte. — Bei der Anfertigung dieser Pläne ist möglichst natürliche Wiedergabe aller Formen anzustreben, so daß also allfällige Flüsse und Bäche vertieft und nicht, wie auf unsern Übersichtskarten, erhöht dargestellt werden sollen.

Erst bei zunehmender Reduktion, d. h. sobald die naturgetreue Nachbildung aller die Umgebung der Schule bildenden Elemente des Landschaftsbildes undeutlich oder unmöglich wird, darf man zu konventionellen Zeichen, also z. B. zu erhöhten Flüssen seine Zuflucht nehmen. Bei Beobachtung dieses Lehrganges wird der Schüler naturgemäß von der Sache zum Modell und von diesem zur Zeichnung, also zum Verständnis der Karte geführt. — Auf die Einzelheiten dieses Unterrichts näher einzugehen, kann nicht meine Aufgabe sein, weil sich derselbe nicht wesentlich von dem ersten Geographieunterrichte in Schulen Sehender unterscheidet. — Je nachdem die Umgebung der Anstalt in physischer oder politischer Beziehung größere oder geringere Abwechselung bietet und mehr oder weniger geographische Elemente, wenn Sie mir diesen Ausdruck erlauben, aufweist, wird dieser grundlegende Kursus sich auf einen größeren oder kleineren Raum ausdehnen und längere oder kürzere Zeit in Anspruch nehmen. Die Hauptsache besteht darin, daß ein Grundstock richtiger geographischer Vorstellungen und Begriffe auf naturgemäßem Wege, d. h. durch Anschauung, respektive Betastung, gebildet werde, der dem weiteren geographischen Unterrichte als Grundlage dienen könne. Dies ist aber nicht in allen Anstalten ohne Zuhilfenahme künstlicher Veranschaulichungsmittel möglich.

Wir befinden uns z. B. in Illzach in einer weiten Ebene. In der Nähe der Anstalt haben wir ein Dorf, die Stadt Mülhausen, einige Landstraßen, zwei Flüßchen, einen Bach, Brücken, Kornfelder und Wälder, aber auch nicht die kleinste Anhöhe. — Wie soll da der Schüler auf naturgemäßem Wege die Begriffe Berg, Hügel, Bergspitze, Abhang, Fuß, Kamm, Kegelberg, Kuppe, Horn, Paß, Bergkette, Seitenkette, Tal, Längstal, Quertal, See, Meer, Hafen, Insel usw. usw. durch Anschauung gewinnen, ohne daß ein ideales oder, wenn möglich, reales

Reliefbild einer andern Gegend, welche diese Elemente enthält, zu Hilfe genommen wird. — Das rechtzeitig sich einstellende Wort, wo Begriffe fehlen, d. h. die auswendig gelernte Definition, kann und darf uns nicht genügen! Wir müssen uns also ein derartiges allgemeines Veranschaulichungsmittel verschaffen oder uns befähigen, für unsern Unterricht, oder auch während desselben, plastische Bilder von derartigen geographischen Objekten selbst herzustellen. — Ich glaube für unsre Anstalt in einem früher für Sehende nach eigenen Höhenaufnahmen ausgeführten Relief von Genua, das sich in der Ausstellung befindet, ein allgemeines Veranschaulichungsmittel gefunden zu haben, das eine möglichst große Summe geographischer Gegenstände in natürlichen Formen, also ohne Überhöhung, zur Anschauung bringt. Es lassen sich an demselben, neben vielen andern, folgende geographische Grundbegriffe entwickeln: Meer, Hafen, Busen, Hafendamm, Halbinsel, Vorgebirge, Steilküste, Felsenküste, Strand; Berg, Hügel, Ebene, Abhang, Böschung, Kamm, Spitze, Fuß, Bergkette, Seitenkette; Flußgebiet, Hauptfluß, Nebenfluß, Quelle, Zusammenfluß, Mündung, Flußufer, Sandbank, See, Stadt, Vorstädte, Festungswall und -graben, Vorwerke, Straßen, Brücken, Wasserleitung usw. und besonders die äußerst wichtigen Begriffe des Längs- und Querschnittes und der Meereshöhe, da der Rahmen dem Meeresniveau entspricht. Es scheint mir zweifelhaft, ob irgend ein andrer Teil der Erdoberfläche bei gleicher Ausdehnung eine so große Mannigfaltigkeit der Formen und Gegenstände aufzuweisen vermöge. Wo die Umgebung der Anstalt den gewünschten Formenreichtum darbietet, ist es angezeigt, denselben zu benutzen und in einem Spezialrelief zur Anschauung zu bringen; denn, wenn selbst der Sehende eines Zwischengliedes zwischen Natur und Plankarte bedarf, um zum Verständnis der letzteren zu gelangen, wie viel mehr muß dies bei dem Blinden der Fall sein, der nur stumme und der Natur widersprechende Übersichts-Plankarten mit erhabenen Flüssen und Einsenkungen an der Stelle der Gebirge in die Hände bekommt. Wer soll und wird nun aber alle diese Reliefkarten herstellen? Werden sich außerhalb des Lehrerstandes überall gemeinnützige Männer finden, welche befähigt und geneigt sind, sich dieser Aufgabe einzig aus Liebe zur Sache zu unterziehen? Wohl schwerlich! Nur der Lehrer kann in die Lücke treten und wenn er nicht befähigt worden ist, ein Relief der Heimat oder, wenn in der Ebene wohnend, dasjenige einer gebirgigen oder hügeligen Gegend überhaupt anzufertigen, fehlt es gerade in dem Momente, wo es am nötigsten wäre, um dem Schüler richtige Vorstellungen und Begriffe beizubringen und falsche Auffassungen der Karte zu verhüten, was unendlich viel leichter ist, als unrichtige Bilder, die sich dem kindlichen Geiste eingeprägt haben, zu verwischen und durch richtige zu ersetzen. Es ist deshalb auch ein sehr mangelhaftes Relief der Heimat, das der Lehrer für seinen Unterricht und teilweise während desselben unter seinen und seiner Schüler Händen entstehen läßt, der schönsten Arbeit, die man den jungen Blinden vollendet in die Hand gibt, vorzuziehen, weil sie auf diese Weise gleichsam dem Schöpfungsakte als Zuschauer beiwohnen.

Nachdem so der Grundstein des erdkundlichen Unterrichts durch das Studium der Heimatgemeinde oder des Kreises und der Provinz, je nach deren physikalischer Beschaffenheit, gelegt ist, wird es an der Zeit sein, die Erde als Ganzes zu betrachten, bevor man zum Studium des gesamten Vaterlandes übergeht. Als Veranschaulichungsmittel ist auf dieser Stufe ein Reliefglobus unbedingt notwendig, auf welchem auch die hauptsächlichsten Teilungslinien, Äquator, Wende- und Polarkreise und einige Meridiane fühlbar sind.

Reimers mit Teilungslinien versehener Reliefglobus für Sehende leistet gute Dienste für Vorgerücktere; für den Anfang hingegen wird ihm ein kleiner im Pariser Institute gegossener Metallglobus vorzuziehen sein, auf welchem die Schüler mit jeder Hand eine Halbkugel decken können, was die Orientation bedeutend erleichtert. Mit Hilfe der genannten Globen wird der Schüler ohne große Mühe richtige Vorstellungen gewinnen von der Form der Erde, von der Lage und Ausdehnung der ihre Oberfläche bildenden Meere und Kontinente und von der Stellung, welche sein Vaterland in diesem großen Organismus einnimmt. Erst nachdem das geschehen, kann das genauere Studium des letzteren mit Aussicht auf Erfolg unternommen werden. Ich weiche hier von dem Lehrgange ab, den ich mit Sehenden einhalten würde. Mit letzteren scheint es mir zweckmäßig, die Heimatkunde weiter auszudehnen und erst im Laufe des zweiten oder dritten Schuljahres zum analytischen Kurse überzugehen, erstens weil das Gebiet, welches ihrer unmittelbaren Beobachtung offen liegt, viel ausgedehnter ist als dasjenige, auf welchem der Blinde sich gewöhnlich bewegt und zweitens weil dieser letztere nicht dem Einflusse optischer Täuschungen ausgesetzt ist, welche die sehende Menschheit bis auf Copernicus irregeleitet haben, — und infolgedessen der allgemeinen Belehrungen über die Erde als Ganzes früher zugänglich wird als sehende Kinder, denen es viel schwerer fällt, die hüglige, bergige Erde als Kugel und die scheinbare Bewegung der Sonne als Täuschung zu erkennen. Bei dem Blinden findet man da reinen Tisch, auf den man stellen kann, was man will.

Die Behandlung des Heimatlandes sollte der physikalischen Gestaltung, d. h. den Umrissen, der Orographie und der Hydrographie die Hauptaufmerksamkeit zuwenden und darauf hinarbeiten, daß die Blinden möglichst richtige und dauerhafte Vorstellungen von der Bodenplastik der Erdoberfläche gewinnen, mit der ja die Bewässerung und folglich die Besiedelung im Verhältnis von Grund und Folge steht. Es interessiert die vorgerückten und intelligenten Blinden in hohem Grade, wenn man auch zuweilen Streiflichter fallen läßt in die Geschichte der Erdkruste, die Entstehung der Seen, Flußläufe, Küsten usw. Die Karte erhält für sie eine ganz andre Bedeutung, wenn sie die Tiefebenen als einstige Seebecken, oder weit ins Festland einschneidende Golfe, die Hochebene zwischen Alpen und Jura als einstige Meerenge, unsre vielfach gebogenen und gebrochenen Wasserrinnen als Kombinationen von Tälern verschiedenen Ursprungs auffassen lernen, wenn sie sich fragen, warum die Weser in das Aller- respektive Elbtal, die Elbe in das Havel- respektive Odertal hinübergefallen seien; welcher Zusammenhang bestehe zwischen der obern Donau, dem obern Rhein, der Aare und dem Oberlauf der Rhone, der alten Donauquelle, welches der Ursprung sei der Alpenseen, der Fjorde, der Inseln usw. Es sind dies Fragen, welche den denkenden Blinden ebensosehr anregen als den Sehenden, und welche die Geographie über einen saft- und kraftlosen Zahlenmechanismus erheben, in vielen Fällen die physikalische Karte in eine Geschichtskarte verwandeln und dem Schüler zum Bewußtsein bringen, daß unsre Erde ein nach unwandelbaren Gesetzen sich entwickelnder Organismus und nicht eine Leiche ist. Oskar Peschel soll auch für die Blinden nicht umsonst gelebt haben! Auch in bezug auf den materialen Unterrichtszweck haben derartige Winke ihren hohen Wert, weil dasjenige, dessen Zusammenhang wir begreifen, viel besser in unserm Gedächtnisse haftet, als unverstandene, chaotisch angehäufte Stoffmassen. Wir brauchen auch nicht zu befürchten, dadurch den Frieden unsrer Schüler zu stören, indem die Ergebnisse der Wissenschaft mit den Schöpfungsepochen der Schrift in grundsätzlichem Einklang stehen und dieselben erst recht verstehen lehren. Ich betone das physikalische Element ganz besonders, 1. weil dasselbe das Wesentliche, Charakteristische und Bleibende eines Landes ist, von dem auch dessen Besiedelung abhängt, während alles Politische mit einem der Mode und tausend andern Einflüssen unterworfenen Kleide verglichen werden kann, das heute glänzt, seinen Dienst tut und morgen geht. 2. weil auch heute noch infolge der Sparsamkeit, die für viele Anstalten eine notwendige Tugend ist, nicht jeder Blinde nach seinem Austritte aus der Anstalt einen Reliefatlas zur Verfügung hat, mit dessen Hilfe er die früher gebildeten Vorstellungen wieder auffrischen und erhalten könnte, und mit dem Schwinden des Skelettes, an dem die übrigen geographischen Vorstellungen festhielten, das ganze einschlägige Wissen ins Chaos zurücksinkt, während die Kenntnisse aus dem Gebiete der politischen Geographie durch den geselligen Verkehr und die Lektüre leicht aufgefrischt und ergänzt werden können. — Die hier ausgesprochenen Grundsätze gelten mir auch bei der Behandlung der fremden Länder und Erdteile, die natürlich im geographischen Unterrichte der Blindenanstalt eine untergeordnete Rolle spielen müssen.

Auf die wenigen Veranschaulichungsmittel übergehend, welche für diese Stufe vorhanden sind, und die vielen, welche vorhanden sein sollten, habe ich in erster Linie zu sprechen von der vom Buchdrucker Schulze in Steglitz gedruckten kleinen Flußkarte von Deutschland und Zentraleuropa. Dieselbe entspricht so ziemlich dem Zwecke, den eine hydrographische Karte haben kann, ist aber natürlich nicht imstande, dem Blinden eine Vorstellung von der Bodenplastik beizubringen. Die Richtung der Hauptgebirgsketten kann nur aus der mehr oder weniger fühlbaren Wasserscheide abgeleitet werden. Ich möchte nun an die verehrten Herren Kollegen von Steglitz die Frage richten, ob es nicht vielleicht möglich wäre, die Flüsse etwas feiner zu zeichnen und dem Vorstellungsvermögen unsrer Schüler dadurch zu Hilfe zu kommen, daß die Hauptgebirgsketten durch sogenannte „Semmelreihen“ angedeutet würden, wie wir sie auf französischen Kartenskizzen*) finden, welche dem Geschmacke unsrer Zöglinge vorzüglich entsprechen. Der Autor dieser Karte hat sich bei der Auswahl

*) Laas d'Aguen hat s. Z. einige Flußkarten für Blinde in Messing gestochen, 1881 waren dieselben aber längst vergriffen und die Platten waren spurlos verschwunden.

des Stoffes weise Beschränkung auferlegt, ich finde sogar, er sei darin zuweilen etwas weit gegangen; so vermisse ich die Salzach, die Wichtigkeit hat wegen ihres Parallelismus mit der Enns und weil der obere Teil ihres Tales mit der Rinne des letzteren Flusses das große nördliche Längstal der Ostalpen bildet; ferner die Leitha ihrer politischen Bedeutung wegen und, nach meiner Auffassung, als alter Murlauf, und im Süden die Dora Baltea, als Gegenstück zur Adda, und endlich Brenta und Piave, welche das Prinzip des Aufbaues der Zentralalpen, die Symmetrie, nach dem Südwestflügel der Ostalpen zu verpflanzen scheinen. Unsre Blinden hegen noch einen andern Wunsch, dem ich hier Ausdruck gebe, weil ihm ohne Kosten entsprochen werden kann. Auf den Pariser Karten ist das Wasser durch horizontale Schraffen angedeutet, so daß der Blinde beim ersten Griffe erkennt, ob er Land oder Wasser unter seinen Fingern hat, was die Orientationen bedeutend erleichtert. Da dies bei der Steglitzer Skizze nicht der Fall ist, glaube ich, die Herren würden den Blinden einen Dienst leisten, wenn sie dem Beispiele der Franzosen folgen wollten. Der Kartograph für Sehende bedient sich ja zum gleichen Zwecke auch der Schraffen oder Farben und es gibt wohl keine Karte für Sehende, welche Land und Wasser nicht scharf und auf den ersten Blick erkennbar voneinander absonderte. Lassen wir also den Blinden die gleiche Erleichterung zuteil werden! Ich hoffe, meine verehrten Herren Kollegen werden in diesen Worten nicht einen Tadel, sondern einen Vorschlag zur Vervollkommnung ihrer Arbeit erkennen!*)

Meines Wissens sind in Deutschland sonst keine geographischen Lehrmittel für die Hand des Schülers erschienen; denn die Modelle von Herrn Libansky, die ich in Berlin, hier in der Ausstellung und in Paris gesehen habe, sind infolge ihrer Herstellungsweise zu teuer, um dahin gerechnet zu werden. Dieselben werden als allgemeine Lehrmittel gute Dienste leisten, können aber von einer Person kaum in genügender Menge hergestellt werden, und es wird deren Anfertigung immer dem Privatfleiße des einzelnen Lehrers überlassen werden müssen, wenn nicht der Verein für Blindenbildung in die Lücke treten und diese Karten durch den Druck unsern Blinden zugänglich machen will und kann. Auch Herr Schulze in Berlin, welcher den Versuch gemacht hat, Blindenkarten zu drucken, verdient unsern Dank, wie jeder der auf diesem Gebiete arbeitet; denn aus Privatinteresse tut es keiner, wenn auch die zwei bis jetzt erschienenen Skizzen unsern Anforderungen nicht genügen können.

*) Ich habe erst später erfahren, daß die Steglitzer Anstalt mit dieser Skizze, die allein auf den Buchdrucker Schulze zurückzuführen ist, weiter nichts zu tun gehabt hat, als daß sie dieselbe verlegte, d. h. verkaufte.

Wir sind also noch sehr arm an Lehrmitteln und infolge dieser Armut muß jede Anstalt sich selbst zu helfen suchen. Man bemüht sich, mit verschiedenen Materialien und nach verschiedenen Methoden hydrographische und politische Wandkarten zu schaffen, indem man die Flüsse durch Schnüre, oder sogar durch Nägel darstellt. Wohl das beste Verfahren, das mir bis jetzt bekannt geworden ist, besteht im Bestreichen der gezeichneten Flüsse mit einer Mischung von Gummi und Sand oder geschabter Kreide. Solche Karten finden Sie in der hiesigen Blindenanstalt. Solange es sich um Flußkarten handelt, weiß sich also jeder zu helfen. Wie steht es aber mit den Gebirgskarten? Besitzen wir in Deutschland auch nur eine einzige orohydrographische Karte unsers Landes? Mir ist keine bekannt. In letzter Zeit hat sich die Verlagsfirma Mallin, Deichmann & Heine in Kassel erboten, in die Lücke zu treten und unsre Anstalten mit Reliefkarten zu versehen, die es uns möglich machen sollen, unsern Zöglingen einen Begriff von der vertikalen Gliederung unsers Landes beizubringen. Wird die bezeichnete große Lücke wirklich ausgefüllt und entsprechen ihre Arbeiten unsern Anforderungen? Bis jetzt leider nicht. — Ich habe ihre Erfindung mit der größten Freude begrüßt und sie dazu von Herzen beglückwünscht, nicht weil ich die bis jetzt erschienenen Gummireliefs gut und unsern Bedürfnissen entsprechend finde, sondern weil ich darin einen ersten Schritt zur Verbesserung des geographischen Unterrichts im allgemeinen erkenne. Daß ihre bis jetzt herausgegebenen Karten, schon der argen Überhöhung wegen, für den Unterricht im allgemeinen und besonders für den Blindenunterricht ungeeignet seien, habe ich ihnen schon letzten Herbst ganz offen mitgeteilt und sie auf unsre Bedürfnisse aufmerksam gemacht. Auch Herr Direktor Roesner hat letzten Frühling in seinem Referate über diese Reliefs darauf hingewiesen. Die Elastizität dieser Karten, welche unter den Händen wallen und wogen wie das sturmbewegte Meer und ihre Höhe je nach dem Drucke ändern, sich auch oft in ihr Gegenteil verkehren, haben etwas Unheimliches für unsre Blinden. „Es steht zwar nichts fest auf Erden und es wanken auch die Berge selbst,“ und doch geben wir uns lieber der Illusion hin, festen

Boden unter den Füßen zu haben. Allein schwerer als diese Übelstände, welche, wie Herr Deichmann uns belehrt, dem Hartgummi nicht anhaften, fallen andre Gründe ins Gewicht, welche gegen die Einführung der bis jetzt erschienenen Gummikarten sprechen. Erstens sind bis jetzt nur Pläne von kleinen Gegenden erschienen, in denen sich keine Blindenanstalten befinden, und die Pläne bieten nicht den nötigen Formenreichtum, um als allgemeines Veranschaulichungsmittel für den ersten Unterricht dienen zu können; zweitens, — und dies ist die Hauptsache, — sind auf den meisten derselben die Höhen so arg übertrieben, daß die Natürlichkeit der Formen absolut verloren geht: Breite Täler werden auf diesen Karten infolge der Überhöhung zu engen Schluchten, sanfte Abhänge zu senkrechten Abstürzen und das Ganze zur Karikatur. Falsche Bilder dürfen wir aber den Blinden nicht als erste geographische Nahrung bieten, weil der Tastsinn die Formen auffaßt wie sie sind und nicht wie sie dem Auge, je nach ihrer Lage erscheinen. Für Sehende berechnete Reliefkarten dürfen (und müssen) unter gewissen Voraussetzungen überhöht werden, weil sonst größere Gebiete von der plastischen Behandlung ausgeschlossen werden müßten, und besonders weil die Überhöhung durch die Lage des Wandreliefs, bei der die Vertikalausdehnung auf den Grund der Karte projiziert, also verkürzt erscheint, ihr Korrektiv findet. Für den Blinden gibt es aber keine Projektion, keine, oft heilsame, optische Täuschung, und deshalb muß das plastische Bild, das ihm zum Zwecke der Erwerbung der geographischen Grundbegriffe vorgelegt wird, in seinen Hauptverhältnissen absolut richtig sein; erst für die zweite Stufe, also für Übersichtskarten, ist eine mäßige Überhöhung zulässig. Die geringere oder größere Deutlichkeit der Flußzeichnung kommt bei einem Relief erst in zweiter Linie in Betracht. Es ist allerdings zu wünschen, daß die Flüsse im Flachlande nach bisheriger Manier erhaben dargestellt werden, auf eigentlichen Gebirgskarten hingegen ist das gar nicht nötig, weil das Wasser notwendigerweise die tiefsten Rinnen aufsucht; ja ich könnte mich sogar für die Flüsse und Seen im Flachlande mit kräftigen Aushebungen, wie Herr Deichmann sie vorschlägt, befreunden, wenn dadurch die Fabrikation des Reliefs lebhafter, der Absatz größer und der Preis verhältnismäßig niedriger würde. Daran zweifle ich aber sehr. Solche Karten würden einen zu großen Maßstab voraussetzen, wenn sie nicht durch diese kräftigen Einschnitte derart verunstaltet werden sollten, daß kein Sehender sie mehr kaufen würde. Der große Maßstab würde aber für eine Reliefkarte von Deutschland, deren Herstellung wir ins Auge fassen müssen, auch einen unerschwinglichen Preis und eine bedeutende Verminderung des Absatzes, also Schädigung aller Teile zur Folge haben. — Karten, die für Blinde angefertigt sind, können Sehenden ganz gute Dienste leisten, viel eher als umgekehrt. Flußläufe, welche sich $^1/_2$ mm über das Niveau des Landes erheben, sind für den Blinden ganz deutlich wahrnehmbar und genügen seinen Anforderungen, ohne den Sehenden auch nur im geringsten zu stören. Sie können sich an der Photographie der hier ausgestellten Reliefkarte von Asien davon überzeugen, auf welcher die Flüsse zur Zeit der photographischen Aufnahme durch Wollenstreifen, also erhaben, dargestellt waren. — Das Auge stößt sich daran so wenig, daß am letzten deutschen Geographentag in Halle keiner der Herren Geographen diesen Umstand auch nur bemerkte, wenn ich selbst nicht ihre Aufmerksamkeit darauf hinlenkte.

Glaubt man also die Interessen der Blinden mit denen der Sehenden vereinigen zu können, so mag man es versuchen, allein so, daß nicht Blinde, Sehende und Verleger gleich geschädigt werden!

Wir können von einem Verleger natürlich nicht verlangen, daß er unsern Bedürfnissen entsprechende Karten liefere, wenn er nicht auf den Absatz einer gewissen Anzahl von Exemplaren rechnen kann. Ich schlage Ihnen deshalb vor, daß der Kongreß eine Kommission ernenne, welche sich mit der Prüfung und Herstellung geographischer Lehrmittel zu befassen hätte und daß alle Blindenanstalten sich zur Abnahme wenigstens eines Exemplars einer herzustellenden Reliefkarte von Zentraleuropa zu dem von der Kommission festzustellenden Preise verpflichten. Meiner Ansicht nach sollte eine kleine Übersichtsreliefkarte dieses Gebietes herausgegeben und die plastische Reproduktion der Möhlschen Karte von Zentraleuropa angestrebt werden. Jede Anstalt könnte die Ausführung eines Blattes übernehmen und die Reproduktion, oder, wenn es vorgezogen werden sollte, auch die ganze Ausführung dürfte dann wohl, unter Aufsicht der genannten Kommission, der Firma Mallin, Deichman & Heine in Kassel anvertraut werden*).

Nehmen wir nun an, es sei dies alles geschehen und wir seien im Besitze der bezeichneten Karten!

*) Ich glaubte damals noch nicht, daß es möglich sei, wirkliche Reliefkarten zu prägen. Auch besaß unsre Anstalt damals keine Druckerei.

Sind damit alle Schwierigkeiten gehoben? Haben wir mehr als das Bewußtsein, daß unsre Blinden nun richtige Vorstellungen von der Bodenplastik des Heimatlandes gewinnen können, und dürfen wir ohne weiteres annehmen, daß diese Vorstellungen nun auch gebildet worden seien? Nein und abermals nein! Was berechtigt den Lehrer der Sehenden zum Schlusse, daß Schüler, denen schöne Schriftvorlagen gezeigt worden sind, dieselben nun auch richtig angeschaut und sich eingeprägt haben? Doch wohl nur die Nachbildung derselben von Seite der Schüler! Und sollte es mit den Vorstellungen von geographischen Objekten bei Sehenden und Blinden anders sein? Was für einen andern Prüfstein für die Vorstellungen der Schüler hat der Lehrer, als die plastische Nachbildung der körperlichen Formen, welche diesen Seelengebilden zugrunde liegen? Modellieren müssen wir also, wenn für irgend ein Fach, so namentlich für die Geographie. Ich war glücklich, als ich in der Ausstellung die Modellierarbeiten der sächsischen Anstalt und die der Hohen Warte sah; denn ich bekenne offen, daß ich sonst kaum den Mut gehabt hätte, das Modellieren, das ich für Schulen Sehender und besonders für Lehrerbildungsanstalten seit 8 Jahren unentwegt verfechte, auch den Blindenanstalten unbedingt zu empfehlen; man hätte mir eben gar zu leicht sagen können ich verlange zu viel — und wer zu viel will, erreicht bekanntlich nichts. Der Venuskopf in Paris, von dem ein Franzose uns berichtet und den ich auch gesehen habe, hätte mein Bedenken allein nicht besiegen können. Die Äpfel und Birnen von Dresden und Moritzburg, sowie die Hasen- und Hundsköpfe der Hohen Warte haben mehr erreicht als der Venuskopf von Milo. Es ist dieses Bekenntnis zwar ungalant, aber offenherzig. Doch wenn wir es im Momente auch nur dazu bringen, daß jeder Lehrer modellieren lernt, so ist viel erreicht. Und sollte das unmöglich sein? Die Grundsätze Fröbels breiten sich mit unwiderstehlicher Macht der Vernunft nicht nur in Deutschland, sondern auch in den Nachbarstaaten, speziell in Italien aus, und wenn sich dieselben einmal in den Kleinkinder- und Elementarschulen eingebürgert haben, wird man sich ihren Konsequenzen auch in den Lehrerbildungsanstalten nicht mehr entziehen können; wenn kleine blinde Kinder modellieren lernen, wird man von den sehenden Lehramtskandidaten doch auch ungefähr gleichviel erwarten dürfen (oder sollte auch für die Zukunft wahr bleiben, was Prof. Kirchhoff in Halle uns von der Vergangenheit sagte, nämlich, daß bis jetzt nur zwei Menschen auf ihren Beruf nicht vorbereitet worden seien: der Schuldiener und der Geographielehrer?!).

Auch die beste Plankarte für Sehende kommt an Unmittelbarkeit der Wirkung einem Relief nicht gleich und läßt der Phantasie des Schülers, sowohl in bezug auf relative als auf absolute Höhe der dargestellten Objekte, fast unbegrenzten Spielraum, so daß sich jeder einzelne, wenn er sich überhaupt die Mühe gibt, an der Hand der Plankarte ein eignes Bild des Landes konstruiert, die Karte folglich in jeder Klasse deren so viele erzeugt, als Schüler in derselben vorhanden sind. Werden nun alle diese Bilder auch nur annähernd richtig, werden sie sogar im Durchschnitt korrekter sein, als die Vorstellung, die selbst der ungeübte Lehrer nach gewissenhaftem Studium auch andrer Hilfsmittel in einem Relief niederzulegen imstande ist? Ich habe diese Worte und das Folgende mit wenigen Abänderungen vor Jahren für Lehrer an Schulen Sehender geschrieben und wiederhole sie hier, weil ich finde, daß sie für die Blindenschule um so mehr zutreffen, als die bisher vorhandenen Blindenkarten, mit wenigen Ausnahmen, auch nicht den leisesten Versuch wagen, den Lichtberaubten mit den Elementen, welche ein Landschaftsbild zusammensetzen, bekannt und vertraut zu machen. Die Karte des Sehenden hat heutzutage nur den Zweck, durch Anschauung der Natur entstandene, aber vielleicht in der Seele des Kindes schlummernde Vorstellungen wachzurufen, zum Bewußtsein zu bringen und den Schüler diese in ihrem Abbilde erkennen und zu neuen Landschaftsbildern kombinieren zu lehren und doch verlangen wir von derselben, daß sie möglichst naturgetreu sei. Die Karte für Blinde, denen diese Vorstellungen abgehen, kann hingegen nicht nur ein Erinnerungsmittel, sie muß ein Lehrmittel sein und soll daher dem Schüler möglichst Ersatz bieten für die Anschauung natürlicher Formen und Ausdehnungen, welche sich, ihrer großen Dimensionen wegen, seiner tastenden Hand entziehen. — Blindgeborene müssen und werden sich daher ein Land so vorstellen, wie die Karte es darstellt, und solange wir ihnen nicht richtige Reliefbilder vorlegen können, sind wir nicht berechtigt, bei ihnen irgendwie richtige Vorstellungen von den einfachsten Terrainformen vorauszusetzen. Man gebe sich doch ja nicht der Täuschung hin, daß ein Blinder irgend eine Vorstellung habe von einem Hügel oder einem Berge, weil man ihn dort hinauf geführt hat oder weil er vielleicht gar darauf geboren ist. Er kann sich die Mühe des Steigens vorstellen und weiter nichts. Erst wenn er diesen Hügel oder Berg in verjüngtem Reliefbilde unter seinen Händen fühlt, nimmt derselbe für ihn Gestalt an und wird zur sachlichen Grundlage einer aus verschiedenen Teilen gebildeten Gruppenvorstellung. - Und geht es uns Sehenden viel besser? Können wir uns die Alpen in ihrer Gesamtheit vorstellen, nur weil wir sie von Vorbergen aus, also in Projektion auf die Vertikalebene, gesehen oder einige ihrer Täler bereist haben? Ich bin in den Alpen geboren und aufgewachsen, und meine frühere Stellung hat mir Gelegenheit geboten, dieses Gebirge einige zwanzig Mal in seinen verschiedenen Teilen zu überschreiten; ich besitze daher eine Menge von Einzelvorstellungen aus dem Alpengebiete; allein ein Gesamtbild hätte ich daraus ohne Zuhilfenahme andrer Mittel doch nicht gestalten können. Wie matt und verschwommen ist doch gewöhnlich unsre Vorstellung von der Bodenplastik unsres eignen Landes, das wir aus Anschauung kennen und dessen Kartenbild wir täglich vor uns sehen, und wie ganz anders, wie viel bestimmter und konkreter, gestalten sich plötzlich unsre Vorstellungen von denselben Erdräumen, wenn wir zum ersten Male einer guten Reliefkarte derselben gegenüberstehen! Eine genaue Betrachtung eines Reliefs hinterläßt ein schärferes und nachhaltigeres Gesamtbild als jahrelanges Anschauen einer gewöhnlichen Flachkarte. Wenn aber der Sehende mit Hilfe der zahllosen geographischen Bausteine, welche ihm die Anschauung liefert, ohne große Übung im Kartenlesen nicht fähig ist, an der Hand der Plankarte sich ein ideales Reliefbild zu konstruieren, d. h. sich beim Anschauen der Zeichen die Sache vorzustellen, wie öde und leer muß es im Kopfe eines Blinden aussehen, dessen geographisches Studium sich darauf erstreckt hat, auf einer Flachkarte einer Anzahl Länder-, Berg-, Fluß- und Städtenamen ihr Quartier anzuweisen! Wie ganz anders, wenn Schüler und Lehrer während des Unterrichtes das Relief des beschriebenen Landes unter ihren Händen emporsteigen sehen! Sollte sich auf diese Weise ihrem Geist nicht ein klares und unverwischbares Bild von der Bodenplastik ihrer Heimat einprägen, das eine sichere, ja die einzig solide Basis für alles weitere geographische Studium bietet?!

Der Lehrer lasse also Hügel, Kegelberge, Hörner, Kuppen, Einsattelungen, Pässe usw. und dann, von der Heimat ausgehend, Gebirge um Gebirge, Tal um Tal unter seinen Händen und denen der Schüler entstehen, arbeite diese Reliefs in seinen Freistunden etwas sorgfältiger aus und halte seine Schüler so bald als möglich zur Reproduktion derselben an! Er wird auf diese Weise sicher Resultate erzielen, welche ihn für seine Mühe entschädigen. Und wenn auch der äußere, in die Augen fallende Erfolg seinen Erwartungen nicht entspräche und wenn auch manche auf leeren Schall sich stützende Illusion zusammenbräche und die Bodenlosigkeit des auswendig gelernten Wissenskrames an den Tag träte, so dürfte er sich mit dem Bewußtsein trösten, die Schüler zur Selbsterkenntnis geführt, vor hohlen Phrasen und Unwahrheit bewahrt und ihnen die Möglichkeit geboten zu haben, eine gewisse Zahl richtiger Vorstellungen und Begriffe auf naturgemäße Weise zu bilden und überhaupt anschauen zu lernen. Den Zweck wollen wir alle, sollten wir die Mittel nicht wollen?

(Der Vortragende verzichtet hier auf das Wort und stellt seine Anträge, indem er findet, das Folgende könne ebensogut gelesen, als angehört werden. Er zeigt verschiedene Karten vor und führt schnell einige Modelle aus.)

II. Nachdem ich die Notwendigkeit der Herstellung guter Reliefkarten für unsern Unterricht und den Nutzen des Formens von seiten der Lehrer und Schüler nachgewiesen habe, wird es an der Zeit sein, die Ausführung der Modelle, sowie die nötigen Materialien und Hilfsmittel einer kurzen Besprechung zu unterziehen. Als Material dient am besten ein fett angeriebener, weich bleibender Ton, der ohne weitere Präparation immer wieder verwendbar ist, so daß die Arbeit nach Belieben unterbrochen und selbst nach Monaten und Jahren wieder begonnen werden kann. Ich verdanke es sogar der Erfindung einer derartigen Komposition durch einen genuesischen Bildhauer, daß ich s. Z. auf den Gedanken gekommen bin, das Modellieren in den Dienst des geographischen Unterrichts zu stellen; denn mit gewöhnlichem Töpferton sind in der Schule nur solche plastische Arbeiten möglich, die in einer Stunde, oder doch in sehr kurzer Zeit ausgeführt werden können, weil dieses Material von einer Stunde zur andern hart und brüchig wird und höchstens im Keller unter feuchten Tüchern aufbewahrt werden kann, was für eine Schule viel zu zeitraubend und umständlich ist. Dadurch werden also größere und interessantere Arbeiten, welche den Schüler für seine Mühe belohnen und ihn anspornen, von der Schule ausgeschlossen. Aber auch davon abgesehen, eignet sich der gewöhnliche Ton weder für den Schüler noch für den Lehrer, weil er die Benützung der

Höhenstifte erschwert, oder unmöglich macht und die Arbeiten infolgedessen viel zu ungenau ausfallen müßten. — Da die Plastilina, deren ich mich seit Jahren bediene, nur in Genua und auch dort nur zu 2 frs. das Kilogramm zu haben ist, glaube ich andeuten zu sollen, wie sich ohne große Kosten ein brauchbares Material gewinnen läßt.

Man nehme feinen Töpferton, zerteile ihn in kleine Stücke, lasse dieselben austrocknen, zerstoße sie dann zu Pulver und reibe dieses mit Öl oder einem andern Fette an und füge so lange von dem Tonpulver hinzu, bis die Mischung sich noch schwach fettig anfühlt und so fest ist, daß sie sich gerade noch mit den Fingern verarbeiten läßt.

Außer diesem Materiale bedarf es eines Brettes, einer Anzahl kleiner Stifte ohne Köpfe und einiger Modellierhölzer, wie sie in jedem Fröbelschen Kindergarten gebraucht werden, die der Lehrer aber, ohne ein Künstler zu sein, auch selbst anfertigen kann.

Die besten Modellierinstrumente sind und bleiben indessen die Finger, und für den Anfang reicht man damit vollständig aus.

Zuerst wird das darzustellende Gebiet in groben Zügen, aber in den Hauptdimensionen richtig, auf das Brett gezeichnet. Die wichtigsten Punkte, namentlich die Biegungen der Flußläufe, Flußmündungen, Seen, Pässe und Berggipfel werden durch stärker markierte Punkte und die entsprechenden Höhenzahlen angedeutet (der Blinde, der diese Arbeiten ausführen will, muß natürlich gleich die Nägel schlagen); dann wird die Höhenskala bestimmt, z. B. 1 : 300,000, d. h. 0,001 m pro 300 m = 1000'. Nun werden die Höhenstifte so geschlagen, daß man für eine Höhe von je 1000 Fuß = 300 m 0,001 m vorstehen läßt, also z. B. für den Mont Blanc 1,015 m. Schon diese Arbeit hat einen bedeutenden Wert, welcher dem des Profilzeichnens wenigstens nebenzuordnen ist, weil alle Höhen an der richtigen Stelle und nicht nur auf eine oder mehrere Ebenen projiziert zur Darstellung kommen. Das so entstandene mathematische Relief bedarf jetzt nur noch der materiellen Ausfüllung, welche man mit dem oben beschriebenen Material vornimmt, wobei man einfach den geschlagenen Stiften folgt, so daß das entstehende Modell schon von Anfang an in groben Zügen ein, wenigstens in den Hauptdimensionen genaues, Bild des zu veranschaulichenden Gebietes gibt. Es müssen dann noch die kleineren Täler ausgeschnitten oder eingedrückt und die Berge geformt werden, so daß Lehrer oder Schüler also nur im kleinen mit Hand und Modellierholz wiederholen, was die Natur durch Hebungen und Verwerfungen im großen skiziert und durch flüssiges und festes Wasser im einzelnen geformt hat. Ferner werden die Flüsse durch blaue Strickwolle, die, je nach der Wichtigkeit der Wasserläufe, ganz genommen oder gespalten und gegen die Quelle zu durch Drehen verdünnt wird, — die Seen durch blaues Papier, die Verkehrswege durch Seidenfäden und die Ortschaften durch Glasperlen oder Nägel angedeutet. — Ist die Karte so ausgeführt, daß sie bleibenden Wert hat, so wird der Lehrer gut tun, sie abzugießen, um so mehrere Exemplare zu gewinnen. Er kann sowohl Gips als andre derartige Massen dazu verwenden. Skizzen und unvollkommene Schülerarbeiten verschwinden hingegen wieder, wie sie entstanden sind und das Material wird ohne weitere Präparation zu jeder beliebigen andern Arbeit verwendet.

Ich habe noch einer Art der plastischen Darstellung zu gedenken, die besonders geeignet ist, die Schüler in das Verständnis der Hypsometrie einzuführen und die Meereshöhe eines Ortes auch für den Blinden fühlbar auf der Karte selbst zum genauen Ausdruck zu bringen, nämlich das Modellieren in Kartonschichten nach hypsometrischen Karten oder Höhenschichtenkarten. Diese Reliefs kann der Blinde aber nicht nachbilden, weil sie Genauigkeit der Zeichnung voraussetzen. Das Verständnis der Höhenschichtenkarten wird gewöhnlich dem Sehenden gerade so schwer als dem Blinden und die gleichen Reliefs können infolgedessen beiden dienen. Um die Schüler mit dem Wesen der Höhenschichten bekannt zu machen, modelliert man am besten eine Höhe mit talartigen Einsenkungen aus Ton und zerlegt sie mittelst dieser kleinen Vorrichtung*) in Höhenschichten, welche voneinander genommen und wieder zusammengesetzt werden können. Der Blinde betastet diese Schichten und deren Begrenzung und bedarf keiner weiteren Erklärung, als daß man ihm sagt, der Vertikalabstand von einer Ebene zur andern betrage 5 mm = 10 m oder 100 m, je nach dem zugrunde gelegten Flächenmaßstabe. — Dann geht man zu Arbeiten aus Karton über und verfährt dabei folgendermaßen:

Man wählt Karton (Pappe), dessen Dicke der mit dem Längenmaßstab gemessenen Höhenschicht möglichst genau entspricht. Dann wird der Umriß der zu modellierenden Karte auf ein solches

*) Sie wird vorgezeigt.

14*

Blatt Karton gezeichnet, ausgeschnitten und mittelst Stärkekleisters auf ein Brettchen oder auf feste Pappe geklebt. Weiter sucht man die Begrenzungslinie der untersten Schnittfläche, zeichnet sie mit dem dazu gehörigen Teile des Umrisses ebenfalls durch, schneidet den so begrenzten Teil des Kartons aus und klebt dieses Blatt auf das erste, wobei die auf die Schichten gezeichneten Flüsse, Meridiane und Parallelkreise als Führer dienen. Mit jeder folgenden Kurve wird auf gleiche Weise verfahren und so erhebt sich nach und nach, Stockwerk um Stockwerk, das kleine mathematisch genaue Relief. Ich kann diese Karten und ihre Ausführung wohl nicht besser erklären, als indem ich einige von vollsinnigen erwachsenen Schülerinnen ausgeführte Exemplare in Zirkulation setze. (Dies ist früher schon geschehen.)

Dieselben bringen die Höhen bis zu 1200m zur Anschauung, so daß die Gliederung der Gebirge darauf noch deutlich hervortritt.

Weiter zu gehen ist zwecklos, weil sich die Schichten in eine Unzahl kleiner Teile auflösen, welche nur mit großem Zeitverluste aufgesetzt werden können. Diese Art der Plastik, die bei sehr verjüngtem Maßstabe noch gestattet, verhältnismäßig geringe Höhenunterschiede auf eine für die Blinden wahrnehmbare Weise auszudrücken, eignet sich natürlich besonders für Gebiete von geringer vertikaler Gliederung, während sie in Spielerei ausartet, wenn sie sich in eigentliche Gebirge wagt, weil sie, ohne Benutzung eines außerordentlich großen Maßstabes, gar nicht und auch mit diesem nur wenig befähigt ist, Landschaftstypen wiederzugeben und Berge zu individualisieren. Ihr Vorteil besteht in der Genauigkeit der Hauptdimensionen, während sie die Form, sowie untergeordnete Höhenabstufungen vernachlässigt und jede schiefe Ebene, jeden Abhang als Treppe darstellt, wenn diese Stufen nicht mit irgend einer Masse ausgeglichen werden. Das Tonmodell hingegen hat ohne Hilfe der Farben keinen Ausdruck für allmähliche Erdanschwellungen im Flachlande, die doch als Wasserscheiden und natürliche Grenzen, wie namentlich vom landwirtschaftlichen und nationalökonomischen Standpunkte aus betrachtet, von großer Bedeutung sein können, — bringt aber Gebirgsgegenden mit steilen Böschungen und bedeutenden relativen Höhen naturgetreu zur Anschauung. Es dürfte also jeder Art der plastischen Darstellung durch die Natur der Dinge ihr Gebiet zugeteilt sein; beide haben ihre Vorzüge und ihre Unvollkommenheiten, ergänzen sich aber gegenseitig wie Plankarte und Relief, Modellieren und Zeichnen. Der Unterricht in der Geographie wird imstande sein, das möglichste zu leisten, wenn er, von der direkten Beobachtung der Natur ausgehend, sich auf alle diese Veranschaulichungsmittel stützt und so zu einem fortwährenden **geographischen Anschauungs**-Unterrichte wird. Gern hätte ich noch andrer geographischer Veranschaulichungsmittel speziell für die Kosmographie gedacht, allein die Zeit erlaubt es mir nicht und zudem glaube ich, die Blindenschule habe sich auf diesem Gebiete möglichste Beschränkung zur Pflicht zu machen und den Blinden nicht an Urteile über Dinge zu gewöhnen, die sich seiner Beobachtung absolut entziehen! Gewisse Himmelserscheinungen müssen nun einmal in einem nach **Wahrheit strebenden** Blindenunterrichte unberücksichtigt bleiben!

Ich schließe also, indem ich folgende Anträge stelle:

1. Der Kongreß wählt eine Spezialkommission, welche vorhandene geographische Lehrmittel zu prüfen, auf deren allfällige Verbesserung und Herausgabe hinzuwirken und die Erstellung neuer Veranschaulichungsmittel anzustreben hat.
2. Der Kongreß wünscht vor allem die Herstellung und Veröffentlichung einer Reliefkarte von Zentraleuropa nach folgenden Grundsätzen:
   a) Überhöhung dieser Karte ist nur insoweit zulässig, als diese durchaus erforderlich ist. b) Die Flüsse werden, sobald sie die Ebene erreichen, schwach erhaben dargestellt, damit die Karten für Blinde und Sehende brauchbar werden.
3. Die Herausgabe eines **Skizzenatlasses**, oder eines Leitfadens mit Zeichnungen, soll **angestrebt** werden.

Der Kongreß hat diese Thesen einstimmig angenommen und mich beauftragt, die in Aussicht genommene Wandkarte von Mitteleuropa zu modellieren und dann auch ein Prägeverfahren für Skizzen zu suchen, bzw. solche herzustellen.

(Ich verweise hier auf das Kapitel „Hochdruck für Blinde".)

Die Wandkarte wurde in Angriff genommen. Ich erkannte aber bald, daß wir **alle** den Irrtum begangen hatten, die in Schulen Sehender übliche Methode einfach auf den Blindenunterricht zu übertragen. Bei den Sehenden ermöglicht die Wandkarte, welche von allen Schülern gleichzeitig gesehen werden kann, gemeinsamen oder Klassenunterricht; in der Blindenanstalt dagegen macht sie Einzelunterricht nötig, weil immer nur ein Schüler an der Wandkarte beschäftigt werden kann, während die andern zu müßigem Dasitzen verurteilt sind. In der Blindenschule wird nur durch individuelle Lehrmittel, d. h. durch Einzelkarten, von denen jeder Schüler ein Blatt vor sich hat, Klassenunterricht ermöglicht.

Auch kann man nicht jedem Schüler bei seinem Austritt eine Sammlung solcher Wandbretter oder Gipsklumpen mitgeben; während Papierkarten billig und handlich sind. Aus diesen Gründen hängte ich die angefangene Wandkarte an den Nagel (wo sie noch zu sehen ist) und wandte meine ganze Kraft den Prägeversuchen zu, die schließlich im Laufe von 25 Jahren zu einem aus 87 wirklichen Karten — nicht nur Skizzen — bestehenden Atlas geführt haben. — Noch vor 25 Jahren hätte kein Blindenlehrer der Welt an eine solche Möglichkeit geglaubt; mir selbst schwebte damals als höchstes, vielleicht erreichbares Ziel eine Sammlung von Skizzen vor. — Der erdkundliche Unterricht ist durch diese Lehrmittel in allen Blindenschulen der Welt, die diesen Namen verdienen, völlig umgestaltet worden.

In der später folgenden Arbeit, welche 1900 für das Handbuch des Blindenwesens von Reg.-Rat Mell in Wien geschrieben worden ist, habe ich, auf Grund besserer Einsicht, den 1882 begangenen Irrtum zu berichtigen und gutzumachen gesucht. Ich habe — auch in der Form — beibehalten, was meines Erachtens gut und bleibend ist, aber abgeändert, was dem heutigen Stande unsrer Veranschaulichungsmittel nicht mehr entspricht. Diese kleine Arbeit kennzeichnet also den derzeitigen Geographieunterricht in den Blindenanstalten — und zeigt die Wandlungen, welche er durchgemacht hat.

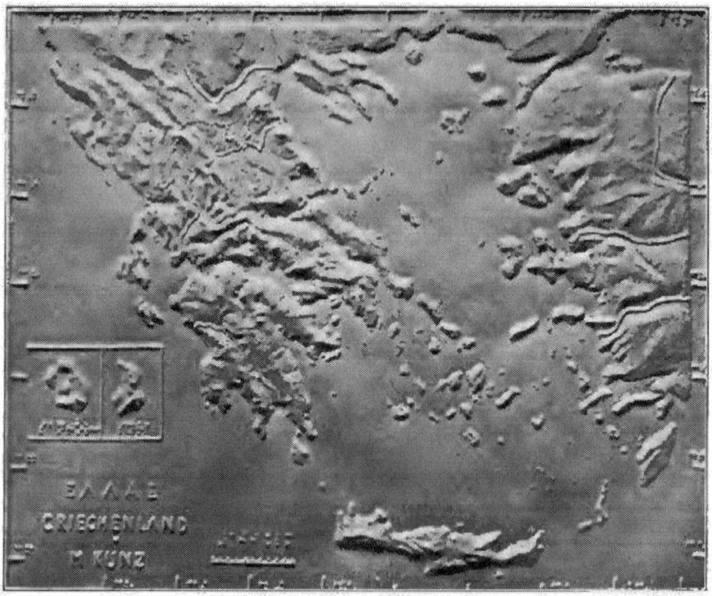

Abb. 84. Blatt No. 87 aus dem Blindenatlas von Kunz.

Diese neueste Karte des Atlasses unterscheidet sich doch wesentlich von einer Skizze. Sie ist 1906 für die erste griechische Blindenanstalt ausgeführt worden, deren Leiterin sich während eines achtmonatigen Aufenthalts in unsrer Anstalt auf ihren Beruf vorbereitet hat. —

Dürfen und sollen Blinde zu Sprachlehrern ausgebildet werden? Wenn ja, wie kann dies geschehen?*)

Amsterdamer Kongreßarbeit (1885).

Ich habe kürzlich im „Blindenfreund" einen Artikel aus der Feder des Herrn Dr. Armitage in London gelesen, in welchem mir ein Passus ganz besonders aufgefallen ist. Derselbe lautet ungefähr folgendermaßen: „Wir sind erst am Anfange der Blindenbildung angelangt; es bleibt uns noch sehr viel zu tun übrig. — Vielleicht werden Blinde künftig eine oder mehrere fremde Sprachen lernen und Sprachlehrer werden."

Da ich denselben Gedanken schon in meinem ersten Jahresberichte (1881) ausgesprochen und seit 4 Jahren an dessen Verwirklichung gearbeitet hatte, bereitete mir diese Übereinstimmung mit dem berühmten englischen Blindenfreunde, mit dem ich sonst bekanntlich nicht immer einig gehe, eine lebhafte Freude. — Bis kurz vor dem Kongresse hoffte ich, Herr Dr. Armitage werde diesen Gegenstand zur Sprache bringen. Als dann aber aus dem gedruckten Kongreßprogramme hervorging, daß dies nicht geschehen werde, entschloß ich mich, meine Gedanken darüber zu veröffentlichen — und auch einige Gedankensplitter über den Sprachunterricht in unsern Elementarklassen mit unterlaufen zu lassen. — Natürlicherweise kann es nicht meine Absicht sein, eine Monographie des gesamten Sprachunterrichts zu schreiben. Ich beschränke mich bezüglich des Elementarunterrichts auf wenige mir besonders wichtig scheinende Punkte.

1.

Der Sprachunterricht im weitesten Sinne des Wortes beginnt für den Blinden, wie für den Sehenden, schon im zartesten Kindesalter. Die ersten artikulierten Laute, die in das Ohr des Neugeborenen dringen, sind seine ersten Sprachlehrer. Die Schalleindrücke haften als Spuren in der kindlichen Seele. Durch oftmalige Wiederkehr derselben Lautgebilde verstärken sich die von ihnen zurückgelassenen Spuren zu Schallvorstellungen, und diese werden mit den entsprechenden, durch Vermittlung des Gesichts oder des Getasts entstandenen Farb- und Formvorstellungen derart verschmolzen, daß wir uns bekannte Dinge kaum mehr ohne ihren Namen, und Namen nicht ohne die entsprechenden Sachvorstellungen ins Gedächtnis zurückrufen können, vorausgesetzt, daß wir wirkliche Vorstellungen erworben und uns nicht mit Namen begnügt haben. — Von der Zahl, Richtigkeit und Klarheit dieser Seelengebilde und von der Innigkeit der Verschmelzung des sachlichen und des lautlichen Bildes hängen Richtigkeit, Klarheit und Raschheit des Denkens und des sprachlichen Ausdrucks unsrer Gedanken ab. — Daher keine Dinge ohne Namen, aber ganz besonders keine Namen ohne Dinge, oder möglichst naturgetreue Nachbildungen derselben! Falsche Bilder können niemals richtige Vorstellungen erzeugen. Für den Sehenden tritt später noch ein drittes Element hinzu: das graphische Bild des gesprochenen Wortes. Die Vorstellung von demselben verbindet sich beim Leseunterrichte mit den beiden älteren Schwestern hinter den Kulissen unsres Geistestheaters so unzertrennlich, daß sie unfehlbar an der Hand der Genannten im geistigen Gesichtsfelde erscheint, sobald ihr Ebenbild vor unsre Augen tritt und sie in unser Bewußtsein zurückruft. Nur die Erfassung des graphischen Wortbildes als eines Ganzen befähigt uns zu geläufigem Lesen.

*) Diese Arbeit ist 1885 in Amsterdam für den dort tagenden Blindenlehrerkongreß geschrieben, aber wegen Mangel an Zeit nicht vorgetragen worden. (Der „Blindenfreund" hat sie im folgenden Jahre veröffentlicht.)

Für den Blinden hingegen besteht diese logische Dreieinigkeit — man gestatte mir diesen Ausdruck — nicht, weil die Fingerspitze nur einen Buchstaben nach dem andern aufzufassen vermag.

Die beiden ersten besprochenen Vorgänge vollziehen sich in dem kindlichen Geiste während der ersten Lebensjahre, beim Sehenden wie beim Blinden, auf unbewußte Weise und ohne methodische Anordnung. — Allein es besteht zwischen lichtbegabten und lichtlosen Kindern der ungeheure Unterschied, daß Farb- und Formerscheinungen den Sehenden von allen Seiten förmlich belagern und zu Tausenden Einlaß in seine Sinneswerkzeuge und durch diese in seinen Geist begehren, während der Blinde von allem, was nicht in seinem Berührungskreise liegt, wie durch eine undurchdringliche Mauer getrennt ist. — Die Bildung von Sachvorstellungen wird also bei ihm hinter derjenigen von Schallbildern unverhältnismäßig zurückbleiben, während der Sehende Millionen von — gar oft rudimentär bleibenden — Form- und Farbvorstellungen in sich aufnimmt, für die ihm das lautliche Bild, d. h. der Name, fehlt. Dieses Mißverhältnis wird zwar, je nach der Umgebung, in welcher die Kinder aufwachsen, von Individuum zu Individuum verschieden, aber bei allen, Sehenden wie Blinden, nachzuweisen sein.

Aufgabe der Schule ist es nun, bewußt ausgleichend einzugreifen. Beim Sehenden wird es sich darum handeln, die schon erworbenen Vorstellungen zu sichten, zu klären, zu vertiefen und zu ergänzen und ihnen den richtigen sprachlichen Ausdruck beizugesellen; beim blinden Kinde dagegen tritt zunächst die schwere Aufgabe an den Lehrer heran, die vorhandenen und dem Kinde geläufigen Wortbilder auf ihre Realität zu prüfen und ihnen die meistens fehlende sachliche Unterlage zu geben. Fragen und Antworten können hier nicht genügen, weil die Antworten gar leicht angelernte Phrasen sein und der realen Grundlage entbehren können. Auf das Vorhandensein der zu verifizierenden Sachvorstellungen darf nur dann geschlossen werden, wenn das blinde Kind den Gegenstand, um dessen geistiges Bild es sich handelt, erkennt, oder ihn plastisch nachzubilden vermag. — Hier findet das Formen, meiner Ansicht nach, seine organische Stellung im Unterrichtsplane der Blindenschule. Das Modellieren soll ein Teil des Anschauungs- resp. Betastungsunterrichtes — ein Prüfstein der Vorstellungen sein. Natürlich bildet es auch in hohem Grade den Formensinn und die Handfertigkeit. — Dem „Anschauungsunterrichte“ im weitesten Sinne des Wortes gebührt in der Blindenschule nicht nur die Stellung, die er sich in der Volksschule errungen hat; er muß geradezu zum Mittelpunkte jedes Unterrichts gemacht und darf nicht auf einzelne besondere Stunden beschränkt werden. Wir müssen also von dem Blindenlehrer außergewöhnliches praktisches Geschick und bedeutende Handfertigkeit verlangen. — An den Anschauungsunterricht reiht sich der Schreibleseunterricht an. Derselbe kann im wesentlichen erteilt werden, wie in den Schulen Sehender. Abweichungen werden bedingt durch die Verschiedenheit der angewendeten Schreibwerkzeuge und die veränderte Aufeinanderfolge der aus andern Elementen bestehenden Buchstaben (Punkten).

Möglichst einfache Wörter, welche Laute der ersten — später der zweiten und dritten — Brailleschen Buchstabenreihe enthalten, werden vorgesprochen, in Laute zerlegt, diese geschrieben und dann gelesen (Normalwörtermethode). — Anfangs wird man sich mit einigen, vielleicht nur mit einem Buchstaben eines Wortes begnügen müssen, z. B. mit dem a in Arm, Hals usw., dem b und dem a in Bach, bald, Abel, Abend usw. — Nach und nach vervollständigen sich die Wortbilder mit der fortschreitenden Kenntnis des Alphabetes. — Dieser natürliche Lehrgang hält das Interesse des Schülers wach und wird dem formalen Zwecke des Unterrichts gerecht, weil jeder neue Laut mit seinem Zeichen als organischer Teil eines Ganzen erfaßt wird. — Er setzt aber, wie schon angedeutet, eine Schrift voraus, die der Blinde lesen kann. Heutzutage dürfte nur noch die Punktschrift in Betracht kommen — oder allenfalls die Stachelschrift —, denn nur diese Schriftarten (abgesehen vom Buchstabenkasten) ermöglichen es dem Blinden, sein Tun selbst zu prüfen.

(Zartbesaitete Seelen wollen gefl. die nächstfolgenden Sätze überspringen!) Die Heboldschrift (Schwarzschrift in lateinischen Buchstaben) ist in den Unterklassen einer Blindenschule genau so gut am Platze, als etwa der Violinunterricht in einer — Taubstummenanstalt. Man könnte ja gewiß auch den Taubstummen im Violinspiel „unter(ab)richten“, und er hätte noch den Vorteil, dem Zuhörer die Wirkung seines Spiels am Gesichte ablesen zu können! — Schließen wir denn die sehenden Kinder in einen dunkeln Keller ein und lassen sie mit Kohle auf ein schwarzes Brett schreiben? „Hebold“ hat etwelche Berechtigung nur in den letzten Schuljahren mit Rücksicht auf die Korrespondenz mit Sehenden. Dem formalen Unterrichtszwecke dient diese Schrift niemals, im Gegenteil; sie muß geradezu geisttötend wirken. Es ist daher sehr zu bedauern, daß das erste Vereinslesebuch in lateinischer Kapitalschrift gedruckt worden ist, offenbar nur, um die Heboldschrift zu unterstützen und die „erobernde" Braillesche Schrift nicht an den „Kapitalzopf" gelangen zu lassen. Die Abschaffung der Heboldschrift würde eine Abkürzung der Schulzeit unsrer Zöglinge um 6—10 Monate ermöglichen, und die so erzielten Ersparnisse würden hinreichen, um die austretenden Schüler mit Schreibmaschinen zu versehen, die sie in den Stand setzten, bezüglich der Schreibflüchtigkeit und Leserlichkeit der Schrift mit jedem Sehenden zu konkurrieren, — während die Heboldschrift immer ein armseliger Notbehelf bleiben wird.

Die schriftlichen Sprachübungen und der Aufsatzunterricht unterscheiden sich, vorausgesetzt, daß die Punktschrift rechtzeitig eingeübt werde, nicht wesentlich von diesem Teile des Unterrichts in Schulen Sehender. Unsre Kinder schreiben schon im zweiten Jahre, also im Alter von 8 9 Jahren, Sätze und kleine Beschreibungen in beiden Sprachen ganz wie die Sehenden. Die Schüler der Oberklassen schreiben 500—900 Wörter in der Stunde, zurzeit, d. h. 1897, bis 1000 Wörter. — Als wesentlich betrachte ich den Unterricht in der Grammatik. — Es liefert gerade die Sprache als solche reiches Material für den Anschauungsunterricht im weiteren Sinne des Wortes und besonders für die Begriffsbildung, die ja sonst infolge des beschränkten Vorstellungskreises der Blinden immer unvollkommen, ja dürftig bleiben muß. — Die Spracherscheinungen bieten nun aber des Stoffes die Fülle zu Beobachtungen, zur Abstraktion des Gemeinsamen in vielen Einzelerscheinungen, d. h. zur Klassifikation oder mit andern Worten zur Begriffsbildung. — Man stützt sich so gern auf das „Sprachgefühl", welches die Sprachlehre ersetzen soll. Ich selbst habe es leider als junger Lehrer auch getan. Was ist nun aber dieses Sprachgefühl? Nach meiner Auffassung nichts andres, als ein Chaos unbewußt gebliebener, nicht zur Klärung gelangter Sprachbegriffe oder -gesetze — und damit die Quelle der Analogiebildungen, welche die Sprache verflachen und verderben. Begnügen wir uns denn auf andern Gebieten mit so unklaren Gefühlen? Wir könnten ja ebensogut von dem Zahlengefühl reden. Genügt uns dieses? Verlangen wir nicht vielmehr die Entwicklung der Zahlenbegriffe „eins", „zwei", „drei" usw., ja sogar „Fünftel", „Achtel", „Zwölftel", „Tausendstel", „Millionstel"? Würden wir uns einverstanden erklären, wenn uns unsre Vorgesetzten die Besoldung nur so nach ihrem Zahlengefühl aushändigen wollten? Wohl kaum! Schicken wir also das Sprachgefühl endlich einmal mit dem Zahlengefühl und andern zarten Empfindungen dieser Sorte in die Rumpelkammer und suchen wir den Schüler zur Bildung von klaren Sprachbegriffen zu veranlassen, welche wieder sichere Grundlagen zu sprachlichen Urteilen abgeben. Der Blinde zieht so viele Schlüsse oder sagt sie vielmehr nach , zu denen ihm die erforderlichen Prämissen fehlen! Sollte man deshalb nicht ein Gebiet sorgfältig ausbeuten, das reiches Material bietet und dem Blinden ebensoleicht zugänglich ist, als dem Sehenden?! — Unser Sprachunterricht wird nur dann seinem formalen Zwecke genügen, wenn wir das Können zum Wissen erheben und es nicht bei der dem Zufall überlassenen mechanischen Einübung von Sprachformen bewenden lassen. Wir wollen die Grammatik nicht, wie dies früher geschah und beim Unterricht in den alten Sprachen noch geschieht, zum Ausgangspunkte wählen, sondern sie als Abschluß und Krone des Ganzen betrachten, eingedenk der Worte Schillers über die Zierde des Menschen und den Zweck seines Verstandes.

Dieser Unterricht könnte nun zwar von jedem Lehrer an der Hand eines guten Sprachbuches erteilt werden; leider gehören aber „gute" Grammatiken zu den Ausnahmen. Ich glaube deshalb, daß eine systematische Sammlung von Beispielen, besonders aus der Formenlehre, jedem Lehrer große Dienste leisten würde. Gerade in diesem, für uns hauptsächlich wichtigen Kapitel herrscht babylonische Verwirrung. Von den dreißig und mehr deutschen, romanisch-deutschen, französisch-, italienisch- und englisch-deutschen Grammatiken, die ich, teils während meiner Tätigkeit an einer Realschule, teils während meines Aufenthaltes im Auslande, durchgangen habe, stimmen auch nicht zwei in bezug auf die deutsche Deklination überein. Es gibt überhaupt meines Wissens nur ein Sprachbuch, welches dieses wichtige Kapitel so behandelt, daß ein Schüler die Abwandlung jedes deutschen Substantivs oder Adjektivs selbst richtig bestimmen kann, und welches die Grundregel des deutschen Satzbaues daß das Zeitwort des Hauptsatzes in jeder bejahenden Periode unabänderlich die zweite logische Stelle behauptet, die Achse des Satzes ist, doch wenigstens andeutet. Und diese Grammatik ist von einem Deutschen im Auslande Professor Kraus in Genf unter Mitwirkung eines Franzosen, Revaclier, geschrieben worden. Die Eigentümlichkeiten und großen Schwierigkeiten der deutschen Sprache kommen eben dem Deutschen meistens erst zum Bewußtsein, wenn er dieselben einem Fremden erklären soll. Ich glaube also, daß ein kurzer, auf das Wesentliche beschränkter Leitfaden unsern jungen Lehrern und Schülern gute Dienste leisten würde. —

Noch muß ich eines wichtigen sprachlichen Bildungsmittels gedenken, das dem Blinden bis jetzt leider nur selten zugänglich ist. Ich meine den fremdsprachlichen Unterricht. — Schon das elementare Studium einer fremden Sprache, welche es immer sei, zwingt zur Vergleichung der Formen und Wendungen zweier Idiome und hat daher, abgesehen vom materialen, einen unschätzbaren formalen Wert. Darin besteht ja hauptsächlich das bildende Element des Studiums der alten Sprachen. Es sollte daher dem Blinden, dem sonst so vieles abgeht, dieses wichtige Bildungsmittel nicht vorenthalten werden. — Wir verwenden so viel Zeit und Geld auf die Musik, die gewiß nicht bildender und praktisch kaum wertvoller ist, als die Kenntnis einer fremden Sprache! Bieten wir also wenigstens den nicht musikalisch begabten Blinden einen gewissen Ersatz, indem wir überall eine fremde Sprache als fakultatives Fach in den Lehrplan aufnehmen. — Die erforderlichen Lehrmittel wären leicht zu beschaffen. Angenommen, daß man das Französische wähle, würde ich den Druck einer Elementargrammatik, etwa Breitinger oder Plötz, für Frankreich die Grammatik von Revaclier & Kraus und für Italien Otto vorschlagen. Nach Durcharbeitung derselben könnten die in Paris, Lausanne und Illzach erschienenen französischen, in Frankreich die deutschen Lehrmittel verwendet werden.

Am Schlusse meiner Gedankenspäne über den elementaren Sprachunterricht in der Blindenanstalt angelangt, stelle ich folgende Anträge:

1. Der Vorstand des deutschen Vereins zur Förderung der Blindenbildung wird ersucht, eine Fibel in Punktdruck herauszugeben, das erste Lesebuch, sobald dasselbe vergriffen sein wird, ebenfalls in Punktschrift drucken zu lassen und die vorhandenen Lesebücher durch eine chronologisch geordnete Sammlung von Lesestücken mit kurzen Biographien der Autoren zu ergänzen.
2. Der Sprachunterricht würde durch die Veröffentlichung einer kurz gefaßten deutschen Grammatik wesentlich gefördert. (Die französischen Blinden besitzen deren zwei: Noël et Chapsal und Brachet, jetzt auch Brachet & Dussonchet.) Ein Mitglied des Vereinsausschusses wird beauftragt, mit Hilfe zweier Kollegen seiner Wahl ein derartiges Lehrmittel auszuarbeiten, oder allfällig schon vorhandene Entwürfe zu prüfen und die Veröffentlichung des besten unter denselben zu bewirken.
3. Es ist wünschenswert, daß in allen Anstalten der Unterricht in einer fremden Sprache als fakultatives Fach eingeführt werde. Die Beschaffung zweckdienlicher Lehrmittel ist anzustreben.

II.

Die Ausbildung Blinder zu Sprachlehrern.

Es ist das Los des Blindenlehrers, eine Menge Wechsel auf die unbestimmte Zukunft zu ziehen, ohne zu wissen, ob sie im Diesseits noch eingelöst werden. Wie viele Organisten und Musiker aller Art werden in unsern Anstalten ausgebildet und nähren sich mit der Hoffnung, einst ein bescheidenes Organisten- oder Musiklehrerplätzchen zu finden, und wie viele von ihnen nehmen diese unerfüllte Hoffnung mit ins Grab! Nur wenige haben bis jetzt in Deutschland ihr Ziel erreicht und diese wenigen sind oft das Unglück vieler, weil ihr Erfolg unrealisierbare Hoffnungen weckt und nährt und manchen jungen Blinden von dem bescheidenen, aber realen Boden des Handwerks abzieht.

Trotz dieser bitteren Erfahrungen, welche alle alt- und neudeutschen Anstalten gemacht haben, die trotz der ganz verschiedenen Verhältnisse den Traditionen des Pariser Nationalinstituts gefolgt sind, treiben wir immer noch Musik als Brotstudium und bilden Organisten aus, die in ihrem chronischen Ärger über das Mißlingen ihrer Pläne auch ihrer Umgebung das Leben möglichst verbittern.

Warum sollten wir denn ewig diesen musikalischen Sisyphusstein wälzen und nicht mit der Ausbildung tüchtiger Blinden zu Sprachlehrern einen ernsten Versuch wagen? Wir würden kaum schlimmere Erfahrungen mit ihnen machen, als mit den Organisten. Ich glaube nun mitteilen zu sollen, wie ich gleich nach meinem Eintritt in eine Blindenanstalt auf diesen Gedanken gekommen bin.

In meiner frühern Stellung als pädagogischer (nicht administrativer) Direktor der internationalen höhern Töchterschule*) mit Seminarabteilung in Genua war es u. a. eine meiner Aufgaben, mit Hilfe von Lehrkräften, die den vier Hauptnationen angehörten, junge Töchter auf die Lehramtsprüfung für höhere Töchterschulen vorzubereiten. Denselben Zweck verfolgten die Kurse für Erwachsene an den Schulen der von akademischen Lehrern gegründeten philologischen Gesellschaft, an denen ich eine bescheidene Lehrstelle bekleidete.

Als ich dann in den jetzigen Wirkungskreis eintrat und hier einige gut beanlagte Mädchen fand, die zu den weiblichen Handarbeiten (Stricken, Netzen usw.), mit denen damals unsre weiblichen Zöglinge ausschließlich beschäftigt wurden, wenig Lust und Befähigung zeigten, lag für mich die Frage nahe, ob nicht ihre geistigen Anlagen auf irgend eine Weise fruchtbar gemacht werden könnten. So kam ich auf den Gedanken, sie zu Lehrerinnen auszubilden. Bald nachher fand der Frankfurter Kongreß statt. Herr Präsident Schild trat mit beredten Worten für das Recht des Blinden auf das Lehramt ein, erhielt aber den Bescheid: „Bildet Blinde zu Lehrern aus, wenn euch das Freude macht, und stellt sie dann auch an; wir wollen sie nicht!" Damit schien die Frage endgültig abgetan zu sein. — Ich konnte diesen Beschluß nicht billigen, weil blinde Hilfslehrer an verschiedenen Anstalten wirkliche Dienste geleistet haben und noch leisten. — Man kann eben nach beiden Richtungen hin zu weit gehen. Wer, wie ich, in den Fall gekommen ist, in eine „blinde" Anstalt einzutreten, d. h. einem blinden Direktor nachzufolgen — der sich, vielleicht um nicht den Einäugigen König werden zu lassen, ausschließlich mit blinden „Lehrern" umgeben hatte, zu deren Ohren das Wort Pädagogik noch nie gedrungen war — und in dieser Anstalt die fünfte Arbeit des Herkules übernehmen mußte, ohne den Wasser spendenden Penëus zu Hilfe rufen zu dürfen, der wird jede unter blinder Leitung stehende Anstalt mit einem gewissen Mißtrauen betrachten und für sein ganzes Leben vor der Versuchung bewahrt sein, sich mit allzu vielen blinden Lehrern zu umgeben.

Andrerseits wird er aber auch wieder anerkennen, daß gehörig vorgebildete blinde Hilfslehrer beim Elementar-, Musik- und Sprachunterrichte ganz vorzügliche Dienste leisten können, wenn sie nicht zur Klasse der ewig unzufriedenen verkannten Genies gehören. — Es scheinen nun noch andre H. H. Kollegen, nicht nur in Frankreich und England, meine Meinung zu teilen; denn die Frage, die uns beschäftigt, taucht von Zeit zu Zeit in der Fachpresse wieder auf. — Unzweifelhaft ist, daß die meisten deutschen Anstaltsdirektoren blinde Lehrer nicht wollen, weil sie von dem Grundsatze auszugehen scheinen, daß der Mangel an Augen nirgends größer sei, als in der Blindenanstalt. Mit dieser Stimmung muß entschieden gerechnet werden; denn wenn kein Umschwung eintritt, ist der blinde Elementarlehrer auf den Aussterbe-Etat gesetzt. Es bleibt nun aber noch die Frage offen, ob das Frankfurter Urteil auch den blinden Musiklehrer und den noch kaum existierenden Sprachlehrer trifft, oder ob für letztern doch noch etwelche Aussicht auf Erfolg vorhanden ist, sei es als Privatlehrer, sei es Sprachlehrer in solchen Anstalten, die fremdsprachlichen Unterricht einführen möchten, aber keinen eigentlichen Philologen anstellen wollen oder können.

Da es mir wichtig scheint, daß die Blindenlehrerwelt zu dieser Frage möglichst bald Stellung nehme, habe ich mich entschlossen, dieselbe hier, d. h. am Amsterdamer Kongresse, zur Sprache zu bringen.

Meine persönliche Meinung ist die, daß es an der Zeit wäre, mit blinden Sprachlehrern einen ernsten Versuch zu machen. — Aber ernst und ganz müßte derselbe sein; denn ein Blinder hätte nur dann Aussicht auf Erfolg, wenn er seinem sehenden Kollegen mindestens ebenbürtig wäre.

Welche Vorbildung erhalten nun unsre sehenden Sprachlehrer?

Wir müssen dieselben in zwei Klassen teilen: die praktisch und die theoretisch gebildeten. Erstere gehen aus irgend einer Mittelschule (Realschule, Seminar, Gymnasium) hervor und bringen einige Zeit im Auslande zu, um die Sprachen praktisch zu erlernen, und lassen sich später im eignen oder in einem fremden Lande, meistens als Privatlehrer, nieder. Öffentliche Schulstellen werden ihnen in Deutschland nur anvertraut, wenn sie befähigt sind, die Mittelschullehrerprüfung zu bestehen. In Zeiten von Handelskrisen füllen sich in größeren Städten die Reihen dieser Sprachlehrer mit beschäftigungslosen Handelsbeflissenen, die natürlicherweise weder von Pädagogik, noch von der Entwicklungsgeschichte der Sprache, welche sie lehren, einen Begriff haben, aber gewöhnlich bedeutende Zungenfertigkeit besitzen. Ich möchte

*) Schule der zahlreichen in der italienischen Handelsmetropole angesiedelten fremden Kaufleute, die damals auch von sehr vielen Italienerinnen besucht wurde.

alle diese Lehrer, welche eine oder mehrere fremde Sprachen sprechen, ohne einen tiefern Einblick in ihren Bau gewonnen zu haben, unter dem Namen „Sprachmeister der alten Schule" zusammenfassen. — In Deutschland sind dieselben heutzutage gesetzlich vom höhern Lehramte ausgeschlossen.

Ihnen gegenüber stehen die philologisch gebildeten Sprachlehrer der höheren Lehranstalten. Dieselben erhalten ihre Vorbildung gewöhnlich auf dem Gymnasium, zuweilen auch auf der Realschule und studieren dann wenigstens 6 Semester auf einer Universität. Dort werden sie in die Sprachvergleichung, die historische Grammatik und Textkritik der alten Sprachdenkmäler verschiedener Literaturen, in die Paläographie, die Lautphysiologie und die Literaturgeschichte eingeführt, also wissenschaftlich tüchtig ausgebildet, während ihnen in der Regel die Übung im modernen Sprachgebrauche fast gänzlich abgeht. Nach einem Passus der Enzyklopädie des Studiums der romanischen Sprachen von Prof. Dr. Körting (in Münster) darf diese von dem neuen Philologen als solchem nicht gefordert werden. Wünschenswert sei allerdings auch einige Vertrautheit mit den jetzt lebenden Sprachformen, welche durch möglichst häufigen Umgang mit Ausländern, durch Zeitungslektüre und endlich durch einen kurzen Aufenthalt im Auslande erworben werden solle. Vor dem Verlassen der Hochschule seien aber das Staatsexamen und die Doktorpromotion abzumachen.

Wir sehen also, daß das neuphilologische Studium auf den Universitäten wesentlich historischer Natur ist. Die neue, speziell die romanische Sprachforschung stellt sich die Aufgabe, durch Vergleichung der volkslateinischen Formen mit den sich stetig umwandelnden Lautgebilden der altfranzösischen, provençalischen, italienischen, rhätoromanischen, spanischen, portugiesischen, katalanischen und rumänischen Sprache und ihrer Dialekte alter und neuer Zeit die Gesetze zu erforschen, nach denen sich die von einem Stamme ausgehenden Äste gestaltet und entwickelt haben — einerseits, um den künftigen Lehrer zu befähigen, die jetzt lebenden Formen zu verstehen und seine Schüler auf bildende Weise — und nicht nur durch mechanische Gedächtnisarbeit — mit denselben vertraut zu machen, andrerseits aber auch, um der Wissenschaft selbst neue Jünger zuzuführen, die gewillt und befähigt sind, das von den Vorfahren empfangene Erbe zu mehren.

Das wissenschaftliche Sprachstudium wird daher auf die historische Grammatik und diese wieder auf die Interpretation der alten Texte gestützt; denn nur der Französischlehrer, welcher sich mit dem altfranzösischen und provençalischen Sprachgebrauche von den ältesten Zeiten an (842), sowie mit den romanischen Schwestersprachen vertraut gemacht hat, ist befähigt, die neuen Formen zu begreifen und zu erklären. Seitdem die neue Philologie — und besonders auch die Romanistik als vollberechtigte Wissenschaft anerkannt ist, bedarf diese Behauptung keines Beweises mehr. Noch vor 20 Jahren war es aber nicht so; wir haben es mit einer ganz jungen Wissenschaft zu tun. Mehrere Franzosen, besonders die großen Sprachgelehrten Ducange (1610–1686) und Raynouard (1761–1836), haben der Romanistik in großen und heute noch unentbehrlichen Werken vorgearbeitet, aber zu einer Wissenschaft im eigentlichen Sinne des Wortes ist sie erst um die Mitte dieses Jahrhunderts auf deutschem Boden am Rhein erwachsen. — Friedrich Dietz, geb. in Gießen (1794), Professor der germanischen Sprachen in Bonn, wird von allen Romanisten als Vater ihrer Wissenschaft verehrt, und er hat es noch erlebt (er ist 1876 gestorben), daß auf beinahe allen Hochschulen deutscher Zunge Lehrstühle für die romanische Sprachforschung errichtet und mit seinen direkten oder indirekten Schülern besetzt worden sind. Auch die großen französischen Sprachgelehrten der Gegenwart, Littré, Gaston-Paris, Paul Meyer, Brachet, Darmstäter, L. Gautier usw., haben teils in Bonn zu seinen Füßen gesessen, teils seine Werke studiert und ins Französische übersetzt (besonders sein grundlegendes Werk „Vergleichende Grammatik der romanischen Sprachen", 3 Bände), und heute bilden alle deutschen, österreichischen, holländischen, schweizerischen und mehrere italienische Hochschulen, sowie die Ecole des hautes études und die Ecole des chartes in Paris eine große Zahl von Sprachlehrern heran. Diese Zahl wird nachgerade so groß, daß das Angebot die Nachfrage übersteigt. Infolgedessen sind akademisch gebildete Lehramtskandidaten oft gezwungen, anfänglich im Auslande ihr Brot zu suchen und so die fremden Sprachen auch praktisch zu lernen. — Es ist daher vorauszusehen, daß in nicht allzu ferner Zeit die nicht sprachfertigen Philologen verschwinden werden.

Über diese Verhältnisse mußten wir uns Klarheit verschaffen, um der Beantwortung unsrer Frage, ob Blinde zu Sprachlehrern ausgebildet werden dürfen oder sollen, näher treten zu können. Unverantwortlich wäre es, wenn wir diese Frage be-

15*

jahten, ohne die für und gegen sprechenden Gründe gewissenhaft abzuwägen und ohne uns auf praktische Erfahrungen stützen zu können, d. h. ohne zu wissen, daß Blinde als Sprachlehrer schon ihr Brot gefunden haben und noch finden. — Allein auch wenn dies der Fall wäre und tatsächlich der Fall ist, so würden doch allfällige Folgerungen, die aus den geringen Erfahrungen der Vergangenheit für die Zukunft gezogen werden möchten, angesichts der sich täglich steigernden Anforderungen hinfällig.

Ich komme daher zu dem Schlusse: Es darf nur dann der Versuch gemacht werden, Blinde zu Sprachlehrern auszubilden, wenn wir ihnen eine sprachliche Schulung geben können, welche derjenigen der akademisch gebildeten Sprachlehrer annähernd entspricht, und im Falle sind ihnen als Ersatz für das Fehlende Gelegenheit zu bieten, sich durch längern Aufenthalt im Auslande praktisch besser vorzubereiten als jene.

Ist dies nun aber möglich, und wenn ja, auf welche Weise? Soll jede Anstalt sich mit dem erforderlichen Personal versehen, um diese Aufgabe übernehmen zu können? —

Die erste dieser Fragen glaube ich, gestützt auf meine bisherigen Erfahrungen, entschieden bejahen zu dürfen. Ein normal begabtes blindes Mädchen, das ich seit 4 Jahren unterrichte und das nun von unsrer Verwaltung als Lehrerin angestellt worden ist, übersetzt ohne allzu große Mühe die mittelhochdeutschen und die schwersten altfranzösischen Texte aus dem 11. Jahrhundert (Alexiuslied, Rolandslied usw.), sowie die ältesten französischen Sprachdenkmäler aus dem 9. Jahrhundert ins Neufranzösische oder ins Deutsche und beherrscht mit ziemlicher Sicherheit die historische Grammatik des Französischen — wenigstens die Phonetik und die Morphologie. — Es wird nicht große Mühe kosten, diese Schülerin auch in das Verständnis des Altprovençalischen (das ihr nicht ganz fremd ist) und des Italienischen einzuführen*).

Leider hat die mir zu Gebote stehende Zeit bisher (seither, d. h. im Frühjahr 1886, ist nun doch damit begonnen worden) nicht dazu ausgereicht, weil über der wissenschaftlichen Ausbildung einzelner die technische Schulung vieler nicht vergessen werden durfte. Daß dies nicht geschehen ist, glaube ich durch unsre technischen Leistungen bewiesen zu haben.

*) Diese Schülerin hat später eine Stelle als Hauslehrerin bei Sehenden, dann eine solche als Anstaltslehrerin in Frankreich erhalten. Z. Z. ist sie als Hauslehrerin in Deutschland.

Wer soll nun aber die streng wissenschaftliche Ausbildung der begabten Blinden übernehmen? Etwa die Universität? Wenn dies ginge, wäre die Erreichung des Zieles gesichert, da ja mehrere Anstalten in Universitätsstädten liegen und wohl auch Zöglinge aus andern Provinzen und Ländern aufnehmen könnten. — Allein, es erheben sich gegen diesen Weg ernste Bedenken. Der Blinde könnte an der Hochschule nur Hospitant sein, weil ihm die zum Universitätsstudium erforderliche und geforderte Vorbildung abginge und er infolgedessen nicht befähigt wäre, den Vorlesungen und Übungen mit Nutzen zu folgen. Die Kollegien sollen ja nur anregen und die zu betretenden Wege weisen, und können deshalb nur durch eigne, selbständige Arbeit fruchtbringend gemacht werden. Allein dazu sind Hilfsmittel erforderlich, die dem Blinden ohne besondere Nachhilfe durch Fachmänner und Vorleser unzugänglich sein und bleiben werden. Überdies könnte ein derartiger Bildungsgang nur für Knaben in Betracht kommen, während gerade die Mädchen, die ja sonst so schwer erwerbsfähig werden, sich zu Sprachlehrerinnen besonders eignen würden. Es bleibt deshalb, wenn die Hauptfrage bejaht wird, meines Erachtens kein andres Mittel übrig, als daß in jedem Lande eine Anstalt, die wenigstens einen Neuphilologen zu ihren Lehrern zählen müßte, die Aufgabe der sprachlichen Weiterbildung befähigter Blinder übernimmt. Zwischen diesen Blindenseminarien der verschiedenen Länder — vorausgesetzt, daß die Eifersucht solche aufkommen lasse — müßte dann eine Art Konkordat abgeschlossen werden, durch welches sie sich verpflichteten, fremde Zöglinge zu einem Normalpflegesatze aufzunehmen und in der Landessprache zu unterrichten. Es würde also zwischen denselben eine Art Austausch der Schüler stattfinden, und wir könnten unsern begabtesten Zöglingen die Vorteile sichern, welche deutsche Sprachforscher durch die schon seit Jahren angestrebte Gründung eines neuphilologischen Seminars in Paris ihren Schülern zuwenden möchten.

Lehrplan.

Wenn meine bisherigen Ausführungen allseitigen Beifall finden sollten, würde es sich nun darum handeln, für das in Aussicht genommene Blindenseminar einen Lehrplan aufzustellen und in kurzen Zügen die Wege zu weisen, welche zu dem vorgesteckten Ziele führen könnten. Dieser Studienplan sollte sich natürlich eng an denjenigen der Vorbereitungsanstalten anschließen. Ein für alle

Blindenschulen berechneter und von allen angenommener Normallehrplan besteht aber nicht und würde kaum durchführbar sein; deshalb glaube ich, es sei notwendig, die Vorbildung zu bestimmen, welche von den eintretenden Seminaristen unbedingt gefordert werden müßte. Da die meisten deutschen Blindenanstalten, die für uns hauptsächlich in Betracht kommen, einem Beschlusse des Dresdener Kongresses gemäß, nicht über das Lehrziel einer gehobenen Volksschule hinausgehen wollen, wäre natürlich an den Lehrplan einer solchen anzuschließen.

Man dürfte also bei den eintretenden Zöglingen nur elementare Kenntnis der Muttersprache, Bekanntschaft mit den Hauptdaten der vaterländischen Geschichte und Geographie, sowie Sicherheit im Dezimalsystem, den gemeinen Brüchen und in den gewöhnlichen bürgerlichen Rechnungsarten und Vertrautheit mit den Elementen der Naturkunde voraussetzen. Wünschenswert wären, wie schon bemerkt, einige Vorkenntnisse in einer fremden Sprache, sei es auch nur der grammatischen Schulung wegen, vorausgesetzt, daß sich der Schüler nicht bei einem ungenügend vorbereiteten Lehrer an unkorrekte Aussprache gewöhnt habe. Das erste Jahr des Aufenthaltes in einer Lehrerbildungsanstalt sollte meiner Ansicht nach dem Studium der Elemente des Französischen und Lateinischen gewidmet werden. Das zweite Jahr wäre in der französischen und das dritte in der englischen oder italienischen Schwesteranstalt zuzubringen. Dem zweiten Jahre fiele die Einübung der Anfangsgründe des Englischen oder Italienischen zu. Natürlicherweise dürfte auch während des Aufenthaltes im Auslande nicht die ganze Zeit zu rein sprachlichen Studien verwendet werden. Im Interesse ihrer allgemeinen und sprachlichen Bildung müßten die Zöglinge im Auslande mit ihren Altersgenossen dem gesamten in der Landessprache erteilten Realunterrichte beiwohnen und sich so mit dem modernen Sprachgebrauche möglichst gründlich vertraut machen. Dem vierten und fünften Jahre und der heimischen Anstalt fiele dann die Aufgabe zu, die angehenden Lehrer nach Kräften in die Sprachgeschichte und Etymologie einzuführen. Während auf der Hochschule das Lateinische zum Ausgangspunkte gewählt wird, dürfte sich für das Blindenseminar der umgekehrte Gang von der bekanntern neuen zur weniger bekannten alten Sprache empfehlen. Wenn ich eine Art Krebsgang in Vorschlag bringe, so ist damit nicht gemeint, daß streng chronologisch von Jahrhundert zu Jahrhundert rückwärts geschritten werden müsse. Ich würde vielmehr das sogenannte Mittelfranzösische, das dem Mittelhochdeutschen in keiner Weise entspricht, und dessen gelehrtverkehrte, willkürliche Formen nur geringen sprachgeschichtlichen Wert haben, ganz übergehen und direkt auf die Chronisten Commines, Froissard, Joinville und besonders Villehardouin zurückgreifen. Dann könnten einige der am wenigsten anstößigen Romanzen unanstößige Pastourellen sind mir nicht bekannt und Bruchstücke aus mittelalterlichen Epen, und endlich die ältesten Denkmäler zur Behandlung kommen. So würden auf dem Wege der Anschauung Bausteine und eine feste Grundlage für die historische Grammatik gewonnen; denn nur auf solchem Fundamente kann dieselbe mit und von jungen Leuten, die keine regelrechte Gymnasialbildung genossen haben, mit Nutzen aufgebaut werden.

Es handelt sich jetzt nur noch um systematische Zusammenstellung und Ergänzung der auf dem Wege der Anschauung gewonnenen Resultate. Die Einzelvorstellungen sollen zu Begriffen verschmolzen werden. Unsre Aufgabe kann es nicht sein, den Schicksalen jedes lateinischen Lautes und Lautzeichens in den verschiedenen romanischen Sprachen nachzuforschen. Der Zweck, den wir im Auge haben, ist vollkommen erreicht, wenn wir den Schüler dahin bringen, daß er einen klaren Einblick in die Entstehung und Entwicklung der Laute und Formen derjenigen Sprachen gewinnt, die er später lehren soll. Was keine Bausteine zu denselben geliefert und ihren Entwicklungsgang nicht beeinflußt hat, kommt für uns nicht in Betracht. Wir fragen also nicht nach dem Schicksale lateinischer Laute und Wendungen, sondern beschränken uns darauf, dem Werdeprozesse der jetzigen Spracherscheinungen nachzuspüren. Dabei können wir nun den gewöhnlichen Weg einschlagen. Von den volkslateinischen Formen ausgehend, werden die wesentlichsten Lautgesetze entwickelt und die unter germanischem Einflusse sich umbildenden Laute und Formen durch die verschiedenen Entwicklungsperioden bis auf die Neuzeit verfolgt, so daß der Schüler gleichsam als Augenzeuge des Werdens und Wachsens der Sprache in ihren Geist eindringt und sie als lebenden und gesetzmäßig fortschreitenden Organismus erkennen lernt, während er sie sonst als fertige und deshalb tote Maschine betrachtet. Die Grammatik ist fortwährend zu stützen und zu ergänzen durch die Interpretation der Hauptwerke der verschiedenen Entwicklungsperioden der Sprache. Das Alexiuslied und das Rolandslied (4002 Verse), beide aus dem XI. Jahrhundert, sollten meiner Ansicht nach ganz gelesen und übersetzt werden, weil gerade diese Texte nicht nur über das Leben und die Denkweise der den Kreuzzügen unmittelbar vorangehenden Zeit, sondern auch in bezug auf die Sprache wahre Fundgruben sind. (Ich behandle diese Texte vom Anfang bis zum Ende.) —

Daß das Studium der neuern, besonders der klassischen Literaturwerke und der Literaturgeschichte nicht vernachlässigt werden darf, braucht wohl nicht besonders hervorgehoben zu werden. Ebensowenig wird es nötig sein darauf hinzuweisen, daß auch der deutschen Muttersprache und ihrer Literatur bis in die oberste Klasse volle Aufmerksamkeit geschenkt werden müßte. Selbstverständlich können wir nicht verlangen, daß der Blinde neben den romanischen Sprachen auch noch Germanistik treibe und so seine Zeit und Kraft zersplittere. Es ist heute nur noch wenigen bevorzugten Geistern möglich, beide Gebiete zu beherrschen, und von Blinden wollen wir dies von vornherein nicht verlangen. Immerhin müßte sich der künftige Sprachlehrer mit den hauptsächlichsten Formen des Mittelhochdeutschen genügend vertraut machen, um die Meisterwerke der ersten klassischen Periode unsrer Sprache (Nibelungen usw.) verstehen zu können, und sich diejenigen althochdeutschen Ausdrücke merken, welche während und nach der Völkerwanderung in die romanischen Sprachen eingedrungen sind und sich denselben so angepaßt haben, daß wir sie heutzutage in ihrem fremdartigen Aufputze gar vornehm finden und sie gern zu uns zu Gaste laden, ohne daran zu denken, daß sie Fleisch sind von unserm Fleische, d. h. auf romanischem Boden flügge gewordener Inhalt der Kukukseier, die unsre germanischen Vettern, Franken, Burgunder, Alanen, Vandalen, Goten oder Longobarden usw. einst in fremde Nester gelegt haben.

Meine Meinung geht also dahin, daß wir uns mit den Blinden unter allen Umständen auf ein Gebiet beschränken und allenfalls die Hauptsprache des andern auf praktischem Wege erlernen lassen. Der Zögling wird durch die wissenschaftliche Beschäftigung mit einem fremden Idiome von selbst zur Ergänzung dessen angeregt werden, was ihm die Schule nicht zu bieten vermag.

Den übrigen Lehrfächern der höhern Lehranstalten — Geschichte, Geographie, Naturkunde usw. —, ohne welche eine genügende allgemeine Bildung nicht vermittelt werden kann, würde ich bis zur obersten Klasse eine ihrer Wichtigkeit entsprechende Stellung einräumen, diese Fächer aber abwechselnd in verschiedenen Sprachen lehren lassen. Wir haben mit diesem Verfahren in Genua sehr gute Resultate erzielt. So hat z. B. ein 18jähriges Mädchen (2 Jahre vor Erreichung des gesetzlich vorgeschriebenen Alters) mit glänzendem Erfolg die Prüfung als Lehrerin an höhern Töchterschulen in allen Fächern dieser Schulstufe in vier Sprachen bestanden.

Das oben Gesagte zusammenfassend, möchte ich folgende Verteilung der verfügbaren Zeit auf die verschiedenen Jahrgänge und Lehrfächer in Vorschlag bringen:

	Deutsch	Französisch	Englisch	Italienisch	Latein	Geschichte	Geographie	Naturkunde	Mathematik	Gesang	Turnen	Summa
I.	5	5			5	2	2	3	3	2	2	29
II. in Frankreich	–	6	4 oder 4		4	2	2	3	3	2	2	28
III in England od. Italien	—	3	8 oder 8		4	2	2	2	2	2	2	20
IV	4	4 Historische Grammatik 5 Altfranzös. Texte 2 Literatur	5 oder 5		3 2 Provençalisch: 2	2		1	1			20
V.	2	3 Historische Grammatik 3 Altfranzös. Texte 2 Literatur	4 oder 4 Historische Grammatik 2 oder 2 Literatur		Provençalisch: 3 Grammatik 4 Texte 2 Rhätoromanisch od. Spanisch	2		1	1			

Knabenabteilung Mittelbau Druckerei Bürstenbinderei und Turnhalle

Abb. 85. Nordostansicht.

Das Bild in der Blindenschule.

Kieler Kongreßvortrag 1891. (Abdruck aus dem Kongreßbericht.)

Disposition:

1. Können für Blinde genügend tastbare und verständliche Bilder hergestellt und durch den Druck allen Lichtlosen zugänglich gemacht werden?
2. Wenn ja, welche Stellung nehmen dieselben in der Reihe der Veranschaulichungsmittel ein und wie sollen sie beschaffen sein?
3. Auf welche Gebiete der Außenwelt hat sich die bildliche Darstellung zu erstrecken, d. h. welche Erscheinungen, Gegenstände, Lebewesen und Organe derselben können auf dem angedeuteten Wege so nachgebildet werden, daß sie imstande sind, im Geiste der Blinden annähernd richtige Bilder zu erzeugen, oder Vorstellungen, welche durch unmittelbare Betastung des Natur- oder Kunstprodukts entstanden sind, wieder wachzurufen (erkennen) und festzuhalten?

Ich gelange zu folgenden Thesen:

1. Gute Abbildungen in genügender Zahl erleichtern und beleben den Klassenunterricht in beinahe allen Schulfächern; sie ermöglichen unmittelbare und rasche Veranschaulichung unzähliger Gegenstände, die im Lese-, Geschichts- und Geographieunterricht zur Sprache kommen, — bilden eine notwendige Ergänzung aller unsrer Veranschaulichungsmittel, eine Hauptstütze des naturwissenschaftlichen Unterrichts und endlich eine wertvolle Mitgabe fürs Leben.

   Es ist deshalb die Herausgabe eines Bilderatlasses (oder Bilderbuches) anzustreben und der „Verein zur Förderung der Blindenbildung“ zu ersuchen, einem derartigen Werke seine Unterstützung angedeihen zu lassen.
2. Die Abbildungen von Körpern sollen in erster Linie als Halbmodelle, beziehungsweise Flach-

modelle, und in zweiter Linie als Umrißbilder (Skizzen) zur Ausgabe kommen und so die letzten Glieder der absteigenden Veranschaulichungsreihe bilden, (z. B. lebendes Tier, ausgestopftes Tier, Halbmodell, oder Flachmodell und Umriß).

Sobald Umrißlinien sich einander derart nähern, daß der tastende Finger deren zwei oder mehrere gleichzeitig wahrnimmt, wodurch Verwirrung entsteht, so sind die betreffenden Teile der Umrißzeichnung auch als Halb- oder Flachmodelle darzustellen, damit statt der Begrenzungslinien, Flächen und Körper gefühlt werden. Für den Finger gibt es weder Projektion noch Perspektive, noch Schatten.

3. Zur bildlichen Darstellung sollen nach und nach die meisten Dinge und Erscheinungen gelangen, mit welchen vollsinnige Schüler in den Elementar- und Mittelschulen bekannt gemacht werden, ganz besonders aber diejenigen, welche infolge ihrer Größe, ihrer Kleinheit oder ihrer Beschaffenheit der Hand des Blinden nicht zugänglich sind oder mit Hilfe derselben nicht wahrgenommen werden können. Das Bilderbuch soll dem Blinden auch das Mikroskop ersetzen.

Der Anfang soll mit den bekanntesten und einfachsten Dingen gemacht werden, damit die Kinder Bilder „lesen" lernen.

Tiere (vielleicht auch Menschen?) sind in verschiedenen Stellungen, welche ihre Tätigkeit erkennen lassen, zur Darstellung zu bringen. Gruppenbilder haben nur dann eine Berechtigung, wenn die gezeichneten Gegenstände in einer und derselben Ebene liegen.

I.

Hochgeehrte Versammlung!

Den Wert und die Bedeutung von Bildern für Vollsinnige schildern zu wollen, hieße Eulen nach Athen tragen!

Des sehenden Kindes erstes Buch ist ein Bilderbuch. — Bilder sind der Kleinen Freude und zugleich eine Fundgrube zahlloser Vorstellungen, die als Bausteine dienen für den Aufbau ihres Geisteslebens. — Bilder enthält jedes Schulbuch; das einfachste Volksbuch, das alljährlich auch in der bescheidensten Hütte seine Einkehr hält, der Kalender, ist mit Bildern geschmückt. Die künstlerische Ausstattung unsrer Zeitschriften bildet eine Hauptanziehungskraft derselben. Die Vervielfältigung von Bildern durch Holzschnitt, Stahl- und Kupferstich ist denn auch der Buchdruckerkunst voraus gegangen, hat ihr die Wege gebahnt, geht ihr in immer neuer Gestalt zur Seite und wird erst mit der sehenden und denkenden Menschheit selbst verschwinden.

So begleitet das Bild nicht nur den einzelnen Menschen, sondern die ganze Menschheit in Freud und Leid von der Wiege bis zum Grabe. —

Und für den Blinden sollte diese reiche Quelle des Genusses, der Belehrung für immer verschlossen sein? Wie mancher Blindenlehrer hat sich wohl seit einem Jahrhundert schon die Frage vorgelegt: „Können nicht auch für Blinde genügend tastbare und verständliche Bilder hergestellt und durch den Druck vervielfältigt, d. h. allen Lichtlosen zugänglich gemacht werden?" Tatsächlich hat es auch an Versuchen, diesen Gedanken zur Ausführung zu bringen, nicht gefehlt. Dieselben haben sich aber vorerst auf bildliche Darstellungen des unendlich Großen, der Erde, der Erdteile, einzelner Länder, d. h. auf geographische Bilder oder Karten beschränkt. Später hat es gewiß an Versuchen auch nicht gefehlt, Tiere und Kunstgegenstände aus verschiedenem Material nachzubilden und so den Vorstellungskreis der Blinden zu erweitern und zu bereichern; allein zum Abdruck sind solche Formen der damit verbundenen Schwierigkeiten wegen nicht gelangt. Der Nutzen solcher Bilder war und blieb deshalb sehr beschränkt, weil dieselben immer nur in je einem Exemplare vorhanden, also weder der Gesamtheit der Blinden, noch allen Anstalten oder auch nur allen Schülern einer Klasse gleichzeitig zugänglich waren und also, wie unsre Wandkarten, nur im Einzelunterricht Verwendung finden konnten. Mit dem Anwachsen unsrer Klassen und dem wachsenden Bestreben den Unterricht anschaulich zu gestalten ist das Bedürfnis nach Vervielfältigung derartiger Arbeiten immer reger geworden. — Nach vielfachen Versuchen hat sich die Prägung als allein praktisches Reproduktionsverfahren ergeben. — Wieder wurde mit der Vervielfältigung von Länderbildern begonnen. So entstanden die geprägten Handkarten, deren Wert heute wohl von keinem Geographielehrer mehr angezweifelt werden wird. Erst durch Handkarten ist geographischer Klassenunterricht ermöglicht worden.

Sollen wir nun hier stehen bleiben und geographische Bilder als allein berechtigt und ausführbar ansehen? Ich glaube es nicht! Wäre es logisch, Halt zu machen, nachdem die verkleinerte plastische

Darstellung der schwierigsten, weil unregelmäßigsten, Naturerzeugnisse, der Erdteile und Länder und die Vervielfältigung dieser Bilder durch den Druck gelungen ist? Warum sollen nicht auch kleinere Gegenstände, die im Schulzimmer nicht vorhanden und nicht, oder doch nicht in genügender Zahl in dasselbe hinein zu bringen sind, ferner solche, die sich ihrer Natur nach der unmittelbaren Betastung entziehen und doch während unseres Unterrichts in Sprache, Geschichte, Religion, Geographie und Naturkunde rasch veranschaulicht werden sollten, in den Kreis dieser bildlichen Darstellung gezogen werden? Nicht nur das unendlich Große, sondern auch das unendlich Kleine und zahllose Erscheinungen auf dem Gebiete der Naturlehre (Lichtspiegelung und Brechung, Schall, Magnetismus, Elektrizität usw.) entziehen sich der Wahrnehmung durch den Tastsinn und können auch nicht, oder nur mit großem Kostenaufwand durch Modelle veranschaulicht werden, während es leicht ist, dieselben durch Papierprägung so tastbar darzustellen, daß die Blinden ohne große Mühe von seite des Lehrers Vorstellungen von denselben zu erwerben imstande sind, welche an Klarheit und Intensität denen nicht nachstehen dürften, welche die Mehrzahl der Sehenden durch oberflächliche Betrachtung oder Beobachtung derselben Dinge und Erscheinungen gewonnen haben. Man wird mir einwenden, daß der Naturgegenstand durch kein Bild ersetzt werden könne. Es fällt mir auch gar nicht ein, diejenigen Gegenstände, welche dem Zögling in die Hand gegeben werden können und die klein oder groß, einfach und widerstandsfähig genug sind, um vom tastenden Finger in allen ihren Teilen genau geprüft zu werden, durch Bilder ersetzen zu wollen. Diese Absicht liegt gewiß auch den Herausgebern von illustrierten Lehrmitteln für den Realunterricht in den Schulen fern, und doch werden sie und ihre Leser nur ungern auf solche verzichten, weil sie wissen, daß uns durch Zeichnungen vieles klarer, größer oder kleiner und besonders einfacher vor Augen geführt werden kann, als durch den Naturgegenstand selbst. Auch Brehm würde möglicherweise auf die Abbildungen in seinem Werke verzichtet haben, wenn er hätte voraussetzen können, daß jeder Familienvater für seine Jungen einen vollständigen zoologischen Garten besitze. Übrigens schließen die Bearbeiter naturgeschichtlicher Werke für Sehende auch die bekanntesten Dinge, das Pferd, den Hund, die Kuh, den Hahn usw. nicht von der bildlichen Darstellung aus, weil auch das sehende Kind Bilder erst durch Vergleichung derselben mit den Vorbildern und untereinander lesen lernen muß.

Denselben Weg müssen auch wir gehen und ich habe ihn schon vor sechs Jahren eingeschlagen, indem ich meine wenigen Abbildungen aus dem Gebiete des Tierreichs mit denen der Ente und der Gans begann. — Es wird mir ferner entgegengehalten werden, daß da, wo die Naturgegenstände selbst nicht, oder doch nicht in genügender Zahl zu beschaffen seien, Modelle sie zu ersetzen haben und daß weiter nichts nötig sei. — Als Mitglied der Kommission für Veranschaulichungsmittel, die Ihnen die Beschaffung einer großen Zahl von Modellen empfiehlt, kann ich selbstverständlich nicht auf den Gedanken kommen, das Bild gegen das Papiermaché-Modell ausspielen zu wollen. Jedem das Seine!

Naturwahre Vollmodelle kommen der Wirklichkeit natürlich viel näher als das beste Bild, und sind in Ermangelung des zu veranschaulichenden Gegenstandes überall da notwendig, wo es sich darum handelt, genaue und klare Vorstellungen zu gewinnen. Dagegen sind Bilder ausreichend und vielleicht sogar den Vollmodellen vorzuziehen, wenn rasch und geräuschlos Dinge zur Anschauung zu bringen sind, welche in irgend einem Unterrichtsfache zur Sprache kommen, ohne im Mittelpunkte des Interesses zu stehen. Der Lehrer kann nicht jeden Augenblick sein Museum in Umlauf setzen. Die Verteilung geprägter Bilder hingegen, die ihrer Billigkeit wegen leicht in genügender Zahl angeschafft werden können, verursacht beinahe keine Störung.

Es kann auf diese Weise im gegebenen Augenblick die naturgemäße Entstehung der verschiedensten Vorstellungen und Begriffe veranlaßt werden, für welche bis jetzt nur gar zu oft das „rechtzeitig sich einstellende Wort" in die Lücke treten muß. Wenn, wie wir gesehen haben, das Reliefbild als nützliches Hilfsmittel für den Klassenunterricht in mehreren Fächern angesehen werden darf, so ist es, meiner Auffassung nach, für einzelne derselben geradezu unentbehrlich.

Ein irgendwie genügender Unterricht in der Physik ist für mich ohne Abbildungen nicht denkbar; so wird die Lehre vom Licht, wenn von demselben überhaupt die Rede sein soll, nur durch Zeichnungen dem Schüler einigermaßen zum Verständnis gebracht werden können.

Je weiter der Blinde in seiner Entwicklung fortschreitet, je mehr sein Abstraktionsvermögen erstarkt, desto größer wird für ihn die Bedeutung der Bilder, und in demselben Maße vermindert sich das Bedürfnis nach Vollmodellen.

Durch Vergleichung des Naturgegenstandes, beispielsweise des lebenden Tieres, mit dem ausgestopften Tiere und seinem Modelle, sowie durch selbständiges Nachbilden der Formen, ist der Schüler dazu befähigt worden, die ihm vorgelegten Flach- oder Umrißbilder geistig weiter auszugestalten und zu beleben. — Wir können nun seinem Geiste auf einfache und billige Weise eine unbegrenzte Zahl von Vorstellungen zuführen, die ihm bisher wegen Mangel an Veranschaulichungsmitteln unzugänglich waren. Und wenn dann der Zögling unsere Anstalt verläßt, so geben wir ihm sein Bilderbuch, seinen Orbis pictus, sein illustriertes Konversationslexikon, mit ins Leben hinaus, damit er in seinen Mußestunden die verwischten oder verblaßten Vorstellungen wieder auffrischen, abgestorbene neu beleben, sein Wissen ergänzen und vertiefen kann.

So fasse ich denn das Gesagte zusammen in die These I:

„Gute Abbildungen in genügender Zahl erleichtern und beleben den Klassenunterricht in beinahe allen Fächern der Blindenschule; sie ermöglichen unmittelbare und rasche Veranschaulichung unzähliger Dinge und Erscheinungen, die in allen Unterrichtsfächern unvorgesehen zur Sprache kommen können, also nicht im Mittelpunkte des Interesses stehen. — Sie bilden eine notwendige und zugleich billig zu beschaffende Ergänzung aller unserer Veranschaulichungsmittel, eine Hauptstütze des mathematischen und naturwissenschaftlichen Unterrichts, der ohne sie kaum denkbar ist, und eine wertvolle Mitgabe für das Leben. Es ist deshalb die Herausgabe eines derartigen Werkes anzustreben und der Verein zur Förderung der Blindenbildung zu ersuchen, demselben seine Unterstützung angedeihen zu lassen."

II.

Die zweite Frage: „Welche Stellung nehmen die Bilder in der Reihe der Veranschaulichungsmittel ein und wie sollen sie beschaffen sein?" ist durch das Gesagte schon größtenteils beantwortet. — In der absteigenden Reihe: Naturgegenstand, Modell, Halbmodell, Flachmodell und Umriß, welche Herr Kollege Heller-Wien die absteigende Linie*) genannt hat, entziehen sich die beiden ersten Glieder naturgemäß der Vervielfältigung durch die Presse; dagegen können nach den von mir in allerletzter Zeit gemachten Erfahrungen Halbmodelle kleinerer und Flachmodelle größerer Gegenstände, sowie scharfe Umrisse durch den Druck vervielfältigt werden. Es fallen somit der bildlichen Darstellung, dem Drucke, die beiden letzten Glieder der absteigenden oder die beiden ersten der aufsteigenden Reihe zu. — Ganz besondere Wichtigkeit haben in meinen Augen die durch Prägung erzeugten Halb- und Flachmodelle, weil wir kaum jemals in den Besitz der erforderlichen Anzahl fester Halbmodelle gelangen werden.

Es freut mich, an dieser Stelle auf eine Anzahl sehr schöner Halbmodelle aufmerksam machen zu können, die unser Kollege aus Hannover, Herr Hecke, hier ausgestellt hat. Beim Anblick derselben traten mir unwillkürlich die Worte des Cid ins Gedächtnis:

Nos pareils à deux fois
ne se font point connaître
Et pour des coups d'essai
veulent des coups de maitre.

Die oben auseinander gesetzten Erwägungen ins Praktische übertragend, habe ich schon vor sechs Jahren einige kleine Reliefbilder von Vögeln in Halb- und Flachmodellen als ballon d'essai in die Welt gesandt. Vor drei Jahren ließ ich die botanischen Abbildungen folgen, konnte aber diese Arbeit später nicht fortsetzen, weil 20 neue Formen zu Vereinskarten meine ganze Kraft in Anspruch nahmen. Als ich dann kürzlich von unserem verehrten Herrn Präsidenten, der als Obmann der Kommission für Veranschaulichungsmittel 200 bis 300 Abbildungen in das Verzeichnis der zu beschaffenden Lehrmittel aufgenommen hatte, zu einem Vortrage über das Bild in der Blindenschule „gepreßt" wurde, erinnerte ich mich der Worte Tells: „Mit eitler Rede wird hier nichts geschafft." Ich setzte mich deshalb an die Modellier- und Schnitzbank und machte weitere Formen zu den hier vorliegenden Abbildungen des Kamels,

*) Ich halte an dem Ausdruck „Reihe" fest; denn wenn wir auch zwischen das lebende Tier, das tote Tier und das Modell usw. tausend Zwischenglieder einschalten könnten, so entstände doch immer nur eine Reihe, niemals eine Linie. Es führt nicht einmal eine Linie vom lebenden zum toten Tiere.

des Pferdes und einiger Vögel (Strauße, Kasuar und Flamingo in aufrechter Stellung) und vervollständigte die botanischen und physikalischen Abbildungen. Die Herstellung der Formen wurde mir leicht; dagegen haben die Schwierigkeiten der Prägung erst nach langen Versuchen überwunden werden können. Ich kann diese Versuche als vorläufig abgeschlossen betrachten.

Mehr darf bei mechanischer Herstellung vom Papier nicht verlangt werden, als ich ihm zugemutet habe. –

setzen der Optik. Für den Finger gibt es aber weder Perspektive* noch Projektion, noch Schatten. — Der Finger fühlt die Dinge, wie sie sind, nicht wie sie dem Auge erscheinen. Dies wissen wir wohl, aber wir vergessen es nur gar zu leicht. Ich habe mich selbst bei der Anfertigung meiner letzten Bilder auf derartigen Fehlern ertappt, weil ich eben auch Zeichnungen, die für Sehende bestimmt waren, wenigstens teilweise als Unterlage für meine Formen benutzte. So sind auf zwei Bildern die Füße etwas perspektivisch ausgefallen.

Abb. 86. Blatt 3 aus dem zoologischen Atlas. Pferd im Trabe.

Trotzdem wir auf diesem Wege nur in seltenen Fällen vollständige Halbmodelle erzielen werden, gebe ich mich doch der Hoffnung hin, daß diese Flachmodelle sowie die schönen Arbeiten, die Herr Kollege Wiedow aus Steglitz hier ausgestellt hat, Sie von der Möglichkeit der Herstellung eines brauchbaren Bilderwerkes für Blinde überzeugen werden.

Von der größten Wichtigkeit ist nun aber die Aufzeichnung der diesen Bildern zugrunde gelegten Umrisse. Es gilt dies ganz besonders auch von den einfachen Umrißbildern, welche als letztes Glied in der absteigenden Reihe noch zur Sprache kommen sollen.

Der Sehende zeichnet für das Auge nach Ge-

Das Übel ist zwar nicht groß, muß aber künftig doch vermieden werden.

Auf die Umrißbilder übergehend, zu deren Verständnis wir die Blinden in letzter Linie befähigen wollen, habe ich vorerst der Versuche zu gedenken, die von Kollegen gemacht worden sind. —

Im Laufe der letzten Jahre hat Herr Kollege Kull in Berlin im „Blindendaheim“ einige scharfe und für das Auge recht schöne Umrißzeichnungen veröffentlicht, dabei aber den Fehler begangen, nicht nur die Perspektive, sondern auch den Schatten zu berücksichtigen. Die Bilder dürften

* Ich hab meine Ansicht über diesen Punkt später geändert. Zu vergleichen der folgende Artikel „Bilder und Zeichnungen“.

deshalb nur von wenigen Blinden, die Vorstellungen von den dargestellten Tieren besaßen, erkannt worden sein. Kürzlich hat mir auch Herr Kollege Secrétan aus Lausanne einige Umrißbilder gesandt, die er seinem französischen Leitfaden der Naturgeschichte beizulegen gedenkt und die sich durch richtige Größe und Schärfe der Linien auszeichnen. Trotzdem scheint es mir, nach Maßgabe der damit angestellten Versuche, sehr zweifelhaft, ob dieselben heute schon den Bedürfnissen unserer Blinden entsprechen. Der bei uns zutage getretene Mangel an Verständnis für solche Umrisse kann aber auf Rechnung ungenügender Vorbereitung der Schüler gesetzt werden. Mit der Zeit müssen und werden wir die Blinden zum Lesen solcher Linienbilder befähigen; allein wir können die natürlichen Zwischenstufen (Halb- und Flachmodell) nicht ungestraft überspringen.

Abb. 87. Tafel 12 aus dem zoologischen Reliefatlas von Kunz.

Als völlige Verirrungen müssen die meisten auf Veranlassung Moons herausgegebenen Bilder bezeichnet werden. Dieselben sind rein perspektivisch gehalten und wirken daher auf das Auge recht günstig, sagen aber dem Finger durchaus nichts. Moon ist eben blind und kann deshalb die Bilder weder selbst herstellen, noch deren Ausführung richtig überwachen. Es genügt eben nicht, wie man vielfach glaubt, blind zu sein, um auch Blindenpädagoge zu sein.

Übrigens stützt sich das Geistesleben der Späterblindeten auf Licht- und nicht auf Tastvorstellungen. Sie sind Sehende mit verbundenen Augen.

Die an den Umrißzeichnungen gemachten Ausstellungen betreffen nicht das Prinzip, sondern die Ausführung. Eine Umrißzeichnung darf, nach meinen Begriffen, nur die Begrenzungslinie der Schnittfläche sein und bei Tieren höchstens die Ansätze der Gliedmaßen in Projektion auf die Schnittfläche und in unterbrochenen Linien enthalten. Ich rede deshalb auch größeren Umrißzeichnungen das Wort, vorausgesetzt, daß ihnen das Halb- oder Flachmodell vorausgehe und sie sich als weitere Abstraktionen aus demselben ergeben. Sobald Umrißlinien sich einander so nähern, daß zwei oder mehrere mit dem tastenden Finger gleichzeitig wahrgenommen werden, wirken sie verwirrend. Es hat also in diesem Falle das Flachmodell an die Stelle des Umrisses zu treten. — So werden die kreuzweise gestellten Beine eines Tieres durch vier nebeneinanderliegende, sich dann kreuzende, vielfach geschwungene Linien dargestellt, die eine heillose Verwirrung erzeugen. Noch größer würde dieselbe durch derartige Darstellung eines Hirschgeweihes. Das blinde Kind fühlt nicht, welche Linien zusammengehören. — Deshalb müssen auch bei einer Umrißzeichnung dünne Teile, z. B. die Beine voll (als Halb- oder Flachmodell) dargestellt werden, wodurch jede Verwechslung und Unklarheit ausgeschlossen wird. — Ich fasse das Gesagte zusammen in These II:

„Die Abbildungen von Körpern sollen in erster Linie als Halbmodelle, beziehungsweise Flachmodelle, und in zweiter Linie als Umrißbilder (Skizzen) zur Ausgabe kommen und so die letzten Glieder der absteigenden Veranschaulichungsreihe bilden. (Lebendes Tier, ausgestopftes Tier, Modell, Halbmodell, Flachmodell und Umriß). Sobald Umrißlinien sich einander derart nähern, daß der tastende Finger deren zwei oder mehrere gleichzeitig wahrnimmt, wodurch Verwirrung entsteht, so sind die betreffenden Teile der Umrißzeichnung auch als Halb- oder Flachmodelle darzustellen, damit, statt der Begrenzungslinien, Körper und Flächen gefühlt werden. Für den Finger gibt es weder Schatten noch Perspektive".

Wenn der heutige Stand unserer Technik uns befähigt, tastbare Abbildungen zu schaffen, welche geeignet sind, unzählige Brücken über die Kluft zu schlagen, welche den Blinden von allem trennt, was nicht in seinem Berührungskreise liegt, so ist es unsere heilige Pflicht, ausgiebigen Gebrauch davon zu machen.

Die Frage: „Auf welche Gebiete der Außenwelt hat die bildliche Darstellung sich zu erstrecken?" könnte deshalb vielleicht besser negativ so gestellt werden: „Welche Gebiete des Realen sollen von der Darstellung durch Bilder ausgeschlossen werden?"

Die Antwort würde so kürzer ausfallen, weil es nur wenige Dinge und Erscheinungen geben dürfte, welche sich der Veranschaulichung durch geprägte Abbildungen entziehen. Ich will aber doch die Frage in aller Kürze beantworten, wie sie nun einmal gestellt ist.

Es können und sollen folglich Reliefbilder in Halb- und Flachmodellen, später in Umrissen, hergestellt werden von Gegenständen aus allen Gebieten der Zoologie, der Botanik und in beschränktem Maße auch aus dem der Geologie (Geländeform, Gletscher, Querschnitt der Erdkruste, Bergwerk, artesische Brunnen, Entstehung einer Quelle usw., Koralleninsel usw.); ferner von sehr zahlreichen Erscheinungen aus dem Bereiche der Naturlehre (Parallelogramm der Kräfte, Fall- und Wurfbewegung, Licht-, Schall- und Elektrizitätserscheinungen Gesichts- und Gehörorgan usw.); von Dingen und Erscheinungen aus dem Gebiete der Erd- und Himmelskunde (Größenverhältnisse der Sonne, der Planeten und Monde, Tag und Nacht, Finsternisse usw.); von Kunstgegenständen verschiedener Art, die dem Blinden aus einem oder dem anderen Grunde nicht zugänglich sind, endlich von berühmten Gebäuden oder interessanten Teilen derselben usf. Ganz besondere Aufmerksamkeit wird solchen Gegenständen zuzuwenden sein, welche zu groß, zu klein oder zu gefährlich sind, um betastet zu werden oder in unseren Gegenden nicht beschafft werden können und doch veranschaulicht werden sollten, weil sie in unseren Büchern öfter genannt werden oder für unsere Gewerbe oder den Haushalt Wichtigkeit haben.

Von den unendlich vielen kleinen Dingen, die sich selbst vor dem unbewaffneten Auge ganz oder teilweise verbergen und unter allen Umständen nicht betastet, wohl aber vergrößert und tastbar dargestellt werden können, nenne ich nur kleine Blütenteile, Nesselhaar, Zellen und Gefäße verschiedener Art, ferner Schmarotzerpilze, wie die Traubenkrankheit, das Mutterkorn, die Schimmelpilze, den Pilz der Kartoffelkrankheit; weiter Augen, Fühler, Beine, Flügel, Freßwerkzeuge und Waffen der Insekten usw., Staub der Schmetterlingsflügel und besonders schmarotzende Krankheitserreger im menschlichen Körper (Würmer, Trichinen, Bazillen usw.) — also alles Dinge, die auch der Sehende nur mit bewaffnetem Auge genau wahrnimmt und in der Regel nur aus illustrierten Büchern kennt.

Es gibt so viele Dinge, von denen der Blinde sprechen hört, von denen er selbst spricht, von denen wir ihm sprechen müssen, wenn wir unsere Bücher mit ihm lesen und ihn mit den alltäglichsten Dingen bekannt machen wollen und die wir ihm in sehr vielen Fällen schlechterdings nicht veranschaulichen können, weil es uns an Mitteln dazu fehlt. Das muß anders werden, und wird anders werden; denn tausend fleißige Hände regen helfend sich in munterm Bund, und in freudigem Bewegen werden alle Kräfte kund!

Die Geister regen sich überall; junge Kräfte streben mächtig empor.

Auf keinem Gebiete der Pädagogik zeigt sich dieser rege, unermüdliche Schaffenstrieb, der uns in einem Jahrzehnt um ein Jahrhundert weiter gebracht hat.

Sehen wir doch rückwärts und vorwärts!

Was hatten wir vor 10 Jahren, was jetzt und was werden wir in 10 Jahren haben?!

Alles, was der sehende Schüler einer guten Volks- und Mittelschule besitzt, muß der Blinde, soweit es von uns abhängt, auch bekommen — und wenn möglich, noch etwas mehr!

Darum sage ich: Zur bildlichen Darstellung sollen nach und nach alle Dinge und Erscheinungen gelangen, mit welchen vollsinnige Schüler in den Elementar- und Mittelschulen bekannt gemacht werden, ganz besonders aber diejenigen, welche infolge ihrer Größe, ihrer Kleinheit oder ihrer Beschaffenheit der Hand des Blinden nicht zugänglich sind oder mit Hilfe derselben nicht wahrgenommen werden können. Das Bilderbuch soll dem Blinden auch das Mikroskop ersetzen.

Der Anfang soll mit den bekanntesten und einfachsten Dingen gemacht werden, damit die Kinder Bilder „lesen" lernen.

Tiere (vielleicht auch Menschen?) sind in verschiedenen Stellungen, welche ihre Tätigkeit erkennen lassen, zur Darstellung zu bringen. Gruppenbilder haben nur dann eine Berechtigung, wenn die gezeichneten Gegenstände in einer und derselben Ebene liegen.

Zum Schlusse, meine verehrten Damen und Herren, rufe ich Ihnen zu: „Stecken wir unser Ziel nur hoch, recht hoch! Es gibt Kräfte genug, welche nach unten ziehen und dafür sorgen, daß die Bäume nicht in den Himmel wachsen!"

Abb. 88. Blatt No. 25 aus dem zoologischen Atlas von Kunz.

Ist es ratsam, Blinde zu Musik- und Sprachlehrern auszubilden? Wenn ja, wie kann dies geschehen? In den bestehenden Anstalten, an den Konservatorien für Sehende oder an besonderen Anstalten?

Kongreßvortrag, gehalten in Berlin (Reichstagspalast) am 29. Juli 1898 von M. Kunz.
(Abdruck aus dem Kongreßbericht.)

I. Musiklehrer und Organisten.

Ein mir unbekanntes Mitglied der II. Kongreß-Sektion hat dieses Thema auf die Tagesordnung des Kongresses gebracht, und so mußte ein Referent gefunden werden, um die Debatte über diese immer wieder auftauchende Frage einzuleiten. — Der Sektionsobmann hat mir diese Aufgabe zugedacht, weil ich den zweiten Teil des Themas schon 1885 in Amsterdam bearbeitet hatte, ohne an dem durch anderlei „geistige" Genüsse so vielfach in Anspruch genommenen Festkongresse zum Worte zu kommen und wohl auch, weil die erste Frage in etwas anderer Form in Köln zur Beantwortung kommen sollte und ich dort die Übersetzung des Referates und gleichzeitig das Korreferat übernommen hatte, meine Weisheit aber wieder für mich behalten mußte, indem der in Köln anwesende Referent einfach der Sitzung fern blieb. Dieses Jahr habe ich das Thema weder selbst gewählt, noch aus eignem Antriebe übernommen; es fehlt mir bei 20 wöchentlichen Unterrichtsstunden, der Leitung einer größeren Anstalt und der Arbeitslast, welche die Herstellung von Lehrmitteln mir auferlegt, ohnedies an Beschäftigung nicht. Ich gebe, was ich bei kurzer Vorbereitung zwischen den Kongreßsitzungen zu bieten vermag.

I.

Die Frage der Ausbildung Blinder zu Lehrern hat schon vor 16 Jahren den Frankfurter Kongreß beschäftigt. Damals ist der leider abwesende Kollege Schild an der Hand zahlreicher Urteile früherer Blindenlehrer, die ich nicht wiederholen will, weil sie im Frankfurter Kongreßbericht nachgelesen werden können, mit Wärme und Geschick für die Zulassung der Blinden zur Mitarbeit an der Erziehung ihrer Schicksalsgenossen eingetreten; — allein er fand die Zustimmung des Kongresses nicht. — Die damaligen Hauptvoten und die Kongreßbeschlüsse lassen sich in die wenigen Worte zusammenfassen: „Bildet Blinde zu Lehrern aus, wenn euch das Freude macht, und stellt sie dann auch an! Wir wollen sie nicht!"

Es kam dies einer grundsätzlichen Ausschließung der Blinden vom Lehramte gleich — und eine solche kann ich nicht billigen. — Soweit ich davon entfernt bin, das französische System ausschließlich blinder Lehrer und vollsinniger Aufseher zur Nachahmung zu empfehlen, so sehr anerkenne ich andererseits auch wieder das aufrichtige Bemühen mancher Blinden, sich in selbstloser Weise ihren Leidensgefährten nützlich zu machen und die Verdienste, welche sie sich tatsächlich erworben haben. — Vergessen wir nicht, daß Louis Braille blind gewesen ist!

Die Schattenseiten des französischen Systems kenne ich wohl besser, als irgend jemand unter Ihnen. Vor meinem Eintritt in die Illzacher Anstalt hat dort keine sehende Lehrkraft Schulunterricht erteilt. Mein blinder Vorgänger hatte sich ausschließlich mit blinden Gehilfen 5 für 12 15

Schüler — umgeben, die, wie er selbst, nicht pädagogisch vorgebildet waren. — Die Zustände, die ein solcher Lehrkörper, auch beim besten Willen, zeitigen mußte und deren Folgen heute noch nicht überwunden sind, will ich nicht schildern. Wer etwas Menschenkenntnis und Erfahrung hat, kann sich dieselben vorstellen. Sie werden mich vor der Versuchung bewahren, mehr blinde als sehende Lehrkräfte anzustellen. — Andererseits ist es mir aber Gewissenspflicht zu bezeugen, daß besonders im Sprachunterricht, der ja infolge der verhältnismäßig großen Zahl von Lehrkräften und der kleinen Schülerzahl zum Einzelunterricht werden mußte, recht anerkennenswerte Resultate erzielt worden sind und daß ich bei vielen Blinden regen Fortbildungstrieb gefunden habe. — Ich habe noch zwei Jahre mit denselben blinden Gehilfen weiter gearbeitet, — allerdings selbst mehr als 40 wöchentliche Stunden übernommen — und dann erst als Ersatz für zwei Blinde, die sich unmöglich gemacht hatten, eine sehende Lehrkraft angestellt; aber an die Ausschließung der Blinden habe ich trotz bitterer Erfahrungen nicht gedacht. — Wir beschäftigen heute noch deren drei, neben vier sehenden Lehrkräften. — Ein Blinder erteilt ausschließlich Musik- und Stimmunterricht, einer führt eine Spezialklasse für Späteingetretene und Zurückgebliebene und ein Mädchen ist in der Unterklasse als Gehilfin der sehenden Lehrerin tätig.

Wenn diese blinden Mitarbeiter vor mir abgehen sollten, würde ich sie wieder durch Blinde ersetzen, nie aber würde es mir einfallen, ihnen große Klassen zuzuteilen, deren Führung die Mitarbeit vollsinniger Aufseher nötig machen müßte. — Wir wollen nicht, wie unsere westlichen Nachbarn mit einem Blinden zweispännig fahren und zehn andere betteln gehen lassen. — Auch wollen wir nicht, um einen zu versorgen, ganze Generationen von Blinden schädigen! —

Besonders günstige Erfahrungen habe ich mit Blinden im Handarbeitsunterricht gemacht. Wir haben die Bürstenbinderei und die Seilerei mit blinden Vorarbeitern vollständig auf die Höhe gebracht und zurzeit wirken mehrere Zöglinge unserer Anstalt an auswärtigen Blindenschulen mit gutem Erfolg als Lehrer für Schul- und Musikunterricht und Handarbeit (Bürstenbinderei) an zwei französischen, einer schweizerischen und zwei deutschen Blindenschulen.

Der Blinde hat ein lebhaftes Interesse daran zu zeigen, was der Lichtlose zu leisten vermag, während der vollsinnige Handwerker meistens mit dem gewöhnlichen Vorurteil der Sehenden, ich möchte fast sagen, mit einer gewissen Voreingenommenheit an seine blinden Lehrlinge herantritt und gerne seine wirkliche oder eingebildete Überlegenheit fühlen läßt. — Da wäre meines Erachtens noch ein weites Arbeitsfeld für intelligente, charakterfeste Blinde, wenn ihnen die Schule ganz verschlossen bleiben sollte, was nach dem bekannten Erlasse des hohen Ministeriums für Preußen der Fall zu sein scheint. Auch die Berechtigung zum Musikunterricht in Blindenanstalten dürfte durch diesen Erlaß nicht aufgehoben sein. —

Weit davon entfernt, der alten, von Frankreich ausgegangenen und ausgehenden Ansicht zu huldigen, daß jeder Blinde für die Musik prädestiniert sei, bin ich, gestützt auf meine und anderer Erfahrung, doch der Meinung, daß sehr gut beanlagte Blinde, die eine gründliche Ausbildung erhalten, als Musiklehrer in Anstalten, als Privatmusiklehrer, mancherorts als Organisten und besonders als Klavierstimmer ihr gutes Fortkommen finden können. Wir alle kennen blinde Stimmer und Musiklehrer, die ein sehr schönes Einkommen haben. Es gibt solche, die mehr verdienen, als manche Blindenanstalts-Direktoren. —

Allein die Gefahr liegt nahe, daß sich zu viele mittelmäßige und schwache Talente in diese Laufbahn hineindrängen und daß sich Leute, deren richtiger Platz die Werkstätte gewesen wäre, der Handarbeit schämen, welche sie über Wasser halten könnte, bis sie auf anderem Gebiete genügende Kundschaft gefunden hätten. Strenge Auswahl ist deshalb notwendig — und auf die solide Grundlage der Handarbeit darf nie verzichtet werden. Wer sich aus Rücksichten der sogenannten Standesgemäßheit des Handwerks schämt, wird als aufgeblasener Mensch auch auf anderen Gebieten nichts leisten. Die ausschließlich musikalische Ausbildung, wie sie im Pariser Nationalinstitut üblich ist und die uns oft als Ideal empfohlen wird, hat für französische Verhältnisse nichts getaugt und taugt bei uns noch viel weniger. Von den vielen Blinden, die dort eintreten, kommen nur wenige in die obersten Kurse, — und wenn diese letzteren alle ordentliche Stellen fänden, die sie ohne Beisteuer der Société de Patronage zu ernähren vermöchten, so wären wir immer noch zur Frage berechtigt: „Wo sind die neune?“ Und doch bietet gerade Frankreich dem blinden Musiker noch am meisten Aussicht auf Erfolg; denn es hat eine große Zahl klösterlicher Erziehungsanstalten, die schon aus Sparsamkeitsrücksichten blinde

Musik-Lehrer und -Lehrerinnen anstellen; es ist ein katholisches Land, wo die Organisten täglich in der Kirche zu tun haben, so daß also die Volksschullehrer kaum Organisten sein könnten, selbst wenn die Regierung es erlaubte, was zurzeit nicht der Fall ist. Trotz alledem müssen die Erfolge doch recht unbefriedigend gewesen sein; denn die Pariser Behörden haben das Verfehlte der ganzen Richtung eingesehen und auf Anregung unseres Kollegen Pépheau, Directeur des Quinze-Vingts, in St. Mandé bei Paris eine Erziehungsanstalt für das Département de la Seine ganz in unserem Sinne eingerichtet, d. h. den Schwerpunkt der beruflichen Ausbildung in die Werkstätten verlegt, ohne der Musik die ihr gebührende Stellung zu versagen. --

Die Pariser Behörden hatten den Wert der alten Richtung an ihren Früchten erkannt — und kompetentere Beurteiler als die Pariser gibt es wohl in diesem Falle nicht. - „Von Ferne gleißt, was in der Nähe Trug."

Bilden wir also gut talentierte, sittlich tüchtige Blinde - aber auch nur solche — zu Organisten, Musiklehrern und Stimmern aus! Halten wir aber unbedingt daran fest, daß jeder, der nicht eine Stelle in sicherer Aussicht hat, auch ein Handwerk lerne, um etwas Sicheres zu haben!"—

Aus dem Gesagten, das bezüglich des Musikunterrichts nichts Neues bietet, sondern nur das Festhalten am bewährten Alten empfiehlt, geht die Antwort auf die zweite Frage: „Wo soll es geschehen?" hervor; denn nur Blindenanstalten bilden auch Handwerker aus. — „Hochschüler" würden es unter ihrer Würde halten, ihre musikalischen Finger mit Pech zu besudeln. —

Als vor einigen Jahren von Königsberg aus die Gründung einer besonderen Musikschule, die man sehr bescheiden „Hochschule" nannte, angeregt wurde, war ich nicht wenig erstaunt, auf dem sachbezüglichen Rundschreiben mehrere günstige Gutachten von Seite norddeutscher Lehrerkollegien zu finden. -- Erst Schulrat Wulff sprach sich zurückhaltend, eher ablehnend aus; aber auch er wollte der garstige Spielverderber noch nicht sein. — Je weiter das Rundschreiben nach Süden kam, desto schärfer wehte, wohl wider alles Erwarten, der Gegenwind. — Die hohe preußische Regierung und das Abgeordnetenhaus haben den Opponenten Recht gegeben. Ich betrachte es als ein Glück für die Blindensache, daß die Behörden sich durch die paar günstigen Gutachten nicht beeinflussen ließen. — Unsere Anstalten leisten auf diesem Gebiete Genügendes. Die Anstellung oder Nichtanstellung unserer Zöglinge als Organisten hängt nicht von ihrem Können, sondern von ihrer sozialen Stellung und der Gunst oder Ungunst der Geistlichkeit und des Publikums ab. — Ich könnte darüber erbauliche Geschichten erzählen, will Sie aber damit verschonen. Bei uns wird wohl kein Blinder, selbst wenn er mit bestem Erfolge durch das Konservatorium gegangen ist, ein bezahltes Organistenplätzchen finden, solange noch ein Sehender einen Finger und eine Zehe hat. - Die Herren Organisten vertreten, wenn diese spazieren gehen oder Ferien machen wollen, dürfen sie dagegen immer und sich die „Ehre" als Bezahlung buchen. -

Sobald wir eine sogenannte Musikhochschule für Blinde gründen, werden sich viele Unbegabte herandrängen (wem fehlt es in seinen und seiner Eltern Augen an Talent?!), die später ihr Ziel ebensowenig erreichen als die meisten unserer Anstaltszöglinge, welche bei ihrem Austritte aus der Anstalt nur Musik treiben wollen; — denn solange die Organistenstellen mit den Lehrerstellen verbunden sind und das wird noch lange der Fall sein — ist für die Blinden auf diesem Gebiete nur wenig zu hoffen. — Eine Spezialschule für Musik wäre aber natürlicherweise bestrebt, recht viele Studenten — denn so müßte man sie doch wohl nennen heranzuziehen, eine Masse von Mittelgut in die Welt zu setzen und auf Jahre hinaus, d. h. bis die schlimmen Folgen sich recht fühlbar gemacht hätten, dem handwerksfeindlichen Musikbazillus neue Nährgelatine zuzuführen. - Wo sollte man mit allen diesen Musikern hin?! Wo und wie würden diese armen, betörten Menschen ihr Brot finden? Wohl nur da, wo so viele französische Musikanten es suchen müssen: In Kneipen und einige Stockwerke tiefer. — Wenn wir in den Anstalten außerordentlich begabte Zöglinge haben, bei denen sich höhere musikalische Ausbildung geradezu aufdrängt, so fehlt es ja an Konservatorien nicht, deren Abgangszeugnis viel besser empfiehlt, als dasjenige einer Blindenmusikschule, — welches doch nie als vollwertig anerkannt würde, selbst wenn sein Träger eine ausgezeichnete Kraft wäre. — Der blinde Musiker wird vom Publikum selten nach seinem wahren Werte geschätzt. Man „bewundert" pflichtschuldigst jeden — aus Mitleid. Verlangt er aber eine Stelle, ehrliche Arbeit als Organist, oder Musiklehrer, so ist man selten zu Hause. — Auch bezüglich des Kostenpunktes sind die vorhandenen

Konservatorien einem zu gründenden vorzuziehen. Mit den Summen, welche die Gründung und Dotierung einer Spezialanstalt erfordern würde, ganz abgesehen von den Kosten des einzelnen Schülers, könnten wir viele Blinde auf Konservatorien schicken.

Es ist mir nun zwar in den letzten Tagen hier gesagt worden, daß verschiedene Musikschulen Blinde zurückweisen. — Dies kommt daher, daß es uns noch an der gedruckten Musik fehlt, die auf den Lehrplänen jener Anstalten zu figurieren scheint. Doch da wäre leicht Wandel zu schaffen! Wir haben heute so viele Blindendruckereien, daß alle diejenigen, welche nicht den Verein zum Paten haben, für den Speicher drucken müssen. Mögen doch diejenigen, welche sich an den Sitzen unserer Konservatorien befinden, mit letzteren in Verbindung treten und nach deren Auswahl Musikstücke veröffentlichen. Dann wird sich wohl kein Konservatorium scheuen, unsere besten Schüler aufzunehmen, Mittelgut aber auch unerbittlich zurückzuweisen.

Hüten wir uns vor der Gründung einer Spezialanstalt!

Man könnte nun zwar meinen, daß die Sache endgültig abgetan sei, nachdem die hohe preußische Regierung sie von der Hand gewiesen hat. Allein schon das Wiederauftauchen dieses Gegenstandes auf der heutigen Tagesordnung beweist, daß wir jeden Augenblick eine neue Auflage erleben können, welche durch die nicht aus der Welt zu schaffenden günstigen Urteile einiger Anstalten nur gefördert werden müßte, so lange nicht der Kongreß als solcher zu der Frage Stellung genommen hat. Deshalb bitte ich um Annahme folgender Thesen:

Es ist wünschenswert:

1. daß tüchtige Blinde als Musiklehrer, Arbeits- und Hilfslehrer für Schulunterricht mehr als bisher in den Blindenanstalten Verwendung finden*), und daß
2. die Anstalten fortfahren, gut beanlagte Zöglinge nach Maßgabe des voraussichtlichen Bedarfs zu Organisten und Musiklehrern, besonders aber zu Klavierstimmern möglichst gründlich auszubilden, ohne dieselben von der Erlernung eines Handwerks zu dispensieren.
3. Von der Gründung einer sogenannten Hochschule für Musik ist dringend abzuraten; dagegen ist zu wünschen, daß sich einige Druckereien besonders auf den Notendruck verlegen, um vorzüglich begabten, zuverlässigen Blinden den Eintritt in Konservatorien für Sehende zu ermöglichen oder zu erleichtern**).

II.

Sprachlehrer.

Unter allen Schulfächern sind wohl die lebenden Sprachen den Blinden am leichtesten zugänglich, weil es sich bei der Sprache im eigentlichen Sinne, d. h. dem gesprochenen Worte, doch wesentlich nur um möglichst richtige Reproduktion von Gehörsvorstellungen handelt. Der Mangel des Gesichts macht sich beim Studium fremder Sprachen hauptsächlich nur in dem Sinne fühlbar, daß das nicht unwichtige Ablesen von den Lippen, also die Auffassung besonders der Lippenkonsonanten durch zwei Sinne, in Wegfall kommt. Das gesprochene Wort ist dem Blinden folglich fast so leicht und so vollkommen zugänglich, wie dem Sehenden, und dem Mangel an gedrucktem Sprachstoff und an Lehrmitteln ist heute so weit abgeholfen, daß den Lichtberaubten auch das geschriebene Wort, d. h. die Literatur der verschiedenen Sprachen in ihren Hauptwerken, zur Verfügung steht.

Deshalb ist nicht abzusehen, warum der Blinde sich nicht auf einem Gebiete zu betätigen suchen sollte, auf welchem er bei dem heutigen Stande des Reliefdrucks nicht ohne Aussicht auf Erfolg mit dem Sehenden wetteifern kann, unter der Voraussetzung nämlich, daß er in bezug auf Wissen und Können dem vollsinnigen Konkurrenten mindestens ebenbürtig sei.

Wenn sich der Blinde zum Sprachlehrer ausbilden will, muß er darauf bedacht sein, sich

*) D. h. auch in den vielen Anstalten, die sie bis jetzt grundsätzlich ausschließen.

**) Es ist mir nachträglich der Vorwurf gemacht worden, daß ich kein statistisches Material verwendet habe. — Dies ist absichtlich geschehen — nicht etwa aus Nachlässigkeit —, es hätte sonst der Eindruck entstehen können, daß ich darauf ausgehe, die vielen deutschen Anstalten — tatsächlich fast alle — welche Blinde grundsätzlich von der Mitarbeit ausschließen, an den Pranger zu stellen.

gründlicher auf seinen Beruf vorzubereiten, als dies bei den meisten neusprachlichen Lehrern und Lehrerinnen — und diese habe ich im Auge der Fall ist.

Kann dieses Ziel mit den Hilfsmitteln, über die wir verfügen, erreicht werden und, wenn ja, auf welche Weise?

Um diese Fragen beantworten zu können, müssen wir uns zunächst den Bildungsgang der meisten sehenden Sprachlehrer vergegenwärtigen. Wir können letztere bezüglich ihrer Vorbildung abgesehen von den Handelsbeflissenen, welche in kritischen Zeiten deren Reihen überfüllen — in zwei Kategorien teilen: die praktisch und die wissenschaftlich vorgebildeten Sprachlehrer.

Erstere gehen gewöhnlich aus einem Seminar oder einer anderen Mittelschule (Gymnasium, Realschule usw.) hervor und bringen einige Zeit im Auslande zu, um eine oder mehrere fremde Sprachen praktisch einigermaßen zu erlernen. Wenn sie befähigt sind, die sog. Mittelschullehrer-Prüfung zu bestehen, können sie an niederen Mittelschulen angestellt werden; zum höheren Lehramt werden sie, auch bei großer Zungenfertigkeit, ebensowenig zugelassen, als Unteroffiziere zur Offizierslaufbahn oder Kanzlisten zum Richteramte. Solche Leute haben keine Ahnung vom wissenschaftlichen Sprachstudium; sie sind deshalb auch nicht in der Lage, die heutigen Formen zu erklären, sondern müssen dieselben ihren Schülern beibringen, wie sie selbst in deren Besitz gelangt sind: durch mechanisches Auswendiglernen, wobei der formale Unterrichtszweck nicht erreicht wird.

Zu dieser Kategorie gehören wohl 90% aller neusprachlichen Lehrer und Lehrerinnen in sog. Mittelschulen, Pensionaten usw. Sie sind Elementarlehrer auf sprachlichem Gebiete.

Noch vor 30—40 Jahren gab es kaum neusprachliche Lehrer mit anderer, d. h. wissenschaftlicher Vorbildung. Die akademisch gebildeten Leute, welche sich unter den Sprachlehrern befanden, hatten eben nicht neue, sondern alte Philologie, Geschichte, Medizin, Theologie usw. studiert und waren durch besondere Umstände in ihrem Beruf verschlagen worden.

Das Studium der lebenden Sprachen war als minderwertig, weil unwissenschaftlich, von den Hochschulen ausgeschlossen. Erst Friedrich Dietz, Professor der germanischen Sprachen in Bonn, hat seit der Mitte dieses Jahrhunderts die neue, speziell die romanische Philologie salonfähig gemacht und die Besetzung neugeschaffener Lehrstühle für diese Wissenschaft an fast allen europäischen Universitäten mit seinen direkten oder indirekten Schülern erlebt. Aus dieser neuen Schule ist die zweite Kategorie, diejenige der wissenschaftlich vorgebildeten Sprachlehrer der höheren Lehranstalten, hervorgegangen.

Diese Neuphilologen erhalten ihre Vorbildung an Gymnasien oder Realgymnasien, allenfalls auch an Oberrealschulen und ausnahmsweise an Lehrerseminarien; in letzterem Falle sind natürlich vorerst große Lücken auszufüllen. Vollwertig ist nur die Gymnasialvorbildung. An diese schließt sich das Universitätsstudium. Die Prüfungsordnungen fordern in der Regel den Nachweis des akademischen Trienniums.

Auf den Universitäten werden die jungen Leute bei mindestens dreijährigem wirklichem Studium in die historische Grammatik der neueren Hauptsprachen, die Sprachvergleichung, Textkritik an der Hand der alten und ältesten Sprachdenkmäler der verschiedenen Literaturen, in die Lautphysiologie und Paläographie, sowie in die Literaturgeschichte eingeführt, also wissenschaftlich tüchtig ausgebildet, während ihnen in der Regel die Übung im modernen Sprachgebrauch fast gänzlich abgeht. Nach einem Passus der Enzyklopädie des Studiums der neueren Sprachen von Professor Dr. Körting darf letztere von den Neuphilologen als solchen nicht gefordert werden; sie sei nur wünschenswert und könne durch häufigen Verkehr mit Ausländern, allenfalls durch einen kurzen Aufenthalt im Auslande nach absolviertem Staats- und Doktorexamen, erworben werden.

Es geht aus obigem hervor, daß wir mit Hilfe der einer Blindenanstalt zu Gebote stehenden Lehrkräfte und Lehrmittel nicht in der Lage sein werden, Blinden die wissenschaftliche Bildung zu geben, welche der gutvorbereitete Sehende bei 3—4 jährigem, wirklichem Universitätsstudium sich aneignen kann. Anders verhält es sich, wie wir sehen werden, bezüglich der praktischen Ausbildung.

Allein man würde sich irren, wenn man glaubte, daß alle Kandidaten des neusprachlichen Lehramts 3—4 Jahre an Universitäten wirklich studieren. Ein Jahr darf in der Regel im Auslande zugebracht werden, ohne daß für diese Zeit akademisches Studium nachgewiesen werden muß. Letzteres schrumpft somit unter Umständen auf 4 Semester oder ca. 14 Monate, ja, da auch das Militärdienstjahr, in welchem bekanntlich nichts geschieht, als Studienjahr angerechnet wird, sogar auf 2 Semester

17*

oder 7 Monate zusammen — und in dieser Zeit reißt man keine Bäume aus, besonders wenn man, wie in Deutschland, um sich auf das Staatsexamen vorzubereiten, romanische und germanische (englische) Philologie nebeneinander treiben muß. Was bei solchem Universitätsstudium geleistet wird, kann man mit intelligenten Blinden in fünfzig Monaten, d. h. in fünfjährigem Kursus auch erreichen, vielleicht auch erheblich mehr. Aber selbst ein Ausfall auf wissenschaftlichem Gebiete wäre leicht durch bessere praktische Ausbildung zu ersetzen, wenn die besten Anstalten verschiedener Länder einander in die Hände arbeiten wollten.

Bevor wir auf das neuphilologische Universitätsstudium etwas näher eingehen und die Frage zu beantworten suchen, ob und wie wir den Blinden allenfalls Ersatz für dasselbe bieten können, wollen wir uns die Entstehung der neueren, speziell der romanischen Sprachen, auf die ich mich beschränke, kurz vergegenwärtigen.

Auf ihrem Eroberungszuge durch die damals bekannte Welt trafen die Römer eine große Zahl von Völkerschaften, welche verschiedenen arischen und semitischen Stämmen angehörten und in Sitten und Sprachen sehr voneinander abwichen.

In Italien selbst fanden sie neben dem Griechischen des Südens u. a. die oskische, sabellinische, umbrische, etruskische und ligurische Sprache und diejenige der cisalpinen Gallier; jenseits der Alpen, der Pyrenäen und des Kanals die verschiedenen gallisch-keltischen und iberischen Mundarten, im Norden das Germanische und im Osten und Süden neben den griechischen Dialekten eine ganze Reihe von asiatischen und afrikanischen Sprachen, die größtenteils verschwunden sind, seit die große Mähmaschine des Islam über jene Länder gegangen ist. Allen unterworfenen Völkerschaften, welche auf niederer Kulturstufe standen, wie die des Westens, wurde römische Kultur eingeimpft und die Sprache Latiums durch Kolonisten, Soldaten und Beamte als Edelreis auf die verschiedenen italischen, keltischen, iberischen Wildlinge gepfropft. Allein die Verschiedenheit der Unterlage, des Bodens und des Klimas bedingte mannigfaltige Entwicklung dieses Reises und seiner Früchte.

Der Römer in Rom sprach zur Kaiserzeit natürlich ein anderes Latein als der Sizilianer, der Mailänder, der Südspanier oder der Pyrenäenbewohner, — dieser wieder ein anderes als der Bürger Lutetias oder der Brite. Das vielgestaltige Bündel lateinischer Mundarten wurde aber zusammengehalten durch das gemeinsame Band des Schriftlateins, wie auch heute Oberdeutsche und Niederdeutsche, Genuesen, Venetianer und Napolitaner, Normannen und Provenzalen sich verständigen durch das Mittel der gemeinsamen Schriftsprache, die, wie Dante von der italienischen sagte, überall gesprochen wird und nirgends. Als zur Zeit der Völkerwanderung das morsche Gebäude des Römerreichs vor des Nordostwinds gewaltigem Brausen zusammenbrach, wurde der Versuch gemacht, die verschiedenen römischen Sprachbäume abermals umzupfrofen und ihnen gotische, alemanische, suevische, fränkische, burgundische oder longobardische Reiser aufzusetzen. Allein unsere deutschen Urgroßonkel pfropften mit dem Schwerte, und der „brant" ist eben ein grobes Gärtnerwerkzeug.

Die Bäume wurden wohl verstümmelt, aber die eingesetzten Reiser wuchsen nicht; sie blieben als Fremdkörper, die sich dem Organismus nicht assimilieren, in den verschiedenen Sprachstämmen stecken, wo wir sie heute noch unverändert, sozusagen als Versteinerungen, finden und sie in großer Zahl für „feineren" Gebrauch wieder ausgraben. Sie sehen heute so vornehm fremdartig aus und sind „viel weiter her" als ein hausbackenes deutsches Wort! Nur unsere alemannischen Vorfahren im äußersten Südwesten, zum Teil auch die Rheinuferfranken, verrichteten gründlichere Arbeit; sie hieben die alten Bäume um und pflanzten neue an deren Stelle. Sie allein von allen germanischen Auswanderern haben unter den schwierigsten Verhältnissen Sitten, Sprache und Grenzen ihrer Altvordern bis auf den heutigen Tag bewahrt.

Mit dem Verfalle des Römerreichs hielt der seiner amtlichen Sprache gleichen Schritt. Je nach der Natur der ursprünglichen Landessprache und dem Einflusse der neueingesessenen Germanen, nahm dieser Auflösungsprozeß seinen Lauf.

Hier scheiden sich die Wege für die verschiedenen Sprachgebiete. Gemeinsam ist ihnen das allmähliche Verschwinden der Deklination infolge der täglich häufiger werdenden Verwechslungen, — die Zersetzung der Konjugation, d. h. der allgemeine Gebrauch von Hilfsverben zur Bildung einer Reihe von sog. zusammengesetzten Konjugationsformen der aktiven und aller Formen der passiven Verben und das mit der Zeit und von Osten nach Westen steigende Bedürfnis nach persönlichen Fürwörtern als Ersatz für die eingeschrumpften und somit unkenntlich gewordenen oder abgefallenen Personalendungen.

So lösen sich die einfachen Formen:

laudaveram in (io) aveva lodato	j'avais loué	Ich hatte gelobt.
laudabor „ io sarò lodato	je serai loué	Ich werde gelobt werden.

also in drei Wörter auf.

Dasselbe Schicksal erfahren fast alle lateinischen Verbalformen. Deshalb ist man berechtigt, die modernen Sprachen auflösende, „analytische", die alten „synthetische" Sprachen zu nennen. Ähnlich verhält es sich mit den Substantiven, vor welche als Ersatz für die einfachen Deklinationsformen Artikel und Präpositionen treten, weil die charakteristischen Endungen abgefallen oder derart eingeschrumpft sind, daß sie die Beziehungen der Wörter zueinander nicht mehr kenntlich zu machen vermögen. So ist von murus, muri, muro, m u r u m, mure, muro nur murum als (le) m u r und von muri, murorum, muris, m u r o s, muri, muris nur (les) m u r s übrig geblieben; im Italienischen il muro und i muri usw. (neben le mura).

Schon im ältesten französischen Sprachdenkmale, den Straßburger Eiden (842), finden wir Verwechslungen der Kasusformen, wie „Carle" statt „Carlun", „Deo" statt „Dei" usw. Diese Unsicherheit erklärt das für die altfranzösische und altprovenzalische Periode charakteristische Verschwinden aller Fälle m i t A u s n a h m e d e s e r s t e n (als Subjekt) und d e s v i e r t e n, der mit Hilfe von Präpositionen auch für den Genitiv, den Dativ, den Vocativ und den Ablativ eintritt und so, infolge häufigeren Vorkommens, allmählich auch den Nominativ verdrängt und — wesentlich in der Form der zweiten Deklination — fast zur Alleinherrschaft gelangt. (Mit Ausnahme der Wörter auf s, x=cs, z=ts und ds.)

Einige alte Genitivformen kommen noch gegen das Jahr 1000 vor, so im Alexiusliede „ancienur" (der Alten), „auceisur" (der Vorfahren) (antecessorum) und im Rolandsliede „paienur", der Heiden (Vers 1019), (paganorum), „paienor" (Vers 2639), ja im Provenzalischen sogar noch ein Jahrhundert später bei Bertran de Born und zwar in der eigentümlichen Verbindung mit der Präposition de und mit falscher Endung. (bem plai lo gais temps d e p a s c o r (orum statt arum) [Osterzeit].

Dativ- und Vocativformen finden wir, wie oben angedeutet, noch in den Eiden. Ähnlich verhält es sich mit den anderen romanischen Sprachen, wenn auch der Accusativ nicht alle anderen Fälle verdrängen konnte, sondern denselben ihren Teil an der Lieferung des Wortschatzes überlassen mußte; denn der angedeutete Zersetzungsprozeß hat sich im ganzen römischen Sprachgebiete, aber je nach der örtlichen lateinischen Mundart und dem Einflusse des hinzukommenden germanischen Elements, auf verschiedene Weise vollzogen. So sind unendlich viele neue Mundarten entstanden, welche von einem Ende des romanischen Sprachgebietes bis zum andern, von Sizilien bis zur Straße von Gibraltar und zum Kanal, unmerklich ineinander übergehen, wie die Farben des Regenbogens, so daß es beispielsweise sehr schwer ist, die italische Dialektgruppe von der schon am Ostabhange der cottischen Alpen, in den Tälern des Pellice und Clusone, beginnenden provenzalischen Gruppe abzugrenzen. Der Dialekt der piemontesischen Waldenser z. B., den ich an Ort und Stelle und an der Hand seiner alten und neuen Literatur kennen gelernt habe, wird von verschiedenen Italienern, unter anderen von Biondelli in seinen „Dialetti gallo-italici", zur piemontesischen Gruppe gerechnet, während das Altwaldensische entschieden provenzalisch ist und später nur unter piemontesischem Einflusse gelitten hat. Ebenso unmerklich sind die Übergänge zwischen dem Italienischen und dem Romanischen Südtyrols und meiner rhätischen Heimat und dessen zahlreichen Mundarten. Auch die Pyrenäen bilden keine Sprachgrenze; denn das Provenzalische, die Sprache des oc [*)=ja], reicht unter verschiedenen Namen (katalanisch usw.) von der Loire bis über den Ebro zum iberischen Scheidegebirge und fast zum Südende der spanischen Ostküste, also tief in die südliche Hälfte des einstigen Westgotenreichs hinein und geht dort nach und nach in die spanischen und portugiesischen Volksmundarten über, wie sich ihm, dem Provenzalischen, im Norden und Osten der Loire die verschiedenen französischen Gruppen

Burgundisch, Picardisch, Normannisch, Französisch der Isle de France, Lothringisch usw. — und im oberen Rhonegebiete bis in die Südvogesen die franco-provenzalischen Gruppen anschließen. Als romanische Sprachinsel finden wir noch im unteren Donaugebiete, in Transsylvanien und Serbien das Rumänische.

Diese zahllosen romanischen Mundarten bilden 8 Dialektgruppen (wenn man das Rhätische für 2 rechnet — Rheingebiet, Inn- und Etschgebiet), welche ebenso viele Schriftsprachen abgesondert, ich möchte sagen „ausgeschwitzt" haben, die zwar in den betreffenden Gruppengebieten von allen

*) hoc est.

Gebildeten verstanden werden, aber doch eigentlich überall Fremdsprachen sind, genau wie das Hochdeutsche da, wo Mundarten gesprochen werden, und dies dürfte im ganzen deutschen Sprachgebiete der Fall sein.

Aufgabe der romanischen Sprachforschung von der hier vorläufig allein die Rede sein wird — und des Sprachstudiums ist es nun, den oben angedeuteten Zersetzungs- und Umwandlungsprozeß von Laut zu Laut, von Form zu Form durch alle romanischen Mundarten von den ältesten Zeiten bis auf die Gegenwart zu verfolgen und nach dem Ursprung der modernen Laut- und Buchstabengruppen zu forschen, die, bei gleicher Form, sehr verschiedener Herkunft sein können, einerseits im Interesse der Wissenschaft als solcher, andererseits aber auch um Sprachlehrer heranzuziehen, welche befähigt sind, die gegenwärtige Sprache und Orthographie als Produkt tausendjähriger Entwicklung zu verstehen und die Schüler auf bildende Weise, nicht bloß durch mechanische Gedächtnisarbeit, mit denselben vertraut zu machen. Und dieser Aufgabe suchen die Hochschulen aller Länder heute gerecht zu werden; sie bilden so viele Sprachlehrer für höhere Schulen aus, daß nachgerade das Angebot die Nachfrage übersteigt. Es ist deshalb vorauszusehen, daß die nicht wissenschaftlich vorbereiteten Sprachlehrer und Lehrerinnen immer mehr durch Neuphilologen verdrängt werden und daß auch die Gelegenheit zu lohnendem Privatunterricht für Empiriker immer seltener werde.

Über diese Verhältnisse mußten wir uns Klarheit verschaffen, wenn wir die uns gestellte Frage beantworten wollen. Unverantwortlich wäre es, namentlich unbemittelte Blinde einem Berufe zuzuführen, ohne gewissenhaft abzuwägen, ob sie in demselben, für Anstalts- und Privatunterricht, konkurrenzfähig werden können. Mit dem Studium einer Elementargrammatik und einiger Vokabeln und kurzem Aufenthalt im Auslande ist es nicht getan! Die Zahl der Handwerksverderber braucht nicht vermehrt zu werden.

Wir dürfen es nur wagen, Blinde zu Sprachlehrern auszubilden, oder ausbilden zu lassen, wenn wir ihnen eine sprachwissenschaftliche Schulung geben können, welche derjenigen ihrer vollsinnigen, wissenschaftlich vorgebildeten Fachgenossen annähernd gleichwertig ist, und in der Lage sind, ihnen als Ersatz für das Fehlende Gelegenheit zu bieten, sich durch längern Aufenthalt im Auslande praktisch besser vorzubereiten, als die meisten ihrer vollsinnigen Konkurrenten dies zu tun vermögen.

Es drängen sich uns nun die wichtigen Fragen auf: Kann dieses Ziel mit Blinden, die kein Gymnasium besucht haben, erreicht werden? und ist es für den nicht sehr bemittelten und äußerst begabten Blinden ratsam, nach demselben zu streben?

Gestützt auf die in meiner höheren Klasse seit Jahren gemachten Erfahrungen — sie dürften auf diesem Gebiete die einzigen sein — halte ich das Ziel nicht für erreicht, aber für erreichbar, wenn es nicht an Zeit und an Lehrkräften fehlt.

Es hält nicht allzuschwer, junge Blinde, welche zwar kein Gymnasium besucht, aber sonst eine gute Vorbildung erhalten haben und das Neufranzösische genügend beherrschen, um die Klassiker lesen zu können, in das Verständnis der älteren und ältesten Sprachdenkmäler einzuführen und so Anschauungsstoff für die historische Grammatik zu gewinnen und an wenigen Beispielen die wesentlichsten Lautgesetze zu entwickeln, welche es in sehr vielen Fällen schon den Anfängern ermöglichen, durch lückenlose Reihen von Folgerungen aus den neuen die älteren und ältesten Formen und schließlich die Wurzeln und aus diesen wieder Nebenformen, also ganze Wortfamilien, zu finden. Nur muß man eben anfänglich den Krebsgang einschlagen, d. h. nicht vom Lateinischen vorwärts, sondern vom modernen Sprachgebrauche rückwärts gehen, z. B. von je auf jo, iò, io (ital. Form, Prov. ieu, Rhr. eu) auf eo (Straßburger Eide)*) und endlich auf ego; — von j'étai(s) auf j'étoi(s), estoie, esteie, stebam für stabam, — welche die alten Imperfektformen j'ere usw. (aus eram) ersetzt haben; von chevaux auf chevax, chevaus, chevals, caballos usw.

Schon diese wenigen Beispiele gestatten die Ableitung einer Reihe von Lautgesetzen. Es kann sich hier nicht darum handeln, eine erschöpfende Grammatik der romanischen Sprachen vorzutragen. Eine solche Aufgabe ginge weit über meine Kräfte. Ich beschränke mich darauf, an wenigen Beispielen zu zeigen, auf welche Weise ich meinen Schülern die heutigen Sprachformen erkläre, um auch ihr Denkvermögen — nicht nur ihr Gedächtnis — zu stärken und einzelne unter ihnen zu befähigen, später einen geistbildenden Sprachunterricht erteilen zu können. Zu diesem Zwecke habe ich einige

*) 842.

besonders interessante Erscheinungen des Französischen (die Entwicklung des kurzen i und des langen ō, den Ursprung des é, das Schicksal der Konsonanten l und c in einigen Wörtern, das germanische w (=g=gu=gw), die Deklination (Pluralbildung), die Konjugation von être und einige Fremdwörter mit Seitenblicken auf die Schwestersprachen — ausgewählt*.

Schulrat Dir. Mecker hat mich nach dem Amsterdamer Kongresse aufgefordert, die erste Arbeit bei nächster Gelegenheit in diesem Sinne zu ergänzen.

Konjugation von être, essere, ser = sein.

Für das französische être finden wir in älterer Zeit zunächst estre, dann essre, essere (im Italienischen erhalten) und endlich das lateinische esse.

Das klassische esse hat sich schon zur Römerzeit in der Volkssprache zu essere verlängert. In den Katakomben ist laut Brachet, grammaire historique, eine Grabschrift folgenden Wortlauts gefunden worden: „Cod estis fui, cod sum essere habetis". (Was ihr seid, war ich; was ich bin, werdet ihr sein, (habt ihr zu sein).

Durch Ausfall des mittleren Vokals wurde essere zu essre. Zwischen der s-Stellung und der (Zungen) r-Stellung der Sprachwerkzeuge liegt aber diejenige des dentalen Konsonanten t, der bei raschem Sprechen unwillkürlich zwischen s und r entstehen mußte, weil die Zungenspitze, die beim s an die Alveolen der unteren Schneidezähne angestemmt ist, um in der Mitte der Mundhöhle frei schwingen und das Zungen-r erzeugen zu können, sich plötzlich von den Zähnen ablösen muß, wodurch der dentale Platzlaut t entsteht. Aus essre (esre) wird also estre. Nach und nach verstummt das s, und in der Schrift wird es, wohl um Pergament zu sparen, über das e geschrieben und erscheint so als Zirkumflex auf demselben; estre wird zu être.

Ähnliche, nicht auf der Etymologie, wohl aber auf dem Bau unserer Sprachwerkzeuge beruhende Einschiebungen finden wir beispielsweise auch in folgenden Wörtern:

Prov. (Provenzalisch) dompna (domina), Herrscherin, Frau ital. donna, franz. dame. (domina — domna, dompna).

„Eu m' escondisc dompna que mal non mier" (Bertran de Born.) Ich rede mich aus, entschuldige mich — Dame, daß ich nichts Böses verdiene.

Franz. dompter von domitare aus domare, devemps (debemus): Vie de St. Leger: „Domine Deu devemps lauder".

M. h. d. und alemannisch-Humbel=Hummel.

Das Provenzalische und das Rhätoromanische sind auf der zweiten Entwicklungsstufe „essere" stehen geblieben; im Spanischen und Portugiesischen erscheint der Infinitiv um die Vorsilbe es verkürzt, als ser.

Die Konjugation von être, essere, ser usw. ist in den romanischen Sprachen — wie in der deutschen — aus Formen dreier Verben zusammengelesen. Diese sind:

I. esse; II. stare; III. fore
sum; sto; fuo.

I. Auf esse, bzw. auf die lateinischen Konjugationsformen aus esse, gehen zurück.

(Lateinisch)	Französisch	Provenzalisch	Italienisch	Spanisch	Portugiesisch	Rhätoromanisch (lad.)	Walachisch
			1. Die Gegenwart des Indikativs:				
(sum)	sui(s)**)	sui (soi)	sono	soy	son	sum	sunt
(es)	es	est (iest)	sei	eres***)	es	est	esti
(est)	est	es (est)	è	es	è	ais	este
(sumus)	sommes	em (esmes)	siamo	somos	somos	essans	suntem
(estis)	êtes	etz (esz)	siete	sois	sois	essas	suntetzi
(sunt)	sont	son (sun)	sono	son	sao	sun	sunt

*) Dieser „technische" Teil konnte in Berlin wegen Mangel an Zeit und Interesse nicht vorgetragen werden; er ist aber im Kongreßberichte erschienen, wo er fälschlich als nachträgliche „Erweiterung" der ursprünglichen Arbeit bezeichnet wird. Ich habe auch diesen Teil nicht nachträglich, sondern in Berlin geschrieben.

**) Das s ist aus der 2. Person eingedrungen.

***) r aus s, wie in eram, war aus was (wesen).

(Lateinisch)	Französisch	Provenzalisch	Italienisch	Spanisch	Portugiesisch	Rhätoromanisch (lad.)	Walachisch
			2. Die Gegenwart des Konjunktiv:				
sim	que je soi(s)*)	sia	ch'io sia	sea	seja	saja	
sis	sois	sias	sii (sia)	seas	sejas	sajast	
sit	soit	sia	sia**)	sea	seja	saja	
simus	soyons	siam	siamo	seamos	sejamos	sajans	
sitis	soyez	siatz	siate	seáis	sejais	sajas	
sint	soient	sian	siano	sean	sejao	sajan	
			3. Der Imperativ.				
es	sois	sias	sii	sé	sê	saja	
	soyons		siamo			sajans	
este	soyez	siatz	siate	sed	sedê	sajas	
			4. Das Imperfekt des Indikativ:				
eram	j'ere	era	io era	era	era	eira	eram
eras	tu eres	eras	eri	eras	eras	eirast	erai
erat	il ert	era	era	era	era	eira	erâ
eramus	n. eriens	eram	eravamo	eramos	eramos	eirans	eram
eratis	v. eriez	eratz	eravate	erais	ereis	eiras	eratzi
erant	i. ièrent	eran(t)	erano	eran	erao	eiran	eran

In der französischen Sprache finden wir das etymologisch richtige Imperfekt ere, eres, ert usw. noch im Rolandslied (zwischen 1066 und 99) und bis ins 12. Jahrhundert. Neben demselben entstand aber, wohl um Verwechslungen mit dem Futurum zu vermeiden, ein zweites Imperfekt aus stare, von dem später die Rede sein wird.

5. Futurum.

Die dem lateinischen Futurum direkt entstammenden altfranzösischen und provenzalischen Formen sind:

franz.	j'ere und j'iere	prov.	er	von ero
	tu ieres		ers	eris
	il iert; er; ert		er	erit
	nous ermes			erimus
	— —			eritis
	ierent			erunt

Diese Formen finden wir im Französischen noch bei Jehan Bodel im 13. Jahrhundert und im Provenzalischen im 12. Jahrhundert bei Gerart de Rossilho.

Sie wurden aber leicht mit denjenigen des Imperfekts (j'ere, tu eres, il ert usw.) verwechselt, weil sie mit denselben fast völlig übereinstimmen, besonders, wenn im Imperfekt das Adverb i (y) = ibi vor die Verbalform trat. So kann „iert" heißen: „Er war dort" — oder „er wird sein". — z. B. Alexiuslied, XI. Jahrhundert. — Bons fut lisecles al tens ancienur, Quer feit***) iert e justise e amur

Si ert creance, dunt ore niat nul prut usw. (Gut war die Welt zur Zeit der Altvordern; denn (Treu und) Glaube war dort, (d. h. damals) [il y avait] und Gerechtigkeit und Liebe, und es war (gab) Vertrauen, das jetzt (ore) zwecklos ist usw.

Dieser formellen Übereinstimmung wegen können die Zeitformen in vielen Fällen nur aus dem Zusammenhang erkannt werden. So erklärt sich das Entstehen einer zweiten, analytischen Form des Futurums, deren Vorbild wir schon in der oben angeführten spätlateinischen Katakombeninschrift finden „essere habetis" (=eritis) „ihr habt zu sein = werdet sein. Es wurde der Infinitiv des Verbums mit dem Präsens des Indikativ von habere (avoir) verbunden.

Diese Neubildung gelangte zur Herrschaft in allen romanischen Sprachen, mit Ausnahme des Rumänischen, wo „velle" für habere eintrat, wie im Englischen.

*) Das s ist aus der 2. Person eingedrungen.
**) Wohl aus der alten Form siem, es, en.
***) ibi erat, nicht erit.

Im Französischen, Provenzalischen, Spanischen und Portugiesischen wurde die zweite Silbe des verlängerten „esser", also ser,*) im Italienischen und Rhätischen sar, das ein essar voraussetzt, als Stamm genommen, also:

(je) ser-ai (esser habeo) ich habe zu sein ital. sar-ò
tu ser-as „ habes sar-ai
il ser-a( )**) „ habet sar a
nous ser-ons (ser avons) saremo
vous serez (ser avez) sarete
ils ser-ont (ser ont) saranno
Ich habe, du hast usw. zu sein (werde sein).

Das heutige Futurum ist also eine zusammengesetzte und nicht, wie gewöhnlich gesagt wird, eine einfache Form. Mit dem Konditionalis verhält es sich ebenso; nur tritt das Imperfekt von avoir an den Stamm.

franz. je ser-ais (ser-avais); ital. sarei (sar[avr]ei)
tu serais „ avais; saresti(„ [avr]esti)
il serait („ avait; sarebbe(„ [avr]ebbe)
nous serions usw.

Analytische Formen dieser Art finden wir schon in den Straßburger Eiden (842) z. B. „si salvarai eo cist meon frardre Karlo", ferner „et ab Ludher nul plaid nunquam prindrai". — Sie werden immer häufiger in demselben Verhältnis, in welchem die synthetischen Formen ier, ieres, iert usw. seltener werden; aber noch durch zwei bis drei Jahrhunderte findet man sie nebeneinander.

II. Formen von stare—stehen.

Auf dieses Zeitwort weist zunächst zurück das heutige franz. Imperfekt des Indikativs j'étais usw. und das Imperfekt des intransitiven italienischen Verbums stare=sein (stehen) — io stava usw. Bis auf Voltaire findet man im Französischen j'étois, noch früher, je nach der Heimat der Schreiber

j'estoie und esteie
tu estoies „ esteies
il estoit „ esteit (Rol.) usw.

Die Formen estoie usw. gehören dem Dialekt des Ostens (dem Burgundischen), esteie, esteies, esteit usw. dem französisch-normannischen Dialekte an.

Ähnliche Doppelformen finden wir bei den anderen Verben und bei vielen Substantiven usw.

*) Auch estrai, estras aus stare kommen vor.

**) Dieses t, das in der bejahenden Form verstummt und dann auch aus der Schrift verschwindet, ist in der fragenden Form erhalten — nicht eingeschoben — worden: a-t-il? sera-t-il?

Französisch-normannisch:

(Nom.) reis [carles li reis li emperere magnes]
(rex=recs)
(reis)
(Acc.) rei [icil er frere al rei Marsiliun Rol. 1214]
reine Königin

Dialekt des Ostens:

roi (regem)
roys (Nominat.) (Roman de Tristan XII J.)
roine (roine)
(royne)
Royne blanche (Villon)

In der modernen Schriftsprache sind erhalten reine und roi.

Andere Beispiele dieser Art, die in fast beliebiger Zahl beigebracht werden könnten, sind:

Rol. feit und foi
Rol. dreit „ droit
queit „ coi
seit „ soit
mei „ moi
aveir „ avoir

In Paris soll die Form oi erst im 13. Jahrhundert durchgedrungen sein

(oi = oa)
und (oi = è = ai)

Das Anfangs-e ist vorgesetzt (prosthetisch), um das unreine s vom folgenden Konsonanten zu trennen, wie in escut = écu (von scutum (Schild). escole = école (schola), escrire = écrire (scribere), eschele, échelle, (scala), estude = étude (studium), estreu = étrier (strippe), espede = épée (spada, spatha), espiet (spieß), étuve (stufa), étable (Stall, v. stellen), écrin (Schrin) épervier prov. esparvier (ahd. sparvari goth. sparwa) usw.

Im Spanischen und Portugiesischen ist das prosthetische e in estaba und estar (war) heute noch erhalten und im Italienischen und Rhätischen hat es nicht existiert, weil die Italiener und ihre nördlichen Nachbarn das unreine s (se, st, usw.) nicht scheuen. Das ursprüngliche s von estoie oder esteie fällt aus und das hinzugekommene e bleibt als é (étais).

Der Diphthong oi des Ostens, ei des Nordens, geht nun aber zurück auf ein langes e, oder kurzes i in offener Silbe (ungestützt durch Konsonanten, d. h. ohne konsonantischen Abschluß).

Das kurze i ist von vornherein ausgeschlossen und die italienischen, spanischen und portugiesischen

18

usw. Formen stàva, estaba und estava weisen auf stabam, das Imperfekt von stare, zurück.

Allein stabam hätte im Französischen lautgesetzlich „esteve“ und nicht êtais geben müssen, wie cantabam, chanteve, chantevet, chantevent, amabam, ameve usw.

An Beispielen dieser Art fehlt es in den Texten des IX. Jahrhunderts nicht. So finden wir im Fragment de Valenciennes: avardevet=regardait; (garder von wartan) im ältesten französischen Gedicht, der Cantilène de St. Eulalie: ruovet (rogabat) in der Vie de St. Léger: regnevet (regnabat). Die Endung oie, ois, oit usw. kann demnach nicht auf „abam“, sondern nur auf ebam (ibam ist ausgeschlossen) zurückgehen. Wir müssen also ein volkslateinisches stebam voraussetzen. Die Endung èbam (bam=fuam) der zweiten und dritten Konjugation hat schon früh und allgemein die Suffixe abam und iebam der ersten und vierten verdrängt; es ist mir nicht erinnerlich, nach dem zehnten Jahrhundert noch Reste derselben gefunden zu haben. Die Endung der vierten Konjugation ièbam wurde vom Französischen schon des Hiatus wegen nicht geduldet; die Aufeinanderfolge zweier Vokale hätte den palatalen Reiblaut j oder ch erzeugen müssen, wie audio prov. auch autsch (quant auch la bandor dels auzels (Bertran de Born), feriam, as, at fierget (Rol.) ego, eo (Eidformeln) io (ital.) iö, jo (Rol.) je.

Es erinnert dieses Zusammenschrumpfen der 4 Konjugationsendungen in eine an die Deklination, die sich (im Franz.) nach und nach auch der zweiten auf „us“ angepaßt hat.

Von „stare“ sind ferner abgeleitet die französischen Mittelwörter (estant, étant; estet, este, été =statum), das ital. Mittelwort der Vergangenheit (stato, a, i, e), das Rhätische (ladinische) sto, steda und die vereinzelte franz. Zukunftsform esterez (esterez seinz martiris, Rol. Vers 1134).

Die spanischen und portugiesischen Mittelwörter siendo, sendo – sido, das italienische essendo und das ladinische siand gehen auf esse zurück.

III. Fuo (alte Form) = ich bin.

Dieses Verbum hat schon im Lateinischen die Endungen der Imperfekts bam – fuam und der Futurums bo – fuo geliefert. Von ihm stammen ab:

Lateinisch	Altfranzösisch	Altprovenzalisch	Neufranzösisch	Italienisch	Rhätisch	Spanisch	Portugiesisch	Walachisch
1. Das historische Perfekt (Passé défini).								
fui	fui(s)	fui, fuy	fus	fui	füt	fui	fui	fui, fusèi
fuisti	fus	fost, fust	fus	fosti	füttast	fuiste	foste	fusi, fusesi
fuit	fut, fud, fu	fo, foe	fut	fu	füt	fué	foi	fù, fuse
fuimus	fumes	fom	fûmes	fummo	füttans	fuimos	fomos	furëm, fusem
fuistis	fustes	fotz	fûtes	foste	füttas	fuisteis	fostes	furetzi, fusetzi
fuerunt	furent	foron	furent	furono	füttan	fueron	forâo	furë, fuseri
2. Das Präsens des Konjunktiv, entstanden aus dem latein. Plusquamperfekt.								
fuissem	fusse, fuisse	fos	fusse	fossi	füss	fuese	fôsse	
fuisses	fusses	fosses, fosas	fusses	fossi	füssast	fueses	fôsses	
fuisset	fust	fos	fût	fosse	füss	fuese	fôsse	
fuissemus	fussions (iens)	fossem	fussions	fossimo	füssans	fuesemos	fôssemos	
fuissetis	fussiez (eitz)	fossetz	fussiez	foste	füssas	fueseis	fôsseis	
fuissent	fussent	fossen	fussent	fossero	fussan	fuesen	fôssem	

(Anmerkung: Die walachischen [rum.] Formen gehen, abgesehen vom Präsens, dem Imperfekt und dem Perfekt des Indikativ und einem Partic. fost auf den Infinitiv fire von fieri, eine Passivform von facere, also werden, zurück.)

Das Spanische und Portugiesische weisen noch ein Futurum des Konjunktiv und einen Conditionalis von fuo auf.

Im Altfranzösischen sind noch einige synthetische Plusquamperfekte von fuo (fueram) erhalten geblieben; sie reichen aber, wie alle alten Plusquamperfektformen kaum über das X. Jahrhundert hinaus. Wir finden im Eulalialied aus dem IX. Jahrhundert: furet (fuerat) [poros furet morte a grand honestet] und in der Passion du Christ:

„Anna nomnavent le judeu
a cui Jhesus furet menez."

und eben daselbst: „pos que deus filz suspensus fure"; ferner: „Sos munument fure toz nous, anz lui noi jag unque nulz om".

Alte Plusquamperfektformen anderer Verben finden wir in den ältesten franz. Texten neben den mit Hilfszeitwörten gebildeten,

z. B. im Eulalialied „aüret"*) (habuerat)
roveret (rogaverat)
„ Rolandslied „pouret" (potuerat)
„ Alexiuslied „firet" (fecerat).

„augrent" (Vie de St. Léger) kann formell auf habuerunt und auf habuerant zurückgeführt werden. Es könnte also der Form nach Perfekt oder Plusquamperfekt sein. Wohl um solche Verwechslungen zu vermeiden sind denn auch schon im frühen Mittelalter alle oben nicht angeführten, ursprünglich einfachen Konjugationsformen des Französischen und der Schwestersprachen durch Hilfsverben mit Partizipien (sog. zusammengesetzte Zeiten) ersetzt worden, bei denen sich diese beiden Elemente nicht, wie bei der Zukunft und der Bedingungsform, zu einem Worte verschmolzen haben.

Das Vorbild dazu war schon in der lateinischen periphratischen Konjugation vorhanden.

Von den zahlreichen Zusammensetzungen von esse mit Präpositionen (prosum, insum, desum, absum usw.) haben nur wenige Spuren hinterlassen. Ich verweise nur auf eine interessante romanische Umwandlung des Zeitworts, prodesse, nützen, in das Substantiv prud, Nutzen, (Alexiuslied) und die Adjektive prud, prod, proz (proz home, Rolandslied.) Unter dem Einflusse des lautlich nahestehenden probus haben letztere den Sinn von „wacker, tapfer, vielleicht auch fromm" — dem deutschen „frommen" verwandt, erhalten, während das heutige prud'homme auf prudens zurückgeht.

Besonderes Interesse bietet auch das französische Zeitwort aller.

Es lautete früher aler

im Altfranz. aner
im Provenz. anar
im Rhätorom. andar
im Spanisch. andar
im Italienisch. andare

und kommt durch Umstellung (nd statt dn) von ad-nare, heranschwimmen (wohl nicht, wie Dietz angibt, von aditare), dessen Bedeutung sich verallgemeinert hat, wie arriver von rive, ans Ufer kommen, landen. Die Konjugation von aller ist wieder aus den Formen dreier Verben zusammengelesen; adnare, vadere und ire. Im Italienischen kommen nur andare und vadere zur Verwendung; ire ist als altes Verbum für sich geblieben. (Il caldo se n'è ito.) Das Spanische hat nur andar, das Ladinische ire, venire und vadere. Im Französischen sind ire und vadere als selbständige Verben nicht erhalten. Zwei von den genannten Wurzeln treten schon im franz. Präsens des Indikatis auf. z. B.

vadere:
je vai(s) das s ist durch Analogie aus
tu vas der zweiten Person eingedrungen.
il va, altfranz. vat (vadit) das t ist in der
ils vont fragenden Form va-t-il erhalten.

andare:
nous allons
vouz allez.

Im Italienischen ist es auch so: vo (vado), vai, va, andiamo, andate, vanno.

Das Imperfekt und das passé défini werden mit dem Stamm aller und den entsprechenden Endungen gebildet, deren Ursprung und Umwandlung zum Teil erklärt worden ist. Auch die Mittelwörter allant und allé gehören zu demselben Stamm und ebenso die Formen des Konjunktivs.

Für das Futurum und den Konditionalis tritt der Stamm ir von ire ein: j'irai (ir-ai) j'irais (ir-avais) tu iras (ir-as) tu irais (ir-avais) usw.

Im Italienischen wird
das Imperfekt (io) andava
„ Perfekt „ andai (andavi)
„ Futurum „ andrò (andar-ho)
„ Conditionalis „ andrei

und das Imperf. des Konjunkt. ch'io andassi aus andare, das Präsens des Konjunktivs (Sing.) ch'io vada aus vadere, der Plur. aus andare gebildet.

Beim Imperativ treten wieder die beiden Wurzeln vadere und andare auf:

va geh
vada (Lei) gehen Sie
andiamo gehen wir
andate geht
vadano (loro) gehen Sie (pl.).

Weitere Einzelheiten dürften für unseren heutigen Zweck — nicht für den Unterricht — überflüssig sein. Die wenigen angeführten Beispiele

*) Dreisilbig.

18*

gestatten einen Blick unter die Oberfläche, auf der sich die Elementargrammatiken bewegen. Selbstverständlich ist, meines Erachtens, in einem auf etwelche Gründlichkeit Anspruch machenden französischen Unterricht die ganze Grammatik in ähnlicher Weise durchzuarbeiten. In unserer höheren Klasse geschieht dies seit Jahren. Die Lektüre von Musterstücken aus älterer und ältester Zeit liefert den nötigen Anschauungsstoff.

Die Deklination.

Von den sechs lateinischen Deklinationsfällen sind im Altfranzösischen und Provenzalischen nur zwei erhalten, der Nominativ als Subjekt und der Akkusativ für alle anderen Fälle. Da der Akkusativ auf diese Weise häufiger vorkommen mußte, als der erste Fall, erlangte er nach und nach ein gewißes Übergewicht. Schon sehr früh finden wir Akkusativformen als Subjekt, so im Roland (Vers 2190). Die Formen des Nominativ verschwanden und überließen dem Akkusativ das Feld allein: Das Altfranzösische machte dem Neufranzösischen Platz. Das Lateinische hatte sechs Fälle, das Altfranzösische (und Provenzalische) zwei und das Neufranzösische noch einen.

Man unterscheidet im Altfranz. und Provenz. noch drei Deklinationen (zu zwei Fällen).

Sing. Nom. rosa-rose — Sing. Nom. murus-murs
Sing. Acc. rosam-rose — Sing. Acc. murum-mur
Plur. Nom. rosae-rose — Plur. Nom. muri-mur
Plur. Acc. rosas-roses — Plur. Acc. muros-murs

Sing. Nom. pastor-pastre (pâtre)
Sing. Acc. pastorem-pasteur
Plur. Nom. pastores-pasteurs
Plur. Acc. pastores-pasteurs

Der Nominativ ist, abgesehen von den Wörtern auf s, x und z (nez, paix usw.) verschwunden und der Akkusativ (rose, roses; mur, murs; pasteur, pasteurs) ist geblieben. Letzterer hat im Plural immer ein s (z=ds oder ts; x=cs), im Singular aber in der Regel nicht. Wäre der Nominativ erhalten worden, so hätten wir im Singular der II. Deklination (murs) der häufigsten ein s und im Plural (muri) nicht. Nur bei den wenigen Wörtern der III. Deklination kommt es auch im ersten Fall der Mehrzahl vor. Das s ist also im Altfranzösischen nicht Pluralzeichen. In der modernen Sprache wird es auch nicht an den Singular „angehängt“, sondern ist im Plural erhalten; denn letzterer ist nicht jünger als der Singular. Die dritte Deklination hat für die beiden Fälle Formen geliefert, die sehr voneinander abweichen; zum Teil sind dieselben heute noch als Doppelformen erhalten.

Nom. nies, Neffe (nepos)
Acc. nevould (nepotem) neveu
Nom. emperere (edre) [imperator]
Acc. emperedur und
emperéur (imperatorem) (empereur),

Nom. cuens Graf (comes)
Acc. comte „ (comitem)
Nom. reis (rex)
roi [rei] (regem)

pastre, pasteur; bers, baron; Carles, Carlum, Guènes, Genelun, Ganelun, Eude, Othon; Prov. Uc, Ugo, (Hugo).

Aber auch da, wo die Unterschiede nicht so groß sind, können im Altfranzösischen und Provenzalischen die Fälle sehr oft an der Form der Wörter mit mehr oder weniger Sicherheit erkannt werden, so daß Inversion möglich ist, während im Neufranzösischen die Form keinen Fall mehr, sondern nur noch die Zahl erkennen läßt, was die Umstellung unmöglich macht. Das Subjekt kann nur noch an seiner Stellung von dem „régime“ erkannt werden. In dem Satze „Le chat mord le chien“ ändert sich die Form der Wörter nicht, wenn ich ihn umdrehe und sage: „Le chien mord le chat“. Aber der Sinn ändert sich, weil wir wissen, daß das erste Substantiv des Satzes Subjekt sein muß. Der Deutsche dreht seine Periode beliebig um ihre Axe, das Zeitwort; der mittelalterliche Franzose durfte sich wenigstens die Umstellung von Subjekt und Objekt erlauben. Heute ist es damit vorbei, wenigstens gewinnt die Sprache durch Inversionen, wie wir sie bei J. Racine häufig finden, nicht an Klarheit. Das Altfranzösische ist ein verarmtes Latein, das Neufranzösische ein verarmtes Altfranzösisch.

Eine eigentümliche Erscheinung der französischen Pluralbildung (Deklination) beruht auf der Vokalisierung des l in u. z. B. à les = als = aus = ax (x Abkürzung für us) = aux; (Wiedereinfügung des verloren geglaubten u durch die Humanisten.)
z. B. caballos; chevals; chevaus (us=x) chevax: chevaux.
(le cheval, les chevaux); chevels, cheveus, chevex, cheveux (capillos) mal, maux usw. Da dieses x in den alten Handschriften nur das Kürzungszeichen für us ist, ist das u der Pluralformen chevaux, cheveux, maux, aux usw. später durch die

Humanisten zu Unrecht nochmals eingeschoben worden.

Der Übergang von l in u ist gewöhnlich, z. B. haut (altus) Gaule (Gallia): moll, mou (mollis), col, cou (collem); écouter, altfranz. ascolter, escolter, daher écouter (auscultare); poudre (polverem) pouce (pollicem); altfranz. falt=faut; faux, (falsus); falx=faux usw. usw.

Fremdwörter.

Man wirft den Deutschen gewöhnlich vor, daß sie ungebührlich viele Fremdwörter brauchen und sich auf das so entstandene Kauderwelsch sehr viel einbilden. Die Tatsache ist nicht zu bestreiten. Was nicht weit her kam, war eben in Deutschland d. h. im deutschen Sprachgebiete – bis vor wenigen Jahren und zum Teil noch heute „nicht weit her".

Der Vorwurf ist also zutreffend; aber trifft er nicht auch andere Nationen, z. B. die Franzosen? Der Unterschied besteht wesentlich nur darin, daß die Latinismen und Gräcismen, welche sich im Deutschen sofort als etwas Fremdes erkennen lassen, in den romanischen Sprachen viel weniger auffallen, also weniger leicht als Fremdwörter erkannt werden, als im Deutschen.

Ich brauche nicht an die technischen Ausdrücke zu erinnern, wie télephone, telescope, télégraphie, photographie, géographie, cartographie, graphologie, pathologie, monogramme und tausend andere. Es gibt eine sehr große Anzahl von Wörtern, die der Franzose in guten Treuen als Eigengewächs ansieht, während sie tatsächlich Lehngut sind. Ich verweise nur auf die Fremdwörter mit erhaltenen mittleren Konsonanten und mittleren Vokalen und gutturalem c vor a usw.

Als französische Wörter (mots populaires) haben wir diejenigen anzusehen, die sich nach Maßgabe der Lautgesetze seit den ältesten Zeiten aus dem Volkslatein entwickelt haben; Fremdwörter (mots savants) sind diejenigen, welche diesen Entwicklungsprozeß nicht durchgemacht haben, sondern in neuerer Zeit, besonders durch die Gelehrten, sozusagen unverändert aus einer der alten Schriftsprachen herüber genommen worden sind. z. B.

Französisch	Fremdwort	Latein
ange	angélus	angelus
blâme	blasphème	blasphemum
dette	débit (it. debito)	debitum
dîme	décime	decima
essaim	examen	examen
meuble	mobile	mobilis
poulpe	polype	polypus
porche	portique	porticus
cheptel	capitale	capitale
cherté	charite	caritatem
combler	cumuler	cumulare
hôtel	hôpital, hospitalité	hospitale
livrer	libérer	liberare
mâcher	mastiquer	masticare
nager	naviguer	navigare
ouvrer	opérer	operare
recouvrer	récuperer	recuperare
sevrer	séparer	separare
sembler	simuler	simulare
(freindre)	fracturer, fraction	frangere
enfreindre	infraction	infringere
chétif	captif	captivus
chef	cap	caput
août	Auguste	Augustus
avoué	avocat	advocatus (Vogt)
délayer	dilater	dilatare
employer	impliquer	implicare
écouter	ausculter	auscultare
(it. ascoltare)	(altfr. escolter)	

und tausend andere. Der französische Sprachgelehrte Brachet füllt damit ein Bändchen, sein „Dictionnaire des doublets".

Für uns haben die ins Romanische übergegangenen deutschen Wörter besonderes Interesse und an solchen ist kein Mangel. Sie beziehen sich meistens auf Waffen und Krieg und sind wohl z. Z. der Völkerwanderung, wenigstens im früheren Mittelalter, in das romanische Sprachgebiet eingedrungen und zum Teil in fremdartigem Aufputz in den Jahrhunderten der größten französischen Machtentfaltung wieder zurückgekommen. (Garde usw.) Es möge mir gestattet sein, hier einige anzuführen, besonders solche, die auf ein germanisches W zurückgehen, welche zu beweisen scheinen, daß das ahd. w als gw gesprochen wurde.

Französisch	Italienisch	Deutsch
guelfe(s)	guelfi	Welfen (Guelfen)
gibelin	ghibelline	Wiblinger (ei)
guerre	guerra	werra, Krieg
gué	guado	von vadum aus watan, waten (?)
guéer schwemmen		
guenille		fläm. quene, wollenes Unterkleid
guenon (Affenweibchen)		ahd. guenâ, Weib (queen)

Französisch	Italienisch	Deutsch
guère(s)	guari	altfr. waires, guaires prov. gaire, gaigre von ahd.weigaro viel. D. u. S.
guérir	guarire	ahd. werjan, wehren
garir (altfr.)		
guérite (Schilderhaus)		
guet und guetter	guatare	prov. gaitar, daher gaita (Wache), escargaita (Scharwacht), ahd. wachtan, Wache halten
gueredun (altfr.)	guiderdone	Vergeltung, widarlon
Guillaume	Guglielmo	Wilhelm
Guillibaud		Willibald
guimpe (Busenschleier) guimple (altfr.)		Wimpel
guinder	ghindare	windan, winden
guise	guisa	ahd. wis, Weise
guerpir (altfr.)		prov. gerpir und girpir werfen
gualt, (Rol. 2549)		Wald
guider	guidare	prov. guizar, wisen
guide	guida	(den Weg weisen?)
	usw.*)	

Fremdwörter deutschen Ursprungs, aber anderer Art, sind u. a.:

altfr. Nom. ber, bers / Acc. baron — nach Dietz von ahd. bero = Träger = starker Mann, Mann, Lehnsmann.

Im Roland kommt der Ausdruck jeden Augenblick vor; so Vers 531:

„N'est hom kil veit et conuistre le set
Qui co ne diet que lemperere est ber."
(Oxforder Handschrift.)

Auch Vers 648.

Die Nominativform bers finden wir u. a. in Vers 125 und 1155; 3344:

„Ico vus mandet reis marsilies li bers"
Das läßt Euch der König Marsilie, der Held, sagen
und
„Mais sun espiet uait li bers palmeiant"
Dann geht der Held (der Starke) seinen Spieß handhabend (schwingend) [palmicare].

Heute besteht nur noch die Akkusativform (wie fast immer) baron, altfr. barun, baron. Der Akkusativ tritt im Altfranzösischen für alle Fälle mit Ausnahme des Subjekts (Nom.) ein; in Vers 2196 erscheint er in der Oxforder Handschrift sogar als Subjekt: „Par un(s) et un(s) les ad pris le barun", während wir in Vers 350 die Form ber noch als Vokativ finden.

Die Akkusativformen barun (Einz.) und baruns [barons] (Mehrz.) kommen u. a. noch vor in Vers 166, 275, 467, 1096 usw. Als Vokativ (Plural) erscheint „barons" in Vers 1472.

brogne aus brünne, Rol. 1370.
étrier, altfr. estreu aus Strippe.
isnels schnell, Rol. 1312
„bels e forz e isnels e legiers".
échine, altfr. eschine, ahd. skina.
estur Sturmangriff, Rol. 1351.
prov. estorn Sturmangriff, Bertran de Born „pois che l'estorns es mesclaz".
altfr. olsberc, haubert, halsberc, was den Hals birgt.
„ helme, healme, elme it elmo, ahd. helm.
„ brant, prov. brans (Peire-Vidal bran), ahd. brant Schwert, ital. poet. Form brando (Manzoni).
„ brandir, ital. brandire, das Schwert schwingen.
arroi (Ruteb.: roi), ahd. rât (Ordnung).
„ bloi = blen, altnord. ahd. blaw.
„Sur un perrun de marbre bloi se culchet", Rol.
bafouer, ital. beffare d. bäffen, keifen, bellen.
brique von brechen, abgebrochenes Stück.
marche (Grenzmark), altfr. Verb. marchir angrenzen, ahd. marcha Grenze D. Markgraf.
fief Lehen, prov. feu, fieu; mlat. feudum, foedum vom ahd. fihu, fehu = Vich, dann Vermögen. „Die Feudalen".
altfr. hastif(s), hâtif, eilig, früh, von die Hast.
la haie, niederl. Haag, mhd. hege, gehege, Zaun.
haillon Lumpen, mhd. hadel, südd. Hadern = Lumpen.
hache von Hacke.
hameau (hamel), altfr. ham Heim*), Weiler.

Die Endung eau geht auf el(= ellus) chen, lein zurück. hameau = kleines Heim, wie moineau = moinel = Mönchlein (Sperling) [seines Kleides wegen].

fourneau = fornel Öfelchen.
manteau = mantel (Mantel) usw.
hallebarde Helmbarte (Axt für die Helme).
bouclier, altfr. escut bouclier, buckliger Schild.

*) S. Dietz, Etymologisches Wörterbuch der romanischen Sprachen.

*) Im Elsaß besteht ein großer Teil der Ortsnamen aus Zusammensetzungen von „Heim".

Das lateinische Substantiv scutum ist später weggefallen und sein Attribut „bouclier“ ist als Substantiv geblieben. Im Altfr. heißt Schild escut. Escuts traucar usw. Rol.

beffroi, altfr. berfroi (mlat. berefredus), ahd. bercvrit, Schutz vor Angriff.

faldestoel oder faldestoed, Rol. 115
faldestod „ 2804
faldestoed „ 407.

Man findet auch noch die Formen:

faldestuef, faldestor, faldestueil.

Alle weisen wohl auf faltstuol hin.

Das französische fauteuil heißt also nicht Lehnstuhl, sondern Faltstuhl, Klappstuhl, der heute fauteuil pliant (Pleonasmus) oder kurz pliant genannt wird.

espiet, Spieß, épieu.

Das prosthetische e hat die Aufgabe, die Konsonanten s und t voneinander zu trennen, wie in ester von stare (s. Konjugation).

Wir finden espiet im Roland

Vers 867 „Jol ocirai a mun espiet trenchant“.
„ 1266 „Sun bon espiet enz el cors li enbat“.
„ 1043 „Dreites cez hanstes luisent cil espiet brun“.
(N. pl.) An aufrechten Schäften glänzen die braunen Spieße.
„ 1811 „Olsbercs e helmes i getent grant flambur e cil espiezz, cil oret gunfanun“.
Harnische und Helme werfen dort großes, flammendes Licht
und die(se) Spieße und die(se) vergoldeten Kampftücher (Fahnen).

Ferner Vers 3308 luisent cez espiez,
„ 451 und 454 usw.

balz. Rol. „Li empereres se fait balz e liez“. ahd. balt, kühn, stark, munter
„Günther und Hagene die recken vil balt“ (Nibel. XVI.)
balz setzt den anfänglichen Übergang in baldus voraus; balz=balds, dann z=ts oder ds.

baldur=Kühnheit, Kraft.

Rol. 2912 „cum decarrat ma force e ma baldur“.
„ 3691 „Repeiret sunt a joie e a baldur“.
Wiedergekehrt sind sie zu Freude und Kraft oder Mut.

prov. baudor=baldur.

Bertr. de Born: „e plai me quand auch la baudor dels auzels“,

daher auch der franz. Scherzname „baudet“=Esel. Der Muntere.

balcon, ital. balcone und ahd. balcho, palcho, Balken.
Alemannisch Palka=Fensterladen.

Diese wenigen Beispiele werden genügen, um zu zeigen, daß auch das Germanische Bausteine zum Aufbau der romanischen Sprachen geliefert hat und besonders um anzudeuten, wie ich den Schülern die ursprüngliche Bedeutung der Wörter erklärt wissen möchte.

Ich brauche wohl nicht zu sagen, daß in fast allen Fällen, abgesehen von den Beispielen, die ich meinen Kollegienheften und dem Übersetzungsstoff meiner höheren Klasse entnehme, Altmeister Dietz in erster Linie mein Gewährsmann ist. Es fällt mir gar nicht ein, Anspruch darauf zu erheben, einem Fachmann Neues geboten zu haben. Ich beschränke mich auf längst bekannte Dinge, die aber den Blindenlehrern doch wenig bekannt sein dürften.

Das Gebiet der Romanistik ist heute so gewaltig groß geworden, daß ein mit Amt und Bürde beladener Anstaltsdirektor, der überdies lange Jahre hindurch genötigt war, sich in freien Stunden mit ganz anderen Dingen*) zu beschäftigen, den Fortschritten der Wissenschaft, trotz guten Willens, nicht zu folgen vermag. Der Blindenlehrer-Kongreß ist aber keine Sprachforscher-Versammlung; es kann also auch nicht Aufgabe des Referenten sein, die Wissenschaft zu bereichern.

Für ihn handelt es sich nur darum, in populärer Weise auf den Unterschied aufmerksam zu machen, der zwischen elementarem Sprachunterricht, wie er in Mittelschulen erteilt wird (und dort genügt), und den Sprachstudien besteht, die seines Erachtens für den Sprachlehrer unerläßlich sind. Jeder von uns kommt in den Fall, Blinde oder deren Eltern beraten zu müssen; es ist wichtig, daß dies auch mit einiger Sachkenntnis geschehe.

Wo kann nun aber der Blinde, welcher durchaus Sprachlehrer werden will, die in wenigen Beispielen nur angedeutete Ausbildung auch in den Grundzügen der Sprachgeschichte erhalten?

Selbstverständlich auf der Universität, wenn er die verlangte Vorbildung besitzt und einen Vorleser zu bezahlen vermag. Ein solcher wäre erforderlich, weil die Hochschule bei der Stoff-

*) Blindenlehrmittel.

auswahl kaum auf die den Blinden zur Verfügung stehenden wissenschaftlichen Hilfsmittel Rücksicht nehmen wird. So gut situierte Blinde brauchen aber nicht Sprachlehrer zu werden, um sich mit Privatstunden kümmerlich durchzuschlagen. Für uns handelt es sich um die Unbemittelten, die besonderes Talent und Lust zum Sprachstudium zeigen, und diese müßten wohl in Blindenanstalten verschiedener Länder ausgebildet werden, in deren Lehrkörper sich mindestens eine befähigte Lehrkraft befände. Ich gebe der Blindenanstalt um so mehr den Vorzug, als ich auch den Sprachschüler nicht von der Erlernung eines Handwerks befreien möchte.

Die praktische Ausbildung im mündlichen und schriftlichen Gebrauch der Fremdsprache müßte, nachdem eine gute Grundlage geschaffen wäre, in zwei Anstalten des Auslandes erfolgen, welche unsere Zöglinge in Tausch nähmen, so daß, abgesehen von der Reise, keine weiteren Kosten entständen. Wir würden so ohne große Opfer das erreichen, was vor Jahren deutsche Professoren durch Gründung eines neuphilologischen Seminars in Paris erstrebten, und könnten auf diese Weise unseren Schülern tatsächlich eine bessere praktische Ausbildung geben, als die meisten Akademiker sie erhalten. Der auswärtige Aufenthalt hätte mindestens 2 Jahre zu dauern. Der ganze Kurs wäre somit — nach Abschluß eines guten elementaren Bildungsganges auf 5 Jahre zu berechnen, von denen zwei, das dritte und vierte, in Frankreich und England oder Italien zuzubringen wären. Ich würde etwa folgende Stundenverteilung in Vorschlag bringen:

Wöchentliche Stunden in den 5 Jahreskursen zusammen:

Deutsch (Muttersprache) mit Einschluß des Mittelhochdeutschen	30
Französisch, Neu- und Altfranzösisch	45
Englisch oder Italienisch	35
Provenzalisch	6
Lateinisch	15
Geschichte	6
Geographie	6
Pädagogik	7
	150

d. h. wöchentlich 30 Unterrichtsstunden.

Diejenigen Anstalten der verschiedenen Länder, welche diese Aufgabe übernehmen wollten, hätten sich natürlicherweise über das Studienprogramm zu verständigen.

Meines Erachtens müßte von dem künftigen Sprachlehrer gefordert werden:

a) im Deutschen, was man von einem Elementarlehrer verlangt, außerdem übersichtliche Kenntnis der mittelhochdeutschen Formen und Verständnis der Meisterwerke der ersten klassischen Periode (mindestens Nibelungen, Parzival und die Gedichte von Walther von der Vogelweide);

b) im Französischen vor Beginn des sprachgeschichtlichen Studiums, das den letzten Jahrgängen vorbehalten bliebe — genügende Vertrautheit mit der Umgangssprache, um dieselbe in Wort und Schrift einigermaßen richtig gebrauchen und die in derselben geschriebenen Meisterwerke übersetzen zu können; — sodann Kenntnis der Hauptlehren der historischen Grammatik und Befähigung, die ältesten Sprachdenkmäler Straßburger Eide, Eulalialied, Alexiuslied, Rolandslied, Chroniken usw. - zu übersetzen; ferner Überblick über die Literaturgeschichte (etwa nach Marcillac);

c) im Englischen oder Italienischen, was im Französischen, mit schwächerer Betonung des historischen Teils;

d) im Provenzalischen Kenntnis der wichtigsten Lautgesetze und Verständnis der wichtigeren Probestücke der Chrestomathie provençale von Prof. Karl Bartsch;

e) im Lateinischen einige Vertrautheit mit der Elementargrammatik und Kenntnis der wichtigsten Vokabeln, welche Bausteine für die romanischen Sprachen geliefert haben.

In den übrigen Fächern hätten sich die angehenden Sprachlehrer über das Maß allgemeinen Wissens auszuweisen, das von jedem Gebildeten verlangt wird.

Der pädagogische Unterricht müßte sich auf die Elemente der Psychologie und der Logik (etwa nach Volkmer oder Martig), die allgemeine Erziehungslehre und die Methodik des Sprachunterrichts erstrecken.

Die Blindenliteratur und die sprachlichen Lehrmittel, die wir heute haben oder uns beschaffen können, wenn wir wollen, gestatten uns bei genügender Vorbildung und gutem Willen der Lehrer die Erreichung dieses Zieles. Unsere zahlreichen Druckereien versorgen uns mit deutschem Lesestoff; Frankreich, England und Italien drucken Literatur für ihre Blinden. Für das Mittelhochdeutsche hat Illzach einen Anfang gemacht (Walther von der Vogelweide im Urtext) und an französischen Werken

Grammatiken, Lesebücher, Gedichte, Literaturgeschichte und Weltgeschichte hat es bis jetzt 16 Bände herausgegeben und andere Sprachgeschichte und eine kurz gefaßte historische Grammatik in Punktschrift geschrieben. Wer lebt, wird hoffentlich mehr erleben!

Welche Stellung sollen nun die Anstalten zu dem Bestreben vieler Blinden einnehmen, sich auf diesem Gebiete zu betätigen?

Soll man ohne weiteres nachgeben und solche Leute, die Lehrer werden wollen, weil sie sich für ein Handwerk zu vornehm glauben und Musiker nicht werden können, mit großem Aufwand von Zeit und Kraft in den Sprachen ausbilden, selbst wenn man sich von ihrem Talente, ihrem Fleiße und ihrem Charakter oder ihrem ganzen Auftreten nicht viel verspricht? Ich glaube es nicht. Weisen wir stets durch Wort und Beispiel darauf hin, daß jede ehrliche, treue Arbeit den Menschen adelt, daß es auf die Art der Arbeit nicht ankommt, daß ein braver Handwerker viel höher steht als ein gewissenloser Beamter oder Lehrer, besonders als ein minderwertiger Privat-Sprachlehrer! Zeigen wir solchen Leuten alle die Schwierigkeiten, welche sie zu überwinden, die große, langjährige, anstrengende Arbeit, welche sie zu leisten haben, um später auf Erfolg auch nur hoffen zu dürfen, und warnen wir sie vor der oberflächlichen Leichtfertigkeit, mit der sich heute junge Leute als Sprachlehrer auftun, sobald sie etwa eine Elementargrammatik übersetzt und einige Vokabeln gelernt haben, auch wenn ihnen jeder tiefere Einblick in das Wesen der Sprache abgeht.

Finden wir aber bei einem jungen Blinden (einem Knaben oder einem Mädchen) alle Bedingungen erfüllt, die ihn als Vollsinnigen weiterer Ausbildung in hohem Grade wert machen würden, zeigt er, außer Talent, einen unermüdlichen Lerneifer, guten Charakter und gewinnendes Benehmen, dann mag der Schritt in der eigenen oder einer anderen Anstalt, welche mindestens eine befähigte Lehrkraft besitzt, gewagt werden, aber, wie bei den Musikern, nur unter der Voraussetzung, daß die Erlernung einer Handarbeit nebenher gehe.

Größte Vorsicht in der Auswahl und gewissenhafteste Gründlichkeit bei der Ausbildung können allein das Gelingen ermöglichen, nicht aber verbürgen.

Durch Vorsicht und Umsicht nur — Aussicht!

Mémoire

présenté au Congrès international pour l'amélioration du sort des aveugles (Paris 1900) par M. Kunz.
(Rapport officiel pp. 105 à 113)

Faut-il confier l'enseignement et l'éducation des enfants aveugles à des maîtres aveugles? En cas d'affirmative, dans quelle mesure doit-on le faire?

(Sujet choisi par le Comité du Congrès)

Cette question a figuré à l'ordre du jour des congrès universels de Francfort 1882, d'Amsterdam 1885 et de Berlin 1898. A Francfort, l'inspecteur Schild a plaidé la cause des instituteurs aveugles, en se basant sur les expériences faites dans d'autres pays et les écrits de quelques aveugles, surtout de Knie. Le congrès lui a répondu, presque à l'unanimité: „Formez des maîtres aveugles, si cela vous fait plaisir et engagez-les; nous n'en voulons pas! — L'aveugle est un demi-aide; il nous faut des forces entières!"

„Nulle part le manque d'yeux ne se fait plus sentir que chez nous. Dans les autres écoles les élèves clairvoyants se surveillent mutuellement, et pourtant on y veut des instituteurs doués de tous les sens; dans nos classes d'aveugles, nous ne pouvons pas renoncer aux yeux du maitre! — Il est évident qu'on rend service à un aveugle en lui créant une petite position dans une institution, mais on fait du tort à de nombreux élèves qui doivent passer par cet établissement. Il ne nous est pas permis de sacrifier les intérêts de tous à l'avantage d'un seul."

L'Allemagne, l'Autriche, la France, la Suisse, la Hollande, la Russie, l'Angleterre et le Danemark, étaient représentés au congrès de Francfort, et personne en dehors du rapporteur n'y a sérieusement soutenu la cause des instituteurs aveugles.

M. Schild lui-même a laissé entrevoir qu'il s'était chargé de sa plaidoirie plutôt pour l'acquit de sa conscience que par conviction, et le docteur Armitage se contenta de recommander les aveugles comme sous-maitres ou moniteurs.

Je venais alors de me charger de la direction de l'institution d'Illzach. Mon prédécesseur avait été aveugle; il s'était aussi entouré d'un personnel aveugle, peut-être, parce qu'un borgne aurait pu devenir roi dans sa république.

Pour la comptabilité et pour les ouvrages manuels seulement il avait engagé quelques voyants*. Ces „professeurs" aveugles n'avaient reçu qu'une maigre instruction élémentaire; ils étaient, comme leur directeur, absolument dépourvus de connaissances pédagogiques.

Je rends entièrement justice au dévouement de mon prédécesseur et d'une partie de son personnel aveugle, mais je dois pourtant constater que la cécité et le dévouement seuls ne suffisent pas pour diriger raisonnablement une école d'aveugles.

Le fait est que mes expériences m'avaient fait partager les vues du congrès de Francfort.

Pour élever nos écoles à un niveau convenable, je me chargeai pendant plusieurs années de 40 à 50 leçons par semaine — outre la direction, l'administration et l'organisation de la brosserie, de la corderie, l'installation de l'imprimerie et la gravure des clichés pour mes cartes, etc. — Bientôt je me vis forcé d'éliminer deux aides aveugles qui s'étaient rendus impossibles par leur conduite. Je les remplaçai par un professeur clairvoyant. Peu à peu je m'aperçus cependant que j'avais commis l'erreur qu'on fait généralement, c'est-à-dire attribuer à la totalité des aveugles les défauts de quelques-uns d'entre eux, et j'acquis la conviction

* Son beau-frère et sa soeur.

que des aveugles bien élevés, sérieux et dévoués, surtout solidement instruits, pourraient rendre des services réels à leurs compagnons d'infortune. J'ai organisé notre brosserie et notre corderie à l'aide de contremaîtres aveugles, et à l'heure qu'il est, nous occupons, outre le directeur, trois instituteurs voyants et trois aveugles pour l'enseignement des branches scolaires et de la musique. Déjà en 1885, entre les séances du congrès d'Amsterdam, je préparais un rapport sur la question qui nous occupe aujourd'hui. Le Congrès des fêtes, comme on a nommé cette assemblée, dans laquelle la Hollande tenait à montrer ses richesses, ne dura pas assez longtemps pour permettre la lecture de mon mémoire, qui fut publié plus tard par le Blindenfreund.

Jusqu'en 1898, silence absolu sur cette question! En France, en Belgique, en Italie, etc., en général dans les pays latins, on continue à occuper des maîtres aveugles, tandis que dans les pays germaniques on n'en veut pas pour l'enseignement scolaire proprement-dit.

Un édit du ministère prussien, inspiré par le directeur et Schulrat Wulff, interdit même expressément l'admission des aveugles aux examens pour l'obtention du brevet d'enseignement (je ne parle pas ici de la musique, l'aptitude des aveugles pour l'enseignement de cette branche n'étant pas sérieusement contestée).

En 1898, la question qui nous intéresse, sous une forme un peu différente („Ist es ratsam, Blinde zu Musik- und Sprachlehrern auszubilden? Wenn ja, wie kann dies geschehen?"), reparut sur le tapis.

La seconde section du Congrès, celle qui s'occupe de l'enseignement, me chargea du rapport en son nom.

J'eus donc l'occasion de développer mes idées à cet égard devant les représentants des institutions allemandes, autrichiennes, russes, italiennes, suisses, belges, danoises, scandinaves, anglaises et japonaises. La France, pour la première fois, n'y était pas représentée.

Voici mes conclusions:

„Il est à désirer qu'on ouvre la carrière de l'enseignement à un plus grand nombre d'aveugles, à condition qu'on fasse un choix très consciencieux au point de vue des caractères, et que les candidats aveugles soient au moins au niveau de leurs concurrents voyants, au point de vue de l'instruction générale et pédagogique."

Veuillez remarquer que je parlais aux représentants de 120 à 150 institutions, dont la plupart les excluent de l'enseignement scolaire.

Le congrès de Berlin, sur la proposition de M. Kull (Berlin), a repoussé le passage „un plus grand nombre", donc, au fond, toute ma proposition, et a ainsi confirmé les décisions du congrès de Francfort. Les institutions allemandes, sans compter l'Alsace, occupent, pour l'enseignement scolaire, à peu près 120 professeurs voyants et seulement 2 aveugles, dont l'un est un ancien élève de l'école d'Illzach.

Aujourd'hui cette question des instituteurs aveugles se pose de nouveau. Examinons donc encore une fois le pour et le contre, en d'autres termes, le système français et le système allemand, l'emploi presque exclusif d'instituteurs aveugles d'un côté et leur exclusion presque absolue de l'autre.

Il résulte déjà de ce que je viens de dire que je désapprouve les deux. Je suis partisan d'un système mixte, du juste milieu, comme votre commission, paraît-il; car le second alinéa de la question à l'ordre du jour nous invite à fixer presque mathématiquement ce juste milieu, cette mesure ou proportion.

En France, on dit souvent — en Alsace, nous en entendons l'écho — que les aveugles sont mieux à même que les voyants d'élever leurs semblables, qu'ils connaissent mieux que ces derniers leur manière de penser et de sentir, leur vie intellectuelle et morale, les difficultés qu'ils rencontrent et les meilleurs moyens pour les vaincre; enfin que l'aveugle seul est capable de faire l'éducation d'un autre aveugle. On étend ce dogme même aux personnes qui ont perdu la vue à l'âge de 20 ou 30 ans, qui avaient donc acquis par la vue presque tous les éléments de leur vie intellectuelle et qui ne sont au fond que des clairvoyants aux yeux bandés! C'est une de ces exagérations qui ne font que discréditer une bonne cause; je dis plus, ce dogme est la plus grande absurdité qu'on ait jamais dite. Faut-il donc être paralytique pour traiter un paralysé, avoir la goutte sereine pour être oculiste, ou avoir perdu la raison pour soigner les aliénés?

On dit aussi que les aveugles ont plus de patience avec leurs compagnons d'infortune que les voyants, qui ne pourront jamais se faire une idée juste de l'immensité de leur malheur.

Il n'en est rien! La patience, dans ce cas, serait un effet de la compassion; on en a avec les plus malheureux, jamais avec ses semblables!

D'autres ont remarqué que nos infirmes accordent

19*

plus facilement leur confiance à d'autres aveugles qu'aux clairvoyants.

C'est peut-être vrai, mais qu'on ne s'y trompe pas c'est souvent mauvais signe, l'effet de suggestions malveillantes!

Nos élèves qui manquent d'expérience, se laissent tout aussi facilement gagner par le premier vaurien clairvoyant qui les flatte. Mais si des aveugles intelligents et méchants soufflent sans cesse aux oreilles des pauvres d'esprit: „Tous les voyants qui vous entourent — sauf ceux qui crient contre la nourriture et leurs supérieurs — sont vos ennemis", ils trouvent aussi facilement des croyants que les agitateurs qui chuchotent aux oreilles des ouvriers: „Vos patrons vous trichent, votre église vous trompe et le gouvernement quel qu'il soit — est leur complice!"

Est-ce qu'une société raisonnable voudrait confier l'éducation de la jeunesse exclusivement aux apôtres de ces doctrines, parce qu'ils inspirent tant de confiance aux masses?

En réalité, tous ces prétendus privilèges des aveugles ne sont que des prétextes pour la plupart des voyants. Pour eux, l'aveugle est en même temps sorcier et idiot. On a pour lui tant d'admiration et de compassion hypocrites sur les lèvres et tant de préjugés malfaisants et de mépris au fond du cœur, qu'on trouve que le premier venu, le plus ignorant même, est toujours assez bon pour faire l'éducation des aveugles et qu'il faut être fort peu intelligent pour „passer sa vie avec ces malheureux", comme on dit avec beaucoup de délicatesse. Pour cette besogne inutile, des aveugles sans instruction seraient pourtant assez bons! Ce qui a l'air d'un compliment pour les aveugles n'est donc souvent qu'une expression de mépris à leur adresse et à celles des personnes qui se chargent de leur instruction! Nous voyons cela surtout chez nous, où il est presque impossible de faire comprendre à un public soi-disant intelligent, qu'une école d'aveugles est autre chose qu'un asile, un refuge pour garder, nourrir et faire chanter les aveugles leur vie durant.

Ce n'est donc pas un brevet de capacité que le public entend donner à quelques aveugles en les déclarant aptes à instruire leurs semblables; c'est un brevet d'incapacité qu'on donne à la totalité des aveugles et à tous ceux qui se chargent de leur éducation. L'accepterons-nous pour toujours? Je dis que non!

S'il faut une certaine instruction générale et pédagogique et un certain art pour instruire des enfants normaux, il en faut certainement un peu plus pour élever au niveau intellectuel des clairvoyants ces âmes négligées par la nature, emprisonnées dans des corps sans accès, pour jeter un faisceau lumineux dans un intérieur, dont les fenêtres semblent être hermétiquement fermées et barrées!

Il me semble qu'il ne faut pas plus d'intelligence et d'habileté pratique pour traîner son petit char dans les ornières tracées d'une école publique, où les moyens d'enseignement abondent et vous sont imposés, que pour trouver son chemin par un terrain vierge, pour y poser ses rails et créer tout son matériel.

Je trouve que l'instituteur des aveugles clairvoyant ou non — doit être, au point de vue du caractère et des capacités, à la hauteur des plus habiles et des plus sérieux de ses collègues des autres écoles, et en dévouement il faut qu'il les surpasse tous!

Disposons-nous d'aveugles répondant à ces conditions? Si oui, nous pouvons et nous devons accepter leur collaboration; si non, il est de notre devoir de la refuser.

L'expérience prouve qu'il y a des aveugles d'une intelligence normale. Nous avons de nos jours les moyens d'enseignement indispensables pour les élever avec beaucoup de peine, il est vrai, et seulement dans des établissements disposant d'un corps enseignant capable — au niveau des instituteurs voyants.

Dernièrement une de nos jeunes filles a subi avec un brillant succès son examen pédagogique à Bâle avec dix jeunes étudiants qui avaient fait leur baccalauréat en 1898 et continué depuis lors leurs études à la Faculté de philosophie (École normale supérieure) et au Séminaire pédagogique de cette ville. Notre élève a obtenu le maximum des points (la note „excellent") pour dix branches (pédagogie générale [psychologie, logique, histoire de la pédagogie], méthodologie générale, méthodologie des branches réales [histoire, géographie, sciences naturelles], allemand et littérature, français et littérature, histoire, géographie, sciences naturelles, religion et musique) et la note „bien" pour les mathématiques (arithmétique, géométrie, stéréométrie, racines carrée et cubique, etc.).

A l'heure qu'il est, huit anciens élèves occupent des postes de professeurs pour l'enseignement de la musique, des branches scolaires ou des travaux manuels dans les institutions de Ilvesheim (Bade), Nancy, Lyon, Berne et Illzach.

Je ne vois donc pas pourquoi on exclurait en principe les aveugles de l'enseignement entier: la musique et les langues s'adressent en première ligne à l'ouïe; la vue est excessivement utile pour lire la prononciation sur les lèvres et surtout pour la lecture rapide de la musique écrite ou imprimée en noir et celle des livres et journaux des clairvoyants; mais elle n'est plus indispensable pour maintenir et étendre les connaissances acquises, depuis que nos bibliothèques se sont enrichies d'une manière imprévue il y a 20 ans, et que nos imprimeries produisent plus de livres qu'on n'en peut acheter. L'aveugle qui a reçu une instruction au moins équivalente à celle de l'instituteur clairvoyant peut donc enseigner la lecture et l'écriture, l'orthographe, la grammaire et même les éléments de la littérature, aussi bien et peut-être mieux que les voyants; il est capable d'enseigner les langues étrangères, si sa famille ou son école le mettent à même de les apprendre, théoriquement et pratiquement, aussi bien ou mieux que les professeurs clairvoyants ne les apprennent chez eux dans les écoles moyennes et supérieures. Sous ce rapport, les aveugles pourraient être favorisés, si quelques institutions des divers pays voulaient faire des échanges d'élèves.

Je ne vois pas non plus pourquoi l'aveugle ne pourrait pas donner des leçons de religion et d'histoire, du moment qu'il a l'instruction voulue et les livres nécessaires à sa disposition. Aussi pour l'enseignement de l'arithmétique, surtout du calcul écrit, il est tout aussi qualifié qu'un autre, tandis que la géométrie n'est plus à sa portée, dès que le nombre des élèves d'une classe dépasse deux ou trois et qu'on met le dessin sur coussins de feutre au service de cet enseignement. Il ne peut pas vérifier assez rapidement si les élèves montrent bien les différentes lignes des dessins imprimés qui doivent être entre les mains de chacun, ou s'ils font bien leurs dessins, — tandis qu'un coup d'œil suffit au clairvoyant pour suivre les mouvements de plusieurs élèves. Voilà pourquoi j'exclus l'aveugle aussi de l'enseignement des sciences naturelles — à part les leçons de choses dans les classes élémentaires — et surtout des leçons de géographie.

Ce n'est pas que l'aveugle qui dispose de notre atlas et des moyens élémentaires d'intuition (modèle de l'établissement au $\frac{1}{200}$, relief de Gênes, etc.), dont nous nous servons, ne soit pas à même d'apprendre la géographie — au moins la nomenclature géographique – aussi bien que les élèves des lycées et des écoles normales ou magistrales; nous avons même une sourde-muette et aveugle qui en sait peut-être autant. Mais l'instituteur aveugle perd trop de temps en distribuant et ramassant les cartes, etc., en particulier quand ce sont des plaques fragiles, et surtout il ne peut pas vérifier assez lestement si les élèves montrent juste. — Il me semble aussi qu'il est plus que difficile de donner à un autre des notions, des images qu'on ne possède pas soi-même, par exemple d'une montagne, d'une chaine de montagnes, etc. Or, nous n'avons pas le droit de supposer que nos élèves ou instituteurs aveugles possèdent ces notions, ces images intellectuelles, aussi longtemps qu'ils n'ont pas minutieusement touché un modèle réduit et fidèle, disons un buste, d'au moins une contrée caractéristique, et ces „bustes" font défaut dans beaucoup d'établissements. J'exclus donc l'aveugle des leçons de géographie dans une classe nombreuse et élémentaire. Pour la répétition de la topographie, il peut rendre des services réels, surtout à des élèves faibles. C'est de cette manière que plusieurs jeunes filles se rendent utiles chez nous, sans être institutrices attitrées.

Si l'aveugle suffisamment instruit est capable de se charger de l'enseignement de la plupart des branches scolaires, je ne vois pas pourquoi nous l'en exclurions en principe. Nous demandons au public d'accorder sa confiance à nos ouvriers, à nos maitres de musique, à nos accordeurs de piano, peut-être aussi à nos professeurs de langues, et nous-mêmes, nous leur refuserions cette confiance? Nous engageons nos élèves à se donner de la peine pour apprendre quelque chose d'utile. Ils le font généralement; plusieurs d'entre eux ont une véritable soif de connaissances. Dans leurs heures de récréation et pendant les vacances ils copient de véritables bibliothèques, et tout cela pour que nous leur disions au bout du compte: „C'est très beau, mais inutile. Vous n'êtes bons à rien?"

Si je m'étais proposé d'arriver seulement à ce résultat-là, je vous avoue, que je n'aurais pas sacrifié, depuis dix-neuf ans, mes heures de liberté et mes vacances pour créer des moyens d'enseignement! Il aurait coûté et il coûterait beaucoup moins de peine de laisser ou de réduire nos écoles à l'état d'asiles et de contenter ainsi un public qui veut bien donner quelques aumônes, mais qui ne tient pas à relever les malheureux.

Si l'aveugle peut être bon instituteur, il est certes un surveillant fort médiocre. Lors de mon entrée à Illzach, où tout le personnel enseignant, y compris le directeur, était aveugle, presque tous les pensionnaires qui y avaient fait un long séjour, étaient bossus, contrefaits. Je croyais alors que c'était un effet naturel de la cécité! Ils avaient toutes sortes de mauvaises habitudes.

(Cela ne veut pas dire que tout soit beau de nos jours: quelques yeux ne peuvent pas tout empêcher.)

Le directeur aveugle ne s'en était pas plus aperçu que ses aides. La cour et le jardin étaient divisés en petites parcelles par des clôtures de *dosses*. C'était pour séparer les sexes et les âges. Mais les aveugles s'en servaient comme guide-mains; ils n'apprenaient ni à s'orienter, ni à marcher seuls. Dans la maison, il y avait bien partout des portes vitrées, mais comme il y avait pénurie d'yeux, cela ne servait pas à beaucoup.

Dans la plupart des établissements, le directeur a beaucoup d'écritures à soigner; ce sont surtout les différentes industries qui donnent beaucoup à faire. Les instituteurs devraient aider et souvent remplacer le directeur. Un aveugle ne peut pas le faire. Les instituteurs se partagent la surveillance générale; plus il y en a, moins souvent ils ont à se charger de cette surveillance, leur bête noire! Les aveugles ne peuvent pas y prendre part; les clairvoyants en sont d'autant plus chargés. De là, peut-être, la vive opposition de beaucoup d'établissements contre la collaboration des aveugles. Il y a en Allemagne des institutions qui occupent, outre le directeur, cinq ou six professeurs voyants; chacun d'eux se charge de la surveillance un jour par semaine et pendant une semaine de vacances.

Supposons que quatre de ces instituteurs soient aveugles, les deux autres auraient à se charger de *toute* la surveillance, et le directeur n'aurait plus d'aide pour les travaux de bureau, comptabilité, correspondance, vente des produits, etc.

Me trouvant dans ces conditions, parce que j'ai autant d'aides aveugles que de voyants, je dois m'estimer heureux, depuis de longues années, si je puis prendre dix à quinze jours de vacances par an. Tout le monde ne veut pas faire ce sacrifice au profit de quelques aveugles privilégiés! — Afin de pouvoir donner un grand nombre de leçons et créer les moyens d'enseignement qui faisaient défaut, j'ai dû charger ma femme de l'économat. Beaucoup ne peuvent pas le faire.

Voilà pourquoi les directeurs s'opposent à leur tour aux aides aveugles. On accepterait peut-être l'*instituteur*, mais on ne peut ou ne veut pas renoncer au *surveillant* et à l'*employé de bureau*. Dans les pays latins, on engage parfois des surveillants voyants pour pouvoir caser un plus grand nombre d'aveugles, et l'on confie ainsi l'éducation des enfants à des personnes *absolument incompétentes*. C'est gaspiller de l'argent, se promener en voiture attelée de deux chevaux boiteux, illustrer l'histoire de *l'aveugle et du paralytique*! On n'en veut pas dans les pays germaniques. Or il est bien vrai — et les aveugles ici présents me le diraient, si je l'oubliais — que les instituteurs clairvoyants ne sont pas non plus toujours des éducateurs modèles, et qu'un aveugle *présent* surveillera toujours mieux qu'un voyant *absent*; qu'un aveugle consciencieux vaut mieux comme éducateur qu'un voyant sans moralité et sans conscience, etc., etc.

Mais quand on prend des collaborateurs, ils sont toujours consciencieux et dévoués, et il est évident qu'à conditions égales, un homme doué de tous les sens peut rendre plus de services qu'un autre.

La question à l'ordre du jour nous demande:

1° Si l'on peut, en principe, confier l'éducation des aveugles à des instituteurs aveugles;

2° Dans quelle mésure ou proportion on peut le faire?

Il résulte de ce que j'ai dit que j'affirme la première question, tout en repoussant *comme absurdité* l'emploi presque exclusif d'aveugles.

Il s'agit maintenant de trouver la mesure, la proportion, donc une formule mathématique.

Faisons la valeur du voyant comme enseignant à 1

La valeur du voyant comme aide général et surveillant à 1

somme = 2

Celle de l'aveugle du même caractère et de la même instrustion comme enseignant, à . . . . $\frac{3}{4}$

Comme surveillant et aide général, à . . . $\frac{1}{4}$

somme = 1

Total pour le voyant, $1 + 1 = 2$.

Total pour l'aveugle, $\frac{3}{4} + \frac{1}{4} = 1$.

Nous trouvons donc la proportion A (aveugle), à V (voyant) $= 1 : 2$.

C'est aussi la proportion ou mesure dans laquelle je proposerais d'employer des aveugles et des voyants. Ce rapport pourra peut-être changer en faveur des aveugles, là où les contremaîtres voyants prennent part à la surveillance. En prenant la moyenne arithmétique entre les organisations du Nord et du Sud, entre les systèmes germain et latin, nous trouverons, selon moi, le juste milieu.

Encourageons les aveugles à étudier, le public à leur accorder sa confiance en agrégeant à nos institutions ceux qui en sont dignes sous tous les rapports. Mais gardons-nous bien de sacrifier les intérêts de la totalité des aveugles à l'avantage personnel d'un seul ou d'un petit nombre d'entre eux!

Korbmacherei Mittelbau Druckerei

Abb. 89. Ostansicht (Sommeraufnahme).

Geographischer Unterricht*).

1. Unterricht.

Es kann nicht Aufgabe eines Lexikons des Blindenwesens sein, den Wert des geographischen Unterrichts im allgemeinen darzulegen; denn die Erdkunde hat sich heutzutage in allen, selbst den höchsten Lehranstalten eingebürgert und wird mit Eifer gepflegt.

Höchstens könnte die Frage aufgeworfen werden, ob es möglich, ratsam, oder gar notwendig ist, Blinde in die Elemente eines Wissenszweiges einzuführen, der sich hauptsächlich auf solche Form- und Raumbegriffe stützt, welche dem Blindgeborenen beinahe so fern liegen als die Farben, und die ihm häufig nur in ungenügender Weise veranschaulicht werden können. Der Umstand, daß der geographische Unterricht schon auf den Lehrplänen der Blindenanstalt stand, als noch kein Blindenatlas vorhanden war und sich das ganze Veranschaulichungsmaterial auf einige benagelte und mit Schnüren und Drähten bespannte Bretter beschränkte, beweist, daß die Blindenlehrer, seit es solche gibt, obige Frage bejahten. Wenn der Blinde als vollberechtigtes Glied der Gesellschaft und dem Staat als Bürger zurückgegeben werden soll, muß er sich nicht nur in der engen Welt, in welcher er sich bewegt, zurecht zu finden wissen, sondern auch sein Vaterland und dessen politische Einrichtung kennen und dasselbe lieben lernen. Doch auch abgesehen von ihrem materialen Werte, ist die Geographie ein wichtiges Mittel allgemein menschlicher Bildung. Die großartigste und unanfechtbarste Offenbarung der Macht, Weisheit und Güte des Schöpfers ist eben die Schöpfung selbst und nicht das, was Spätgeborene über dieselbe gesagt und gesungen haben. Und dieses Buch sollte für den Blinden versiegelt bleiben? Kein Blindenlehrer und kein Blindenfreund kann dies wollen. Die Frage, ob die Erd- und Himmelskunde in die Blindenanstalt gehöre, muß also unbedingt bejaht werden.

Wann soll aber der Unterricht in der Erdkunde, speziell in der Heimatkunde, seinen Anfang nehmen?

Dies hat zu geschehen am Tage des Eintritts der Zöglinge in ihre neue Heimat, die Blindenanstalt, in welchem Alter dieser auch erfolgen möge, weil bei ihnen vorerst der materiale Unterrichtszweck, die Orientierung, in den Vordergrund tritt. Der Blinde muß sich in der Anstalt und deren Umgebung orientieren lernen, und das ist schon ein schönes Stück Heimatkunde.

Absolute Grundbedingung eines ersprießlichen Unterrichts in diesem Fache ist das Vorhandensein eines nach einfachen Reduktionsverhältnissen (1 : 100; 1 : 200; 1 : 1000) ausgeführten Reliefplanes der Anstalt und ihrer nächsten Umgebung, auf welchem die Anstaltsgebäude in ihren natürlichen Formen dargestellt sind, so daß die Schüler wenigstens die Horizontaldimensionen in der Natur und am Modelle nachmessen und miteinander vergleichen können. Um dieselben in das Verständnis eines Kartenmaßstabes überhaupt einzuführen, wäre es wünschenswert, daß solche Pläne nach verschiedenen Maßstäben (1 : 100; 1 : 1000 usw.) ausgeführt würden und so immer größere Räume zur Darstellung brächten. Bei ihrer Ausführung ist möglichst natürliche Wiedergabe aller Formen anzustreben, so daß etwa vorhandene Flüsse und Bäche vertieft und nicht, wie auf den Übersichts-, d. h. Landkarten, erhöht dargestellt werden sollen. Erst bei zunehmender Reduktion, d. h. sobald die naturgetreue Nachbildung aller die Umgebung der Schule bildenden Elemente des Landschaftsbildes undeut-

*) Dieser Artikel ist 1899 für das Lexikon des Blindenwesens von Reg.-Rat Dir. Mell (Pichlers Witwe und Sohn, Wien) geschrieben worden.

lich wird, darf man zu konventionellen Zeichen, also z. B. zu erhöhten Flüssen, seine Zuflucht nehmen. Bei Beobachtung dieses Lehrganges wird der Schüler naturgemäß von der Sache zum Modell und von diesem zur Zeichnung, also zum Verständnis der Karte geführt. Auf die Einzelheiten dieses Unterrichts näher einzugehen, ist zwecklos, weil sich derselbe nicht wesentlich von dem geographischen Unterricht an gutgeleiteten Schulen Sehender unterscheidet. Je nachdem die Umgebung der Anstalt in physischer oder politischer Beziehung größere oder geringere Abwechslung bietet, d. h. mehr oder weniger geographische Elemente aufweist, wird dieser grundlegende Kursus sich auf einen weiteren oder engeren Raum ausdehnen und kürzere oder längere Zeit in Anspruch nehmen. Die Hauptsache besteht darin, daß ein Grundstock richtiger geographischer Vorstellungen und Begriffe auf naturgemäßem Wege, d. h. durch Anschauung, resp. Betastung, gebildet werde, der dem weiteren geographischen Unterricht als Grundlage dienen könne. Dies ist aber nicht in allen Anstalten ohne Zuhilfenahme künstlicher Veranschaulichungsmittel möglich. Nehmen wir an, eine Anstalt liege, wie die meisten deutschen Blindenschulen, in einer weiten Ebene und überdies noch in einer größeren Stadt! Wie soll da der Schüler auf naturgemäßem Wege die Begriffe Hügel, Berg, Bergspitze, Abhang, Fuß, Kamm, Kegelberg, Kuppe, Horn, Paß, Bergkette, Seitenkette, Tal, Längs-, Quer-, Seitental, Fluß, Ufer, Mündung, See, Meer, Hafen, Insel, Halbinsel usw. durch Anschauung gewinnen, ohne daß ein ideales oder, wenn möglich, reales Reliefbild einer anderen Gegend, welche diese Elemente enthält, zuhilfe genommen wird? Das rechtzeitig sich einstellende Wort, wo Begriffe fehlen, d. h. die auswendig gelernte Definition, kann und darf nicht genügen. Man muß also ein derartiges allgemeines Veranschaulichungsmittel schaffen, oder der Lehrer muß für den Unterricht, oder auch während desselben, plastische Bilder (Modelle) von derartigen geographischen Objekten selbst herstellen.*) Wo die Umgebung der Anstalt den gewünschten Formenreichtum darbietet, ist es angemessen, denselben zu benützen, und in einem Spezialrelief zur Anschauung zu bringen; denn, wenn selbst der Sehende eines Zwischengliedes zwichen Natur und Plankarte bedarf, um zum Verständnis der letzteren zu gelangen, wie viel mehr muß dies bei den Blinden der Fall sein, welche mancherorts heute noch „Wandkarten" ganzer Länder in die Hände bekommen, die das Auge des Geographen geradezu beleidigen.

Wer soll und wird nun aber alle diese Heimatreliefs herstellen? Werden sich außerhalb des Lehrerstandes überall gemeinnützige Männer finden, welche befähigt und geneigt sind, sich dieser Aufgabe einzig aus Liebe zur Sache zu unterziehen? Wohl schwerlich! Nur der Lehrer kann in die Lücke treten, und wenn er nicht befähigt worden ist, ein Relief der Heimat (d. h. der Umgebung der Anstalt) oder, falls ein solches den nötigen Anschauungsstoff nicht bietet, geeigneten Ersatz dafür anzufertigen, fehlt es gerade in dem Momente, in welchem es am nötigsten wäre, um dem Schüler richtige Vorstellungen und Begriffe beizubringen und falsche Auffassung der Karte zu verhüten, was unendlich viel leichter ist, als unrichtige Bilder, die sich dem kindlichen Geiste eingeprägt haben, zu verwischen und durch richtige zu ersetzen. Es ist deshalb auch ein sehr mangelhaftes Relief der Heimat, das der Lehrer für seinen Unterricht und teilweise während desselben unter seinen und seiner Schüler Händen entstehen läßt, der schönsten Arbeit, welche man den Kindern — sehenden wie blinden — in fertigem Zustand zeigt, vorzuziehen, weil sie auf diese Weise gleichsam dem Schöpfungsakte als selbsttätige Zuschauer beiwohnen.

Nachdem so der Grundstein des erdkundlichen Unterrichts durch das Studium der Heimatgemeinde oder des Kreises (oder der Provinz), je nach deren physikalischer Beschaffenheit, gelegt ist, wird es an der Zeit sein, die Erde als Ganzes zu betrachten, bevor man weiter geht. Als Veranschaulichungsmittel ist auf dieser Stufe ein Reliefglobus, auf welchem auch die Hauptteilungslinien — Äquator, Wende- und Polarkreise und einige Meridiane, vielleicht je der fünfzehnte (= 24 Stunden) — verzeichnet sind, unbedingt notwendig.

Reimers Reliefglobus leistet gute Dienste für Vorgerücktere. Für Anfänger ist ihm ein kleinerer Globus, auf welchen das Kind mit jeder Hand eine Halbkugel decken kann (Tag und Nacht), vorzuziehen (Pariser Metallglobus, Gummiglobus von Kunz). Mit Hilfe genannter Lehrmittel kann der Schüler ohne große Mühe richtige Vorstellungen gewinnen von der Form der Erde, von der Lage und Ausdehnung der ihre Oberfläche bildenden Meere und Kontinente und von der Stellung, welche sein Vaterland in diesem großen Organismus ein-

*) Alle obengenannten Grundbegriffe können veranschaulicht werden an dem vom Verfasser nach eigenen Messungen ohne Überhöhung modellierten Relief von Genua.

nimmt. Erst nachdem das geschehen, kann das genauere Studium des letzteren mit Aussicht auf Erfolg unternommen werden. Bei Sehenden verhält sich die Sache natürlich anders. In Volksschulen ist es wohl zweckmäßig, die Heimatkunde weiter auszudehnen und erst im Laufe des zweiten oder dritten Jahres zum analytischen Kurse überzugehen, einerseits, weil das Gebiet, welches der unmittelbaren Beobachtung Sehender offen liegt, viel ausgedehnter ist als dasjenige, auf welches sich das Wahrnehmungsvermögen des Blinden erstreckt und andererseits, weil der Sehende unter dem Einflusse der optischen Täuschung steht, welche die ganze Menschheit bis auf Kopernicus irre geleitet hat — und infolgedessen der Belehrung über die Erde als Ganzes später zugänglich wird, als der Blinde, dem es leichter fällt, die hügelige und bergige Erde als Kugel und die scheinbare Bewegung der Sonne als Täuschung zu erkennen. Bei den Blinden findet man reinen Tisch, auf den man setzen kann, was man will.

Die Behandlung des Heimatlandes und der übrigen Länder und Erdteile — mit Benützung der jetzt reichlich vorhandenen Einzelkarten — sollte der physischen Gestaltung, d. h. den Umrissen (Küsten), der Orographie und der Hydrographie die Hauptaufmerksamkeit zuwenden und darauf hinarbeiten, daß die Blinden möglichst richtige und dauerhafte Vorstellungen von der Bodenplastik der Erdoberfläche gewinnen, mit der ja ihre Entwässerung und folglich ihre Besiedelung im Verhältnis von Grund und Folge steht. Es interessiert die vorgerückten und intelligenten Blinden in hohem Grade, wenn man auch zuweilen Streiflichter fallen läßt in die Geschichte der Erdkruste, die Entstehung der Seen, Flußläufe, Küsten usw. Die Karte erhält für sie eine ganz andere Bedeutung, wenn sie die Tiefebenen als einstige Seebecken oder weit ins Festland einschneidende Golfe, die Hochebene zwischen Alpen und Jura als einstige Meerenge, unsere vielfach gebogenen und gebrochenen Wasserrinnen als Kombinationen von Tälern verschiedenen Ursprungs auffassen lernen, wenn sie sich fragen, welcher Zusammenhang bestehe zwischen der oberen Donau, dem oberen Rhein (bis Schaffhausen), der Aare und dem Oberlauf der Rhone (der alten Donauquelle), welches der Ursprung sei der Fjorde (Alpenseen), der Inseln usw.? Es sind dies Fragen, welche den denkenden Blinden ebeso sehr anregen wie den Sehenden und welche die Geographie über einen saft- und kraftlosen Zahlen- und Namenmechanismus erheben, in vielen Fällen die physikalische Karte in eine Geschichtskarte verwandeln und dem Schüler zum Bewußtsein bringen, daß unsere Erde ein nach unwandelbaren Gesetzen sich entwickelnder Organismus und nicht eine Leiche ist. Oskar Peschel soll auch für die Blinden nicht umsonst gelebt haben!

Auch in bezug auf den materialen Unterrichtszweck haben derartige Winke ihren hohen Wert, weil dasjenige, dessen Zusammenhang wir begreifen, viel besser in unserem Gedächtnisse haftet als chaotisch angehäufte Stoffmassen. Wir brauchen auch nicht zu befürchten, den Frieden unserer Schüler zu stören; denn die Ergebnisse der Wissenschaft stehen mit den Schöpfungsepochen („Tagen“) der Schrift in grundsätzlichem Einklang und lehren dieselben erst recht verstehen.

Das physikalische Moment ist ganz besonders zu betonen, erstens weil dasselbe das Wesentliche, Charakteristische und Bleibende eines Landes ist, und zweitens, weil auch heute noch, infolge der Sparsamkeit, die für manche Anstalten zur notwendigen Tugend wird, nicht jeder Blinde nach seinem Austritte aus der Erziehungsanstalt einen Atlas zur Verfügung hat, mit dessen Hilfe er die früher gebildeten Vorstellungen wieder auffrischen und erhalten könnte, und endlich weil mit dem Schwinden des Skelettes, an dem die übrigen geographischen Vorstellungen festhielten, das ganze einschlägige Wissen ins Chaos zurücksinkt, während die Kenntnisse aus dem Gebiete der politischen Geographie durch den geselligen Verkehr und die Lektüre leicht aufgefrischt und ergänzt werden können.

Die hier ausgesprochenen Grundsätze gelten selbstverständlich im gleichen Maße für das Studium der fremden Länder und Erdteile, welches natürlicherweise in der Blindenschule etwas zurücktreten muß und auf den durch meine Karten gebotenen Stoff beschränkt werden kann. Auch der sog. mathematischen Geographie oder Kosmographie ist in dem Lehrplan der Blindenanstalt ein bescheidenes Plätzchen einzuräumen. Die Kenntnis der Teilungslinien der Erde ist schon zum Verständnis der Karten und zur Orientierung auf denselben erforderlich. Diese Linien werden am besten am Globus und auf der (Vereins-)Karte des Stillen Ozans erfaßt. Zur Belehrung über die Entstehung von Tag und Nacht und Jahreszeiten dient ebenfalls ein Globus (oder irgend eine Kugel), dessen eine Hälfte mit der Hand bedeckt werden kann, ferner eine Zeichnung, welche die Erwärmungs- oder Beleuchtungsgrenze und die Entstehung der Polar- und Wendekreise erkennen läßt. Die wichtigsten Belehrungen über den Erdmagnetismus und die Orientierung zur See, über Luft- und Meeresströmungen und deren Einfluß auf das Klima, sowie die Haupttatsachen aus der Geschichte der Erdkruste sind an dieser Stelle einzuflechten. In zweiter Linie kommt in Betracht das Wissenswerteste über die Himmelskörper: Sonne, Mond, Planeten, Kometen und Fixsterne. Einige Kugeln und ein halbes Dutzend Zeichnungen genügen zur Veranschaulichung dieser Dinge, denen der intelligente Blinde Interesse und Verständnis entgegenbringt. Was den vollsinnigen Schülern in einer guten Volks- oder Mittelschule (Realschule) geboten wird, darf den Blinden nicht vorenthalten werden, wenn es in der Macht der Blinden-Bildner steht, es ihnen zu bieten. Noch vor wenigen Jahren wäre diese Forderung als Utopie erschienen; heute kann ihr mit Hilfe der jetzt vorhandenen Lehrmittel bedingungslos genügt werden.

II. Lehrmittel.

Der geographische Unterricht hat, wie eingangs dieses Artikels bemerkt worden ist, eine Stelle im Lehrplan der Blinden-Unterrichtsanstalten eingenommen, seit es solche gibt. Kein anderes Schulfach bot aber der Veranschaulichung annähernd so große Schwierigkeiten wie die Erd- und Himmelskunde, die sich ausschließlich mit Dingen befaßt, welche dem blinden Schüler schlechterdings nicht in natura vorgelegt werden können. Man hat deshalb von Anfang an Ersatz zu schaffen gesucht, indem man sog. Karten herstellte, die aus einem Brette bestanden, auf welchem Nagelköpfe die Städte und Grenzen, und Schnüre usw. die Flüsse veranschaulichen sollten. An naturgetreue Terraindarstellung konnte nicht gedacht werden, weil es den Lehrern, die solche Karten selbst anfertigen mußten, meist an der nötigen Vorbildung gebrach und Fachleute ihre Zeit nicht über Blinden-Lehrmitteln verlieren wollten. Solche „Wandkarten“, die ja mancherorts noch im Gebrauch sind, vermögen keine richtigen Vorstellungen und Begriffe von Flüssen, Ebenen, Hügeln, Bergen, Gebirgsketten usw. zu erzeugen; sie können höchstens nach dem Gesetze der Gleichzeitigkeit vorhandene Vorstellungen und Begriffe, die an den Naturgegenständen selbst (Bach, Teich, Erdhaufen usw.), oder mit Hilfe naturgetreuer, verkleinerter Nachbildungen gewonnen worden sind, wieder ins Bewußtsein rufen. Wenn es aber an Anschauungen und folglich an Vorstellungen und Begriffen fehlt, können derart hergestellte Karten, auf denen zuweilen unförmliche Gips- oder Kittklumpen Gebirge vorstellen sollen, nur dazu dienen, Schüler, Lehrer und Publikum zu täuschen. Dieselben hätten, selbst wenn sie von sachkundiger Hand hergestellt würden, immer den großen Nachteil, nur individuelle und nicht Klassenlehrmittel zu sein, weil sie in der Regel nur in je einem Exemplare vorhanden sind, so daß während des Unterrichts nicht jedem Schüler eine Karte in die Hand gegeben werden kann und somit neun Zehntel untätig dasitzen müssen, während einer die Karte betastet. Auch ist den Blinden beim Gebrauch solcher Lehrmittel jede Möglichkeit genommen, ihre geographischen Kenntnisse nach dem Austritte aus der Anstalt festzuhalten und wieder aufzufrischen. Dessenungeachtet haben die Blindenlehrer, alter Gewohnheit und dem Beispiel der Schulen für Sehende folgend, fast ein Jahrhundert lang an derartigen Lehrmitteln festgehalten, einerseits weil sie nicht bedachten, daß die Wandkarte für Vollsinnige allgemeines und für die Blinden individuelles Lehrmittel ist, das keinen Klassenunterricht ermöglicht, andererseits aber auch, weil bei der damaligen Technik der Blindendruckereien an die Vervielfältigung wirklicher Karten noch nicht zu denken war. Im Jahre 1881 setzte der Verein zur Förderung der Blindenbildung einen Preis aus für die beste Abhandlung über den geographischen Unterricht. Direktor Krüger, dem dieser Preis zuerkannt wurde, stellte sich in seiner Schrift noch so ziemlich auf den alten Standpunkt; er empfiehlt „gut modellierte“ Wandkarten und für die politische Geographie zerlegbare Karten, weil er natürlichere Formen wünschte, als man sie damals auf Karten für Blinde zu finden gewohnt war und nicht glaubte, daß solche in Papier geprägt werden könnten.

Libanskys Fleiß ist noch später ziemlich nutzlos an Einzellehrmittel verschwendet worden, und der Verfasser dieses Artikels selbst hat 1882 in seinem Frankfurter Kongreßreferate, die einstimmig angenommene These aufgestellt, daß eine richtig modellierte Wandkarte von Mitteleuropa herzustellen sei. Erst bei der Ausführung genannter Arbeit hat er den Irrtum erkannt und auch gleich die Konsequenzen dieser Erkenntnis gezogen, d. h. auf die Fortsetzung der angefangenen Arbeit verzichtet und die zwei Jahre lang fruchtlos bleibenden Versuche zur Herstellung von Handkarten für Blinde begonnen, während noch zur Zeit des Frankfurter Kongresses sich die Wünsche nur bis zur Herausgabe von Skizzen für die Hand des Schülers erhoben hatten. Unter Reliefskizzen verstehe ich plastische (geographische) Darstellungen, welche die Geländeformen unberücksichtigt lassen oder nur durch konventionelle Zeichen, Raupen, Wülste usw. andeuten, statt naturgetreue Gebirgsmodellierung zu bieten. Eine Reliefkarte dagegen soll eine verkleinerte Nachbildung des Landes sein und sich zu letzterem verhalten, wie eine verkleinerte Büste oder ein Reliefporträt en miniature (auf einer Münze) zu dem abgebildeten Kopfe.

Abb. 90. Blatt 9 aus dem Blindenatlas von Kunz. Elsaß-Lothringen und Schwarzwald usw.

Sehr schöne Skizzen von Frankreich und den Erdteilen in schärfster Ausführung sind zwischen 1840 und 1847 in Paris zum Teil mit maschinellen Hilfsmitteln von dem Graveur Laas d'Aguen in Kupfer gestochen und auf Pappe geprägt worden. Dieselben stehen in technischer Beziehung hoch über allem, was seither dort geschaffen worden ist. Das Meer ist sehr fein schraffiert, die Küsten sind durch Wülste, die Flüsse und Längen- und Breitengrade durch feine und doch scharfe erhöhte Linien, die Grenzen und Städte durch Punkte und die Gebirge durch „Semmelreihen" bezeichnet. Nur an eine richtige Gebirgsdarstellung hat man sich nicht gewagt; denn diese setzt eingehendes Studium und Kenntnisse voraus, die man auf der Schulbank allein nicht erwirbt. – Die genannten Skizzenkarten sind seit langen Jahren vergriffen und die Platten verschwunden. Im Laufe der letzten 15 Jahre sind in Paris einige Gipsplatten für die Hand der Schüler gegossen worden, die, abgesehen von ihrer Ausführung, schon ihrer Zerbrechlichkeit wegen, wertlos sind. Als mißlungen müssen die englischen Karten bezeichnet werden. Die Flußläufe sind auf denselben vertieft mit abschüssigem linkem und steilem rechtem Ufer dargestellt, so daß die ganze Karte in eine Unzahl schiefer Ebenen aufgelöst und das Geländebild entstellt wird. Der Finger fühlt natürlich nicht den vertieften Fluß, welcher für ihn nicht da ist, sondern den rechten Uferwulst, der oft geradezu als Gebirge erscheint. Städte, die am linken Flußufer liegen, müssen weit von ihrer Stelle gerückt werden, weil sie sonst in dem 10--50mal zu breiten Flußabgrund versinken. Zu Karten mit bedeutendem Stoff, wie diejenigen der europäischen Länder, ist diese Manier leider unbrauchbar, leider, weil sie sehr wenig technische Schwierigkeiten darbietet. Zu Kopenhagen ist vor Jahren eine von Guldberg bearbeitete Skizze von Dänemark gedruckt worden.

In Deutschland hat Buchdrucker Schulze in Steglitz die erste, zwar sehr dürftige, aber immerhin brauchbare Skizze des deutschen Flußnetzes geprägt. Die Versuche, welche anderswo gemacht worden sind, kommen, als meist mißlungen, hier nicht in Betracht, wenn sie auch von gutem Willen zeugen.

Dir. Kulls seit 1884 erschienener Skizzenatlas von Palästina, Beilagen zum Blindendaheim und einige Provinzialkärtchen sind scharf und deutlich und zum Teil mit Namen versehen, was die Orientierung erleichtert: dagegen schließt schon ihre Herstellung auf Blechplatten eine richtige Gebirgsmodellierung aus.

Das geographische Lehrmittel des zweiten Jahrhunderts der Blindenbildung dürfte der seit 1884 erschienene, bis jetzt 87*) Karten umfassende Atlas des Verfassers bilden, wenn derselbe in bezug auf die politische Geographie auf der Höhe der Zeit erhalten wird, was sehr leicht ist, weil die Formen jederzeit beliebig abgeändert und gleich wieder benutzt werden können. Die Gebirgsmodellierung, die Frucht langjähriger analoger Tätigkeit für Sehende, kann wohl immer wieder verbessert, nicht aber wesentlich verändert werden, weil gewissenhaft und nicht etwa mit dem Gedanken gearbeitet worden ist: „Für Blinde ist es gut genug"! Es sind im Gegenteil zwei Reliefatlanten für Sehende als Nebenprodukte der Illzacher Blindendruckerei anzusehen.

*) 32 von diesen 87 Karten sind für den „Verein zur Förderung der Blindenbildung", 3 für den Marienverein in St. Petersburg, 3 für Dänemark und 12 für einzelne Anstalten bearbeitet worden.

Nachdem im Verlag des Vereins zur Förderung der Blindenbildung ein von Ferchen, Kull und Kunz bearbeiteter „Führer durch die Kunzschen Vereinskarten" erschienen, ist über den Gebrauch derselben nicht mehr viel zu sagen. — Dieser Leitfaden hält den analytisch-synthetischen Gang ein. Er geht von dem durch die Grenzen umschriebenen Ganzen aus, zerlegt dasselbe in Flußgebiete usw. und behandelt dieselben auf dem Weg der Synthese. In vielen Fällen empfiehlt es sich, flußaufwärts, also rückwärts zu gehen, weil die Mündung eines Flusses meistens leichter zu finden ist, als die Quelle. Den „Überblick" über ein größeres Gebiet erleichtert der „Klavier- oder Akkordgriff". Es wird z. B. der Klasse kommandiert: „Daumen der rechten Hand auf Straßburg, Zeigfinger auf Karlsruhe, Mittelfinger auf Heidelberg, Ringfinger auf Heilbronn, kleiner Finger auf Stuttgart"; „Daumen der linken Hand auf Luzern, Zeigefinger auf Schaffhausen, Mittelfinger auf Donaueschingen, Ringfinger auf Freiburg i. B., kleiner Finger auf Mühlhausen usw."

Auf diese Weise wird der Tastsinn in allen Fingern ausgebildet und die Lage der verschiedenen Orte zueinander kann richtig erfaßt werden, was in der Regel nicht der Fall ist, wenn nur mit einem Finger getastet wird. — Selbstverständlich muß jeder Schüler seine Karte vor sich haben. Es empfiehlt sich, die Karten nachzeichnen und in Wachs, Plastilina oder Ton nachbilden zu lassen, weil die Schüler auf diese Weise zu genauem Abtasten der Terrainformen gezwungen werden, und sich dieselben sicherer und fester einprägen, als wenn sie nur flüchtig mit der Hand über dieselben wegstreichen. Dagegen ist es widersinnig, von blinden Kindern zu verlangen, daß sie nach Beschreibung Karten modellieren, ehe sie ein richtiges Vorbild genau betastet haben. Woher sollen sie die Vorstellungen nehmen, deren Reproduktion man von ihnen verlangt?! Beim geographischen Unterricht kommt vorerst nur die reproduktive Phantasie in Betracht; der produktiven Einbildungskraft ist möglichst wenig Einfluß auf die Gestaltung eines Kartenbildes, das sich der Natur anpassen soll, einzuräumen.

Bilder und Zeichnungen in der Blindenschule*).

Manche Gegner der Bilder scheinen die Befürchtung zu hegen, daß die Bilderfreunde den gesamten Unterricht, mit Umgehung der Modelle oder der Naturgegenstände, nur auf Bilder stützen möchten, und daß letztere somit zum Ruhepolster für bequeme Lehrer werden könnten. Die nämlichen Gründe ließen sich aber auch gegen alle Abbildungen für Sehende ins Feld führen, und dennoch wird es keinem Pädagogen einfallen, alle Erzeugnisse der graphischen Kunst auf den Index stellen zu wollen, weil sie mißbraucht werden können. Die Möglichkeit des Mißbrauchs einer Sache beweist eben noch nicht deren Unwert.

Der gewissenhafte Lehrer wird immer sein Möglichstes tun, um die besten Veranschaulichungsmittel herbeizuschaffen, und die besten sind meistens die Naturgegenstände selbst; er wird aber auch mit Freuden zum Bilde greifen, wenn Natur- und Kunstprodukte oder Vorgänge, welche veranschaulicht werden sollen, unzugänglich, zu groß, zu klein oder zu gefährlich sind. Derjenige Lehrer aber, der versucht sein könnte, nur aus Bequemlichkeitsrücksichten das Bild, das man ihm in die Hand gibt, einem besseren Veranschaulichungsmittel, das er vielleicht suchen oder den Bedürfnissen der Blinden anpassen müßte, vorzuziehen, der wird auch zum Gebrauch der Bilder zu bequem sein; er wird ein unverstandenes Wort durch andere unverstandene Wörter „erklären“ und abrichten, statt zu unterrichten. Solche Leute passen nicht für Blindenanstalten. Aber selbst, wenn wir einen zoologischen und einen botanischen Garten, sowie das vollständigste Museum mit den besten Lehrmittelsammlungen höherer Schulen Vollsinniger zur Verfügung hätten, könnte man auf Bilder und Zeichnungen nicht verzichten, weil durch dieselben sehr viele Dinge, die für das Tastorgan zu groß, zu klein, zu kompliziert, zu gefährlich oder ganz unzugänglich sind, dem Unterscheidungsvermögen des Tastsinnes entsprechend dargestellt werden können.

Der Blinde „überschaut“ und erkennt unmittelbar als Einheit, was er mit seinen tastenden Händen mit einem Griffe umfassen kann. Was größer ist, wird von ihm nicht mehr als Ganzes mit „einem Blick übersehen“, sondern er ist genötigt, dessen einzelne Teile nacheinander zu betasten und so auf synthetischem Wege Reihenvorstellungen zu gewinnen, deren Glieder zeitlich aufeinander folgen, statt daß sie örtlich richtig nebeneinander liegen, und die dann erst durch wiederholtes Betasten des Objektes und einen zweiten geistigen Prozeß in richtig geordnete Gruppenvorstellungen (Gesamtvorstellungen) verwandelt werden müssen.

Der Sehende dagegen erfaßt alle Gegenstände, die er aus genügender Entfernung betrachtet, z. B. einen Tisch, ein Gebäude, einen Baum, einen Wald usw. als Ganzes und gewinnt erst auf analytischem Wege, also durch Anschauung der einzelnen Teile des betreffenden Objektes aus geringerer Entfernung, genaue Teilvorstellungen, die sich in richtiger örtlicher Gruppierung in die Gesamtvorstellung einordnen. Schon Gegenstände von der Größe eines Hutes, eines Stuhles, einer Schreibtafel, einer Katze kann der Blinde nicht mehr als Ganzes mit einem Griffe umfassen, „be-

*) Dieses etwas erweiterte Thema ist im Jahre 1900 für das „Enzyklopädische Handbuch des Blindenwesens“ (von Direktor Regierungsrat Mell in Wien, Verlag von Pichlers Witwe und Sohn, Wien 1900) nochmals bearbeitet worden. Da eine wesentliche Meinungsänderung im Laufe der 9 Jahre nicht eingetreten war und ich meinen Ideen keinen besseren Ausdruck zu geben wußte als 1891 in Kiel, so stimmt die zweite Bearbeitung mit der ersten an manchen Stellen überein. Ich entnehme deshalb der neueren Bearbeitung und den Jahresberichten der Anstalt nur einige ergänzende Zusätze.

greifen". Totalvorstellungen von solchen Dingen müssen also von ihm stückweise nacheinander zusammengetragen werden. Dies ist sogar schon bei viel kleineren Sachen der Fall, wenn sich der Blinde daran gewöhnt hat, nur mit einem Finger zu tasten und nicht gleichzeitig allen Teilen der Hand eine gewisse Aufmerksamkeit zuzuwenden. Es ist deshalb vom größten Nutzen, wenn das blinde Kind, welches einen Gegenstand mit den Händen umschlossen hat, angehalten wird, bei relativer Ruhe des Tastorganes (eine gewisse Bewegung setzt das Tasten immer voraus) mitzuteilen, was es gleichzeitig mit verschiedenen Fingern und mit der Handfläche fühlt, weil so der Tastsinn allseitig ausgebildet wird, während er sich sonst auf eine oder zwei Fingerspitzen zu konzentrieren scheint. (Siehe Klaviergriff im Artikel „Geographischer Unterricht".) Man irrt sich bekanntlich sehr, wenn man den Tastsinn eines Blinden nur nach seiner Lesefertigkeit beurteilt.

Auch der Sehende befindet sich in derselben Lage wie der Blinde, sobald es sich um Dinge handelt, die auch er nicht mehr mit einem Blick übersehen kann, z. B. um eine Stadt, ein Land, die Erde als Ganzes usw. Dann ist auch er genötigt, zum Bilde (Karte) zu greifen, das ihm durch Verkleinerung einen Überblick über das Ganze ermöglicht. Der Unterschied zwischen Sehenden und Blinden in bezug auf den Bedarf an Bildern wird also bedingt durch die sehr verschiedene Weite ihres Gesichtskreises. Je enger derselbe, desto größer ist das Bedürfnis nach Ersatz.

Allein auch nach unten besteht für die Hand, wie für das Auge, eine Grenze der Wahrnehmung, und auch hier steht der Tastsinn hinter dem Gesicht, das sich überdies noch künstlicher Hilfsmittel bedienen kann, weit zurück. Die Form von Gegenständen, welche weniger als 2 mm Durchmesser haben, wird mit dem Finger nur noch in Ausnahmefällen unterschieden werden können, selbst wenn sie sehr einfach sind und die nötige Festigkeit besitzen, um dem Drucke des Tastorganes Widerstand zu leisten, während das bewaffnete Auge noch die Formen von Wesen erkennt, von denen viele Tausende auf ein Millimeter gehen, und andererseits mit einem Blicke Millionen von Welten umfaßt und bis in die ungemessenen Tiefen des nächtlichen Himmels dringt. Und dennoch gibt es eine unendliche Zahl von Dingen und Vorgängen, welche auch dem Vollsinnigen nur durch Zeichnungen zum Verständnis gebracht werden können.

Man denke sich einen Unterricht in Geometrie, in Physik, in Geographie, Astronomie usw. ohne Figuren oder Karten! Wenn aber selbst die gebildeten Vollsinnigen dieser Hilfsmittel bedürfen, um ihr Vorstellungsvermögen zu unterstützen, wie sollten wir Blindenlehrer auf dieselben verzichten können, wenn anders wir die Lichtberaubten nicht nur auf die Höhe ihrer Standesgenossen heben und sie an dem Geistesleben derselben teilnehmen lassen wollen, sondern uns die Aufgabe stellen, ihnen durch gründlichere Ausbildung nach Möglichkeit das zu ersetzen, was ihnen durch ihr Gebrechen entzogen wird, und sie dadurch zum schweren Kampf ums Dasein besser zu befähigen?!

Es eröffnet sich da ein unendlich großes Arbeitsfeld, das nicht länger brach liegen darf!

Man könnte versucht sein, dem Verfasser besondere Vorliebe für diese künstlichen Lehrmittel anzudichten, weil er, dem Thema entsprechend, die oberen Glieder der Reihe nur wenig berücksichtigt. Wer die Sammlung ausgestopfter Tiere und anderer Naturalien, sowie der physikalischen Apparate in der von ihm geleiteten Anstalt gesehen hat, wird ihn nicht der Unterschätzung der Naturgegenstände und der Überschätzung anderer Hilfsmittel zeihen.

Es hieße in der Tat, wie oben schon angedeutet, das Pferd am Schwanze aufzäumen, wenn man den Unterricht ausschließlich auf die beiden letzten Glieder der absteigenden Veranschaulichungsreihe stützen und sich der Illusion hingeben wollte, daß blinde Kinder von Haus aus befähigt sein müssen, durch einen Akt der produktiven Phantasie sich an der Hand des Bildes den dargestellten Gegenstand selbst zu vergegenwärtigen. Wenn ein Blinder nie einen Vogel irgendwelcher Art betastet hat und ohne weitere Vorbereitung z. B. das Bild eines Haushahnes unter die Hände bekommt, so wird dasselbe für ihn völlig bedeutungslos sein; hat er aber Gelegenheit gehabt, einen lebenden oder ausgestopften Haushahn mit seiner tastenden Hand richtig „anzuschauen" und mit der genauen plastischen Abbildung desselben Tieres zu vergleichen, so wird letztere bei wiederholter Betastung nicht nur nach dem Gesetze der Gleichzeitigkeit, sondern wesentlich nach dem der Ähnlichkeit, die mit Hilfe des Naturgegenstandes gewonnene und im Geiste des Kindes aufbewahrte Vorstellung wieder wachzurufen, zu reproduzieren vermögen, auch ohne daß man zu dem — von anderer Seite empfohlenen — etwas umständlichen Hilfsmittel symmetrischer, durch einen Papprahmen geteilter Halbmodelle greift. Wer aber solche Zwischenglieder besitzt, wird gut daran tun, sie zu benützen. Die dritte oder Tiefendimension wird an meinen Bildern, die ja in den meisten Fällen vollständige Halbmodelle sind, wie beim Naturgegenstande selbst an der Wölbung erkannt und einigermaßen richtig abgeschätzt. Auch das Auge beurteilt die Tiefe Dicke nur nach der Wölbung, resp. nach dem Schatten. Angenommen, es handle sich nun darum, mit Hilfe des ausgestopften Haushahnes den Schülern neue Vorstellungen von anderen Hühnervögeln — Rebhuhn, Auerhahn, Birkhahn, Perlhuhn, Truthahn, Fasan usw. — beizubringen, so wird die durch des Lehrers Wort angeregte produktive Phantasie der Kinder durch die Abbildungen der betreffenden Tiere wesentlich unterstützt werden.

Das Kind findet an der Hand dieser Reliefbilder eine gewisse Übereinstimmung der Körperformen aller Hühnerarten; tastbare Unterschiede bestehen zwischen denselben in bezug auf Größe, Bau, Länge und Bedeckung der Beine, Form des Kopfes (mit oder ohne Kamm), Form des Schwanzes, bzw. der Schwanzfedern usw., und diese Verschiedenheiten können an den geprägten Bildern deutlich wahrgenommen werden. Wir muten demnach der Phantasie des Kindes nicht die Bildung ganz neuer Vorstellungsgruppen aus vorhandenen Elementen, sondern nur geringe Umänderung solcher Gruppen mit Hilfe tastbarer Bilder zu, kommen also der Einbildungskraft fortwährend, nicht nur durch Worte, sondern auch durch Tasteindrücke zuhilfe. Wer lebende und ausgestopfte Exemplare dieser Vogelarten und eine Sammlung von Füßen, Flügeln, Schwanzfedern usw. besitzt, wird dieselben natürlich nicht unbenützt lassen, aber auch die Bilder zum Vergleich heranziehen; denn das Bilderlesen will auch geübt sein. Besitzt man ferner einen ausgestopften Reiher und einen Storch, aber weder einen Marabu, noch einen Flamingo, und knüpft der Lehrer an die Beschreibung des Reihers und des Storches, welche die Schüler aufmerksam betastet haben, diejenige der beiden letztgenannten Vögel an, so wird die Bildertafel, auf der sich Abbildungen derselben neben derjenigen des Storchs befinden, die Phantasie der Kinder wesentlich unterstützen.

Der Tiger ist eine große Katze. Läßt man eine lebende oder eine ausgestopfte Katze und deren Bild allenfalls auch Voll- und Halbmodelle - gleichzeitig betasten, so wird es dem blinden Kinde nicht allzu schwer fallen, gestützt auf die so gewonnenen Apperzeptionshilfen, an der Hand einer Tigerabbildung und der zugehörigen Beschreibung eine Vorstellung von letzterem Tiere zu gewinnen, welche in ihrer Art ebenso richtig sein dürfte, als diejenige, welche der Sehende mit Hilfe von Abbildungen gewinnt. Die Formunterschiede zwischen dem Tiger und dem Löwen sind auf dem Bilde deutlich zu unterscheiden; ebenso werden die anderen Katzenarten den Kindern zur Anschauung gebracht werden können, sobald entsprechende Bilder vorhanden sind. Selbstverständlich muß jeder Schüler einer Klasse seine Bildertafel haben. So hat sich der Verfasser die Verwendung seiner Reliefabbildungen von Anfang an gedacht und die Erfahrung hat ihn in seinen Ansichten nur bestärkt.

Lebende, weder zu große, noch zu kleine, noch gefährliche Tiere sind für den Unterricht in der Zoologie das beste, ausgestopfte Tiere kommen ihnen am nächsten, Modelle und Halbmodelle sind ein Notbehelf, und gute Bilder unter allen Umständen viel, viel besser als — gar nichts.

Noch nützlicher als Tierbilder sind morphologische Tafeln für die Botanik — Blattformen, Blütenstände, Blütenteile usw.

Da das Pflanzenblatt ein flaches Gebilde ist, gelingt es, dasselbe naturgetreu zu prägen und im Rahmen des Papierblattes festzuhalten, so daß es sich unter dem tastenden Finger nicht verbiegen und rollen kann, wie das natürliche Blatt. Dadurch wird die Auffassung der Grundformen und somit das Erkennen der natürlichen Blätter bedeutend erleichtert. Mein Heft Blattformen usw. soll nur ein illustriertes systematisches Vokabular der Grundformen sein.

Es wäre wohl verfehlt, wenn man sich auf die plastische Darstellung und Prägung einer großen Zahl ganzer Pflanzen verlegen wollte. Solche Abbildungen würden entweder unnatürlich oder so verworren, daß der Finger nichts mehr unterscheiden könnte. Die für uns in Betracht kommenden Pflanzen sind meistens in frischem Zustande zu haben. Es gibt aber Pflanzenteile, Staubfäden, Blütenstaub, Pistille, Fruchtknoten, Blütenformen, Einzelblüten der Komposita, Zellen, Gefäße, Baumwurzeln usw., die mit Hilfe des Getastes nicht richtig unterschieden werden können. Hier haben Plastik und Prägung, durch vergrößerte, verkleinerte oder vereinfachte Darstellung des Untastbaren in den Riß zu treten. Dasselbe gilt von den Elementen der Mineralogie usw. Natürlicherweise ist Beschränkung auf das wesentlichste geboten. Es sollen aus unseren Blinden weder Zoologen, noch Botaniker, noch Mineralogen gemacht, noch soll bei ihnen der Dünkel großgezogen werden, daß sie auf diesen Gebieten mit den Vollsinnigen in Wettbewerb treten können.

Von der größten Wichtigkeit ist aber die den Bildern, sowohl den Halb- und Flachmodellen, als auch den Umrißbildern, von denen noch die Rede sein wird, zugrunde gelegte Zeichnung. Der Sehende zeichnet für das Auge nach Gesetzen der Optik. Für den Finger gibt es aber weder Projektion, noch Schatten, noch Perspektive im gewöhnlichen Sinne. Das Auge erkennt schon aus den Längenverhältnissen der einzelnen Teile des dargestellten Gegenstandes auch dessen Lage oder Richtung, nicht nur seine Form. Wenn derselbe mit der Projektionsebene, genauer mit einer Linie in derselben, einen Winkel bildet, erscheint er verkürzt, und diese Verkürzung wächst mit dem Winkel; sobald letzterer 90° erreicht, ist die Länge = 0. Es bezeichne (siehe Fig. 1) die Gerade *xy* die Projektionsebene, z. B. eine Mauer (für den Zeichner das Blatt Papier). Unmittelbar vor derselben liege in paralleler Richtung die runde Stange *ab*. Dem in einiger Entfernung vor der Stange stehenden Beobachter erscheint dieselbe auf der Mauer in der Richtung und Länge *a' b'* = *ab*. Liegt die Stange (Fig. 2, 3) schief vor der Wand, d. h. so, daß sie mit letzterer einen Winkel bildet, wie *cd* oder *cf*, so erscheint sie zu *c' d'*, bzw. *e' f'* verkürzt, und wenn sie (Fig. 4) zur Mauer senkrecht steht (*gh*), ist ihre Länge = 0; sie zeichnet sich auf der Mauer als Kreis, dessen Durchmesser ihrer Dicke entspricht. Dasselbe gilt für jeden anderen Gegenstand, der sich in den durch *ab*, *cd*, *cf* und *gh* bezeichneten Lage befindet, z. B. für ein Pferd.

Abb. 1.

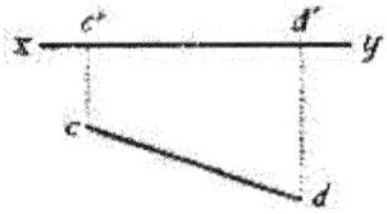

Abb. 2.

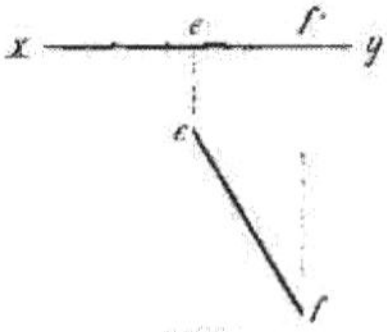

Abb. 3.

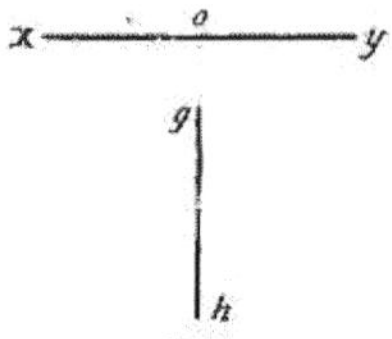

Abb. 4.

Der einfachste und beste Veranschaulichungsapparat für die Projektionslehre ist wohl die Zimmertüre, die mit der Vertikalebene (Wand) jeden beliebigen Winkel bilden kann. Auch der Blinde merkt, daß sie, sobald sie nur halb geöffnet ist, Raum läßt, um in gerader Linie durchgehen zu können, und daß sie somit infolge ihrer schiefen Stellung zur Wand schmäler erscheinen muß, als sie in Wirklichkeit ist. Das Verständnis der Erscheinung bedingt aber ebensowenig ein richtiges Erfassen projektiver Zeichnungen durch das Getast, als die Kenntnis der Lichtbrechung allein zum Sehen befähigt.

Das geübte Auge des Vollsinnigen erkennt aus einer nach den Gesetzen der Projektionslehre entworfenen Zeichnung, also aus der scheinbaren Verkürzung oder dem Verschwinden einzelner Teile, ohne Vermittelung des Denkens, die Stellung oder Lage des abgebildeten Gegenstandes. Für die Hand hingegen gibt es keine optische Täuschung. Sie erfaßt die Dinge, wie sie wirklich sind, nicht wie sie dem Auge erscheinen. Deshalb dürfen Bilder, welche dem Blinden richtige Vorstellungen von Körperformen vermitteln und nicht etwa Tätigkeiten erraten lassen sollen, nur in richtigen Größenverhältnissen, also bei paralleler Lage der Achse zur Projektionsebene, gezeichnet werden, während der Künstler, welcher für Sehende zeichnet, in der Regel andere, lebendigere, d. h. Leben und Tätigkeit verratende Stellungen wählt und also von der projektiven Verkürzung reichlich Gebrauch macht.

Auch auf des Verfassers Bildertafeln für Blinde erscheint der Birkhahn in solcher Stellung, also verkürzt, weil auf einer reinen Seitenansicht der charakteristische Schwanz nicht zur Geltung gekommen wäre.

Mehr Verständnis als für die Projektion hat der Blinde bei richtiger Vorbereitung für die Perspektive, die in gewissem Sinne auch für eine kombinierte Tätigkeit des Getastes mit dem Muskelgefühl existiert.

Angenommen, der Arm eines blinden Kindes ruhe auf einem Tische (Fig. 5) in der Richtung *ab* und berühre in *b* den Fuß des Kegels *bf*.

Um die Spitze des Kegels *f* berühren zu können, muß der Arm einen Winkel von 45° beschreiben ($\measuredangle\, b\,a\,f = 45°$); wird der Kegel nach *c* zurückgeschoben, so beschreibt der Arm, bzw. dessen Verlängerung (Stock), wenn er beide Endpunkte *c* und *g* nacheinander berührt, nur noch einen halb so großen Winkel *c a g*. Je weiter man den Kegel zurückschiebt, desto kleiner wird der „Tastwinkel", bis schließlich beide Schenkel zusammenfallen. Denkt man sich bei *a* ein Auge, statt eines Armes, so entsprechen die Sehwinkel *b a f*, *c a g*, *d a h* usw. eben denselben „Tastwinkeln". Je weiter der Gegenstand vom Beobachter entfernt ist, desto kleiner erscheint er dem Gesicht und dem (unmittelbaren oder mittelbaren Getast, vorausgesetzt natürlich, daß er nicht mit der Hand umfaßt werde; denn sonst käme eben nur letztere als Tastorgan in betracht, und die Entfernung wäre gleich Null.

Aus Obigem erhellt die Möglichkeit, dem Blinden begreiflich zu machen, warum entfernte Gegenstände kleiner gesehen und somit auch kleiner gezeichnet werden, als gleich große Dinge, die sich in der Nähe des Beobachters befinden, und ihm somit eine perspektivische Zeichnung zum Verständnis zu bringen. Es gibt also in gewissem Sinne auch eine Perspektive des Getastes, die aber nicht, wie beim Gesicht, als natürliche Folge der Organisation des in Betracht kommenden Sinneswerkzeuges, d. h. als physische Notwendigkeit aufzufassen ist. — Das Auge sieht überhaupt nur perspektivisch, es erfaßt nicht die Dinge selbst, sondern deren optisches Bild auf der Netzhaut, d. h. ihren Schein, und dieser Schein ändert sich mit Entfernung, Beleuchtung und Lage. Für den Tastsinn allein hingegen bleiben die Dinge wie sie sind, und nur die Mitwirkung des Muskelgefühls kann sie in verschiedenen Entfernungen größer oder kleiner erscheinen lassen.

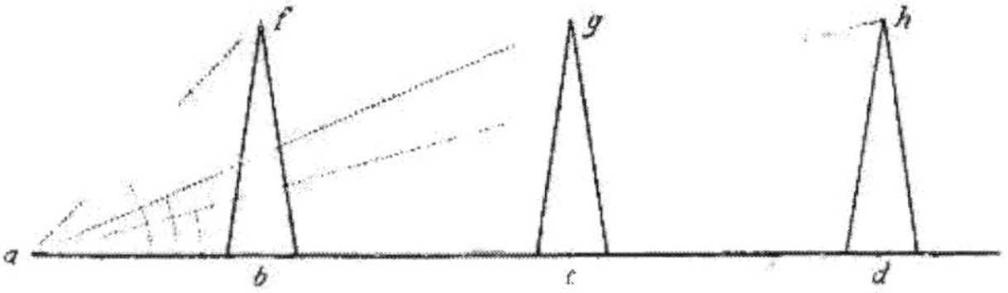

Abb. 5.

Die Tastwahrnehmungen der Fingerspitzen bei Berührung der beiden Enden des betasteten Gegenstandes (des Kegels *b f*) und das Muskelgefühl, welches den vom Arm beschriebenen Winkel mißt, müssen durch einen Denkvorgang (Schluß) zu einer komplexen Sinneswahrnehmung verschmolzen werden, ähnlich, wie sich Gesichts- und Tasteindrücke zu Formvorstellungen ergänzen. Wenn z. B. der eine Fuß eines Vogels kürzer gezeichnet ist, als der andere, oder wenn Bäume, die als gleich hoch vorausgesetzt werden können, nach der einen Seite hin immer kleiner werden, so kann der Blinde daraus einen Schluß auf deren Entfernung ziehen. Ein solches Entziffern der Bilder setzt aber so viel Arbeitskraft und geistige Reife voraus, daß es ratsam erscheint, bei Bildern für Blinde nur ausnahmsweise perspektivische Zeichnung anzuwenden.

Unter Umrißbildern, die noch zu besprechen sind, versteht man gewöhnlich reine Linienzeichnungen, wie sie etwa Blinde mit Litzen und Stecknadeln auf einem Filzkissen herzustellen pflegen. Ihre Anfertigung und Prägung erfordert sehr wenig Zeit und macht keine Schwierigkeiten, wohl aber dürfte das Verständnis derselben solche darbieten, wo der Unterricht im Modellieren und Zeichnen nicht gründlich vorgearbeitet hat. Aus diesen Gründen hat Verfasser bis jetzt auf die Herstellung von Umrißbildern verzichtet, obgleich er die Blinden zum Verständnis der letzteren befähigt wissen möchte. Eine solche Zeichnung muß möglichst einfach gehalten werden; sie darf nur die Begrenzungslinie der Schnittfläche darstellen und bei Tieren höchstens die Ansätze der Gliedmaßen in Projektion auf diese Schnittfläche in unterbrochenen Linien enthalten. Es ist auch größeren Umrißzeichnungen das Wort zu reden, vorausgesetzt, daß ihnen das Halb- oder Flachmodell vorausgehe, und sie sich somit als weitere Abstraktionen aus demselben ergeben. Ein Schüler, der nach der Natur oder nach Voll- und Halbmodellen (wirklichen Reliefbildern) Umrisse gezeichnet hat, wird ohne weiteres befähigt sein, vom Linienbild auf das Halbmodell, und von diesem auf das Vollmodell und den Gegenstand zurückzuschließen. Etwas größere Schwierigkeiten dürfte dieser Rückschluß denjenigen Blinden darbieten, welche nicht zeichnen; notwendige Voraussetzung ist das Zeichnen aber keineswegs. Der sehende Maler oder Bildhauer wird zwar ein Porträt oder eine Büste besser zu beurteilen wissen, als ein anderer Vollsinniger; es ist aber nicht nötig, Künstler zu sein, um in einem guten Bilde die dargestellte Person wieder zu erkennen.

Bei der Ausführung von Umrißbildern ist tunlichst darauf zu achten, daß die Linien sich nicht kreuzen oder derart nähern, daß der Eindruck einer Hohlform entsteht. Sobald mehrere derartige Linien nahe beieinanderliegen, wirken sie verwirrend, weil der Blinde nicht, oder nur mit Mühe herausfinden kann, welche zusammen gehören.

Man denke nur an den Linienwirrwarr gekreuzter Tierbeine oder eines Hirschgeweihes! In solchen Fällen hat für dünne Teile das Halb- oder Flachmodell an die Stelle des Umrisses zu treten, so daß gemischte Bilder entstehen. So würde z. B. das Umrißbild eines Hirsches den Körper als Linienzeichnung, die Beine und das Geweih, nötigenfalls auch Hals und Kopf, als Halb- oder Flachmodell zu bieten haben. Es dürfte sich vielleicht auch empfehlen, die reinen Linienzeichnungen durch Flachmodelle mit ganz ebener Oberfläche — „Flachbilder“ zu ersetzen. Dieselben könnten unter allen Umständen weniger mißverstanden werden, als reine oder gemischte Umrißbilder, und ihre Herstellung wäre überdies leichter. Nur das Zeichnen würde vielleicht durch solche Flachbilder weniger gefördert werden, als durch Linienumrisse; der Ausfall wäre aber durch das Umstechen und Ausnähen von Halb- oder Flachmodellen und Flachbildern leicht zu decken. Schon das Umstechen auf ein untergelegtes dickes Blatt würde übrigens auf der Rückseite des letzteren ein der Vorlage völlig symmetrisches, tastbares Umrißbild in Punktreihen ergeben, das als Zwischenglied zwischen der geprägten, also dem Schüler fertig gegebenen und der von ihm selbst ausgeführten Umrißzeichnung gelten und anfänglich die Nachhilfe des Lehrers auf ein bescheideneres Maß beschränken könnte.

Die geometrischen Konstruktionen, wie sie Mohr uns liefert, und die physikalischen Zeichnungen, die der Verfasser ausgeführt hat, bedürfen keiner eingehenden Besprechung. Die Technik bietet uns beinahe dieselben Hilfsmittel wie den Sehenden, und das Tastvermögen reicht zur Unterscheidung derselben aus. Die Schwierigkeiten, welche derartige Konstruktionen den Blinden darbieten, sind nicht wesentlich größer als diejenigen, welche der Sehende beim Studium derselben Lehrgegenstände zu überwinden hat. So kann z. B. der in den 40 Zeichnungen des Verfassers aus dem Gebiete der Optik gebotene Lehrstoff erfahrungsgemäß mit einer normal beanlagten Oberklasse in 12 bis 16 Stunden durchgearbeitet werden.

Der Gebrauch dieser plastischen Zeichnungen weicht von dem der graphischen nur insoweit ab, als von einem Punkte ausgegangen, also synthetisch verfahren werden muß, während der Sehende leichter das Ganze überblicken und zergliedern kann. Das Gesagte läßt sich in folgende Sätze zusammenfassen:

Die Abbildungen von Körpern sollen in erster Linie als Halbmodelle, bzw. Flachmodelle, und in zweiter Linie als Flachbilder oder Umrißbilder zur Ausgabe kommen und so die letzten Glieder der absteigenden Veranschaulichungsreihe bilden. Sobald sich Umrißlinien einander derart nähern, daß der tastende Finger deren zwei oder mehrere gleichzeitig wahrnimmt, wodurch Verwirrung entsteht, so sind die betreffenden Teile der Umrißzeichnung auch als Halb- oder Flachmodelle oder als ebene Flachbilder darzustellen, damit, statt der Begrenzungslinien, Flächen und Körper gefühlt werden. Schattenlinien dürfen nie, Projektion und Perspektive nur ausnahmsweise bei Bildern, welche für die Oberstufe bestimmt sind, Verwendung finden.

Rückseite der Korbmacherei. Mittelbau. Mädchenflügel.

Abb. 91. Hauptgebäude (von der Scheune aus gesehen).

Zur Geschichte der Blindenfürsorge und Blindenbildung.

(Beilage zum 44. Jahresberichte, 1901.)

Der Abschluß des 44. Berichtsjahres unserer Anstalt und des zwanzigsten persönlicher Tätigkeit in derselben ladet zu einem Rückblick in die Vergangenheit, einem Umblick in der Gegenwart und einem Ausblick in die Zukunft der Blindenfürsorge ein.

Unser Verwaltungsrat hat deshalb beschlossen, dem eigentlichen Jahresberichte die hier folgende kleine Studie über diesen Gegenstand beizulegen. Es ist dies eine Ansprache, die ich bei festlichem Anlasse vor Blinden und Blindenfreunden gehalten und später auf Grund reichlicheren Quellenmaterials erweitert habe.

In der Schöpfungsgeschichte steht geschrieben: „Die Erde war wüst und leer und es war finster in der Tiefe und der Geist Gottes schwebete über den Wassern. Und Gott sprach: Es werde Licht!"

Bis hierher gleicht diese Schöpfungsgeschichte genau derjenigen der Blindenfürsorge und Blindenbildung. Nun aber kommt die Verschiedenheit. In der ersteren folgt gleich die Versicherung: „Und es ward Licht!" während bezüglich des Ziels, der Mittel und Wege der Blindenbildung und Fürsorge, wenigstens bei uns, immer noch das andere Wort gilt: „Finsternis bedeckte das Erdreich und Dunkel die Völker."

Pflicht eines jeden Blindenlehrers ist es nun aber, nach Möglichkeit dazu beizutragen, daß das Schöpferwort: „Es werde Licht", sich auch für uns erfülle. Deshalb möchte ich heute einen Blick werfen auf die Geschichte der Blindenbildung und Fürsorge und aus der Vergangenheit Schlüsse ziehen auf die Zukunft.

Das Altertum hat die Blinden einfach auf die Bettelstraße gewiesen, trotz der Berühmtheit, zu der mehrere von ihnen gelangt sind. Das Gesetz des alten Bundes schützt sie auf dieser Straße, indem es einen furchtbaren Fluch über diejenigen ausspricht, welche versucht sein sollten, sie irrezuleiten. In derselben Weise nimmt sich der Koran ihrer an. Heutzutage kann das Los der Blinden in den mohamedanischen Ländern geradezu als befriedigend bezeichnet werden, indem jede Moschee 10—20 derselben zu Vorbetern, Koran-Rezitatoren und Vorsängern ausbildet und als solche beschäftigt und erhält. Orgeln haben die Mohamedaner wohl keine. Ich könnte ihnen sonst mehrere blinde Organisten empfehlen, die bei den Christen keine Stellen finden. Doch kehren wir zu unseren Ländern und zu unserer Zeitrechnung zurück!

In christlicher Zeit ist zunächst keine wesentliche Änderung in der Lage der Blinden zu bemerken. Sie verschwanden in der großen Zahl der Unglücklichen jeder Art, die von Almosen lebten, und man glaubte, seine Pflicht getan zu haben, wenn man den demoralisierenden Bettel, bei welchem immer die Blinden und ihre Führer zugrunde gehen, möglichst erleichterte. Um die Mitte des vierten Jahrhunderts (350), nicht erst in den Zeiten des hl. Ludwig, wie gewöhnlich angenommen wird, kam man, vielleicht weil der Bettel lästig wurde, auf den Gedanken, die Blinden zu kasernieren, allerdings nicht um sie zu unterrichten und der Gesellschaft als brauchbare Glieder zurückzugeben; an Blindenbildung dachte man damals ebenso wenig als an allgemeine Volksbildung. Das älteste uns bekannte Versorgungshaus für Unglückliche jeder Art und auch für Blinde soll gegen 350 vom hl. Basilius in Cäsarea am Halys (Kleinasien) gegründet worden sein.*) Um 630 finden wir ein solches in Jerusalem, später ein anderes in Kairo (die Moschee El-Azhar). Im zehnten Jahrhundert hat der hl. Bertrand in Pontlieu (Sarthe) ein derartiges wirkliches Asyl gegründet und etwa um das Jahr 1050 sollen in mehreren normannischen Städten (Cherbourg, Rouen, Bagneux und Caen) durch den Normannenherzog Wilhelm den Eroberer einige „aveugleries", wie man sie damals nannte, eingerichtet worden sein. Erst zwei Jahrhunderte später (1254) ist das älteste heute noch bestehende Versorgungshaus oder Blindenasyl, das Hospice des Quinze-Vingts — der 15 × 20 = 300 Blinden — in Paris (Rue de Charenton 22) entstanden. Die allgemein geglaubte Legende erzählt, daß der heilige Ludwig (König Ludwig IX.) dieses Versorgungshaus nach seinem ersten Kreuzzuge für 300 durch die Sarazenen geblendete französische Ritter gegründet habe.

Da ich selbst zur Verbreitung dieser Sage, die wir nicht nur in Geschichtswerken, sondern auch in Mells enzyklopädischem Handbuch des Blindenwesens wiederfinden, durch den 32. Jahresbericht (1889) beigetragen habe, erachte ich es als meine Pflicht, den weitverbreiteten Irrtum an der Hand von Quellen und auf solche sich stützender Forscher, besonders des Werks von Léon le Grand, Archivar am Nationalarchiv in Paris (1887)*) entgegenzutreten.

In den „Fleurs des antiquitez de Paris" von Corrozet (1532), also drei Jahrhunderte nach der Gründung der Quinze-Vingts, findet man zum ersten Male in einem Geschichtswerke die Erzählung, daß der heilige Ludwig die Quinze-Vingts für 300 blinde Ritter gegründet habe, welche er von jenseits des Meeres zurückgebracht hatte. („S. L. fonda la maison des Q.-V. pour nourir et loger trois cens chevaliers qu'il ramena d'oltre-mer, ausquelz les sarrazins avoient crevé les yeux".) Schon frühzeitig erregte diese Erzählung das Mißtrauen einzelner Forscher. Da aber die Gründungsurkunde verloren gegangen war, hielt es schwer, sie zu widerlegen. Das älteste vorhandene Dokument stammt aus dem Jahre 1270. Dasselbe nimmt aber auf die Gründungsurkunde Bezug und enthält nur eine Bestätigung früherer Verfügungen**).

Claude Foucher sagt unter Hinweis auf Rutebeuf,

---

*) Nach einer Studie von Guilbeau in Paris.

*) Les Quinze-Vingts depuis leur fondation. Paris 1887 (360 S.) Das nur in wenigen Exemplaren vorhandene Werk ist im Buchhandel nicht zu haben.

**) In den Jahren 1330 und 1441 wurden Inventare über alle erhaltenen Akten aufgenommen. In letzterem Jahre füllte das Verzeichnis schon 2 Bände (No. 5843 und 44 des Nationalarchivs). (C'est le registre des lettres et tiltres de rente appartenans à l'ostel des Quinze-Vingts de Paris fait l'an mil CCC et trente par usw.) Es sind meistens Besitztitel für Häuser und Güter, welche die Q.-V. damals schon in allen Stadtteilen von Paris und in ganz Frankreich besaßen, ferner päpstliche Bullen und Freibriefe der Könige. 1552 wurde ein neues Inventar gemacht; die Dokumente füllten schon 60 Schränke.

Im Jahre 1639 ließ der Kardinal de Richelieu, ein Bruder des großen Ministers und Kardinals, ein neues Inventar der Akten aufnehmen, welches 183 Tage in Anspruch nahm. Weitere Kataloge entstammen den Jahren 1692, 1755 (5 Foliobände) 1840 und 1867. Das Archiv hat 1871 durch den Kommunenaufstand ausnahmsweise nicht gelitten.

es sei wohl nicht anzunehmen, daß die 300 Blinden des hl. Ludwig „Ritter", d. h. Adelige, gewesen seien; denn Rutebeuf mache in folgenden Versen Bettler aus ihnen:

> Li Rois a mis en 1 repaire,
> Mais ne sais pas bien porquoi faire,
> Trois cens aveugles route à route.
> Parmi Paris en vat trois paire
> Toute jour ne finent de braire:
> „Au III cens qui ne voient goutte" usw.

Auch anderswo verspottet dieser Satyriker diese damals schon sehr reichen Bettler:

> L'ordre des non-voianz
> Tels ordre est bien noianz, usw.

Auch der um 1430 zu Paris geborene berühmte Lyriker Villon ist den blinden Brüdern und Schwestern, die eben überall und immer nur auf Vermehrung ihres schon großen Besitzes ausgingen, und sich auf dem Gottesacker der „Innocents" unangenehm bemerkbar machten, nicht besonders hold.

Er schreibt in seinem Testament:

> Item je donne aux Quinze-Vingts
> Qu'autant vouldroit nommer Trois-Cens,
> De Paris, non pas de Provins,
> Car à eulx tenu je me sens;
> Ilz auront et je m'y consens
> Sans les estuis mes grans lunettes,
> Pour mettre à part, aux Innocents,
> Les gens de bien des deshonnestes.

Die ältesten Chronisten aus der Zeit des hl. Ludwig und den nächsten Jahrhunderten wissen noch nichts von der Ritterlegende. Sie nennen die Q.-V. konsequent „la congrégation des pauvres aveugles de la cité de Paris." Besonders kommt hier der Chronist Joinville, der Begleiter und Freund des hl. Ludwig in Betracht, welcher als Augenzeuge die Geschichte des VI. Kreuzzugs*) geschrieben hat und der über die Q.-V. nur zu berichten weiß, daß der hl. Ludwig ein Haus bauen ließ, um die armen Blinden der Stadt Paris darin unterzubringen. („Le R. fist fere la meson des aveugles delès Paris pour mettre les povres aveugles de la cité de Paris".) Joinville ist der glaubwürdigste Zeuge aus jener Zeit, der uns sozusagen in die Intimität des Königs einführt und uns den wirklich frommen Ludwig „im Hauskleide" zeigt. So erzählt er uns von einem Gespräche, das auf dem Schiffe während der Fahrt nach Ägypten stattfand.

Der König fragte seinen jungen „Senechal" Joinville: „Was ist Gott? Dieser antwortete: „Sire, es ist etwas so Gutes, daß es etwas Besseres nicht geben kann." „Wahrlich, sagte der König, du hast sehr gut geantwortet; nun sage mir aber, was du vorziehen würdest, eine Todsünde begangen zu haben, oder aussätzig zu sein?" Ohne sich lange zu besinnen, antwortete der junge Mann, der ausdrücklich hinzusetzt, daß er den König niemals (onques ne) anlog: „Ich möchte lieber dreißig Todsünden begangen haben, als aussätzig sein."

(„Senechal, fist-il, quel chose est Diex?" Et je li diz: „Sire, ce est si bone chose que meilleure ne peut estre." „Vraiment," fist-il, „c'est bien respondre: que ceste rêponse que vous avez faite est escripte en cest livre que je tieng en ma main." „Or vous demandé-je," fist-il, „lequel vous ameriés miex, ou que vous feussiés mesiaus (aussätzig) ou que vous eussiés fait un péchié mortel?" „Et je, qui onques ne li menti, li respondi, que je en ameroie miex avoir fait trente que estre mesiaus.")

Der über diese wenig orthodoxe Antwort sehr betrübte König schalt seinen jungen, lebenslustigen Senechal deshalb nicht, sondern wartete den folgenden Tag ab, um ihm seine Lektion zu geben. Er rief seinen jungen Freund zu sich, ließ ihn zu seinen Füßen Platz nehmen und begann: „Wie hast du mir gestern das sagen können?!" Ich antwortete ihm, daß ich es noch sagen würde. Da erwiderte er: „Du hast geredet, wie ein unbesonnener, übereilter Gelbschnabel; denn es gibt keinen Aussatz, der so häßlich ist, wie eine Todsünde, weil die Seele, welche in eine Todsünde gefallen ist, dem Teufel gleicht, weshalb es keinen so häßlichen Aussatz gibt, wie die Todsünde. Und ich sage dir, daß du um Gottes- und meinetwillen darnach trachten sollst, wünschen zu können, daß eher alles Mißgeschick, sei es Aussatz oder irgend eine andere Krankheit, deinen Körper treffe, als daß eine Todsünde deine Seele belaste." (Il m'apela tout seulet, me fist seoier à ses piez et me dist: Comment me deistes-vous hier ce? Et je li diz que encore le disoie-je; et il me dit: „Vous deistes comme hastis muzarz; car nule si laide mezelerie n'est comme d'estre en pechié mortel, pour ce que l'ame qui est en pechié mortel est semblable au dyable, par quoy nule si laide mezelerie ne peut estre. Ci vous pric, fist-il, tant come je puis, que vous metés vostre cuer à ce, pour l'amour de Dieu et de moi, que vous amissiez miex que tout meschief avenit au cors, de mezelerie et de toute maladie, que ce que le péchié mortel venist à l'ame de vous.")

Und dieser Herr von Joinville, der so eingehend und mit so rührender Pietät dieses zwar charakteristische, aber für die Nachwelt doch ziemlich belanglose Gespräch dem Pergament übergibt, sollte von den 300 neben ihm erblindeten Standesgenossen

*) 1248 54.

und der Fürsorge Ludwigs für seine Unglücksgefährten nichts gewußt und uns fälschlich berichtet haben, daß das „Ostel" des Quinze-Vingts für 300 arme Blinde der Stadt Paris gegründet worden sei?!

Aus den Urkunden geht ferner hervor, daß die Q.-V. von Kurzwarenhändlern („merciers") von Paris verwaltet wurden. Hätte der hl. Ludwig seine 300 Barone, welche nach der späteren Sage seinetwegen geblendet worden sein sollen, diesen Kleinkrämern unterstellt? Doch wohl nicht! Erst zwei Jahrhunderte später hat der erste Adelige die Leitung der Q.-V. übernommen.

Merkwürdig ist auch, daß schon 1282 und 83 Frauen in der „Ritter"-Kongregation waren, und diese 1302 schon die Mehrheit bildeten (77 Männer und 82 Frauen.) Die 300 „Ritter" mußten also sehr rasch verschwunden sein und einem ausgesprochen demokratischen Publikum Platz gemacht haben, das schon zur Zeit Rutebeufs, also schon im Jahrhundert des hl. Ludwig (XIII. Jahrh.), „wie Esel schreiend" und bettelnd durch die Straßen zog.

Alle Berichte der Zeitgenossen, sowie jede Wahrscheinlichkeit sprechen somit gegen die heute alte, im XIII. und XIV. Jahrhundert aber noch unbekannte Legende, deren erste Spuren erst 1483 und in einem literarischen Werke erst 1499, nämlich in Pierre Desreys Genealogie Gottfrieds von Bouillon zu finden sind, in welcher die Chansons de geste in damals — und auch später noch — üblicher Weise mit der Geschichte verschmolzen wurden. Desrey erzählt — wie wir sehen werden, nach hohen Mustern — daß der hl. Ludwig die Q.-V. zur Erinnerung an die 300 geblendeten Ritter gegründet habe. Er berichtet: Die Gesandten, welche Ludwig nach seiner Gefangennahme in die Heimat schickte, um das verlangte Lösegeld aufzutreiben, begegneten auf der Rückreise nach Ägypten allerlei Hindernissen, so daß sie zur festgesetzten Zeit nicht zurück sein konnten. Der Sultan (soudan) erklärte deshalb dem Könige, daß er für jeden Tag der Verspätung 20 (XX) Rittern die Augen ausstechen lassen werde. Dies geschah. Da die Boten des Königs 15 Tage zu lange ausblieben, wurden also 15 × 20 (Quinze-Vingts) Ritter geblendet.

(„Tellement fist le dict soudan par sa crudelité que, l'espace de quinze jours durant, fist chascun jour crever les yeux à XX chevaliers, qui furent durant les dictz quinze jours quinze-vingts chevaliers.")

Und Joinville, der den Kreuzzug mitgemacht hatte, also Augenzeuge hätte sein müssen, weiß wieder nichts von dieser Schaudergeschichte!

Auch in dieser Sage dürfte aber, soweit die Q.-V. in Betracht kommen, ein Körnchen Wahrheit sein. Durch die Verheerungen, welche ohne Zweifel die ägyptische Augenentzündung wie zur Zeit Bonapartes — unter seinen Kreuzfahrern angerichtet hatte, war der hl. Ludwig auf die Blinden der Heimat aufmerksam geworden. Übrigens hat Desrey selbst später (Mer des Croniques et Mirouer historial de France, 1518) seine schöne Geschichte nicht wiederholt, sondern geschrieben:

„Comme il (Saint-Louis) fust curieux et tressoigneux des povres et indigens, il assigna et établit à Paris ung lieu à ceulx qui seroient privez de la veue, lumière corporelle; y ediffia une chapelle, chambrettes et habitacles où ils habiteroient, et le nomma le lieu des aveugles, aultrement dit et appelé les Quinze-Vingts."

Desroy hatte diese schöne Geschichte von den 300 durch die bösen Sarazenen geblendeten Rittern übrigens auch nicht erfunden, sondern gefunden. Sie tritt in autoritativer Form zuerst in einer Bulle des Papstes Sixtus IV. (vom 7. Oktober 1483) auf, durch welche die Spitäler du Saint-Esprit und de Saint-Michel mit den Q.-V. vereinigt wurden. — Dieselbe gibt in der Einleitung ein diesbezügliches Gesuch des ersten adeligen Ordensmeisters der Quinze-Vingts, maître Jean de l'Aigle, wieder, in welchem letzterer, wohl um sein Ziel sicherer zu erreichen, erzählt hatte, daß die Q.-V. von dem hl. Ludwig zum Andenken an die 300 geblendeten „Kreuzfahrer" gegründet worden seien. So hätte denn diese zielbewußte „Legende" mehr als amtlichen, sogar päpstlichen Kurs erhalten. Sie kehrt in einer Bulle Alexanders VI. wieder (28. Dez. 1500) durch welche dieser Borgia die Ablaßrechte der Q.-V. bedeutend erweitert. Die Ehre der Erfindung*) muß also Jean de l'Aigle zuerkannt werden, der sich ja, gestützt auf die Ablaßrechte seiner Kapelle, solche Scherze erlauben durfte. Vielleicht hat er selbst diese Legende dem Sagenkreise entlehnt, der sich im Laufe der Zeit um Ludwig IX., wie um jeden bedeutenden Mann, gebildet hatte. Jean de l'Aigle hat übrigens am 22. Febr. 1490 den Q.-V. die Herrschaft (Seigneurie) von Cugny (Seine-et-Marne) vermacht und den Rest seines Vermögens zu Spitalbauten verwandt, also den kleinen Kniff abgebüßt, den er sich gegen Sixtus IV. erlaubt

*) Die Ritterlegende wäre übrigens im XVIII. Jahrhundert den Blinden beinahe teuer zu stehen gekommen. Es wurde damals allen Ernstes der Vorschlag gemacht, das nur für Adelige bestimmte Gebäude den Bürgerlichen 300 zu entziehen und es einer nur von jungen Adeligen besuchten Militärschule zuzuwenden.

hatte. Durch die Erlasse Alexanders VI. wurde die Legende weiter verbreitet, weil dieselben allen Bischöfen vorgelegt wurden, um die Erlaubnis zu erhalten, in allen Diöcesen für die Q.-V. Gaben zu sammeln und in allen Kirchen Opferstöcke aufzustellen.

Die Bischöfe wiederholten getreulich die Einleitung der päpstlichen Bulle und trugen so die Legende des Maitre Jean de l'Aigle in jede Hütte hinein. Kein Wunder, daß sie bis auf den heutigen Tag in fast alle Leitfäden der Geschichte geraten ist, während man in den zwei ersten Jahrhunderten des Bestehens der Q.-V. nichts von derselben wußte. Non era vero, ma ben trovato! So wird aus Dichtung Geschichte gemacht.

Mit den 300 durch die Sarazenen geblendeten und durch den hl. Ludwig „versorgten" „Rittern" ist es also nichts!

Eine Gründungslegende weniger, die aber, wie andere Geister der Vorzeit, noch durch einige Jahrhunderte weiter spuken wird.

Angeblich soll diese Niederlassung der Blinden auf einem Teil der heutigen Place du Carroussel, die nach dieser Lesart aus eigner Initiative der Blinden hervorgegangen wäre, weit hinter Ludwig IX. zurückreichen. Schon lange vor den Kreuzzügen hätten sich die Pariser Blinden in einem Wäldchen in nächster Nähe des Louvre, der sog. „Garenne" zusammengefunden, um der Vereinsamung zu entgehen und ihre gemeinsamen Interessen zu fördern. Nachdem der Wald ausgereutet worden war, habe das Grundstück „Champouri" (Champ des pauvres) geheißen. Dort sollen die Blinden ohne Regel und Statuten beisammen gelebt haben und ihre Aufführung scheint nicht sehr erbaulich gewesen zu sein. Diese Überlieferung wird mir von Péphau, dem verdienten jetzigen Direktor der Quinze-Vingts, bestätigt; von Leon le Grand wird sie aber in seinem Buche über die Q.-V. entschieden bestritten. Geschichtliche Belege sind für dieselbe, wie es scheint, nicht vorhanden.

Es wird deshalb als sicher angenommen werden dürfen, daß Ludwig der IX. das Gebäude der Q.-V. vor dem Tore Saint-Honoré auf einem von ihm gekauften Grundstücke für die Pariser Blinden — und nicht für 300 Ritter — erbauen ließ und der Versorgungsanstalt eine Rente überwies. Von dem Gelände hatte der Bischof von Paris bis dahin an Zehnten 4 Sester Getreide und 2 Sester Hafer bezogen. Ludwig löste diese Last mit 100 Sous Pariserwährung ab (Juni 1260).

Der Beichtvater der Königin berichtet über die Gründung: „Et aussi li benviez Rois devant tiz fist acheter une pièce de terre de lez Saint Honoré, où il fist fere une grant mansion pour ce que les povres aveugles demorassent ilecques perpetuelment jusques à trois cens". Er fügt weiter hinzu: „Et ont touz les ans de la borse le roi, pour potages et pour autres choses, rentes." (30 Livres Pariserw.) Nach einer Bulle Alexanders IV. vom 22. Juli 1260 zu schließen, war das Gebäude an jenem Tage fertig.

Die Seelsorge wurde einem Kaplan übertragen, der jährlich 15 L. p. für seinen Unterhalt und 1 L. für Kerzen bezog.

Die neue Anstalt war ein Versorgungshaus, ein wirkliches Asyl, für die erwachsenen Blinden der Stadt Paris. Jeder brachte mit, was er hatte, und so lebten sie beieinander unter der Leitung eines „Meisters" (maitre, proviseur) dessen Wahl dem Könige vorbehalten blieb. Ihm zur Seite stand ein „ministre" und 5 Geschworene, welche von den blinden „Brüdern" und „Schwestern" gewählt wurden. Wichtige Fragen wurden durch das „Kapitel", die Versammlung aller Anstaltsinsassen, die also weitgehende Selbstverwaltungsrechte besaßen, entschieden. Die Statuten sind datiert vom 12. April 1260. Das Ganze erschien als Kongregation, als Brüder- und Schwestern-Orden. Einen wirklich religiösen Orden bildeten die 300 aber nicht; denn sie legten die Klostergelübde nicht ab. Auch heute sind wohl die meisten Insassen der Q.-V. verheiratet. Töchter derselben dürfen bis zum 20. Jahre, Söhne bis zum 14. Jahre im Hause bleiben und erhalten Unterstützungen.

Die Anstalt war von Anfang an mit wichtigen Privilegien ausgestattet worden.

Schon während das Anstaltsgebäude seiner Vollendung entgegenging, wandte sich Ludwig an den Papst und bat ihn um besondere Ablaßrechte für die Anstaltskirche. Durch Bulle vom 22. Juli 1260 gewährte der Papst allen denen, welche die Anstaltskirche am Remigiustage oder 3 Monate nachher besuchten, hunderttägigen Ablaß. Unter der stereotypen Formel Remissio pro religiosis domibus werden diese Ablaßrechte bestätigt und erweitert von Urban IV. (21. 11. 1261), Clemens IV. (22. 9. 1265), Nicolaus IV. (28. 3. 1291), Clemens V. (31. 10. 1307), Johann XXII. (25. 5. 1317), Clemens VI. (22. 12. 1342), Innocens VI. (3. 5. 1353), Urban V. (14. 2. 1363), Clemens VII. (26. 9. 1378; 18. 5. 1387; 25. 2. 1391), Benedict XIII. (27. 9. 1405), Martin V. (3. 1. 1419), Pius II. (20. 3. 1459), usw. usw.

Nach und nach wurde den Besuchern der Kirche zur Pflicht gemacht, nicht nur Ablaß zu holen, sondern auch etwas zu geben, und alle Bischöfe wurden aufgefordert, die blinden Brüder freundlich aufzunehmen und sie überall ungestört Gaben für die Q.-V. sammeln zu lassen (Clemens IV. [20. 9. 1265] Johann XXII [7. 3. 1318] usw.), was den Herren Bischöfen, Geistlichen und Spitalvorständen der Provinz nicht immer angenehm gewesen zu sein scheint. Sie hatten begreiflicherweise keine große Freude daran, daß fremde Schafe auf ihre Weide getrieben wurden. Möglicherweise haben sie sich auch mit Recht gesagt, daß die Gaben der Wohltäter den Tausenden von armen Blinden der Provinz nötiger und nützlicher wären, als den vollgesogenen 300 Professionsbettlern en gros in Paris. Als Alexander VI. (28. 12. 1500) unter Hinweis auf die 300 geblendeten „Ritter" die Ablaßrechte abermals erweiterte und die blinden Brüder und Schwestern neuerdings den Bischöfen empfahl und Julius II. (25. 3. 1504) Leo X. (1. 11. 1513) Clemens VIII (7. 5. 1599) und Paul V. (1607 u. 1615) neue Ermahnungen hinzufügten, scheint die Abneigung des Klerus der Provinz nicht geschwunden, aber zurückgetreten zu sein.

Durch das Ansehen des Gründers und das Eingreifen des Papstes war die Kirche der Q.-V. bald zu einem hohen hierarchischen Ansehen gelangt. Der König selbst besuchte sie jedes Jahr, und so wurde es denn, wie die Zeitgenossen boshaft behauptet haben sollen, für die vornehme Welt Modesache, in dieser Kirche die neuesten Toiletten zu zeigen und Ablaß zu holen, also das Nützliche mit dem Schönen zu verbinden.

Die berühmtesten Prediger der Zeit wurden jeweilen veranlaßt, in derselben zu predigen und so die reichen Leute anzuziehen. Neben den Opferstöcken, welche in den anderen Kirchen von Paris und der Provinz aufgestellt worden waren, forderten blinde „Brüder" und „Schwestern" unter Hinweis auf die päpstlichen Erlasse in wohlgesetzten Phrasen zum „Einlegen" von Gaben für die Q.-V. auf, und daß sie marktschreierischen Bettel auf den Straßen nicht scheuten, hat uns Rutebeuf bezeugt.

Der König selbst hatte die Niederlassung der Blinden mit allen möglichen Vorrechten ausgestattet. Sie genoß Steuerfreiheit und besaß das Asylrecht. Wer sich in ihre Besitzung flüchten konnte, war von Strafe frei. Privatleute machten der Kongregation reiche Vermächtnisse und die Nachfolger des hl. Ludwig — Philippe III, le Hardi, Philippe IV, Jean II, Philippe V, Charles V, VI u. VII, Louis XI, Charles VIII, Louis XII, François Ier, Henri II, François II, Louis XIII, XIV, XV u. XVI, bestätigten und erweiterten die ursprünglichen Privilegien und machten der Kongregation reiche Schenkungen.

Als Ludwig XIV. (1712) jede Befreiung von der damals so lästigen Salzsteuer aufhob, machte er für die Q.-V. eine Ausnahme. Da sich die geistlichen und weltlichen Privilegien auf alle Bewohner des Gebiets der Q.-V., Sehende wie Blinde, erstreckten, bauten die „Brüder" fortwährend neue Häuser, die sehr gut vermietet werden konnten, und sie vermehrten so ihr riesiges Vermögen. Zur Zeit Ludwigs XVI. besaßen sie ein Areal, das heute ungefähr durch die Rue Saint-Honoré, die Rue Castiglione und die Allee, welche sich bis zum Tuileriengarten hinzieht, durch die Rue de l'Echelle und die Rue Rivoli begrenzt würde. Dieses Gebiet hätte jetzt einen Wert von ungezählten Millionen, ohne die auswärtigen Besitzungen zu rechnen. Das durch die Brüder für sich erhamsterte Vermögen hätte ausgereicht, um alle Blinden Frankreichs vor Not zu schützen.

Da nahte das nicht unverdiente Verhängnis in der Person des „bekannten" Kardinals und Fürstbischofs von Straßburg, Prinzen Rohan, des Erbauers des Zaberner Schlosses, dem, in seiner Eigenschaft als Grand-Aumônier von Frankreich, auch die Quinze-Vingts unterstellt waren. Trotz des Widerspruchs und Rücktritts aller Administratoren, verschacherte er widerrechtlich das ganze Besitztum für angeblich 6312000 Fr. In Wirklichkeit war der Preis wohl höher. Aber auch dieser Schleuderpreis verschwand, wie der jetzige Direktor der Q.-V., M. Péphau, früher Direktor im Finanzministerium, mir mitteilt, in den Taschen Seiner Eminenz*).

Er schreibt mir darüber wörtlich:

„Vous voulez du Rohan? Ce Prince de l'Eglise, grand-aumônier du Roi Louis XVI, trouva commode, pour battre monnaie, de vendre les maisons et terrains que les Quinze-Vingts possédaient, place du Carrousel, en face de la rue de Richelieu, et de les transporter rue de Charenton dans un hôtel inoccupé, l'hôtel des Mousquetaires noirs (décembre 1779). La translation eut lieu; mais l'expropriation de tous les terrains et maisons de la place du Carrousel ne donna des capitaux que pour le portefeuille du cardinal de Rohan. Les 6312000 livres (chiffre accusé — et il était certainement supérieur) ne furent donc jamais versées dans la caisse des aveugles, qui, après plaintes sur plaintes, obtinrent du roi partie de la reconnaissance de leur créance et reçurent de la

*) Rohan wurde in den deutschen Teil seines Bistums verbannt. Er starb 1803 in Ettenheim (Baden).

cassette royale une rente de 250000 livres, soit le revenu de 5 millions de francs. La différence n'aurait jamais été payée, si je n'avais entamé, depuis le 9 mai 1880, une campagne incessante et si, à chaque occasion qui m'était offerte de parler en public ou d'écrire pour le dehors, je n'avais poursuivi sous le nom de „revendication" le recouvrement de la créance de 1779, etc."*)

Die 300 Blinden wurden (Dez. 1779) durch Rohan in der leerstehenden Kaserne der schwarzen Musketiere untergebracht, wo sich das „Hospice National des aveugles" heute noch befindet. (Rue de Charenton 28.)

Unaufhörliche Klagen bei Ludwig XVI. bewogen diesen, den Blinden als Ersatz für das durch die Schuld seines Groß-Almoseniers verloren gegangene Kapital aus Privatmitteln eine Rente von Fr. 250000, d. h. den Zins von 5000000 auszusetzen. Später scheint diese Verpflichtung vom Staate übernommen worden zu sein. Seit 1880 verlangt Péphau, der jetzige Direktor der Q.-V. und Gründer der National-Augenklinik, der „Ecole Braille" und des Fürsorgevereins für die Blinden, ohne Unterlaß bei jeder Gelegenheit, die sich ihm bietet, das verschwundene Kapital, oder wenigstens als Ersatz dafür den Zinsertrag von 1312000 Fr. Der intelligente und energische Jurist und hohe Verwaltungsbeamte steht schon als Jugendfreund und Mitarbeiter Gambettas zu allen hervorragenden Staatsmännern in engen Beziehungen. Fast alle ersten Größen der Politik — Ministerpräsidenten und Präsidenten der Republik — haben seit 20 Jahren seinen Kuratorien angehört. Dies kann seiner Sache nur förderlich sein. Dem Einflusse des derzeitigen Ministerpräsidenten Waldeck-Rousseau — als Präsident des Fürsorgevereins — ist es denn auch gelungen, von der Kammer eine Abschlagszahlung von 75000 Fr. und einen Wechsel von 100000 Fr. auf eine nahe Zukunft zu erhalten. So konnte der tägliche Zuschuß an alle 300 Internen und ihre Angehörigen um 10 Cts. pro Tag und Kopf erhöht und eine Anzahl neuer Lebensrenten geschaffen werden. Heute unterstützt die Verwaltung der Q.-V., außer den 300 Internen und ihren Angehörigen, 2500 Blinde außerhalb der Anstalt im ganzen Staatsgebiete.

Um Blindenerziehung und Unterricht hat sich die Verwaltung der Q.-V. als solche nie gekümmert. Von Péphaus persönlicher Tätigkeit auf diesem Gebiete werden wir noch zu sprechen haben. Das Hospice des Quinze-Vingts ist von Anfang an ein Versorgungshaus, ein Asyl im wirklichen Sinne des Wortes gewesen und dies geblieben. Es wird dort nichts gelehrt und nichts gelernt. Die Blinden wohnen auch nicht beisammen in gemeinsamen Sälen; sie haben kleine Familienwohnungen. Jeder treibt, was er will. Er hat freie Wohnung und für sich und die Seinen einen Zuschuß aus der Anstaltskasse. Das Fehlende sucht er aufzutreiben, wo er es findet. Das ist ein Blindenasyl!

Bis hierher reicht in der Blindensache das alte Testament, der alte Bund; nun soll der neue beginnen.

Es ist bis jetzt nur von den Quinze-Vingts, den 300 Blinden, die Rede gewesen, die durch staatlich und kirchlich organisierte Wohltätigkeit zu riesigem Reichtum gelangt waren. Deshalb drängt sich wohl jedem die Frage auf: Was ist aus den andern geworden? Denn daß in Frankreich nicht nur 300 Blinde vorhanden waren, ist klar. Tatsächlich zählt Frankreich heute rund 37000 Blinde und es ist nicht anzunehmen, daß letztere früher weniger zahlreich gewesen seien. Die 300 bilden also noch nicht 1% der Gesamtheit. Was ist aus den 99% geworden? Sie verkümmerten meistens und verdarben mit ihren Führern, weil die in ihnen schlummernden Kräfte nicht geweckt, ihre Hände nicht geübt und ihre Ehrbegriffe nicht entwickelt, sondern ertötet wurden. Das ist der Fluch des Bettels auf der einen, des Asylunwesens auf der andern Seite.

Da kam Valentin Haüy, damals Übersetzer im Ministerium des Auswärtigen. Eines Tages machte er einen Spaziergang durch eine der Anlagen von Paris. Eine Volksansammlung am Eingange eines Vergnügungslokales zog seine Aufmerksamkeit auf sich. Er trat hinzu, um zu sehen, was in so hohem Grade die Heiterkeit der Pariser errege. Da erblickte er eine sonderbare Maskerade. An langen, mit Noten bedeckten Pulten standen Männer mit Schellenkappen auf den Köpfen und riesigen glaslosen Brillen aus Pappendeckel auf den Nasen und entlockten allen möglichen Instrumenten, die sie natürlich nicht zu spielen verstanden, eine schauderhafte Musik. Es waren Blinde.

Empört über diese abscheuliche Szene, welche so viele Pariser belustigte, ging Valentin Haüy weiter. Unterwegs fragte sich der edle Mann: Sollten diese Unglücklichen, die man zum Spott der Leute auf so abscheuliche Weise mißbraucht, nicht befähigt werden können, ein Instrument wirklich zu spielen? Sollten sie nicht imstande sein, ihre Hände zu

*) Da Péphau seither — seiner „klerikalen Gesinnung" wegen — zum Rücktritt gezwungen worden ist, dürfte er wohl nicht übertrieben haben.

einer nützlichen Arbeit zu brauchen? Sie erkennen die menschliche Stimme. Sollten sie nicht ein do von einem sol unterscheiden können? Sie erkennen die Dinge des täglichen Gebrauchs an den Formen. Sollten sie ein a mit einem f verwechseln? Sein Entschluß war gefaßt. Er hatte seine Lebensaufgabe gefunden. Die erste Blinden-Unterrichts- und Erziehungsanstalt war im Geiste geboren.

Erhebung der Blinden zur Menschenwürde durch Erziehung und Unterricht, Förderung ihrer Selbständigkeit durch Nutzbarmachung ihrer Kräfte, durch Arbeit, diese beiden Ideale bildeten künftig das Ziel seines ganzen Lebens und Strebens. Er ging sofort ans Werk, suchte einen Blinden, den er fortan in seinem Bureau im Ministerium unterrichtete. Er lehrte ihn, bewegliche Lettern zu Wörtern zusammensetzen, also lesen, so wie der Schriftsetzer liest und setzt. Ferner unterrichtete er ihn im Rechnen und in der Erdkunde, so gut es eben gehen wollte. Eines Tages kramte Lesueur, so hieß der Blinde, in dem Papierkorbe, während Haüy an einer Übersetzung arbeitete. Plötzlich fragte er seinen Lehrer, ob nicht ein F auf dem Zeitungsblatte stehe, das er in dem Korbe gefunden hatte. Er hatte richtig gegriffen. Die Buchstaben waren auf der Zeitung etwas tief eingeprägt und deshalb auf der Rückseite erhaben und tastbar geworden. So war denn auch der Blindendruck erfunden, der heute von jedem intelligenten Blinden als so große Wohltat empfunden wird. Seine reichsten Früchte hat dieser Gedanke allerdings erst in den letzten Jahrzehnten gezeitigt.

Es muß hier gesagt werden, daß es schon vor Valentin Haüy einzelne gebildete, ja sogar gelehrte Blinde gegeben hat. So ist er selbst jedenfalls durch die blinde Sängerin Maria Theresia von Paradies aus Wien, die zu seiner Zeit mit großem Erfolg auftrat, in seinen Bestrebungen bestärkt worden; durch diese hat er auch Kenntnis erhalten von den Methoden, welche der Lehrer Niesen in Mannheim bei der Ausbildung des blinden Mathematikers Weißenburg angewandt hatte, Methoden, die sich ihrerseits wieder auf die Apparate des blinden Saunderson († 1739), Professors der Mathematik und Optik an der Universität Cambridge, stützten. Auch Diderots „Lettre sur les aveugles à l'usage de ceux qui voient" (London 1749) konnte ihm nicht unbekannt geblieben sein; hatte doch diese Schrift ihrem Verfasser einjährige Gefängnisstrafe im Turme zu Vincennes eingetragen. Es hatte sich aber bis dahin immer nur um einzelne bevorzugte und außerordentlich begabte Blinde gehandelt und nicht um die Gesamtheit derselben.

Erst Haüy ist für die Blinden geworden, was Pestalozzi für die Sehenden, der Gründer der Volksschule. Allerdings ist das Schulrecht für alle, das man bei den Sehenden auch Schulzwang nennt, im Jahre 1901 erst im Königreich Sachsen und im Kanton Bern anerkannt.

Die Blinden können eben den Tornister nicht tragen! Merkwürdigerweise schließt man aber die Mädchen, die doch auch noch nicht regimentiert sind, von dem allgemeinen Schulrecht nicht aus!

Ein Unikum dürfte aber doch das elsaß-lothringische Schulgesetz sein, das überhaupt nur Vollsinnige und Taubstumme, nicht aber Blinde kennt, wohl, weil keine Staatsanstalt vorhanden ist. In Italien macht sich gegenwärtig, laut Mitteilungen, die dem letzten Kongresse in Mailand gemacht worden sind, eine lebhafte Strömung zugunsten des Schulrechts der Blinden geltend. Viele Deputierte und Senatoren scheinen für den Gedanken gewonnen zu sein. „Letzte werden erste sein!"

Valentin Haüy legte seine verbesserte Methode der k. Akademie vor, welche sie sehr günstig beurteilte; dann sammelte er etwa 20 Blinde um sich und unterrichtete dieselben, anfänglich ohne sie zu beherbergen (1784).

Am 26. Dez. 1786 wurde ihm gestattet, seine Zöglinge in Versailles dem König Ludwig XVI. und der Königin vorzustellen. Die blinden Kinder wurden vor dem Hofe in den verschiedenen Schulfächern geprüft und zum Schlusse durften sie ein Musikstück von Gossec auf verschiedenen Instrumenten vortragen; auch später wurde den Blinden öfter gestattet, bei der königlichen Tafel zu spielen. Haüy durfte nun hoffen, sein Werk für die Zukunft gesichert zu sehen. Er sollte sich vorläufig irren; denn er hatte seine Rechnung ohne den Wirt, d. h., ohne den Unverstand der Massen und den Eigennutz falscher Blindenfreunde gemacht. Man fand Haüy natürlich mindestens lächerlich, weil er aus Blinden etwas anderes als Asylisten, Faulenzer und Bettler machen wollte.

Partout comme chez nous!

Auch bei uns gibt es ja gescheite Leute, welche meinen, daß zur Leitung einer Blindenanstalt jeder Gevatter Schneider oder Handschuhmacher genüge! — Ja wenn es sich nur um die Versorgung von einigen müßigen Blinden handelte, wäre natürlich ein Koch die geeignetste Persönlichkeit.

Die Revolutionsstürme zogen auch die Anstalt Haüys mit in den Strudel hinein. Die Zöglinge sangen nicht mehr in den Kirchen, sondern bei revolutionären Festen, machten Umzüge der „Sans-culottes" mit und führten Schauspiele von sehr zweifelhaftem moralischem Werte auf. Dies alles bewahrte Haüy aber doch nicht vor dem Schicksale, als „verdächtig" vorübergehend eingezogen zu werden.

Nachdem die Blindenanstalt von 1791 93 mit der Taubstummenanstalt vereinigt (sie paßten natürlich zusammen wie der Backofen zum Eiskeller) und 1800 im Hospice des Quinze-Vingts*) begraben worden war, erhielt V. Haüy 1802 von dem ersten Konsul Bonaparte, der die Idealisten nicht leiden konnte, seinen Abschied. Er gründete zwar sofort eine neue Privatanstalt (das „Musée des aveugles"), empfand es aber doch als Erlösung, als 1803 Kaiser Alexander ihn nach St. Petersburg berief, um dort eine Blindenschule zu gründen. So trug der im Vaterlande verkannte Blindenapostel die frohe Botschaft von der Blindenbefreiung durch Blindenbildung in die Welt hinaus, wo seine Ideen fruchtbaren Boden fanden. Auf der Reise gelang es ihm, während eines längeren Aufenthaltes bei dem Augenarzte Grapengießer in Berlin den König Friedrich Wilhelm III. zur Gründung der ersten Blindenerziehungsanstalt auf dem Boden des neuen Reichs zu bewegen (1806) und in Dr Zeune einen tüchtigen Leiter für dieselbe zu finden. Diese königliche oder staatliche Anstalt ist heute in Steglitz bei Berlin. In Wien, der Hauptstadt des alten Reichs, hatte schon zwei Jahre früher der aus Bayern gebürtige Jurist Joh. Wilh. Klein (Vater Klein), angeblich ohne von der Pariser Anstalt Kenntnis zu haben, die erste Blindenerziehungsanstalt auf deutschem Boden (das heutige k. k. Blindeninstitut) gegründet. Die Schweiz folgte schon 1809. Als Valentin Haüy 1817 in seine Heimat zurückkehrte, hatte er den Trost, sein Werk für alle Zeiten gesichert zu sehen. Tief mußte es ihn aber schmerzen, daß er die von ihm gegründete Anstalt, welche 1816 nach dem Sturze Napoleons wieder selbständig geworden war, nicht mehr betreten durfte.

Diese Anstalt hat alle Wechsel des französischen Staatswesens überdauert und nur jeweilen Namen und Farbe gewechselt. Seit 1846 ist die Institution nationale des jeunes aveugles so heißt sie jetzt amtlich — auf dem Boulevard des Invalides in einem schönen, großen Anstaltsgebäude untergebracht.

Die sehr gut dotierte Direktion derselben ist seit langen Jahren hohen Staatsbeamten vorbehalten.

*) Es war keine Kongregation mehr.

Der erste Direktor, den ich gekannt habe, war ein früherer Generalkonsul, sein Nachfolger ein alter Präfekt (Regierungspräsident) und Generalsekretär des Generalgouverneurs von Algerien, der dritte ein früherer Sekretär des Gefängniswesens im Ministerium. Die Direktoren sind eben nur Vertreter der Anstalt nach außen und administrative Chefs derselben; auf den Unterricht, dessen Leitung dem „Censeur" übertragen ist, üben sie keinen wesentlichen Einfluß aus.

Für die Vertretung einer Anstalt nach außen, besonders aber nach oben, sind aber akademisch gebildete hohe Beamte, die ihre persönlichen Beziehungen zu den höchsten Stellen für die Blindensache dienstbar und nutzbringend machen können, entschieden geeigneter als Lehrer.

In Deutschland, Österreich, der Schweiz, usw. sind die meisten Anstaltsvorsteher Volksschullehrer gewesen; andere sind aus dem mittleren und höheren Lehramt hervorgegangen und meistenteils ohne Routine an die Spitze von Anstalten gestellt worden. Wenn ich den Zeitraum der letzten 20 Jahre überblicke, glaube ich sagen zu dürfen, daß die Anstaltsleiter letzterer Kategorie nicht als methodische Kleinkrämer aber als Leute mit weiterem, freierem Blick und höherer Bildung auch bei uns anregender gewirkt haben, als ihre Kollegen von der pädagogischen Pike. Diese Verschiedenartigkeit des leitenden Personals der Blindenanstalten hat, meines Erachtens, die gewaltigen Fortschritte, welche das Blindenbildungswesen in diesem Zeitraum gemacht hat, hauptsächlich bewirkt, d. h. einen Wetteifer erzeugt, der vielleicht gefehlt hätte, wenn alle durch dieselbe seminaristische Schablone gedrückt worden wären. Deshalb könnten auch wir in den mitteleuropäischen Anstalten deutscher Zunge ganz gut sogar einen früheren hohen Beamten in unserem Kreise ertragen.

Ob einer „so gut" sein wird?*)

*) Diese Ketzereien haben s. Z. bei Kollegen einen wahren Entrüstungssturm hervorgerufen, weil sie glaubten, daß ich alle Seminaristen durch sog. Akademiker ersetzen möchte. — Dies habe ich nie gesagt und nie gedacht; die Entrüstung war deshalb mindestens überflüssig. — Daß einige höher gebildete Anstaltsleiter unserer Sache nicht schaden können, hat die Vergangenheit bewiesen. — Zur Erklärung habe ich 1901 in meinem Breslauer Kongreßvortrage scherzend hinzugefügt: Sobald ein deutscher Diplomat, Regierungspräsident oder Ministerialdirektor, wie sein französischer Kollege, die Wahl hat zwischen einem Oberpräsidium, oder dem Vizekönigtum von Afrika und — der Direktion einer Blindenanstalt, und wenn er in seiner „Herzensgüte" letztere wählt, brauchen wir die (geplanten) Blindenlehrerprüfungen nicht mehr, um uns Respekt zu verschaffen, besonders wenn, wie

Doch kommen wir auf die Institution nationale zurück!

Dieselbe ist heute nur noch Musikschule; jede Handarbeit hat dort aufgehört.

Da man gerade in Paris am besten sah, was aus vielen von diesen „Musikern" wurde (die hervorragenden, die es zu etwas bringen, bilden auch dort nur die Ausnahmen), hat Péphau die „Ecole Braille"*) in Saint-Mandé-Paris, auf ganz anderer Basis gegründet. Diese sehr praktisch organisierte Anstalt, in welcher der Unterricht vielleicht nur zu sehr dem Handwerke geopfert wird, ist vom Departement de la Seine übernommen worden. Im Alter von 14 Jahren sind dort sogar die Mädchen in der Regel schon „Arbeiterinnen", haben also Schule und Handwerkslehre hinter sich.

Diese beiden Pariser Anstalten — Institution nationale und Ecole Braille — repräsentieren die beiden Extreme; ein sich der Ecole Braille bedeutend nähernder Mittelweg dürfte der richtige sein. Auf dem Pariser Kongresse „pour l'amélioration du sort des aveugles" (1900) habe ich im Privatgespräch, namentlich von Ausländern, wiederholt die Äußerung gehört: „Die Ecole Braille ist für Frankreich die Schule der Zukunft." Unter allen Umständen steht sie den deutschen, österreichischen, schweizerischen, dänischen, russischen, usw. Anstalten viel näher, als das Nationalinstitut, welches seinerseits im Londoner Royal Normal College völlige und in einigen italienischen Anstalten wenigstens teilweise Nachahmung gefunden hat.

Auch in Deutschland ist wiederholt der Versuch gemacht worden, eine „Hochschule" für blinde Musiker zu gründen; derselbe ist aber an dem gesunden Sinne der Behörden und der Kongresse gescheitert. Stellen bekämen sie doch keine, und Bettelmusikanten haben wir so schon genug. (Ich verweise auf den ersten Teil meines Kongreßvortrages, Berlin 1898; ferner auf mein Pariser Referat: Faut-il confier l'enseignement et l'éducation des aveugles à des maîtres aveugles etc.? Paris 1900.)

Eine reine Musikschule, in welcher der Zögling jährlich zwischen 3000 und 4000 Fr. kostet (von denen in Paris allerdings der Staat mehr als die Hälfte übernimmt), mag für musikalisch besonders begabte und reiche Blinde passen; eine „Volksbildungsanstalt" für die Großzahl der Blinden kann sie aber nicht sein.

Heute bestehen in Frankreich 28 größere oder kleinere Blindenerziehungsanstalten, die, je nach Geschmack, teils um das Nationalinstitut, teils um die Ecole Braille gravitieren. Zwei, die obigen, werden vom Staate und der Stadt Paris (Dép. de la Seine) reichlich dotiert, andere sind auf sich selbst angewiesen und scheinen ein kümmerliches Dasein zu fristen. Das Nationalinstitut verschlingt eben, wie s. Z. die Q.-V., so große Summen, daß für die Provinz nichts übrig bleibt.

So hat der französische Staat vor 1870 auch für die Blinden des Elsasses gar nichts getan. Meines Wissens ist kein geborener Elsässer in das Nationalinstitut aufgenommen worden. Aus der Selbstbiographie Herrn Köchlings geht hervor, daß diese Staatsanstalt noch 1857 in Mülhausen völlig unbekannt war. — Auch heute kennt man hierzulande allenfalls die Quinze-Vingts und die neue Ecole Braille; die Institution nationale ist aber nicht einmal dem Namen nach bekannt, sonst wäre unsere Anstalt als Lehranstalt, die sie laut Statuten von Anfang an sein sollte, wohl nie „Asile" geheißen worden, denn alle französischen Lehranstalten nennen sich ausnahmlos institutions oder écoles (Ecole Braille). Sie würden sich höflich bedanken, wenn man sie als Asyle ansehen und als solche bezeichnen wollte!!

Asyle sind Versorgungshäuser für Greise, chronisch Kranke, für Idioten, für bildungs- und arbeitsunfähige Leute jeder Art; bildungsfähige, blinde Kinder und junge Leute brauchen aber Schulen und Lehrwerkstätten, — und Unterrichtsanstalten sollen und wollen die heutigen Blindenanstalten sein. Der intelligente Blinde, der sich zur Arbeit befähigt fühlt, will bleiben, wenn ihm selbständiges Fortkommen möglich ist. —

Die mittelalterlichen „Aveugleries" oder „hospices" waren Asyle, die modernen Blindenanstalten sind es nicht.

Es will durchaus nicht heißen, daß nicht besondere „Heime" oder Werkstätten für ausgebildete Zöglinge, besonders für alleinstehende Mädchen, wünschenswert oder notwendig seien, um diesen die Nutzbarmachung des Gelernten zu ermöglichen, oder wenigstens zu erleichtern. Herr Köchlin hat schon vor 23 Jahren sehr eindringlich auf die Notwendigkeit einer solchen „Werkstätte" — sagen wir um verstanden zu werden, einer Fabrik mit blinden Arbeitern — hingewiesen, und ich bin seit-

billig, die jetzigen Blindenlehrer ihrerseits zu Oberpräsidenten und Botschaftern aufrücken. Das wird Wunder wirken! Qui vivra verra!

*) Louis Braille ist der Erfinder der überall eingeführten Punktschrift.

her nicht müde geworden, den Gedanken wach zu erhalten, wenn auch angesichts konfessioneller Sonderbestrebungen auf die Ausführung vorläufig verzichtet werden mußte. Auch wird das Bedürfnis einer solchen Einrichtung nicht anerkannt werden, solange man die der Anstalt durch die Statuten vorgeschriebene Aufgabe verkennt und der Meinung ist, daß nicht nur das „Heim", sondern sogar das Asyl für alte Blinde schon bestehe!! Inzwischen hat Mme Henri Schlumberger den ersten Baustein im Betrage von M. 2000 für das „Heim" geliefert. Zurzeit beträgt der Heimfonds etwa M. 3300.

Ein Asyl, d. h. ein Pfrundhaus für Müßiggänger, soll aber das „Heim" auch nicht werden!!

In neuester Zeit sind nun zwar auch einige wirkliche Asyle für arbeitsunfähige alte Blinde gegründet worden — ob dieselben in Großstädten einem wirklichen Bedürfnis entgegenkamen, mag dahingestellt bleiben. Darüber später.

Ich habe bis jetzt nur von Frankreich und ganz nebenbei von unserer vor 1870 gegründeten Anstalt gesprochen, weil die älteste bestehende Blindenversorgungsanstalt vor 740 Jahren in Frankreich gegründet worden und die Anregung zur Ausbildung aller Blinden von dort ausgegangen ist.

Wie schon weiter oben gesagt, haben die Bestrebungen Valentin Haüys, das „Spittel" durch die Schule zu ersetzen, ganz besonders in Deutschland gleich fruchtbaren Boden gefunden.

Eine verhältnismäßig kurze Reiseunterbrechung in Berlin hatte mindestens so gute Früchte getragen, als achtzehnjährige Tätigkeit in seiner Heimat.

Der Prophet gilt nichts im Vaterlande! In der ersten Hälfte des abgelaufenen Jahrhunderts sind alle großen deutschen Anstalten (Berlin, z. Z. Steglitz, Dresden, Breslau, München, Ilvesheim, Hamburg, Frankfurt, Düren, Soest, Königsberg, Stettin, Halle usw.) entstanden; andere sind ihnen in der zweiten Hälfte gefolgt. Heute beträgt die Gesamtzahl der deutschen Blindeninstitute oder Lehranstalten 31; mehrere von ihnen sind mit Beschäftigungsanstalten verbunden.

Dazu kommen 10–12 „Heime" für ausgebildete heimatlose Arbeiterinnen und auch Arbeiter, die in diesen ihren Lebensunterhalt verdienen sollen, 3 oder 4 Asyle für alte arbeitsunfähige Blinde und einige undefinierbare Gebilde, die sich bald so, bald anders nennen, je nach dem Verständnis oder Geschmack ihres Publikums. In den größeren deutschen Staaten und den österreichischen Kronländern hat jede Provinz oder jedes Land eine bis zwei wohlgeordnete Lehranstalten für Rekrutierungsgebiete von $1\frac{1}{2}$–6 Millionen Einwohnern.

Die mittleren Staaten — Sachsen, Bayern, Württemberg, Baden, Mecklenburg — haben 1–4 Lehranstalten, und die kleineren haben sich z. T. verbunden, um gemeinsam eine leistungsfähige Anstalt zu unterhalten (Thüringische Staaten, beide Mecklenburg, die Hansastädte usw.). Mäßige Dezentralisation ist dem Blindenwesen günstiger, als ein Einheitsstaat.

Heute erhalten die Blinden in unseren Anstalten dieselbe Schulbildung wie in den Schulen der Sehenden. Es stehen ihnen, außer Bibelbüchern und Erbauungsschriften, die klassischen Meisterwerke der Literaturen aller Kulturvölker zur Verfügung, die allerdings, wenigstens in Deutschland, fast alle erst in den letzten 20 Jahren in Blindenschrift übertragen worden sind*). Zahlreiche Lehrmittel für alle Unterrichtsgebiete ermöglichen den Anstalten einen gründlichen Unterricht in allen Schulfächern und zwar, wie ich im 43. Jahresberichte nachgewiesen habe, nicht nur in denen der Elementarschulstufe.

Dies alles und ein Schriftsystem von früher ungeahnter Leistungsfähigkeit, ferner Schreibmaschinen für die Schrift der Sehenden, setzen den Blinden in den Stand, am Geistesleben seines Volkes teilzunehmen. Auch die berufliche Ausbildung wird so weit gefördert, daß die normal beanlagten, gesunden Zöglinge einer Blindenanstalt nach Abschluß ihrer Lehrzeit befähigt sind, selbständig zu arbeiten. Wenn sie Schiffbruch leiden, so scheitern sie in der Regel weniger an eigenem Unvermögen, als an dem Unverstand und dem Übelwollen ihrer sehenden Mitmenschen, die ihnen wohl ein Almosen, aber nicht eignes Brot gönnen, die sie wohl beklagen und bejammern, aber gleichzeitig mißachten und von dem Wettbewerb mit sehenden Berufsgenossen — oft minderwertiger Qualifikation — ausschließen. Noch ist es, trotz der vielen Christbaumkerzen, die alljährlich angezündet werden, finster in der Tiefe. Doch es werde Licht! und es muß endlich, endlich auch bei uns Licht werden! Geschehe es bald! Das walte Gott!**)

---

*) Frankreich und England, wohl auch Dänemark und die französische Schweiz, waren den mitteleuropäischen Ländern auf dem Gebiete des Blindendrucks vorausgeeilt, sind aber heute mindestens eingeholt, wenn nicht überflügelt. Die Opposition gegen den Punktdruck (bis 1888) war daran schuld.

**) Der II. Teil – Umblick in der Gegenwart und Ausblick in die Zukunft, d. h. Entwicklung der Blindenbildung im XIX. Jahrhundert, besonders in Mitteleuropa, war für den 46. Bericht vorgesehen; er ist aber nicht erschienen. Ich verweise auf den 1904 auf dem allgemeinen Blindenlehrerkongreß in Halle gehaltenen Einleitungsvortrag „Rückblick, Umblick, Ausblick."

Ernstes und Heiteres von zwei Kongressen.

Bericht über die „Blinden“-Kongresse in Paris 1900 und Mailand 1901.
Vortrag, gehalten am X. Blindenlehrer-Kongreß in Breslau.

„Wenn einer eine Reise tut, so kann er was erzählen“ — und wenn einer zwei Kongreßreisen ins Ausland „getan“ hat, traut man ihm zu, daß er zweimal „was“ zu erzählen wisse.

Dieser Meinung scheint auch der Geschäftsführer unseres Vorbereitungskomitees gewesen zu sein, als er mich bat, die Berichterstattung über die Kongresse in Paris und Mailand zu übernehmen. — Tatsächlich wäre über zwei Versammlungen, die im ganzen 14 Tage lang „getagt“ haben und an denen ca. 80 Vorträge gehalten worden sind, recht viel zu berichten, viel mehr als Zeit, Geduld und Appetit unserer Kongressisten erlauben würden. — Ich muß mich also der Kürze befleißigen und nur die wesentlichsten Punkte herausgreifen.

Die Pariser Kongresse, welche von den Franzosen „international“ genannt werden, während sie unsere allgemeinen Blindenlehrertage „Congrès germains“ heißen, haben bis jetzt immer im Anschlusse an die Weltausstellungen stattgefunden. (Der nächste soll allerdings in Brüssel tagen.) — Deshalb werden unsere Kongresse dort ebenso wenig in der Reihe mitgezählt, als die „internationalen“ bei uns. Tatsächlich sind die einen genau so „international“ wie die anderen; der „internationalste“ von allen dürfte wohl der Amsterdamer gewesen sein, den wir zu den unsern zählen. — In dieser Hinsicht besteht also kein Unterschied; ein solcher ist zunächst nur in den Kongreßsprachen zu erkennen. — In Paris wird ausschließlich französisch, bei uns wesentlich nur deutsch, in Italien nur italienisch gesprochen. — Die italienischen Kongresse, deren vierter Ende Mai und Anfang Juni 1901 in Mailand getagt hat, sind in bezug auf Zusammensetzung und Sprache „nationale“, d. h. rein italienische Versammlungen. Erst am vierten haben zwei Ausländer, Dr. Mascaro aus Lissabon und der Berichterstatter teilgenommen. —

Anders verhält es sich mit der Zusammensetzung der Kongresse in bezug auf Stand und Beruf ihrer Mitglieder. — In dieser Hinsicht besteht zwischen unseren Versammlungen und denen romanischer Zunge ein wesentlicher Unterschied, welcher es rechtfertigt, daß dieselben ihre eignen fortlaufenden Nummern tragen. — Unsere Versammlungen sind Blindenlehrerkongresse und werden es hoffentlich bleiben. Blinde und Sehende, soweit sie nicht vollberechtigte und vollverpflichtete Lehrer an Blindenanstalten sind, also die Folgen der Beschlüsse über organisatorische Fragen, welche die Anstalten berühren, nicht mit zu tragen haben, können bei denselben von Rechts wegen nur als Gäste oder beratende Mitglieder angesehen werden, wenn unsere Blindenlehrertage ihren Charakter behalten und Fragen erörtern sollen, welche in die Rechte und Pflichten der Blindenlehrer tief eingreifen, wie z. B. die Frage der Anstellung Blinder als Anstaltslehrer, deren Bejahung, wie ich aus Erfahrung weiß, das Pflichtenheft der sehenden Anstalts-Leiter und Lehrer bedeutend belastet.

Bei derartigen Fragen sollen doch nur diejenigen mitstimmen, — Blinde oder Sehende — welche die Folgen solcher Beschlüsse zu tragen haben, bzw. für dieselben verantwortlich sind! Sonst könnte ja die Anstalt, in deren Nähe der Kongreß tagt, alle ihre Zöglinge zu den Abstimmungen mitbringen.

Die französischen oder internationalen Kongresse dagegen sind „Kongresse zur Verbesserung des Loses der Blinden“ („Des Congrès internationaux pour l'amélioration du sort des aveugles“), und in diesem weiten Rahmen haben alle Platz, die sich für die Blinden interessieren, besonders auch die Blinden selbst, ob sie nun Blindenlehrer seien oder nicht. — Tatsächlich ist dort jeder Mitglied, der den Mitgliedsbeitrag von 10 Frcs. bezahlt, gleichgültig, ob er nach Paris komme, oder diesen Beitrag per Post einsende. Aus den Kongreßberichten geht gar nicht hervor, ob ein „Mitglied", selbst wenn es dort als Referent aufgeführt wird, überhaupt in Paris gewesen ist, oder nicht. —

So figurieren beim Pariser Vorbereitungskomitee 32 Personen — ein ganzes Parlament —; als offizielle Delegierte aller möglichen und unmöglichen Staaten, das Deutsche Reich, Österreich im engeren Sinne und die Schweiz ausgenommen, sind 67 Personen eingetragen, und das Verzeichnis der „adhérents", der Mitglieder, weist 625 Personen und 12 ganze Départements auf, während nach meiner Schätzung nie mehr als 150—200 Personen, mit Einschluß der Begleiter der zahlreichen Blinden, im Sitzungssaale anwesend waren. Bei Abstimmungen stimmten alle Anwesenden mit; wahrscheinlich hatten sie den Mitgliedsbeitrag bezahlt. Aus diesen Tatsachen erklären sich verschiedene Beschlüsse, die von einem Blindenlehrerkongresse wohl nicht gefaßt worden wären. — Es ist natürlich, daß die auf solchen Kongressen anwesenden gebildeteren und privilegierten Blinden und ihre Angehörigen — die Arbeiter und Arbeiterinnen sind nicht dabei - eben doch in erster Linie ihre eignen Interessen vertreten. Wer will es ihnen verdenken?! Es wird also Aufgabe der Blindenlehrer bleiben, diejenigen der großen Mehrheit, der Arbeiter, wahrzunehmen und sich nicht durch unverantwortliche Personen aus dem Geleise drängen zu lassen!

Ich bin seit 20 Jahren, nicht nur mit Worten, sondern möglichst mit der Tat für bessere Ausbildung von begabten Blinden eingetreten meine Lehrmittel beweisen es — und habe in Berlin und Paris, wie auch schon früher, die grundsätzliche Zulassung Blinder zum Lehramt empfohlen. (Ich habe z. Z. 3 blinde Mitarbeiter und mehrere frühere Zöglinge sind oder waren an anderen Anstalten tätig.) — Mit Rechten sind aber immer auch Pflichten verbunden. Erstere reichen genau so weit, wie die Möglichkeit der Erfüllung übernommener, d. h. naturgemäß mit dem Amte verbundener Pflichten, nicht weiter! Wenn man Rechte verlangt mit dem Bewußtsein, den mit denselben verbundenen Pflichten nicht genügen zu können, setzt man sich ins Unrecht und schädigt eine an und für sich gute Sache. — Dies sollten diejenigen Blinden bedenken, welche offenbar die Herrschaft in den Anstalten erobern, den unangenehmen Teil der Aufgabe, die Aufsicht von früh bis spät, jahraus, jahrein, wenigen sehenden, zu „surveillants" herabgewürdigten Lehrern überlassen möchten. — Auch die italienischen Kongresse sind nicht Blindenlehrer-, sondern Blindenkongresse, „congressi dei ciechi", während man die unseren „congressi pei ciechi" — für die Blinden — nennen könnte.

In Mailand waren, abgesehen von der Eröffnungssitzung, stets 50 bis 60 Kongressisten verschiedener Stände, meistens allerdings Blindenanstalts-Direktoren (sehende Blindenlehrer scheint es dort nicht zu geben), Blinde und Vorstände von Fürsorgevereinen aus Mailand, Padua, Pavia, Genua, Florenz, Bologna und Neapel anwesend, eingeschrieben aber 216 „Mitglieder". Dort ließ sich die Zahl der Anwesenden genau feststellen, weil in jeder Sitzung (es fanden täglich zwei drei- bis vierstündige Sitzungen statt) ein regelrechter militärischer Appell (Namensaufruf) stattfand. — Eine Reihe von Anstalten waren gar nicht vertreten oder hatten nur einige Kleinigkeiten zur Ausstellung gesandt. Dies über die Zusammensetzung der romanischen Kongresse.

Die Arbeitsweise derselben weicht von der unseren nicht unwesentlich ab. Man könnte dort von uns und wir könnten von ihnen lernen. Die Sektionsvorbereitungen und Beratungen fallen dort ganz weg. Es wird nur im Plenum verhandelt. Das Vorbereitungskomitee stellt 3 bis 4 Fragen auf, zu deren schriftlicher Beantwortung jeder eingeladen wird, der sich für die Sache interessiert. Man sucht also nicht einen, sondern möglichst viele Referenten. In Paris konnten diese Arbeiten oder Vorträge in jeder beliebigen Kultursprache eingereicht werden. Was nicht französisch war, wurde durch eine Anzahl Blindenfreunde aus den höchsten Gesellschaftskreisen vor dem Kongresse übersetzt und später durch die Übersetzer vorgelesen. Der kurz zusammengefaßte Inhalt aller Vorträge wurde dem Druck übergeben und so allen Anwesenden zugestellt. Da 45 zum Teil recht lange Arbeiten eingereicht worden waren, nahm der Vortrag derselben so viel Zeit in Anspruch, daß für die Diskussion eigentlich herzlich wenig übrig blieb. Auf mich machte es immer den Eindruck, daß eine Debatte nicht gewünscht werde. Man drängte zur Abstimmung, weil ja der Gegenstand von allen Seiten beleuchtet worden sei. In Mailand wurde ähnlich gearbeitet. Auch dort waren sehr viele Vorträge, namentlich von Blinden, eingereicht worden (35), aber den Teilnehmern bis zu ihrer Lesung ziemlich unbekannt geblieben. Dort wurde aber von der Diskussion, namentlich durch die Florentiner, reichlich Gebrauch gemacht. Wenn so ein Toskaner losgelassen wird, ist es genau, wie wenn man an einer Wanduhr das Pendel aushängt; nur dauert das Gerassel zehnmal länger. Diese Art zu arbeiten hat ihre Vorteile und Nachteile. Ein Vorteil ist es, wenn möglichst viele Kräfte zur schriftlichen Bearbeitung eines Themas veranlaßt und wenn alle eingelaufenen Arbeiten im Plenum verlesen werden. Gar mancher, der ein gesundes Urteil und reiche Erfahrung besitzt, ohne Berufsdebatter zu sein, wird so zu einer Gedankenäußerung veranlaßt, während er sich bei uns ausschweigen würde. Vitali (Mailand) sagt in einem Artikel seiner Zeitschrift „La Vita dei ciechi", wenn man auf die schriftlichen Arbeiten zu wenig und auf die mündliche Debatte zu viel Wert lege, so werde ein Kongreß leicht ein Tummelplatz für Schwätzer. Andererseits wird durch die romanische Arbeitsweise ein Überblick über das Ganze sehr erschwert. Wenn 10 bis 12 Vorträge in bunter Reihenfolge — alphabetischer Ordnung — abgehaspelt worden sind, hat nicht jeder die Fähigkeit, in wenigen Minuten alle Argumente zusammenzufassen, gegeneinander abzuwägen und sofort mit voller Überzeugung seine Stimme abzugeben. Da scheint mir der Mittelweg wieder der richtige zu sein: Schriftliche Bearbeitung eines Themas durch möglichst viele Berufsgenossen, kritische Zusammenfassung aller Vorträge durch einen Generalreferenten als Einleitung der Debatte und Abdruck aller Arbeiten im Kongreßbericht. Unsere Sektionsberatungen bieten keinen Ersatz für eine derartige Organisation, weil die Voten der einzelnen Mitglieder in den Sektionsakten begraben bleiben und deshalb auch weniger sorgfältig durchdacht werden.

Nachdem ich Wesen, Zusammensetzung und Arbeitsweise der beiden romanischen Kongresse besprochen und meine Folgerungen gezogen habe, dürfte es an der Zeit sein, auf die Leitung, das Arbeitsprogramm und die Beschlüsse derselben näher einzutreten und auch der Kongreß-Ausstellungen und der Besuche in den Anstalten zu gedenken.

Der Pariser Kongreß „„pour l'amélioration du sort des aveugles"" wurde am 1. August 1900 im Musiksaale des Pariser Nationalinstituts eröffnet. Auf der Tribüne befanden sich einige Herren des Vorbereitungskomitees, die Vertreter der Regierung, sowie die Direktoren der Anstalten in Petersburg, London, Amsterdam, Brüssel und Mailand, die wohl zu höheren Dingen berufen waren, ferner ein Vertreter der ungarischen Regierung, der unter feuriger Liebeserklärung an Marianne (die französische Republik) dagegen protestierte, als Vertreter der „unbekannten" österreichischen Regierung angesehen zu werden. Im Kongreßbericht steht auch Kull-Berlin auf der Tribüne. Tatsächlich stand er mit Bürke-Breslau, Rackwitz und mir in der hintersten Ecke der tiefsten Tiefe.

Nach einem humorvollen Eröffnungsworte des Präsidenten des Vorbereitungskomitees, des Gymnasialprofessors und Grammatikers Dussouchet, wurde das Vorbereitungskomitee als Kongreßbureau bestätigt. Der Marquis Maurice de la Sizéranne (blind) behielt also das Generalsekretariat mit einem sehenden Gehilfen, dem Grafen Marcieu.

Zu Vize-Präsidenten wurden vom Bureau vorgeschlagen und vom Kongresse gewählt — außer Guadet, Schickler und Serville, die dem Bureau schon angehörten —, die Kollegen Nädler-St. Petersburg, Stockmanns-Brüssel, Lenderinck-Amsterdam, Campbell-London, Vitali-Mailand und Anagnos-Boston. — Als Hilfssekretäre, die natürlich nichts zu tun hatten, wurden dann noch 5 Franzosen, 2 Deutsche, 1 Belgier, 1 Ungar und 1 Schwede gewählt.

Das Vorbereitungskomitee hatte folgende Themata aufgestellt:

I. „Welches ist die beste Organisation der Fürsorge,
   a) für Blinde, welche durch eine Anstalt gegangen sind,
   b) für die anderen Blinden?
II. Soll man den Unterricht und die Erziehung der blinden Kinder blinden Lehrern anvertrauen? Wenn ja, in welchem Verhältnisse — Blinder zu Sehenden — soll man es tun?
III. Welcher besonderen Pflege bedarf das blinde Kind in den Anstalten zur Förderung seiner physischen und intellektuellen Ausbildung und seiner Erziehung?
IV. In welchem Maße und durch welche Mittel kann die Volksschule zur geistigen Entwicklung blinder Kinder beitragen?
V. Verschiedene Fragen außer Programm."

Zur ersten Frage der Tagesordnung waren 9 Referate eingegangen, die teils von Autoren, teils von Übersetzern vorgelesen wurden. Wesentlich Neues haben dieselben nicht gebracht. Von einer Seite wurde ein Patronage des Patronages vorgeschlagen, d. h. eine Art Zentralverband aller Fürsorgevereine. Sonst lief schließlich alles auf das hinaus, was man in den glücklicheren deutschen Staaten hat und in den anderen haben möchte. Etwas lebhafter wurde die Diskussion, als von Seite eines deutschen Blinden der Vorwurf erhoben wurde, die Fürsorge bevormunde und demütige die Blinden. Baron Schickler aus Paris, Präsident der Werkstätten, antwortete, daß man keinem Blinden die Fürsorge aufdränge und froh genug sei, wenn er mit eigenen Flügeln fliegen könne, daß man aber berechtigt und verpflichtet sei, Mißbrauch begehrter Unterstützungen aus Mitteln öffentlicher oder privater Wohltätigkeit nach Kräften zu verhüten. Kollege Pèphau bemerkte am folgenden Tage in seiner Ansprache in den „Quinze-Vingts“: „Nous sommes tous patronnés; l'un patronne l'autre et la police qui nous protège, nous patronne tous.“ (Wir stehen alle unter Fürsorge; einer sorgt für den anderen, und die Polizei, die uns schützt, sorgt für alle.) Da guckte der alte Abteilungsdirektor im Ministerium heraus.

Wiederholt war auf das sächsische Fürsorge-System hingewiesen worden. Als der Vorsitzende erklärte, er kenne es nicht, bemerkte ein französischer Blinder: „Das System ist sehr gut für Sachsen, aber für uns paßt es nicht. Es wird aber auch für uns passen, sobald wir reich sein werden!“ Schließlich werden folgende Beschlüsse gefaßt:

1. „Der Kongreß erachtet, daß die beste Fürsorge für die Blinden, welche durch eine Anstalt gegangen sind, diejenige der Anstalt ist, welche sie erzogen hat.
2. Der Kongreß spricht den Wunsch aus, daß Spezialanstalten und Asyle für geistig zurückgebliebene, bildungs- oder arbeitsunfähige Blinde gegründet werden.“

Nun kam die zweite, die brennende Frage: „Soll man Blinden die Ausbildung und Erziehung blinder Kinder anvertrauen? Wenn ja, in welchem Maße?“

Zehn Referate über diesen Gegenstand waren eingegangen. Der erste Redner, Père Cassien, Supérieur „des garçons infirmes“, verneinte die Frage aus pädagogischen Gründen, fand aber mit seinen Ausführungen bei den vielen anwesenden Blinden und deren Angehörigen, die wohl die Mehrheit bildeten, so wenig Gegenliebe, daß er zuweilen sehr laut sprechen mußte, um verstanden zu werden. Ich befand mich anfänglich mitten unter einer Gruppe blinder französischer „professeurs“ aus der Provinz, schlug mich dann aber seitwärts in die Büsche, um nicht mit ihnen verwechselt zu werden. —*)

In den folgenden Vorträgen schlug der Wind um. Einige derselben fanden denn auch frenetischen Beifall.

Am weitesten ging wohl der Komtur und Domherr, Direktor Vitali-Mailand, der seinen Vortrag mit den Worten schloß: „Unser Ideal ist die Erziehung der Blinden ausschließlich durch Blinde!“ Damals sagte ich mir: „Adieu, lieber Vitali, dich sehe ich nimmermehr; denn du wirst dein Ideal doch gewiß sofort in Mailand verwirklichen und einem Blinden Platz machen!“ Wie groß war deshalb mein Erstaunen, als er uns einige Monate später zum Mailänder Kongresse einlud, also seinem Ideale zum Trotz, noch Blindenerzieher war, obgleich er nicht blind ist! Theorie und Praxis! Solche Ideale machen sich vor einem wesentlich blinden Publikum ganz gut und kosten nichts!

An einer Stelle seines Vortrags hatte übrigens des Pudels Kern herausgeguckt: „Blinde Lehrer“, hat er uns gesagt, „sind für manche Anstalten besonders auch deshalb vorzuziehen, weil sie billiger sind.“ Dieses schöne Bekenntnis hat allerdings weniger Beifall hervorgerufen als der Schlußsatz und wohl den Antrag des blinden H. Falius geboren, Blinde seien den Sehenden bezüglich der Besoldungsverhältnisse gleichzustellen. —

Sie erwarten wohl, daß ich meine eigne Stellungnahme zu dieser Frage — die ich übrigens als bekannt voraussetzen dürfte — kurz skizziere. Ich habe mich in meinem Pariser Vortrage, wie in Berlin und schon früher, entschieden und warm für grundsätzliche Zulassung Blinder zum Lehramte ausgesprochen — vorausgesetzt, daß sie den Anforderungen genügen, welche an Sehende gestellt werden — und bin nicht bei Worten stehen geblieben. Dagegen habe ich mich nicht gescheut, die ausschließliche Verwendung blinder Lehrer als Absurdität zu bezeichnen und zu fragen, ob denn der Augenarzt mit dem schwarzen Staar behaftet, und der Irrenarzt selbst irrsinnig sein müsse, um seine Kranken richtig behandeln zu können? —

Meines Wissens werden nicht nur Taubstumme als Taubstummenlehrer, und nicht nur Idioten als Lehrer für Blödsinnige angestellt, wenn auch Herr Schulrat Walter, eine Autorität auf diesem Gebiete, vor 3 Jahren beim Bankett in Steglitz ausgerufen hat: „Ich bin taubstumm und mein Nachbar ist Idiot!“

*) Die anwesenden deutschen, sowie auch die uns von früheren Kongressen her bekannten, hervorragenden französischen Blinden haben sich durchaus würdig benommen.

Um zu dem vom Thema verlangten Maßstab, d. h. zu einem Verhältnis, oder einer Proportion zu kommen, stellte ich folgende Werte auf:

Ich setze den Wert des Sehenden als Lehrer = 1
als Mitarbeiter und Vertreter des Direktors,
als Aufseher bzw. Erzieher . . . . = 1
Summe 2

den des Blinden als Lehrer (weil er nicht
alle Fächer lehren kann) . . . . $= \frac{3}{4}$
als Aufseher, Vertreter usw. . . . $= \frac{1}{4}$
Summe 1

Ich erhielt so die Proportion S. : B. = 2 : 1.

Gestützt auf diese Zahlen schlug ich vor, in den Anstalten auf zwei Sehende einen Blinden zum Lehramte zuzulassen. — Natürlicherweise müßten sich die zwei Sehenden in die Aufsicht teilen.

Der blinde Lehrer Guilbeau vom Pariser Nationalinstitut stellte den Antrag, daß nur geprüfte, d. h. patentierte Lehrer, Sehende wie Blinde, in Anstalten angestellt werden sollten. (Er dachte wohl nur an die Elementarlehrerprüfung, nicht an ein besonderes Blindenlehrerexamen.) Dieser Antrag Guilbeaus wurde von seinem Direktor, Robin, und von Pater Stockmanns aus Gent bekämpft und vom Kongresse abgelehnt. — Die Herren Direktoren des Nationalinstituts sind eben selbst nie Fachleute in unserem Sinne, d. h. Blindenlehrer gewesen. Piras war ein früherer Generalkonsul, Martin ein alter Generalsekretär des Gouverneurs von Algerien und späterer Préfet (Regierungspräsident). Robin ist Sekretär des Gefängniswesens im Ministerium gewesen. Nach Martins Tode erlaubte sich eine boshafte französische Zeitung an Beaumarchais' Worte zu erinnern: „Il fallait un calculateur; c'est un danseur qui l'obtint!" Auch Péphau, der geistreiche und energische Direktor der „Quinze-Vingts" und Gründer der Ecole Braille (Anstalt des Departements de la Seine), ein Schul- und Studienfreund Gambettas, ist Abteilungsdirektor im Finanz-Ministerium, und 1870—1871 Generalfeldzahlmeister des Diktators gewesen.

Dessen ungeachtet kann ich das französische System empfehlen. - Sobald ein deutscher Diplomat, Regierungspräsident oder Ministerialdirektor, wie sein französischer Kollege, die Wahl hat zwischen einem Oberpräsidium, dem Vizekönigtum von Afrika und — der Direktion einer Blindenanstalt und in seiner Herzensgüte letztere wählt, brauchen wir die Blindenlehrerprüfungen nicht mehr, um uns Respekt zu verschaffen, besonders wenn, wie billig, die jetzigen Blindenlehrer ihrerseits zu Oberpräsidenten und Botschaftern aufrücken. Das wird Wunder wirken!! Qui vivra verra!

Schließlich wurde in Paris folgender Antrag angenommen:

1. „Der Blindenunterricht kann und soll sogar, so viel als möglich, gebildeten Blinden anvertraut werden.
2. Die Aufsicht und die Disziplin sollen natürlich sehenden „„Aufsehern"" (surveillants) anvertraut werden."

Also Blindenerziehung — „Aufsicht und Disziplin" — durch Aufseher, entgleiste Arbeiter!!! Zwiegespann mit hinkenden Pferden! Illustration zur alten Geschichte vom Blinden und vom Lahmen!!

Die Zusammensetzung des Kongresses erklärt alles! —

Der erste Teil des Beschlusses ist allerdings durch das diplomatische „so viel als möglich" abgeschwächt worden, weil eben doch jeder das „Wie viel" am eignen Leibe abmessen wird. Dies hindert aber nicht, daß der Beschluß auch in Deutschland Hoffnungen und Ansprüche weckt, die wohl Illusionen bleiben werden. Meines Erachtens erträgt jede Anstalt einen Blinden auf zwei Sehende. Die Ausschließung der Blinden ist ein Unrecht und die Ausschließung der Sehenden ein Verbrechen, das man an den vielen blinden Kindern begeht, um den Ehrgeiz einzelner nicht Schiffbruch leiden zu lassen!

Die dritte Frage lautete:

„Welche besondere Pflege soll dem blinden Kinde zuteil werden, um seine leibliche und geistige Entwicklung und seine Erziehung zu fördern?"

Über dieses Thema waren 8 Referate eingegangen. — Im ersten tritt Pater Cassien dem Vorurteil vieler Blinden entgegen, daß die Gymnastik den blinden Musikern schade. Die Herren Musikanten scheinen überall besondere Heilige zu sein!

Von Campbell-London wird besonders das Freibad empfohlen. (Wir haben vor ca. 10 Jahren einen Badeplatz an einem Bache in der Nähe von Illzach-Mülhausen angekauft.) Herr Dr. Truc aus Montpellier bezeichnet das Laufen (längs einer Leine mit Spule) als bestes Mittel zur Entwicklung des Brustkorbs usw.

Alle Anträge werden in globo angenommen; namentlich auch der, daß die Eltern über die beste Vorbereitung auf den Eintritt in eine Anstalt aufgeklärt werden sollen. (Übung des Gehörs und des Tastsinnes.)

Vierte Frage:

„Auf welche Weise und in welchem Maße kann

die öffentliche Elementarschule die Entwicklung blinder Kinder fördern, bzw. die Anstalt ersetzen?"

Sieben Arbeiten behandeln dieses Thema. Auf Antrag des Direktors Abbé Rousseau aus Toulouse werden folgende Beschlüsse gefaßt:

1. „Mit jeder Blindenanstalt soll, wenn möglich, eine Vorschule verbunden sein.
2. Alphabete werden unentgeltlich jeder Lehrperson zur Verfügung gestellt, welche die Blindenschrift lernen will.
3. Ein Rundschreiben soll an alle Schulbehörden gerichtet werden, um sie zu veranlassen, in allen Seminaren die Blindenschrift lehren zu lassen; Alphabete usw. erhalten sie unentgeltlich.
4. Eine Anzahl Fibeln sollen gedruckt und den öffentlichen Schulen geliehen werden, welche es übernehmen, blinden Kindern das Lesen und Schreiben beizubringen.
5. Die Fürsorgevereine leihen gleichfalls Schreibtafeln an unbemittelte Eltern blinder Kinder, welche die Volksschule besuchen.
6. Die Fürsorgevereine sollen durch Auszeichnungen, öffentliche Anerkennung oder Empfehlung bei den Schulbehörden diejenigen Volksschullehrer ermutigen, welche den Anstalten Schüler zuführen, die schon lesen und schreiben können." (Als ob das Lesen und Schreiben die Hauptsache wäre!)

Es folgen nun noch 7 Arbeiten über „verschiedene Fragen": Lage der Blinden in den türkischen Ländern und Forderung gesetzlicher Maßregeln (wenn es der Sultan nur gehört hat!); Gründung einer internationalen Verbindung blinder Studenten; Fortsetzung der durch Erblindung unterbrochenen wissenschaftlichen oder technischen Arbeiten (Anmerkung: Der Romanist und Akademiker Gaston-Paris ist erblindet und arbeitet doch weiter); Wert der Kenntnis der wichtigsten Gesetze; Lage der Blinden in Portugal; die Massage in Schweden und Japan (der Vertreter Japans sagt, daß die blinden Masseure in Japan täglich 4 16 Mark unseres Geldwertes verdienen); neue Schriftarten, Anwendung der Braille-Schrift auf den gregorianischen Kirchengesang; abfälliges Urteil über die neue Schrift Mascaros (Verquickung von Braille- und Lateinschrift) usw. usw.

In der Schlußsitzung, der siebenten, die im Palais des Congrès stattfand, wurden zu gegenseitiger Ölung Abschiedsreden gehalten, 26 Valentin-Haüy-Medaillen verteilt, von denen zwei nach Deutschland kamen und akademische Palmen in Aussicht gestellt. Seither sind wirklich solche (officiers d'academie) an Russen, Belgier, Holländer, Engländer, Italiener, Portugiesen, Franzosen und Amerikaner verliehen worden. Über die Konzerte und die Bankette des Präsidiums und das Abschiedsbankett weiß ich nicht zu berichten, weil ich nicht dabei war.

Besuche in den Anstalten.

Der erste galt dem 1786 gegründeten Pariser Nationalinstitute, in welchem der Kongreß tagte. Diese Anstalt ist nur Schule, besonders Musikschule. Die Handarbeit ist dort seit 20 Jahren immer mehr zurückgegangen und hat jetzt, meines Wissens, ganz aufgehört. 1881 fand ich dort noch etwas Stuhl- und Netz-Flechterei und Drechslerei; 1889 war die Stuhlflechterei verschwunden und jetzt scheint alles aufgehört zu haben. Ob auf anderen Gebieten entsprechende Fortschritte gemacht worden sind, weiß ich nicht. Der neue Typendruck erhöhte und vertiefte Typen mag für eine Anstalt passen, die den Staat zum Vetter hat. In den „Quinze-Vingts" (15×20=300), dem Versorgungshaus für 300 Blinde und dem Sitze der nationalen Fürsorge, interessierte, neben der Ansprache unseres liebenswürdigen, energischen und einflußreichen Kollegen Pèphau, besonders die von ihm gegründete nationale Augenklinik. Pèphau konnte mit berechtigtem Selbstbewußtsein erklären: „Geldschwierigkeiten gibt es für uns nicht. Wenn solche entstehen, räumt man sie weg!" Dafür hat er aber auch seit 20 Jahren alle hervorragenden Staatsmänner, von Gambetta bis auf Waldeck-Rousseau, in seinen Kuratorien.

Von dort ging es nach der anderen Schöpfung Pèphaus, der „Ecole Braille" in St. Mandé vor den Wällen von Paris. Es ist diese schöne Anstalt des Départements de la Seine in erster Linie Elementar- und Berufsschule für Flechterei, Korbmacherei, Bürstenbinderei (ohne Picherei) und Perlarbeiten. Musik wird dort nicht als Berufsfach getrieben. Paris hatte im Nationalinstitut, wie es scheint, gerade genug Musik. Mit 14 Jahren sind sogar die meisten Mädchen schon „Arbeiterinnen", denen der volle Arbeitsverdienst ausbezahlt bzw. gutgeschrieben wird. Mit 50 Jahren sollen sie ein kleines Kapital zur Verfügung haben, das ihnen einen sorgenfreien Lebensabend sichert. Ob dies mit dem Arbeitsverdienst allein, ohne andere Zuschüsse, möglich ist, weiß ich allerdings nicht.

Großes Gewicht wird auf das Turnen gelegt. „Il faut leur faire du muscle!" Es sind uns dort von 120 männlichen und weiblichen Zöglingen gleichzeitig prachtvolle Freiübungen vorgeführt worden. —

Die Anstalt ist namentlich praktisch eingerichtet: Nicht Monumentalfassaden und Prunksäle, dafür aber große, luftige Werkstätten in besondern Gebäuden, die von den labyrinthischen Kellerwinkeln, welche man vielfach in deutschen Monumentalanstalten als Werkstätten benutzt, stark und vorteilhaft abstechen.

Der Schul- und Berufsunterricht wird fast ausschließlich von sehenden Lehrerinnen erteilt. Die „Ecole Braille" ist für Frankreich die Schule der Zukunft.

In der Rue Jacquière sind Werkstätten für solche Erwachsene, die in keiner Anstalt gewesen sind, oder mit der Musik Schiffbruch gelitten haben, aber nicht untergegangen sind. Als Lokal dient ein altes, winkeliges Wohnhaus. Bürstenbinderei (ohne Pichrei), Stuhlflechterei und Kokosteppichweberei (auf Webstühlen) werden dort betrieben. Der Leiter, Herr Laurent, ist Ingenieur. An der Spitze der Verwaltung steht Herr Baron v. Schickler, ein naturalisierter Württemberger, „Gründer" des Hauses und „Erfinder der Bürstenbinderei für die Blinden" (Le créateur de l'industrie des brosses pour les aveugles), wie er genannt wurde. Früher wurde als Gründer und Erfinder ein anderer genannt, dessen Namen man heute in Frankreich nicht lieber in den Mund zu nehmen scheint als bei uns. Es wäre übrigens interessant zu erfahren, ob die Bürstenbinderei der Blinden aus Paris nach Deutschland, oder aus Deutschland nach Paris gekommen ist. Wenn ich mich nicht irre, besteht sie in Paris seit 1879.

Die „garçons infirmes" (Dir. Père Cassien) sind in einem Kloster der Rue Lecourbe untergebracht. Es ist dies eine Sammlung von Elend jeder Sorte. Den Kranken sind auch 60—80 Blinde zugeteilt, die sich, wenigstens früher, als gewandte Schreiber auszeichneten. Eigentümlich ist dieser Anstalt die musikalische Gedankenleserei des sehenden Musiklehrers Josset.

Die Kongreßausstellung

im großen Turn-Spielsaale des Nationalinstituts bot wenig Neues. Die lange Westwand war den Fremden eingeräumt: Einige Perlarbeiten aus Zürich, Drahtarbeiten aus Ghlin (Mons) und die Lehrmittel (Bücher, Karten, Bilder, Zeichnungen, Globen usw.) aus Illzach-Mülhausen. An der kurzen Südseite hatte das Nationalinstitut Metallgloben, einige Kartenskizzen*) und Bücher, sowie Teile des Klaviermechanismus in verschiedenen Größen ausgestellt. Die lange Ostwand war den anderen französischen Anstalten vorbehalten: Bücher der garcons infirmes, zwei oder drei Schreibmaschinen und einige primitive Bürsten.

*) Die französische Regierung bezahlt allein für die Gravierung (Stich) einer solchen Skizzenplatte, auf der auch nicht der leiseste Versuch einer Gebirgsdarstellung gewagt ist, Frcs. 600 (laut Mitteilung von Martin).

Kull-Berlin hatte auf einem Tischchen seine Spielsachen ausgelegt und die Ostwand bot am Eröffnungstage die geistigsten Genüsse. Später versiegte der Quell.

Damit glaube ich die Erlebnisse und Ergebnisse des Pariser Kongresses in größter Kürze skizziert zu haben. Die Kongreßakten füllen einen starken Band. Wer mehr will, mag dort suchen! —

Wenden wir uns nun noch anderswo hin!

Kennt ihr das Land, wo Anarchisten blühn,
Im krausen Kopf die Feueraugen glühn,
Ein Esschauch vom blauen Himmel weht,
Barfüßer still, laut die Drehorgel geht?
Kennt ihr es wohl?

Kennt ihr den Berg mit langem Tunnel auch?
Das Dampfroß faucht: dort wahren Höllenhauch,
In Höhlen wohnt nicht mehr die Drachenbrut,
Seitdem sie spukte unter Goethes Hut.

Kennt ihr das Haus? Auf Säulen ruht sein Dach,
Es glänzt der Saal, es schimmert das Gemach,
Und Marmorbilder stehen protzig da;
Es ist 's gelobte Land Italia.
Dahin, dahin
Laßt euch um zwölf noch an den Haaren ziehn!*)

Auf etwa 60 gewaltigen Marmorsäulen ruhen die in der Mitte sich kreuzenden Verbindungsbauten und die gedeckten Hallen der quadratisch angelegten, großartigen Blindenanstalt in Mailand, welche wohl mehr im Interesse der architektonischen Wirkung, als dem der Blinden — die Erziehungsanstalt das „Asilo Mandolfi" und eine Art Männerheim, das „laboratorio Zirotti" unter einem Dache vereinigt. Ungefähr eine Million Mark hat der Monumentalbau gekostet; er hätte aber bei uns wohl für das Doppelte dieser Summe nicht gebaut werden können. — Marmorbüsten und etwa 60 große Ölbilder der Wohltäter schmücken die Gänge und das königliche Treppenhaus der Verwaltung, und die (drei Stockwerke umfassende) Aula, sowie die gleich große Kirche sind mit einer Pracht ausgestattet, die man eben nur in Italien findet. Von diesem Prunke stechen nun aber die Schulzimmer mit ihrer veralteten und zum Teil ärmlichen Ausstattung bedeutend ab: In der Knabenabteilung Schulbänke ältesten Systems, alle von derselben Höhe; in der Mädchenabtei-

*) Es war unterdessen Mittag geworden.

lung kreisförmige Schulbänke ohne Rücklehnen um einen kreisförmigen Tisch, in dessen Mitte die blinde Lehrerin steht. Dagegen sind an 100 Klavierzellen vorhanden und in verschiedenen Sälen stehen mindestens 4 Orgeln. Eine solche im Werte von 30000 Frcs. wurde während des Kongresses auf der Empore zwischen Aula und Kirche aufgestellt. Die Betten sind hübsch und alle neu: Stahlbettstellen mit Drahtgeflecht und Seegrasmatratze. Als die neue Anstalt bezogen werden sollte, schickte man sich an, mit den alten, laut Aussage von Vitali, armseligen Bettchen in den Prachtbau einzuziehen. Da kam eine reiche Dame dazu und machte dem Direktor die Bemerkung, dieses Mobiliar passe denn doch nicht in den neuen Palast. „Ja die Mittel erlauben uns jetzt nicht, andere anzuschaffen" antwortete der arme Mann. Die beklagenswerten Leute besitzen nämlich nicht sehr viel über 5 Millionen. — Die Dame ging und schickte neue Betten für sämtliche Zöglinge. Wer macht es nach? Vitali knüpfte an die Erzählung dieses Vorganges die Bemerkung: „Il Milanese lavora, mangia e dà" — „Der Mailänder arbeitet, ißt und gibt."

In den Prachträumen dieser Anstalt versammelte sich am 29. Mai 1901 der IV. Nationale Blindenlehrer-Kongreß. Dem Vorbereitungskomitee hatten 8 Herren angehört, Kommendator Monsignore L. Vitali natürlich als Geschäftsführer. Auf der Liste des Ehrenkomitees figurieren 92 Namen, die den Zentner voll machen: Professoren, hohe Beamte, Deputierte, Senatoren, Generäle, Grafen, Herzöge, Kirchen- und andere Fürsten aus ganz Italien! Die geben es nobler als wir! — Dafür haben sie aber auch Blinden- und nicht Blindenlehrer-Kongresse!

Über den Klimbim der Eröffnungssitzung schreite ich zur Tagesordnung.

Auf derselben figurierten folgende Fragen, die vom Vorbereitungskomitee gestellt worden waren:

I. „Welchem Unterrichtszweig soll in den italienischen Anstalten die höchste Wichtigkeit beigelegt werden? (Schulunterricht, Handarbeit oder Musik.) [8 Bearbeiter.]

II. Welches ist die beste Organisation der Fürsorge?
  a. für frühere Anstaltszöglinge,
  b. für Späterblindete usw. [5 Bearbeiter.]

III. Welche Kollektiv- oder Einzelarbeiten sind in Italien als die lohnendsten anzusehen? [1 Bearbeiter.]

IV. Hygieine für die Blinden. (Wohnung, Reinlichkeit, Gymnastik, Erholung.) [2 Bearbeiter.]

V. das „Allerlei",
  darunter ein Vortrag über elementare Unterrichtsmethoden für Blinde und für Taubstumme, einer über das Wahlrecht der Blinden, welches in Italien an den Nachweis erhaltener Volksschulbildung geknüpft ist, über ein neues Metronom (Pendel) usw. und meine Arbeit über den geographischen Unterricht.

Die Ausstellung sollte laut Programm erst am vierten Tage eröffnet werden. Dies zeigt die Wichtigkeit, welche man ihr beilegte. —

In der ersten Sitzung bedurfte es — aus lauter Höflichkeit — zur Wahl des Bureaus einer zweistündigen Debatte. —

„Vede bene che siamo figli di Cicerone", „Sie sehen wohl, daß wir Söhne Ciceros sind", sagte Priester und Direktor Pensa aus Bologna lachend zu mir. „Ja", antwortete ich, „bei klassischer Aussprache des C als ch = K und Diphthongierung des i." Dann lautet es nämlich chiaccherone = Schwätzer. Schließlich wurde Kommend. Martuscelli-Neapel Vorsitzender, und vier andere Herren, darunter der Professor des römischen Rechts an der Universität Genua, Rossello, Vize-Präsidenten, und Vitali Generalsekretär. —

Nun brauchte man aber noch ein ganzes Rudel Ehrenpräsidenten. Zu solchen wurden vorgeschlagen und gewählt: der Minister des Innern, sein Generalsekretär (Vertreter), der Kardinal-Erzbischof von Palermo, der Präfekt von Mailand, der Oberbürgermeister von Mailand und noch 7 andere, um das Dutzend voll zu machen. (Der Nachtwächter war nicht dabei.) —

Es wurden dann natürlich Telegramme an das Königspaar, die Königin-Mutter Margherita, den Minister und alle — natürlich abwesenden — Ehrenpräsidenten abgesandt.

Das Haus Sovoyen steht in eigentümlichen Beziehungen zu der Blindensache. Während des Pariser Kongresses wurde ein König ermordet (der Kongreß kondolierte); während des Mailänder Kongresses wurde eine Prinzessin geboren (er gratulierte). — Als Umberto den Thron bestieg, wurden in Mailand 30000 Frcs. gesammelt, um ihm eine Krone zu schenken; er überwies die Summe der Blindenanstalt. Als der jetzige König sich verlobte, wurde eine ähnliche Sammlung veranstaltet, um ihm ein Ehrengeschenk zu überreichen. Wieder erhielt die Blindenanstalt den Ertrag. Hut ab vor solchen Fürsten! Sempre avanti Sovoia! —*)

*) Der folgende Kongreß ist am 1 Dezember 1906 durch das Königspaar persönlich im „Acquario Romano" eröffnet worden. Beide Majestäten bewegten sich mit der größten Liebenswürdigkeit unter uns.

Zur ersten Frage der Tagesordnung: „Welchem Unterrichtsgegenstande (Schulunterricht, Musik, Handarbeit) ist der Vorzug zu geben?" beschließt der Kongreß:

1. „Es ist darüber keine allgemein gültige Regel aufzustellen; es muß auf Neigung, Anlage und allenfalls auch auf die häuslichen Verhältnisse Rücksicht genommen werden;
2. Es ist den Zöglingen eine gute Elementarbildung nach Maßgabe der staatlichen Programme für die Volksschulen und, wenn möglich, eine bessere allgemeine Bildung zu vermitteln;
3. Am erziehlichen Handarbeitsunterricht und am Modellieren haben sich, wenigstens in den ersten Jahren, alle Zöglinge zu beteiligen. (Antrag von Prof. Rossello, der Deutschland kennt.*)
4. Musikunterricht sollen alle erhalten, aber nur die wirklich Begabten sollen als Berufsmusiker, dann aber soweit ausgebildet werden, daß sie Sehende unterrichten können.
5. In der beruflichen Handarbeit sind Blinde möglichst mit Sehenden zu unterrichten. (Ob sehende Meister gemeint sind, ist mir entgangen.)
6. Diejenigen Blinden, welche höhere Studien treiben wollen, sollen die öffentlichen Schulen besuchen, bis vielleicht eine höhere Mittelschule gegründet wird." (Vitali weist das Ansinnen von der Hand, in diesem Sinne vorzugehen.)

Es fällt mir hier noch eine Episode ein, die mich einigermaßen belustigt hat. Ein großer, starker, etwas roh aussehender Blinder hielt am Morgen eine fulminante Rede gegen die Handarbeit und für die Musik. Als ich mich dann abends vor dem Spatenbräu ertappte, fand ich dort auch meinen Bekannten wieder, der mit einer Geige den schwitzenden Gästen Kühlung zufiedelte.

Die fünf Vorträge über die zweite Frage führten zu folgenden Beschlüssen:

„Der Kongreß ist der Ansicht:

1. daß Vorbeugung, „Fürsicht", die beste Fürsorge ist und daß diese in möglichst guter beruflicher Ausbildung für das bürgerliche Leben besteht:
2. daß die wirksamste Fürsorge für frühere Anstaltszöglinge durch die untereinander verbundenen („föderierten") Anstalten ausgeübt werden kann.

(Es besteht in Italien noch ein allgemeiner Fürsorgeverein, der ganz Italien umfaßt, die unter dem Protektorate der Königin Mutter stehende Società Margherita. Manchmal scheinen auch dort die Bäume zu nahe gepflanzt zu sein und sich die Äste zu zerschlagen.)

3. Die wirksamste Fürsorge könnte durch die Gesetzgebung ausgeübt werden.

Der Kongreß beschießt ferner:

1. Es sollen Auskunfts- und Placierungbureaux mit Asylen für vorläufige Unterkunft gegründet werden!!! (Für Musikanten?)
2. Es soll den Blinden ein gewisser Kredit eröffnet werden (von wem wird nicht gesagt), damit sie sich Werkzeug und Rohmaterial anschaffen und die Mittel finden können, um wirtschaftlich vorwärts zu kommen.
3. Es sollen Blindengenossenschaften zu gegenseitiger Hilfe (!!), zu geselligem Verkehr und zur Fortbildung der Mitglieder gegründet werden.
4. Alle Blindenwerkstätten und Fürsorgevereine sollen eine ganz Italien umfassende Föderation bilden.
5. Es sollen Blindenwerkstätten nach dem Vorbilde der Werkstätte Ubaldo Peruzzi in Florenz gegründet werden.
6. Auch die so „verdiente" Società Margherita soll zur Popularisierung der Blindensache beitragen. (Bosheit an die Adresse der letzteren.)

Mehr Gescher als Wolle!

Das dritte Thema, über die Handarbeit, hat einen ganzen Bearbeiter gefunden, den Verwalter der Blindenanstalt Mailand. Er entwirft ein wenig verlockendes Bild von dem Ertrage der Handarbeit in Italien. Wenn man dieselbe kennt, begreift man es mehr oder weniger. Die weiblichen Handarbeiten, namentlich die sogenannten Cantù-Spitzen, bringen der einzelnen Arbeiterin so gut wie nichts, der Anstalt aber, laut direkter Aussage des genannten Verwalters, Millionen an Legaten ein (ci valgono dei milioni). Die Arbeiten aus dem Süden zeichnen sich besonders durch grelle Farben aus. Die Knabenarbeit befindet sich noch in den Windeln. Als Mitglied der Kommission zur Beurteilung derselben habe ich sie mir genau angeschaut: Stuhl- und Mattenflechterei, gewöhnliche Korbmacherei in den Werkstätten für Erwachsene (Laboratorio Zirotti und entsprechenden Werkstätten in Genua). Eigentliche Anstaltswerkstätten für die wirklichen Zöglinge habe

*) Ob in italienischen Anstalten schon modelliert wird, weiß ich nicht. Ich habe nur Mailand und Genua besucht.

ich nicht gesehen. (Am besten ist die Handarbeit wohl in dem praktischen Genua organisiert.)

Wenn die wichtigeren der gefaßten Beschlüsse zur Ausführung kommen, wird es allerdings besser werden. — Als ich zu Pensa-Bologna, einem jovialen katholischen Geistlichen sagte, wenn ich an seiner Stelle in Bologna wäre, würde ich Seilfaden spinnen lassen, um ihn zu exportieren, antwortete er mir: „Sagen Sie mir nur, wie man das Ding macht, dann will ich es versuchen!"

Die Mailänder verwies ich auf die Bürstenbinderei.. „Ja das geht bei uns nicht, wir haben zu viele Fabriken!" Als ich bemerkte, daß ich gerade eine Bestellung aus Mailand auf 3 große Walzenbürsten im Werte von etwa 400 Mark in der Tasche habe, rief mein Gegenüber aus: „Ja, da sieht man's! Wenn sogar Sie noch für Mailand arbeiten, was soll dann für uns übrig bleiben!?"

Die Prüfungskommission, der zwei Aussteller und ein Nichtaussteller angehörten, zog es dann vor, um nirgends anzustoßen, keinen schriftlichen Bericht abzugeben, sondern nur mündlich auf die ausgestellten Arbeiten, namentlich auch auf unsere Bürsten und Seilerwaren hinzuweisen. Wir hatten Handarbeiten ausgestellt, um die Italiener mit den Erzeugnissen deutscher Anstaltswerkstätten bekannt zu machen. —

Der Kongreß faßte folgende Beschlüsse im Sinne des Antrags von Prof. Rossello:

1. „Die Handarbeit soll für alle Zöglinge obligatorisch erklärt werden.
2. Die verfügbare Zeit soll auf die verschiedenen Unterrichtsfächer Schul-Unterricht, Musik, Handarbeit — auf „billige" Weise unter Berücksichtigung der Anlagen der Zöglinge verteilt werden.
3. Kollektivarbeiten, d. h. solche, bei denen mehrere Personen mitzuwirken haben, können nur in Anstalten und Blindenwerkstätten ausgeführt werden.
4. Die Zöglinge sollen in der Handarbeit so ausgebildet werden, daß sie selbständig arbeiten können und konkurrenzfähig werden.
5. Die Blindenarbeiten sollen sich auf Gegenstände des täglichen Lebens beschränken, um den Absatz zu erleichtern.
6. Es ist dabei auf die lokalen Verhältnisse und Bedürfnisse Rücksicht zu nehmen, damit der Blinde weniger durch fremde Spekulation ausgebeutet werde.
7. Der Blinde bedarf der moralischen und materiellen Unterstützung durch die Fürsorgevereine.
8. Jede Anstalt sollte eine Werkstätte haben, in welcher der Blinde in Zeiten schlechten Geschäftsganges auch vorübergehend lohnende Arbeit finden könnte.
9. In den Werkstätten sollen auch Arbeiten ausgeführt werden, bei welchen der Blinde der Nachhilfe Sehender bedarf, vorausgesetzt, daß die Blindenarbeit die Hauptsache bleibe.
10. Da der Kongreß die Schwierigkeiten erkennt, welche sich der Gründung einer großen Zahl von Werkstätten entgegenstellen, spricht er den Wunsch aus, daß den Fortschritten der Technik, namentlich der Elektrotechnik, Aufmerksamkeit geschenkt werde, um diese gegebenenfalls in den Dienst der Hausindustrie der Blinden stellen zu können." (Elektrische Kartoffelkörbe und Straßenbesen!)

Zum IV. Thema

Hygiene

werden 3 Beschlüsse gefaßt, in denen für jede Anstalt eine besondere sanitäre Direktion oder Aufsichtskommission, Aufklärung der Eltern über die Pflege blinder Kinder — und viel Gymnastik verlangt wird. Professor Parisotti von der Universität Rom hatte einen interessanten Bericht geliefert.

Es wurde nun noch der sehr weitzielende, aber vielleicht nicht so weittragende Antrag eingebracht, beim Parlamente und der Regierung dahin zu wirken, daß den Blinden alle Rechte der Sehenden verliehen werden: Schulrecht (Anstaltszwang) Wahlrecht und Zugang zu allen öffentlichen Ämtern. — Wir finden letztere Forderung vielleicht etwas weitgehend; allein, wenn ein Blinder Admiral, Minister und König werden kann, warum sollte er denn nicht auch zum Bürgermeister, Grenzaufseher, Regierungsrat, Blindenlehrer oder gar zum Richter taugen, wo ja das „Ansehen der Person" jetzt schon verpönt ist? Meines Erachtens stellen sich die Italiener mit dem ersten Teil ihrer Forderung auf den einzig festen Boden, den des allgemeinen Rechts. Sie verlangen nicht Ausnahmegesetzte für die Blinden, sondern erheben nur die Forderung, daß auch diesen das allen Staatsbürgern zugesicherte Recht auf Elementarbildung gewahrt werde. Die Gesetze sichern dieses Recht (Schulzwang) nicht nur denen zu, welche den Tornister tragen können, sonst müßte man ja zurzeit die Mädchen davon ausschließen! Doch Zeit bringt Rat! Da man den Damen überall die Universitäten öffnet, wird man ihnen auf die Dauer wohl nicht die Kasernen verschließen können! Wer weiß, ob wir nicht bis in 20 oder 30 Jahren auch weibliche Reserveoffiziere mit Schmissen und Sporen - nicht Sparren - die Säbel schleppen sehen! Diejenigen unter uns, welche nicht zu alt sind, können sich dann als Kammerjungfern verdingen! Ich werde mich vorläufig im Nähen üben; kochen kann ich schon.

Doch einstweilen zurück zum Kongreß! Einige weitere Anträge boten nur lokales Interesse.

Professor Ferri, Direktor der Augenklinik in Mailand, berichtete noch über Direktor Hellers neue Experimente. Es wurde ein Glückwunschschreiben an letzteren beschlossen. Ich konnte mich nicht enthalten, dem Herrn Professor zu bemerken, daß die Veröffentlichungen über diese Versuche in der Tagespresse einer großen Zahl blinder Kinder viel mehr schaden dürften, als sie wenigen nützen können. Wie viele einfältige und gleichgültige Eltern werden sich sagen: „Es ist nicht nötig unser Kind in eine Anstalt zu geben; es wird wohl noch sehen lernen — selbst wenn es keine Augäpfel mehr hat. Blinde lernen ja jetzt in Wien sehen!"

Dies, trotz aller Hochachtung vor dem Streben und dem Scharfsinn unseres verehrten Kollegen Heller.

Dazu kamen noch die Arbeiten „fuori tema" das „Allerlei":

Neues Metronom, d. h. ein einfaches Pendel-Meterband mit Rolle, welches auf verschiedene Längen ausgezogen wird. (Im Lande Galileis hätte dies nichts Neues sein sollen.)

Ein Vorschlag, Blinde in Mühlen zur Prüfung des Mehls anzustellen (Mecker glaubte sie s. Z. zur Prüfung des Leders geeignet usw. usw.) und meine Arbeit über den geographischen Unterricht.

Den Vokal- und Instrumental-Konzerten nach großartigem Programm habe ich wieder nicht beigewohnt; bei der tropischen Hitze der ersten Junitage genügten mir sieben- bis achtstündige Sitzungen vollauf. Es ging mir, wie dem Kollegen Pensa, der auf die Frage, ob er ins Konzert komme, in Mailänder Mundart antwortete: „Non son si mad". So ein Narr bin ich nicht; ich habe jahraus, jahrein Musik genug, ja mehr als mir lieb ist!

Damit glaube ich meiner Reporterpflicht genügt zu haben!

Es schadet nicht, wenn man von Zeit zu Zeit über den heimatlichen Gartenzaun hinausblickt und nachsieht, wie es anderswo gemacht wird. „Man kann immer und überall etwas lernen, wäre es auch nur, wie man es selbst nicht machen soll."

Willst du nicht rückwärts gehn,
Sieh, wie andre es treiben!
Hast du was Dumms gesehn,
Laß es hübsch bleiben!

Abb. 93. Hauptgebäude der Anstalt (Zeichnung).

Zur Blindenphysiologie.

(Das sogenannte „Sinnenvikariat".)

(Diese Arbeit ist zuerst erschienen in der „Wiener medizinischen Wochenschrift", Jahrgang 1902 Nr. 21—23; sie ist sofort übergegangen in Dr. Wolfsbergs „Wochenschrift für Therapie und Hygiene des Auges" und in den „Blindenfreund", ferner — in freien und etwas gekürzten Übersetzungen — in den „Valentin Haüy (Paris) und den „Amico dei ciechi" in Florenz. Der „Rivista di Tiflologia e d'Igiene oculare" des Augenarztes Prof. Dr. Neuschüler in Rom habe ich selbst, auf Wunsch der Redaktion, eine genaue Übersetzung geliefert, die hier zum Abdruck kommt. Eine neugriechische Übersetzung, die dieser Schrift beigegeben ist, hat unsere Hospitantin Frl. Irene Lascaridi aus Athen, die Leiterin der ersten griechischen Blindenanstalt, besorgt. — Eine Übertragung ins Englische ist durch das Volta-Bureau in Washington, die Zentralstelle für das Taubstummen- und Taubblindenwesen der Vereinigten Staaten, veranlaßt worden.)

In weitesten Kreisen ist die Ansicht verbreitet, daß der Verlust eines Sinnes eine derartige Stärkung der anderen Sinnesorgane bewirke, daß letztere befähigt werden, den mangelnden Sinn — wenigstens größtenteils — zu ersetzen, gleichsam als Vikare für denselben einzutreten.

Man redet tatsächlich von einem „Sinnenvikariate". So soll der Verlust des Gesichtes das Gehör, ganz besonders aber den Tastsinn in fast übernatürlicher Weise schärfen. — In meiner Jugend habe ich sogar in einem Schulbuche gelesen, daß vor Zeiten ein Blinder zum Hofschneider eines Königs ernannt worden sei, weil er demselben die schönsten, buntesten Kleider gemacht habe; er sei nämlich befähigt gewesen, die feinsten Farbentöne durch den Tastsinn zu unterscheiden.

Ich stand damals in einem Alter, in welchem man alles glaubt, was man liest. Es war deshalb für mich zum Dogma geworden, daß Blinde Farben „greifen" können. Während meiner späteren Lehrtätigkeit in mittleren und höheren Schulen Sehender habe ich, wenn im Physikunterrichte von Licht und Wärme die Rede war, nicht verfehlt, diesem Dogma Gläubige zu werben und nur nach einer plausibeln Erklärung dieser sonderbaren „Tatsache" gesucht.

Ich glaubte schließlich eine solche in der ungleich starken Erwärmung der verschieden gefärbten Stoffe gefunden zu haben. Daß man durch den Tastsinn die Farben als solche wahrnehmen könne, leuchtete mir denn doch nicht ein, weil ich mir sagte, daß man sonst auch Gerüche „greifen", Töne sehen oder fühlen und den Geschmack durch die Haut wahrnehmen müßte. An der „Tatsache" selbst wagte ich aber nicht zu zweifeln. Ich glaube auch nicht allein so naiv gewesen zu sein. Wenigstens hat vor zirka 18 Jahren ein hochgestellter Schulmann in meiner Gegenwart behauptet, eine Blinde gekannt zu haben, welche die Farben mit der Hand zu unterscheiden vermochte. Da ich unterdessen, infolge mehrjähriger Tätigkeit in einer Blindenanstalt, unter die Ketzer gegangen war, suchte ich den Herrn vergeblich zu meiner neuen Ansicht zu bekehren, indem ich ihm sagte, die betreffende Blinde müsse noch Lichtempfindungen gehabt, also mit den Augen die Farben unterschieden oder die verschiedenfarbige Wolle an anderen Merkmalen — Lage, Größe oder Festigkeit der Knäuel, Feinheit des Materials usw. erkannt haben. Ich erklärte ihm sogar, wie dies bei uns gemacht wird, wo ganz blinde Mädchen auch mit Material der verschiedensten Farben (Wolle, Baumwolle, Borsten usw.) arbeiten. Alles umsonst! Er blieb bei seinem Glaubenssatze und schien mir sagen zu wollen: „Ihre Leute scheinen also recht weit zurückgeblieben zu sein."

Wenn man weiß, wie in manchen — besonders romanischen und slavischen — Blindenanstalten geradezu in Farben geschwelgt wird, um die Be- und Verwunderung des Publikums zu erhöhen, so darf man sich nicht wundern, wenn solche Ansichten sich festsetzen. So habe ich wohl noch nie eine Farbenorgie gesehen, wie letztes Jahr in den weiblichen Handarbeiten der Blindenanstalt Neapel (Mailänder Blindenlehrerkongreß). Tatsache ist es leider auch, daß man derartigen, völlig verkehrten Ansichten, die von Besuchern der Blindenanstalten nur zu oft ausgesprochen werden, nicht immer mit dem wünschbaren Nachdrucke entgegentritt. Man begegnet so vielen unheilvollen Vorurteilen, welche den Blinden schaden, daß man sich oft scheut, diejenigen, wenn auch noch so lächerlichen, Irrtümer zu zerstören, welche den Glauben an die Leistungsfähigkeit der Lichtlosen stärken, also den Blinden nützen können.

Wie oft hört man von Leuten, welche von der Feinfühligkeit der Blinden die unglaublichsten und unmöglichsten Dinge zu erzählen wissen, die Fragen: „Können sie denn auch ihr Bett, ihr Waschbecken usw. finden? Können sie sich selbst ankleiden, allein essen? Finden sie denn den Mund? Können sie sprechen?" usw. usw.

Wer will sich wundern, wenn irgend ein Spaßvogel von Blindenlehrer solchen Leuten den Bären nicht nur nicht abschnallt, den sie mit so viel Zärtlichkeit herumtragen, sondern ihnen noch einen neuen aufbindet?! Wohlgetan ist dies nicht, aber begreiflich. Es gibt offenbar auch Blinde, welche sich durch Übertreibungen und Täuschungen wichtig zu machen suchen.

Als ich vor 20 Jahren die Leitung einer Schule Sehender mit derjenigen einer Blindenanstalt vertauschte, trug, wie gesagt, auch ich u. a. den „farbengreifenden" Bären noch mit mir herum, wurde dann aber bald durch die Blinden selbst von ihm befreit.

Ich hatte auch oft gelesen und gehört, die Blinden könnten die geringfügigsten, feinsten Unebenheiten, welche für die tastende Hand des Sehenden nicht mehr vorhanden seien, noch genau unterscheiden. Deshalb stellte ich an den Tastsinn der Zöglinge unbegrenzte Anforderungen.

Als mich der allgemeine Blindenlehrerkongreß in Frankfurt a. M. (1882), im Anschlusse an mein Referat über den geographischen Unterricht, ersuchte, nach den von mir entwickelten Grundsätzen Karten für Blinde herzustellen, und als ungezählte Versuche endlich zum Ziele geführt hatten, war ich nicht wenig stolz, haarscharfe und feine erhöhte Flußlinien und Städte- und Grenzpunkte prägen zu können. Ich prüfte die Blätter mit geschlossenen Augen und konnte mit den durch fortwährende Gravierarbeit auf Hartholz geradezu schwielig gewordenen Fingerspitzen jeder Linie folgen. Als ich die Karten aber beim Unterricht in einer Klasse größerer, intelligenter Mädchen — deren eine seit Jahren auswärts als Lehrerin tätig ist — benutzen wollte, versagte das Tastvermögen. Sie fanden sich nicht zurecht. Ich glaubte anfänglich an bösen Willen und wurde ungeduldig. Da taten sie mir den „Gefallen", mich zu täuschen, indem sie, um mich zufriedenzustellen, Wahrnehmungen heuchelten, welche sie nicht gemacht hatten und nicht machen konnten. Ich merkte das Spiel und trat sofort den geographischen Unterricht an einen Lehrer ab, dessen Blick nicht durch Affenliebe zu „seinen Kindern" getrübt war, und dem die Schüler, ohne Angst zu verletzen, die Wahrheit sagten, so daß auch ich dieselbe erfuhr.

Die Karten waren damals beinahe allen europäischen Blindenschulen zur Prüfung gesandt worden.

Von allen Seiten kamen so ziemlich dieselben Antworten: „Wunderschön, aber zu fein"; „prächtig, aber nicht tastbar" usw. „K. hat sich als Meister der geographischen Darstellung bewiesen, wenn auch" ... So urteilte der Vorsitzende der geographischen Kommission auf dem Amsterdamer Kongresse. Ohne „aber" und „wenn" ging es nicht ab. Zufrieden waren die Kollegen aller Länder erst dann, als ich ihnen — neben richtiger Gebirgsdarstellung — Flußlinien und Punktreihen lieferte, die jeder durch Lederhandschuhe greift, und welche auch die hartfühligsten Finger führen, wie die Eisenbahnschienen das Rad. Erst als dieses Ziel erreicht war, fand der jetzt 83 Karten umfassende Atlas Anklang und Einführung in den meisten Blindenanstalten aller gesitteten Völker der Erde. (Es sind bis jetzt gegen 100000 Blätter verlangt worden; 30000 vom [deutsch-österreichisch-dänischen] Vereine zur Förderung der Blindenbildung.)

Auch in diesem Falle hatte ich also meine auf das Dogma gestützten hohen Anforderungen an den Tastsinn bedeutend herabstimmen müssen, um der Gesamtheit der Blinden nützen zu können. Ganz dieselben Erfahrungen habe ich mit den zoologischen und botanischen Abbildungen und besonders mit den Zeichnungen für den Unterricht in der Physik gemacht. Es mußten wiederholt ganz neue Formen hergestellt werden, bis die erforderliche Tastbarkeit erreicht war. Ich verlange heute, nach 20jähriger Erfahrung, vom Tastsinn viel weniger, von der Widerstandsfähigkeit des Papiers aber sehr viel mehr als am Anfang.

Einen längst erprobten Maßstab für das Tastvermögen — das Lokalisationsvermögen oder den Raumsinn der Blinden — liefert die Braillesche Punktschrift, die den Namen ihres blinden Erfinders Louis Braille trägt.

Noch vor 20—22 Jahren hatte man in Deutschland allgemein die erhöhte lateinische Kapitalschrift (A, B, C, D usw.), in welcher von 1859—1863 hier die deutsche Bibel gedruckt worden war. Diese Schrift konnten die Blinden wohl entziffern und in der Jugend langsam, später aber nur mit großer Mühe lesen, wenn sie den Inhalt nicht größtenteils auswendig wußten; sie war eben mehr für den sehenden Lehrer, als für den Blinden berechnet. Im Laufe der letzten 20 Jahre ist diese Schrift auch in Deutschland und Österreich, trotz des heftigsten Widerstandes von Seite vieler Blindenlehrer, aus den Druckereien völlig verdrängt und durch die Punktschrift ersetzt worden.

Die Grundlage letzterer Schrift bilden zwei senkrechte Punktreihen von je 3 Punkten

(⠿ das franz. é).

Diese konischen Punkte _ ö ö standen vor 20 Jahren — von Spitze zu Spitze gemessen — je $2^1/_2$ mm voneinander ab. Es waren diese für die Finger der Blinden geeigneten Maße auf rein empirischem Wege gefunden worden. Um Raum zu sparen, ist man später in Frankreich sogar auf 2 mm zurückgegangen, hat sich aber bald davon überzeugen müssen, daß man für die Mehrzahl der Blinden die Grenze der Tastbarkeit, bzw. der Lesbarkeit, überschritten hatte. Unsere Blinden lesen die französischen Klassikerausgaben in solcher Schrift nur mit Mühe. Deshalb ist man heute in Deutschland und Österreich usw. wieder zum alten Maße von $2^1/_2$—3 mm Spitzenentfernung (stumpfe Spitzen oder Kuppen) zurückgekehrt. Für simultane Auffassung waren die Brücken (Schwellen) unter $2^1/_2$ mm zu kurz; es waren zeitraubende Tastbewegungen — successive Erfassung der Punkte — erforderlich, die ein geläufiges Lesen unmöglich machen. Für gleichzeitige Auffassung mehrerer stumpfer Punkte sind also für die Blinden Schwellenlängen vom 3 mm erforderlich.

Dies ist das Ergebnis langjähriger Erfahrung der Blindenanstalten.

Zahlreiche Messungen mit dem Zirkel, um die äußerste Grenze, d. h. die geringste Entfernung zu ermitteln, in welcher zwei Spitzen noch als zwei und nicht als eine einzige empfunden werden, waren an Blinden nur in wenigen Fällen und dann meistens nur an einigen oder gar nur an einer einzigen Versuchsperson vorgenommen worden, so von Weber, Czermak, Goltz, Gärttner,

Goldscheider, Uhthoff, Hocheisen und in neuerer Zeit von Dr. Th. Heller.

Auch das Sensorium von zwei taubstummen Blinden, Laura Bridgmann und Helene Keller, haben amerikanische Physiologen untersucht.

Auch in letzteren Fällen hat es sich also nur um je eine Versuchsperson gehandelt. Dann sind alle Messungen mit sehr primitiven Instrumenten, gewöhnlichen Zirkeln, die über die Stärke des Druckes, welche das Resultat doch wesentlich beeinflußt*), keine Auskunft geben, ausgeführt worden. Und doch hat man aus so beschränktem und zum Teile unzuverlässigem Material allgemeine Schlüsse gezogen!

Während die älteren Forscher noch von großer Überlegenheit des Raumsinnes der Blinden über den der Sehenden zu berichten wissen, findet Uhthoff — an einer Versuchsperson — und Heller an mehreren (er redet hauptsächlich von zweien), die er untersucht hat, ohne genaue Resultate zu veröffentlichen, ganz schüchtern „eine allerdings nicht bedeutende Schärfung des Raumsinnes". Er fügt wörtlich hinzu: „Da die Experimente, ebenfalls mit Hilfe eines Tasterzirkels ausgeführt, an den gleichen Schwächen laborieren, wie die bisherigen Raumsinnversuche, so sehe ich hier von einer Aufzeichnung der gefundenen Werte ab." Wir erfahren also nicht, worauf sich seine schüchterne Behauptung der „nicht bedeutenden" „Überlegenheit" Blinder stützt. Auch bei Helene Keller ist nichts Besonderes gefunden worden.

Zu einem abschließenden Ergebnis ist man also bis jetzt nicht gekommen und konnte nicht zu einem solchen gelangen, weil die Messungen sich auf eine zu kleine Zahl von Versuchspersonen beschränkt haben und mit ungeeigneten Instrumenten ausgeführt worden sind.

Ich war deshalb sehr erfreut, als vor drei Jahren Herr Prof. med. und phil. Griesbach, Vorsitzender des deutschen Vereins für Schulgesundheitspflege, mich ersuchte, an Zöglingen unserer Anstalt eine Reihe von Messungen vornehmen zu dürfen, um die Sinnesschärfe der Blinden mit derjenigen Vollsinniger desselben Alters vergleichen zu können.

Als er im Tone leichten Zweifels von dem „Sinnenvikariate" und der angeblich großen Überlegenheit des Tastvermögens, des Gehörs und Geruchs der Blinden über die entsprechenden Sinne der Sehenden sprach, erklärte ich ihm unumwunden, daß ich auf Grund meiner Erfahrung nicht daran glaube und daß die meisten Blinden die zwei Spitzen seines Ästhesiometers bei Abständen von weniger als zwei Millimetern an der Kuppe des Lesefingers kaum mehr als zwei getrennte Hautreize empfinden werden.

Prof. Dr. Griesbach trat also ohne felsenfesten Glauben an das alte Dogma vom Sinnenvikariate, aber auch ohne die Absicht, dasselbe zu zerstören, an die Prüfung heran. Ich stellte ihm alle Zöglinge für seine Versuche zur Verfügung und überließ ihm die Auswahl der Versuchspersonen ganz, um jeden Verdacht zu vermeiden, als hätte ich das Resultat durch die Wahl besonders feinfühliger oder sehr ungeschickter Zöglinge beeinflussen wollen*). Da er die Leute nicht kannte, wählte er tatsächlich Zöglinge von sehr verschiedener Begabung aus, und zwar meistens solche, die noch nicht mit der eigentlichen Handwerkslehre begonnen hatten, sondern neben der Schule nur Handfertigkeits- und Musikunterricht erhielten.

Mit Hilfe seines neuen Ästhesiometers — mit parallelen und federnden Nadeln**) — prüfte er die Raumschwellen (die geringsten Abstände, in welchen die Spitzeneindrücke noch sicher als zwei Hautreize empfunden wurden) auf der Stirne, dem Jochbein, der Nasenspitze, dem Lippenrot, dem Daumenballen und den Zeigefingerspitzen beider Hände.

Mittels des Olfaktometers von Zwaardemaker wurde der Geruchsinn, in der langen Seilerbahn und dem zirka 40 m langen Gange der Mädchenabteilung die Hörweite und im Garten mittels des Winkelspiegels die Lokalisation der Schallrichtung geprüft.

Zum Vergleiche wurden gleichaltrige Schüler der Mittelschule (Bürgerschule) und der Oberrealschule, sowie Handwerkslehrlinge aus Mülhausen herangezogen und genau so geprüft, wie die Blinden. Die Resultate der Tausende von Messungen welche stattgefunden haben, sind auf 89 Tabellen verzeichnet, und zwar so, daß der Übersichtlichkeit wegen immer Sehende und Blinde nebeneinander figurieren.

I. Unterscheidung der Schallrichtung.

Bei der Jubiläumsfeier der Blindenanstalt Lausanne (1894) hat uns der bekannte Augenarzt Prof. Dr. Marc Dufour die Mitteilung gemacht, daß nach

*) Weil die Zahl der Trugwahrnehmungen bei erhöhtem Drucke steigt. (Griesbach.)

*) Physiologische Untersuchungen dürften meines Erachtens überhaupt den Physiologen überlassen werden. Psychologen oder Pädagogen könnten sich darauf beschränken, die Ergebnisse zu deuten.

**) Noniusteilung für die Entfernungen, Grammskala zum genauen Ablesen des Drucks.

seiner Beobachtung Blinde die Schallrichtung genauer anzugeben vermöchten als Sehende, und dabei die Frage aufgeworfen, ob es sich nicht empfehlen würde, Blinde auf Schiffen anzustellen, um bei Nebelwetter die Richtung der Signale anderer Schiffe oder der Landungsbrücken genauer zu bestimmen, als dies den Vollsinnigen möglich sei. Er gibt an, ohne über die Untersuchungsmethode zu berichten, daß sich die 19 geprüften Blinden bei Angabe der Schallrichtung nur um 6%, die zum Vergleich herangezogenen Sehenden dagegen um 13% geirrt hätten.

Unter welchen Umständen diese Versuche ausgeführt worden waren und aus welcher Zahl von Beobachtungen das angegebene Resultat gewonnen worden war, sagte er nicht. Griesbach hat 28 Sehende und 28 Blinde eingehend geprüft. Jede von diesen 56 Personen wurde neun Versuchen unterzogen, je dreien mit jedem Ohre (während abwechselnd das eine mit nasser Watte verschlossen wurde) und dreien mit beiden Ohren.

Drei fehlerfreie Angaben lieferten:

a) mit dem linken Ohre: 1 Sehender, kein Blinder;
b) mit dem rechten Ohre: Keiner;
c) mit beiden Ohren: 3 Sehende, 1 Blinder.

Der Durchschnittsfehler betrug für das linke Ohr bei Blinden 16° 23″, bei Sehenden 17° 9″,

Unterschied zugunsten der Blinden 0° 46″.

Für das rechte Ohr: Bei den Blinden 19° 53″, bei den Sehenden 17° 40″,

Unterschied zugunsten der Sehenden 2° 13″.

Für beide Ohren zugleich: Bei den Blinden 11° 47″, bei den Sehenden 10° 7″,

Unterschied zugunsten der Sehenden 1° 40″.

Das Mittel aus allen Versuchen ergibt für die 28 Blinden einen Durchschnittsfehler von 15° 35″, für die 28 Sehenden 15°.

Bei je 252 Prüfungen haben Blinde 68 mal, Sehende 82 mal die Schallrichtung ohne Fehler angegeben.

Mit beiden Ohren wurden, abgesehen von zwei Personen, einem Sehenden und einem Blinden, bessere Resultate erzielt, als mit einem Ohre.

Es konnte also in bezug auf die Unterscheidung der Schallrichtung ein wesentlicher Unterschied zwischen Blinden und Sehenden nicht nachgewiesen werden. Ein minimaler Unterschied spricht zugunsten der Sehenden.

II. Hörweite.

Die sehr ausführlichen, meist doppelseitigen Tabellen XVIII—LXXI der Griesbachschen Arbeit geben Auskunft über die Hörweite, die Riechschärfe und die Raumschwellen (Tastschärfe) der Sehenden und Blinden.

Die Prüfung der Hörweite der Sehenden und Blinden fand, wie oben gesagt, in langen Gängen statt. Es wurden Zahlen zwischen 1 und 100 und einsilbige Wörter in scharfem Flüstertone ausgesprochen. So wurden 49 Sehende und 19 Blinde geprüft. Mehrere Blinde waren von der Prüfung ausgeschlossen worden, weil ihre Gehörorgane nicht als normal angesehen werden konnten.

Derjenige Blinde, welcher am besten hörte, verstand mit einem Ohre die Wörter noch in einer Entfernung von 45 m, mit dem andern bei 40 m; beinahe gleiche Hörweite zeigte aber auch ein Sehender.

Die durchschnittliche Hörweite betrug bei 19 Blinden und 49 Sehenden rechts und links genau 26 m.

Also hat das Gehör durch den Verlust des Gesichtes nichts gewonnen.

Das musikalische Gehör hat nun zwar mit der Hörweite und der Lokalisation der Schallrichtung nichts zu tun. Es gibt jedenfalls harthörige Menschen, welche die menschliche Sprache nicht, oder kaum mehr verstehen, weil sie nur die Vokale, nicht aber die Konsonanten hören und doch musikalische Töne genau unterscheiden, wenn sie ihnen auch schwächer tönen als Leuten mit normalem Gehör. Der leiseste musikalische Ton ist aber immer noch „lauter", als ein (stummer) Konsonant. Das Cortische Organ im inneren Ohre, welches wohl die Unterscheidung der Tonhöhe vermittelt, ist eben von dem Auge gänzlich unabhängig, so unabhängig als das Klavier von der Brille desselben Besitzers. Kein erfahrener Blindenlehrer, der nicht nur eine Auslese von musikalischen Blinden zu unterrichten hat, wird aber behaupten, daß das musikalische Gehör des Durchschnittsblinden dem des Durchschnittssehenden von Natur überlegen sei. Man gibt sich in der Blindenanstalt nur mehr Mühe, allfällig vorhandene Anlagen auszubilden, indem man alle Zöglinge zum Musikunterrichte heranzieht und sie erst davon befreit, wenn alle Versuche fehlschlagen.

III. Die Riechschärfe.

Diese wurde mit Zwaardemakers Olfaktometer gemessen, das in Griesbachs Arbeit beschrieben ist.

In einem Glasrohre steckt ein Kautschukrohr und in diesem wieder ein Glasrohr gleicher Länge, mit einem Griff (Riechrohr). So lange der Kautschuk auswendig und inwendig mit Glas bedeckt ist, nimmt man keinen Geruch wahr.

Zieht man das Riechrohr um 1 cm heraus, so bleibt ein ebenso langes Stück des Kautschukrohres im Innern unbedeckt und teilt der beim Riechen (am Griffende des Rohres) aspirierten Luft seinen eigentümlichen Geruch mit. Je nachdem das Rohr mehr oder weniger weit ausgezogen werden muß, bis der Geruch wahrgenommen wird, ist das Geruchsorgan mehr oder weniger empfindlich. Dasselbe kann also nach der Länge des ausgezogenen Rohrstückes beurteilt werden.

Es wurden beide Nasenlöcher geprüft.

Bei 20 Blinden war durchschnittlich ein Ausziehen des Rohres

$$\left.\begin{array}{l}\text{links um } 1.56 \text{ cm} \\ \text{rechts um } 1.94 \text{ cm}\end{array}\right\} \text{nötig,}$$

bis der Kautschukgeruch wahrgenommen wurde; bei 40 Sehenden genügten 1.16 cm, bei anderen 24 Sehenden 1.14 cm.

Für die Blinden beträgt also der Durchschnitt 1.75 cm, für die Sehenden 1.15 cm. Unterschied zugunsten der Sehenden 6 mm.

IV. Tastschärfe (Raumsinn).

Nun kommt die Hauptsache, das Tastvermögen, dem man bei den Blinden die unglaublichsten Zauberkräfte andichtet. Daß der Blinde Farben rieche oder höre, hat man wohl noch nie behauptet, daß er sie aber „greife", schon oft. Und doch käme dies auf eins heraus.

Es handelte sich also darum, an verschiedenen Körperteilen festzustellen, in welcher geringsten Entfernung zwei gleichzeitige Nadelstiche noch als zwei Hautreize empfunden wurden und nicht zu einer Empfindung verschmolzen. Die Prüfung erfolgte, wie gesagt, mit Griesbachs neuem Ästhesiometer (parallele, federnde Nadeln mit Nonius).

Sie erstreckte sich auf Stirne (Glabella), Jochbein (Jugum), Nasenspitze, Lippenrot, Daumenballen und beide Zeigefingerspitzen. Sie fanden teils an freien Tagen, teils nach Schulstunden, teils nach Handarbeitsstunden statt und erstreckten sich auf 37 Blinde und 56 Sehende.

Zuerst wurden 10 Blinde und 15 Sehende nach geistiger Arbeit (Unterricht) geprüft. Es ergaben sich für die Raumschwellen folgende Mittelwerte in Millimetern:

	Glabella	Jugum	Nasenspitze	Lippenrot	Daumenballen	Linker Zeigefinger	Rechter Zeigefinger
	Millimeter						
Blinde	4.5	4.9	1.86	1.72	4.8	1.49	1.91
Sehende	4.2	4.4	1.55	1.36	4.1	1.36	1.38
Unterschied zugunsten der Sehenden	0.3	0.5	0.31	0.36	0.7	0.13	0.53

Die Sehenden fühlten also in allen diesen Fällen feiner als die Blinden. Der Unterschied beträgt bei dem Zeigefinger der rechten Hand, welcher uns besonders interessiert, 0.53, also mehr als ein Drittel des Gesamtschwellenwertes der Sehenden.

Die Prüfung von 15 Blinden und 15 Sehenden in arbeitsfreier Zeit ergab folgende Schwellenwerte:

	Glabella	Jugum	Nasenspitze	Lippenrot	Daumenballen	Linker Zeigefinger	Rechter Zeigefinger
	Millimeter						
Blinde	3.6	3.7	1.7	1.5	3.77	1.29	1.55
Sehende	2.46	2.59	0.85	1.01	2.41	0.72	0.65
Unterschied zugunsten der Sehenden	1.14	1.11	0.85	0.49	1.36	0.57	0.90

Der Unterschied ist hier noch auffälliger, indem er am Daumenballen fast 1½ mm und am Lesefinger $^9/_{10}$ mm beträgt. Damit die Blinden mit dem angeblich so verfeinerten Lesefinger (Zeigefinger der rechten Hand) noch zwei Spitzen fühlten, mußten letztere mehr als doppelt so weit voneinander entfernt werden (1.55 statt 65) als für die Sehenden.

Die Prüfung von 16 weiteren Blinden und 19 Sehenden nach mehrstündiger (für die Blinden 2—2½ stündiger) Werkstättenarbeit ergab folgende Mittel:

	Glabella	Jugum	Nasenspitze	Lippenrot	Daumenballen	Linker Zeigefinger	Rechter Zeigefinger
	Millimeter						
Blinde	5.97	5.84	2.275	2.—	6.—	1.7	2.
Sehende	4.20	4.40	1.50	1.32	4.43	1.5	1.4
Unterschied zugunsten der Sehenden	1.77	1.44	0.775	0.68	1.57	0.2	0.6

Dieselbe auffällige Erscheinung! — Messungen in arbeitsfreier Zeit an 15 Blinden und 13 Sehenden (mit Ausnahme eines einzigen derselben, wie in der folgenden Tabelle) — ergaben:

	Glabella	Jugum	Nasenspitze	Lippenrot	Daumenballen	Linker Zeigefinger	Rechter Zeigefinger
	Millimeter						
Blinde	3.2	3.2	1.5	1.4	3.15	1.2	1.37
Sehende	2.5	2.5	0.9	0.9	2.93	1.1	1.15
Unterschied zugunsten der Sehenden	0.7	0.7	0.6	0.5	0.22	0.1	0.22

Das Verhältnis ändert sich also auch in diesem Falle nicht wesentlich.

Mittlere Raumschwellen von 7 Blinden im Alter von 12—16 Jahren nach Handarbeit (Flechten) und von 7 Sehenden desselben Alters nach Werkstättenarbeit:

	Glabella	Jugum	Nasenspitze	Lippenrot	Daumenballen	Linker Zeigefinger	Rechter Zeigefinger
	Millimeter						
Blinde	5.5	6.1	2.20	1.8	5.6	1.51	1.77
Sehende	4.1	4.5	1.67	1.4	4.6	1.41	1.30
Unterschied zugunsten der Sehenden	1.4	1.6	0.53	0.4	1.—	0.1	0.47

Ebenso nach geistiger Arbeit:

	Glabella	Jugum	Nasenspitze	Lippenrot	Daumenballen	Linker Zeigefinger	Rechter Zeigefinger
	Millimeter						
Blinde	4.3	4.7	1.9	1.8	4.9	1.49	2.01
Sehende	4.3	4.6	1.71	1.47	4.2	1.3	1.3
Unterschied zugunsten der Sehenden	—	0.1	0.19	0.33	0.7	0.19	0.71

Die Prüfung von 2 blinden Mädchen und 2 sehenden Dienstmädchen gleichen Alters hat (für Blinde an schulfreiem Tage) folgende Schwellenwerte ergeben:

	Glabella	Jugum	Nasenspitze	Lippenrot	Daumenballen	Linker Zeigefinger	Rechter Zeigefinger
	Millimeter						
Blinde	3.75	4.—	1.75	0.5	2.5	1.12	1.75
Sehende	2.75	3.25	1.25	1.35	3.5	0.8	0.8
Unterschied zugunsten der Sehenden	1.—	0.75	0.50	0.15	1.—	0.32	0.95

Hier wird der Unterschied noch viel auffälliger, besonders weil diese beiden blinden Mädchen ganz besonders feine, zierliche Finger hatten und nur mit Stricken und Häkeln — neben etwas Schulunterricht — beschäftigt waren, während das eine von den zum Vergleiche herangezogenen sehenden Mädchen als Stubenmädchen diente und früher auf dem Lande offenbar Feldarbeit verrichtet hatte. Die Raumschwellen dieser Blinden sind am Zeigefinger der rechten Hand mehr denn doppelt so groß als bei den Sehenden! Ganz unbegreiflich — vom Standpunkte des alten Dogmas aus — erschienen aber die Prüfungsergebnisse bei zwei taubblinden Mädchen, von denen das eine, Magdalena Wenner, ganz geläufig liest und sich auf den geographischen Karten zurecht findet, wie wenige vollsinnige Schüler.

Wenn die Natur wirklich mit der einen Hand ersetzte, was sie mit der anderen nimmt, müßten die drei diesen Mädchen gebliebenen Sinne außerordentlich erstarkt sein, und doch finden wir gerade bei ihnen die allerungünstigsten Resultate, d. h. nicht nur die geringste Riechschärfe (3.5 und 2.75), sondern auch an den Lesefingern die größte Schwellenwerte, nämlich

M. W. Nach Unterricht	7	7	4	3.5	1	2.5	3.5
(Ferientag)	5	5	2	2	3.5	1.5	2
O. H. Nach Handarbeit, Stricken	10	12	3.5	3	8	2.5	3

Wo bleibt da der Vikar für die zwei verlorenen Sinne? Ich kann ihn nicht finden!

M. W. verdankt ihre bedeutenden Leistungen nicht einem Ersatze, den ihr die Natur durch Stärkung der drei gebliebenen Sinne für den Verlust des Gesichtes und Gehörs geboten hat; denn auch der Geruch und der Tastsinn erscheinen bei ihr bedeutend geschwächt. Nur infolge ihrer bedeutenden Intelligenz hat die nicht leichte Arbeit ihrer Erzieher Früchte getragen.

Die Tabellen LXXII–LXXXIX der Griesbachschen Arbeit geben Auskunft über zirka 3000 Versuche, die er an Sehenden und Blinden vorgenommen hat, um Häufigkeit und Richtung der sogenannten Trugwahrnehmungen festzustellen. Da dieselben mit dem „Sinnenvikariate", d. h. der Sinnesschärfe nur in losem Zusammenhange stehen, kann ich sie um so eher übergehen, als in dieser Hinsicht kein Unterschied zwischen Blinden und Sehenden zu bestehen scheint. Kehren wir also zu den Tabellen über die Tastschärfe zurück.

Dieselben zeigen überall größere Schwellenwerte — also geringere Feinfühligkeit — für die Blinden als für die Sehenden, und zwar ist der Unterschied immer beim rechten Zeigefinger am auffälligsten. Während die mittlere Differenz zugunsten der Sehenden für den linken Zeigefinger 0.24 mm beträgt, steigt sie rechts bis auf 0.90 mm. Ziehen wir nur die Zeigefinger der Blinden zum Vergleich heran, so finden wir links einen mittleren Schwellenwert von 1.66 mm und rechts von 2.02 mm.

An Ferientagen sinken diese Schwellen auf 1.2 mm, beziehungsweise 1.5 mm herab; unter allen Umständen lokalisiert der rechte Zeigefinger im Durchschnitte bei Blinden weniger gut als der linke, während bei Sehenden kein derartiger Unterschied zu finden ist. Nur bei 4 von den 37 untersuchten Blinden finden wir links größere Schwellen als rechts; es sind solche, die meistens oder ausschließlich mit dem Zeigefinger der linken Hand lesen.

Bei 10 anderen sind die Schwellen links und rechts gleich. Diese Blinden lesen mit beiden Zeigefingern, indem sie den einen dem anderen unmittelbar folgen lassen; oder sie sind erst spät in die Anstalt gekommen, haben zur Not lesen gelernt und finden keine Freude daran. Bei allen übrigen, die hauptsächlich mit der rechten Hand lesen (beim Abschreiben lesen alle mit der linken und schreiben mit der rechten Hand), sind die Schwellen rechts größer als links.

Leider sind nicht alle Finger der Prüfung unterzogen worden. Man würde höchst wahrscheinlich an allen nicht lesenden Fingern kleinere Schwellen finden, als an den Zeigefingern.

Der „Lesefinger", dessen Leistungsfähigkeit der Laie so bewundert, ist also tätsächlich weniger feinfühlig als derjenige, welcher nur Handlangerdienste tut, und dieser wohl wieder unempfindlicher als seine müßigen Kollegen. Daraus geht hervor, daß das Lesen den Tastsinn abstumpft, weil die Fingerspitzen durch das fortwährende Reiben auf den erhöhten Punkten hart und lederig werden, weil das Epithel sich verdickt. Die besten Leser, welche beinahe so schnell lesen wie die Vollsinnigen, zeigen am Lesefinger Schwellenlängen von 2 bis 2.6 mm, ja sogar 3 mm. (Griesbachs Tabellen LV, LIX, LI, XXVIII.)

Sie erscheinen somit als recht hartfühlig, wenn man bedenkt, daß bei den geprüften Sehenden, die keine Blindenschrift lesen, die mittlere Schwellenlänge für die Zeigefinger nur 1.1 mm beträgt. Blinde mit Schwellenlängen, welche sich denen der Sehenden nähern, d. h. unter 1.5 mm stehen, lesen in der Regel wenig und schlecht (LVII, XL, VII, XLIV usw.), wenigstens schlechter als die hartfühligen. Nicht die grobe Handarbeit verdirbt das Getast, wie schon behauptet worden ist; denn diejenigen, welche die kleinsten Schwellen aufweisen, 0.5 und 0.8 mm (XLVII und LVII) waren Korbmacher. Beide lesen schlecht, obwohl sie sehr intelligent sind.

Es stellt sich nun die Frage: „Warum können „feinfühlige" Sehende die Blindenschrift nicht oder nur mit Mühe entziffern, während „hartfühlige" Blinde sie so gewandt lesen, daß man glauben könnte, sie rezitieren?"

Die heutige Blindenschrift (Brailleschrift) besteht, wie eingangs gesagt, aus erhöhten, konischen Punkten, deren stumpfe Spitzen $2^1/_4$–3 mm voneinander abstehen. (Ich habe schon gesagt, daß das kleine Format unter 3 mm Punktdistanz in Deutschland und Österreich wieder aufgegeben worden ist.)

Die Formen sind:

 = é

a b c d e f g h i j

Für die zweite Serie von zehn Buchstaben kommt in der ersten senkrechten Reihe unten noch ein Punkt hinzu:

(a + • = k; b + • = l; c + • = m usw.)

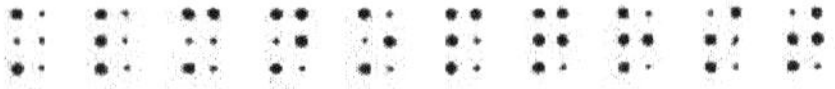

k l m n o p q r s t

Für die dritte Serie tritt noch ein Punkt unten in die zweite senkrechte Reihe:

(k + • = u; l + • = v; n + • = y; u + • = z)

u v x y z

W ist das umgekehrte r 

In den Büchern betragen nun die Abstände der Buchstaben voneinander kaum mehr als diejenigen der Punkte eines Buchstabens unter sich, z. B.: = nur. Eine 15—17 mm breite Fingerkuppe bedeckt deshalb in dem vorstehenden Wörtchen „nur“, wenn ihre Mitte auf dem u ruht, nicht nur das u, sondern auch noch die zweite senkrechte Punktreihe des n und die erste senkrechte Punktreihe des r.

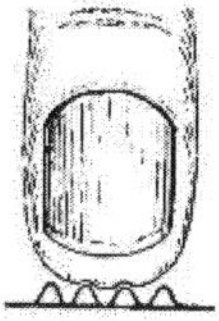

Da die Fingerkuppe unten rund ist, werden sich die Punkte des in der Mitte liegenden u tiefer in dieselbe eindrücken, bzw. sie stärker affizieren, als die Punkte der seitlich liegenden Buchstaben n und r. Ein feinfühliger Finger wird auch diese seitlichen, schwächeren Hautreize spüren und die Buchstaben verwechseln, d. h. nicht wissen, welche Punkte zusammengehören, während ein für schwache Reize unempfindlicher Finger die seitlichen, schwächeren Eindrücke kaum oder nicht beachtet. Um solche Verwechslungen, die Späterblindeten das Lesenlernen unendlich erschweren, wenn nicht unmöglich machen, zu verhüten, habe ich für derartige Blinde Relief-Linientypen graviert (und ein Buch gedruckt), bei denen die Punkte zu Figuren verbunden sind.

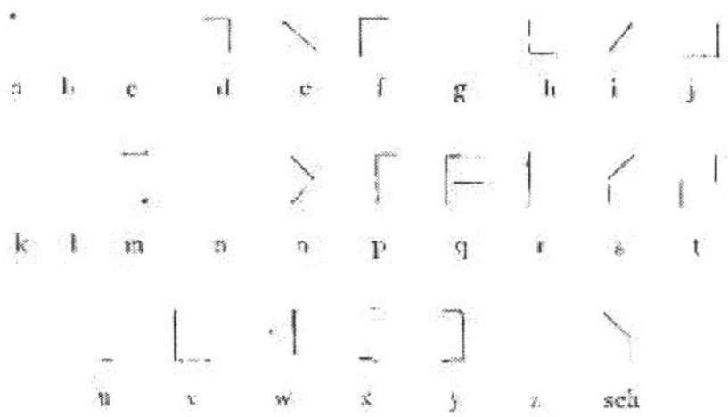

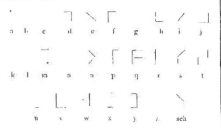

Nun finden wir aber in den Tabellen Griesbachs bei 33 von 37 Blinden — aber nur bei 5 von 56 Sehenden — die Bemerkungen: „Bei schwachem Druck besteht kein Empfindungsvermögen“; oder „bei Druck unter 2, unter 5 g kann der Blinde über Empfindungen keine genauen Angaben machen“ usw.

Diese Entdeckung — sie ist entscheidend — verdanken wir Griesbachs federndem Druckästhesiometer. Mit dem gewöhnlichen Zirkel, der früher zu den wenigen Messungen benützt worden ist, konnte man diese Tatsache nicht finden.

Diejenigen vier Blinden, bei denen solche Bemerkungen fehlen, haben oder hatten es damals im Lesen nicht sonderlich weit gebracht, d. h. nur gelesen, wenn sie mußten, oder erst angefangen. Das Epithel ihrer Zeigefinger war also noch nicht verdickt. Wir finden unter ihnen wieder Fall XLVII, welcher die kleinsten Schwellen (l. 1 mm, r. 0.5 mm) aufweist.

Ich muß hier die Bemerkung einschalten, daß die Lesefertigkeit durchaus keinen Maßstab für die Geschicklichkeit oder Handfertigkeit abgibt. Die gewandtesten Leser sind in der Regel die ungeschicktesten Arbeiter.

Aus dem oben Gesagten geht zur Evidenz hervor, daß zum Lesenlernen mit den Fingern nicht eine Verfeinerung, sondern eine Abstumpfung des Tastgefühls nötig ist.

Der Sehende kann deshalb Blindenschrift nicht mit den Fingern lesen, weil er auch die seitlichen schwächeren Endrücke der Schriftpunkte zu lebhaft empfindet, also zu viel fühlt.

Ein italienischer Arzt, Dr. Ferrai, hat kürzlich an Taubstummen festgestellt, daß die Tastschärfe mit dem Alter zunimmt*). Bis zu welcher Grenze, sagt er nicht.

Wer gedankenlos oder in Gedanken versunken durch die Straßen einer volkreichen Stadt schlendert, „sieht“ das ganze Gewimmel vor sich, rechts und links und hat schließlich doch nichts recht gesehen, weil sein Gesichtsfeld zu groß war, weil er nichts fixiert hat. In derselben Lage befindet sich der feinfühlige Finger auf dem Punktegewimmel der Blindenschrift, während der abgestumpfte Lesefinger dem geschwächten Ohre zu vergleichen ist, welches aus einer Orchestermusik nur noch die Posaunenstöße und Paukenschläge heraushört. Übung macht den Meister, und Übung ist in unserem Falle nichts anderes, als Verdickung des Epithels und damit verbundene Abschwächung der Tastschärfe, wenn diese überhaupt durch ästhesiometrische Messungen bestimmt werden kann. Es wird diese Behauptung wohl in weiten Kreisen, die sich von lieben, alten Glaubenssätzen nicht leicht trennen können, als Ketzerei angesehen werden. Dieselbe geht aber zwingend

*) Wenn sich dies auch für Hörende nachweisen ließe, wäre die mit dem Alter zunehmende Schwierigkeit des Lesenlernens der Blindenschrift erklärt.

aus Prof. Griesbachs Untersuchungen und meiner Kenntnis der blinden Versuchspersonen hervor. Sie wird auch durch die Tatsache bestätigt, daß die Blinden, wenn sie Stoffe — Seide, Wolle, Baumwolle — voneinander unterscheiden wollen, in der Regel nicht den Lesefinger als Tastorgan benutzen.

Ich bekenne übrigens offen, daß ich selbst noch vor kurzer Zeit die besten Leser für besonders feinfühlig hielt und daß ich mir wie ein Kirchenräuber vorkam, als ich obige Sätze klopfenden Herzens zuerst niederschrieb. Ich hatte mir nur nie zu erklären gewußt, warum sich die besten Leser gewöhnlich durch Ungeschicklichkeit nicht nur in der Handarbeit, sondern auch in den gewöhnlichen Verrichtungen des täglichen Lebens auszeichneten.

Erst eine kritische Prüfung von Griesbachs Tabellen hat mir die Augen geöffnet.

Ich bedaure heute nur, daß die Messungen nicht auf alle Fingerspitzen beider Hände und auf Personen sehr verschiedenen Alters ausgedehnt worden sind. Dies kann und muß nachgeholt werden, um die gewonnenen Resultate zu stützen.

Die auf Seite 17 und eben nochmals gerügte Lücke ist seither ausgefüllt worden. Griesbach hat in den Pfingstferien 1902 in der Taubstummen- und Blindenanstalt in Weimar Messungen an zwei Blinden und drei Taubstummen vorgenommen und diesmal alle Finger berücksichtigt. Die Ergebnisse, welche mir in den letzten Tagen zugegangen sind, lasse ich hier folgen:

„Blindgeborene" im Alter von 12 und 13 Jahren.

Im Alter von	Glabella	Jugum	Nasenspitze	Daumen links	Daumen rechts	Kleiner Finger links	Kleiner Finger rechts	Ringfinger links	Ringfinger rechts	Mittelfinger links	Mittelfinger rechts	Zeigefinger links	Zeigefinger rechts
	Millimeter												
12 Jahren	5.5	8.	4.	2.2	2.2	1.3	1.4	1.2	1.2	2.	2.	1.5	2.3
13 Jahren	5.5	7.5	4.	2.7	2.2	1.2	1.3	1.2	1.2	1.5	1.50	2.	2.5
Mittel	5.5	7.75	4.—	2.45	2.2	1.25	1.35	1.2	1.2	1.75	1.75	1.75	2.4

Mittel der Schwellenlängen der Lesefinger 2.4 — Mittel der 8 nicht lesenden Finger 1.6 mm.

Die von mir ausgesprochene Vermutung, daß die Schwellen an allen nichtlesenden Fingern kleiner sein müssen als am Lesefinger, ist somit als begründet nachgewiesen.

Taubstumme im Alter von 10, 12 und 13 Jahren.

Im Alter von	Glabella	Jugum	Nasenspitze	Daumen links	Daumen rechts	Kleiner Finger links	Kleiner Finger rechts	Ringfinger links	Ringfinger rechts	Mittelfinger links	Mittelfinger rechts	Zeigefinger links	Zeigefinger rechts
	Millimeter												
10 Jahren	8.50	12.5	4.50	2.50	2.50	2.—	2.—	2.	2.	2.20	2.20	2.20	2.20
12 Jahren	8.70	12.0	4.	2.	2.	2.20	2.20	2.50	2.50	2.20	2.30	2.—	2.
13 Jahren	8.50	10.5	3.50	2.50	2.60	2.50	2.20	2.50	2.50	2.30	2.20	2.50	2.50
Mittel	8.23	11.7	4.	2.33	2.33	2.23	2.13	2.33	2.33	2.23	2.23	2.23	2.23

Mittel der Schwellenlängen aller Finger 2.26 mm.

Es ist zu bemerken, daß diese Messungen in den Ferien stattgefunden haben und daß die Zöglinge vor denselben weder geistig, noch körperlich in Anspruch genommen waren.

Während bei den Taubstummen kein erheblicher Unterschied zwischen den Schwellenlängen der verschiedenen Finger besteht (die Mittel schwanken zwischen 2.13 und 2.33), finden wir bei den Lesefingern der Blinden Schwellen von 2.4 mm, während die nichtlesenden Finger, abgesehen vom hartfühligen Daumen, eine Durchschnittslänge von nur 1.44 mm aufweisen; letztere nähert sich laut Tab. IV derjenigen der Sehenden an beiden Zeigefingern (1.3 mm).

Es zeigen diese Messungen ferner, daß die Taubstummen durch den Verlust des Gehörs an Tastschärfe nicht gewonnen, sondern daß sie sehr viel eingebüßt haben.

Laut Tab. II beträgt bei Sehenden das Mittel für Stirne, Jochbein und Nasenspitze 1.97 mm, bei den obigen Taubstummen aber 7.97 mm.

Und das nannte man bisher Sinnenvikariat!

Man könnte nun versucht sein zu glauben, daß ich den Wert des Tastsinnes und die Leistungsfähigkeit der Blinden unterschätze. Nach mehr als 20jähriger Arbeit mit ihnen und für sie glaube ich, diesen Vorwurf, wenn er mir gemacht werden sollte, nicht zu verdienen. Ich weiß aus Erfahrung, daß wir heute den normal begabten Blinden auch wissenschaftlich auf die Höhe seiner sehenden Altersgenossen zu heben vermögen und daß er inbezug auf technische Fertigkeit und Geschicklichkeit in den ihm zugänglichen Berufsarten kaum hinter den Sehenden zurückbleibt. Der Tastsinn leistet viel mehr und viel weniger als der Laie gewöhnlich glaubt. Man hält die Blinden gewöhnlich gleichzeitig für Hexenmeister und Idioten. Sie sind weder das eine noch das andere, sondern Menschen mit herabgesetzten Kräften (denn, wo ein Glied leidet, da leiden alle), die aber bei sorgfältiger

Ausbildung durch Fleiß und Ausdauer, nicht durch Zauberkräfte, größtenteils ersetzen können, was die Natur ihnen entzogen hat. Wie falsch die Blinden — und das Tastvermögen überhaupt — selbst von hervorragenden Vertretern der Wissenschaft beurteilt werden, zeigen die von Griesbach zitierten Worte eines Wundt, der meint, daß der Tastsinn, welcher bei Sehenden immer auf einer niederen Stufe der Ausbildung stehen bleibe, bei Blindgeborenen zu einer Entwicklung gelange, „auf der er an Schärfe der Unterscheidung wenigstens mit den Regionen des indirekten Sehens der Seitenteile der Netzhaut sich messen könne“*).

Das ist viel zu viel und viel zu wenig! Wenn wir durch eine Straße oder einen Wald gehen und geradeaus blicken, sehen wir mit den Seitenteilen der Netzhaut unwillkürlich rechts und links und oben und vor uns Millionen Dinge in unbestimmten Umrissen, die dem Tastorgan des Blinden überhaupt unzugänglich sind. Diejenigen Gegenstände aber, welche dem Blinden in die Hände gegeben und von letzteren umschlossen werden können, werden vom Tastsinne so erfaßt, wie sie sind, nicht wie sie scheinen, während sie für das Auge, wenn wir uns um dieselben herumbewegen, von Sekunde zu Sekunde andere Formen annehmen, weil das Auge nur perspektivisch und in Projektion sieht. Eine Kugel ist und bleibt für die tastende Hand eine Kugel, für das Auge aber eine ungleich beleuchtete Kreisfläche. Ein entsprechend schattierter Kreis auf einer flachen Zeichnung bewirkt deshalb eine optische Täuschung und erscheint dem Auge, auf Grund zahlreicher Tasterfahrungen, als Kugel.

Sphärische Körper, die sich dem Tastsinne entziehen, sind deshalb von der Menschheit durch Jahrtausende als kreisförmige Scheiben — Sonnenscheibe, Mondscheibe — angesehen worden.

Vor einigen Jahren erhielt ich aus Wien eine Anzahl vertiefter (hohler) Gipsabgüsse von Reliefmedaillons historischer Persönlichkeiten. Bei längerem Betrachten derselben fiel mir plötzlich auf, daß ich die Bilder bald erhöht, bald vertieft sah. Um die Gewissheit zu erlangen, daß diese Täuschung nicht etwa nur auf einer Eigentümlichkeit meiner Augen beruhe, dann aber auch, um einige Sehende von der Fehlbarkeit des Gesichtes zu überzeugen, stellte ich diese Hohlformen an einer Wand so auf, daß sie nur aus einiger Entfernung von vorne gesehen und nicht betastet werden konnten.

*) Wundt: Menschen- und Tierseele. S. 167.

Dann rief ich zwei sehende Kollegen herbei und zeigte ihnen die wunderschönen „Reliefbilder“. Sie teilten meine Bewunderung und merkten erst, daß etwas nicht stimmen müsse, als ich sie lachend aufforderte, die Dinge etwas näher anzusehen. Dann entdeckten sie natürlich, daß die Formen vertieft (hohl) und nicht erhöht waren. Sie hätten sich natürlich nicht geirrt, wenn sie die Richtung des Lichtes, d. h. die Lage des Fensters, berücksichtigt hätten. Ähnlich ist es mir in ungezählten Fällen ergangen, wenn ich längere Zeit starr die Rückseite (Hohlseite) meiner geprägten zoologischen Reliefabbildungen ansah. Solche Verwechslungen begegnen dem Tastsinne nicht! Ein im Tasten geübter Blinder, der ein genaues Modell der Vogesen oder der Alpen sorgfältig abtastet, gewinnt eine viel richtigere „plastischere“ Gesamtvorstellung von diesen Gebirgen als ein sehender Reisender, welcher tausendmal mit der Bahn von Basel nach Straßburg oder durch die Alpen fährt, die Gebirge aber nur von der Seite (in Projektion auf die Vertikalebene) und nie von oben (in Projektion auf die Horizontalebene [Karte]) als Ganzes sieht. Nur sind die Vorstellungen verschiedener Art.

Tastvorstellungen lassen sich überhaupt nicht mit den Gesichtsvorstellungen vergleichen; sie sind so verschieden, wie Malerei und Plastik, aber wie diese gleichwertig. Der Sehende macht tausend Dinge, die der Blinde nicht fertig brächte, wie der Blinde vieles macht, das der Sehende im Dunkel nicht machen könnte, weil jede bewußte Tätigkeit oder Arbeit ein Ausfluß des Geisteslebens ist, das sich, soweit Räumliches in Betracht kommt, beim Vollsinnigen wesentlich aus Gesichtsvorstellungen, beim Blinden aber aus Tastvorstellungen aufbaut, die sich nicht decken (Sehversuche operierter Blindgeborener). Das Auge umfaßt aus angemessener Ferne das Größte und Kleinste als Ganzes und analysiert nachträglich; der Tastsinn erfaßt sehr kleine Dinge nicht und solche, die zu groß sind, um mit der Hand umschlossen zu werden, oder komplizierte Formen aufweisen, nur nach und nach. Das Gesicht als solches liefert Vorstellungsgruppen, deren Glieder in einer Ebene nebeneinander liegen; der Tastsinn vermittelt, sobald es sich um größere Dinge handelt, Vorstellungsreihen, deren Glieder zeitlich aufeinander folgen und die erst durch einen psychischen Akt (Synthese) gruppiert werden; das Gesicht ist Flächensinn, das Getast ist Körpersinn.

Ein Blindgeborener kann leicht genaue Körpervorstellungen haben, viel schwerer richtige Flächenvorstellungen, ein „tastblind" Geborener — ich weiß nicht, ob es solche gibt — würde wohl durch Vermittlung des Gesichtes richtige Flächenvorstellungen, aber keine Körpervorstellungen gewinnen. Beim Vollsinnigen verschmelzen Gesichts- und Tastwahrnehmungen so innig zu einem Gesamtbilde, welches Fläche und Körper in sich schließt, daß Gesichtswahrnehmungen auch die verwandten Tast-, d. h. Körpervorstellungen reproduzieren, und umgekehrt. Wenn wir die uns zugekehrte Fläche eines Hauses „sehen", d. h. die Lichtwellen empfinden, welche von derselben zurückgeworfen werden, so sagen wir: „Ich sehe das Haus", weil wir die auf Tastwahrnehmungen beruhende Körpervorstellung von der Flächenvorstellung nicht mehr trennen. Gesicht und Getast, die zusammengehören, aber ihrer Natur nach für ganz verschiedene „Eindrücke" der Außenwelt bestimmt sind, können sich also ergänzen, niemals aber vertreten. Von einem Vikariate dieser Sinne für einander kann also nicht die Rede sein, obwohl sie einander so nahe stehen, daß man das Sehen schon als Ferntasten bezeichnet hat. Noch viel weniger kann das Gehör für das Gesicht vikariieren; denn diese beiden Sinne sind grundverschieden.

Das Gehör allein vermag keine Raumvorstellungen zu vermitteln, wenn es auch Schallrichtungen ziemlich genau lokalisiert. Die Entfernung der Schallquelle wird nicht durch das Ohr selbst bestimmt, sondern nach der Schallstärke — meistens sehr ungenau — abgeschätzt. Die dieser Schätzung zugrunde liegenden Raumvorstellungen sind aber durch Gesicht und Getast gewonnen worden.

Der Blinde gewinnt natürlich seine mangelhaften Vorstellungen von größeren Räumen durch den Tastsinn, wobei die Füße als Tastorgane in Verbindung mit dem Muskelsinn (Länge der Schritte) in Betracht kommen. Diese beiden Sinne liefern aber nicht direkt Raumvorstellungen, sondern nur Material zu denselben. Auch hier hat die Intelligenz durch Zuhilfenahme von Zahl und Zeit gestaltend einzugreifen. Soweit das Gehör der Verständigung der Menschen untereinander dienen soll, ist es nur zur Perzeption konventioneller Lautgruppen (Wörter usw.) für Vorstellungen und Begriffe bestimmt. Nur zu oft geben sich allerdings auch Blindenlehrer der Täuschung hin, daß Worte Raum- und Sachvorstellungen erzeugen; man doziert zu viel und veranschaulicht zu wenig. Ersteres ist allerdings bequemer. Von einer wirklichen Vertretung des Auges durch das Ohr kann also nicht die Rede sein — und daß eine Stärkung, bzw. Verfeinerung des Gehörs in bezug auf räumliche Verhältnisse durch den Verlust des Gesichts nicht bewirkt wird, ist durch die Prüfung der Lokalisation der Schallrichtung und der Hörweite nachgewiesen worden.

Größere Aufmerksamkeit, die der Blinde unbedeutenden Geräuschen zuwendet, welche ihn führen oder ihn warnen können, scheint seine Gehörorgane nicht zu beeinflussen. Die Aufmerksamkeit ist eben ein psychologisches, nicht ein physiologisches Moment.

Die Ansicht, daß der Verlust eines Sinnes von selbst und immer, d. h. mit Naturnotwendigkeit, die anderen Sinne stärke, daß beispielsweise die durch den Nichtgebrauch der Sehnerven gleichsam verfügbar werdende Energie auf die anderen Sinnesnerven übergehe, wie sich das Vermögen eines verstorbenen Kindes auf seine Geschwister vererbt und deren Besitz mehrt, dürfte somit durch Griesbachs Untersuchungen — soweit Geruch, Gehör und Getast in Betracht kommen — unhaltbar geworden sein.

Er selbst sagt in seinen Schlußfolgerungen, die ich zur Kontrolle mitteile:

1. In dem Unterscheidungsvermögen für taktile Eindrücke besteht in arbeitsfreier Zeit im allgemeinen kein erheblicher Unterschied zwischen Blinden und Sehenden; kleine Differenzen sprechen zugunsten der Sehenden.

2. Bei Blindgeborenen ist die Tastschärfe etwas geringer als bei Sehenden; in einzelnen Fällen leidet bei Blindgeborenen auch das übrige Sensorium.

3. Blinde fühlen insbesondere an den Zeigefingerspitzen weniger gut als Sehende und es tritt bei den Blinden in vielen Fällen ein Unterschied in dem Empfindungsvermögen beider Zeigefinger hervor.

4. Bei Blinden bedarf es, besonders auf dem Gebiete der Hand, eines stärkeren Eindruckes als bei Sehenden, um eine deutliche Tastempfindung zu erzeugen.

5. In dem Lokalisationsvermögen für Schallrichtung besteht kein Unterschied zwischen Blinden und Sehenden.

6. Das Lokalisationsvermögen für Schallrichtungen variiert bei Blinden ebenso erheblich wie bei Sehenden und ist bei beiden in hohem Grade individuell.

7. Im allgemeinen werden Schallrichtungen durch Blinde und Sehende bei doppelseitigem Hören genauer als bei einseitigem Hören bestimmt.

8. In der Hörweite besteht kein Unterschied zwischen Blinden und Sehenden.

9. Eine Beziehung zwischen Hörweite und Lokalisationsvermögen besteht weder bei Blinden noch bei Sehenden.

10 In der Riechschärfe besteht bei Blinden und Sehenden kein Unterschied.

11. Durch Handarbeit ermüden Blinde in höherem Grade als Sehende gleichen Alters.

12. Durch Handarbeit ermüden gleichalterige Blinde in höherem Grade als durch geistige Arbeit, bei gleichalterigen Sehenden ist dies nicht der Fall.

13. Ein wesentlicher Unterschied in der Ermüdung durch geistige Arbeit ist bei gleichalterigen Blinden und Sehenden nicht vorhanden; geringere Differenzen sprechen zugunsten der Sehenden.

14. Unter Blinden und Sehenden gibt es Personen ohne, mit wenigen, mit vielen Trugwahrnehmungen; von den untersuchten Hautstellen fallen die meisten dieser Trugwahrnehmungen im allgemeinen auf das Jugum, die wenigsten auf die Fingerkuppen.

15. Die Zahl der Trugwahrnehmungen bei Blinden und Sehenden steigt mit wachsender Reizzahl und Druckzunahme.

16. Durch scharfe Spitzen werden bei Blinden und Sehenden häufiger Trugwahrnehmungen erzeugt, als durch stumpfe Spitzen — usw.

Prof. Griesbach hat sich in diesen Sätzen außerordentlich vorsichtig ausgedrückt, wohl um nicht als voreingenommener Gegner der herkömmlichen Ansicht betrachtet zu werden; denn tatsächlich zeigen seine Tabellen über Tastschärfe, bzw. Lokalisationsvermögen der Haut eine recht bedeutende Überlegenheit der Sehenden; beim Zeigefinger der rechten Hand schwankt diese Superiorität zwischen 0.42 und 0.90 mm, oder, auf die durchschnittlichen Schwellenlängen der Sehenden bezogen, von 40 bis zu 138 Prozent.

		Sehende	Blinde	Differenz	in Proz.
		in Millimetern			
Tab. LX u. Tab. LXII	Freizeit . . .	0.95	1.37	0.42	44
„ LIX „ „ LXI	Handarbeit .	1.40	2.	0.60	43
Tabelle XLII	Freizeit . . .	0.65	1.55	0.90	138
„ „	Geist. Arbeit	1.36	1.91	0.55	40

Das sind die „kleinen" Unterschiede zugunsten der Sehenden!

Bei einem Blicke auf diese Zahlen wird man unwillkürlich an das Wort erinnert: „Wer da hat, dem wird gegeben, auf daß er die Fülle habe, und wer da nicht hat, dem wird auch das genommen, was er hat."

Eine genauere Prüfung verdienen noch die Sätze 11 und 13 der Griesbachschen Schlußfolgerungen.

Der 11. Satz stimmt zwar mit den Ergebnissen der Messungen überein, hat aber nicht die Bedeutung, welche man ihm beilegen könnte und schon beigelegt hat. Er lautet: „Durch Handarbeit ermüden Blinde in höherem Grade als Sehende gleichen Alters."

Laut Tabelle LXII beträgt die Schwellensumme der geprüften Sehenden in arbeitsfreier Zeit, also im Normalzustande, in Millimetern: 2.5 + 2.5 + 0.9 + 0.9 + 2.93 + 1.1 + 0.95 = 11.78;

im Zustande der Ermüdung nach Handarbeit (Tab. LXI) finden wir für die Sehenden: 4.2 + 4 + 4 + 1.55 + 1.32 + 4.43 + 1.5 + 1.4 = 18.70.

Der Unterschied zwischen dem Normalzustande und dem der Ermüdung beträgt also 6.92 mm oder 59 Proz. der normalen Schwellenlängen. Der Ermüdungskoeffizient, die Zahl, mit welcher die Normale vervielfältigt werden müßte, um den Ermüdungswert zu finden, ist gleich 1.587.

Bei Blinden beträgt die Schwellensumme im Normalzustande der Ruhe laut Tab. LX: 3.2 + 3.2 + 1.5 + 1.4 + 3.15 + 1.2 + 1.37 = 15.02;

nach Werkstättenarbeit laut Tab. LIX: 5.97 + 5.84 + 2.275 + 2 + 6 + 1.7 + 2 = 25.78.

Unterschied zwischen Normalzustand und Ermüdung 10.76 = 71.7 Proz.

Ermüdungskoeffizient 1.716.

Der Unterschied ist also nicht sehr bedeutend und namentlich auf die Verlängerung der an und für sich langen Schwellen auf Glabella, Jugum und Daumenballen zurückzuführen. Nach geistiger Arbeit ist das Verhältnis in sehr auffälliger Weise umgekehrt. — Satz 13 stimmt deshalb mit den Zahlen nicht überein.

Für Blinde betragen die Schwellenwerte im Normalzustande laut Tabelle XXXVI: 3.6 + 3.7 + 1.7 + 1.5 + 3.79 + 1.29 + 1.55 = 17.13

Nach geistiger Arbeit: Tab. XXXV: 4.5 + 4.9 + 1.86 + 1.72 + 4.80 + 1.49 + 1.91 = 21.18.

Unterschied zwischen dem Normalzustande und dem der Ermüdung 4.05 = 23.6 Proz.

Ermüdungskoeffizient 1.236.

Für Sehende Tab. XXXVIII:

Normalzustand der Ruhe: 2.3 + 2.4 + 0.9 + 0.9 + 2.4 + 0.83 + 0.8 = 10.53.

Nach geistiger Arbeit: Tab. XXXVII: 4.2 + 4.4 + 1.55 + 1.36 + 4.1 + 1.36 + 1.38 = 18.35.

Differenz: 7.82 = 74.2 Proz.
Ermüdungskoeffizient: 1.743.

Der Prozentsatz ist hier für die Sehenden auffälligerweise dreimal so groß wie bei den Blinden, während es in Satz 13 von Griesbachs Arbeit heißt, daß ein wesentlicher Unterschied nicht bestehe und daß geringe Differenzen zugunsten der Sehenden sprechen.

Physiologisch allein läßt sich diese Erscheinung wohl nicht genügend erklären; es werden psychologische Momente mit in Rechnung gebracht werden müssen. Sie kann nur auf gespanntere Aufmerksamkeit von Seite sehender Schüler (viele Blinde sind zum Träumen geneigt) vielleicht allerdings auch auf Ermüdung der Augen zurückgeführt werden, die z. B. beim Schreiben neben der Hand tätig sind, während der Blinde beim Schreiben nach Diktat oder aus dem Gedächtnisse eigentlich kein Sinnesorgan, sondern nur die Muskeln des Vorderarmes anstrengt. Das Schreiben ermüdet die Blinden tatsächlich viel weniger als die Sehenden.

Allgemeine Schlüsse werden aus diesen Zahlen vorläufig nicht gezogen werden dürfen, weil sich heute der Unterricht, welcher den Messungen vorausgegangen war, nicht mehr genau feststellen läßt.

Unter allen Umständen hat das bis jetzt Gesagte keine Stützen für die Annahme eines Sinnenvikariates geliefert. Es können also nur noch der Geschmack und das Gefühl in Betracht kommen. Die Organe dieser beiden Sinne hat Griesbach keiner Prüfung unterzogen. Es dürfte auch etwas schwer halten, Erreger zu finden, auf welche die betreffenden Sinnesorgane in gleicher Weise, aber in verschiedener Stärke reagieren. Es ist dies in neuester Zeit durch italienische Ärzte mit Hilfe des elektrischen Stromes und verschiedener Lösungen — bitter, süß, salzig — versucht worden. Sie scheinen aber nicht besonders augenfällige Ergebnisse gefunden, jedenfalls keine Superiorität der Blinden nachgewiesen zu haben. Um diese Resultate nachprüfen zu können, wäre es unter allen Umständen nötig, nicht nur die Stärke des Stromes und die Dichtigkeit der Lösungen, sondern auch — der Persistenz der Empfindungen wegen — die Dauer der Unterbrechungen zwischen den einzelnen Versuchen und — für den Geschmack — die Reihenfolge zu kennen, in welcher die genannten Lösungen zur Anwendung kamen. Mir ist übrigens nicht bekannt, daß die Blinden als besondere Feinschmecker gelten, sonst hätte wohl schon jemand den Vorschlag gemacht, sie auf Schiffen als Kücheninspektoren, nicht nur als Nebelkompasse anzustellen. Ersteres Amt wäre ihnen gewiß lieber. Vielleicht hat man ihnen in bezug auf den Geschmack aus Sparsamkeitsrücksichten keine Zauberkräfte angedichtet.

Die Sensibilität der Hautnerven für Temperaturdifferenzen und Luftwiderstände ist ebenfalls nicht geprüft worden. Vielleicht wäre eine Ergänzung der scharfsinnigen Versuche Th. Hellers lohnend.

Es ist bekannt, daß Stockblinde, die sich frei bewegen, verhältnismäßig wenig mit dem Gesichte anstoßen. Unsere Kinder tummeln sich in den mit Bäumen bepflanzten und von Gebäuden oder Mauern größtenteils umschlossenen Höfen und Gärten herum fast wie Sehende. Es kommt ja von Zeit zu Zeit vor, daß sie anstoßen — die Welt ist eben nicht für Blinde eingerichtet worden — in der Regel aber „merken" sie das Hindernis rechtzeitig und können ausweichen. Man glaubte, diese längst bekannte Tatsache durch den Gebrauch der bekannten Sinne nicht erklären zu können und fühlte das Bedürfnis, den Blinden einen siebenten Sinn, den sogenannten „Fernsinn" anzudichten.*) Seit fast einem Jahrhundert haben mystische Spekulationen über diesen (Un-)Sinn üppige und bunte Blüten aber keine Früchte getrieben. In Wirklichkeit handelt es sich nur, wie auch Th. Heller nachgewiesen hat, um aufmerksamen Gebrauch der bekannten Sinne, besonders des Tastvermögens der Gesichtshaut (Druckempfindung) und des Gehörs; auch Gefühl (Temperaturunterschiede) und Geruchssinn werden gelegentlich zu Hilfe genommen. Die Blinden selbst wissen nicht zu sagen, woran sie Hindernisse erkennen, ehe sie dieselben berühren; sie „fühlen" sie eben. Unsicher und ungeschickt werden sie aber, wenn man ihnen aus irgend einem Grunde die „Augen" verbinden muß, oder wenn der Boden mit Schnee (oder einem anderen schalldämpfenden Stoff) bedeckt ist. Sobald Schnee liegt, verirren sich oft auch die geschicktesten in dem ihnen wohlbekannten Hofe. Wie erklärt sich nun die Tatsache, daß Bedeckung der „Augen", beziehungsweise eines Teiles der Stirne, die Sicherheit der Blinden beeinträchtigt? Rührt dies nur davon her, daß ein Teil der Gesichtshaut verdeckt, die der Luft ausgesetzte Fläche also verkleinert ist? Darüber müßten Versuche im Luftbad, also bei vergrößerter Angriffsfläche,

*) Wenn man den Hautsinn (Getast und Gefühl), wie das gewöhnlich geschieht, als einen Sinn rechnet, so wäre der „Fernsinn" wenn es einen solchen „Sinn" gäbe, der „sechste". Statt Fernsinn sollte man Ferngefühl sagen. Es ist kein besonderer „Sinn".

Auskunft geben. — Oder könnten die nicht völlig abgestorbenen Sehnerven dabei noch eine Rolle spielen?

Ist es nicht möglich, daß diese für plötzlich verstärkten Widerstand der Luft sensibler sind, als die Empfindungsnerven der Haut? (Als Blindenlehrer richte ich diese Fragen an die Herren Mediziner.) Daß bei rascher Annäherung an ein Hindernis — Baum oder Mauer usw. — eine momentane Luftverdichtung, bzw. Rückströmung, erfolgen muß, ist einleuchtend. Jeder Schütze kennt den verstärkten Rückstoß seines Gewehres beim Schusse gegen ein festes, wenn auch ziemlich entferntes Ziel (100—200 m). Schon die blätterlosen Zweige eines Baumes oder eines Strauches vermehren den Widerstand. Fühlen nun Sehende solchen Luftdruck bei rascher Annäherung an ein Hindernis auch so sicher wie der Blinde? (Bei langsamer Annäherung stößt auch der Blinde viel leichter an.) Ich glaube es kaum. Fraglich bleibt aber, ob es sich hier um eine Überlegenheit der Blinden in physiologischem Sinne handelt, oder ob das psychische Moment größerer Aufmerksamkeit seitens der Blinden den Unterschied hervorruft. Ich glaube letzteres.

Der Schall der Schritte, der in der Nähe einer Wand sich ändert, hat als Warner vielleicht größere Wichtigkeit — wenigstens setzt er früher ein — als die Druckempfindungen der Gesichtshaut. Die Unsicherheit, welche bei ungewohnter Bedeckung des Zimmerbodens oder des Erdbodens (Schnee) eintritt, beweist dies.

Der sogenannte „Fernsinn“, das „Allgemeingefühl“, ist also nur die Summe aller Sinneswahrnehmungen*), welche den Blinden und den Sehenden, sobald er genötigt ist, darauf zu achten, von der Annäherung einer Gefahr in Kenntnis setzen; man könnte also ebenso gut von einem „Warnsinn“ sprechen, wenn zur Erklärung der besprochenen Tatsache die Annahme eines besonderen Sinnes überhaupt nötig wäre. Tatsächlich ist dies nicht der Fall. —

Eine (physiologische) Überlegenheit des Sensoriums der Blinden über das der Sehenden ist also bis jetzt auch in bezug auf Geschmack und Gefühl nicht nachgewiesen worden. Aber selbst wenn exakte Versuche in dieser Beziehung ein Plus für die Blinden ergeben sollten, so würde dasselbe wohl kaum ausreichen, um das bezüglich der anderen Sinne durch Griesbach nachgewiesene Defizit zu decken. Von einer Verfeinerung des Sensoriums im allgemeinen durch den Verlust eines Sinnes könnte also auch dann noch nicht die Rede sein; sonst müßte der Verlust des Gehörs auch verfeinernd und schärfend auf die anderen Sinne wirken, und der Verlust beider höchsten Sinne müßte die übrigen auf ganz besondere Weise emporheben. Daß dies bei unseren Taubblinden nicht der Fall ist, zeigen die Messungsergebnisse. Der unsichere, wackelige Gang der meisten Taubblinden — sie gehen meistens wie Betrunkene — dürfte darauf hinweisen, daß auch der Gleichgewichtssinn gelitten hat, d. h., daß die Wasserwage im Ohrenlabyrinth nicht in Ordnung ist, was wieder einen Rückschluß auf die oft unbekannte Ursache der Taubheit erlaubt. Kürzlich haben auch zwei italienische Ärzte, Dr. Carlo Ferrai in Genua („Sul compenso sensoriale nei sordomuti“) und Dr. Cesare Rossi in Como („Sulle durate del processo psichico elementare e discriminativo nei sordomuti“) eine größere Zahl von Taubstummen neben Hörenden untersucht und sind zu demselben Resultate gekommen. Ersterer hat den Tastsinn, den Muskelsinn, das „Schmerzgefühl“ (erzeugt durch elektrischen Strom), den Geruchssinn und den Geschmack (bitter, süß, salzig) untersucht. In seinen „Conclusioni“ hebt er unter Hinweis auf Griesbach ausdrücklich hervor, daß ein „Compenso sensoriale“, ein Sinnenvikariat, bei den Taubstummen ebenso wenig bestehe wie bei den Blinden. Letzterer spricht, gestützt auf fremde und eigne Beobachtungen und Untersuchungen, die Überzeugung aus, daß das Sehvermögen der Taubstummen dem der Hörenden mindestens nicht überlegen sei. Er gedenkt auch der vielen Fälle, in denen Taubheit und Blindheit Gefährtinnen sind.

Wo ein Glied leidet, leiden alle! Nicht weil ein Sinn den andern mit sich in die Tiefe zieht, sondern weil — abgesehen von Unfällen — verschiedene körperliche Mängel bei einem Individuum wohl auf derselben inneren Ursache beruhen. — Wie könnte man sonst erklären, daß so oft Taubheit mit Blindheit einhergeht. Seit einer Reihe von Jahren sind bei uns 5—6 Prozent der Blinden auch taub, andere schwerhörig, während sonst unter 1000 Personen wohl kaum mehr als drei Taube (3 ‰) zu finden sind. Genau läßt sich

*) Ich habe hier, wie das meistens geschieht, das Orientierungsvermögen mit dem eigentlichen „Ferngefühl“ identifiziert. Bei der Orientation wirken alle den Binden und Taubblinden gebliebenen Sinne mit. Das Ferngefühl ist aber nicht ein besonderer Sinn mit eignem Sinnesorgan, sondern meines Erachtens eine krankhafte Verfeinerung (Hpyerästhesie) des bekannten Hautsinns (Gefühl und Getast) — Zu vergleichen das Kapitel „Orientierungsvermögen und Ferngefühl.“

dies jedenfalls nicht feststellen, weil „Taubheit" ein ebenso elastischer Begriff ist wie „Blindheit". Für den Augenarzt ist derjenige blind, welcher nicht mehr Tag und Nacht unterscheidet, für den Blindenlehrer aber jeder, der nicht genug sieht, um mit Hilfe der Augen zu arbeiten. Ich halte deshalb Blinden- und Taubstummenstatistiken für ganz unzuverlässig, so lange nicht ein fester Maßstab vorgeschrieben ist. Eltern scheuen sich meistens, die Worte „blind" oder „taub" in die Volkszählungslisten einzutragen.

Dank der eingehenden und gewissenhaften Untersuchungen Griesbachs und anderer Forscher dürfte somit das Dogma vom Sinnenvikariate in sich zusammenfallen, wie so mancher andere Glaubenssatz, der jahrhundertelang die eine oder andere Wissenschaft beherrscht hat, den Ergebnissen exakter Forschungen gewichen ist.

Wer wollte dies bedauern?! Man dient den durch die Natur Enterbten weder durch Unterschätzung, noch durch Überschätzung ihrer Kräfte.

Die Ruinen des ehrwürdigen Gebäudes werden aber wohl noch lange von der Sonnenhöhe pädagogischer und anderer Weisheit mehr oder weniger still ins Tal hinabschauen; schließlich wird die Zeit aber auch mit dieser Aufräumungsarbeit fertig werden!

Nachtrag.

Man hat nun behauptet, daß der Blinde von den ihm gebliebenen Sinnen, besonders dem Gehör und dem Getast, ausgiebigeren Gebrauch mache als der Sehende (welcher dies nicht nötig hat) und daß ihm somit diese beiden Sinne manche Wahrnehmung vermitteln, die dem Vollsinnigen entgehen. Dies ist nie bestritten, sondern im letzten Teile der Arbeit ausdrücklich anerkannt worden.

Die Aufmerksamkeit auf Geräusche, den Schall der Tritte, den Widerstand oder die Temperatur der Luft usw. ist aber ein psychologisches, nicht ein physiologisches Moment. — Sie erlaubt keinen Rückschluß auf die Sinnesorgane selbst. — Der Verlust des Gesichts bewirkt keine Vermehrung der Hautnerven, keinen Umbau des inneren Ohrs und keine „Verbesserung" des Zentralorgans, der Hirnrinde. In bezug auf letztere wird wohl häufiger das Gegenteil nachgewiesen werden können. — Daß Gehör und Geruch bei sehr vielen Blinden auch gelitten haben, ist schon gesagt worden. Ich will damit nicht behaupten, daß die Erblindung als solche die anderen Sinne geschwächt habe. Es handelt sich in diesen Fällen wohl um Begleiterscheinungen einer und derselben tiefer liegenden Ursache.

Da sich nach der Veröffentlichung dieser Ergebnisse exakter Forschung kein ernst zu nehmender Verteidiger des alten Dogmas vom „Sinnenvikariate" mehr auf den Plan gewagt hat, dürfte dasselbe für jeden Fachmann endgültig abgetan sein, um so mehr, als sich die kompetentesten Fachleute und Mediziner der hier vertretenen Ansicht ausdrücklich angeschlossen haben. Ich nenne hier nur den erblindeten Prof. Dr. Javal, früher Direktor der Augenklinik der Sorbonne Membre de l'Académie de Médecine in Paris und Prof. Dr. Neuschüler in Rom.

Es sind gerade Mediziner, besonders Augenärzte und gebildete Blinde, wie Maurice de la Sizeranne, Direktor des „Valentin Haüy" und des „Louis Braille" in Paris und der erblindete Advokat Landriani in Florenz, Direktor des „Amico dei ciechi", welche zur Verbreitung der Schrift am meisten beigetragen haben. —

Als Fortsetzung und Ergänzung dieser Arbeit ist der später folgende Aufsatz über Orientierungsvermögen und Ferngefühl zu betrachten.

Ich habe in der Einleitung zu vorstehender Arbeit in bezug auf das „Farbengreifen" schonend gesagt, daß es auch Blinde gebe, welche sich durch Übertreibung und Täuschung wichtig zu machen suchen. Es ist für uns sehende Blindenlehrer immer sehr peinlich, auf Charakterfehler der Blinden öffentlich hinzuweisen. Nun werde ich aber durch den mir persönlich bekannten Oberst-Arzt Prof. Dr. Petella, Direktor des Marinehospitals in Porto-Venere bei Spezzia, in einer glänzenden Studie*) über Rodenbach (1786—1869), den berühmten blinden Schüler und Mitarbeiter Valentin Haüys, den spätern belgischen Abgeordneten und Mitbegründer der belgischen „Unabhängigkeit" (1830), darauf aufmerksam gemacht, daß dieser Blinde schon 1828 in seiner „Lettre sur les aveugles" auf die Kniffe hingewiesen habe, welche gewisse Blinde zu seiner Zeit anwandten, um leichtgläubige sehende Mitmenschen in der Täuschung zu erhalten, daß sie, die Blinden, mit den Händen oder mit der Zunge die Farben zu unterscheiden vermöchten.

Rodenbach erzählt — nach Petella — von einem Blinden, der mit Indigo gefärbten, also blauen Stoff,

*) Rivista di Tiflologia, Januar 1907.

den er zwischen den Fingern rieb, am Geruch erkannte, aber den Vollsinnigen den Glauben beibrachte, daß er die Farben als solche mit den Fingern unterscheide.

Ein anderer Blinder steckte den Stoff in den Mund, um zu schmecken, ob er mit Galläpfelextrakt gebeizt worden sei. — Nach dem Geschmack „erriet" er die Farbe. Bei den heutigen Farbstoffen würde das Kunststück natürlich nicht mehr gelingen.

Ein dritter, dem Rodenbach in den Straßen von Paris begegnete, machte aus dem „Farbengreifen" ein Geschäft. Er zeigte ein mit verschiedenen Farben angestrichenes achteckiges Brett und „griff" dann, offenbar gegen ein Trinkgeld, „die Farben"; d. h. er erkannte sie, natürlich nicht die Farben selbst, an der verschiedenen Glätte und der Beschaffenheit des Bretts, das sich an verschiedenen Stellen, je nach der Richtung der Adern und der Beschaffenheit des Randes, verschieden anfühlte (Getast). So wurde das liebe Publikum absichtlich getäuscht. —

An solchen äußeren Merkmalen erkannten die Blinden die Gegenstände, von denen sie gehört hatten, daß sie rot oder grün oder blau usw. seien.

Auch ist nicht zu vergessen, daß viele, die nach unseren Begriffen blind sind, weil sie zu wenig sehen, eben doch das Vermögen besitzen, Farben mit den Augen zu unterscheiden. —

In dieses Kapitel gehört auch ein Erlebnis, das mir der berühmte Kunstmaler Aug. Zwitter in Paris erzählt hat. —

Während er in unserer Anstalt 2 große Bilder malte, wohnte er einige Monate bei mir. Er beobachtete die Blinden mit dem Auge des Künstlers sehr scharf, wußte also Bescheid. Später konsultierte er in Paris einen erblindeten Advokaten. Nach der Besprechung sagte die Frau des Blinden zu ihm: „So, mein Mann hat Sie jetzt gesehen; er wird Sie sofort erkennen, wenn Sie wieder kommen!" —

‚Er hat mich gesehen? Er sieht ja doch nicht!' „O, doch er hat sie gesehen; er sieht eben ganz anders als wir; er hat einen anderen Sinn." ‚So, so,' entgegnete der Künstler lächelnd — und empfahl sich.

Rückblick, Umblick, Ausblick.

Orientierender Einleitungsvortrag, gehalten am XI. Blindenlehrerkongreß in Halle a. d. Saale (2. August 1904).

[Das Volta-Bureau in Washington hat auch diese Arbeit ins Englische übersetzen lassen.]

Hochgeehrte Versammlung!

Es ist im Geschäftsleben üblich, am Ende gewisser Zeitabschnitte die Rechnungen abzuschließen, um einen Überblick zu gewinnen über den Geschäftsgang, Umschau zu halten in Vorräten, Guthaben und Verbindlichkeiten — und sich vorzusehen für die Zukunft.

Auch wir stehen heute am Schlusse eines für uns wichtigen Zeitabschnittes, am Ende des ersten Jahrhunderts der deutschen Blindenbildung. Gleichzeitig könnten wir das 650jährige Bestehen der ältesten (französischen) Versorgungsanstalt feiern. — Es dürfte sich deshalb am heutigen Tage ein Rückblick rechtfertigen auf das in der Vergangenheit Erstrebte, ein Umblick auf das Erreichte und ein Ausblick auf das von der Zukunft zu Erhoffende. — Wenden wir daher unsere Blicke vorerst der Vergangenheit zu!

Rückblick.

Im 27. Kapitel des V. Buches Mosis stehen die furchtbaren Worte geschrieben: „Verflucht sei, wer einen Blinden auf seinem Wege irreleitet!" Dieser schreckliche Fluch schließt die Blindenfürsorge des alten Bundes in sich! — Der Blinde saß am Wege und bettelte; oder er ging wohl auch tastend von Haus zu Haus und klopfte an die Türen. Das sonst so hoch stehende jüdische Altertum glaubte also seine Pflicht gegen die Blinden erfüllt zu haben, wenn es dieselben durch einen in heiligen Büchern der Nachwelt überlieferten Fluch auf der Bettelstraße schützte. — So war es noch zu Christi Zeit. „Bartimäus saß am Wege und bettelte". Die Blinden litten aber ganz besonders unter dem Fluch des Vorurteils, das in der Frage zum Ausdruck kommt: „Meister, wer hat gesündigt, er oder seine Eltern?" „Weder er hat gesündigt, noch seine Eltern. Solches ist geschehen, damit die Werke Gottes an ihm offenbar würden." Dies war die Antwort des Meisters. — So sollte der Fluch des Vorurteils, das alle Blinden als Sünder und Sündenkinder in einen Topf warf, gebrochen werden. — Der Meister hat aber vorsichtig in der Einzahl gesprochen. — Das alte furchtbare Wort: „Ich will heimsuchen die Sünden der Väter — und Mütter — an den Kindern bis ins dritte und vierte Glied derer, die mich hassen" — wird weder dadurch, noch durch den tröstlichen Nachsatz über die göttliche Barmherzigkeit aufgehoben. Es besteht heute noch, wie jeder Arzt und wohl auch jeder von uns weiß, zu Recht. Es haftet auch nicht, wie menschliche Gesetze, an Grund und Boden, sondern an der Menschheit selbst. Wie mancher würde gerne auf das Erbrecht im gewöhnlichen Sinne verzichten, wenn es gelänge, diese furchtbare Erbpflicht abzuschaffen! Nicht das alte Gesetz aufheben wollte der Meister, sondern es mit Liebe erfüllen. — Er wollte nicht die unschuldigen Opfer fremder Sünden unter dem Fluche der Verachtung und der Selbstgerechtigkeit ihrer Mitmenschen leiden lassen. —

„Richtet nicht, auf daß Ihr nicht gerichtet werdet" — und „Was Ihr einem der geringsten unter diesen meinen Brüdern tut — Gutes oder Böses — das habt ihr mir getan!" Diese Worte sind die Samenkörner, aus denen für die Blinden allerdings erst in viel späterer Zeit ein besseres Los erblühen sollte. — Diese Gebote allgemeiner Menschenliebe hatten ja ihre Wurzeln schon im Judentum; es fehlte aber, wie vielfach noch heute, am Verständnis und besonders an der Beherzigung derselben.

26*

Wenn wir uns bei den andern Kulturvölkern des Altertums umsehen, so finden wir dort natürlich Bedauern mit den Blinden, besonders aber hohe Verehrung für einzelne unter ihnen, denen man besondere Sehergaben zuschrieb (Kalchas), oder wohl gar die Blindheit andichtete, um sich ihre geistige Überlegenheit erklären zu können (Homer?). Die Idee, daß der Blinde als Ersatz für das Augenlicht von der Vorsehung ganz besondere Gaben, ich möchte fast sagen Zauberkräfte, erhalten habe, ist übrigens auch unserer Zeit noch nicht ganz fremd. In weiten Kreisen ist noch der Glaube verbreitet, daß es Blinde gebe, welche sogar Farben „greifen" können; wenn wir aber behaupten, daß sie gute Körbe, Bürsten oder Stricke machen, so hört der Glaube nur zu leicht auf, und selbst das Schauen überzeugt die Leute nicht immer. In den Augen der großen Menge ist besonders der lesende Blinde ein halber Hexenmeister — und doch wieder ein Idiot! In Wirklichkeit ist er weder das eine, noch das andere, sondern ein Mensch wie wir, dessen Leistungsfähigkeit aber durch sein Gebrechen auf den meisten Gebieten menschlicher Tätigkeit herabgemindert ist. —

Daß das Lesen der Blindenschrift, welches in der Regel am meisten bewundert wird, den Tastsinn nicht verfeinert, sondern am Lesefinger abstumpft ist heute nachgewiesen.*) —

In christlicher Zeit ist zunächst keine wesentliche Veränderung in den Lebensbedingungen der Blinden zu bemerken. Man mag ja freigebiger, rücksichtsvoller gegen sie geworden sein; aber über das Almosengeben kam man nicht hinaus.

Der erste Versuch, Blinde mit anderen Gebrechlichen in geschlossenen Anstalten zu versorgen, scheint um das Jahr 350 durch den hl. Basilius in Cäsarea am Halys gemacht worden zu sein. Im 7. Jahrhundert sollen ähnliche Anstalten in Jerusalem und in Kairo bestanden haben. Da sie keine Jahresberichte drucken ließen dieses gesegnete Institut war damals noch nicht erfunden , wird sich schwerlich je etwas Genaues über diese Versuche feststellen lassen.

Aus dem zehnten Jahrhundert berichten französische Schriften über eine ähnliche, vom hl. Bertrand gegründete Anstalt in Pontlieu (Sarthe). Es wird uns ferner aus dem elften Jahrhundert von sog. „Aveugleries" berichtet, die der bekannte Normannenherzog und König von England, Wilhelm der Eroberer, in Cherbourg, Rouen, Bagneux und Caen gegründet haben soll. Über das Schicksal dieser Anstalten ist mir wieder nichts bekannt. Auch weiß ich nicht, ob Wilhelm nach 1066 dieses Fürsorgesystem nach England verpflanzt hat, oder nicht.

Ich möchte hier darauf hinweisen, daß alle diese Anstalten in Nordfrankreich entstanden sein sollen, also in einem Gebiete, in welchem sich erst anderthalb Jahrhunderte früher germanisch-nordischer Geist mit gallo-romanischem Wesen gepaart hatte und noch sehr kräftig nachwirkte, während in den anderen Gebieten Galliens die 600 Jahre früher eingewanderten Franken, Burgunder und Westgoten — nach „gut" deutscher Sitte — nicht nur ihre Sprachen, sondern auch ihre Eigenart längst verloren hatten. — In demselben normannischen Gebiete und um dieselbe Zeit (vielleicht erst in England) ist auch das große nationale Epos der Franzosen, das Rolandslied, unter dem Einflusse der nordischen Saga entstanden. Die Normandie war damals Sitz einer hohen Kultur.

Die älteste, heute noch bestehende Blindenversorgungsanstalt, das „Hospice National des Quinze-Vingts" ist 1254, also genau vor 650 Jahren, durch König Ludwig IX., den heiligen Ludwig, gegründet worden. — Diese durch ihr Alter ehrwürdige Anstalt, deren Gründungsjahr an die letzten Hohenstaufen erinnert, verdient es nun wohl, daß wir einen Augenblick bei ihr verweilen! Hier beginnen die Quellen reichlicher zu fließen. — Dem Archivar am Pariser Nationalarchiv, **Léon Le Grand**, gehört das Verdienst, sie gefaßt und den Blindenfreunden zugänglich gemacht zu haben. Die wesentlichsten Ergebnisse seiner Forschung in dem riesigen, 650 Jahrgänge umfassenden Archiv der Quinze-Vingts, die einen großen Band füllen, sind vor drei Jahren auch deutschen Lesern etwas näher gebracht worden.*) Ich darf aber wohl darauf zurückkommen, weil die kleine Schrift nur wenigen Anwesenden bekannt sein dürfte.

Durch lange Jahrhunderte fand — und findet noch — die Legende Glauben, daß die Anstalt der „15 mal 20" für 300 durch die Sarazenen geblendete Ritter, welche Ludwig auf seinem ersten Kreuzzuge nach Ägypten begleitet hatten, gegründet worden sei. Aus den Urkunden und den Zeugnissen mittelalterlicher französischer Schriftsteller — z. T.

*) Vergl. Prof. Dr. med. et phil. Griesbachs „Vergleichende Untersuchungen über die Sinnesschärfe Blinder und Sehender" (Bonn, Archiv für die ges. Physiologie. Bd. 75) und meine Arbeit: „Zur Blindenphysiologie", Wiener Medizinische Wochenschrift 1902, Breslauer Zeitschrift für Therapie und Hygiene des Auges, Blindenfreund und „Valentin Haüy" in Paris.

*) Kunz, „Zur Geschichte der Blindenbildung und Fürsorge".

auch aus dem Schweigen derselben, z. B. des Chronisten Joinville, des Vertrauten und Begleiters des Königs — geht nun aber unwiderleglich hervor, daß Ludwig die Anstalt nicht für 300 geblendete Ritter, sondern für die armen Blinden der Stadt Paris gegründet hat. Der Beichtvater der Königin bezeugt dies ausdrücklich. („Il fist fere une grant mansion pour ce que les povres aveugles demorassent ilecques perpetuelment jusques a trois cens" — et ont touz les ans de la borse le roi, pour potages et pour autres choses, rentes." (30 livres Pariserwährung.) Erst 250 Jahre nach der Gründung hatte die Kongregation der Blinden — denn als Kongregation war die Anstalt gegründet und organisiert worden — einen adeligen Ordensmeister, maitre Jean de l'Aigle. Und diesem gebührt ohne Zweifel der „Ruhm", die Ritterlegende, welche 1483 zum ersten Male in einer Urkunde und erst 1532 zuerst in einem Geschichtswerke (Gorrozet, Fleurs des Antiquitez de Paris) erscheint, erfunden zu haben, offenbar um dadurch das Interesse Sixtus IV. zu beleben und für seine Kongregation neue Privilegien und Ablaßrechte herauszuschlagen. — Die Kongregation der 300 bl. Brüder und Schwestern — es waren dort schon in der ersten Zeit auch weibliche „Ritter" eingezogen — hatte nämlich von einer langen Reihe von Königen sehr viel Privilegien und von ebenso vielen Päpsten weitgehende Ablaßrechte (des indulgences) erhalten, so daß ihre Kirche zur bevorzugten Beichtkapelle der vornehmen Pariser Sünder und Sünderinnen geworden sein soll. Die Herrschaften kamen aber nicht mit leeren Händen und viele von ihnen hinterließen der Kongregation große Summen und Liegenschaften in ganz Frankreich, besonders aber in Paris selbst. Dies hinderte die 300 aber nicht, auf den Friedhöfen von Paris — besonders dem „des Innocents" — und in den Provinzen zu betteln, so daß sogar die Bischöfe sich ihrer zu erwehren suchten, — allerdings ohne Erfolg. —

Sie hatten natürlich keine Freude an diesem großen Pariser Schwamm, der alles aufsog, was flüssig war, ohne je wieder etwas abzugeben. Denn für die vielen wirklich bedürftigen Blinden Frankreichs taten die 300 nichts. Es handelte sich nur darum, das Vermögen der Kongregation zu vermehren. Die Bischöfe wurden aber von den Zentralstellen in Paris und Rom immer wieder auf die Vorrechte der Kongregation der „Ritter" des hl. Ludwig aufmerksam gemacht. — Auch der beißende Spott der mittelalterlichen Lyriker und Satiriker, wie Rutebeuf und Villon, blieb wirkungslos. Das riesige Vermögen der „armen" Blinden von Paris stieg von Tag zu Tag. Sie besaßen in Paris allein in der Nähe des Louvre ein Gebiet, das heute wohl für eine Milliarde nicht mehr zusammen zu bekommen wäre.

Da nahte dem großen Hamsterbau zur Zeit Ludwigs XVI. das nicht unverdiente Verhängnis in der Person des Kardinals und Prinzen von Rohan, Großalmoseniers von Frankreich, dieses Nagels zum Sarge eines Nachkommen des hl. Ludwig und einer österreichischen Kaisertochter. — Als Grand-aumônier stand er an der Spitze der „frommen" Stiftungen. Laut brieflicher Mitteilung des bisherigen Direktors der Q.-V. Péphau, verschleuderte er den ganzen riesigen Besitz der Kongregation für lumpige 6 Millionen und vergaß auch noch, diesen „eingestandenen" Erlös in die Kasse der Quinze-Vingts abzuliefern.*)

Unaufhörliche Reklamationen bei dem schwachen, aber im Grunde guten König vermochten diesen dazu zu bewegen, den Blinden aus eigenen Mitteln, als Ersatz für das Vermögen, welches der frivole Attentäter auf seine Familienehre ihnen geraubt hatte, eine Jahresrente von 250000 Frs. auszuwerfen. Nach dem Tode des Königs scheint der französische Staat diese Schuld anerkannt zu haben. Péphau hat aber bis zu seinem Rücktritt weitere 100000 Frs. jährlich verlangt und auch von Waldeck-Rousseau eine Abschlagszahlung erhalten.

Rohan hatte die 300 im Jahre 1779 in der leerstehenden Kaserne der schwarzen Musketiere, Rue de Charenton 22, untergebracht, wo sie heute noch sind. — Die französische Revolution, wenn nicht schon Rohan, scheint aber der Kongregationsherrlichkeit ein Ende gemacht zu haben. — Heute ist die Anstalt ein eigentliches Versorgungshaus.

Das niedere, quadratische Gebäude, welches einen großen Hof umschließt, enthält 300 kleine Familienwohnungen. Die Blinden wohnen dort frei mit ihren Angehörigen und beziehen überdies einen täglichen Zuschuß von so und soviel pro Kopf. Ihre Kinder sind unterstützungsberechtigt bis zum Alter der Selbständigkeit. — Diese Einnahmen aus der Anstaltskasse sucht jeder auf seine Weise zu vermehren — und zwar öfter durch „Handwerke", die wir wohl nicht als solche gelten lassen möchten. Sie sind eben vollständig frei, jeder tut und treibt, was er will.

---

*) Da Péphau kürzlich „seiner klerikalen Gesinnung" wegen zum Rücktritt gezwungen worden sein soll, wird er, der gewiegte Jurist, wohl nicht zu schwarz gemalt haben!

Heute kommt aber nicht mehr die ganze Einnahme der Quinze-Vingts nur den 300 zugute. Im Jahre 1900 wurden außer ihnen noch etwa 2500 Blinde im ganzen Lande aus diesen Mitteln unterstützt. —

Mit den Q.-V. ist die von Péphau gegründete Nationale Augenklinik verbunden, welche wahrscheinlich mehr Segen stiftet als das Versorgungshaus. —

Von Blindenbildung, von Erziehung der Blinden zur Selbständigkeit durch Selbsttätigkeit ist bis jetzt nicht die Rede gewesen. — Für die Blindensache dauert das Mittelalter bis 1784.

Diderot, das Haupt der französichen Enzyklopädisten und Vorläufer der Revolution, ist wohl der erste gewesen, der durch seinen „Brief über die Blinden für die, welche sehen" („Lettre sur les aveugles à l'usage de ceux qui voient," London 1749) die große Masse der Gebildeten auf die Blinden und ihre Bildungsfähigkeit aufmerksam gemacht hat. — Einzelne hochbegabte Blinde — ich rechne hierher nicht Späterblindete —, die sich durch glänzende Begabung und genügende Mittel zu Ehrenstellen in der Wissenschaft emporgerungen hatten, wie Milton, der Mathematiker und Optiker Saunderson, Professor in Cambridge, Weißenburg in Mannheim, Maria Theresia von Paradis u. a. — Diese wurden eben als Wunder betrachtet — und Wunder fordern nicht zur Nachahmung heraus — weil sie eben Wunder sind.

So stehen wir denn an der Schwelle der Neuzeit, im Vorhofe der Gegenwart. Diese Neuzeit beginnt für die Blinden mit den ersten Anfängen allgemeiner Blindenbildung, und diese fallen zeitlich zusammen mit dem Aufblühen einer allgemeinen Volksschule, mit der Zeit Pestalozzis. —

Valentin Haüy hieß der Edle, welcher zuerst die wohl schon früher ausgestreuten Samenkörner zum Keimen und den ersten Keim zur Entwicklung brachte. — Seinem Ideale, das vom nüchternen Alltagsverstande wohl als Utopie betrachtet und bezeichnet wurde, hat er seine gesicherte Stellung als Übersetzer im französischen Auswärtigen Amte geopfert und dafür Undank, Verkennung und Mißachtung eingetauscht.

Empört über eine unwürdige, possenhafte Schaustellung von Blinden in Paris, beschloß er, sein Leben der Aufgabe zu widmen, diese Unglücklichen durch Erziehung und Unterricht aus ihrer unwürdigen Lage zu befreien und ihnen zu einem menschenwürdigen Dasein zu verhelfen, wie einige Jahre früher der ihm bekannte Abbé de l'Epée den Versuch gemacht hatte, die ebenso verachteten Taubstummen durch Erziehung zur Menschenwürde zu erheben. — Im Jahre 1784 gründete er in Paris die erste Blindenunterrichtsanstalt der Welt, die sich durch alle Phasen der politischen Umwälzungen und trotz achtmaligen Namenswechsels bis auf den heutigen Tag erhalten hat, obwohl sie von dem ersten Napoleon, welcher den Idealisten Haüy nicht leiden konnte, für einige Zeit in den Q.-V. begraben worden war. —

Fast wichtiger als die Gründung der Anstalt selbst war die durch Haüy gemachte Erfindung des Blindendrucks,*) welche er einem Zufall verdankte. Wenn die damals benutzte Schrift (Kursivschrift) unserem Ideale auch keineswegs entspricht, so war doch die Idee gegeben, welche später, besonders seit etwa 25 Jahren so reiche Früchte tragen sollte. Als Haüy 1802 abgesetzt worden war und mit einer neuen Anstalt, dem „Musée des aveugles", schlechte Erfahrungen gemacht hatte, folgte er 1806 gerne einem Rufe des Kaisers von Rußland nach Petersburg, um dort für seine Ideen zu wirken. — Sein Aufenthalt in Rußland hat nicht greifbare Früchte gezeitigt, wenn auch die dort ausgestreuten Samenkörner wohl nicht nutzlos vermodert, sondern nur spät aufgegangen sind.

Unendlich viel fruchtbarer als der elfjährige Aufenthalt in Rußland wurde für die Blindensache seine Reise dorthin. Sein Aufenthalt in Berlin führte 1806 zur Gründung der dortigen, heute nach Steglitz verlegten Blindenanstalt durch König Friedrich Wilhelm III. unter Dr. Zeune. Sie wurde am 13. Oktober, am Tage vor der Schlacht bei Jena, eröffnet. Die Gründungsurkunde ist vom 11. August datiert. Daß der König in den Kriegswirren jener Tage noch Zeit fand, an die Blinden zu denken, gereicht ihm zur höchsten Ehre. —

Allein schon zwei Jahre früher hatte ein anderer Deutscher, der Schwabe Joh. Wilhelm Klein, damals Armenbezirksdirektor in Wien, der als solcher auf das Bettelelend der Blinden aufmerksam geworden war, den hochherzigen Entschluß gefaßt, das Übel an der Wurzel anzugreifen und die Blinden durch Erziehung ihrer traurigen Lage zu entreißen. — 1804 unternahm er den ersten privaten Unterrichtsversuch mit einem Blinden. Aus diesem Keime entwickelte sich dann 1808 das k. k. Blindeninstitut in Wien. Wenn wir die Anstaltsgründung auf die ersten Versuche Kleins zurückdatieren, ist also Wien die älteste Anstalt auf deutschem Boden, zu dem ich das ganze deutsche Sprachgebiet, ohne Rücksicht auf die heutigen politischen Grenzen rechne. Dresden und Zürich folgten 1809, Breslau 1818 usw.

*) Frühere Versuche hatten keinen Erfolg gehabt; sie waren „verfrüht", weil es lesende Blinde nicht gab.

Ob „Vater Klein" von den Bestrebungen und anfänglichen Erfolgen Haüys Kenntnis hatte oder nicht, ist nebensächlich. Bei den regen Beziehungen, welche damals zwischen Paris und Wien bestanden, könnte man ersteres um so mehr für wahrscheinlich halten, als nach Mells Lexikon beide Männer hauptsächlich durch die feingebildete Blinde Maria Theresia von Paradis aus Wien bei ihren ersten Versuchen beeinflußt worden sein sollen — Haüy 1785 und Klein 1804.

In Wien scheint aber doch besonderer Wert darauf gelegt zu werden, nachzuweisen, daß Klein nichts von Haüy empfangen habe. Sollte aber Frl. von Paradis in ihren Gesprächen mit Klein ihrer Pariser Bemühungen und Erfolge wirklich mit keinem Worte gedacht haben?! Es ist dies kaum denkbar, aber möglich; denn es gibt ja Ideen, die, wenn die Zeit erfüllet ist, an verschiedenen Orten ohne nachweisbaren Zusammenhang auftauchen, weil sie eben Produkte der herrschenden Weltanschauung sind. — Es täte aber dem Verdienste Kleins keinen Abbruch, wenn er bei der praktischen Ausführung seiner Ideen sich die Erfahrungen Haüys zunutze gamacht hätte. Die Menschen erfinden in der Regel nichts freihändig. Jeder steht, bewußt oder unbewußt, auf den Schultern eines andern. —

Wie dem auch sei, Tatsache ist, daß die Blinden ihr geistiges Auge zu diesen drei Edeln, diesem Dreigestirn an ihrem nächtlichen Himmel — Haüy, Klein, Zeune — erheben werden, so lange das Gefühl der Dankbarkeit auf Erden nicht ganz erstorben ist. So feiern wir denn heute das Jubelfest, ich möchte sagen das Fest der Konfirmation der Blindenbildung. —

Mögen die verklärten Geister der drei Ersten und Größten uns heute umschweben! Möchten sie auf jeden von uns, der dazu berufen ist, ihr Werk fortzusetzen, niedersteigen und uns emporziehen zu demselben idealen Streben, derselben Pflichttreue, derselben nie versagenden und nie ermüdenden Liebe!

Das Senfkorn, das sie in den Grund erbarmender Menschenliebe gesenkt haben, ist heute zum gewaltigen Baume geworden, der seine Äste ausbreitet über das ganze Erdenrund!

Damit schließe ich den Rückblick.

Umblick.*)

Heute zählt das Deutsche Reich, um mit diesem zu beginnen, nach den von Dir. Matthies für den Katalog der Weltausstellung in St. Louis zusammengestellten Zahlen, 35 Blindenbildungsanstalten mit 2500 Zöglingen oder Lehrlingen — und 26 Heime (oder Asyle) mit 1100 Arbeitern oder Pfleglingen. Im ganzen sollen bis jetzt 13000 Blinde durch die Unterrichtsanstalten gegangen sein. Die Zahl der sehenden und geprüften Lehrkräfte soll 165, diejenige der blinden Hilfskräfte 54 betragen. Letztere Zahl hat also im Laufe weniger Jahre bedeutend zugenommen. Ich stelle dies mit Genugtuung fest unter der Voraussetzung, daß sich letzere über ihre Qualifikation genügend ausgewiesen haben und daß sie nicht nur aus der Zahl der besseren Elementarschüler ausgewählt worden seien. Das Zahlenverhältnis würde so bald der von mir in Berlin (1898) und Paris (1900) aufgestellten Proportion (1 Blinder auf 2 Sehende) entsprechen.

Es sollen nach derselben Quelle in den deutschen Anstalten 123 Werkmeister und Werkgehilfen tätig sein. - Die jährlichen Aufwendungen für die Anstalten belaufen sich auf 2 600 000 Mk., von denen 1 200 000 Mk. aus Privatquellen fließen. Die Gebäude und Grundstücke werden auf 14 000 000 Mk., die Lehrmittel auf 260000 Mk., die Mobilien auf 1 300 000 Mk. geschätzt. Die Anstalten sollen letztes Jahr für rund 900 000 Mk. Blindenarbeiten verkauft und die „Heime" etwa 130000 Mk. Löhne an 500 Insassen ausbezahlt haben. Aus diesen Löhnen sollen letztere den Lebensunterhalt bestreiten. --

Österreich besitzt heute 10*) Lehranstalten: in Wien (2), Purkersdorf, N.-Ö., Linz, Graz, Klagenfurt, Brünn, Lemberg und Prag (2) und 11 Versorgungshäuser oder Heime, erstere mit gegen 700 Zöglingen, letztere mit 400 Insassen.

In Ungarn scheinen zurzeit 4 Erziehungsanstalten und 3 Versorgungshäuser zu bestehen.

Gewaltige Fortschritte hat das Blindenwesen in den letzten 25 Jahren in Rußland gemacht. Dort erhält der „Marienverein" allein 24 Unterrichtsanstalten mit 845 Zöglingen und einem Kostenaufwand von 272000 Rubeln — weiter 12 Blindenheime oder Werkstätten (4 in Petersburg), wodurch die Gesamtausgabe auf 351 000 Rubel steigt. Dazu kommen noch 104 000 Rubel für Neubauten, so daß der Verein im ganzen 455 615 Rubel aufbringt. Ich verdanke diese und die folgenden Angaben Herrn Staatsrat Dir. von Nädler in St. Petersburg (Mitte Juli 1904).

Verzeichnis der Anstalten, Zöglinge und Ausgaben.

1. Alexander-Maria-Blindenschule St. Petersburg;

*) Ich habe hier hauptsächlich diejenigen Länder berücksichtigt, von denen ich annahm, daß sie in Halle nicht selbst zum Worte kommen würden.

*) Mit Einschluß der Blindenklassen in Neulerchenfeld und Hernals-Wien 12.

Zöglinge 118, Ausgaben 46567 Rubel. — 2. Wladimir (15) 5523 R. — 3. Wologda (11) 1755 R. — 4. Woronesh (49) 24823 R. — 5. Jelabuga (26) 4853 R. — 6. Irkutsk (Sib.) (20) 9452 R. — 7. Tiflis (38) 14451 R. — 8. Kasan (32) 10059 R. — 9. Kijew (57) 17083 R. — 10. Kostroma (51) 14327 R. — 11. Minsk (11) 4556 R. — 12. Moskau (56) 15688 R. — 13. Odessa (51) 18023 R. — 14. Perm (44) 8185 R. — 15 Kamenez (11) 3168 R. — 16. Poltawa (21) 4983 R. — 17. Reval (12) 10203 R. — 18. Samara (29) 7464 R. — 19. Saratow (36) 6715 R. — 20. Smolensk (25) 11645 R. — 21. Twer (24) 5778 R. — 22. Charkow (51) 12822 R. — 23. Tula (22) 3784 R. — 24. Thernigow (24) 10535 R. Total Zöglinge und Lehrlinge 845. Ausgaben 272442 Rubel. Der Verein druckt jährlich Bücher im Werte von 2500—3000 Rubel, die er an seine Anstalten unentgeltlich abgibt. —

Außer den Vereinsanstalten bestehen noch 11 Erziehungs- und Versorgungsanstalten für Blinde. 1. Petersburg (Philanthropische Gesellschaft) Zöglinge 44. Ausgaben unbekannt. — 2. Petersburg, Asyl für 15 Erwachsene. — 3. Moskau, Privatverein (60) 25000 R. — 4. Blessigsche Werkstätte St. Petersburg (24) 22265 R. — 5. Moskau, Versorgungshaus (140). — 6. Moskau, Schule (20). — 7. Moskau, Versorgungshaus für Männer (15). — 8. Moskau, Versorgungshaus für Männer und Frauen (40). — 9. Riga, Blindeninstitut (66) 32399 R. — 10. Warschau, Taubstumme und Blinde (30).

Das Großfürstentum Finnland hat seit 1865 eine staatliche Blindenschule für junge Zöglinge (Blinde im Alter von mehr als 12 Jahren werden nicht aufgenommen) in Helsingfors und seit 1871 eine zweite in Kuopio. In jeder von diesen Städten bestehen auch Vereins-Lehrwerkstätten für Späterblindete. In Notfällen können dieselben den aus den Erziehungsanstalten entlassenen Blinden als „Heim" dienen. Der wenig bevölkerte, nordische Vasallenstaat hat also von Anfang an die Trennung nach Altersstufen durchgeführt, welche bei uns seit mehr als 30 Jahren vergeblich gepredigt wird. Das Nordlicht scheint heller zu leuchten als die südliche Sonne.

In Finnland werden nur akademisch gebildete Leute als Blindenlehrer angestellt. Dieselben müssen vor der Wahl ein Jahr in einer Blindenanstalt hospitieren und die Blindenlehrerprüfung bestehen. Zu Direktoren können nur Theologen oder höhere Lehrer ernannt werden, welche nach mindestens vierjährigem Universitätsstudium die sogen. „Kandidatenprüfung" (Staatsprüfung) bestanden haben. Man wählt nur sprachkundige Leute zu Blindenlehrern, weil man wünscht, daß sich dieselben mit Nutzen auch im Auslande umsehen können. Kein anderes Land der Welt stellt so hohe Anforderungen an die Vorbildung der Blindenlehrer. — Im übrigen sind die Anstalten ganz nach deutschem Muster eingerichtet. —

Über Skandinavien hat mir Direktor Åstrand freundlich Auskunft gegeben.

In Schweden ist auch den Blinden das Schulrecht gewährleistet (vulgo Anstaltszwang).

Schweden besitzt 2 Vorschulen für Kinder bis zu elf Jahren in Tomteboda und Waxjö mit 31 und 36 Zöglingen und eine Hauptanstalt in Tomteboda bei Stockholm mit 121 Zöglingen (6 Jahrgänge) und ein Arbeiterheim in Westschweden, eine Arbeitsschule für Mädchen in Upsala (18), ein Arbeiterheim in Stockholm und ein Asyl für Alte in Norbacka (Stockholm), ferner eine Hausunterrichtsgesellschaft. Reiseinspektoren besuchen die Entlassenen. —

Über Norwegen hat mir Herr Dir. Åstrand in der Eile der letzten Tage keine Auskunft geben können. Es bestehen dort 2 Erziehungsanstalten und 1 Heim. Auch in Norwegen besteht der Schulzwang.

Dänemark hat seit 1811 eine uns allen bekannte prächtige Staatsanstalt, eine Vorschule und ein Mädchenversorgungshaus in Kopenhagen. Ein Fürsorgeverein sorgt nach sächsischer Art für die Entlassenen.

Über Holland gibt das kürzlich erschienene Prachtwerk des Kollegen Lenderink „Het Blindenwezen" reichliche Auskunft. Holland besitzt seit 1811 in Amsterdam eine sehr schöne Anstalt für alle Bekenntnisse. Eine spezifisch katholische Anstalt unter geistlicher Leitung besteht in Grave. Auch finden wir in Amsterdam ein Versorgungshaus für Frauen und eine offene Werkstätte für 150 Männer. Solche Werkstätten (Externate) befinden sich in fast allen größeren Städten des Landes. Noch verweise ich auf die Vorschule im Walde von Benekomm, die allen Teilnehmern am Amsterdamer Kongresse (1885) unvergeßlich bleiben wird.

Belgien hat 6 Anstalten (Geschlechtertrennung), die unter Kongregationen stehen und in denen die Blinden mit den Taubstummen vereinigt sind. Es ist dies, meines Erachtens, genau, wie wenn man Vögel und Fische zusammen in einen Käfig sperren wollte. Entweder ersticken die Vögel oder die Fische. Nur die Anstalt von Simonon in Ghlin ist reine Blindenanstalt. Die Fürsorge scheint noch in den Kinderschuhen zu stecken. Der Präsident des Brüsseler Kongresses, Generalsuperior Stockmanns, hat zwar 1902 erklärt: „Unglückliche Blinde gibt es nicht mehr, kann es nicht mehr geben, da sich „so viele hervorragende Männer" (Kompliment für den Kongreß) für sie interessieren. Die Blindheit ist nur noch eine der kleinen Unannehmlichkeiten des Lebens" (une des petites misères de la vie humaine"). Er fand hauptsächlich bei einigen jungen Braut- und Ehepärchen frenetischen Beifall. Diese machten auf mich allerdings nicht den Eindruck, als ob sie zu denen gehörten, welche der Schuh drückt. Aber die vielen andern, welche nicht an den Kongressen teilnehmen können??

Luxemburg besitzt eine kleine Kongreganistenanstalt.

Über England und Wales hat mir eine durch Dir. Campbell übersandte Broschüre Auskunft gegeben. Dieselbe zählt für diese Reichsteile 26 Blindenschulen auf, deren älteste in Liverpool schon 1791 gegründet worden ist, mit zusammen 1846 Zöglingen, ferner 43 Blindenwerkstätten mit 1251 Insassen oder Arbeitern und 16 Heime (homes) mit 270 Bewohnern. Daneben bestehen noch 44 Unterstützungsvereine, ohne diejenigen zu rechnen, welche es sich zur Aufgabe machen, alleinstehende erwachsene Blinde in ihren Wohnungen zu unterrichten. (Home teaching Societies.) In Schottland und Irland finde ich noch 10 Erziehungsanstalten und ebensoviele Versorgungshäuser.

Verzeichnis der englischen Lehranstalten und Zöglingszahl: Birmingham (116); Brighton, 2 Anst. (46 u. 39); Bristol (71); Devonport (16); Exeter (46); Leatherhead (200); Liverpool, 3 Anst. (200, 30, 170); London, 4 Anst. (30, 70, 156, 5); Manchester (185); Newcastle-on-Tyne (68); Norwich (68); Nottingham (35); Plymouth (20); Preston (46); Sheffield (70); Southsea (62); Swansea (39); Worcester (14); York (78). —

Die Schweiz hat heute 3 eigentliche Anstalten (Zürich, Bern, Lausanne) und eine solche für Schwachsinnige bei Lausanne. Bei einer derselben haben sich nachträglich die Taubstummen in das Blindennest gesetzt — und es ist gegangen, wie es in solchen Fällen gewöhnlich geht: die Blinden ziehen den kürzeren. — In neuester Zeit haben noch Angehörige einer ausgewiesenen französischen Kongregation in Freiburg eine sog. Blindenanstalt (mit nur deutschen Kindern!) eröffnet. Daneben bestehen noch 2 offene Werkstätten und 5 Heime. Die Schweiz hat viel zu viele Anstalten. Weniger wäre mehr!

Über Frankreich ist das Wesentlichste schon gesagt. Es hat 23 Blindenschulen in Amiens, Arras, Angers, Auray, Bordeaux, Châteauroux, Clermont-Ferrand, Moulins, Argenteuil, Larnay, Limoges, Lyon-Villeurbanne, Dijon, Marseille, Bordeaux, Montpellier, Lille et Ronchin-Lille, Nantes, Nancy, Toulouse, Poitiers, Laon, Paris (2), St. Mandé (Paris), Nice. Mehrere derselben sind nach Geschlechtern getrennt; wenn wir diese doppelt zählen, kommen wir auf 29. Vier von diesen Blindenschulen werden von Laien, die übrigen von Kongregationen geleitet. Da letztere wahrscheinlich aufgehoben werden, hat mir mein sonst immer dienstfertiger Gewährsmann weitere Auskunft mit den Worten verweigert: „Nous sommes en plein, Kulturkampf"; ich kann Ihnen nicht mehr sagen. — Neben den Schulen bestehen 13 offene Werkstätten und das alte Versorgungshaus der Quinze-Vingts. Zwei Fürsorgegesellschaften, die ihren Sitz in Paris haben, nehmen sich — außer den Q.-V. — der Entlassenen an. Diese Zentralisation der Fürsorge scheint mir unpraktisch zu sein.

Italien hat 21 Erziehungsanstalten, 3 derselben sind der Geschlechtertrennung wegen doppelt gezählt: Assisi, Bologna (2), Cagliari, Firenze, Genova, Lecce, Livorno, Milano, Napoli (3), Padova (2), Palermo, Pavia, Reggio d'Emilia, Roma (2), Torino (2), von denen einige nur Knaben, andere nur Mädchen aufnehmen. Über 5 derselben hat mir Kollege Priester Dr. Pensa in Bologna, der Kürze der Zeit wegen, nur unvollständige Auskunft geben können. In 18 Anstalten waren 873 Zöglinge. Das Barvermögen von 15 Anstalten — ohne Gebäude und Mobilien — betrug 1903 die beträchtliche Summe von 13542235 Frs. — Die ärmste von diesen 15 Anstalten besaß nur 13000 Fr., die reichste, Mailand, dagegen 4775681 Frs., d. h. mit Einschluß der Gebäulichkeiten mindestens 6 Millionen. Staatsanstalten gibt es in Italien nicht. Die Jahresausgaben für diese 873 Zöglinge beliefen sich 1903 auf 948385 Frs. Der Zögling kommt also auf 1086,35 Frs. = 886,08 Mk. zu stehen, obgleich das Leben dort billig ist und die Anstalten meines Wissens keine sehenden Lehrkräfte und nur ausnahmsweise sehende Meister haben. Werkstätten bestehen in Mailand und Florenz. Die Fürsorge ist in den Händen der Anstalten. Die „Società Margherita", welche eigentlich für das ganze Land bestimmt wäre, scheint nicht sehr viel zu leisten. —

Spanien hat angeblich 14 — meistens nach Geschlechtern getrennte — Kongreganistenanstalten. Es soll dort aber „spanisch" zugehen!

In Portugal sieht es noch schlimmer aus. Es vegetiert dort eine einzige kleine Anstalt.*) Um Auskunft habe ich mich an meinen „Feind" Dr. Mascaro in Lissabon gewandt. (Er nennt mich so, weil ich, obwohl kein Internatsfreund, besondere Blindenschulen für notwendig halte, während er alle Blinden in die Schulen und Werkstätten der Sehenden schicken will.) Ich bat ihn auch um Auskunft über Südamerika, weil er früher in Buenos Aires als Arzt tätig gewesen ist. Mascaro antwortete mir aber in drolligem Französisch: „Ich kümmere mich nicht um Anstalten, welche die Blinden auf Flaschen ziehen und verkorken, sondern nur um solche Blinde, welche frei mit Sehenden erzogen und technisch ausgebildet werden." — Mascaro scheint herben Wein zu trinken! Er wird doch unsere Anstalten nicht am Ende gar als Konservenbüchsen betrachten für saure Gurken! Das wäre unhöflich!

Aus den anderen europäischen Staaten ist nichts zu melden, und wo nichts ist, hat auch der Kongreß das Recht verloren!**)

Wir finden also in Europa, Irrtümer vorbehalten, 180—85 Lehranstalten und etwa 140 Versorgungshäuser (Werkstätten, Heime, Asyle).

Nun noch einige Worte über die außereuropäischen Länder, besonders Amerika! Direktor Anagnos, Boston, ist so freundlich gewesen, mir in den letzten Tagen das gewünschte Material über die Vereinigten Staaten zugehen zu lassen. Es bestehen dort 41 Blindenschulen (in der Regel eine in jedem Staate) mit (1903) 4358 Zöglingen und 9 Werkstätten. Vor zehn Jahren betrug die Zahl der Zöglinge erst 2442. Wir finden also eine Zunahme von fast hundert Proz. in 10 Jahren! Die Ausgaben pro Zögling und Jahr schwanken dort zwischen 27 Dollar (Indianerterritorium) und 720 Dollar (!) (Ohio). Der Durchschnitt beträgt 244 Dollar, d. h. etwa 976 Mk. — Die Gesamtausgaben für die 41 Anstalten — abgesehen von der Fürsorge — beläuft sich also auf 976 × 4358 = 4253408 Mk. Wie viel in Amerika für die Erziehung der Taubstummblinden getan wird, ist bekannt. —

*) In neuester Zeit scheint man sich dort regen zu wollen.

**) So stand es im Jahre 1904. Seither sind Blindenerziehungsanstalten gegründet worden in Bukarest, Sofia und Athen. Die Griechen sind durch unsere, auf Wunsch der hellenischen Gesandtschaft in Berlin erfolgte Beteiligung an der internationalen Schulausstellung in Athen auf die bei ihnen bestehende Lücke aufmerksam gemacht worden. Sie haben dann eine hochgebildete junge Dame, Frl. Irene Lascaridi, die Tochter der Präsidentin des vaterländischen Frauenvereins, für etwa 8 Monate nach Illzach geschickt, damit sie sich mit dem Blindenunterricht vertraut mache. Sie ist nach einer sich an den hiesigen Aufenthalt anschließenden, mehrmonatigen Studienreise durch die Schweiz, Deutschland, Dänemark, Schweden und Österreich in die Heimat zurückgekehrt und hat die erste Blindenschule Griechenlands im Februar 1907 in Callithea bei Athen eröffnet. —

Nord-Amerika besitzt eine Blindendruckerei in Louisville (Kentucky), die über ein Barvermögen von mehr als einer Million Mark verfügt und vom amerikanischen Kongresse — nicht vom Blindenlehrerkongreß — einen jährlichen Zuschuß von 40000 Mk. erhält. Privatpersonen und Vereine steuern weitere 40000 Mk. bei; dazu kommen nochmals etwa 40000 Mk. Kapitalzinsen. Mit jährlich 120000 Mk. gefundenen Geldes läßt sich schon was drucken! Dort wird nicht erst gefragt: „Trägt es auch etwas ein?"

Meines Wissens hat unser „Verein zur Förderung der Blindenbildung" diese Einnahme bis jetzt noch nicht ganz erreicht. Doch Geduld! Sobald dies dem deutschen Reichstag zu Ohren kommt, wird er sich gewiß beeilen, seinen amerikanischen Kollegen zu überbieten!!

Aus der Louisviller Druckerei sind bis jetzt 1045 verschiedene Werke (nicht etwa nur Bände) in mindestens sieben Sprachen und über alle Gebiete menschlichen Wissens — Philosophie, Ethik, Chemie, Physik, Physiologie, Anatomie, Zoologie, Botanik, Mineralogie und Geologie, Astronomie nicht ausgeschlossen — hervorgegangen. Eine oberflächliche Zählung ergibt allein 76 Werke geschichtlichen Inhalts. Dazu kommen 93 Kartenskizzen — Karten nenne ich sie nicht, weil die Geländedarstellung (Gebirgsmodellierung) fehlt. —

Durch diese Masse des Stoffs müssen aber die bescheidenen europäischen Blindenlehrmittelausstellungen in St. Louis geradezu erdrückt werden. Es ist beinahe ein Wunder, daß doch noch in Europa hergestellte Lehrmittel nach Amerika gehen. —

Canada weist 2 bedeutende Blindenschulen für alle Bekenntnisse und, wie es scheint, noch 2 konfessionelle Krüppelanstalten auf.

Mexiko hat eine Anstalt, die, wie in solchen Fällen natürlich, viel Wunderdinge lehren soll. — —

In Brasilien (Rio) kenne ich eine Anstalt, die auch gelegentlich deutsche Lehrmittel braucht. Auch nach Argentinien sind schon solche gegangen. Da Mascaro die „Weinflaschen" nicht leiden kann, weiß ich aber doch nicht, ob dort eine solche besteht. —

Die übrigen amerikanischen „Republiken" kommen mir noch spanischer vor. — — Welchen Zweck hätte es auch, Blinden das Geistesauge öffnen zu wollen, wenn man es den Sehenden zudrückt?!

In Afrika besteht eine Anstalt in Kairo, wo Koranrezitatoren ausgebildet werden. Eine andere angebliche Gründung scheint sich auf den roten Fez beschränkt zu haben, welcher die ersten Kongresse entzückte. —

Nach umfangreicher Lehrmittelbestellung zu urteilen, muß in Worcester (Kapland) eine bedeutende Anstalt bestehen. Zu direkter Anfrage reichte die Zeit von 2—3 Wochen nicht aus. Sogar die Auskünfte über Italien und Nordamerika sind erst in den letzten Julitagen eingelaufen. —

Ebenfalls durch Lehrmittelbestellungen habe ich Kenntnis erhalten von Anstaltsgründungen auf den Sundainseln (Java) und auf Neuseeland (Auckland).

Mit dem syrischen Waisenhause in Jerusalem ist eine kleine Blindenabteilung verbunden und in China sucht die Blindenmission etwas Licht in die Finsternis zu bringen.

Die regsamen Japaner scheinen 3 Anstalten zu besitzen — die unter dem Einflusse der deutschen Mission entstanden zu sein scheinen — und eine vierte gründen zu wollen. Zurzeit studieren sie aber wohl mehr „kanonisches" Recht als Blindenpädagogik. Die japanischen Blinden sollen aber in der Regel als Masseure und Naturärzte usw. ihr gutes Auskommen finden und auf diese Berufsarten in ihren Gilden vorbereitet werden.

Australien hat 5 Anstalten, in Melbourne, Adelaide, Brisbane, Mackay, Sidney, und eine offene Werkstätte, sowie verschiedene Hausunterrichtsvereine nach englischem Muster.

Alle außereuropäischen Länder zusammen weisen also sicher 59 — mit Sibirien, das unter Rußland schon gezählt ist, 60 — Erziehungsanstalten und mindestens 10 Werkstätten oder Versorgungshäuser auf. — Die Zahl der letzteren dürfte wohl etwas höher angesetzt werden. — Die Eile, in welcher diese Statistik in den letzten Tagen aufgestellt werden mußte, machte es mir unmöglich, mich überall persönlich zu erkundigen. Ich habe diesen Vortrag nur widerstrebend vor etwa drei Wochen übernommen, weil ein Kollege in letzter Stunde zurückgetreten war. Bis zum 15. Juli hatte ich mit der Kongreßausstellung zu tun. Die Berichte aus dem Auslande liefen erst gegen Ende des Monats ein, so daß mir für die Sichtung des Materials nur wenige Tage — oder Nächte — übrig blieben. Es dürften deshalb allfällige Auslassungen entschuldbar sein. — Absichtlich habe ich nichts vergessen —

Ich fand also

	Erzieh.-Anstalten	Versorg.-Häuser
In Europa	188	140
Auswärts	60	etwa 10
	248	etwa 150

Im ganzen also 390 Anstalten irgend welcher Art für Blinde, ohne die Hausunterrichtsvereine zu rechnen und allfällige Irrtümer und mir unbekannt gebliebene Neugründungen zu berücksichtigen. Wir dürften also nicht weit fehl gehen, wenn wir die runde Summe 400 annehmen. —

Das Senfkorn ist also wirklich zum Baume geworden, in welchem die Vögel des Himmels nisten (zuweilen sind allerdings auch andere darunter). Und welche Früchte trägt nun dieser ästereiche Baum? Etwa bloß Senf?

Für uns Baumgärtner allerdings nur zu oft und oft zu viel! Für die meisten Blinden aber hoffentlich nur gute, nahrhafte Früchte!

Quantitativ ist also in Europa und Nordamerika viel — manchmal, bezüglich der Zahl, nur zu viel geschehen. Aber auch qualitativ?

Ist alles erreicht, was die Besten unserer Vorgänger erstrebt, was wir selbst ersehnt haben, oder ist das Vollbringen hinter dem Wollen, das Wollen hinter dem Wünschen, das Wünschen hinter dem Erkennen zurückgeblieben?? Ich habe gesagt, daß wir heute die Konfirmation der Blindenbildung feiern. Der Konfirmation soll aber eine Prüfung, besonders eine ernste Selbstprüfung, vorausgehen. Vergleichen wir deshalb das Gewollte mit dem Erreichten und fragen wir uns, ob das Werk, an dem wir stehen, nicht mehr in die Breite, als in die Tiefe und Höhe gewachsen ist — wie mein Vortrag. Können wir diese Konfirmationsprüfung mit Ehren bestehen? (Daß wir bei der geplanten Blindenlehrerprüfung alle durchfallen werden, hat uns ja Papa Ferchen in Berlin geweissagt.)

Ich frage hier zunächst nach dem Blindenunterricht.

In der ersten Zeit drehte sich naturgemäß alles um die gewöhnlichen Elementarfächer — Lesen, Schreiben, Rechnen, besonders Gedächtnisübungen — und Musik, für die man ja die Blinden auf Grund des herrschenden Dogmas vom Sinnenvikariate prädestiniert glaubte. Ehe Blindendruck und Kleinscher Stacheltypenapparat erfunden waren, hatte auch das „Lesen" und „Schreiben" seine Haken. Man war auf bewegliche Lettern (Buchstabenkasten) angewiesen. Leider ging man bei dem Unterricht viel zu viel von der falschen Ansicht aus, daß Worte auch Vorstellungen und Begriffe erzeugen können und müssen, während sie in Wirklichkeit — als konventionelle Zeichen — nur schon vorhandene Seelengebilde dieser Art ins Bewußtsein zu rufen, zu „reproduzieren" vermögen. Es geschah deshalb zu wenig für die Veranschaulichung. Beim Blinden muß aber dem Begreifen notwendig das „Greifen“ vorausgehen, wie beim Vollsinnigen das Schauen der Anschauung oder Vorstellung. Erst in den letzten 25 Jahren ist es mit der Veranschaulichung bedeutend besser geworden, wenn auch, meines Erachtens, noch lange nicht genug geschieht. Man hat Veranschaulichungsmittel jeder Art geschaffen und das Modellieren in den Dienst des Unterrichts gestellt. — Besondere Schwierigkeiten bot — und bietet noch — die Veranschaulichung der Dinge, welche dem Blinden überhaupt unzugänglich, oder aber für die tastende Hand zu groß oder zu klein oder zu gefährlich sind. Dahin gehören in erster Linie die geographischen Objekte, welche sich der direkten Betastung entziehen und für die noch vor 25 Jahren brauchbare, d. h. verkleinerte, natürliche Bilder, wirkliche Karten, nicht vorhanden waren. — Den Lehrern Sehender liefern Berufskartographen und Verleger alles, was sie brauchen. Wir Blindenlehrer haben uns immer helfen müssen, wie Robinson. —

Als ich vor 22 Jahren bei meiner Rückkehr vom Deutschen Geographentag in Halle, Ostern 1882, durch Kollegen Schild, Frankfurt, ersucht wurde, am Frankfurter Kongreß über den geographischen Unterricht zu referieren, antwortete ich ihm: „Der Gegenstand als solcher wäre mir sympathisch: ich habe über denselben schon in mehr als einer Sprache referiert und geschrieben; aber was soll ich denn über den geographischen Unterricht in der Blindenanstalt sagen?! Erstens bin ich Neuling, und zweitens haben wir in Mülhausen an geographischen Veranschaulichungsmitteln so gut wie nichts. Andere werden reicher sein. Suchen Sie einen Bessern! Im Notfalle bin ich bereit, in die Lücke zu springen.“ Vierzehn Tage vor dem Kongreß schrieb mir Schild: „Alles umsonst; Sie müssen dran!“ Ich reiste nach Frankfurt, ohne eine Ahnung von dem zu haben, was ich sagen sollte. Dort sah ich mir die Ausstellung an und fand, daß wir alle ungefähr gleich arm waren. Nun glaubte ich zu wissen, was ich fordern sollte: Entweder den faulen Zauber aufstecken, oder trachten, zu brauchbaren Lehrmitteln zu kommen!

Ich schrieb mein Referat und verlangte — so sehr ist der Mensch Gewohnheitstier — in erster Linie eine Wandreliefkarte von Mitteleuropa! Es scheint mir aber doch ganz dunkel der Gedanke aufgedämmert zu sein, daß wir Blindenlehrer eigentlich nur durch individuelle Lehrmittel — Handkarten — zum Klassenunterricht kommen können, während die Schule der Sehenden diesen Zweck nur durch gemeinsame Lehrmittel — Wandkarten, Wandtabellen usw. — erreicht; denn ich wagte es, den bescheidenen Wunsch auszusprechen, es möchte die Herausgabe von geprägten Skizzen erstrebt werden. Daß wir es zu einem wirklichen Atlas bringen könnten, wagte damals noch niemand zu denken, geschweige denn zu hoffen; denn meine Thesen wurden einstimmig angenommen. Und doch ist heute — außer größeren Modellen — ein vollständiger Atlas in 86 Karten vorhanden — und ein Abfallprodukt dieser Arbeit wird in Schulen Sehender mit Nutzen gebraucht. —

Noch vor 23 Jahren hatten wir s. z. s. keine Schulbücher und keinen Lesestoff. Die alte, in Illzach durch einen sehenden Buchdrucker für Rechnung der Stuttgarter Bibelgesellschaft in Lateinschrift gedruckte Bibel, die kaum lesbar war, ein Bändchen Sprachübungen von Th. Scherr (gedruckt in Lausanne), einige Gedichte von Schiller (Roesner) und zwei Bändchen Lesestücke von Roesner und Brandstaeter — dies war s. z. s. alles, was wir in deutscher Sprache besaßen! Jedes weitere Lesestück, das wir behandeln, jedes Gedicht, das wir lernen lassen wollten, mußten wir zuerst diktieren! —

Heute haben wir für alle Schulstufen Lesebücher, welche das Beste enthalten, was die deutsche Literatur zu bieten vermag. — Sie mögen, wie alles Menschliche, unvollkommen sein; ich bin aber den Männern, welche sie zusammengestellt und ihren Druck ermöglicht haben — Büttner, Riemer, Wulff, Mecker, Metzler, Ferchen, Entlicher und Schild —, besonders für diese Gabe dankbar gewesen. — Wir hatten nichts für den Geschichtsunterricht. Heute stehen den Blinden Andrae, Grube, Plötz in zwei Ausgaben — und solchen, die Französisch können, Duperrex in vielen Bänden zur Verfügung.

Es fehlte jedes Lehrmittel für fremdsprachlichen Unterricht. — Jetzt sind zwei französische Grammatiken, ein Lesebuch, eine Gedichtsammlung, eine Literaturgeschichte und eine vollständige deutsch-französische Handelskorrespondenz vorhanden. Auch ein Auszug aus einer englischen Grammatik ist in einer Zeitschrift erschienen.

Es fehlte ferner an jedem Hilfsmittel für den mathematischen und den naturkundlichen Unterricht.

Heute ist auf diesen Gebieten wenigstens ein beachtenswerter Anfang gemacht. Man hat Sammlungen von Naturgegenständen und Modellen angelegt, Zeichnungen, Modelle und Apparate für Geometrie und Physik — und naturgetreue Halbmodelle für den Unterricht in der Naturgeschichte geschaffen. Auch ein Lehrbuch der Naturgeschichte und ein Rechenbuch sind in Arbeit.

Wer in Deutschland Musik treiben wollte, war ganz und gar auf ausländische Hilfsmittel angewiesen. Nur Illzach hat schon 1881 hundert Lieder mit Noten herausgegeben. Dieselben mußten aber in der Schweiz gedruckt werden, weil die Anstalt damals keine Druckerei besaß. Jetzt sind wir auch im Musikdrucke so weit, daß wir uns, wenn wir wollen, vom Auslande freimachen können.

Dazu kommt eine reiche Fülle gedruckter literarischer Werke jeder Art für Jung und Alt, abgesehen von den vielen handschriftlich übertragenen Büchern.

Die klassischen Meisterwerke der Literatur sind den Blinden zugänglich wie den Sehenden. Unsere Bibliothek enthält rund 3500 Bände in Blindendruck — deutsche, französische usw. abgesehen von den Handschriften. Andere mögen reicher sein. Auch Blindenzeitschriften suchen das Lesebedürfnis zu befriedigen. — Wenn wir uns mit den Amerikanern vergleichen, kommen wir uns allerdings vor, wie arme Waisenknaben neben Prinzen — und doch fühlen wir uns heute so reich, wenn wir an unsere einstige Armut zurückdenken. Wir haben mit einem Pfund gewuchert; die Amerikaner haben deren zehn erhalten! (Auch Frankreich besaß schon vor 23 Jahren fast so viele Blindenbücher als wir heute.)

Hier wende ich mich an die jüngeren Kollegen und rufe ihnen zu: „Vergeßt nicht, wie viel Ihr vor Eueren Vorgängern voraus habt, wie viel sie auch für Euch gearbeitet haben! Sie hatten die Qual; Ihr habt s. z. s. nur noch die Wahl! Möget Ihr das erhaltene Erbe ehren und mehren! —

Die gewaltigen Fortschritte, welche auf allen Gebieten des Blindenunterrichts gemacht worden sind, waren aber nur möglich durch die Annahme einer rationellen Blindenschrift, der Brailleschen Punktschrift. Wenn wir an der alten Lateinschrift festgehalten hätten, die im deutschen Sprachgebiete noch vor 22 Jahren so viele Anhänger zählte, wären wir im letzten Viertel des Jahrhunderts nicht viel weiter gekommen, als in den ersten drei Vierteln. Frankreich, England, Amerika, vielleicht sogar Italien, waren uns auf dem Gebiete des Blindendrucks und der Blindenbildung — nicht dem der praktischen Ausbildung für das Handwerk — weit vorausgeeilt. Wir waren tatsächlich rückständig geworden. Es muß dies hier gesagt werden! Noch 1882 wollten nach erfolgter Umfrage — nur drei Anstalten des deutschen Sprachgebiets (Neukloster, Kiel und Illzach) der Punktschrift den Vorrang, bzw. die Alleinherrschaft, einräumen. Mehrere der einflußreichsten Blindenlehrer wehrten sich in Frankfurt, Amsterdam und Köln mit aller Energie dagegen.

In Amsterdam 1885 zählte die Minderheit schon etwa sieben Anstalten und 1888 wurde in Köln der Lateindruck endgültig aufgegeben, ohne daß es zu einer Abstimmung kam; man wollte den Gegnern eine goldene Brücke bauen. Mohrs Kriegsruf: „Hinaus mit der Linienschrift!" hatte seine Wirkung getan. — Nun hatte der Brailledruck auch bei uns freie Bahn und entwickelte sich rasch, besonders als die beweglichen Typen durch Stereotypplatten aus Doppelblech ersetzt und Maschinen erfunden wurden, um die Punkte in diese Platten zu stanzen.

Der Ehestreit zwischen dem Punktdruck und der ihm in München angetrauten Kurzschrift wird wohl dieser Tage schiedlich und friedlich zum Austrag kommen. Die berufliche Ausbildung beschränkte sich in der ersten Periode der Blindenbildung wesentlich auf wenige Flechtarbeiten, Matten, Socken (Salbandschuhe) usw. und weibliche Handarbeiten. — Die eigentliche Korbmacherei, die Bürstenbinderei, die Seilerei und das Klavierstimmen sind neueren Datums. (Bei uns in Illzach ist die Korbmacherei vor 39, das Klavierstimmen vor 35, die Bürstenbinderei vor 23 und die Seilerei vor 20 Jahren eingeführt worden.)

Auf diesem praktischen Boden können sich die mitteleuropäischen Anstalten mit denen jedes anderen Landes mindestens messen. Meiner Ansicht nach sind wir auf diesem Gebiete allen voraus. Da ich die Anstalten der meisten europäischen Länder aus eigener Anschauung kenne, glaube ich, mir dieses Urteil erlauben zu dürfen.

Ich habe hier noch der Fürsorge für die aus den Anstalten entlassenen Zöglinge zu gedenken, welche heute viele Blindenanstaltsdirektoren so sehr in Anspruch nimmt, daß für den eigentlichen Blindenlehrerberuf nicht mehr sehr viel Zeit übrig bleiben kann. „Vater Klein" ist zwar vom Armeninspektor Blindenlehrer geworden; viele von uns gehen aber den umgekehrten Weg. — Ist dies natürlich und unbedingt nötig? Ist der Volksschullehrer auch von Amts wegen Armenpfleger aller seiner früheren Schüler, die ja auch in Not geraten können? Lassen sich diese Funktionen nicht mit Vorteil trennen? Könnte die Fürsorge nicht, besonders wo Staats-, bzw. Provinzialanstalten bestehen, besonderen Fürsorgevereinen überbunden werden, in denen der Anstaltsdirektor nur beratende Stimme hätte, während er jetzt beinahe die ganze Arbeitslast als Zugabe zu seinen Berufspflichten trägt? — Es ist gewiß anerkennenswert, daß die Anstaltsvorstände auch diese Last übernehmen, wenn dadurch die Lösung ihrer natürlichen und ersten Aufgabe, welche in der Blindenbildung besteht, nicht beeinträchtigt wird.

Ich glaube sagen zu dürfen, daß der Blindenfürsorge nirgends größere Aufmerksamkeit zugewandt wird, als in den mitteleuropäischen Ländern. Aber, ob diese Fürsorge nicht eine Richtung eingeschlagen hat, die man vor 20—25 Jahren nicht voraussah und die man damals nicht gebilligt hätte, ist eine andere Frage.

Damals — und noch später — galt das sog. sächsische Fürsorgesystem, d. h. die Rückkehr der Blinden ins bürgerliche Leben mit allfälliger Nachhilfe aus Mitteln der „Fürsorge", als vorbildlich, und auch von der preußischen Zentralanstalt aus wurde immer wieder betont, daß der Blinde selbständig werden könne und müsse. Von Kasernierung der erwachsenen Blinden schien man damals nichts wissen zu wollen. — Das „Blindenasyl" — der Name „Heim" für dieselbe Sache war noch nicht erfunden — war damals geradezu verpönt. —

Als ich in den ersten Jahren meiner Tätigkeit in Illzach, um die so notwendige Trennung nach Altersstufen durchführen zu können, eine Werkstätte, auch Lehrwerkstätte für Erwachsene, in Straßburg gründen wollte und den damaligen Herrn Regierungspräsidenten und späteren Unterstaatssekretär Back, die städtische Verwaltung und unseren Verwaltungsrat für die Idee gewonnen hatte, wurde der Plan von Hofrat Direktor Büttner in Dresden, der den Herren einen wahren Schrecken vor einem Blindeninternate eingeflößt hatte, durchkreuzt. So fiel alles ins Wasser!

Die Mitteilung des lieben Kollegen Domkapitular Helletsgruber sel. auf dem Frankfurter Kongresse (1882), daß er in Linz ein „Heim" (der Name war neu) für erwachsene blinde Mädchen einrichte oder schon eingerichtet habe, rief mehr Erstaunen als Begeisterung hervor. Die meisten damaligen Anstaltsdirektoren erinnerten sich noch böser Erfahrungen, die sie in ihren Anstalten mit Erwachsenen gemacht hatten — und konnten nicht begreifen, daß man das alte französische Versorgungshaus der Quinze-Vingts, welches in Frankreich selbst bis auf den heutigen Tag keine Nachahmung gefunden hat, unter anderem Namen nach Österreich verpflanzen wolle. —

Die Einrichtung fand aber doch, besonders in Norddeutschland, rasch Nachahmung. In Breslau wurde sogar die Heimversorgung als „preußisches Fürsorgesystem" dem sächsischen gegenübergestellt. Und doch scheint diese uralte Einrichtung in neuem Aufputz nicht überall Begeisterung zu wecken, auch im Norden nicht; denn als ich vor sieben Jahren verschiedene „heimliche" und „unheimliche" Anstalten besuchte, um in dieser Sache endlich klar zu sehen, antworteten mir verschiedene Kollegen, die ich unter vier Augen nach ihrer Meinung fragte, sehr zurückhaltend, ja skeptisch: „Ein Heim ist gut, kein Heim ist besser" — und „wenn du es vermeiden kannst, so laß es hübsch bleiben!" — Auf meine Veranlassung hin kam die Angelegenheit 1898 in Berlin nochmals zur Sprache. Dort wurde dann in öffentlicher Sitzung wieder betont, daß das Heim eine „Notwendigkeit" sei. Die Gegner schwiegen, um nicht die Rolle der Spielverderber zu übernehmen. — Was noch vor 20 Jahren geradezu als Konkurserklärung der Blindenbildung zur Selbständigkeit angesehen worden wäre, gilt jetzt bei vielen als Ideal! So ändern sich die Zeiten, Moden und Strömungen! Warum?

Ja warum ist man vom schönsten Optimismus in den schwärzesten Pessimismus verfallen, ohne es sich eingestehen zu wollen?

Ich finde vier Gründe, welche einzeln oder vereint diesen Wechsel der Anschauungen hervorgerufen haben können.

Entweder haben wir unsere Kraft überschätzt; oder wir haben den Blinden zu viel zugetraut; oder unser Schülermaterial ist infolge der Fortschritte der Augenheilkunde minderwertig geworden; oder endlich die Lebensbedingungen der Blinden haben sich durch den Konkurrenzkampf und die moderne Arbeiterschutz-Gesetzgebung verschlechtert. Wahrscheinlich haben alle diese Ursachen zusammen gewirkt. In unserer Begeisterung und im Bewußtsein, manches erreicht zu haben, ist uns vielleicht das richtige Maß für das Mögliche verloren gegangen. Wir haben als selbständig angesehen, was nicht selbst stehen konnte, sondern zum Teil durch die Krücke der Fürsorge getragen wurde. Die Zahl der normal begabten Blinden, die nur das äußere Sehorgan verloren haben, während das Gehirn intakt geblieben ist, hat tatsächlich abgenommen, während diejenige der geistig und körperlich Gebrechlichen fortwährend steigt, — und die moderne Sozialgesetzgebung hat das Fortkommen der Blinden erschwert. Ich werde darauf zurückzukommen haben. — Diese Tatsachen erklären wenigstens teilweise das „Heimweh", an welchem das heutige Blindenwesen zu kranken scheint.

Wir haben allerdings alleinstehende Mädchen, ferner Taubstummenblinde und Gebrechliche, die nie selbständig ein Handwerk betreiben können. Für solche Blinde ist das Heim eine Wohltat und eine Notwendigkeit. Für solche habe ich „Werkstätten" zu gründen gesucht, für solche suche ich einen Heimfonds zu sammeln, um sie vor manchen Gefahren zu behüten und ihnen den Segen der Arbeit zu sichern. Das Heim für alle, wie es von einzelnen erstrebt wird, auch für superkluge Leute, geht mir dagegen viel zu weit; denn es liegt eben doch die Gefahr zu nahe, daß die sichere Aussicht, unter allen Umständen in einem Asyl versorgt zu werden, auch auf die Tatkraft der Begabten lähmend wirke und den Trieb nach Selbständigkeit — nach Selbständigkeit in der Arbeit, nicht nach Ungebundenheit — und damit den Charakter schwäche, ferner daß schließlich auch die Arbeitsleiter der Anstalten sich mit der leichteren Aufgabe begnügen, dem „Heim" Rekruten zu liefern.

Das „Heim" aber wird, sobald dessen Insassen älter werden, mit Naturnotwendigkeit zum Asyl heruntergleiten. Dies geht schon aus der Tatsache hervor, daß laut Matthies schon letztes Jahr nur an 500 (von 1100) Heimbewohner Löhne bezahlt werden konnten. Aus diesen Löhnen sollte aber das Kostgeld ganz oder teilweise bestritten werden. Von 1100 „Heim"bewohnern waren also 600 eigentlich Asylisten, für welche die Wohltätigkeit ganz zu sorgen hatte!! Wenn das „Heim" nicht streng an seinem Charakter als Arbeitsanstalt festhält, wird es in kürzester Zeit entarten und die Blindensache steht wieder auf der Stufe des Jahres 1783. —

„Im Schweiße deines Angesichts sollst du dein Brot essen", auch du Blinder nicht als Strafe für begangene Sünden, sondern zur Erhaltung deiner Menschenwürde! Denn Müßiggang ist aller Laster Anfang!

Doch kehren wir zur Blindenbildung zurück, deren Konfirmation wir heute feiern und die meines Erachtens zurzeit ein erfreulicheres Bild bietet, als die heutige Modefürsorge. Wenn wir uns der Fortschritte erinnern, die unsere Konfirmandin gemacht hat, wird man ihr die Note „genügend" nicht versagen können, wenn auch noch manches zu wünschen übrig bleibt.

Ausblick.

Die Vergangenheit ist die Lehrerin der Zukunft. Wird unsere Konfirmandin dies beherzigen? Sie kann zwar ruhig sagen: „Bis hierher hat der Herr geholfen; er wird weiter helfen." — Er will aber nur durch Menschen helfen. Deshalb ist es Pflicht derer, welche am Steuer des Lebensschiffs unserer Konfirmandin stehen, auszuschauen nach dem Ziele und dieses fest im Auge zu behalten, aber auch Umschau zu halten nach den Gefahren, welche dem Schiffe drohen könnten, in die Tiefe zu blicken, und zu peilen, um nicht auf Klippen zu stoßen, aufzuschauen zu den ewigen Leitsternen, welche ihnen auch in dunkler Nacht den richtigen Kurs zeigen, wenn nicht schwarze Wolken sie verhüllen. —

Das allgemeine Erziehungsziel ist für die Blindenschule dasselbe, wie für jede andere Schule oder Erziehungsanstalt. Darüber wird sich der Lehrplan aussprechen. — Im Hinblick auf die Richtung, welche die Ergänzung der Blindenbildung, die Fürsorge, heute einschlägt, komme ich aber in Versuchung, als besonders erstrebenswert hervorzuheben die Erziehung aller Blinden zur geistigen, sittlichen und wirtschaftlichen Selbständigkeit durch Weckung aller in denselben schlummernden physischen, intellektuellen und moralischen Kräfte. —

Die Erreichung dieses Zieles ist aber heute schwerer als je zuvor und wird immer schwerer werden, weil der Prozentsatz der normal beanlagten Blinden infolge der Fortschritte der Augenheilkunde und der Hygiene fortwährend zurückgeht, während derjenige der Anormalen, die durch Krankheiten des Nervensystems, besonders des Gehirns, erblindet oder noch mit anderen Gebrechen — Taubheit, Schwachsinn, Epilepsie — behaftet sind, unaufhörlich steigt. Die jährliche Abnahme der Blindenzahl um 1 Prozent (in Preußen) entfällt hauptsächlich auf Blinde der ersten Kategorie. Die Aufgabe des Blindenlehrers wird deshalb in 20—30 Jahren eine wesentlich andere sein als heute und besonders als vor 20—30 Jahren. Die Zahl der sog. Paradepferde dürfte in den Anstalten, welche ihren Sitz in wirklichen Kulturländern haben, bedeutend zurückgehen. — Mit geistig minderwertigen Leuten werden wir das uns vorschwebende Ziel der Selbstständigkeit natürlich nie erreichen. — Das Ziel wird aber besonders nicht erreicht werden mit denen, welche überhaupt in keine Anstalt kommen, sondern ohne Unterricht aufwachsen. — Unsere Forderung:

„Schulrecht für alle!" muß deshalb immer wieder und immer lauter wiederholt werden. Wir stehen auf gesetzlichem Boden. Das Gesetz, welches jedem Staatsbürger ein Mindestmaß von Schulbildung zusichert, ist da; nur wird es nicht angewandt. Wir haben ja überall den sog. „Schulzwang", den ich „Schulrecht" nenne. - Das Gesetz schließt meines Wissens keinen aus. Nur diejenigen, welche die Gesetze anwenden und die erforderlichen Mittel bewilligen sollten, tun es in unserem Falle aus Sparsamkeitsrücksichten. Eine Ausnahme von dieser Regel machen nur die skandinavischen Reiche, Sachsen und Sachsen-Weimar und der Kanton Bern, die das Schulrecht der Blinden anerkennen. Auch in Baden ist heute das Recht der Blinden auf Bildung anerkannt, wenn auch kein Anstaltszwang besteht. Eltern, welche ihre Kinder nicht in die Staatsanstalt geben wollen, müssen nachweisen, daß sie dieselben zu Hause genügned unterrichten lassen. —

Gewöhnlich sagt man, um der Sparsamkeit einen menschenfreundlichen Anstrich zu geben, es sei doch hart, eine zärtliche Mutter zur Herausgabe eines blinden Kindes zu zwingen, und man sei zu einer solchen Härte nicht berechtigt. Seit wann ist denn der Staat so sentimental? Ist es nicht auch hart, armen Eltern einen zwanzigjährigen Sohn, vielleicht ihre Stütze, für mehrere Jahre zu entreißen und ihn, wenn das Staatswohl es fordert, auf das Schlachtfeld zu schicken, um sich totschießen oder verstümmeln zu lassen?! Und doch tun dies alle Staaten, nicht nur wilde Länder, wie die oben genannten, welche so grausam sind, die Blinden vom Schulbesuch nicht zu befreien, sondern alle zärtlich verhätschelten und verdorbenen blinden Kinder im Taygetos der Blindenanstalt auszusetzen! (Sollten hier vielleicht die Wilden auch bessere Menschen sein?) Darum fort mit der Heuchelei, die nur die „Sparsamkeit" maskieren soll! — Wir verlangen für die Blinden nur ihr gutes Recht. Auf diesen festen Boden des gemeinen Rechts hat sich vor drei Jahren der italienische Kongreß gestellt und zwar auf Antrag des Rechtsprofessors Rossello von der Universität Genua. Er hat nicht, wie wir bis jetzt, nach Ausnahmegesetzen geschrien. Ich habe dies in Breslau schon gesagt und wiederhole es hier. Nach meiner Rechtsauffassung ist jeder Staat, der die Sehenden zum Schulbesuch zwingt, aber Blinde davon ausschließt und geistig verkümmern läßt, für die Folgen haftbar, um so mehr, als er selbst eine Hebamme, welche die Erblindung eines Kindes verschuldet, zur Verantwortung zieht. Es muß dies einmal klipp und klar und furchtlos ausgesprochen werden; denn es ist unsere Pflicht! Mit frommen Wünschen, wie wir sie 1891 in Kiel ausgesprochen haben, sind wir noch keinen Schritt weiter gekommen. -

Eine Gefahr erkenne ich für unsere Sache in der drohenden Zersplitterung infolge der Kleinstaaterei und konfessioneller Sonderbestrebungen. Wir laufen Gefahr, eine Menge Krüppelanstalten zu bekommen — mit großem Mund —, aber ohne Hände und Füße, d. h. ohne die nötigen zünftig vorgebildeten Lehrkräfte für Schul- und Berufsunterricht. Die preußischen Provinzen und die deutschen Mittelstaaten sind meines Erachtens richtige Rekrutierungsgebiete für je eine leistungsfähige, vollständige Blindenanstalt. — Hoffentlich bekommen sie keine Lust nach Vivisektion am eigenen Leibe! Wenn Frankreich seine alten Provinzen noch hätte, statt der als Rekrutierungsgebiete für Blindenanstalten durchschnittlich viel zu kleinen Departements, so stände dort manches besser, als es meines Erachtens steht. — Eine Schädigung der Blindensache erkenne ich ferner, wie schon angedeutet, in der heutigen Organisation der Berufsgenossenschaften, beziehungsweise in dem Haftpflichtgesetz. Ich habe wiederholt versucht, blinde Arbeiter in Fabriken (Spinnereien, Webereien, Stoffdruckereien, Maschinenfabriken), welche eigene Korbmacher- oder Bürstenbinderwerkstätten haben, unterzubringen, aber überall dieselbe Antwort erhalten: „Die Berufsgenossenschaft duldet das nicht, weil sie das Risiko nicht übernehmen will." Meines Erachtens sollte das Reichsversicherungsamt angegangen werden, dahin wirken zu wollen, daß die Berufsgenossenschaften Blinde nicht von der Arbeit in Fabriken ausschließen, wenn sie in einem Raume, der keine durch Naturkraft getriebene Maschinen enthält, ein Handwerk, betreiben, das sie in einer Blindenanstalt gelernt haben. Wenn dies nicht geschieht, können wir bei dem heutigen Konkurrenzkampfe schließlich doch dahin kommen, daß wir 90 Prozent unserer Blinden „auf Flaschen ziehen", d. h. in Kasernen verschiedener Benennung lebenslänglich versorgen müssen. — Dann müßte ich mir aber doch die unerbauliche Frage vorlegen, wofür wir denn eigentlich gelebt, gestrebt und gearbeitet haben, und ob bei unserem Spiele der Gewinn den Einsatz an Zeit, Kraft und Geld noch wert wäre.

Wenn man die gebildeten wie die ungebildeten Blinden, um sie von der Straße zu bringen, wie vor 1784, nur in geschlossenen „Heimen" oder Asylen — der Unterschied ist dann so nebensächlich wie der Name — lebenslänglich versorgen kann oder will, dann dürfte gar manchem, der mit dem Kopfe und nicht nur mit einem zarten Herzen denkt, die ketzerische Frage sich aufdrängen, ob die vielen hilfsbedürftigen Blinden nicht ebensogut oder besser und billiger — vielleicht schon von Anfang an — in Versorgungshäusern für Sehende untergebracht werden könnten, wo die vielen Vollsinnigen wenigstens in der Lage wären, ihnen Handreichung zu tun — und ob nicht die ganze Blindenbildung schließlich auf eine humanitäre Spielerei hinauslaufe. Das Volk will Früchte sehn, und es erkennt und anerkennt in der Regel nur greifbare Früchte.

Um diesen moralischen Bankbruch zu vermeiden, müssen wir auf die Erziehung und Ausbildung der Blinden zur Selbständigkeit mehr Wert legen, als je zuvor, — wenn wir auch wissen, daß wir sie lange nicht bei allen erreichen können.

Selbständigkeit — mit oder ohne Hilfe der Fürsorge — für die physisch, geistig und moralisch Normalen, das Heim als Notbehelf für die Schwachen, — das Asyl für die Alten — dies muß unser Ideal sein und bleiben! —

„Immer strebe zum Ganzen (zur Selbständigkeit),
doch kannst du selbst ein Ganzes nicht werden,
als ein dienendes Glied schließ an ein Ganzes dich an!" —

Ich habe 1891 in Kiel gesagt: „Stecken wir unser Ziel hoch, recht hoch! Es gibt Kräfte genug, die nach unten ziehen und dafür sorgen, daß die Bäume nicht in den Himmel wachsen!" Dies gilt auch noch heute. Wer hoch zielt, schießt weit!

Wenn wir die Selbständigkeit für alle erstreben, werden wir sie für viele erreichen.

Ich bin zu Rande.

So möge denn unsere Konfirmandin heute geloben, unentwegt und unbeirrt durch Anfechtungen und Schwierigkeiten, nach der ihr von Gott verliehenen Kraft, vorwärts zu streben und zu ringen zum Heile der Lichtlosen, zu glauben an das Recht aller auf Erziehung und Bildung, auf ein menschenwürdiges Dasein — und diesen Glauben durch wirksame Propaganda zu bestätigen, — zu hoffen auf eine bessere Zukunft, in welcher dieses Recht überall, in allen Ländern der Erde, im Volksbewußtsein an die Stelle des Bettelprivilegiums tritt, an eine Zukunft, in welcher jeder Blinde, zwar mit ungleichen physischen, aber mit möglichst ebenbürtigen geistigen und sittlichen Waffen ausgerüstet — ganz selbständig, oder gestützt auf die Liebeshand verständiger Fürsorge — den Kampf des Lebens kämpfen und bestehen wird!

Und ihr, verklärte Geister edlerer und größerer Vorgänger, hört diesen Schwur eurer Jünger, die berufen sind, euer Werk fortzusetzen! Seid ihnen nahe und mahnt sie zum Ausharren, wenn sie erlahmen, zur Liebe, wenn sie ungeduldig werden, zur Treue, wenn sie fehlen!

Das walte Gott!

Hauptgebäude — Abb. 94. Blick in den Knabenhof. — Korbmacherei

Der Hochdruck für Blinde.*)

Sonderabdruck aus dem Archiv für Buchgewerbe. Leipzig 1907.

I.

Die allgemeine Blindenbildung ist im deutschen Sprachgebiete, wie die allgemeine Volksschule, ein Kind des Pestalozzischen Zeitalters und Pestalozzischen Geistes.

Genau vor 100 Jahren (1804) hat der damalige Wiener Armeninspektor Joh. Wilh. Klein, ein 1765 zu Allerheim bei Nördlingen geborener Jurist, der das Blindenelend aus eigner Anschauung kannte, an einem armen blinden Knaben, namens Braun, seine ersten Unterrichtsversuche vorgenommen, die vier Jahre später zur Eröffnung des k. k. Blindeninstituts in Wien geführt haben. Als fertige Blindenschule ist die Kgl. Anstalt in Steglitz-Berlin allerdings noch älter als das k. k. Blindeninstitut in Wien. Auf Anregung des Franzosen Valentin Haüy, des „ersten Blindenlehrers", von dem noch die Rede sein wird, ist sie durch Friedr. Wilhelm III. 1806 „in einem Guß" gegründet und am Tage vor der Schlacht bei Jena unter Dr. Zeune eröffnet worden. Wir blicken also auf das erste Jahrhundert deutscher Blindenbildung zurück und feiern deren Jubiläum. Es dürfte sich deshalb rechtfertigen, einen Blick in ihre Werkstätte zu werfen.

Frankreich war allerdings sowohl auf dem Gebiete der Blindenversorgung, als auf dem des Unterrichts, vorausgegangen. Schon 1254, also genau vor 650 Jahren, hatte dort Ludwig IX. der Heilige (Saint Louis), die erste noch heute unter dem Namen Quinze-Vingts (15 × 20 = 300) bestehende Blindenver-

*) Herr Direktor M. Kunz, hat auf unser Ansuchen die Abfassung eines Artikels über „Hochdruck für Blinde" übernommen. Das Thema ist bis jetzt in den Fachzeitschriften nur wenig behandelt worden und dürfte daher bei unseren Lesern Interesse finden. Da der Aufsatz, wenigstens soweit der Schriftdruck in Betracht kommt, nur für Angehörige des Buchgewerbes, nicht aber für Blindenlehrer geschrieben wurde, so mußten wir den Verfasser bitten, sich nur auf das Wichtigste zu beschränken, von historischer Vollständigkeit abzusehen und wesentlich nur den heutigen Stand des Blindendrucks und die derzeit üblichen Verfahren zur Darstellung zu bringen.
Die Schriftleitung des Archivs für Buchgewerbe.

sorgungsanstalt „für die armen Blinden von Paris“ („pour les povres aveugles de la cité de Paris“) — nicht, wie die Legende berichtet, für 300 beim ersten Kreuzzug dieses Königs durch die bösen Sarazenen geblendete „*Ritter*“ — gegründet und dieselbe als Kongregation organisiert, die sich der höchsten Gunst der Könige und Päpste erfreute, besonders als gegen 1480, wahrscheinlich durch den ersten adeligen Ordensmeister, maître Jean de l'Aigle, die fromme Ritterlegende erfunden worden war*).

An Blindenbildung dachte man aber damals so wenig als im 11. Jahrhundert in den angeblichen „aveugleries“ des Normannenherzogs Wilhelm (Wilhelm der Eroberer).

Dank der zahlreichen Privilegien und weitgehenden Ablaßrechte, die durch eine lange Reihe von Königen und Päpsten gewährt und gemehrt worden waren, hatte das Blindenkloster der 300 (Quinze-Vingts) für sich ein *riesiges* Vermögen erhamstert, für die übrigen Blinden Frankreichs aber *nichts* getan. Da bereitete der „bekannte“ Halsbandskardinal, Prinz Rohan, als Grand-aumônier von Frankreich, im Jahre 1772 der verlotterten Kongregationsherrlichkeit ein nicht unverdientes Ende, indem er die 300 in einer leerstehenden Kaserne (Rue de Charenton) unterbrachte und deren riesigen Besitz angeblich für armselige sechs Millionen verschleuderte, aber auch diese „Kleinigkeit“ nicht an die Kasse der Quinze-Vingts ablieferte. Der unglückliche Ludwig XVI. hat dann zunächst aus Privatmitteln einen Teil des Zinsverlustes ersetzt (jährlich 250000 Franks); seither ist der französische Staat an seine Stelle getreten.

Es scheint, daß die Quinze-Vingts im 18. Jahrhundert auf eine recht tiefe Stufe gesunken waren; sonst hätten sie sich nicht zu unwürdigen Maskeraden herabgelassen, welche den Pöbel belustigten, anständige Menschen aber empörten. So dämmerte denn im Bewußtsein der Edelsten und Besten im Volke langsam der Gedanke auf, daß es Pflicht der Gesellschaft sei, auf andre Weise für die Ärmsten, und zwar nicht nur für 300 von ihnen, zu sorgen. Schon Diderot, welchen ich nicht ohne Vorbehalt zu den „Edelsten und Besten“ zähle, hatte durch seinen Brief über die Blinden („Lettre sur les aveugles à l'usage de ceux qui voient“, London 1749), der ihm, nebenbei bemerkt, ein Jahr Gefängnis eintrug, auf die Bildungsfähigkeit der Lichtlosen aufmerksam gemacht. Schon früher, besonders aber gegen Ende des XVIII. Jahrhunderts, hatten einzelne begünstigte Blinde (ich rede hier nicht von den Späterblindeten, die als Sehende ausgebildet worden waren) durch beispiellose Energie einen hohen Bildungsgrad erreicht, wie z. B. Saunderson (1682—1739), Professor der Mathematik und Optik an der Universität Cambridge, der Mathematiker Weißenburg in Mannheim (geb. 1756) und Maria Theresia v. Paradis aus Wien (1759 bis 1824), die durch ihre allgemeine und musikalische Bildung die höchsten Kreise von Paris und London bezauberte und sogar einen Mozart zu ihren Freunden zählte. Es waren dies aber Ausnahmen. An die Ausbildung aller Blinden, auch der ärmsten und verwahrlostesten, hat zuerst Valentin Haüy 1745 bis 1822 — (der Bruder des Mineralogen), damals Übersetzer im auswärtigen Amte, gedacht. — Den äußeren Anstoß gab eine jener unwürdigen Maskeraden, zu denen Blinde der Quinze-Vingts sich mißbrauchen ließen — und wohl auch das Auftreten der schon genannten M. Th. v. Paradis.

Ohne sein Amt aufzugeben, unterrichtete V. Haüy zunächst einen Blinden, Lesueur, indem er Hilfsmittel benutzte, die z. T. von Saunderson erfunden, von Niesen in Mannheim, dem Lehrer Weißenburgs, verbessert und ihm durch M. Th. v. Paradis bekannt geworden waren. Aus diesen ersten Versuchen entwickelte sich 1784 die älteste, heute noch unter dem Namen „Institution nationale des jeunes aveugles“ bestehende Blindenerziehungsanstalt der Welt, die in einem Zeitraum von 120 Jahren dreimal königlich, zweimal kaiserlich und dreimal „national“ (republikanisch) gewesen ist, aber doch alle politischen Umwälzungen überdauert hat. Aus *einer* Anstalt sind aber viele geworden. Heute bestehen in der ganzen Welt rund 400 Anstalten jeder Art für Blinde, nämlich etwa 240 Lehranstalten oder Blindenschulen und etwa 150 Versorgungshäuser. Auf Europa entfallen 181 Erziehungsanstalten und 140 Versorgungshäuser, auf die andern Erdteile 59 Erziehungsanstalten und 10 Asyle. 51 davon sind in den Vereinigten Staaten*).

ESSAI
SUR L'EDUCATION
des Enfans-Aveugles.
CHAPITRE I.
But de cette Institution.
Avant de rendre compte des motifs de notre Ins-
A

(95) Abbildung 1. Ältester französischer Hochdruck. ½ natürlicher Größe.

*) Vergleiche Léon le Grand, Les Quinze-Vingts depuis leur Fondation, oder M. Kunz: Zur Geschichte der Blindenfürsorge und Blindenbildung. (Seite 164 dieser Sammlung).

*) Siehe M. Kunz, Rückblick, Umblick, Ausblick. Kongreßvortrag Halle 1904. (Seite 263 dieser Sammlung.)

28*

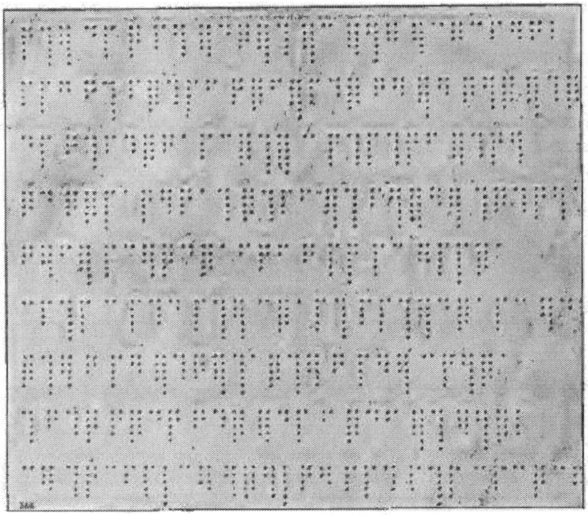

(96) Abbildung 2. Punktdruck von Barbier. Paris etwa 1825 („Expéditive française," „ecriture nocturne"). ½ natürlicher Größe.

Der Gründer der ersten Blindenschule, Valentin Haüy, gilt auch als Erfinder des Blindendrucks. Es soll bei dieser Erfindung ungefähr zugegangen sein, wie bei derjenigen des Pulvers. Der Zufall spielte eine große Rolle. Es wird eben höchst selten etwas freihändig erfunden. Jeder steht, bewußt oder unbewußt, auf den Schultern eines andern, der vielleicht dasselbe Ziel erstrebte, ohne es ganz zu erreichen. Die Erfindungen wachsen wie die Bäume; aus Knospen gibt es Zweige und Äste.

So hat auch V. Haüy in Italien und Spanien schon zwei Jahrhunderte früher Vorgänger gehabt, die indessen über den gewöhnlichen Holzschnitt nicht hinausgekommen waren und die er sicher nicht kannte. Für den Druck jeder Seite mußte eine besondere Platte gestochen werden, wie für ein Bild. Nur der Franzose Moreau hatte es 1640 mit Bleitypen versucht. Da die richtige, schon durch den Schwarzdruck gegebene Idee gefunden war, hätte der Versuch auch wohl zum Ziele geführt, wenn ein Bedürfnis nach Blindenbüchern vorhanden gewesen wäre. So kam Moreau fast zwei Jahrhunderte zu früh; seine Erfindung mußte später wieder erfunden werden.

Valentin Haüy ließ also Lettern gießen, welche eine Art Kursivschrift so zeigten, wie wir sie beim Lesen sehen, die also nicht verkehrt waren wie die gewöhnlichen Buchdruckertypen (Abbildung 1). So prägte er 1786 das erste „Blindenbuch", „Essai sur l'éducation des enfants aveugles" (Abbildung 1), das, wie schon der Titel zeigt, mehr für Sehende als für Blinde bestimmt war. Die erhöhten Buchstaben wurden mit Rücksicht auf die Augen der sehenden Leser geschwärzt. Das dem König gewidmete Buch war unter Leitung des kgl. Buchdruckers Clousier mit Unterstützung der philanthropischen Gesellschaft durch Blinde gedruckt worden.

Matrizen als Gegenstücke sind bei diesem Druck nie zur Anwendung gekommen; das Papier würde die Prägung zwischen zwei harten Formen auch nicht aushalten. Wenn eine Seite gesetzt war, wurde das angefeuchtete Papier darauf gelegt. Dann folgte eine Filzplatte oder eine mehrfach zusammengelegte Flanelleinlage, die als Universalmatrize diente. Der Druck erfolgte dann durch eine gewöhnliche Buchdruckerpresse beliebigen Systems. In der Pariser Druckerei habe ich auch ein großes gußeisernes Schwungrad a. D. als Presse verwenden sehen. Dasselbe wurde einfach über die Filzeinlage gerollt und sein Gewicht reichte zur Prägung aus.

Mit Filzeinlage ist bis vor etwa 20 Jahren fast überall gedruckt worden. Seither kommen meistens Kautschukplatten zur Verwendung. Haüy selbst hat die Form seiner Schrift bald abgeändert und sie, um Raum zu sparen, mit allerlei Nebenzeichen, Punkten,

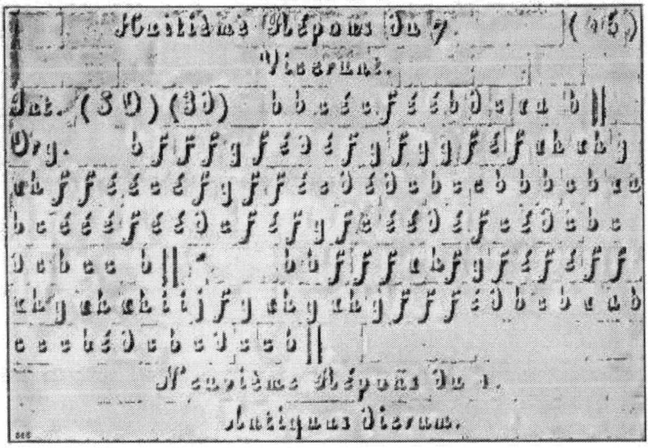

(97) Abbildung 3. Pariser Musikdruck. Paris 1830. ½ natürlicher Größe.

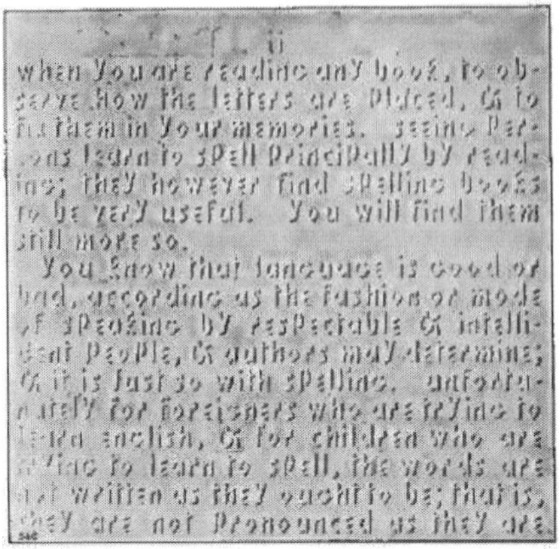
when You are reading any book, to observe how the letters are placed, & to fix them in Your memories. seeing Persons learn to spell Principally by reading; they however find spelling books to be very useful. You will find them still more so.
You know that language is good or bad, according as the fashion or mode of speaking by respectable & intelligent People, & authors may determine; & it is just so with spelling. unfortunately for foreigners who are trying to learn english, & for children who are trying to learn to spell, the words are not written as they ought to be; that is, they are not Pronounced as they are.

(98) Abbildung 4. Amerikanischer Druck. Boston 1835. ½ natürlicher Größe.

Strichen usw. versehen, die Kürzungen andeuteten, und nun folgen sich Modifikationen und Erfindungen jeder Art, die höchstens für den Fachmann historisches Interesse haben, in unendlicher Reihe*). Es ist ja nichts leichter, als willkürlich eine neue Geheimschrift zu erfinden; das können auch Schulkinder. — Einige beigedruckte Abbildungen (2 bis 11) veranschaulichen die wichtigsten von diesen ephemeren Schriftsystemen, deren Erfinder z. T. aus purer Vaterliebe auch dann noch für ihre Kinder eintraten, als eine wirkliche Blindenschrift längst erfunden war. Fast alle zeigten dieselben Hauptmängel. Sie nahmen zu viel Raum in Anspruch, waren für den Tastsinn ungeeignet, konnten deshalb nur entziffert, nicht aber geläufig gelesen und meistens nicht geschrieben werden.

Zu größerer Bedeutung ist nur das System des blinden Engländers Moon gelangt (Abbildung 10), weil die Moongesellschaft für dessen Verbreitung enorme Summen aufbrachte und noch aufbringt.

In England ist der Kampf gegen dieses System deshalb heute noch nicht ganz ausgefochten. Es wurden und werden namentlich Bibeln in den verschiedensten Sprachen gedruckt und ganz oder fast unentgeltlich abgegeben, um so die Heilige Schrift zur Trägerin und Verbreiterin des Moonschen Systems besonders in den Ländern zu machen, die nichts oder wenig drucken. Vor etwa 18 Jahren hat die „Britische und ausländische Bibelgesellschaft" die Bibel sogar in deutscher Sprache in „Moon" drucken lassen, ohne vorher auch nur *eine* deutsche Anstalt zu fragen, ob dieses System in Deutschland gelesen werde. Offenbar wollte man uns dazu zwingen. Als das Werk mit großem Kostenaufwand fertiggestellt war, konnte man die Tausende von Bänden wieder einstampfen! Der Direktor der Gesellschaft hat mir persönlich sein Leid geklagt.

In Deutschland ist bis vor etwa 20 Jahren die lateinische Kapitalschrift A B C usw. herrschend geblieben. Der erste deutsche Blindenlehrer Johann Wilhelm Klein in Wien hatte Typen mit Nadeln konstruiert, um diese Schrift in Papier stechen (schreiben) zu können, das auf eine Filzunterlage gelegt wurde; diese Schrift wurde Kleinsche Stachelschrift genannt. Zum Druck wurden anfänglich ähnliche Stacheltypen, dann volle erhöhte Lettern verwandt, die teils glatt, teils geperlt waren und an die Stecknadelkissenschrift der Paradis erinnerten. Diese Druckart hat in Deutschland und Österreich bis etwa 1880 die Alleinherrschaft behauptet. Allerdings wurde in Deutschland wenig gedruckt. Wien, Berlin, München, Freiburg und Braunschweig haben einige derartige, wenig verbreitete und heute verschollene Schriften herausgegeben. Breslau hat von 1832 bis 1856 drei Liedersammlungen (ohne Musik), ein Spruchbuch und einen Katechismus in Lateindruck veröffentlicht. Zuerst wurde auch dort auf Holztypen gedruckt.

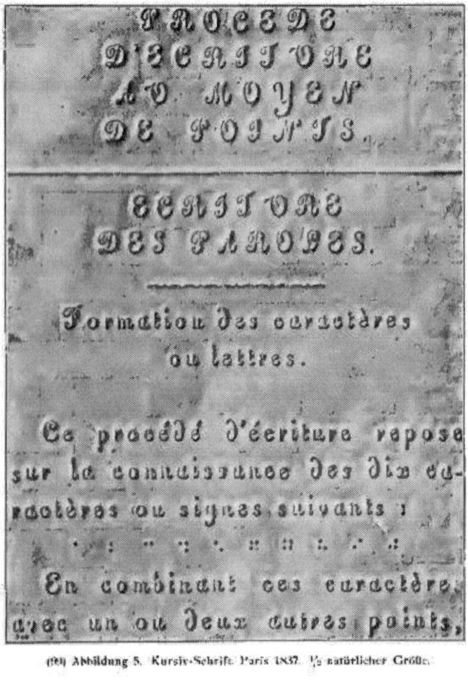
PROCÉDÉ D'ÉCRITURE AU MOYEN DE POINTS.
ÉCRITURE DES PAROLES.
Formation des caractères ou lettres.
Ce procédé d'écriture repose sur la connaissance des dix caractères ou signes suivants :
En combinant ces caractère, avec un ou deux autres points,

(99) Abbildung 5. Kursiv-Schrift. Paris 1837. ½ natürlicher Größe.

*) Wer mehr darüber erfahren will, den verweise ich auf den ausgezeichneten, vom Blindenlehrer Rackwitz in Breslau verfaßten Artikel „Hochdruck" in A. Mell, Lexikon des Blindenwesens.

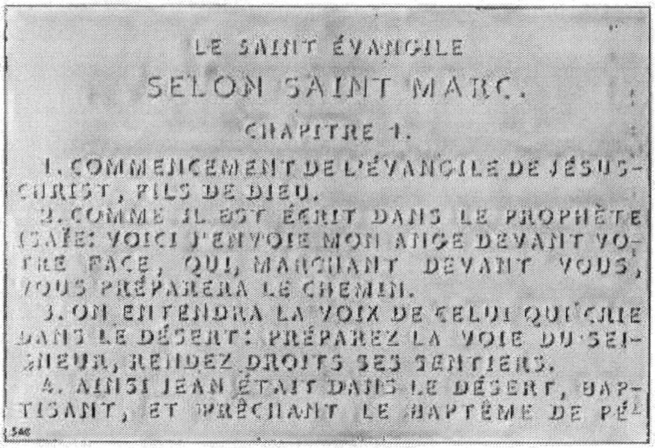
LE SAINT ÉVANGILE
SELON SAINT MARC.
CHAPITRE 1.
1. COMMENCEMENT DE L'ÉVANGILE DE JÉSUS-CHRIST, FILS DE DIEU.
2. COMME IL EST ÉCRIT DANS LE PROPHÈTE ISAÏE: VOICI J'ENVOIE MON ANGE DEVANT VOTRE FACE, QUI, MARCHANT DEVANT VOUS, VOUS PRÉPARERA LE CHEMIN.
3. ON ENTENDRA LA VOIX DE CELUI QUI CRIE DANS LE DÉSERT: PRÉPAREZ LA VOIE DU SEIGNEUR, RENDEZ DROITS SES SENTIERS.
4. AINSI JEAN ÉTAIT DANS LE DÉSERT, BAPTISANT, ET PRÊCHANT LE BAPTÊME DE PÉ

100) Abbildung 6. Dufauscher Hochdruck. Paris 1840. [illegible] natürlicher Größe.

vergriffene Bücher in Stuttgart nachgedruckt worden.

Da 1864 auch die Illzacher Druckerei eingegangen war (erst 1881 in größerem Maßstabe neu eingerichtet) herrschte im deutschen Sprachgebiete bis 1879 so ziemlich unter allen Wipfeln Ruh.

Der ganze Lesestoff der deutschen Blinden beschränkte sich bis gegen 1880 auf einige Erbauungsbücher, vier Bändchen Kinderlesebücher (Klose-Breslau und Roesner & Brandstaeter-Steglitz) und einige Gedichte von Schiller, die kurz vorher erschienen waren, während Frankreich damals schon eine gewaltige Blindenbibliothek besaß.

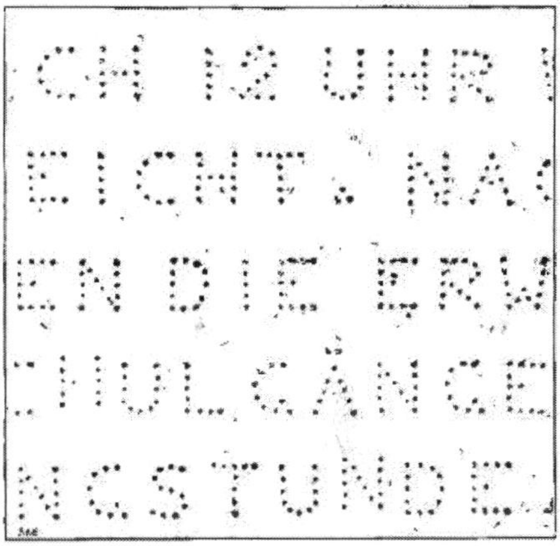

(101) Abbildung 7. Breslauer Stacheltypendruck. Breslau 1842. [illegible] natürlicher Größe.

In einem 1857 in Breslau in Lateinschrift gedruckten Lautierbuche ist als Anhang das jetzt gebräuchliche Braillealphabet mitgeteilt.

Im Jahre 1851 hat die Stuttgarter Bibelgesellschaft die Calver Biblische Geschichte, das Evangelium des Lukas und die Apostelgeschichte in Lateinschrift drucken lassen. Meinem blinden Vorgänger Alph. Koechlin gelang es dann, genannte Gesellschaft zur Herausgabe der ganzen deutschen Bibel zu bewegen (64 Bände in Lateindruck; die vorgeschlagene Punktschrift behagte damals noch nicht). Der Druck erfolgte in Illzach-Mülhausen durch den noch in der Schweiz lebenden sehenden Buchdrucker A. Sack für Rechnung der Stuttgarter Gesellschaft von 1857 bis 1864 (9555 Bände). Die sogenannte „Stuttgarter Bibel" ist also zu französischer Zeit im Elsaß entstanden — allerdings für deutsches Geld. Erst viel später sind

10 EVANG. MATTHÄI. 2, 15.
KINDLEIN UND SEINE MUTTER
ZU SICH, BEI DER NACHT, UND
ENTWICH IN EGYPTENLAND: 15.
UND BLIEB ALLDA BIS NACH DEM
TODE HERODIS. AUF DASS ERFÜLLET
WÜRDE, DAS DER HERR
DURCH DEN PROPHETEN GESAGT
HAT, DER DA SPRICHT: AUS
EGYPTEN HABE ICH MEINEN
SOHN GERUFEN. 16. DA HERODES
NUN SAHE, DASS ER VON DEN
WEISEN BETROGEN WAR, WARD
ER SEHR ZORNIG, UND SCHICKTE

(102) Abbildung 9. Illzacher Perldruck 1857 (sog. Stuttgarter Bibel). [illegible] natürlicher Größe.

Deutsche Bücher, die zum Teil für Rechnung der Illzacher Blindenanstalt 1867 zu Lausanne in Punktschrift gedruckt worden waren, konnten in Deutschland nicht gebraucht werden, weil die Punktschrift dort noch fast unbekannt war. (Thomas Scherrs Sprachbuch und 100 Kirchenlieder.)

Schon lange hatten nämlich zwei Franzosen, Jos. Barbier (1767–1841) und Louis Braille (1809–1852), letzterer selbst blind und Blindenlehrer in Paris, die eigentliche *Blindenschrift*, die sogenannte Braillesche Punktschrift erfunden. Das ursprünglich phonetische System Barbiers, das ohne Rücksicht auf die französische Orthographie für alle ähnlich *lautenden* Silben dasselbe Zeichen benutzte, hatte zwar keinen praktischen Erfolg, weil es trotz der scheinbaren Einfachheit zu verwickelt war und sich der Rechtschreibung nicht anzupassen vermochte. Die so fruchtbare Idee der *Punkt*schrift war aber gegeben, und aus ihr hat Louis Braille 1825 die heute in allen Ländern der Welt bekannte und seit 1888 auch in Deutschland fast zur Alleinherrschaft gelangte Braillesche Punktschrift entwickelt, die sich allen Bedürfnissen der Sprache, der Musik und der Stenographie anpaßt. Die Blinden werden durch dieses System befähigt, ohne einen Buchstaben zu opfern, doppelt so schnell zu schreiben, als sehende Schüler der Oberklasse einer Volksschule. Der Versuch ist hier gemacht worden. Das ganze „Eleusische Fest" von Schiller (2268 Silben) ist in einer Blindenklasse in einer Stunde und zehn Minuten niedergeschrieben worden. Die gewandtesten Schreiber brauchten nur eine Stunde. In Stenographie geht es noch schneller.

Anfänglich fand Braille den Beifall seiner eignen sehenden Vorgesetzten nicht. Es soll eine Zeit gegeben haben, wo seine Schrift sogar im Pariser Institut, an dem er wirkte, *verboten* war. Die Blinden kannten aber in diesem Falle ihre Bedürfnisse besser, als die sehenden Blindenleiter. *Sie* haben der Punktschrift in allen Ländern zum Siege verholfen. In Frankreich scheint sie zwischen 1840 und 1850 zur Herrschaft gelangt zu sein. Ihre frühzeitige Annahme allein erklärt die Überlegenheit der Franzosen auf dem Gebiete des Drucks bis gegen das Ende des letzten Jahrhunderts.

Braille ging von dem Zeichen = é aus. Der oberste Punkt der ersten senkrechten Reihe bildet das a, der oberste und der mittlere das b, die beiden obersten Punkte das c usw. Braille stellte eine erste Reihe von zehn Buchstaben auf:

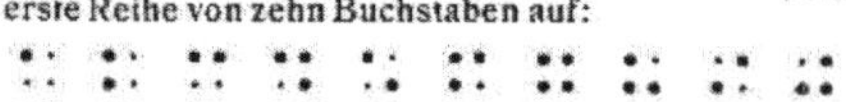

a b c d e f g h i j

1 4, 2 5, 3 6 Wenn diesen Zeichen der unterste Punkt der ersten senkrechten Reihe (3) angefügt wird, so entsteht die zweite Zehnerserie:

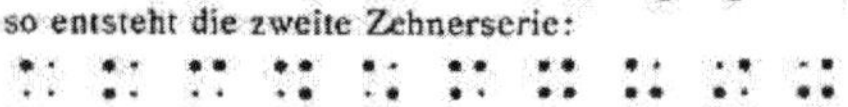

k l m n o p q r s t

Tritt noch der unterste Punkt der zweiten senkrechten Reihe (6) hinzu, so entsteht die dritte Buchstabenserie:

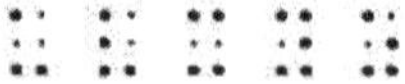

u v x y z

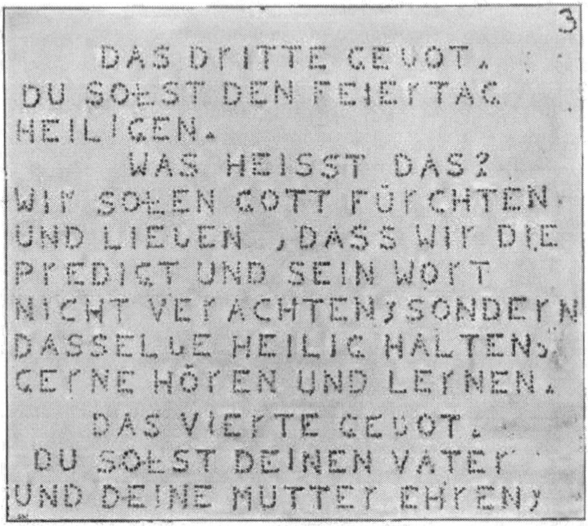

(103) Abbildung 8. Knies Kurzschrift. Breslau 1856. ½ natürlicher Größe.

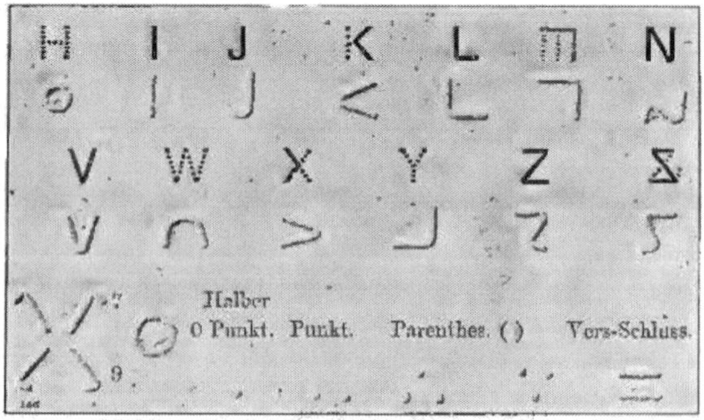

(104) Abbildung 10. Moonschrift. Brighton 1867. ⅓ natürlicher Größe.

Als w, das in eigentlich französischen Wörtern nicht vorkommt, wurde das umgekehrte r gebraucht:

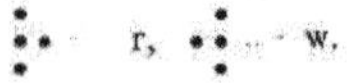

r, w.

Es genügt also, die ersten zehn Buchstaben zu kennen, um die andern selbst zu finden. Im ganzen sind 64 einfache Zeichen möglich, die weitgehenden Anforderungen genügen können.

Wenn das Zahlzeichen vor die ersten zehn Buchstaben gesetzt wird, so hat man die Ziffern 1, 2, 3, 4, 5, 6, 7, 8, 9, 0; also:

1, 4, = 0 usw. (s. Beil.)

Diese Reliefschrift wird in der Regel auf einer rechteckigen Rillentafel geschrieben, die — von der Seite gesehen — etwa aussieht wie nebenstehende Abbildungen 12 und 13 es zeigen.

Auf der Tafel liegt, oben durch Scharniere befestigt, ein Rahmen aus Holz oder Metall, in welchen — für einseitige Schrift — an beiden Längsseiten Löcher in Abständen von 19 mm gebohrt sind. In diese passen die Stifte des Lineals (siehe Abbildungen 14 und 15), welches zwei Reihen rechteckiger Fenster zeigt.

Jedes Fenster hat die Breite und Höhe eines Buchstabens und die Höhe von drei Rillen, so daß mit einem Stift (am besten mit einer abgebrochenen und mit Griff versehenen Stricknadel, Abbildung 17), durch jede dieser Öffnungen (Fenster) die sechs Punkte der Brailleschrift von oben in das zwischen Rillenplatte, Rahmen und Lineal liegende Blatt Papier gestochen, d. h. in die Rillen *eingedrückt* werden können. Wenn man das Papier wendet, erscheinen somit die Punkte auf der *Rückseite erhöht* und tastbar. Durch das Wenden des Papiers wird nun aber alles umgekehrt; was beim Schreiben rechts war, erscheint beim Lesen links. Deshalb müssen alle Zeichen verkehrt und von *rechts* nach *links* geschrieben werden. Was beim Schreiben als (Trichter) erscheint, ist beim Lesen (erhöhte Punkte), das wird zu = i usw. Dadurch entsteht leicht Verwirung, wenn man sich der Ausdrücke „rechts" und „links" bedient; denn was beim Schreiben links, ist beim Lesen rechts. Ich wähle deshalb die Bezeichnung „erste senkrechte Reihe, oben, mitten und unten".

Die erste Reihe beim Schreiben, von rechts nach links, bleibt dann auch, sobald das Blatt gewendet ist, die erste senkrechte Reihe beim Lesen, von links nach rechts. So werden Verwechslungen zwischen und (e und i), und (d und f) usw. vermieden. In neuerer Zeit hat man auch die Rillen (Gräbchen) durch sogenannte Trichter ersetzt, denen dann in den Seiten der Linealfenster halbrunde Einschnitte entsprechen müssen. Das bewegliche Lineal ist dann durch eine gefensterte Platte ersetzt, welche die Größe der Tafel hat und oben durch Scharniere an derselben befestigt ist. (Prager Tafel.) Diese Tafel liefert eine hübsche, gleichmäßige Schrift und paßt deshalb für Anfänger, weil der Schreibstift genau in die Trichter fallen muß; die Schreibflüchtigkeit wird dadurch aber erheblich beeinträchtigt.

(105) Abbildung 11. Blindenschrift der k. k. Hof- und Staatsdruckerei, Wien 1873. ½ natürlicher Größe.

Der Vollständigkeit wegen sei noch der Schreibmaschinen mit Klaviatur Erwähnung getan, die von Hall in Amerika und Picht in Steglitz bei Berlin konstruiert worden sind.

Um Raum zu sparen, hat man die doppelseitige Schrift eingeführt. Die, zwar etwas breiteren, Zwischenräume zwischen den Zeilen werden dann ausgenutzt. Wenn die erste Seite voll ist, werden Blatt und Lineal gewendet und es wird auf der Rückseite zwischen die Zeilen der Vorderseite geschrieben. Dazu ist aber ein Lineal (Abbildung 15) erforderlich, dessen Fensterreihen 7½ mm voneinander entfernt sind, so daß der Zwischenraum der Fensterhöhe entspricht. Die Lochreihen in den Rahmen haben dann 29 mm Entfernung und die Haltstifte des Lineals sind so angebracht, daß die Fensterreihen genau zwischen die Zeilen der Vorderseite fallen.

Bei einzelnen Tafeln kann auch die glatte Rückseite der Platte mit dem einfachen Lineal zum Schreiben der Flachschrift A B C usw. mit Bleistift oder Stahlstift und Blaupapier verwendet werden. Der mit Doppelscharnier befestigte Rahmen wird dann auf die Rückseite umgeklappt (z. B. Preisschreibtafel von Kunz).

Zum *Druck* der Brailleschrift wurden anfänglich bewegliche Typen mit erhöhten Punkten verwendet. (In der Druckerei der Blindenanstalt zu Illzach liegen noch mindestens zwei Zentner dieses Druckmaterials.) Als Einlage (Gegenstück) diente Filz oder Flanell. Der Typensatz ist für sehende Setzer natürlich sehr leicht; Blinde hingegen haben keine Freude daran, weil sie bei jeder ungeschickten Bewegung große Teile des Satzes umwerfen können und weil ihnen das Zerstreuen unangenehm ist. Wir haben hier drei Werke in acht Bänden auf diese Weise hergestellt. Der Typendruck hat aber noch andre große Nachteile. Man kann bei Blindenbüchern, wenn man nicht für einen Verein oder eine Behörde druckt, nie den ungefähren Absatz berechnen. Bücher, von denen man sich großen Erfolg verspricht und die man in größeren Auflagen herstellt, bleiben oft vollständig liegen, während andre, die man eigentlich nur für eignen Gebrauch in Blindenschrift übertragen hat, bedeutenden Absatz finden und bald vergriffen sind. Auf Typen, die eben sofort zerstreut werden müssen, ist aber späterer Nachdruck nur möglich, wenn die ganze Arbeit des Setzens wiederholt wird. Aus diesen verschiedenen Gründen hat man längst eine neue Druckmethode gesucht, und Levitte, pädagogischer Leiter des Pariser Nationalinstituts, hat vor etwa 25 Jahren ein geradezu ideales Verfahren gefunden, das heute fast überall zur Verwendung kommt.

Wenn man auf die gewöhnliche Rillentafel ein in der Mitte gefalztes Doppelblatt legt, so können mit etwas stärkerem Druck auf den Schreibstift beide Papierblätter gleichzeitig beschrieben werden. Die Blinden haben noch vor 15 bis 20 Jahren, d. h. solange es nur wenig gedruckte Bücher gab, oft von diesem Verfahren Gebrauch gemacht, um gleichzeitig zwei Bücher zu schreiben, oder um die Kopie eines Briefes zu behalten. Auch wenn es sich darum handelte, zur Strafe ein Wort oder einen Satz 20 bis 50 mal zu schreiben, soll dieses Verfahren auf drei- bis vier fachem Papier öfter zur Anwendung gekommen sein. Levitte ist offenbar gerade durch Beobachtung dieses Kniffs auf seine Idee gekommen. Wenn man nämlich die beiden beschriebenen Blätter wieder zusammenfaltet (aufeinanderlegt), so paßt genau jeder *erhöhte* Punkt des einen Blattes in den entsprechenden vertieften Punkt (Trichter) des andern Blattes. Legt man ganz dünnes Papier zwischen diese beiden Blätter, die als Matrize und Patrize dienen, so können durch leichten Druck alle Punkte auf dasselbe übertragen werden. Jeder kann den Versuch mit einem dicken Doppelblatte, einer Stricknadel und einer Stoffunterlage (Rockschoß statt Rillentafel) leicht wiederholen.

Wenn man die beiden beschriebenen Blätter durch Spirituslack härtet, so kann man mit denselben angefeuchtetes Briefpapier unter einer Kopierpresse zwischen Filz so deutlich prägen

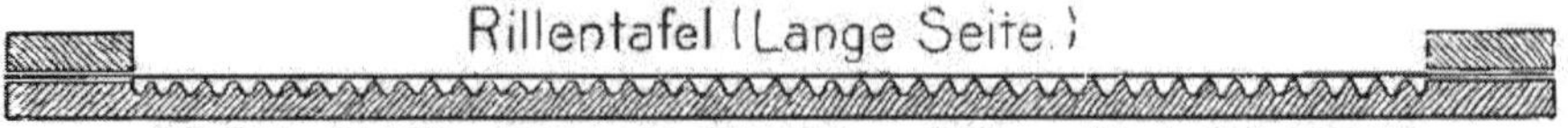

(106) Abbildung 12. a) Tafel, gewöhnlich aus Zink. Rillenbreite 3½ mm. b) Rahmen aus Holz oder Metall. c) Papierblatt.

(107) Abbildung 13.

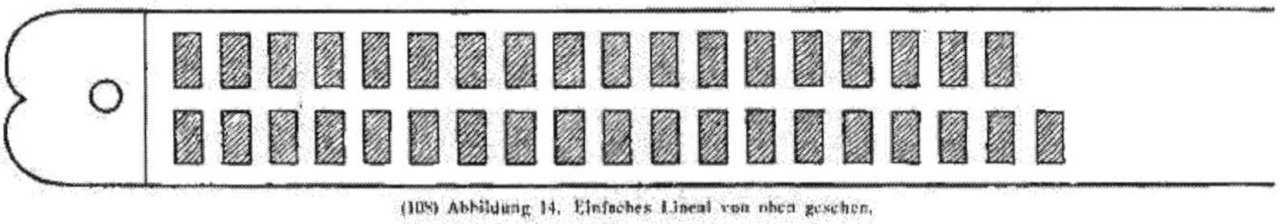

(108) Abbildung 14. Einfaches Lineal von oben gesehen.

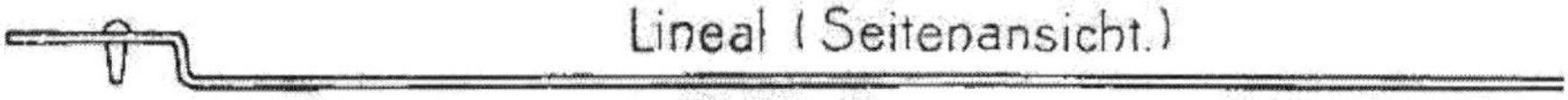

(109) Abbildung 15.

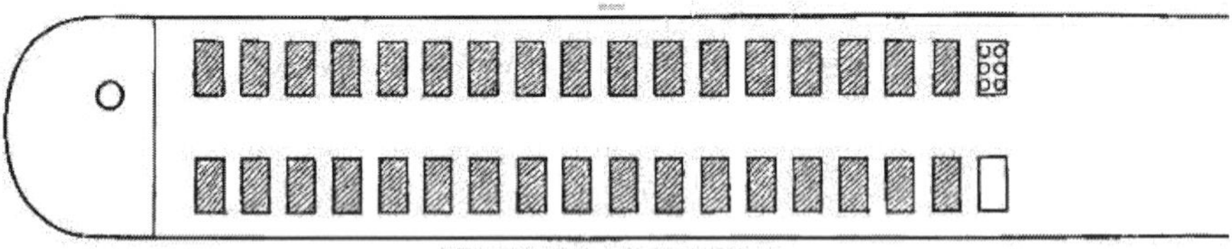

(110) Abbildung 16. Doppelseitiges Lineal.

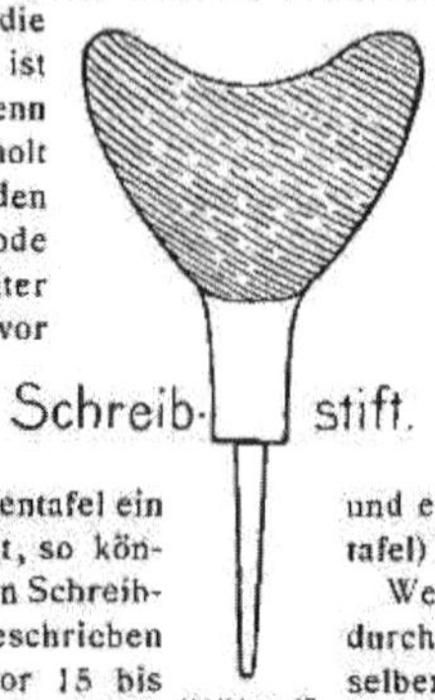

Abbildung 17 (111)

29

daß jeder Punkt lesbar ist. Schriftstücke, die zu einmaligem Lesen bestimmt sind, können auf diese Weise vervielfältigt werden. Zur Prägung dickeren Papiers hingegen, wie es für Blindenbücher erforderlich ist, sind solche Papierprägeplatten zu schwach.

So kam ohne Zweifel Levitte auf den Gedanken, statt auf Doppelpapier, auf Doppelblech zu schreiben. Der Erfinder selbst, den ich persönlich kannte, hat mir über die Vorgeschichte seiner Erfindung allerdings nichts mitgeteilt.

Der Druck der Hand genügt natürlich nicht mehr, um den Punkttrichter in das Doppelblech (Messing, Zink, Eisen) einzustanzen. Der Holzhammer mußte zu Hilfe genommen werden. Geschlagen (punziert) wurde anfänglich auf der Braille-Schreibtafel. Sobald die Doppelplatte geschlagen ist, werden die Blechblätter so weit geöffnet (der Falz dient als Scharnier), daß ein dickes, zähes, angefeuchtetes Papierblatt (meistens Melis royal) dazwischen gelegt werden kann. Dann werden beide Platten mittels einer beliebigen Buchdruckerpresse, auch eine starke Kopierpresse reicht aus, zwischen Filz- oder Kautschukeinlagen ineinandergepreßt. Jede Unebenheit prägt sich in dem Papier scharf aus. Das Papier wird dann auf einem Lattengestell oder Rohrgeflecht getrocknet. Es kann so, wie beim Schreiben, einseitiger, doppelseitiger oder Zwischenpunktdruck geprägt werden. Bei letzterem fallen die Punkte der Rückseite teils in den schmalen Zwischenraum zwischen den Zeilen, teils zwischen die Punkte der Vorderseite. Er bedeutet zwar eine weitere Raumersparnis, wird aber häufig undeutlich, weil er eben doch sehr hohe Anforderungen an die Dehnbarkeit des Papiers stellt.

(112) Abbildung 18. Plattenprägmaschine von Hinze

Der Stereotypplattendruck bietet zwei große Vorteile. Erstens ist dieses Verfahren jedem Blinden, der schreiben kann, zugänglich. Sehende Setzer sind also völlig überflüssig. Zweitens können, je nach Bedarf, Auflagen in beliebiger Höhe gezogen werden. Man legt einfach diese Stereotypplatten nach dem ersten Gebrauch auf die Seite und holt sie *beliebig* wieder hervor, um neue Blätter zu drucken*). Man hat wohl die einmalige Ausgabe für die Platten (etwa 20 bis 25 Pf.), spart aber unter Umständen das Zehnfache an nutzlos verdrucktem Papier und an Setzarbeit. Anfänglich brauchte man, wie gesagt, zum Stanzen dieser Metallplatten die gewöhnliche Braille-Rillentafel. Die nur 3 bis 4 mm dicke Zinkplatte derselben litt aber bald Not. Man ersetzte deshalb das Zink durch eine dickere Messing- oder Stahlrillenplatte, behielt aber den Gebrauch des Hammers bei. So sind noch unsre ersten Plattendruckwerke und die ersten Lesebücher, welche der „Verein zur Förderung der Blindenbildung" durch Schultze drucken ließ, sowie die Kieler Lesehefte usw. entstanden.

Der Gebrauch des Hammers hatte aber für die Blinden doch gewisse Schwierigkeiten; auch waren dadurch beide Hände in Anspruch genommen. Es war also nicht möglich, mit der linken Hand eine Blindenhandschrift zu lesen und dieselbe mit der rechten Hand allein auf Blech zu übertragen. Deshalb wurde nach einem Ersatz für den Hammer gesucht.

Direktor Kull und Mechaniker Wiggert in Berlin kamen dann auf den Gedanken, die bekannte Perforiermaschine mit Fußbetrieb den Bedürfnissen des Blindendrucks anzupassen. Der mit dem Fuß zu bewegende Druckbalken ersetzte den Hammer. Statt der Tafel wurde ein dem Lineal entsprechendes Stahlband eingesetzt, das an Stelle der Rillen unter jedem Fenster des dicken Lineals sechs trichterförmige Vertiefungen zeigt, in welche das Doppelblech mit Hilfe

eines starken Schreibstifts, der senkrecht unter den Druckbalken gestellt wird, eingestanzt werden kann. Jeder Punkt muß natürlich, wie beim Schreiben, einzeln geschlagen werden. Diese einfache Maschine leistet uns heute noch gute Dienste. Eine gute Schreiberin schlägt mit derselben in der Stunde etwa 320 Wörter in alphabetischem Druck und etwa 400 in Kurzschrift.

Unterdessen ist nun aber auch die amerikanische Klaviaturschreibmaschine von Hall zuerst in Amerika selbst, dann von Direktor Hinze in Königswusterhausen, für die Plattenprägung abgeändert worden (Abbildung 18). Sechs Tasten, die auf einer Platte angebracht sind, entsprechen den sechs Punkten des é ⠿. Ein Druck auf diese Tasten treibt sechs dünne Stahlstifte, die Schreibstiften entsprechen, durch entsprechende Öffnungen der Platte von unten nach oben, so daß sie etwa $1^1/_2$ mm aus letzterer hervorragen. Ein Druck mit dem Fuße, wie bei einer Nähmaschine, drückt eine darüberliegende Matrize

*) In der Druckerei der Anstalt zu Illzach-Mülhausen liegen etwa 5000 Platten. In der Vereinsdruckerei, in Berlin und Wien wird diese Zahl noch bedeutend höher sein.

mit sechs Trichtern so von oben nach unten, daß die Stifte genau in die Trichter fallen. Das Doppelblech wird dazwischen gelegt. Die gewünschten Stifte werden *gleichzeitig* nach oben gedrückt, die Matrize wird mit dem Fuß nach unten gezogen und stülpt das Blech über die Stifte, so daß diese alle Punkte eines Buchstabens *gleichzeitig* in das Doppelblech einstanzen. Sobald der Fußdruck nachläßt, hebt die Matrize sich wieder und die Platte schiebt sich automatisch um ein Loch weiter nach links. Der folgende Buchstabe wird in einem Griffe gestanzt, und so geht es weiter, bis die Zeile fertig ist. Dann wird die Platte um eine Zeilenbreite nach oben gerückt. Anhaltspunkte regeln genau die Entfernung. Die Punkte erscheinen also gleich *erhöht* und können sofort gelesen werden. Es wird somit „geschrieben", wie gelesen, nicht umgekehrt, wie auf der Schreibtafel und bei Kull-Wiggert. Die Handhabung dieser Maschine ist deshalb für ungeübte Schreiber leichter und es wird etwas Zeit gespart.

Seit einigen Jahren druckt die Pariser Nationalanstalt, in welcher die Plattenprägung erfunden worden ist, wieder auf Typen.

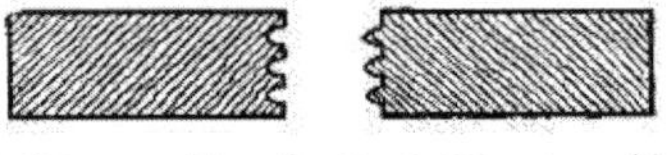

Den erhöhten Lettern, welche die Buchstaben des Alphabets zeigen, entsprechen Trichtertypen mit sechs Löchern. Dem Schriftsatz wird, bei einseitigem Druck, eine aus lauter Trichtertypen bestehende Form (Matrize) gegenübergestellt.

Bei doppelseitigem Druck wechseln die Reihen ab. Auf eine Zeile mit erhöhten Lettern folgt eine solche mit Trichtern und zwar auf beiden Seiten. Nur ist die Reihenfolge umgekehrt.

Die Lettern haben größeren Querschnitt als gewöhnlich, so daß Spaziumeinlagen unnötig werden, also erhöhte und vertiefte Formen genau aufeinander passen. Wenn das Metall widerstandsfähig genug ist, können zwischen diesen Formen mit einer starken Presse auch Blechplatten in einem Druck gestanzt werden. Vorzüge dieses Systems habe ich an Ort und Stelle nicht herausfinden können, wohl aber den Nachteil, daß ein sehender Setzer nötig zu sein scheint. Wer genug Geld hat, kann sich das Vergnügen leisten. Auch Direktor Kull-Berlin hat es vor einigen Jahren wieder mit dem „Setzen" versucht. Im Anschluß an den vor 25 Jahren von Recordon in Genf ausgeführten Versuch (wir haben den Apparat) setzt er Stecknadeln in eine mit kleinen Löchern versehene Metallunterlage und preßt die Blechplatten mit einem als Trichtermatrize dienenden Querbalken über die Stecknadelköpfe. Abgesehen von der Billigkeit des Apparats, scheint mir das Verfahren keine Vorteile zu bieten.

Der Vollständigkeit wegen muß ich noch des Illzacher-Braille-Liniendrucks gedenken, der nur auf beweglichen Lettern hergestellt werden kann. — Die Punkte der Brailleschrift sind einfach durch gleich hohe Linien verbunden,

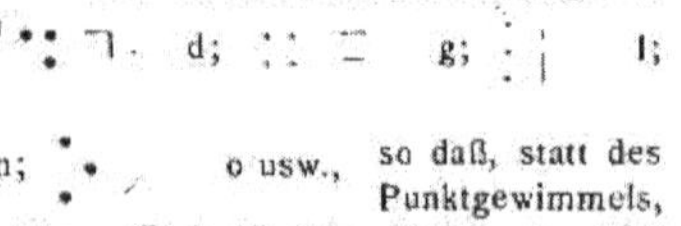

d; g; l; n; o usw., so daß, statt des Punktgewimmels, Figuren entstehen. (Siehe Hochdruckbeilage I und 2.)

Ich habe vor etwa 18 Jahren die Formen zu diesen Schriftzeichen graviert, um den Widerstand der meisten deutschen Blindenlehrer gegen die Vorherrschaft der Brailleschrift in der Schule und beim Druck überwinden zu helfen. Es wurde denen unter uns, welche den Lateindruck ganz aufgeben wollten, immer entgegengehalten, daß die Linie den Tastsinn „besser ausbilde", weil Linienschrift *schwerer* zu lesen sei und das Nervensystem weniger angreife, als die Punkte. In Wirklichkeit mußten die Blinden, um Lateinschrift notdürftig entziffern zu lernen, noch viel länger auf den Buchstaben herumreiben, den Tastsinn also noch viel mehr *abstumpfen*, als beim Lesen der Punkte. Der Lesefinger ist immer der *hartfühligste* von allen, in der Regel *viel hartfühliger* als irgend ein Finger jedes normalen Sehenden. (Zu vergleichen meine Schrift „Zur Blindenphysiologie", S. 19 bis 23. Sonderdruck aus der Wiener medizinischen Wochenschrift.) Damals sagte ich mir: „Geben wir den Linienfreunden Linien, aber in Braillescher Form! Dann haben wir doch nur ein Schriftsystem." Als dann am Kölner Blindenlehrerkongreß 1888 der Lateindruck nach heftigem Widerstand seiner Freunde aufgegeben worden war, betrachtete ich den neuen Liniendruck, der ursprünglich nur dem Punktdrucke Vorspanndienste leisten sollte, als abgetan, bis ich die Entdeckung machte, daß feinfühlige Erwachsene diese einfachen Figuren leichter entzifferten als den Punktwirrwarr. Sie fanden sofort heraus, was einen Buchstaben bildete, während sie beim Punktdruck auch die seitlichen Kuppen der Nachbarbuchstaben zu deutlich fühlten und so die Schriftzeichen nicht zu trennen vermochten. Spitze Kinderfinger finden sich leichter zurecht. Durch das ewige Reiben wird dann nach und nach das Tastgefühl des Lesefingers derart *abgestumpft*, daß schwache seitliche Eindrücke unbeachtet bleiben. Da in neuester Zeit auch der erblindete Direktor der Augenklinik der Sorbonne, Prof. Dr. Javal, ohne unsre Linienschrift zu kennen, ganz denselben Vorschlag machte, dürfte das letzte Wort in dieser Angelegenheit noch nicht gesprochen sein.

Abb. 113. Innenansicht der Blindendruckerei Illzach bei Mülhausen (Els.).

II.

In meinen Ausführungen, die im letzten Heft erschienen sind, habe ich gesagt, daß die Brailleschriftzeichen auch für eine Kurzschrift und für die Musiknoten sich eignen. Die Buchstaben bezeichnen in der Musik nicht nur die Tonhöhe, sondern auch den Wert der Noten. Die deutsche Notenbezeichnung c, d, e, f, g, a, h, c ist für Blinde ungeeignet, weil diese Buchstaben mit den entsprechenden Notenzeichen, die in Frankreich gewählt worden sind, nicht übereinstimmen und deshalb Verwirrung erzeugen. Das c wird in der Blindenmusikschrift durch ein d, das f durch ein g usw. bezeichnet. Wir wählen deshalb die romanische Nomenklatur do, re, mi, fa, sol, la, si, do. Man ist von der am häufigsten vorkommenden Achtelnote ♪ ausgegangen. Die Tonleiter in diesen Noten wird auf folgende Weise geschrieben:

c	d	e	f	g	a	h
do	re	mi	fa	sol	la	si
(d)	(e)	(f)	(g)	(h)	(i)	(j)

Wenn es sich um Viertelnoten handelt, kommt Punkt 6 (1 2 3 · 4 5 6) hinzu; also und Punkt 6 = c als ♩.

do, re, mi, fa, sol, la, si (do)

(♩)

Für halbe Noten tritt Punkt 3 zu den Grundzeichen.

do, re, mi, fa, sol, la, si

(𝅗𝅥)

Ganze und sechzehntel Noten bezeichnen die Punkte 3 und 6. (Wenn auf die Takte geachtet wird, können diese Noten nicht verwechselt werden.)

do, re, mi, fa, sol, la, si

(𝅝 𝅘𝅥𝅯)

Das Erhöhungszeichen ♯ (cis, dis usw.) ist (ei), das Vertiefungszeichen ♭ ist (eu), das für einen Takt geltende Auflösungszeichen (au).

Die Oktaven werden besonders bezeichnet, die erste, unterste durch Punkt 4 die zweite durch 4 und 5, die dritte durch 4, 5 und 6, die vierte durch 5, die fünfte durch 4 und 6 und die sechste durch 5 und 6. —

Auch die Pausen haben ihre Zeichen:

Ganze Pause,	halbe Pause,	Viertelpause,	Achtelpause
(m)	(u)	(v)	(x)

Die Musik wird für jede Hand besonders gesetzt. Die Hand muß bezeichnet werden:

Rechte Hand: Linke Hand:

Bei Akkorden werden nur die tiefsten Noten der linken Hand und die höchsten der rechten Hand direkt bezeichnet und die Intervalle, links von unten nach oben, rechts von oben nach unten angegeben.

Linke Hand	do (Grundton)	mi Terz	sol Quint	do Oktav
Rechte Hand	do Hochton *)	sol Quart	mi Sext	do Oktav

Alle andern Musikzeichen werden wieder durch Buchstaben angedeutet. Wer Genaueres erfahren will, den verweise ich auf die Musikfibel, welche der

*) Mit Oktavzeichen.

Verein zur Förderung der Blindenbildung (z. Z. Hannover) herausgegeben hat. Der Blinde entziffert die Musik der einen, dann die der andern Hand und spielt schließlich alles zusammen natürlich „auswendig". Wir haben schon Zöglinge gehabt, welche die längsten Sonaten in zwei Stunden, die Orgelbegleitung zu größeren Musikwerken, deren Aufführung mehr als eine Stunde in Anspruch nahm, in wenigen Wochen neben der gewöhnlichen Arbeit auswendig lernten.

Wenn man noch die etwa 160 Kürzungszeichen der Kurzschrift (Stenographie) hinzurechnet, die in mehreren Systemen vorhanden ist und regelmäßig alle drei Jahre „revidiert" wird, so muß man gestehen, daß an das Gedächtnis der Blinden und Blindenlehrer sehr hohe Anforderungen gestellt werden.

In Frankreich, England, Dänemark, Italien usw. hat man schon lange Blindennoten gedruckt. So lange in Deutschland die Lateinschrift herrschte, war dies nicht möglich. Deutsche Blinde, welche Musik treiben und dazu Noten haben wollten, waren auf das Ausland angewiesen. Die ersten deutschen Noten (100 Kinderlieder mit Noten) sind meines Wissens hier geschrieben und im Auftrag der Anstalt Illzach 1880 auf 81 in der Schweiz gedruckt worden. (Wir hatten alles, was in Frankreich erschienen war.) 1885 erschien in unsrer Druckerei das Weihnachtsoratorium von J. F. Müller, dann 30 gemischte Chöre und die Notenzeichen der Sehenden in Hochdruck. Schon 1881 hat auch Krage in Düren, z. Z. Neuwied, einige Musikstücke und später zwei Klavierschulen übertragen und noch andre Musik gedruckt; auch die Anstalt in Berlin, der Verein zur Förderung der Blindenbildung durch Dir. Wiedow, z. Z. Frankfurt, Vogel in Hamburg u. a. haben besonders Klavier- und Orgelstücke herausgegeben, so daß wir uns heute, dank der ausschließlichen Annahme der Brailleschrift, vom Ausland frei machen können.

Nachdem das Eis gebrochen war, hat der Blindendruck im deutschen Sprachgebiete riesige Fortschritte gemacht. Neue Druckereien sind aus dem Boden geschossen wie Pilze nach Regenwetter. Wir stehen heute hinter den Engländern und sogar den Franzosen, deren Erfindungsgeist und Initiative wir so viel verdanken, kaum mehr zurück; auf einzelnen Gebieten sind wir ihnen sogar weit vorausgeeilt. Wir haben heute, abgesehen von den Veranschaulichungsmitteln, von denen noch die Rede sein wird, Lesebücher für alle Unterrichtsstufen (die Franzosen haben heute noch kein eigentliches Schullesebuch), eine Grammatik, vier Werke für französischen Sprachunterricht, ein französisches und vier deutsche Geschichtswerke, ein geographisches Hilfsbuch, andre Bücher wissenschaftlichen Inhalts, Klassikerausgaben und belletristische Schriften mehr als man kaufen kann. Es erscheinen in Deutschland sechs, in Österreich zwei Blindenzeitschriften, die den Blinden auch mit den Tagesereignissen bekannt machen. Zahlreiche Damen übertragen Bücher in Blindenschrift für die Bibliotheken der einzelnen Anstalten oder für die neue Zentralleihbibliothek in Hamburg. Wenn wir ältere Blindenlehrer auf die Zeit vor 20 bis 25 Jahren zurückblicken, wo wir beinahe jedes Lesestück, das wir behandeln wollten, zuerst *diktieren* mußten, könnten wir beinahe auf unsre jüngeren Mitarbeiter und Nachfolger, denen alles so leicht gemacht ist, neidisch werden.

Auch an Versuchen, unser Fach auf eine wissenschaftliche — psychologisch-physiologische — Grundlage zu stellen, es zur Wissenschaft zu erheben, hat es nicht gefehlt. Die Blindenlehrerkongresse, aus denen auch der „Verein zur Förderung der Blindenbildung" hervorgewachsen ist, haben befruchtend gewirkt. Wohl auf keinem Gebiete des Schulwesens hat im letzten Vierteljahrhundert eine so rege, unermüdliche Tätigkeit geherrscht, wie auf dem der Blindenbildung. Es war bei uns aber auch fast alles noch zu tun. Der Buchhandel hat uns nichts gegeben. Wir haben alles selbst schaffen müssen. Darauf sind wir stolz!

Kartendruck.

Nachdem der Buchdruck für Blinde erfunden und, wenigstens in den Nachbarländern, durch den Brailledruck zu einem gewissen Abschlusse gekommen war, wurde dort der Wunsch rege, auch für andre Unterrichtsfächer, besonders für die Geographie, individuelle Lehrmittel zu schaffen, welche Klassenunterricht ermöglichen. Anfänglich hatte sich jeder Blindenlehrer seine Wandkarte selbst gezimmert. Auf einem Brette, das mit einer Kartenpause überspannt war, wurden die Ortschaften durch rundköpfige Nägel (Schuhnägel, Tapezierernägel usw.) verschiedener Dicke, die Grenzen meist durch schmale, enge Nägelreihen, die Flüsse durch Schnüre, allenfalls noch Eisenbahnen durch Drähte bezeichnet. Die Seen wurden vertieft (ausgehöhlt), und gelegentlich machte der eine oder andre Lehrer auch noch den Versuch, die Gebirge durch unförmliche Gips- oder Kittklumpen zu veranschaulichen. In den Blindenmuseen und den Rumpelkammern der meisten Anstalten findet man heute noch derartige Karikaturen, deren Herstellung viel Arbeit und Geduld und wenig geographische Kenntnis voraussetzte. Solche Lehrmittel konnten schon infolge ihrer Unvollkommenheit richtige Vorstellungen von der Bodengestalt, die alles Weitere bedingt, nicht vermitteln. Auch ermöglichten sie keinen Klassenunterricht. Während ein Schüler an einer solchen Wand-„Karte" stand, waren seine Klassengenossen unbeschäftigt. Es musste jeder einzeln vorgenommen werden. In einer Klasse von nur zwölf Schülern konnte also jeder in einer Unterrichtsstunde höchstens vier bis fünf Minuten beschäftigt werden. Dabei kam natürlich für den Unterricht nicht viel heraus und die müßig dasitzenden Schüler „verbummelten" in solchen Stunden. Auch war in der Regel nur etwa eine „Karte" der engeren Heimat in solcher Ausführung vorhanden.

Um diesen Übelständen abzuhelfen, suchten die Franzosen die benagelten Wandbretter durch geprägte Karten zu ersetzen, damit während des Unterrichts jedem Schüler ein Blatt in die Hand gegeben werden könnte.

Laas d'Aguen hat im Auftrag der französischen Regierung in den Jahren 1854 und 55 eine Reihe solcher Karten (Frankreich und die Erdteile) vertieft in Messing gestochen und dieselben in 2 mm dicke Pappe geprägt.

Diese sehr schön geprägten Blätter waren aber nur Skizzen. Die Küsten sind auf denselben durch breite Wülste, die Flüsse durch feinere, erhabene Linien, die Seen durch solche Ringe, das Meer durch Horizontalschraffen, die Ortschaften und Grenzen durch Punkte, die Gebirge durch sog. „Semmelreihen" oder dickere Linien dargestellt. Die Küstenwülste sind aber dicker als die Gebirge.

Von einigermaßen richtiger Geländedarstellung (Gebirgsmodellierung) war nicht die Rede und konnte bei diesem Verfahren nicht die Rede sein. Immerhin bedeuteten diese Blätter einen wesentlichen Fortschritt. Sie sind aber wenig bekannt geworden; denn ich habe sie in keiner altdeutschen Anstalt gefunden. Wie lange solche Blätter gedruckt worden sind, weiß ich nicht. Mir ist nur bekannt, daß sie vor 24 Jahren längst vergriffen und daß die Druckplatten spurlos verschwunden waren. Die Pariser haben sich dann in den achtziger Jahren große, aber nicht sehr erfolgreiche Mühe gegeben, einige von meinen Karten mit großen Kosten, 500 bis 600 fr. Gravierungskosten das Blatt, nachzubilden. Nicht jeder Graveur ist Geoplastiker. Auch die Engländer haben sich vor etwa 25 bis 30 Jahren in der Blindenkartographie versucht. Statt das Festland mit Küstenwülsten zu umgeben, hoben sie dasselbe um zwei bis drei mm heraus. Von der an und für sich richtigen Idee ausgehend, daß eine erhöhte Linie eine unnatürliche Flußbezeichnung sei, wandten sie für diesen Zweck vertiefte Rinnen an. (So auch die Dänen bei einigen Versuchen.) Um diese Flußläufe tastbar zu machen, mußten dieselben aber in der Breite so sehr übertrieben werden (3 bis 4 mm), daß an einzelnen Stellen für das Land wenig Raum übrigblieb und die Ortschaften verschoben wurden.

Dr. Armitage in London, der berühmte Blindenfreund, kam dann auf den Gedanken, das linke Flußufer abzuschrägen und das rechte senkrecht stehen zu lassen, um auf diese Weise auch gleich die Richtung des Flußlaufes anzudeuten. Dadurch wurde aber eine in kleinem Maßstab ausgeführte Karte in eine Unzahl schiefer Flächen zerlegt, die sehr oft eine ganz verkehrte Neigung oder Abdachung aufwiesen. Einigermaßen richtige Geländedarstellung wäre bei dieser Manier nicht möglich gewesen, selbst wenn die Autoren der Blätter über etwelche geographische Kenntnisse verfügt hätten. Dicke Punkte und Wülste stellten Gebirge dar. Aber auch ohnedies hatten die englischen Karten für Mitteleuropa wenig Wert, weil eben wesentlich doch nur englisches Gebiet berücksichtigt worden war.

In Deutschland hatte Blindenlehrer Martens in Hannover es versucht, einige Skizzen zu prägen; dieselben waren aber in jeder Beziehung so mangelhaft, daß sie überhaupt nicht gebraucht werden konnten.

So lagen die Dinge im Jahre 1881. Im August 1882 sollte auf dem Frankfurter allgemeinen Blindenkongresse der geographische Unterricht zur Sprache kommen; aber niemand wollte den Bericht übernehmen. Bei meiner Rückkehr vom deutschen Geographentage in Halle (Ostern 1882) besuchte ich die Blindenanstalt in Frankfurt. Da bat mich der künftige Kongreßpräsident, Inspektor Schild, in die Lücke zu treten. Als Neuling auf dem Gebiete der Blindenbildung lehnte ich ab. Kurz vor Eröffnung des Kongresses klopfte er aber wieder an. Schließlich sagte ich zu in der Hoffnung, auf der Kongreßausstellung Stoff zu einem Berichte zu finden. Ich fand dort nichts Neues, außer einigen Skizzen, die der um den Blindenschriftdruck sehr verdiente Berliner Buchdrucker Schultze ausgelegt hatte. Dieselben

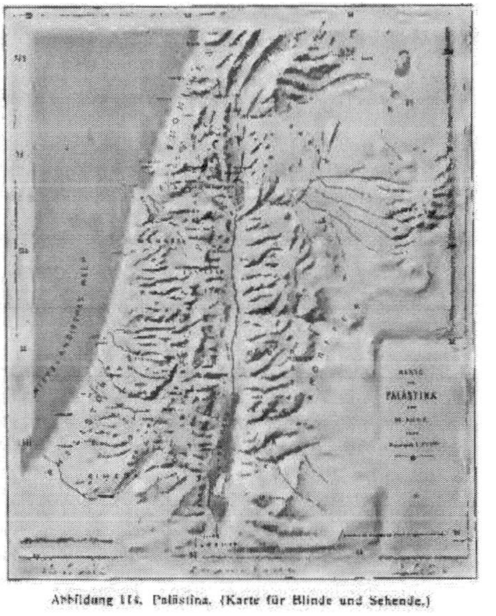

Abbildung 114. Palästina. (Karte für Blinde und Sehende.)

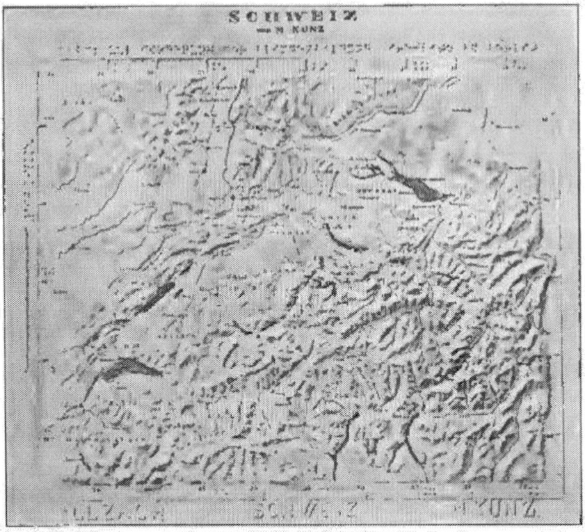

Abbildung 115. Schweiz (Karte für Blinde).

verrieten eine sehr gute Technik aber auch gänzlichen Mangel an geographischen Kenntnissen. So zeigte eine Skizze von Italien scharfe gerippte Küstenlinien. Die Insel Sizilien war aber als verkehrt-zwiebelförmiges Hühnerauge auf der großen Zehe Italiens dargestellt! Als ich beim Anblick der Mißgeburt in herzliches Lachen ausbrach, schrie mich der mir unbekannte Autor, welcher sich in seiner Vaterehre gekränkt fühlte, wütend an: „Ja, *lachen* können die Blindenlehrer; aber *machen* können sie nichts!“

Ich tröstete ihn damit, daß ich ihn vor die von mir ausgestellten Reliefs von Genua (nach eignen Höhenmessungen), Asien und Südtirol stellte und ihn zum Lachen einlud.

Am Schlusse meines Vortrags stellte ich die Thesen auf, es sei Möhls Karte von Mitteleuropa als Wandkarte für Blinde zu modellieren; ferner sei die Herausgabe eines Skizzenatlasses anzustreben. Die Thesen wurden angenommen. Keinem von uns fiel damals ein, daß uns mit einer, wenn auch guten, Wandkarte nicht gedient sei! Wir übertrugen einfach die in Schulen Sehender übliche Methode auf die Blindenschule, ohne uns des Unterschieds bewußt zu werden. Der Kongreß forderte mich dann auf, die Wandkarte zu modellieren und Skizzen-Prägeversuche zu machen. Das angefangene Modell von Mitteleuropa, dessen Zwecklosigkeit mir doch bald zum Bewußtsein kam, hängte ich als Monument unsrer Einfalt buchstäblich an den Nagel und machte mich an die Prägeversuche. Es wurde eine alte Handbuchdruckpresse angeschafft. Zu den ersten Versuchen dienten Höhenschichtenmodelle verschiedener Länder, welche unter meiner Leitung durch Schülerinnen der internationalen höheren Töchterschule in Genua angefertigt worden waren. Statt der Matrizen wurden Filzeinlagen gebraucht. Die Prägung blieb aber undeutlich. Für Sehende konnten diese stummen Kärtchen Verwendung finden (mein Höhenschichten-Repetitionsatlas ist später aus diesen Anfängen hervorgegangen); für Blinde waren sie natürlich wertlos. Da fiel mir ein, daß mir im Herbst 1881 Herr Levitte, pädagogischer Direktor des Pariser Nationalinstituts, die von ihm erfundenen, jetzt allgemein gebräuchlichen Stereotypplatten für Blindendruck gezeigt hatte. So kam ich auf den Gedanken, daß mit der Methode Benvenuto Cellinis etwas zu machen sein könnte. Ich nahm ein Messingblech, falzte es wie ein Blatt Papier zusammen, legte es auf eine Bleiplatte und klopfte dann mit stumpfen Meißeln Küstenlinien, Flußläufe, Ortschaften und Grenzen verkehrt hinein. Die (beim Schlagen) obere Platte zeigte dann auf der Rückseite erhöhte Signaturen, welche genau in die gleichzeitig entstandenen Eindrücke der unteren Platte paßten. Ich legte angefeuchtetes Papier zwischen beide Platten, schützte sie auf beiden Seiten durch Filzblätter und legte sie unter die Presse. So entstand die erste, wenn auch sehr mangelhafte, Skizze von Spanien. Direktor Kull-Berlin stellt nach dieser Methode heute noch die sauberen Kartenskizzen her, die er seiner Blindenzeitschrift beilegt. Auch einige Skizzen zur Biblischen Geschichte hat er nach dieser Methode angefertigt.

Nun regte sich aber der Wunsch in mir, nicht nur Skizzen, sondern wirkliche Karten herzustellen, d. h. auch die Gebirge in diese Platten hineinzuklopfen. Ich habe auf diese Weise „Kärtchen“ von Elsaß-Lothringen und von Italien hergestellt. Dieselben entsprachen aber meinen Ansprüchen keineswegs. Abgesehen davon, daß es sehr schwer ist, das Relief, das man sich deutlich vorstellt, gleichsam im Geist umzustülpen und sich nicht nur, was rechts liegt, links — und was erhöht ist, vertieft zu denken, besonders, wenn es sich um ein verwickeltes Gebirgssystem (Alpen) handelt, so hält auch das Messingblech die Dehnung nicht aus. Die Bergspitzen brechen durch und es ist mehr als schwer, die Tiefen, bzw. Höhen, richtig abzuschätzen. Diese Versuche wurden also aufgegeben. Sie hatten aber doch den Erfolg gehabt, mir die Erlaubnis von seite der Verwaltung der Anstalt zu erwirken, mit einem Kostenaufwand von etwa 2400 M. eine neue starke Balancierpresse bauen zu lassen. — Ich versuchte nun zu modellieren und die Formen in mit Leim gehärtetem Gips abzugießen. Die Gipsplatten hielten den Druck nicht aus.

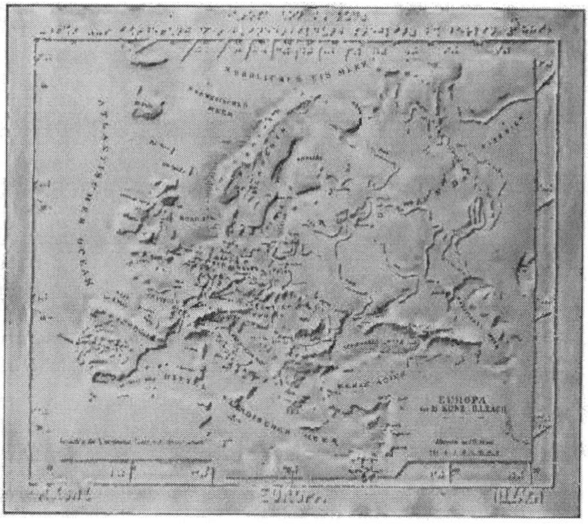

Abbildung 116. Europa (Karte für Blinde).

Da brachten mich Druckmodelle aus kreuzweise verleimtem Birnbaumholz, wie sie früher in den Mülhauser Kattundruckereien für den Farbendruck gebraucht wurden, auf den Gedanken, es mit dem *Gravieren* zu versuchen. Ich schaffte mir das nötige Werkzeug und Bretter an (die sich nicht verziehen dürfen) und machte mich an die Arbeit. Es ging langsam; denn die Arbeit war mir neu; aber es ging! Nur machte sich der Übelstand fühlbar, daß beim ersten Stich die auf das Holz gepauste Zeichnung verschwand. Ich mußte aus dem Gedächtnis „umgestülpte" Formen gravieren. Wenn ich nicht früher im geographischen Unterricht bei Vollsinnigen den größten Teil der Erdoberfläche schon durchmodelliert*) gehabt, und deshalb klare Vorstellungen besessen hätte, wäre mir diese Arbeit unmöglich gewesen. Als Autodidakt kannte ich auch die kleinen Vorteile und Kniffe nicht, welche Graveure von Beruf anwenden, um ihre Arbeit zu prüfen (Wachsabdrücke). Ich mußte sie gelegentlich selbst finden. Anfänglich legte ich das Blatt unter die Presse, sobald einige Stiche gemacht waren. So entstand denn aber doch die Karte von Italien, das älteste Blatt meines jetzt 86 wirkliche Reliefkarten umfassenden Blindenatlasses.

Zum Druck verwendete ich jetzt Kautschukplatten. Auf diese Weise sind 1883—84 vierzehn Karten entstanden, die für das Auge bestechend wirkten und nach meiner Ansicht dem durch das Lesen mit den Fingern „verfeinerten" Tastsinn der Blinden genügen mußten. Heute weiß ich, daß das Lesen den Tastsinn *abstumpft* und daß der Lesefinger des Blinden der *hartfühligste* ist**). Die Karten fanden Verbreitung; es liefen aber doch Reklamationen ein: „Wunderschön, aber nicht scharf genug." Der Kautschuk allein reichte selbst unter der gewaltigen Presse nicht aus, um das dicke, feuchte Papier auf den Grund der Gravierung zu pressen; ich ließ deshalb durch den Drukker alle Flußläufe, Orts- und Grenzpunkte auf der Hohlform mit einer Stricknadel tiefer eindrücken. Es war dies eine gewaltige Arbeit, beziehungsweise ein großer Zeitverlust, wenn viele Karten gedruckt werden sollten. Deshalb kam ich auf den Gedanken, mein erstes Verfahren (Doppelblech) mit dem dritten zu verbinden. Ich ließ Messingblechdeckel auf die Bretter passen und klopfte die Flußläufe, Orts- und Grenzpunkte und Titel mit Stumpfmeißeln und Stift in die Gravierung des Brettes hinein. — Das feuchte Papier kam dann zunächst zwischen Holzform und Kautschukplatte und wurde gepreßt; dann wurde zur Verschärfung das Blech aufgelegt und die Prägung wiederholt. Zum Druck einer Karte waren so sechs Schläge erforderlich. Anfänglich ging das prächtig. Wenn man aber die Form nach einigen Wochen wieder zu neuer Arbeit hervorholte, paßte plötzlich das Blech nicht mehr in die Hohlform und wurde gequetscht. Nach einigen Wochen konnte es wieder leidlich passen, wurde aber doch bald unbrauchbar. — Lange konnte ich mir diese „Hexerei" nicht erklären und war der Verzweiflung nahe. Endlich ging mir aber doch ein Licht auf. Durch den Druck hatte sich das Blech ausgedehnt und das Brett

*) Vergleiche meine Schrift: „Das Modell im Dienste des geographischen Unterrichts". Julius Klinkhardt, Wien und Leipzig, 1879 (Sonderabzug aus dem Pädagogium von Dittes) und meine italienische Schrift: „Dell' applicazione del metodo intuitivo all' insegnamento della geografia". Turin und Rom, 1880.

**) Vergleiche meine Schrift: „Zur Blindenphysiologie", Wiener medizinische Wochenschrift für Therapie und Hygiene des Auges, Blindenfreund „Valentin Haüy (Paris) und Rivista di Tiflologia (Rom).

war von der Witterung, das heißt dem Feuchtigkeitsgrad der Luft, abhängig. Bei feuchter Witterung, das heißt, wenn das Brett auch „gewachsen“ war, paßten beide Platten ineinander, bei trockener Witterung nicht. Ein Unterschied von 1 mm genügte aber, um den ganzen Apparat unbrauchbar zu machen. Das Verfahren hatte auch sonst verschiedene Mängel. Das Papier, welches durch den Kautschuk gleich an allen nicht vertieften Stellen des Brettes festgehalten wurde, konnte sich nicht gleichmäßig ausdehnen. Diejenigen Teile des Blattes, welche über den hohlen Stellen (Gebirgen) lagen, vermochten diese gewaltige Verlängerung allein nicht zu ertragen. Gebirgskämme und Gipfel rissen deshalb fast regelmäßig entzwei und mußten ausgekittet werden. Dies kostete wieder viel Arbeit und die Karten verzogen sich nach

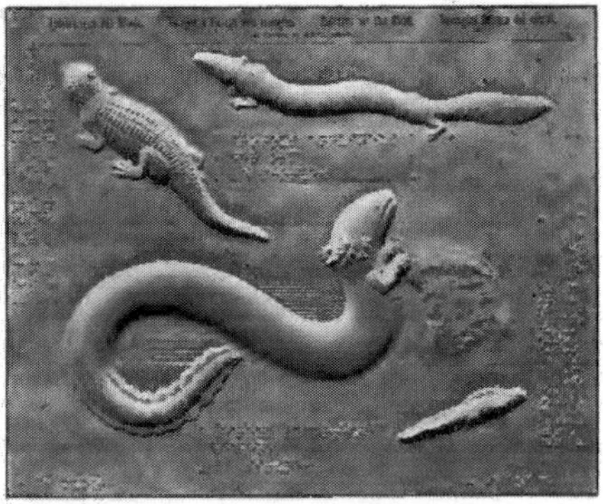

Feuersalamander Sirene Olm Kammolch
Abbildung 117. (Bildertafel für Blinde.)

allen Richtungen, weil der Kitt langsamer trocknete als das Papier. So wurde es mir denn klar, daß ich mich wieder nach einem andern Verfahren umsehen müsse. Ich hielt wieder Umschau in den Fabriken unserer Vorstandsmitglieder und entdeckte Holzdruckmodelle mit eingeschlagenen Messingstreifen. Die gesuchte Idee war gefunden. Ich gravierte auf das Brett nur noch die Schraffen des Meeres. Dann wurde die Karte des darzustellenden Landes auf Pappe aufgezeichnet, diese scharf ausgeschnitten (ausgeschlagen) und auf das Brett geleimt, so daß sich das Land als Ganzes heraushob. Die Flußläufe wurden aufgemeißelt, Messingstreifen wurden entsprechend gebogen und durch die Pappe bis in das Holz hineingetrieben, dann auf die gewollte Höhe abgefeilt, abgeschliffen und abgerundet. Messingstifte verschiedener Dicke, aber ohne Köpfe, gaben die Orts-, feine Messingstiftchen die Grenzpunkte. Alle mußten einzeln, besonders in den Gebirgen, auf die richtige Höhe abgefeilt und abgerundet werden. In einzelnen Brettern stehen 2000—3000 Stiftchen. Das Einschlagen derselben, sowie der Messingstreifen, *kann* ich unter Umständen durch einen Holzstecher (Graveur) besorgen lassen. Das Abfeilen und Abrunden usw. *muß* ich *selbst* besorgen, weil diese Leute von den Höhenunterschieden keine Ahnung haben. Nun fehlt aber noch die Terraindarstellung. Auch die wichtigeren Höhenpunkte werden durch feine Stiftchen festgelegt und dann werden die Gebirge, Hochflächen usw. mit einem erhärtenden Kitt aus Kreide und Leim einmodelliert. Der Kitt wird flüssig aufgetragen; dann lasse ich ihn trocknen (die Haupttäler werden eingedrückt, so lange er weich ist) und schabe mit Löffelbohrern (Bürstenmacherbohrern) verschiedener Größe Tal um Tal und Tälchen um Tälchen heraus. Mit Wachs ließe sich viel leichter modellieren. Dann würde aber eine galvanoplastische Reproduktion der Form nötig, und solche Platten sind sehr teuer. Wir Blindenlehrer müssen aber mit nichts etwas zu machen wissen; sonst sind wir übel dran. Wenn diese Original-Kittformen gut lakkiert sind, kann man auf denselben prägen, solange man will. Auf einzelnen derselben sind schon gegen 2000 Karten gedruckt worden, ohne daß sie im mindesten gelitten haben. Auch lassen sich an denselben immer wieder beliebige Änderungen vornehmen, um möglichst vielerlei Wünschen gerecht zu werden. So arbeite ich seit 1885. — 62 Karten meines Blindenatlasses (von 86) und mein größerer plastischer Atlas für Sehende sind auf diese Weise entstanden. Siehe die in Abbildung 1 bis 3 zum Abdruck gebrachten Kartennachbildungen.

Beim Modellieren hat man die Form vollständig in seiner Gewalt. Es können durch Höhenstiftchen beliebig viele Punkte nach Breite, Länge und Höhe genau festgelegt werden. Um ein Relief von Südtirol [1 : 450000] herzustellen, habe ich vor bald 30 Jahren rund 5000 Punkte durch Höhenstiftchen bestimmt, ehe ich anfing zu modellieren. Man sieht bei jeder Handbewegung genau, was man macht und kann Fehler beliebig verbessern, was beim Gravieren, wenn nicht unmöglich, so doch schwerer und umständlicher ist.

Da generalisiert werden muß und nicht, wie beim Schichtenrelief, rein mechanisch gearbeitet werden kann, setzt das eigentliche Modellieren klare geographische Vorstellungen und große Übung im Kartenlesen voraus. Wer eine Miniaturbüste meißeln will, kann nicht jede Runzel berücksichtigen, und doch soll das Bild „getroffen“ sein, wie der Kopf einer Münze. Man kann nicht anfangen zu meißeln, ohne eine Vorstellung von dem Kopfe zu haben, welcher dargestellt werden soll. Ein Schichtenrelief dagegen kann jedes Kind nach kurzer Anleitung ausschneiden und aufbauen, ohne daß es vorher eine Ahnung von der Bodengestalt des darzustellenden Gebietes hat. Ich habe s. Z. bei Sehenden behufs Einführung derselben in das Verständnis der Höhenkurven kleine Schichtenreliefs in einer Stunde durch die ganze Klasse herstellen lassen. Jede Schülerin pauste eine Kurve auf ein Blatt Papier von entsprechender Dicke und schnitt diese Schicht mit der Schere heraus. Dann wurden die Schichten eingesammelt und aufeinandergeklebt – und das Treppenrelief war fertig. Mit diesem ist gleichsam auch die früher nicht vorhandene Vorstellung von dem dargestellten Gebiete aufgebaut worden. Die Schichtenmanier wäre also für Anfänger sehr viel leichter als das freie Modellieren nach Höhenstiften. Für Blindenkarten ist sie aber kaum anwendbar, weil die Schichtenränder mit den erhöhten Flußläufen verwechselt würden. Die Treppen müßten also doch mit irgend einem Kitt zur schiefen Fläche ausgeglichen werden. Dann sind aber nachträglich die Flußläufe nicht mehr anzubringen.

Es kommt also für Blindenkarten nur noch die freie Modellierung nach Höhenstiften in Betracht. Gravierte Formen sind ganz ausgeschlossen; denn auch das Papier erträgt auf erhöhten Formen viel größere Verlängerung als auf hohlen Platten, weil zuerst nur die höchsten Punkte festgehalten werden, somit das ganze Blatt Zeit findet, sich an der verlangten Ausdehnung zu beteiligen.

Prägungen, wie die meiner Schweizerkarte, Abbildung 1 (und verschiedener Bilder), wären meines Erachtens nach andrer Methode unausführbar. Weder Tapetenfabriken, noch Prägeanstalten haben meines Wissens ein solches Relief mit einfachem Papier jemals erreicht. Leider kann diese Karte dem „Archiv" nicht beigelegt werden! Sie liegt aber im Buchgewerbehaus in Leipzig. Dreißig von den genannten 86 Karten sind seit 1886 für den „Verein zur Förderung der Blindenbildung" (früher Steglitz-Berlin, jetzt Hannover) und nach dessen Stoffauswahl bearbeitet worden, der je 1000 Blätter der ersten Auflage, also 30000 Stück, bezogen hat. So wurde die Herausgabe von Karten mit Namen in Schwarzdruck ermöglicht. Ohne festen Auftrag wäre dies untunlich gewesen. Weitere Spezialkarten sind bearbeitet worden für die russische Regierung (3), für die Kgl. Blindenanstalt in Kopenhagen (2) und für die Anstalten in Steglitz-Berlin, Kiel, Königsberg, Düren (2), Neuwied, Graz. Die übrigen 44 verschiedenen Karten sind ohne besondern Auftrag hergestellt worden. Bis jetzt sind über 100000 Karten durch die ganze gesittete Welt — bis nach Amerika, Südafrika, Australien und Neuseeland — gegangen. In den Abbildungen 1, 2 und 3 sind einige Karten verkleinert wiedergegeben.

Nun noch einige Worte über den Bilderdruck*).

Es ist einigermaßen merkwürdig, daß man fast überall für die Nachbildung in Hochdruck nach der Schrift — die unzugänglichsten und „schwersten" Gegenstände, diejenigen des geographischen Unterrichts, auswählte und darüber tausend andere Dinge vergaß, welche täglich zur Sprache kommen, in ungezählten Lesestücken genannt werden und den Blinden während des Unterrichts doch nur selten wirklich veranschaulicht werden können. — Man denke nur an fast alle Tiere, viele Pflanzen, ungezählte Dinge des täglichen Gebrauchs, die nicht, oder nicht in genügender Zahl in die Schulstube hineinzubringen sind, an physikalische Vorgänge, welche auch dem Sehenden nur durch Zeichnungen erklärt werden können (Lichtbrechung, Sehvorgang) usw.

Es gibt auch sehr viele zugängliche Dinge, die für den tastenden Finger zu groß, zu klein, oder zu gefährlich sind, also nur durch vergrößerte, verkleinerte, oder ungefährliche Modelle einigermaßen zu veranschaulichen wären. — Wo findet man aber in einer Blindenanstalt eine genügende Zahl geeigneter Modelle, um auch nur hundert Gegenstände — von den Tausenden —, die im täglichen Leben, im Unterricht, oder in den Büchern genannt werden, wirklich zur Anschauung zu bringen?! Als ich 1881 die Leitung der hiesigen Anstalt übernahm, fand ich hier weder ein ausgestopftes Tier noch – abgesehen von einigen Spielsachen — ein einziges Modell irgendwelcher Art, welches zur Veranschaulichung hätte dienen können. — Wenn ich fragte, was ist denn ein Rabe, ein Adler, ein Pferd, ein Kamel usw., so bekam ich zur Antwort: un corbeau, un aegle, un cheval, un chameau usw. — Fragte ich französisch, so erhielt ich als Antwort die deutschen Namen; aber Vorstellungen waren keine vorhanden — und konnten nicht vorhanden sein, weil es an Anschauung mangelte. So stellte stets, wo Begriffe fehlten, ein Wort zur rechten Zeit sich ein.
Wie bei uns, so stand es damals fast überall. Ich habe vor Jahren die meisten wichtigeren Blindenanstalten von Mittel-, West- und Süd-Europa besucht und fast nirgends lebende oder ausgestopfte Tiere gefunden. — Deshalb erkannte ich es als meine nächste Aufgabe, Anschauungsstoff zu sam-

*) Vgl. M. Kunz: „Das Bild in der Blindenschule", Kongreßvortrag, Kiel 1891 und M. Kunz: „Bilder und Zeichnungen in der Blindenschule" (Sonderabdruck aus dem Lexikon des Blindenwesens von Alex. Mell. Wien 1900).

Abbildung 118. Elephant (Bildertafel für Blinde).

meln. — Ich kaufte ausgestopfte Tiere, ließ solche, die ich selbst schoß, ausstopfen und bettelte andere befreundeten Jägern ab. — Heute verfügt unsere Anstalt über eine hübsche kleine Sammlung, in welcher alle wichtigeren Tierklassen (auch Fische und Reptilien) — z. T. durch mehrere Exemplare vertreten sind, (ca. 100 ausgestopfte Säugetiere, Vögel und Fische; dann Krebse, Muscheln, Schnecken usw.) — Auch halten wir verschiedne Haustiere, die von den Kindern betastet werden können (Pferde, Schafe, Hunde, Schweine, Kaninchen, Hühner, Fasanen usw.). Ich bin also keineswegs der Ansicht, daß der Unterricht nur auf Bilder gestützt werden könne. Es gibt aber doch eine Unmasse von sehr großen und sehr kleinen Lebewesen und Kunstgegenständen, die man auch nicht einmal in ausgestopftem oder getrocknetem Zustande oder in Modellen in die Anstalt herein bekommen, oder dem Tastsinn zugänglich machen kann. Unsere Blindenbücher sprechen aber von solchen. — Da müßten naturgetreue Modelle in genügender Zahl (mindestens eines für je 2 Schüler) in die Lücke treten. Wer macht uns diese, und wer könnte alle kaufen?

Aus diesen Gründen ist man denn schon frühzeitig auf den Gedanken gekommen, wie für die Geographie, so auch für die Naturkunde, geprägte Umrißbilder in die Lücke treten zu lassen. — Solche Umrißzeichnungen konnten aber nicht verstanden werden, weil es an der Voraussetzung, nämlich dem Betasten der entsprechenden Naturgegenstände, fehlte — und weil das vorletzte Glied der von Dir. Heller aufgestellten „absteigenden Reihe" (lebendes Tier, ausgestopftes Tier, Vollmodell, Halbmodell, Umriß) ausgelassen worden war. — Zur Prägung von naturgetreuen vergrößerten oder verkleinerten Halbmodellen reichte aber die damalige Technik nicht aus. — Umrißbilder als Beilagen zu einer Art Fachlexikon sollen, wie Hecke-Hannover dem Blindenlehrerkongresse in Berlin (1898) mitgeteilt hat, auf Veranlassung eines früheren Hauptmanns von Neudegg schon vor 1850 in der k. k. Staatsdruckerei zu Wien gedruckt worden sein. Dieselben wurden aber, wie v. Neudeggs Kartenskizzen, als völlig unbrauchbar bezeichnet. Mir sind sie nicht zu Gesicht gekommen. Um 1855 hat, wie aus der eben erschienenen Geschichte des k. k. Blindeninstituts in Wien hervorgeht, die Wiener Staatsdruckerei eine größere Anzahl galvanoplastischer Platten zur Prägung von Reliefbildern herstellen lassen. Diese Bilder sollten das Stück 5 Gulden kosten. Sie haben keine Verbreitung gefunden. Selbst das Wiener Institut hat keine gekauft. Die Platten sind aber in dessen Besitz übergegangen. Zeichnungen für den geometrischen Unterricht sind in den sechziger Jahren in Paris erschienen; in den achtziger Jahren hat Dir. Mohr z. Z. in Hannover solche angefertigt und der blinde Dr. Moon in Brigthon hat rein perspektivische Umrißzeichnungen von allerlei Gegenständen des täglichen Gebrauchs herstellen lassen, die meines Erachtens niemals richtige Vorstellungen von den meisten dargestellten Gegenständen zu vermitteln vermögen. Auch die Moonschen Zeichnungen sind mir erst bekannt geworden, als ich selbst schon einen Versuch in dieser Richtung gemacht hatte. Dieser war weniger durch ein mir vorschwebendes Ziel, als durch den Zufall veranlaßt worden. — Als ich — es war 1884 — Tag und Nacht und Sonntags und in den Ferien während

Birkhahn | Abbildung 119. (Bildertafel für Blinde.) | Rebhuhn
Perlhuhn | | Truthahn

30*

jeder freien Stunde an meinen Kartenbrettern gravierte, trat eines Tages mein jüngerer Knabe zu mir und sagte vorwurfsvoll: „Papa, du machst immer Karten für andere Leute, und für mich machst du nie etwas!“ „Ja, du hast Recht, armer Kerl“, antwortete ich ihm; „was soll ich dir denn machen?“ Er hatte mit einer vereinsamten Ente, die in unserem Hofe herumwackelte, Freundschaft geschlossen. Deshalb antwortete er mir, ohne sich lange zu besinnen: „Mach' mir eine Ente!“ Ich holte ein verdorbenes Brett hervor, zeichnete mit einigen Strichen eine Ente darauf, hob das Bild mit einigen Stichen heraus und legte das Brett unter die Presse. So entstand mein erstes Reliefbild, über dessen Naturwahrheit und Tastbarkeit ich selbst erstaunt war. Ich zeigte dasselbe den Blinden, welche die einzelnen Teile ohne Mühe herausfanden, obwohl die Zeichnung nur zirka 4 Zentimeter lang ist. — Die für mich neue Idee war gefunden. — Ich gravierte sofort auf dasselbe Brett noch einen Schwan, einen Ibis und einen Flamingo und zwar nicht etwa als Umrißbilder, sondern als Halb- oder Flachmodelle. — Bei der Prägung auf diesen Hohlformen zeigten sich aber bald dieselben Schwierigkeiten und Nachteile, wie bei den vertieften Kartenformen. Das Papier riß in der Tiefe. — Noch in jenem Jahre fand ich aber meine jetzige Kartenmanier. Ich kam deshalb auf den Gedanken, auch Bilder aus erhärtendem Kitt zu modellieren. So entstand das Bild des Pferdes in Trabstellung. Größere Kittmassen springen aber leicht ab und erfordern deshalb häufige Reparaturen. Deshalb versuchte ich es mit dem Schnitzen nach Art der Schweizer Holzschnitzer. — Ich zeichnete ein Kamel auf ein zirka 12 Millimeter dickes Brettchen aus Lindenholz, ließ es grob heraus sägen, leimte es auf ein Gravierbrett und machte mich mit Meißel, „Geißfuß“, Feile und Glaspapier an die Arbeit. Das Bild gelang vorzüglich und auch die Prägung machte keine Schwierigkeiten, nachdem verschiedene Stellen etwas abgeschrägt und ausgeglichen waren. — So habe ich seither gearbeitet, so oft Zeit, Berufsgeschäfte und Kartographie es mir erlaubten. — Ich schnitze heute ein beliebiges Tierbild druckfertig in 2—3 Stunden. Die Prägung dieser Platten, die oft 3—6 Bilder enthalten, vollzieht sich mit einem Schlag der Presse. Nur wenige bedürfen weiterer Nachhülfe. —

Da die Spannung des Papiers, z. B. beim Elephanten, eine sehr große ist, erscheint es angezeigt, die Blätter auf der Rückseite (hohle Seite) zu firnissen und dann leicht auszukitten, um sie gegen Druck widerstandsfähiger zu machen. — Rohe Blätter werden durch den ungleichmäßig trocknenden Kitt leicht verzogen. — Ich habe die Bilder vielfach auch auf der obern Seite lackiert, um sie waschbar zu machen; dadurch werden sie aber glasig und fühlen sich an wie Blech, was für den Finger unangenehm ist. — Vor zirka 2 Jahren haben mich dann s. g. Stofftapeten auf den Gedanken gebracht, die Bilder mit Seiden- oder Wollstaub (Tondices), den durch das „Scheren“ der Stoffe erzeugten Abfällen, zu bekleiden. Da man diesen Staub, der mit Lack aufgeklebt wird, in allen Farben haben kann, ist es möglich, den Tieren eine haarige Bedeckung in den Naturfarben zu geben. — Nur erfordert dies, namentlich bei buntfarbigen Vögeln, viel Arbeit. Für völlig Blinde genügt eine derartige Bedeckung von beliebiger Farbe. — Bilder wie Karten —, welche durch das Betasten schmutzig geworden sind, können mit Seifenwasser und Schwamm gereinigt werden.

Auch H. Dir. Kull-Berlin veröffentlicht von Zeit zu Zeit hübsche Umrißbilder, die in Doppelmetallplatten geschlagen und geprägt werden wie Schrift. — Herr Dir. Wiedow-Frankfurt hat 1891 in Kiel einige gelungene Versuche ausgestellt und Herr Hecke-Hannover modelliert sehr natürliche Halbmodelle und Gruppenbilder, die, aber leider nicht durch Druck **vervielfältigt** werden können, — weshalb ich hier nicht näher darauf eingehe. —

Solche Bilder sind nicht das Beste! — Besser ist, wie schon gesagt, der Naturgegenstand, wenn er zugänglich und ungefährlich ist und für die tastende Hand die richtigen Dimensionen hat. Sie sind aber sehr viel besser als nichts, vorausgesetzt, daß die Kinder wenigstens ähnliche Naturgegenstände schon betastet haben, — also Bilder „lesen“ können. — Wenn das Kind eine Hauskatze genau betastet hat, werden ihm Bilder mit einigen erklärenden Worten richtigere Vorstellungen von Löwen, Tigern usw. zu vermitteln vermögen, als die schönste Beschreibung. An einen ausgestopften Storch schließen sich die Bilder des Flamingo, des Reihers, des Ibis usw. an, — an die lebende oder ausgestopfte Ente, die Gruppe Gans, Schwan, Pelikan usw. Durch das ewige Betasten nützen sich ausgestopfte Tiere schnell ab; mindestens werden sie struppig. Ausgestopfte Fische verlieren bei jeder unvorsichtigen Berührung die brüchigen Flossen. Durch Bilder, die mindestens zur Repetition ausreichen, kann das wertvolle Anschauungsmaterial geschont werden. — Da jedes Kind während des Unterrichts diese billigen Tafeln (30 50 Pfg.) vor sich haben kann, ist ferner Klassenunterricht möglich. Das Einzelbild kostet durchschnittlich 10 Pfg. — nicht 5 Gulden! — Wenn in einer Unterrichtsstunde rasch und unvorhergesehen ein Wort, bzw. ein Gegenstand, veranschaulicht werden soll, sind schnell und geräuschlos einige Bildertafeln in Umlauf gesetzt. — Hat man keine, so wird eben in der Regel ein unverstandenes Wort durch andere unverstandene Wörter „erklärt" — und der Schein ist gerettet! — —

Es gibt zwar Leute, welche behaupten, der Blinde könne „Bilder", d. h. Halbmodelle, nicht verstehen. Lehrer, die solche Blinde in der Klasse haben, stellen damit ihrem übrigen Anschauungsmaterial und ihrem vorbereitenden Unterricht das denkbar beste Armutszeugnis aus! Dieselben Leute behaupten aber wieder — und meine Erfahrung bestätigt es wenigstens teilweise — Blinde können selbständig Halbmodelle derselben Gegenstände formen und deren Umrisse, (letzte Abstraktion) mit Litzen zeichnen. — Lesen können sie also nicht, wohl aber schreiben!! Sie können Büsten modellieren. Wenn man ihnen aber eine fertige Büste in die Hand gibt, wissen sie nicht, daß es eine Büste ist. — „Ils font", wie Molière sagt — „de la prose sans le savoir." Wo bleibt da die Logik?

Neue Wunderdinge.

Von Zeit zu Zeit berichten Pariser Blätter, daß auf dem Gebiete der Blindenschrift und des Blindendrucks wieder ein „Kolumbusei" gelegt worden sei. Wenn man aber dem Gegacker nachgeht, findet man gewöhnlich nicht ein neues Ei, sondern eine alte Eierschale, welche in irgend einem Museum aufgetrieben und etwas aufgefrischt worden ist.

Vor einigen Jahren wurden mir von allen Seiten französische Zeitungen zugeschickt, welche in langen, begeisterten Artikeln von einem neuen Schreibapparat erzählten, welcher den Blinden gestatten sollte, von links nach rechts und genau so schnell zu schreiben wie die Sehenden. — Ich erklärte damals jedem, der mir davon sprach, daß es sich nur um eine Wiedererweckung des Schreibapparats von Direktor Pablasek in Wien handeln könne, den man hier schon vor langen Jahren in die Rumpelkammer geworfen hatte. Dieser Pablaseksche Apparat hat nicht vertiefte Rillen oder Trichter, in welche die Punkte mittels eines spitzen Stiftes von der Rückseite her gestochen werden, sondern für jeden Buchstaben sechs erhöhte Punkte, über die das Papier mit einem Schreibstift gestülpt wird, der an seinem unteren Ende wie ein Uhrschlüssel ausgehöhlt ist. — Wenn der Stift nicht genau an der richtigen Stelle und ganz senkrecht aufgesetzt wird, kommen die Punkte nicht zum Vorschein und man sticht Löcher in das Papier. (Ich habe mich in Wien selbst von der Unbrauchbarkeit dieses Apparats überzeugt.)

Bald nach dem Erscheinen der erwähnten Zeitungsartikel wurde mir das neue Wunderding durch Péphau, Direktor der Quinze-Vingts, mit der Bitte um ein Gutachten übersandt. Es handelte sich wirklich nur um eine Modifikation des Pablasekschen Lineals. Neu war nur ein in einer Metallplatte sich bewegendes Zwischenstück, welches oben und unten Höhlungen hatte und auf welches beim Schreiben mit einem gewöhnlichen Schreibstift gedrückt werden sollte. Der Blinde fand aber die obere Höhlung mit dem Stift nur selten und mußte daher mehrmals stechen, bis ein Punkt entstand. Ich antwortete deshalb meinem Freunde Péphau: „Ihr Schreibapparat hat nur einen ganz kleinen Fehler; er schreibt nicht!"

Da erwiderte er mir: „Das hätten Sie mir nicht zu sagen brauchen; das wußte ich auch! Sagen Sie mir lieber, was geschehen muß, damit er schreibt!" Er hatte also den Bombast in den Zeitungen weder selbst geschrieben, noch inspiriert.

Ich schickte ihm eine Zeichnung, zu der ich bemerkte: „So wird der Apparat brauchbar, gut aber nie!" —

Seither hat man von der ganzen, mit so großem Lärm angekündigten Erfindung nichts mehr gehört. In einigen Jahren wird sie aber wohl als „Neuestes des Neuen" wieder auftauchen.

Zurzeit d. h. anfangs Dezember 1906, geht wieder die Kunde von einer sensationellen Erfindung des neuen Direktors der Quinze-Vingts, Herrn Vaughan, eines früheren Journalisten, durch die französischen Blätter.

Neulinge machen ja immer „neue" Erfindungen, weil sie die alten nicht kennen. — Im Hospice des Quinze-Vingts wird übrigens kein Unterricht erteilt. Bekanntschaft mit den vorhandenen Hilfsmitteln ist deshalb nicht erforderlich. Herr Vaughan glaubt nun einen Apparat gefunden zu haben, der für Schwarzdruck und Punktdruck (Schrift) dienen soll, und die französischen Journalisten erheben diese Erfindung des früheren Kollegen in den Himmel. Herr Vaughan will einfach große Buchdruckertypen verwenden, deren sonst glattes Ende die entsprechenden Braillebuchstaben trägt. Man benutzt also das eine Ende der Type zu Schwarzdruck; das andere soll für die Brailleschrift dienen, wenn Sehende an Blinde schreiben wollen. — Das klingt ganz schön. Auch ich habe vor

25 Jahren als Neuling ungefähr dieselbe Idee gehabt und solche Doppellettern aus Holz und kleinen Stiften hergestellt, dieselben aber nicht abgießen lassen, weil ich die Wertlosigkeit der Spielerei rechtzeitig erkannte. — Es dauert eine Ewigkeit, bis man auf diese Weise nur eine Zeile „geschrieben", bzw. gedruckt hat.*) Da ist der Kleinsche Stacheltypenapparat, welcher Latein-Reliefschrift liefert, denn doch noch vorzuziehen. —

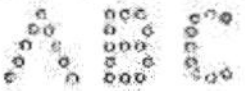

*) Man denke sich auch die Schmiererei, welche entsteht, wenn man, um Punktschrift zu schreiben, fortwährend die geschwärzte Seite der Lettern anfassen muß!

Das „Problem", einen Apparat für Brailleschrift und Schwarzschrift zu finden, ist übrigens durch unsere Schreibtafeln für Punktschrift und „Heboldschrift", (A, B, C, D usw.) längst gelöst.

Man kann sensationelle Mitteilungen der Tagespresse, besonders der französischen, über neue Erfindungen auf unserem Gebiete nie mit zu großer Vorsicht lesen! Das französische Fachblatt, der „Valentin Haüy", welches von dem hochverdienten und begabten Blinden Mr. Maurice de la Sizéranne geleitet wird, macht den Rummel gewöhnlich nicht mit. Was dort empfohlen wird, ist ernster Prüfung wert.

Prof. Dr. Emile Javal

früherer Direktor des ophthalmologischen Laboratoriums der Sorbonne in Paris, Membre de l'Académie de Médecine.

„Der Blinde und seine Welt“ (Entre aveugles). Ratschläge zum Nutzen Erblindeter. Übersetzt von J. Türkheim [Dr. med. in Hamburg]. Hamburg, Leopold Voß, 1904. VIII u. 100 S. 8°. M. 2,50.

Besprechung von M. Kunz, Deutsche Literaturzeitung. Berlin 1905. No. 15.

Das Buch des erblindeten früheren Direktors der Augenklinik der Sorbonne ist infolge des wissenschaftlichen Rufes seines Verfassers schon in mehrere Sprachen übersetzt worden. Es ist wesentlich für Späterblindete und zwar es muß dies gleich gesagt werden — für die Bemittelten oder Reichen unter ihnen bestimmt. Für arme erblindete Handwerker, Fabrikarbeiter, Bauersleute usw. ist darin nicht viel zu suchen. Sie könnten durch das Vorlesen desselben nur noch ihrer materiellen Not — neben der physischen in höherem Grade sich bewußt werden. Schon die Titel einiger Kapitel, wie „Wand- und Taschenuhren“ (besonderer Konstruktion), das Vorlesen, (Wahl des Vorlesers), „die Schreibmaschine und der Phonograph“, das „Dreirad-Tandem“ usw. werden das Gesagte bestätigen. — Auch für den Blindenlehrer, dessen erste Sorge den armen Blinden gilt, hat das Buch nur akademischen Wert. Es wird ihn zum Nachdenken und zur Nachprüfung seiner Ansichten anregen, weil es unter allen Umständen interessant ist, zu erfahren, was ein hochgebildeter Blinder, der infolge seines Berufs einen großen Teil seines Lebens bei Augenleidenden und Halbblinden zugebracht hat, von der Blindheit selbst und den Mitteln denkt, die zur Linderung dieses Unglücks ersonnen worden sind. Anschließend an die Worte des blinden Pariser Blindenlehrers Guilbeau weist er darauf hin, daß das Drückende der Blindheit viel weniger in dem Verlust des Anblicks der schönen Natur und ihrer Farbenpracht, als in dem Bewußtsein der Abhängigkeit — auch in den kleinsten alltäglichsten Dingen — von dem lieben Nächsten bestehe. Er kommt deshalb zu dem Schlusse: „Alle Bemühungen müssen darauf gerichtet sein, den Blinden so unabhängig und selbständig wie möglich zu machen“*). Das ist ein beherzigenswerter Wink nicht nur für Späterblindete und für die Eltern blinder Kinder, die nur zu oft unbeholfene, blöde Fetische aus diesen machen, sondern auch für uns Blindenlehrer. Wenn man in Deutschland die Erziehung und Ausbildung der Blinden zur Selbständigkeit als Endzweck unserer Arbeit betont, kommt man nachgerade in den Geruch der Rückständigkeit und Einfalt. Noch vor 24 Jahren war es umgekehrt. Heute gibt es Leute, die alle Blinden nach Absolvierung der Elementar-Schule und einer gewöhnlichen Lehrzeit in sogenannten „Blindenheimen“ unterbringen wollen, die man sich als Beschäftigungsanstalten denkt, die aber mit Naturnotwendigkeit zu gewöhnlichen Versorgungshäusern (Asylen) herabsinken müssen — und z. T. schon jetzt solche zu sein scheinen. Ich erkenne darin die Insolvenzerklärung der Blindenbildung, welche der älteren Generation als Ideal vorschwebte. — Wenn schließlich alle unsere Bemühungen darauf hinauslaufen sollen, Rekruten für Versorgungshäuser auszubilden, dann sind wir Blindenlehrer die überflüssigsten und einfältigsten Menschen der Welt. Gescheit sind dann nur die, welche es sich bequem machen.

Die Franzosen haben seit 650 Jahren in den Quinze-Vingts ein solches Versorgungshaus vor Augen, sind aber nicht in Versuchung gekommen,

*) An anderer Stelle erteilt er den Rat, Blinde nur solange in einer Anstalt zu lassen, als dies unbedingt notwendig sei. Er zweifelt offenbar an dem Willen und der Befähigung der Anstalten, ihre Zöglinge zu der von ihm gewünschten Selbständigkeit zu erziehen.

ein zweites zu gründen. Und doch gibt es auch unter ihnen denkende und wohlwollende Menschen! Bei uns wachsen die „Heime" aus dem Boden wie Pilze! — In meinen Augen ist dies ein Zeichen des Niederganges schon am Ende des ersten Jahrhunderts der Blindenbildung. Ich sage mit Javal: Erziehung der Normalbegabten zu möglichster Selbständigkeit; Versorgung alleinstehender Mädchen und schwachbegabter Knaben im Heim!

Im 2. Kap. tritt J. dem alten Dogma vom Sinnenvikariate entgegen, das bis vor wenigen Jahren die Blindenbildung beherrschte und heute noch in vielen Köpfen zu spuken scheint. Er sagt darüber wörtlich: „Allgemein wird angenommen, daß nach Verlust eines Sinnes die andern an Schärfe zunehmen. Diese Annahme ist grundfalsch; sie widerspricht der Lehre von den Empfindungen sowohl, wie der Erfahrung. Ein Blinder hört auch nach jahrelanger Übung eine Uhr nicht aus größerer Ferne, als wie er sie hörte, da er noch sehen konnte." — Und weiter (S. 7): „Einem Sehenden ist es unmöglich, dadurch, daß er seine Finger über Blindenschrift führt, die Anordnung der Punkte zu erkennen; einem Blinden gelingt das sehr leicht. Nun sind die Finger des Sehenden keineswegs weniger sensibel, aber sie verstehen nicht zu tasten und zu fühlen. — Daß hierzu nicht besondere Feinheit der Empfindung, sondern nur Übung erforderlich ist, habe ich an mir selbst erfahren. Ich benutzte nämlich im Anfang, als ich Blindenschrift lesen lernte, ungeschickterweise nur den rechten Zeigefinger, so daß es mir jetzt immer noch schwer fällt, auch mit Hilfe des linken zu lesen; dabei hat sich die Tastempfindlichkeit des rechten Zeigefingers durch das ewige Reiben beträchtlich vermindert."

Als J. dies niederschrieb, kannte er, wie er auf S. 8 der deutschen Ausgabe ausdrücklich bemerkt, die von Prof. Dr. Griesbach in unserer Anstalt ausgeführten ästhesiometrischen Untersuchungen und meine Schrift über das „Sinnenvikariat" oder „Zur Blindenphysiologie" noch nicht. In den Zitaten ist Griesbachs große Arbeit mit meiner kleinen verwechselt. — Ich habe schon 1902 (S. 20 der zitierten Schrift) gesagt: „Aus dem obigen geht zur Evidenz hervor, daß zum Lesenlernen mit den Fingern nicht eine Verfeinerung, sondern eine Abstumpfung des Tastgefühls nötig ist. Der Sehende kann deshalb Blindenschrift nicht mit den Fingern lesen, weil er auch die seitlichen schwächeren Eindrücke (der seitlichen Punkte der Nachbarbuchstaben der Punktschrift) zu lebhaft empfindet." Diese Tatsache, die allem bisher Geglaubten vollständig widerspricht, schrieb ich der Verdickung der Haut (des Epithels) an der Spitze des Lesefingers infolge des „ewigen Reibens" zu. Javal will sie, wie er mir brieflich mitteilt, in einem neuen Werke über die „Physiologie des Lesens" auf andere Weise erklären. Bedeutungsvoll bleibt es aber, daß er aus eigener Erfahrung zu demselben Resultate gekommen ist, wie ich auf Grund der Griesbachschen Tabellen und langjähriger Beobachtung der Blinden. Die gewandtesten Leser sind meistens die ungeschicktesten Arbeiter. Ein Korbmacher, der schlecht liest, war der feinfühligste Blinde unserer Anstalt. Wer Blinde (Blindenanstalten) nach der Leseflüchtigkeit beurteilt, zieht Trugschlüsse. — Früher, d. h. so lange man am Sinnenvikariat festhielt, konnte man sich diesen scheinbaren Widerspruch nicht erklären; seit man weiß, oder wissen kann, daß das Lesenlernen Abstumpfung des Tastsinnes voraussetzt, erklärt sich alles von selbst.

Javal beschreibt dann noch die Fingerbewegungen beim Lesen, d. h. das sukzessive Erfassen der Punkte eines Buchstabens. Seine lange Befürwortung des „Ferntastens" mittels des Stockes ist belanglos.

Im 3. Kap. gedenkt er der verschiedenen häuslichen Arbeiten, die Blinde verrichten können: Papparbeiten, Putzen, Fegen, Heizen, Holzspalten, Weinabziehen usw. Er beschreibt eingehend, wie der Blinde es anzustellen habe, um sein Bett zu machen. Auch will er durch Blinde Gemüse reinigen lassen. Dagegen habe ich nun meine Bedenken. Diese Arbeit vertrauen wir in der Anstaltsküche nicht einmal Schwachsichtigen an. Zur Zeit der Schnecken und Raupen könnte leicht unerwünschtes Fleisch in das Gemüse und den Salat kommen! — Recht hat J., wenn er sagt, daß man blinde Kinder nicht verhätscheln — und, wenn möglich, vorerst mit sehenden Kindern in die Kleinkinderschule usw. schicken solle. Wo sie aufgenommen werden, ist dies angezeigt. Blinde Kinder werden schon durch das Spiel mit Altersgenossen gewandter und geschickter, als wenn man sie einfach in einem Winkel sitzen läßt. Bauernkinder, die überall zur Arbeit mitgenommen werden und die Volksschule besuchen können, dürfen ruhig bis zum zehnten Jahr zu Hause bleiben. — Stadtkinder hingegen können nicht zu früh einer Anstalt überwiesen werden.

Das 4. Kap. befaßt sich mit der Berufstätigkeit der Blinden. Auch hier hat J. nicht die blinden Kinder der Anstalten im Auge, sondern die Späterblindeten gebildeter Stände. Er rät ihnen, gestützt auf vielfache Mitteilungen von Leidensgefährten, nach der Erblindung einen Beruf zu wählen, der mit dem bisherigen in möglichst nahem Zusammenhang stehe. Diese Ansicht kann nur gebilligt werden. Erblindete Kaufleute habe ich wiederholt auf die Blindenschrift für eigenen Gebrauch und die Schreibmaschine für die Korrespondenz verwiesen, ohne sie in die Anstalt aufzunehmen. Als ein hochbegabter Artilleriehauptmann blind geschossen wurde, wollte man in einer norddeutschen Staatsanstalt einen Korbflechter aus ihm machen. Er war darüber empört. Ich riet ihm dann, sofort die Blindenschrift zu lernen und sich eine Schreibmaschine für Schwarzschrift anzuschaffen. Er sträubte sich anfänglich, weil er sich die Schwierigkeiten viel größer vorstellte, als sie wirklich sind. Nach einigen Wochen bat er mich um eine Blindenschreibtafel. Bei einer Zusammenkunft genügten 10 Minuten, um ihm die Braillesche Blinden-Punktschrift zu erklären. Alles weitere lernte er aus sich selbst. Er kaufte auch eine Hammond-Schreibmaschine und schrieb mir nach wenigen Wochen einen fehlerfreien, herzlichen Dankbrief. Nach wenigen Monaten teilte er mir mit, daß er nun mit der Maschine doppelt so schnell schreibe, wie früher mit der Feder. Seither ist er ununterbrochen schriftstellerisch tätig und treibt daneben — nach der Braille-Notenschrift auch Musik. Sein Leben hat wieder einen Inhalt bekommen. Ich glaube, daß er sich so nützlicher macht, als wenn er einige Körbe geflochten hätte. Es dürfte auch in diesem Falle das Wort des blinden Theologieprofessors Riggenbach zutreffen: „Eine Befriedigung kann auch der Blinde nur dann von seinem Leben haben, wenn er nicht nur sich selbst lebt, sondern das Bewußtsein haben darf, daß er ein nützliches Glied der menschlichen Gesellschaft ist und für seinen Teil zum Wohl des Ganzen beiträgt.“ Das kann nun allerdings auf sehr verschiedene Weise — auch durch das Handwerk, wo es passend erscheint — geschehen.

Was Javal in den drei folgenden Kapiteln über Reinlichkeit und Hygiene, über Wohnung und Mahlzeiten sagt, scheint mir nicht besondere Bedeutung zu haben. Jeder wird sich da nach seiner Decke strecken müssen, und diejenige Javals scheint reichlich lang zu sein. Auch werden die meisten Blinden auf besondere Taschen- und Wanduhren verzichten müssen. Ebenso scheint das „Gehen im Freien und in der Stadt“ keine besondere Kunst zu sein, wenn man, wie Javal, einen Diener als Führer zur Verfügung hat. Javal weist allerdings auch darauf hin, daß es blinde Hausierer gibt. Die Drehorgelspieler hat er vergessen.

Wichtig ist das Schreiben. Javal beschreibt verschiedene Verfahren, die es dem Späterblindeten ermöglichen sollen, weiter mit Feder oder Bleistift zu schreiben. Der Gebrauch der Feder ist ja möglich, solange die Buchstabenbilder dem Gedächtnisse nicht entschwunden sind. Sie gehen aber bekanntlich nach und nach verloren wie die Erinnerung an die Farben. — Die vielen künstlichen Apparate, die es dem Blinden ermöglichen sollen, in gerader Linie zu schreiben, sind teuer und unpraktisch. Ein einfaches Linienblatt mit erhöhten Linien tut denselben Dienst.

Über die Schreibmaschine ist das Nötige schon gesagt worden. Die wirkliche Blindenschrift — die Braillesche Punktschrift — scheint mir J., mit anderen gelehrten Blinden, zu unterschätzen. Leute, die einen ständigen Sekretär und Vorleser zur Verfügung haben, sind allerdings nicht darauf angewiesen. Sie geben aber dadurch die vielgerühmte Unabhängigheit wieder preis. Es gibt tatsächlich Blinde, die beinahe so geläufig lesen — und auch schreiben, wie wir. Eine hiesige Blindenklasse brauchte vor einigen Jahren durchschnittlich 1 Stunde und 5 Minuten, um das ganze „Eleusische Fest“ von Schiller (ca. 1080 Worte) niederzuschreiben. (In der Minute $16^1/_2$ Wörter.) In Kurzschrift geht es noch rascher. Man mag es in der Oberklasse einer Volksschule versuchen, in dieser Zeit damit fertig zu werden!

Eine solche Schrift ist doch wohl nicht zu verachten. Allerdings gehört Übung dazu.

Die Rechenapparate, die J. beschreibt, taugen alle nicht viel, schon weil man sie nicht in der Tasche tragen kann, wie eine Taschentafel. Praktisch ist nur das schriftliche Rechnen auf der gewöhnlichen Rillenschreibtafel. — Der Erfinder des Schriftsystems, Louis Braille, stand auf den Schultern Barbiers, der s. Z. ein phonetisches Punktschriftsystem einführen wollte. Alle ähnlich lautenden Silben sollten gleich geschrieben werden. Als Beispiel gab er nach J. folgenden Satz an: „Lè choz util n sorè ètre tro simpl.“ (Les choses utiles ne sauraient être trop simples.) Um diesen Satz so zu verhunzen, brauchte er 24 Zeichen mit je 3—10 Punkten, im ganzen 153 Punkte, während man den Satz nach Braille orthographisch mit 108 Punkten schreiben kann. Barbiers System war also weder „simple“ noch „utile“. Es hat aber dem System Braille den Weg gebahnt; deshalb bleibt es unvergessen. (Abbildung 96.)

Unbegreiflich finde ich es aber, daß J. den Vorschlag macht, für die gebildeten, sagen wir für die gelehrten Blinden, wieder eine phonetische Stenographie einzuführen, in welcher die ähnlich klingenden Lautgruppen oder Silben aller Kultursprachen mit denselben Zeichen geschrieben werden sollen, obwohl er (S. 133) selbst erzählt, daß über einer ähnlichen Stenographie die Orthographie aller Zöglinge einer belgischen Anstalt „zum Teufel gegangen" sei. Wenn die gelehrten und sich gelehrt dünkenden Blinden der ganzen Welt für eigenen Gebrauch eine solche Geheimschrift einführen wollen, so ist das ihre Sache. Die Blindenanstalten aber werden sich hoffentlich vor ihr hüten! Schon die sog. orthographische französische Kurzschrift soll der Orthographie nicht förderlich sein. Wir hatten hier vor Jahren eine Lehrerin, die in Paris geboren und im dortigen Nationalinstitut ausgebildet worden ist. Sie hat mir wiederholt erzählt, daß dort über der Kurzschrift die Rechtschreibung aller Mädchen in die Brüche gegangen sei; sie selbst habe die Orthographie hier lernen müssen. Wie würde es erst werden, wenn man nach J.s Vorschlage die Kinder dazu anhielte, zuerst zu schreiben: „Tites ponchour à Chan", um ihnen erst später die richtige Schreibweise beizubringen. (Dites bonjour à Jean!)

J. beruft sich darauf, daß dieses phonetische System von einem „ausgezeichneten" Pädagogen mit bestem Erfolg angewandt worden sei. In meinen Augen ist, wer ein solches Experiment gemacht hat, nicht nur kein ausgezeichneter Pädagoge, sondern überhaupt nicht „Pädagoge" gewesen. — Was J. in der französischen Ausgabe über geographische Karten sagt, ist durchweg veraltet. Erst nachträglich wurde ihm, wie er in der deutschen Übersetzung ausdrücklich sagen läßt, mein Blinden-Reliefatlas in 86 Karten bekannt. In jedem anderen Kulturlande der Welt wäre er ihm wohl früher zu Gesicht gekommen als in Frankreich!

Ähnlich ergeht es ihm mit einem Vorschlag zur Verbesserung des Blindendrucks. Er fand, daß der Finger anfänglich, d. h. so lange er noch nicht genügend abgestumpft ist,*) die zu einem Buchstaben gehörenden Punkte nicht leicht zu isolieren vermöge, sie also mit den Punkten der Nachbarbuchstaben verwechsele, und schlägt deshalb vor, die Punkte wenigstens teilweise durch Linien zu verbinden. Erst nachträglich erfuhr er, wie er in der deutschen Ausgabe sagt, daß wir hier schon vor 18 Jahren ein ganzes Buch in solchem Druck herausgegeben haben. Die Typen, zu denen ich die meisten Hohlformen selbst in Kupfer graviert habe, liegen in unserer Druckerei.

Ein weiteres Kapitel widmet J. der Esperantosprache, die, wie er mitteilt, von den meisten „gebildeten und intelligenten" Blinden der verschiedenen Länder gelernt wird, um leichter miteinander verkehren zu können. Bezüglich der Blindenehe ist J. der Meinung, daß die Verheiratung von Blinden mit Sehenden in den meisten Fällen keine Gefahr für die Nachkommenschaft in sich schließe. Eine Ausnahme macht er für solche Blinde, die infolge Erkrankung des Sehnervs, der Netzhaut oder Aderhaut das Augenlicht verloren haben. Ganz entschieden warnt er vor den Ehen zwischen Blutsverwandten, weil solche sehr oft die Blindheit oder Taubheit der Kinder zur Folge haben. Mir selbst sind Fälle bekannt, wo aus solchen Ehen 3—4 blinde Kinder hervorgingen.

Nun noch der sog. „sechste" Sinn.

Es ist mehr als bedauerlich, daß J. diesen „sechsten Sinn", an den er natürlich nicht glaubt, nicht zwischen Anführungszeichen gesetzt hat; denn dieser sechste Sinn heißt auf deutsch — Unsinn. So könnte bei manchen Lesern die Meinung erzeugt oder befestigt werden, daß den Blinden als Ersatz für das Gesicht ein gewisses übernatürliches Etwas gegeben sei, das anderen Menschen abgehe. J. gibt aber schon in der Einleitung zu, daß der Verlust eines Sinnes nicht einmal die Stärkung der anderen Sinne, sondern nur ausgiebigeren Gebrauch derselben zur Folge habe. Es ist deshalb mehr als lächerlich, Menschen, die nur 4 oder zuweilen (Taubblinde) gar nur 3 Sinne haben, noch einen sechsten andichten zu wollen. J. selbst fällt dies natürlich nicht ein; er gebraucht nur unvorsichtig einen Ausdruck, der von Laien mißverstanden werden kann und gewöhnlich mißverstanden wird. Wenn er nur für Fachleute — sagen wir Mediziner — geschrieben hätte, so wäre dies belanglos. Man kann ja auch von Gespenstern reden, ohne an solche zu glauben; nur soll man es nicht vor abergläubischen Leuten tun.

Man hat vielfach das Orientierungsvermögen der Blinden, Ortssinn, Warnsinn, Sinn der Hindernisse (sens des obstacles bei J.) mit dem unglücklichen Namen „sechster Sinn" bezeichnet, ohne dabei an einen wirklichen besonderen Sinn zu denken. Der Sehende orientiert sich hauptsächlich mit Hilfe der Augen. Bei Nacht spielen das Gehör (Schall der Tritte) und das Getast (Tastvermögen der Hände

*) S. „Zur Blindenphysiologie."

und Füße) die Hauptrolle. Der Geruchssinn wird nur in seltenen Fällen zu Hilfe genommen, häufiger noch das Gefühl (Wärme, Kälte). — Beim Blinden ist das Gesicht ausgeschaltet (das Gehör sehr oft herabgemindert). Er muß sich also auf die anderen Sinneswahrnehmungen verlassen und diesen größere Aufmerksamkeit zuwenden. Sobald der Boden gleichmäßig mit Schnee bedeckt ist, verirren sich leicht auch geschickte Blinde in dem ihnen bekannten Hofe. Das Ohr hört den Schall der Schritte nicht, und der tastende Fuß findet nicht die gewohnte Unterlage. Daraus geht hervor, daß Gehör und Getast die Hauptbestandteile des „sechsten" Sinnes sind. Einen anderen Bestandteil dürfte das Temperatur- und Druckgefühl der unbedeckten Hautstellen bilden. Sobald man einem Stockblinden die „Augen verbindet", orientiert er sich schlecht —, nicht weil die Tätigkeit der Augen ausgeschaltet ist, sondern weil das Tuch einen Teil der Stirn bedeckt. Die Perceptio facialis, wie Hanks-Lévy sie nennt, die Wahrnehmung durch die Haut des Gesichts, scheint also zugleich mit der unbedeckten Fläche vermindert worden zu sein. Die Haut empfindet aber nur Temperatur- und Druckunterschiede. Nun hat eine Mauer, eine Wand usw. nicht genau die Temperatur der Luft. Auch tritt bei rascher Annäherung an solche Hindernisse vor dem Gesichte eine Luftverdichtung, also vermehrter Widerstand ein. Zum Gehör und Getast tritt also das Gefühl als weiterer Bestandteil des sog. „sechsten Sinnes". (Ich verweise hier wieder auf meine Schrift „Zur Blindenphysiologie".)

Nicht beistimmen kann ich J., wenn er behauptet, daß die Blinden bei langsamer Annäherung einen Widerstand leichter wahrnehmen, als wenn sie sich rasch bewegen. Ich beobachte die Blinden seit 24 Jahren. Von meinem Klassenzimmer aus übersehe ich den Knabenhof, von meinem Arbeitszimmer aus den Mädchengarten. Beide sind mit Bäumen bepflanzt. Unsere Kinder bewegen sich zwischen denselben oft mit unheimlicher Schnelligkeit, stoßen aber höchst selten an. Sie weichen den Hindernissen aus wie Spalanzanis geblendete Fledermäuse. Sobald sie aber ruhig neben einem Hindernisse stehen, dessen Gegenwart sie nicht ahnen, oder vergessen haben, finden sehr leicht Zusammenstöße statt. In meinem Zimmer habe ich dies oft beobachtet. Wenn Blinde in dessen Mitte stehen und dann rasch einer Türe zustreben, finden sie die Klinke rechtzeitig. Wenn sie sich aber im Laufe des Gesprächs langsam der Tür genähert haben, macht nur zu oft die Stirn vor den Händen mit derselben Bekanntschaft. J. stützt seine gegenteilige Behauptung wesentlieh auf Mitteilungen von Späterblindeten. Diese sind aber nicht Blinde im gewöhnlichen Sinne, sondern Sehende, denen man die Augen verbunden hat.

Der sog. „sechste Sinn" ist also meines Erachtens nichts als die Summe der Wahrnehmungen aller intakt gebliebenen Sinnesorgane.*)

Das Buch J.s ist eine wertvolle Bereicherung der Literatur über das Blindenwesen, wenn es auch den Blindenanstalten und Blindenlehrern, für die es ja nicht bestimmt ist, keinen direkten Nutzen bringt.**)

---

*) Nachschrift: Javal trennt das Orientierungsvermögen nicht scharf von einem seiner Hülfsmittel, dem Ferngefühl. Ich habe früher denselben Fehler begangen. Deshalb verweise ich auf die folgende Arbeit: „Orientierungsvermögen und Ferngefühl".

**) Prof. Dr. Javal bittet mich, noch besonders auf die ausgezeichnete englische Übersetzung (a blind man) von Ernst Thomson aufmerksam zu machen.

„Fisiologia dei ciechi“.

(Il così detto vicariato dei sensi, ovvero il „compenso sensoriale“) per M. KUNZ,
Direttore dell' Istituto dei ciechi di Illzach-Mülhausen (Alsazia-Lorena).

Abdruck aus der „Rivista di Tiflologia e di Igiene Oculare“. Rom 1906.

È quasi generalmente ammessa l' opinione che la perdita di un senso abbia per effetto un invigorimento tale degli altri sensi da render questi ultimi capaci di supplire al senso perduto, di servirgli, per così dire, da vicarii.

Si parla realmente di un vicariato sensoriale.

Così la perdita della vista avrebbe per effetto un invigorimento quasi soprannaturale dell' udito ed in ispecie del tatto.

Nella mia gioventù ho letto persino, in un libro di scuola, che in tempi antichi un cieco fosse nominato sarto di un re per avergli fatto i più belli abiti di diversi colori, i quali avrebbe distinti per mezzo delle mani, mercè la straordinaria acuità del suo tatto. Mi trovavo allora in una età, nella quale si crede tutto ciò che si legge. L' ipotesi che i ciechi possano „toccare“ i colori mi era dunque diventata un dogma. Anche più tardi, durante la mia attività in iscuole medie e superiori per chiaroveggenti, non ho mai mancato — trattando nell'insegnamento della luce e del calore — di far propaganda per questo dogma — cercando pur sempre una spiegazione plausibile del „fatto“.

La credevo finalmente trovata nel *riscaldamento* ineguale delle stoffe di colori diversi, perchè mi pareva pure impossibile di „toccare“ i colori come tali. Mi dicevo che, se ciò fosse, dovremmo anche poter toccare gli odori, vedere i suoni e distinguere i gusti per mezzo della mano; — ma pure io non osava mettere in dubbio il „fatto“ stesso.

Non credo essere stato io solo così ingenuo, perchè un' autorità scolastica altolocata mi ha sostenuto, venti anni fa, aver conosciuto una cieca capace di distinguere i colori per mezzo della mano.

In seguito ad una lunga esperienza in una scuola di ciechi io aveva cambiato idea e mi provai invano di convertire quel signore alla mia opinione, dicendogli che la detta cieca doveva ancora aver un resto di forza visiva, che le faceva distinguere i colori cogli occhi, o riconoscere la lana di diversi colori per mezzo di altri indizi caratteristici - posizione, volume, compattezza dei gomitoli. — Gli spiegai come le nostre ragazze completamente cieche fanno lavori in lana, cotone e setole dei più diversi colori. Invano! Il mio interlocutore rimase fedele al suo dogma e sembrava volermi dire: „La vostra gente dev' essere alquanto arretrata!“

Per chi conosce l'eccesso di colori nei lavori manuali, di cui si compiacciono molti istituti per accrescere l'ammirazione del pubblico, non è da meravigliarsi che tali opinioni prendano piede.

È disgrazitamente un fatto che non si opponga sempre negli istituti la desiderabile resistenza ad opinioni cosí erronee, espresse da visitatori profani. S'incontrano tanti pregiudizii dannosi ai ciechi, che talvolta si esita di distruggere i più ridicoli errori che possono aumentare la fiducia dei veggenti nella capacità e nella produttività dei ciechi.

Quante volte non sentiamo, da parte di persone che credono, o fingono di credere, delle maraviglie incredibili ed impossibili sulla sensibilità (acuità del tatto) dei nostri protetti, delle domande come queste: „Ma possono i ciechi trovar da soli i loro letti, i lavabo ecc.? Possono vestirsi senza aiuto, mangiar soli? Trovano la bocca? Possono anche parlare?“ ecc. Non è da maravigliarsi, se qualche buffone (ce ne sono anche tra gli istitutori dei ciechi) non cerchi di sradicare simili pregiudizi, che certi visitatori coltivano con tanta tenerezza, ma ne diffonda anzi dei nuovi? — Non è ben fatto, ma comprensibile. — Vi sono poi anche dei ciechi che, per mezzo di esagerazioni, cercano d'illudere per darsi un' aria d'importanza.

Allorquando, ventiquattro anni or sono, io cambiai la direzione di una scuola pei veggenti con quella d'un istituto di ciechi, anch' io portavo ancora in seno, come ho già detto, quell' „orso" tangente i colori (come si direbbe in tedesco); ma ne fui presto liberato.

Al principio della mia attività nella nostra scuala, basandomi sull' antico dogma, io esigeva del tatto molto più di ciò che poteva dare.

Nel 1882, il Congresso generale degli insegnanti dei ciechi, riunito a Francoforte — al quale io avevo presentato una relazione sull' insegnamento della geografia — mi pregò di fare degli sperimenti per trovare un procedimento per stampare delle carte geografiche pei ciechi. Quando, dopo mille e mille sperimenti abortiti, io riuscii a stampare delle linee (fiumi) fine come un capello e dei punti (città e frontiere) finissimi, (senza parlar dei monti in forme naturali) ne fui molto superbo. Io esaminavo gli stampati personalmente ad occhi chiusi coll' indice della mano destra — e potevo facilmente seguire tutte le linee, benchè le mie dita fossero diventate callose a forza d' incidere le forme in legno duro. Ma quando volevo servirmi di queste carte in una classe di cieche intelligenti e ben avanzate, buonissime lettrici, il *tatto fallì*. Esse non si potevano orientare.

Credevo dapprima che ciò fosse effetto di cattiva volontà e m' impazientii. Per farmi piacere finsero di toccare linee e punti, che realmente non potevano distinguere. Me ne accorsi a tempo e cedetti l'insegnamento geografico ad un collega, il di cui sguardo non era offuscato dall' amor cieco per la sua opera ed al quale gli scolari, senza paura di offenderlo, dissero la verità, di modo che anche io la potei conoscere.

Quelle prime carte erano state mandate a quasi tutti gli istituti dell' Europa centrale. Quasi da tutte le parti ricevetti la medesima risposta: Bellissime, ma troppo fine, non tastabili..... magnifiche, ma non tangibili.....

Al Congresso d' Amsterdam (1885) il presidente della Commissione geografica disse, a nome della stessa. Kunz si è mostrato maestro nella riproduzione della configurazione verticale del suolo. — Ma,.....

I colleghi di tutti i paesi non furono contenti, se non quando io presentai delle carte con linee fluviali tanto salienti da poter esser toccate a traverso di un guanto di pelle e che guidano il dito come la rotaia la ruota.

Ottenuto questo risultato, l' atlante geografico che si compone oggi di 86 carte, piaque e fu adottato nella maggior parte degli istituti di tutti i paesi civili del mondo. Abbiamo spedito fin oggi più di 100.000 di queste carte.

Io avevo, dunque, dovuto mitigare di molto le mie esigenze sul tatto (basate sull' antico dogma) per essere utile alla totalità dei ciechi. Ho fatto le medesime esperienze colle immagini zoologiche, botaniche, coi disegni per l' insegnamento della fisica.

Per ottenere poco a poco la palpabilità dovuta, dovetti in parte rifare diverse volte i clichés. Oggi, doppo ventiquattro anni d' esperienza, domando molto meno al tatto, ma molto più alla resistenza della carta che adopero.

È la scrittura Braille che offre una misura, provata da molto tempo, del tatto — cioè della localizzazione, del così detto „senso di spazio" dei ciechi.

Ventidue o ventiquattro anni fa, era generalmente ammessa, almeno nei paesi germanici, la scrittura latina in rilievo A, B, C, ecc., nella quale il nostro istituto — allora ancora francese — stampò la Bibbia in lingua tedesca (9500 volumi) negli anni 1859-63. In gioventù i ciechi potevano decifrare — mai leggere correntemente — questa scrittura; più tardi non la leggevano che a stento, e solo se ne sapevano il testo quasi a memoria. Questi caratteri erano scelti per i maestri veggenti più che per gli alunni ciechi.

Nel corso degli ultimi vent' anni la scrittura latina è stata, per così dire, esclusa dalle stamperie tedesche ed austriache, malgrado l' opposizione accanita di molti direttori influenti. La scrittura Braille, universalmente adottata, ha preso il suo posto.

Due serie verticali di tre punti in rilievo formano la base di questo sistema.

(1 · · 4, 2 · · 5, 3 · · 6 = é francese.) Venti anni fa, questi punti conici stavano distanti $3^1/_2$ mm (misurati da punta a punta) gli uni degli altri (alle basi 3 mm). Questa distanza che corrisponde ai bisogni dei ciechi, era stata trovata empiricamente.

Per risparmiare dello spazio essa fu ridotta più tardi a $2^1/_2$ mm; in Francia persino a $2^1/_4$ mm; ma l' esperienza mostrò che si era oltrepassato il limite della tangibilità simultanea, cioè della leggibilità. I nostri ciechi non leggono che a stento i classici francesi, stampati in caratteri così ridotti. Egli è perciò che in Germania, Austria, ecc., si è ritornati alla distanza primitiva di $3^1/_2$ mm da un punto all' altro. Per la percezione simultanea di varii punti una distanza al di sotto di 3 mm è insufficiente per la media dei ciechi.

Se le forme sono troppo piccole, essi devono fare col dito-lettore dei movimenti d' alto in basso, a fine di percepire i varii punti d' una **sola** lettera, movimenti che rallentano la lettura.

È questo il risultato di lunghe esperienze fatte negli istituti dei ciechi.

In pochi casi si erano fatti, da fisiologi, misurazioni esatte col compasso, per stabilire la minima distanza alla quale — in diverse parti del corpo umano — due punture simultanee sono ancora distinte (come due), senza confondersi in una. Ordinariamente queste misurazioni si limitavano ad uno o due soggetti. Tali sperimenti sono stati fatti dai fisiologi Weber, Czermak, Uthoff, Hocheisen e, dieci anni fa, anche dal dottore Th. Heller.

Anche il sensorio di due sordo-mute cieche, Laura Bridgmann ed Elena Keller, era stato sottoposto ad un esame di questo genere, da parte di medici americani; ma anche in questi casi si trattava di una sola persona alla volta. Esperimenti sopra una grande scala non furono mai eseguiti e tutte le misurazioni furono fatte con compassi ordinarii, le cui punte non possono esser posate perpendicolarmente sulla superficie della cute e che non tengono conto della **forza di pressione**, la quale modifica essenzialmente il risultato, perchè il numero delle sensazioni erronee aumenta colla pressione.

Eppure si sono tratte delle conclusioni generali da un materiale così limitato e sì poco sicuro!

Mentre che i primi sperimentatori parlavano ancora di una grande superiorità del senso di localizzazione (tatto) dei ciechi su quello dei veggenti, Uhthoff — che ha esaminato una persona e Heller che ne ha esaminato due, trovano timidamente un affinamento poco rilevante del tatto dei ciechi. Heller aggiunge letteralmente: „Siccome gli sperimenti fatti col compasso ordinario soffrono dei medesimi difetti delle misurazioni precedenti, mi astengo di enumerare qui le cifre trovate"

Egli non ci dice dunque su quali fatti basa la sua timida asserzione di una piccola superiorità del tatto dei ciechi.

Anche l' esame sperimentativo di Elena Keller non ha prodotto niente di rilevante.

Non si era dunque giunti ad un risultato concludente e non vi si poteva arrivare, perchè le misurazioni s' erano limitate ad un numero troppo ristretto di persone ed erano fatte con istrumenti poco adatti.

Io fui dunque lieto quando, sei anni or sono, il prof. dott. in med. e filos. Griesbach, presidente della Società tedesca d'igiene scolastica, e presidente del Congresso internazionale d'igiene (Norimberga), venne a domandarmi il permesso di fare nell' istituto nostro un gran numero di esperimenti, a fine di paragonare l' acuità sensoriale dei ciechi con quella di veggenti della medesima età.

Quando con timbro di voce che lasciava travedere un dubbio leggero, mi parlò della pretesa superiorità del tatto, dell' udito e dell' odorato dei ciechi sui rispettivi organi sensitivi dei veggenti, gli dichiarai senz' esitazione che — basandomi sulla mia lunga esperienza — non ci credevo — e che la maggioranza dei ciechi non distinguerebbero, alla punta del dito-lettore, come *due* punture l'impressione delle due punte del suo nuovo estesiometro (compasso ad asta con punte parallele mobili, tenute da molle a spirale) a distanze di meno di 2 mm l' una dall' altra.

Il prof. Griesbach incominciò dunque gli esperimenti senza credere fermamente all' antico dogma del „vicariato dei sensi", ma anche senza il proposito di distruggerlo.

Io misi a sua disposizione tutti gli allievi dell' Istituto, lasciandogli la scelta delle persone — per evitare ogni sospetto di aver voluto influenzare il risultato, scegliendo, o gli allievi più sensibili, od i meno abili.

Non conoscendo egli i nostri ricoverati, scelse infatti, come esaminandi, allievi di capacità diversissime — e specialmente fra quelli che non avevano imparato ancora un mestiere propriamente detto nei laboratorii, ma che frequentavano ancora la scuola e prendevano un numero ristretto di lezioni pratiche di lavoro manuale.

Per mezzo del suo sopra detto estesiometro, egli esaminò i limiti (minima distanza delle punte, alla quale si sentono ancora due punture) sulla fronte (glabella) sull' osso zigomatico, sulla punta del naso, sulla mucosa delle labbra, sulla base del pollice e sulle punte degli indici. Per mezzo dell' olfattometro di Zwardemaker misurò l' odorato. Nel laboratorio dei cordami, lungo 64 metri, e nel corridoio della sezione femminile (40 metri) fu misurata la portata dell' udito, e nel giardino fu esaminata la localizzazione della direzione o della sorgente d' un rumore.

Della medesima maniera il Griesbach esaminò un numero uguale o un poco superiore di veggenti della scuola media (secondaria), o dell' istituto tecnico, come pure giovani operai della stessa età dei nostri operai — per paragonare i risultati.

Questi risultati di più di 9000 osservazioni son depositate in 89 tabelle in modo tale, che sopra ogni tavola figurano dei ciechi e dei veggenti della medesima età ed esaminati nelle medesime condizioni (dopo lezioni, dopo lavoro manuale, dopo ricreazioni e vacanze).

I. Localizzazione della direzione d'un rumore (fischio, suono di trombetta e di tamburo).

Al giubileo dell'istituzione dei ciechi di Losanna (1894) l'illustre oculista, Prof. D.r Dufour, ci disse che, secondo le sue osservazioni, i ciechi sapevano meglio dei veggenti indicare la direzione d'un suono — e sollevò la quistione, se non sarebbe opportuno d'impiegarli in tempo nebbioso sui vascelli per indicar più esattamente, che non lo possono fare i veggenti, la direzione dei segnali di sirena.

Egli accertò — senza dar particolari sul metodo delle sue indagini — che 19 ciechi esaminati avevano commesso, indicando la direzione d'un rumore, degli errori di 6 gradi in media, mentre la media delle indicazioni dei veggenti errava di 13 gradi dal vero. Ma non ci disse in quali circostanze e con quali strumenti queste osservazioni furono fatte, nè il loro numero.

Il Griesbach ha esaminato esattamente 28 veggenti e 28 ciechi. Ognuno di questi 56 esaminati fu sottoposto a 9 prove — 3 per ogni orecchio (l'altro era turato con ovatta bagnata) e 3 per le due orecchie insieme.

Gli errori furono misurati col quadrante.

Tre indicazioni corrette furono fatte:

	Veggenti	Ciechi
a) coll'orecchio sinistro . . .	1	0
b) » » destro . . .	0	0
c) con le due orecchie . . .	0	0
La media degli errori coll'orecchio sinistro era	17 9'	16 25'
Differenza a favore dei ciechi 46'.		
La media degli errori — orrecchio destro	17 40'	19 53'
Differenza a favore dei veggenti 2° 13'.		
Media degli errori dei due orecchi oscillando simultaneamente	10 7'	11 47'

Differenza a favore dei veggenti 1° 40'.

La media di tutti gli errori è per 28 ciechi di 15 gradi e 35 minuti, per i veggenti di 15 gradi.

In tutto furono fatti 2 × 252 = 504 esperimenti.

I ciechi indicarono la direzione senza errore 68 volte, i veggenti 82 volte.

Ad eccezione di due esaminati — un veggente ed un cieco — tutti localizzarono meglio coi due orecchi che con uno solo.

Le ricerche esatte non hanno dunque dimostrato nessuna superiorità dei ciechi nella localizzazione della direzione di suoni o rumori.

Una minima superiorità dei veggenti si spiega facilmente dal fatto, che quest'ultimi ad occhio scoperto, hanno la facoltà e l'abitudine di verificare e correggere la loro localizzazione per mezzo della vista. (Durante le sperienze del Griesbach gli occhi dei soggetti veggenti erano bendati.)

Abbiamo dunque constatato che non v'ha differenza rilevante tra veggenti e ciechi e che l'udito non ha creditato nulla dalla sua sorella morta: la vista.

II. — Acutezza dell'udito.

Le tabelle molto complete XVIII-LXXI del lavoro di Griesbach rendono conto della portata dell'udito, dell'acuità dell'odorato e del tatto dei ciechi e dei veggenti esaminati.

L'esame dell'acutezza uditiva ebbe luogo, come già é stato detto, in lunghi corridoi.

L'esperimentatore pronunciò chiaramente, ma sotto voce (bisbigliando), dei numeri da uno a cento, e delle parole monosillabiche, 49 veggenti e 19 ciechi vennero sottoposti a quest'esame. Diversi ciechi ne erano stati esclusi, perchè i loro organi uditivi non potevano esser considerati come normali. Un medico specialista per le malattie degli orecchi li aveva esaminati. (Noi abbiamo 5 sordomuti-ciechi e diversi altri ciechi alquanto duri d'orecchio.)

Il cieco dotato dell'udito il più fino intendeva le parole con un orecchio a 45 metri, coll'altro a 40 metri di distanza; ma uno dei veggenti mostrò una finezza uditiva uguale. La media era per i ciechi come per i veggenti, — a destra come a sinistra — di metri 26. Dunque la perdita della vista non ha nè invigorito nè affinato l'udito. Se tutti i ciechi fossero stati ammessi all'esame, la loro inferiorità si sarebbe mostrata considerevole.

Ora si dice sovente che l'orecchio musicale dei ciechi sia superiore a quello dei veggenti. Ma l'orecchio musicale è indipendente della localizzazione e della portata dell'udito.

Havvi certamente delle persone alquanto sorde le quali non intendono più la lingua umana — perchè non sentono che le vocali — e che distinguono pure esattamente i suoni musicali della scala, benchè questi suonino per loro più debolmente che per un orecchio normale.

Un tono musicale suona sempre più forte di una consonante muta.

L'organo del Corti nell'interno dell'orecchio, che ci rende conto dell'altezza dei suoni, è così indipendente dall' orecchio quanto il pianoforte dagli occhiali del suonatore. Non v' ha maestro di musica di qualche esperienza — se egli stesso non è interessato a far credere delle cose non vere — che pretenda l'udito musicale della media dei ciechi esser dapprincipio superiore a quello della media dei veggenti.

Nei nostri istituti facciamo maggiori sforzi solo per isvegliare e sviluppare i talenti musicali che possono dormire in un cieco. Noi diamo delle lezioni di musica a tutti o quasi a tutti i nostri allievi e li liberiamo da questo studio soltanto, quando tutti i nostri sforzi restano infruttuosi, mentre che la più parte dei veggenti non hanno l' occasione di sviluppare i loro doni musicali.

Questo spiega l' idea erronea, generalmente sparsa, che il cieco sia predestinato alla musica.

III. Acuità (finezza) dell' odorato.

L' odorato fu misurato coll' olfattometro del Zwardemaker. Consiste questo istrumento in un tubo di vetro che copre un altro tubo di caoutchouc, nel quale si muove un secondo tubo di vetro un po' più lungo. (Fig. 120.)

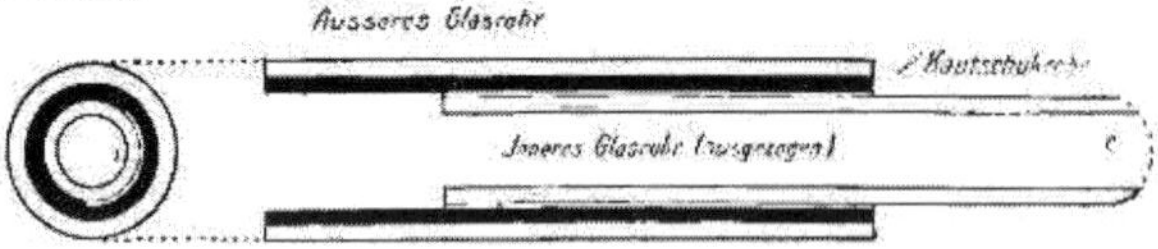

Abb. 120. Olfaktometer von Zwaardemaker.

L' estremità *c* del tubo s' introduce leggermente in una narice; il caoutchouc è coperto internamente ed esternamente e non manda verun odore. Ma quando si tira fuori il tubo interno di qualche centimetro, una parte corrispondente del caoutchouc rimane internamente scoperta - e l' odore caratteristico di questa materia si comunica all' aria aspirata per l' apertura *b*.

Secondo che il tubo interno debba esser tirato fuori più o meno, per poter sentire l' odore del caoutchouc, l' odorato è più o meno sensibile.

Una scala sul tubo interno, mobile, indica queste lunghezze. Siam dunque in grado di misurare la finezze dell' odorato.

Per 20 ciechi esaminati ci voleva in media una lunghezza di

caoutchouc scoperto — a sinistra di 1,56 cm.
id. id a destra — di 1,94 cm.

A 10 veggenti bastava una lunghezza media di 1,16 cm. per altri 24 una tale di 1,14 centimetri. Per i ciechi la media era dunque di 1,75 cm. per i veggenti di 1,15 cm. — Differenza a favore dei veggenti 6 mm, ossia all incirca 33 per cento.

IV. — Il tatto (senso di spazio).

L' oggetto principale delle indagini fu il tatto, al quale, in quanto concerne i ciechi, l' immaginazione poetica attribuisce delle forze incredibili, miracolose.

Nessuno fin' ora ha preteso che i ciechi tocchino degli odori o dei gusti; molti invece hanno già accertato ch' essi siano capaci di distinguere i colori per mezzo del tatto — eppure sarebbe lo stesso! Si trattava dunque di stabilire a quale minima distanza (spazio) due punture simultanee siano ancora percepite come due stimoli. Questo esame fu fatto, come già ho detto, coll' estesiometro (del Griesbach), provvisto di un nonio, le cui punte, tenute da molle a spirale, indicano esattamente — da uno a dieci grammi — la pressione esercitata.

L' esame si estese sulla glabella, sul jugum (osso iugale), sulla punta del naso, il rosso delle labbra, la base del pollice e le punte degli indici. Ebbe luogo, parte in giornate libere, parte dopo lezioni, parte dopo lavoro manuale. (Per tener conto della fatica). Furono esaminati 37 ciechi e 56 veggenti.

Prima si esaminarono 10 ciechi e 15 veggenti immediatamente dopo lezioni di scuola. Furono trovati i limiti medii seguenti (in millimetri).

	Glabella	Guancia	Punta del naso	Labbro	Base del pollice	Indice sinistro	Indice destro
	Soglie medie in millimetri						
Ciechi	4.5	4.9	1.86	1.72	4.8	1.49	1.91
Veggenti	4.2	4.4	1.55	1.36	4.1	1.36	1.38
Differenza a favore dei veggenti . .	0.3	0.5	0.31	0.36	0.7	0.13	0.53

In tutti questi casi i veggenti si mostravano dunque più sensibili dei ciechi.

La differenza trovata fra gli uni e gli altri per l' indice della mano destra che ci interessa particolarmente, è di 0,53 mm. dunque più di 33 % della lunghezza totale della soglia media dei veggenti.

L' esame di 15 ciechi e di 15 veggenti in giornate libere produsse le soglie seguenti:

	Glabella	Guancia	Punta del naso	Labbro	Base del pollice	Indice sinistro	Indice destro
	Soglie medie in millimetri						
Ciechi	3.6	3.7	1.7	1.5	3.77	1.29	1.55
Veggenti	2.46	2.59	0.85	1.01	2.41	0.72	0.65
Differenza a favore dei veggenti . .	1.14	1.11	0.85	0.49	1.36	0.57	0.90

Qui la differenza si mostra ancora più sorprendente, essendo alla base del pollice all' incirca di 1 1/2 mm ed alla punta dell' indice destro di 9/10 mm, ossia quasi 150 % della soglia media dei veggenti. — Quest' ultimi distinguevano le due punte a 0.55 mm di distanza, mentre che i ciechi avevano bisogno di 1,55 mm di spazio.

L' esame di 16 altri ciechi e di 19 veggenti dopo 2 o 3 ore di lavoro manuale nei laboratorii diede il seguente risultato.

	Glabella	Guancia	Punta del naso	Labbro	Base del pollice	Indice sinistro	Indice destro
	Soglie medie in millimetri						
Ciechi	5.97	5.84	2.275	2.	6.	1.7	2.-
Veggenti	4.20	4.40	1.50	1.32	4.43	1.5	1.4
Differenza a favore dei veggenti . .	1.77	1.44	0.775	0.68	1.57	0.2	0.6

Il medesimo fatto sorprendente!

Dopo ore di ricreazione 15 ciechi e 13 veggenti fornirono le soglie seguenti:

	Glabella	Guancia	Punta del naso	Labbro	Base del pollice	Indice sinistro	Indice destro
	Soglie medie in millimetri						
Ciechi	3.2	3.2	1.5	1.4	3.15	1.2	1.37
Veggenti	2.5	2.5	0.9	0.9	2.93	1.1	1.15
Differenza a favore dei veggenti . .	0.7	0.7	0.6	0.5	0.22	0.1	0.22

Anche in questo caso i veggenti si son mostrati superiori ai ciechi.

Soglie medie di 7 ciechi in età di 12 a 16 anni dopo lavoro manuale (impagliatura) e di 7 apprendisti veggenti dopo lavoro nel laboratorio.

	Glabella	Guancia	Punta del naso	Labbro	Base del pollice	Indice sinistro	Indice destro
	Soglie medie in millimetri						
Ciechi	5.5	6.1	2.20	1.8	5.6	1.51	1.77
Veggenti	4.1	4.5	1.67	1.4	4.6	1.41	1.30
Differenza a favore dei veggenti . .	1.4	1.6	0,53	0.4	1.—	0.1	0.47

I medesimi dopo lavoro intellettuale.

	Glabella	Guancia	Punta del naso	Labbro	Base del pollice	Indice sinistro	Indice destro
	Soglie medie in millimetri						
Ciechi	4.3	4.7	1.9	1.8	4.9	1.49	2.01
Veggenti	4.3	4.6	1.71	1.47	4.2	1.3	1.3
Differenza a favore dei veggenti . .		0.1	0,19	0,33	0.7	0,19	0,71

L' esame di 2 figlie cieche e di 2 ragazze di servizio (serve) della medesima età (giorno libero per le cieche) ha dato i risultati seguenti:

	Glabella	Guancia	Punta del naso	Labbro	Base del pollice	Indice sinistro	Indice destro
	Soglie medie in millimetri						
Ciechi	3.75	4.	1.75	0.5	2.5	1.12	1.75
Veggenti	2.75	3.25	1.25	1.35	3.5	0.8	0.8
Differenza a favore delle veggenti .	1.—	0.75	0.50	0.15	1.	0.32	0.95

Questa differenza è tanto più sorprendente che le due ragazze cieche avevano delle dita particolarmente fine e si occupavano esclusivamente di lavori di maglia, mentre che una delle esaminate veggenti era una serva, che facea tutto in una casa borghese ed aveva, prima di entrare in servizio, nel suo villaggio nativo, certamente lavorato nei campi e vigneti. Le soglie degli indici delle mani destre di queste cieche equivalgono al doppio di quelle delle serve veggenti!

Ma ancora più straordinarie, incomprensibili dal punto di vista dell' antico dogma sul compenso sensoriale, sono i risultati dell' esame di due figlie sordomute-cieche, che leggono correntemente la scrittura in rilievo e l' una delle quali, Maddalena

Wenner, sa orientarsi sulle carte geografiche mute come pochi veggenti.

Se la natura restituisse veramente con una mano ciò che toglie coll'altra, i tre sensi rimasti a queste figlie dovrebbero come eredi di due sensi morti — aver acquistato una forza di percezione straordinaria; eppure hanno mostrato la minima sensibilità olfattoria (3.75 e, 2.75) e le più lunghe soglie, specialmente agli indici.

Eccole:

M. W. (dopo lezioni)	7	7	4	3.5	1	2.5	3.5
„ (giorno di vacanze) .	5	5	2	2	3.5	1.5	2.—
O. H. (dopo lavoro di maglia) .	10	12	3.5	3	8	2.5	3

Dove si trova qui il „compenso", il così detto vicario per i due sensi perduti?

Io non lo posso trovare.

Maddalena Wenner non deve dunque i suoi progressi considerevoli ad un compenso datole dalla natura per i due sensi perduti (vista ed udito), perchè anche l'odorato ed il tatto hanno sensibilmente sofferto.

Il non lieve lavoro dei suoi educatori ha portato frutti soltanto grazie alla sua buona intelligenza.

Le tabelle LXXII-LXXXIX del lavoro del Griesbach rendono conto di più di 3000 misurazioni fatte all'uopo di stabilire la frequenza e la „direzione" delle percezioni erronee. (Le punture non si sentono sempre al luogo, ove sono state fatte, ma ad una certa distanza di quel punto e non sempre nella direzione dell' asse dell'arto o del nervo toccato. L'impressione si riflette sopra altre estremità nervose.) Siccome queste percezioni erronee non hanno niente di comune col compenso sensoriale, posso passar oltre, tanto più che a questo riguardo le indicazioni non hanno dimostrato nessuna differenza tra ciechi e veggenti. Ritorniamo dunque all'acuità del tatto!

Le soglie dei ciechi esaminati, essendo sempre più lunghe di quelle dei veggenti, dimostrano dunque una finezza minore di quella delle persone normali.

La differenza a favore dei veggenti è quasi sempre più grande all'indice destro (0.90 mm. in media) che a quello dell' indice sinistro (0.24 mm.). Mettendo in confronto soltanto le soglie degli indici dei ciechi, troviamo a sinistra 1.66 mm., a destra 2.02, ossia una differenza di 0.36 mm.

In giornate di vacanza questi valori medii scendono a sinistra a 1.20 mm. ed a destra ad 1.50 mm.; ma quasi sempre l'indice destro localizza meno di quello della mano sinistra, mentre l' esame dei veggenti non ha mostrato nessuna differenza.

Soltanto 4 di 37 esaminati ciechi mostrarono all'indice sinistro delle soglie più lunghe, perchè leggevano sempre o quasi sempre coll'indice della mano sinistra. Dieci altri mostravano le medesime soglie a destra ed a sinistra. Erano ciechi che leggevano alternativamente o simultaneamente cogli indici delle due mani la prima parte della riga con la mano sinistra, il resto colla destra.

Altri sono entrati da noi in età più avanzata, avevano appena imparato a leggere e leggevano poco. Ora fra questi, un cestaio, era il più sensibile di tutti.

Se anche l' indice sinistro di coloro che leggono con la mano destra è alquanto ottuso, egli è perchè anche la mano sinistra passeggia continuamente sul libro per indicar le righe al dito lettore. Copiando dei libri o dei componimenti, tutti i ciechi leggono con la mano sinistra ciò che scrivono con la mano destra.

Disgraziatamente non tutte le dita furono sottoposte all' esame. Si sarebbero sicuramente trovate delle soglie più corte — dunque una maggiore finezza di tatto — in tutte le dita che non leggono. Il dito lettore, la cui abilità è sempre tanto ammirata dai profani, è dunque in realtà meno sensibile di quello che fa da aiuto, e quest' ultimo meno dei suoi fratelli oziosi. Ne risulta all' evidenza che la lettura colle dita ottunde il tatto invece di aguzzarlo (affinarlo), perchè la frizione continua sulla carta, irta di punti in rilievo, fa ingrossare la cute alle punte delle dita e la rende più dura ed insensibile (somigliante a cuoio). I lettori più esperti, che leggono quasi come i veggenti, mostrano al dito lettore delle soglie di 2 a 3 mm. (i veggenti soltanto 1.1 mm.). Gli indici dei ciechi sembrano dunque molto insensibili, quando si considera che la soglia media dei veggenti, incapaci di leggere i punti con le dita, è soltanto di 1.1 mm. E i ciechi, le cui soglie scendono al disotto di 1.5 mm e si avvicinano dunque di quelle dei veggenti, leggono generalmente poco ed a stento, (Tab. LVII), in ogni caso meno bene di quelli che consideriamo quasi insensibili. Non è, come già si è detto, il lavoro manuale che „guasta" il tatto. Coloro fra i ciechi che mostravano le soglie più corte (0.5 mm. ed 0.8 mm.), erano cestari. Tutti e due leggono male e poco, benchè siano intelligenti.

Si posa dunque la questione:

Perchè i veggenti, dotati d' un tatto fino, non possono essi leggere o almeno decifrare colle dita la scrittura dei ciechi, – mentre quest' ultimi – con soglie di 2.5 a 3 mm. leggono questa scrittura come se recitassero?

La scrittura odierna dei ciechi (il sistema Braille) consiste, come già è stato detto, di punti conici in rilievo le cui sommità arrotondate sono distante le une dalle altre di $2^1/_4$ a 3 mm.

Ecco qaesti segni: (1 · · 4, 2 · · 5, 3 · · 6 = é francese.)

Prima serie di 10 lettere:

= é

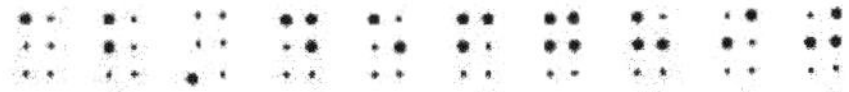
a b c d e f g h i j

Per formare la seconda serie si aggiunge il punto 3 ai segni precedenti: a più punto 3 = k.

k l m n o p q r s t

Per la terza serie si aggiunge il punto 6:

u v x y z.

Il w è l' erre (r) rovesciata. 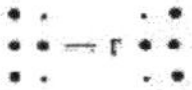 = r = w etc.

Nei libri la distanza tra due lettere è appena maggiore di quella fra i diversi punti della medesima lettera.

p. es.  = nuovo.

La larghezza del dito corrisponde in media a quella di due o tre lettere Braille. Posandolo sull' u della parola „nuovo", tocca al medesimo tempo anche i punti vicini delle lettere n ed o. Ma essendo convesso il dito, i punti dell' u s' imprimono più profondamente nella cute che non lo fanno i punti delle lettere vicine.

Il dito sentirà dunque specialmente l' u. Ma un organo **sensibile** si accorgerà anche delle più deboli impressioni laterali dell' n e del o — e confonderà i diversi segni, — mentre che un dito alquanto ottuso o insensibile non percepirà questi deboli stimoli laterali. La lettura colle dita riesce dunque molto difficile alle persone dotate di un tatto normale, che perdono la vista ad una certa età, perchè sentono anche i punti vicini e confondono i diversi segni. I bambini confondono meno i punti di due o più lettere, perchè le loro dita sottili non ne coprono che una. Sia per servir di rimorchiatore al sistema Braille negli istituti tedeschi, sia per evitare la detta confusione, ho creato, 20 anni fa, delle lettere, nelle quali i punti del sistema Braille sono riuniti in figure per mezzo di linee in rilievo. Eccole:

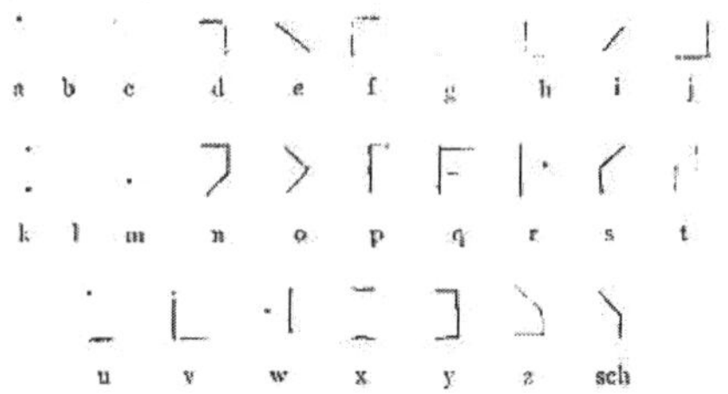

Or troviamo nelle tabelle del Griesbach per 33 sopra 37 ciechi — ma soltanto per 5 sopra 56 veggenti — le osservazioni seguenti: „Non sentono, o distinguono male, punture eseguite con **pressione debole**"; — „questo esaminato non è capace di render conto di punture eseguite con pressione meno di 2, di 5 grammi" etc.

Siamo debitori di questa scoperta decisiva allo estesiometro del **Griesbach**. Con un compasso ordinario, che non rende conto della pressione, non la si poteva fare. 14 ciechi che non mostrarono questa insensibilità, non avevano ancora cominciato a leggere, o leggevano male e poco. Il loro epitelio non era ancora **inspessito ed indurito**, mentre la pelle del dito lettore dei buoni lettori somiglia al cuoio. Fra questi 4 ritroviamo il cestaio (N. XLVII) che mostrava le soglie più corte (o. 5 mm a destra, 1 mm a sinistra).

Anche il Prof. Dott. Javal, adesso cieco, già professore di oftalmologia e direttore della clinica oftalmologica della Sorbonne, membro dell' accademia di medicina, ha constatato questo fatto – prima di aver **letto** il mio opuscolo tedesco e la traduzione francese – nel suo libro "Entre aveugles„ (Parigi 1904). Egli consiglia alle persone diventate cieche — come lui – ad una certa età, di far correre continuamente le dita sulla scrittura, anche senza leggere, evidentemente per ottundere il tatto.

Qui debbo aggiungere che la lettura non dà mai una misura dell' abilita manuale. I più svelti lettori sono generalmente i lavoranti i **meno abili**.

Di ciò che ho detto risulta all' **evidenza, che per leggere con le dita non ci vuole un affinamento, ma invece una certa ottusità del tatto.**

Il veggente non è capace di leggere con le dita, perchè **sente troppo**, e **non** troppo poco, come si crede generalmente.

Un medico italiano, il dottore Ferrai, libero docente all' università di Genova, ha constatato in uno scritto sul così detto compenso sensoriale nei sordomuti che, almeno in questi infermi, la sensibilità del tatto aumenta, sino ad un certo punto, coll' età. Se il medesimo fenomeno potesse esser dimostrato anche per i ciechi e le persone normali, la difficoltà, sempre crescente cogli anni, che gli adulti hanno da sormontare per imparare a leggere, sarebbe spiegata, ed il fatto proverebbe, che non esiste un compenso sensoriale neanche per le persone prive dell' udito. In un nuovo lavoro, pubblicato quest' anno nell' archivio internazionale d' igiene scolare, il medesimo autore dimostra che i sordomuti sono inferiori alla media degli udenti anche dal punto di vista della memoria.

Chi passeggia lentamente, distratto, o immerso in pensieri, per le strade di una città popolosa, vede diffusamente, a destra, a sinistra e davanti a sè, il formicolio della folla ed in fine dei conti non ha ben visto niente, poichè il campo visivo era troppo esteso, ed anche perchè non aveva fissato lo sguardo sopra persone ed oggetti determinati.

Nella medesima condizione si trova il dito sensibile sul brulichio dei punti della scrittura Braille, mentre il dito poco sensibile è da paragonare all'orecchio indebolito, che in una musica d' orchestra non sente più che il rullo del tamburo e lo squillo della tromba.

L' esercizio fa l' uomo perfetto, anche il lettore perfetto e l' esercizio, in questo caso, equivale ad un ispessimento dell' epitelio e ad un correlativo ottundimento del tatto. Questa tesi sarà trattata di eresia da molte persone che non si possono staccare dall' antico dogma sul compenso sensoriale. Ma essa risulta assolutamente dalle tabelle del Griesbach e dalla mia conoscenza delle persone esaminate. È anche confermata dal fatto che i ciechi non si servono generalmente del dito lettore come strumento tattile, quando si tratta di distinguere delle stoffe: lana, seta, cotone, etc.

Avendo comprato, 10 anni or sono, in una stamperia di stoffe in liquidazione circa 100 quintali di registri e carte-campioni, coperti di migliaia e migliaia di pezzetti di stoffe di lana, seta e cotone, abbiamo avuto l' occasione di constatar questo fatto. Queste stoffe dovettero esser staccate dalla carta (della quale ci serviamo per scrivere e stampare dei libri) ed assortite per esser vendute separatamente.

Confesso del resto francamente che anch' io, sino al 1901, teneva i migliori lettori come soggetti dotati di un tatto straordinariamente sensibile e che mi consideravo quasi come un sacrilego, quando scrissi, col cuore palpitante ed oppresso, queste pagine. Soltanto non avevo mai saputo spiegarmi, perchè i migliori lettori si distinguevano generalmente per una inabilità particolare nei mestieri e nelle faccende giornaliere. Soltanto l' esame critico comparativo delle tabelle del Griesbach mi ha aperto gli occhi. Deploro soltanto che le indagini non siano state estese a tutte le dita delle due mani. Questa lacuna dovrà esser colmata per confermare i risultati già conosciuti.

Queste parole erano scritte e stampate quando, nel 1902, il mio desiderio fu soddisfatto. Durante le vacanze di Pentecoste il Griesbach esaminò, a mia domanda, nell' istituto dei ciechi e sordomuti di Weimar, due ciechi e 3 sordomuti - - ed estese questa volta le sue indagini sopra tutte le dita.

Ecco i risultati:

Ciechi di nascita dell' età di 12 e 13 anni:

	Glabella	Jugum	Punta del naso	Pollice sinistro	Pollice destro	Mignolo sinistro	Mignolo destro	Anulare sinistro	Anulare destro	Medio sinistro	Medio destro	Indice sinistro	Indice destro
	Millimetri												
I. 5)	5.5	8.	4.—	2.2	2.2	1.3	1.4	1.2	1.2	2.—	2.	1.5	2.3
II. 6)	5.5	7.5	4.—	2.7	2.2	1.2	1.3	1.2	1.2	1.5	1.5	2.—	2.5
Medie	5.5	7.75	4.—	2.45	2.2	1.25	1.35	1.2	1.2	1.75	1.75	1.75	2.4

medie delle soglie di tutte le ditta 1.745 mm — media delle 9 ditta che non leggono 1.45 mm. Dito lettore: 2.4 mm.

L' opinione da me emessa che le soglie di tutte le dita che non leggono, debbano esser inferioi a quelle del dito lettore, si è dunque pienamente confermata.

Media delle soglie di tutte le dita: 1.64 mm.

Sordomuti di 10, 12 e 13 anni

	Glabella	Jugum	Punta del naso	Pollice sinistro	Pollice destro	Mignolo sinistro	Mignolo destro	Anulare sinistro	Anulare destro	Medio sinistro	Medio destro	Indice sinistro	Indice destro
	Millimetri												
I.	8.5	12.5	4.5	2.5	2.5	2.—	2.—	2.—	2.—	2.2	2.2	2.2	2.2
II.	8.7	12.—	4.—	2.—	2.—	2.2	2.2	2.5	2.5	2.2	2.3	2.—	2.—
III.	8.5	10.5	3.5	2.5	2.5	2.5	2.2	2.5	2.5	2.3	2.2	2.5	2.5
medie	8.23	11.7	4.—	2.33	2.33	2.23	2.13	2.33	2.33	2.23	2.23	2.23	2.23

Medie delle soglie di tutte le dita 2.26 mm.

È da osservare che queste misurazioni furono fatte durante le vacanze. Gli allievi erano dunque riposati.

Mentre che nei sordomuti non troviams veruna differenza rilevante tra le soglie delle diverse dita (2,13 a 2,33 mm), i ciechi mostrano ai mignoli ed agli anulari, cioè alle dita che non leggono mai, delle soglie medie di 1,25 mm, ma all' indice della mano sinistra del N. II, che serve a leggere, la soglia sale a 2 mm. ed al dito lettore persino a 2,5 mm. Il N. 1 legge coll' indice destro (2,3) e si serve evidentemente del medio sinistro come aiuto, perchè la soglia del medio è più lunga di quella dell' indice.

Queste indagini del Griesbach dimostrano anche, che almeno il tatto dei sordomuti non ha guadagnato dalla perdita dell' udito, ch' è invece di molto inferiore a quello dei veggenti ed anche dei ciechi. (Il Ferrai aveva provato questo fatto per gli altri sensi). Secondo la tabella I. la media delle soglie dei veggenti è sulla glabella, sul jugum sulla punta del naso di 1,97 mm. La media corrispondente dei 3 sordomuti esaminati a Weimar monta invece a 7,97!!!

E ciò si chiamava ancora compenso sensoriale!!

Si potrebbe credere ch' io apprezzi il tatto e la capacità produttiva dei ciechi al disotto del loro valore.

Dopo 25 anni di lavoro fra essi e per essi non crederei meritare questo rimprovero, se mai mi fosse fatto.

Io so per esperienza che siamo capaci, oggidì, di elevare i nostri allievi normalmente dotati al livello intellettuale dei veggenti coetanei e ch' essi restano appena inferiori alle persone normali nei mestieri ad essi accessibili.

Il tatto dà molto più e molto meno di quanto i profani credono generalmente. Il cieco è sovente creduto simultaneamente idiota e stregone, capace di cose straordinarie, soprannaturali.

Non è nè l' uno, nè l' altro, ma invece un essere a forze ridotte (perchè ove un membro soffre, tutti soffrono), eppure capace di riparare in gran parte — grazie ad una buona istruzione, all' applicazione e alla perseveranza — e non a forza di virtù miracolose — ciò che la natura gli ha tolto.

Una parola del Wundt, (Menschen- und Tierseele p. 167) Professore in Lipsia, dimostra sino a qual punto i ciechi — ed il tatto in generale — siano mal giudicati persino da rappresentanti eminenti della scienza. Egli dice che il tatto, sempre poco sviluppato nei veggenti, giunga ad un tal grado di sviluppo nei ciechi di nascita, che possa misurarsi, in quanto all' esattezza delle percezioni, almeno con la visione indiretta delle parti laterali della retina. Questo è troppo e troppo poco!

Se percorriamo una strada od una selva e guardiamo dritto davanti a noi, vediamo involontariamente colle parti laterali della retina, in alto, in basso e davanti a noi, dei milioni d' oggetti in contorni indistinti, donde la più parte son assolutamente inaccessibili al dito del cieco. Ma quegli oggetti che posson esser messi nella sua mano, sono percepiti dal tatto, come sono realmente, e non come sembrano essere, mentre per l' occhio cambiano di forma, di secondo in secondo, quando giriamo attorno ad essi. L' occhio vede soltanto in proiezione ed in prospettiva.

Per la mano tastante una sfera è e resta una sfera, per l' occhio invece una superficie circolare inegualmente illuminata. Egli è perciò che un circolo ombreggiato appositamente dà all' occhio — in concorso con molte esperienze tattili — l' illusione d' una sfera. Dei corpi sferici inaccessibili al tatto furono perciò, per tanti e tanti secoli, considerati come dischi dall' umanità tutta. (Disco solare, lunare etc.)

Dieci anni or sono, ricevetti da Vienna un certo numero di riproduzioni concave (matrici) in gesso di medaglioni, rappresentanti delle personalità storiche.

Guardandole fissamente, senza pensarci e senza tener conto della direzione della luce, mi accorsi ch' io vedeva questi ritratti (busti in basso-rilievo) ora in rilievo, ora concavi. Per esser sicuro che quest' illusione non dovesse attribuirsi ad un difetto degli occhi miei, poi anche per convincere certi veggenti della fallibilità della vista, io posai questi getti cavi contro un muro in modo tale, che non potessero esser toccati, ma visti soltanto da una distanza di 4 o 5 metri. Chiamai in seguito due professori veggenti, invitandoli ad ammirare questi bellissimi ritratti „in rilievo". Divisero la mia ammirazione, senza accorgersi dell' errore in cui erano stati indotti. Se ne accorsero soltanto quando, ridendo, li invitai ad esaminare i rilievi più da vicino. Naturalmente non si sarebbero sbagliati, se avessero tenuto conto della direzione della luce, cioè della posizione della finestra, vale a dire delle ombre. Io ho poi fatto tante e tante volte la medesima esperienza, guardando fissamente il tergo (il lato concavo) delle mie immagini zoologiche stampate in rilievo.

Tali errori non accadono al tatto.

Un cieco esercitato a tastare, che esamina attentamente una buona carta in rilievo dei Vosgi o delle Alpi, acquisterà un concetto totale molto più esatto di questi sistemi di montagne, di quello che ne avrebbe un viaggiatore veggente, il quale, senza aver visto una carta analoga, avesse fatto cento volte il viaggio da Basilea a Straburgo, da Milano a Lucerna o da

Verona a Monaco. Quest' ultimo avrebbe visto queste catene soltanto in proiezione sul piano verticale (da lato) e mai in proiezione sul piano orizzontale, come le rappresenta la carta piana. Le nozioni del cieco e quelle del veggente sono soltanto d' ordine diverso (tattili, visive).

Le idee tattili non possono essere paragonate a quelle acquistate per mezzo della vista. Sono così diverse come la pittura e la plastica, ma equivalenti come queste arti.

Il veggente fa mille cose che il cieco non potrebbe fare, come il cieco ne fa tante che l' uomo normale non farebbe ad occhi chiusi, perchè ogni attività cosciente è l' efflusso (il prodotto) della vita intellettuale, la quale nel veggente, per quanto ha relazione allo spazio ed alle forme, si basa essenzialmente sulla vista, nel cieco invece sul tatto.

Questi due ordini d' idee sono equivalenti, ma non uguali. (Saggi di visione fatti da ciechi operati.) La vista abbraccia a distanza smisurata le cose le più grandi (una contrada, il cielo stellato) come totalità e le analizza in seguito; il tatto invece non si accorge delle cose molto piccole — e soltanto poco a poco degli oggetti accessibili, troppo grandi per essere abbracciati dalla sua mano.

La vista fornisce dei gruppi di nozioni, il tatto invece successivamente delle serie di concetti, che devono esser aggruppati per mezzo di un atto psichico.

La vista è „senso di superficie", il tatto senso di corpo.

Un cieco di nascita può acquistare delle nozioni esatte di corpi, più difficilmente di superficie. Un individuo privo di tatto, non so se ve ne siano — acquisterebbe per mezzo della vista delle nozioni di superficie, ma non sarebbe capace di farsi un' idea d' un corpo. Nei veggenti le nozioni visuali e tattili si confondono sì intimamente in una immagine complessa (concetto totale), la quale comprende la superficie come il volume, che le percezioni della vista richiamano alla memoria anche le nozioni dei corpi relativi, e viceversa.

Se vediamo la facciata d' una casa, cioè quando sentiamo sulla retina le onde luminose riflesse da questa superficie, noi diciamo: Vedo la casa! Non siamo più capaci di seperare l' idea corporale, basata sulle osservazioni del tatto, del concetto della superficie. La vista della facciata riproduce l' idea di tutta la casa.

La vista ed il tatto che lavorano insieme, ma che, per la loro natura stessa, son destinati a ricevere delle impressioni diversissime, possono dunque completarsi, ma non possono fare le veci l' uno dell' altro. Non può dunque in realtà essere quistione di un vicariato, di un compenso sensoriale, benchè questi due sensi siano così intimamente legati che la vista è già stata chiamata un tastamento a distanza.

L' udito può ancor meno servir di vicario alla vista, questi due sensi essendo ossolutamente differenti. L' udito solo è incapace di produrre delle nozioni di spazio e di forma, benchè possa assai esattamente localizzare la direzione d' un suono. La distanza della sorgente di quest' ultimo non può essere esattamente determinata dall' udito solo (senza il concorso della vista); essa è soltanto approssimativamente estimata dall' orecchio, prendendo per misura l' intensità del suono.

Le nozioni di spazio, la base di queste estimazioni, sono fornite dal tatto e dalla vista. Il cieco acquista naturalmente, come già ho detto, le sue nozioni incomplete ed inesatte di spazio (forma volume) per mezzo del tatto, servendosi dei piedi come tentacoli (organi del tatto) e consultando anche il senso muscolare (lunghezza dei passi, posizione del braccio, movimento delle dita). Questi due sensi non forniscono direttamente delle nozioni di spazio, ma soltanto dei materiali per formarle. Anche qui l' intelligenza, valendosi del numero e del tempo, deve far il resto.

L' udito, in quanto deve servire alle relazioni fra gli uomini, è destinato soltanto alla percezione di gruppi convenzionali di suoni (parole, nomi), capaci di riprodurre nella memoria delle nozioni d' oggetti e non a percepire le cose stesse.

Un nome solo non ci può dare una idea di una cosa o di una persona che non abbiamo mai viste. Pur troppo sovente anche i professori dei ciechi si fanno l'illusione, che le parole possano produrre nelle anime giovanili le immagini delle cose descritte. Molti fra essi parlano troppo e mostrano troppo poco. Questo metodo è certamente più comodo.

Non si può dunque parlare di un vicariato dell' orecchio per la vista perduta. Le indagini del Griesbach, fatte nel nostro istituto, hanno anche provato che questa perdita non ha neanche prodotto un invigorimento od affinamento dell' udito, in quanto ha tratto alla sua portata od alla localizzazione della direzione d' un suono.

La maggiore attenzione che il cieco presta a deboli rumori, capaci di guidarlo o di avvertirlo di un pericolo imminente, non sembra dunque esercitare nessuna influenza sul suo organo uditivo.

Non bisogna del resto dimenticare che l' attenzione è un momento psichico, non fisiologico.

L' idea, che la perdita di un senso invigorisca da sè, con forza naturale, gli altri sensi, insomma, che l' energia resa disponibile dallo sciopero dei nervi ottici, passi agli altri nervi sensoriali — come la fortuna di un bambino morto passa ai suoi fratelli ed aumenta le loro parti — è dunque dimostrata essere insostenibile dalle indagini del Griesbach. Per i sordomuti lo ha dimostrato il Dott. Ferrai.

Dove un membro è in sofferenza, tutti soffrono. Il medesimo Griesbach dice nelle sue conclusioni: „In quanto alla percezione d' impressioni tattili in ore libere non v' ha differenza rilevante tra ciechi e veggenti; piccole differenze sono a favore dei veggenti".

Non so dove abbia trovato questa „piccola" differenza, perchè le sue tabelle ne mostrano una rilevantissima. All' indice della mano destra questa superiorità dei veggenti oscilla da 0,42 a 0,90 mm; ovvero, ridotta alla lunghezza media delle soglie dei veggenti, da 40% à 138%.

		Veggenti (in millimetri)	Ciechi (in millimetri)	Differenza (in millimetri)	in pCt.
Tab. LX u. Tab. LXII	Ore libere . .	0.95	1.37	0.42	44
„ LIX „ „ LXI	Dopo lavoro manuale . . .	1.40	2.	0.60	43
Tabella XLII	Ore libere . .	0.65	1.55	0.90	138
„ „	Dopo lavoro in tellettuale	1.36	1.91	0.55	40

Ecco la „piccola" differenza a favore dei veggenti.

Queste cifre ricordano involontariamente l' antica parola: A chi ha, sarà dato, affinchè ne abbia in abbondanza; ed a chi non ha, sarà tolto anche ciò che ha.

Le tesi 11 e 13 del Griesbach come le conclusioni ch' egli ne ha tratte, meritano ancora un esame più esatto.

La tesi 11ª ha il tenore seguente:

„Il lavoro manuale stanca i ciechi più dei veggenti della medesima età!!" È ben vero che corrisponde alle cifre, ma non ha l' importanza che le si è prestata.

Secondo la tabella LXII la somma delle soglie dei veggenti dopo ore libere, dunque in istato normale, è in millimetri: 2,5 + 2,5 + 0,9 + 0,9 + 2,93 + 1,1 + 0,95 = 11,78 mm; e nello stato di stanchezza: 4,2 + 4 + 1,55 + 1,32 + 4,43 + 1,5 + 1,4 = 18,40 mm. La differenza tra lo stato normale (riposo) e quello della stanchezza è dunque di 6,62 mm, ossiano 58% della somma delle soglie normali.

Il coefficiente di stanchezza, cioè il numero col quale la normale dovrebbe essere moltiplicata per trovare il numero corrispondente allo stato di fatica, sarebbe dunque uguale a 1,56 $\left(\frac{18.40}{11.78} = 1,56\right)$.

Per i ciechi la somma delle soglie allo stato normale (Tav. LX) è di: 3,2 + 3,2 + 1,3 + 1,4 + 3,15 + 1,2 + 1,37 = 15,02; dopo lavoro manuale (Tav. LIX): 5,97 + 5,84 + 2,275 + 2 + 6 + 1,7 + 2 = 25,78 mm differenza tra lo stato normale e quello di stanchezza = 10,76, ovvero 71,7%.

Coefficiente di stanchezza (25,78 : 15,02) = 1,716. La differenza non è dunque molto rilevante e proviene specialmente dalle soglie sempre lunghe sulla glabella, sul jugum, etc.

Dopo lavoro intellettuale il risultato è rovesciato in modo sorprendente. Perciò la tesi 13ª („Per quanto alla stanchezza prodotta dal lavoro intellettuale non vi è differenza sensibile tra ciechi e veggenti"), non corrisponde ai fatti.

Per i ciechi i valori normali (Tab. XXXVI) sono i seguenti: 3,6 + 3,7 + 1,7 + 1,5 + 3,79 + 1,29 + 1,55 = 17,13 mm.

Dopo lavoro intellettuale (Tab. XXXV): 4,5 + 4,9 + 1,86 + 1,72 + 4,80 + 1,49 + 1,91 = 21,18 mm. Differenza tra lo stato normale di riposo e quello dopo fatica intellettuale (21,18 — 17,13) = 4,05 = 23,6%.

Coefficiente di stanchezza dei ciechi: 21,18 : 17,13 = 1,236.

Per i veggenti: (Tab. XXXVIII).

Stato normale di riposo: 2,3 + 2,4 + 0,9 + 0,9 + 2,4 + 0,83 + 0,8 = 10,53 mm.

Dopo lavoro intellettuale (Tab. XXXVII: 4,2 + 4,4 + 1,55 + 1,36 + 4,1 + 1,36 + 4,1 + 1,36 + 1,38 = 18,35 mm.

Differenza: 18,35 - 10,53 = 7,82 mm = 74,2%.

Coefficiente di stanchezza per i veggenti.

(18,35 : 10,53 = 1,743 | dopo lavoro intellettuale.
id. per i ciechi 1,236 |

Percentuale per ciechi 23,6%
veggenti 74,2%.

Qui la percentuale dei veggenti è tre volte maggiore di quella dei ciechi, mentre il Griesbach dice che dopo lavoro intellettuale non vi è differenza rilevante tra ciechi e veggenti — e che la piccola differenza è a favore degli ultimi (dei veggenti). In realtà la differenza è grandissima ed è a favore dei ciechi — cioè, lavorando intellettualmente, i ciechi si stancano meno dei veggenti. Il Griesbach ha dunque mal interpretato le sue cifre.

Fisiologicamente questo fenomeno non sembra

poter esser spiegato; sarà necessario di metter in conto dei momenti psicologici.

La differenza così sorprendente dev' esser attribuita in parte all' attenzione più intensa dei veggenti durante le lezioni (molti ciechi sono inclinati alla "rêverie", ma anche alla fatica degli occhi, i quali durante le lezioni, oltre all' udito, son sempre occupati, mentrechè il cieco, scrivendo sotto dettato, non affatica che l' orecchio e, scrivendo di memoria, verun organo sensitivo, ma soltanto i muscoli dell' avambraccio.

Conclusioni generali non possono esser tratte da queste cifre, perchè non è più possibile stabilire esattamente quali lezioni abbiano preceduto queste indagini del Griesbach.

Il calcolo mentale p. es. stanca il cervello, ma non i sensi, mentrechè una lezione di scrittura in una scuola di veggenti richiede continuamente il concorso degli occhi, come pure una lezione di geometria.

In ogni caso il sin qui detto non ha fornito nessun sostegno per l' ammissione di un vicariato (compenso) sensoriale.

Si tratta dunque ancora della sensibilità della cute per le differenze di temperatura e pel dolore — e del gusto dei ciechi, — il tatto, l' udito e l' odorato essendo già esaminati. Ma sarebbe forse difficile trovare degli eccitanti, ai quali i detti organi (pelle e palato) reagissero nel medesimo modo, ma con energia diversa.

Indagini di questo genere furono pur fatte ultimamente da medici italiani per mezzo della corrente elettrica e di diverse soluzioni amaro, dolce, salato.

Ma gli sperimentatori non sembrano aver trovato risultati importanti; in ogni caso, non hanno trovato veruna superiorità dei ciechi anche a questo riguardo.

Per ben apprezzare l' importanza di questi sperimenti, sarebbe in ogni caso, necessario di conoscere, non solamente l' intensità della corrente elettrica e la densita delle soluzioni, ma anche — a causa della persistenza delle impressioni — la durata delle interruzioni tra un esperimento e l' altro ecc., per il gusto, anche la successione delle diverse soluzioni: dolce salato, amaro, od amaro, dolce, salato.

Non ho del resto mai sentito dire che i ciechi abbiano il palato straordinariamente fino, altrimenti qualcheduno avrebbe certamente già proposto d' impiegarli in qualità d' ispettori di cucina nei palazzi reali e non solamente come „bussole" in tempo nebbioso. Preferirebbero certamente il primo impiego! — Considerazioni economiche hanno forse impedito il mondo d' attribuir loro una finezza miracolosa del palato. — La finezza maravigliosa del tatto, dell' udito ect. costa certamente meno.

Resta la sensibilità dei nervi della pelle per differenze di temperatura e di pressione, che non è ancora stata esaminata. Sarebbe desiderabile che le indagini del Dott. Th. Heller di Vienna fossero completate.

È noto che le persone assolutamente cieche urtano di rado col viso contro un ostacolo. I nostri fanciulli ciechi si muovono e corrono liberamente, come se vedessero, nei cortili e nei giardini, piantati d' alberi e circondati da edificii e muri. — Accade di tempo in tempo, ma raramente, che si urtino piuttosto l' uno contro l' altro (il mondo non è fatto per i ciechi), ma quasi sempre si accorgono a tempo di un ostacolo ed evitano il pericolo.

Or non si credeva poter spiegare questo fatto conosciuto dall' uso efficace dei sensi comuni, senza attribuire ai ciechi un sesto o settimo senso, il quale si nominava „senso di spazio", „senso d'orientazione", senso avvisatore ect. ect.

Da un secolo a questa parte delle speculazioni mistiche intorno a questo nonsenso hanno prodotto fiori lussureggianti, ma ibridi. È veramente ammissibile, che la natura si faccia il dovere di creare un nuovo sistema nervoso per individui che perdono la vista per accidente all' età di 30 o 40 anni?

In realtà non si tratta che d' un uso continuo e perspicace dei sensi conosciuti, specialmente del tatto (pressione dell' aria sulla pelle del viso), del senso di temperatura e dell' udito. Anche l' odorato è qualche volta messo a contribuzione.

I ciechi medesimi non sanno dire in che cosa consista questo „presentimento" d' un pericolo, cioè qual sia il senso che lor dia conoscenza della sua presenza. Lo „sentono" semplicemente.

É questa la solita risposta.

Ma tutti si mostrano goffi quando hanno gli occhi bendati o quando il suolo è coperto di neve o d' un' altra materia che attenui il suono dei passi.

Allora non possono far uso del tatto dei piedi e dell' udito. — Quando cade la neve, anche i più abili non possono sempre orientarsi nel cortile ben conosciuto.

Come spiegare il fatto che la benda sugli „occhi", cioè sopra una parte della fronte, diminuisce la sicurezza d' orientazione dei ciechi?

Proviene forse dalla diminuzione della parte

scoperta della fronte accessibile all' aria? Una risposta concludente a questa domanda potrebbe essere data soltanto da sperimenti nel „bagno d' aria“ (a corpo scoperto). — In tal caso la superficie accessibile direttamente all' atmosfera sarebbe aumentata di molto.

È chiaro che l' avvicinamento rapido ad un ostacolo (albero, muro, ecc.) deve produrre un condensamento ed una riscossa dell' aria. (Lo sentiamo quando un convoglio di strada ferrata si avvicina e passa a piccola distanza). Ogni tiratore conosce anche la riscossa aumentata del fucile al tiro contro un ostacolo, un albero, un muro, ecc., sia anche ad una distanza di 100 a 150 metri. Già i rami privi di foglie d' un albero o cespuglio aumentano la resistenza dell' aria.

La questione è, se anche i veggenti sentono, come i ciechi,*) questa resistenza dell' aria, avvicinandosi rapidamente ad un ostacolo. Avvicinandosi lentamente, anche i ciechi si urtano più facilmente e più spesso, perchè l' aria che si trova tra loro e l' ostacolo, ha tempo di fuggire lentamente.

I veggenti non se ne accorgono, perchè non hanno generalmente bisogno di badarci.

Non si tratta dunque di una superiorità fisiologica da parte dei ciechi, ma di attenzione più intensa.

Il suono dei passi che cambia nella vicinanza d' una parete, ha forse una maggior importanza come avvisatore, che non ha il sentimento di pressione sulla pelle del viso; almeno entra prima in funzione. Lo prova l' incertezza che si osserva nei ciechi, quando il suolo od il pavimento son coperti di materie che smorzano il suono.

Il così detto „senso“ d' orientazione non è dunque altro che la somma di tutte le percezioni sensoriali che avvertono il cieco di un pericolo imminente. Si potrebbe dunque, se si volesse dare un nome speciale a questa somma di percezioni, anche parlare di un „senso avvisatore“. Ma in realtà non si tratta d' un senso speciale. Una superiorità fisiologica del sensorio dei ciechi non è dunque stata dimostrata fin' ora.**)

Ma anche se delle indagini veramente scientifiche dimostrassero per i ciechi una certa superiorità del gusto e della sensibilità della pelle al dolore ed alla pressione atmosferica, questo eccedente non varrebbe certamente a compensare la generale inferiorità sensoriale dei ciechi dimostrata dal Griesbach.

Anche in tal caso non sarebbe lecito di parlare di un affinamento dei sensi rimasti, dovuto alla perdita di un senso qualunque; altrimenti anche la perdita dell' udito dovrebbe aver questo effetto e la perdita dei due sensi superiori — vista ed udito — rinforzerebbe in modo straordinario i tre sensi rimasti. Che ciò non accade è dimostrato dalle indagini operate sui nostri sordo-muti-ciechi. Anche il loro tatto e l' odorato sono di molto inferiori ai rispettivi sensi dei veggenti e dei ciechi. Il passo barcollante di questi infelici — quasi tutti camminano come se fossero ubriachi — indica che anche il „senso dell' equilibrio“ ha sofferto e che la „bilancia idrostatica nel labirinto“ degli orecchi non è in ordine.

In questi ultimi anni due medici italiani, il dottore Ferrai, docente all' Università di Genova, („Sul compenso sensoriale nei sordomuti“ e „Ricerche comparative di Psicologia sperimentale sui sordomuti — Leipzig 1905“) ed il dottore Cesare Rossi di Como („Sulla durata del processo psichico elementare e discriminativo“) hanno, come già fu detto, esaminato un numero rilevante di sordomuti e paragonato i risultati trovati con quelli forniti da giovani udenti, e son arrivati alle medesime conclusioni.

Il Ferrai ha esaminato il tatto, il senso muscolare, le percezioni dolorose (prodotte dalla corrente elettrica), l' odorato ed il gusto (amaro, dolce, salato). Nelle sue conclusioni egli rileva espressamente che un „compenso sensoriale“ non esiste neanche nei sordomuti.

Il Rossi esprime — basandosi sopra indagini fatte da lui ed esperienze altrui — la convinzione che, per poco dire, la vista dei sordomuti non è superiore a quella degli udenti. Ricorda anche i casi numerosi, in cui la sordità e la cecità son sorelle.

Dove un membro soffre, tutti soffrono, perchè la cecità, la sordità ed altri difetti non sono sovente che sintomi diversi di una sola malattia interna. Come si spiegherebbe altrimenti che in tanti e tanti casi la sordità più o meno completa accompagna la cecità?!

Da molti anni 6 a 8% dei nostri ciechi sono, nel medesimo tempo, assolutamente sordi, molti altri duri d' orecchio, mentrechè fra i veggenti i casi di sordità — lasciando da parte le persone vecchie — non oltrepassano 3 per 10000.

*) Avrei „dovuto dire: come molti ciechi. Tutti non“ posseggono il così detto „senso degli ostacoli“.

**) Diverse malattie dermatische sembrano produrre una certa iperestesia della cute.

Il numero esatto non può esser stabilito, perchè la „sordità" è un concetto relativo come la „cecità".

Per l' oculista una persona è cieca, quando non può più distinguere il giorno dalla notte; per gli educatori dei ciechi invece, ogni individuo è cieco, quando non può lavorare coll' aiuto degli occhi.

Perciò le statistiche mi sembrano poco esatte, fintantochè questi concetti non siano esattamente definiti. — Molti genitori temono anche discrivere le parole „cieco" o „sordo" sulle liste di censimento.

Terminando, esprimo dunque la convinzione che, grazie alle indagini esatte ed estese, fatte da qualche anno, il dogma del „compenso sensoriale" debba crollare — come tanti altri dogmi, i quali per secoli dominavano la scienza, non hanno potuto resistere alle indagini veramente scientifiche.

Chi se ne lagnerebbe?

Una tassazione soverchia delle forze dei ciechi è nociva come il disprezzo, di cui son generalmente vittime.

So bene, che le rovine del vecchio castello in aria si mostreranno ancora di tempo in tempo come spettri; ma poco a poco impallidiranno e spariranno, come tutte le ombre.

Bürstenbinderei

Abb. 121. Neuer Teil des Hauptgebäudes (Nordansicht).

Taubstumm-Blinde.

(Aus meinen Jahresberichten Nr. 36, 41 und 43.)

Für Berufsgenossen, welche in die Lage kommen können, ein taubstumm-blindes Kind unterrichten zu müssen, lasse ich hier (im 36. Jahresberichte, 1893) einige Mitteilungen folgen über den besondern Unterricht, den ein solches Mädchen bei uns erhält.

Wundermären, wie man sie aus Amerika zu lesen bekommt, wo Taubstumm-Blinde sogar Klavier spielen, wissen wir allerdings nicht zu erzählen. So weit bringen wir es mit Tauben ebensowenig, als mit Blinden zum Velozipedfahren, das ja in einer amerikanisch geleiteten englischen Anstalt auch sportsmäßig betrieben wird, wobei es natürlich auf einige unschuldige Rippenbrüche mehr oder weniger nicht ankommt. Wir haben sogar noch nicht einmal das Exerzieren in Uniform und mit Gewehr eingeführt, das sich in einer Blindenanstalt von „drüben" auch reger Pflege erfreut. „Ein tiefer Sinn liegt oft im kindschen Spiel!" hat zwar ein großer Dichter gesagt; aber zuweilen liegt dieser Sinn so tief, daß man ihn gar nicht mehr finden kann.

„Wunderdinge" sind also bei uns weder zu sehen, noch zu hören. Wer solche erwartet, mag die folgenden Seiten ruhig überschlagen, um nicht enttäuscht zu werden.

Magdalena Wenner von Westhofen (U.-E.) wurde uns am 15. September 1891 im Alter von 8 Jahren als vollständig blind und beinahe taub übergeben.

Tatsächlich ist sie vollständig taub, hat aber noch einen Rest von Sehvermögen, welcher sie vor dem Anstoßen an große Gegenstände bewahrt, für den Unterricht aber beinahe wertlos ist.

Da sie in früher Jugend gesehen und gehört hat, waren zur Zeit ihres Eintritts jedenfalls noch Gesichtsvorstellungen, vielleicht auch Gehörvorstellungen vorhanden. Erstere sind jetzt wohl größtenteils, letztere völlig verloren gegangen. Mit dem Gehör und den Schallvorstellungen verliert sich aber in der Jugend bekanntlich auch die Sprache. Die wenigen Dialektausdrücke, die der Kleinen geblieben sind, haben für den Unterricht keinen Wert, weil durch den Verlust von Gesicht und Gehör jeder Faden, der ein Anknüpfen neuer Vorstellungen und ihrer Namen an vorhandene hätte ermöglichen können, abgeschnitten worden ist. Der Lehrer durfte also nicht viel mehr voraussetzen, als bei einem von frühester Jugend an tauben Kinde, konnte aber bei seinem Unterricht nicht die in Taubstummenanstalten gebräuchliche Methode anwenden, einerseits, weil das Kind die Sprache nicht von den Lippen absehen kann, andererseits, weil demselben nicht nur die Namen der Dinge, sondern auch die Vorstellungen von denselben fehlen, sobald sie nicht im Bereiche seiner tastenden Hand liegen.

Der Taubstumme hat Vorstellungen, kann sie aber nicht benennen; der Blinde kennt viele Namen, ist aber nicht im Besitze der durch sie benannten Vorstellungen und Begriffe; dem Taubstumm-Blinden fehlt beides.

Es mußten also in unserm Falle Mittel und Wege gesucht werden, um die doppelte Kluft, welche das Seelenleben dieses Kindes jedem geistigen Einflusse unzugänglich zu machen schien, zu überbrücken.

Dem Lehrer*), der leider für dieses Mädchen allein nur 3 wöchentliche Stunden verfügbar hat, war und ist die dreifache Aufgabe gestellt: 1. Gesicht und Gehör als Aufnahmeorgan für Sinnesreize durch den Tastsinn zu ersetzen, und so die Bildung von Vorstellungen zu veranlassen; 2. ohne Unterstützung durch das Gehör mechanisch derart auf die Sprachwerkzeuge einzuwirken, daß dieselben Laute hervorbringen, welche den von hörenden Personen gesprochenen möglichst ähnlich sind; 3. diese Laute durch tastbare Buchstaben zu bezeichnen, und das Kind durch das Betasten derselben zur Wiedererzeugung der betreffenden Laute und Lautgruppen, d. h. zum Lesen zu bringen.

Der erste Zweck wurde und wird noch erreicht durch das Betasten von möglichst vielen Gegenständen; das Lesen verursachte keine besondern Schwierigkeiten; eigenartige Wege mußten hingegen eingeschlagen werden, um den mit 2 bezeichneten Unterrichtszweck zu erreichen, d. h. um die Sprachwerkzeuge des Kindes dem Willen des Lehrers gefügig zu machen. Das Kind hatte bis dahin nur gespielt; spielend wurde deshalb auch die ernste Arbeit begonnen.

Durch Blasen in die hohle Hand und auf Papierstreifen, die sich vor ihrem Gesichte bewegten und dasselbe berührten, wurde der Nachahmungstrieb der Kleinen angeregt. Wie der Lehrer in ihre hohle Hand blies, so blies sie auch in die seinige. Dann wurde sie veranlaßt, beim Blasen den Mund weiter zu öffnen, und die Luft mit geringerem Druck ausströmen zu lassen, also zu h a u c h e n. Nachdem sie den scheinbaren Temperaturunterschied zwischen der geblasenen, d. h. rasch ausströmenden und der gehauchten Luft bemerkt hatte, und auf ein gegebenes Zeichen (Druck auf die Brust) regelmäßig hauchte, war die Grundlage der Sprache, das h, gewonnen.

Die sprachliche Betriebskraft war nun vorhanden; dieselbe mußte nur noch zweckentsprechend angewandt werden. Die Konsonanten entstehen bekanntlich dadurch, daß an verschiedenen Stellen des sich nach oben trompetenartig erweiternden und verdoppelnden Ausströmungskanals, des sog. Ansatzrohres (Mund-Nasenhöhle), nicht aber im Kehlkopfe selbst, Engen oder Verschlüsse eintreten, welche durch die ausgepreßte Luft mit Gewalt durchströmt, oder geöffnet werden müssen. Der Durchgang der Luft durch Engen erzeugt Geräusche, „Reiblaute", h, sch, s, r, usw., durch das gewaltsame Öffnen von Verschlüssen entstehen Platz- oder Explosivlaute, b, p, d, t, g, k usw., deren Stärke von der Festigkeit des Verschlusses abhängt. Nach dem Orte ihrer Entstehung werden die Konsonanten benannt*).

Wenn während des Ausströmens der Luft der Kehlkopf gespannt (oval statt rund) wird, wodurch die im Ruhezustande schlaff anliegenden Stimmbänder gestreckt, angespannt werden, so daß die Luft sich durch die verengte Stimmritze durchdrängen muß, so geraten die Stimmbänder in Schwingung und es entsteht, statt des stimmenlosen Hauches h, ein stimmhafter Ton, wie er mit dem Mundstück eines Blasinstrumentes erzeugt werden kann.

Aus diesem Stimmenton wird durch verschiedenartige Stellung des Mundes, der mit der Nasenhöhle als Resonanzraum dient, wie die erweiterten und vielfach gekrümmten Röhren der Blasinstrumente,

*) Anfänglich G. Germann, später Frl. Ramseier.

*) Labiale, labiodentale, linguodentale, linguoalveolare, linguodorsalpalatale, linguovelare, gutturale, nasale.

die ganze Vokalreihe a, à, è, é, i, í, ò, ó, u, ù, ü, mit unzähligen Zwischenstufen geformt.

Alle Vokale und einige leichttönende Konsonanten (l, m, n, r, w) beruhen somit auf dem stimmhaften Ausströmen der Luft durch den gespannten Kehlkopf, wie alle stummen Konsonanten den Hauch h, d. h. den tonlosen Durchgang des Luftstromes durch den ruhenden Kehlkopf zur Grundlage haben. Diese beiden Elemente der Sprache werden dann im Ansatzrohr (Mund und Nasenhöhle) zu all' den unzähligen Lauten geformt, welche der menschliche Mund hervorzubringen vermag.

Wie unserm Kinde der Hauch entlockt wurde, ist oben gesagt worden; schwieriger war die Erzeugung des stimmhaften (vokalischen) Hauchs. Wieder mußte der Tastsinn für das Gehör, wie für das Gesicht, eintreten.

Des Kindes rechte Hand wurde an den Kehlkopf des Lehrers, die linke an seinen eigenen Kehlkopf gelegt, damit es einerseits das Zittern der Kehle beim Erzeugen des tönenden Hauchs fühlte, und sich andererseits bemühte, den eigenen Kehlkopf durch den Luftstrom in dieselbe vibrierende Bewegung zu versetzen. Es gelang ohne allzugroße Mühe, die Kleine zur Hervorbringung von Tönen zu veranlassen. Damit waren, wenn ich mich so ausdrücken darf, die beiden Rohstoffe der Sprache, der stimmlose und der stimmhafte oder tönende Hauch gewonnen; es handelte sich jetzt darum, dieselben zu Lauten zu verarbeiten. Dies geschieht in der Mundhöhle, zum Teil auch mit Hülfe der Nasenhöhle. Tätig sind dabei hauptsächlich die Zunge, die Kinnbacken mit den Schneidezähnen, die Lippen und die Wangen.

Da es sich hier um einen Bericht und nicht um eine lautphysiologische Studie handelt, kann ich auf die Tätigkeit der einzelnen Glieder dieses komplizierten Apparates nicht näher eingehen.

Fast alle Sprechwerkzeuge sind für die Hand mittelbar oder unmittelbar zugänglich, können also durch Druck in die Lage gebracht werden, welche zur Erzeugung des gewünschten Lautes erforderlich ist. So wurde nach und nach das ganze Alphabet entwickelt. Sobald ein Laut gewonnen und eingeübt war, wurde das Kind an ein Fingerzeichen gewöhnt, welches sich den bei Entwicklung des Lautes zur Anwendung gekommenen Griffen möglichst eng anschloß, und gleichzeitig wurde ihm der entsprechende Buchstabe der Blindenschrift zum Betasten vorgelegt. Wenn das Mädchen jetzt eines dieser Zeichen fühlt oder einen Buchstaben betastet, spricht es den bezeichneten Laut; es „liest" also Zeichen und Buchstaben, so daß nun ein Mittel vorhanden ist, um mit ihm zu verkehren, selbst wenn, was vorauszusehen, der Rest von Sehvermögen verloren gehen sollte.

Die für die einzelnen Laute gewählten Zeichen entsprachen, wie gesagt den Griffen, welche nötig gewesen waren, um das Mädchen zur Erzeugung der Laute zu veranlassen. Es waren Griffe ins Gesicht, in den Mund, Druck auf den Kehlkopf und die Brust usw. Wer sich dafür besonders interessiert, findet Aufschluß im 36. Jahresbericht der Anstalt. Anstandsrücksichten haben uns, seit das Mädchen groß geworden ist, veranlaßt, diese Zeichen durch ein unauffälliges Handalphabet zu ersetzen und dasselbe auch bei anderen Taubstumm-Blinden in Anwendung zu bringen. Ich lasse es hier folgen: (S. 41. Jahresbericht.)

Fingeralphabet (linke Hand).

Anfang der Reihen: Daumenseite; Handrücken nach oben. —

a, e, i, o, u	Druck auf die Fingerknöchel, beim Daumen beginnend.
ä, ei, ö, ü	Druck auf die Vertiefungen zwischen den Fingerknöcheln.
b, d, f, g, h	Druck gegen die 5 Fingerspitzen.
k (c), l, m, n, r	Druck auf die Hauptfingergelenke (erste Gelenke von der Mittelhand aus).
s, t, sch, ch	Druck auf die vorderen (zweiten) Fingergelenke.
j	Druck unten, dem i gegenüber.
c (ts)	Druck unter das Daumengelenk, dem k gegenüber.
w	Druck mitten in die Hand (unten).
f	Druck auf den Handrücken.
v	Druck am Handgelenk (Außenseite).
z	Druck am Handgelenk (Innenseite).
qu	Druck auf den Unterarm.
au	Druck an den Ellenbogen.
eu	Druck auf den Oberarm.

Wir haben wesentlich die alphabetische Reihenfolge und nicht die des Gußzettels gewählt, weil so die Erlernung dieser Zeichen bedeutend erleichtert wird.

Auch beschränken wir uns auf die linke Hand, damit die rechte zum Schreiben verfügbar bleibt. Die Taubstumm-Blinden können so mit der rechten Hand in Punktschrift schreiben, was ihnen in die linke Hand „diktiert" wird. Auf diese Weise hoffen wir, ihnen ein Verkehrsmittel mit der Außenwelt zu erhalten, wenn auch die letzte Spur von

Sehkraft verloren gehen sollte, wie das Gehör bei allen **vollständig** verloren gegangen ist. —

Folgende weitere Ausführungen über diesen Gegenstand enthält der 43. Jahresbericht (S. 47—52):

Der Taubstumm-Blinden möchte ich noch gedenken, weil in den letzten Jahren die phantastischen Berichte amerikanischer Zeitungen über die taubstumm-blinde Helene Keller durch die gläubige europäische Presse in weitesten Kreisen verbreitet worden sind.

Als letztes Frühjahr der Leiter der Zentralstelle für das Taubstummenbildungswesen in Washington bei uns Lehrmittel für genannte Helene Keller bestellte*) und ich in ihm seines Namens wegen einen alten Landsmann vermutete, faßte ich die Gelegenheit beim Schopf, gestand ihm, daß ich mich in meinen Berichten zum großen Vergnügen der deutschen Taubstummenlehrer über die amerikanischen Wundermären wiederholt lustig gemacht habe und bat ihn als Landsmann um ehrliche Auskunft über Helene Keller, indem ich ihm versprach, auf sein Wort hin an derselben Stelle „**pater peccavi**" zu sagen, wenn er die amerikanischen Zeitungsberichte bestätige.

Ich hatte mich nicht getäuscht! Herr John Hitz, der lange Jahre (vor dem Bestehen einer Gesandtschaft) meine Heimat bei den Vereinigten Staaten als Generalkonsul vertreten hat, gab mir wiederholt in liebenswürdigster Weise die erbetene Auskunft.

Es ist dem ehrwürdigen Manne, der sein rüstiges Alter mit jugendlichem Feuer der Sache der Taubstummen und Dreisinnigen widmet, Gewissenssache, daß über die merkwürdige Ausbildung der taubstumm-blinden Helene Keller die Wahrheit, aber auch nur die Wahrheit, bekannt werde. Die Mitteilungen die er mir gemacht hat, sind also wohl auch für die andern Fachgenossen und weitere Kreise bestimmt. Aus diesem Grunde halte ich mich für verpflichtet, an dieser Stelle den größten Teil eines Briefes vom 9. Mai 1900 wiederzugeben.

Washington City U. S. A. 9. May 1900

. . . . Sie haben mir durch Übersendung Ihrer drei letzten Jahresberichte, sowie der Abhandlung: „Ist es ratsam, Blinde zu Sprachlehrern auszubilden usw.?" und namentlich durch Ihr herzliches Schreiben vom S. v. M. eine wirklich innige Freude bereitet, eine Freude, die sich hoffentlich lebenslänglich fruchtbringend erweisen wird!

Ihre kurze Abhandlung über das von Ihnen angewendete Fingeralphabet für Dreisinnige (S. 22, 41. Jahresbericht) scheint mir recht sinnvoll, ob es ebenso zweckentsprechend ist, wie Dalgarnas, oder das hier in Amerika gebräuchliche einhändige Alphabet, muß ich der Beurteilnug von Fachleuten überlassen. Ich werde dem Aufsatz jedenfalls in Übersetzung Verbreitung geben, gleichfalls, soweit tunlich, einem Teil des fachmännischen, lehrreichen Vortrags beim Blindenlehrerkongreß in Berlin 1898.

Nun, betreffs Helene Keller, die, wie Sie wohl wissen, schweizerischer Abstammung ist, ist es gar nicht zu wundern, daß die zahlreichen Aussagen über dieselbe in der amerikanischen Presse Ihnen und anderen Fachleuten nicht einleuchten konnten! Die Übertreibungen hatten keine Schranken, was überhaupt bei vielem in Amerika der Fall ist, wenn die Presse es unternimmt, etwas Auffallendes zu beleuchten, das richtig nur wissenschaftlich beleuchtet werden sollte.

Ich gedenke gegen Ende August dieses Jahres in Paris zu sein und dann auf etliche Wochen nach der Schweiz zu reisen und werde es mir zur angenehmen Aufgabe machen, Sie entweder in Illzach oder anderswo zu treffen, ehe ich die Rückreise antrete und Ihnen bei dieser Gelegenheit vollständigen Aufschluß über Helene Keller und ihre Lehrer, Familie usw. zu geben. Es läßt sich dies einmal nicht in befriedigender Weise schriftlich tun, indem es eine Weitläufigkeit bedingte, die irreführen müßte.

Inzwischen aber will ich die von Ihnen gestellten Fragen möglichst kurz gefaßt, aber **unbedingt zuverlässig** beantworten.*)

„Wie verständigt sich Helene Keller heute?" „Mündlich **mittelmäßig**, schriftlich **vortrefflich** und mittels Lippenbetastung am **beschränktesten**". Zum schriftlichen Verkehr braucht sie Punktiermaschinen für Blinde und Sehende (Typewriters) verschiedener Art. Ferner bedient sie sich des einhändigen Fingeralphabets der Taubstummen mit einer mehr als gewöhnlichen Fertigkeit — und dieses Fingeralphabet (in der hohlen Hand) wird von Frl. Sullivan**),

*) Wir haben ihr Landkarten, zoologische, botanische Bilder, physikalische Zeichnungen, deutsche und französische Sprachbücher und literarische und geschichtliche Werke geliefert, also auch ein Scherflein zu ihrer Ausbildung beigesteuert.

*) Anmerkung: Herr J. H. hat im Sommer 1899 die Sommerferien im Elternhause der Helene Keller zugebracht, kennt also das Mädchen sehr genau.

**) Jetzt Frau Macy.

ihrer Lehrerin, mit fachmännischer Fertigkeit beim Lesen und irgendwelchen Mitteilungen benutzt — so bei Vorlesungen, auf Spaziergängen, bei Tische usw.

Hinsichtlich des Unterrichtsmodus der anderen Lehrkräfte verweise ich Sie, lieber Landsmann, auf Helene Kellers Souvenirs No. 2, die ich Ihnen nächstens zusenden werde (jetzt im Druck), und die eine möglichst bündige, vollständige und unumstößlich getreue Darstellung des Unterrichts im Laufe der letztverflossenen sieben Jahre enthalten.

Musik als solche hat sie selbstverständlich nie unternommen: Sie spielt auf dem Klavier die einfache Melodie: „Home sweet home", die eine Freundin ihr auf mechanische Weise beibrachte. Daraus machte die Presse sofort Symphonien usw.

Ich selber verkehre mit Helene Keller mittelst des Fingeralphabets (aber sehr mangelhaft), während sie mir in der Lautsprache antwortet — und dieses geschieht beiderseits öfters, der Übung wegen, in deutscher Sprache -- wo einfache Sprachformen angewendet werden können. Schriftlich aber bediene ich mich eines einfachen amerikanischen Punktierschriftapparats. (Halls Braille-Writer) . . . .

Sie finden, es bedürfe großen Aufwandes an Zeit, um Taubstumm-Blinde zu unterrichten. Dieses ist in Amerika anerkannt, und bei solchen Schülern kommt halt hier die Ideal- oder königliche Schule in Anwendung: Ein oder mehrere Lehrer für jeden solchen Schüler. Wo dieses getan werden kann, da lassen sich, vorausgesetzt, daß wirkliche Anlagen vorhanden seien, auch fremde und alte Sprachen treiben und zwar ebenso vorteilhaft für die Bildung, wie bei Hörenden.

„Helene Keller hat besondere Anlagen für Sprachen, wie Sie aus dem Bericht von Lehrer Keith ersehen werden. Dieser Bericht ist eine fachmännische Darstellung der Mängel, sowie der Errungenschaften von Helene Keller; er wird hoffentlich in Deutschland, wie in Frankreich Übersetzung finden. Überhaupt habe ich Souvenirs No. 2 möglichst pädagogisch gehalten, damit Fachmänner über Helene Keller einmal etwas wirklich Verständliches erhalten. Jastraw, der Psychologe an der Universität Wisconsin, sagte mir unlängst: „Helene Keller bietet der Psychologie nichts Neues -- wohl aber dürfte die Pädagogik einiges gewinnen."

„Beiliegend eine.

. . . .

Dieser Brief und das inzwischen eingegangene Souvenirs No. 2 bestätigen (was in unseren Berichten schon wiederholt gesagt worden ist), daß man Dreisinnige bei genügendem Zeitaufwand und mit geeigneten Hülfsmitteln sehr weit fördern kann; anderseits führen sie aber auch die Ungeheuerlichkeiten der Zeitungsmeldungen auf das richtige Maß zurück.

Wir haben für unsere Dreisinnigen allerdings die Ideal- oder Prinzenschule nicht! Wir können nicht für jeden Zögling einen oder sogar mehrere Lehrer anstellen; dazu ist unsere Kasse nicht amerikanisch genug.

Wir treiben deshalb mit ihnen weder Latein noch Griechisch, sondern lehren sie zwischen den wenigen Schulstunden, welche wir ihnen allein geben können, die Bürstenbinderei, weil sie, trotz der schlechten Zeit und der Ungunst der Menschen, für Bürsten doch noch eher Absatz finden werden, als für „dreisinniges" Griechisch! Hoher pädagogischer Wert ist aber den in Amerika gemachten Versuchen nicht abzusprechen; nur wäre es wohl nicht nötig, dieselben Versuche bei vielen Individuen zu wiederholen. Auch in den letzten Jahren sind die riesigen Berichte (ganze Bände) des Direktors Anagnos in Boston [Perkins Institution and Massachusetts School for the Blind] mit ausführlichen Mitteilungen über Taubstumm-Blinde angefüllt.

Reiche Leute können ja tun, was ihre Mittel erlauben. Unsere Taubstumm-Blinden aber sind arm. In solchen Fällen ist es wohl angezeigt, sich mit einer ordentlichen Elementarbildung und einem Handwerk zu begnügen und herzlich froh zu sein, wenn man es so weit bringt.

Nachdem obiges (im 43. Jahresbericht) gesetzt war, erhielt ich — mit einer Bestellung folgende Zuschrift des Herrn Hitz in Washington:

„Helene Keller hat nun ihre Studien in Radcliffs College völlig angetreten, wohnt in Gesellschaft von Frl. Sullivan, die neben ihr sitzt und ihr alles Gesprochene mittelst des Handalphabets sofort mitteilt, dem Klassenunterricht von Hörenden und (Sehenden) bei und hat sich nicht nur ebenbürtig gezeigt, sondern steht unter den Vordersten. Die Herren Professoren benehmen sich sehr artig gegen die taubstumm-blinde Schülerin und deren Hülfslehrerin und das Ergebnis dieses gemeinsamen Strebens wird sich voraussichtlich als pädagogisch und wissenschaftlich fruchtbringend erweisen."

Es ist bekannt, daß Helene Keller mit bestem Erfolge — immer in Begleitung ihrer früheren Lehrerin und späteren „Dolmetscherin", die ihr das Gesprochene in die Hand schrieb — akademische Studien gemacht und ihre Selbstbiographie veröffentlicht hat. Seither ist sie fortwährend schriftstellerisch tätig.

Erst kürzlich (Februar 1906) ist mir aus Amerika wieder ein von ihr geschriebener Artikel über Blindenarbeit zugeschickt worden.

So sehr ich auch die außerordentliche Begabung und Energie dieses Wunderkindes anerkenne, so frage ich mich doch, ob Helene Keller nicht mehr reproduziere als produziere. Aus ihrer Lebensbeschreibung scheint hervorzugehen, daß sie sich darüber selbst nicht ganz klar ist. — Die Hilfsmittel, welche bis heute Blinden und Taubblinden zur Verfügung stehen, reichen bei weitem nicht aus, um ihnen die tausend und abertausend Dinge, von denen Helene Keller spricht, auch nur bezüglich der Form richtig zu veranschaulichen. Farben und Töne sind ihnen überhaupt unzugänglich und unverständlich.

Nun kommen aber bei Helene Keller sehr viele auf Gesichts- und Gehörswahrnehmungen beruhende Bilder und verschönernde Beisätze vor, wie z. B.: „Ein in roten und goldenen Farben glühender Herbst", „das bunte Herbstlaub", „das eine Mädchen war rabenschwarz wie Ebenholz"; . . . „wie ein marmorner Apollo im Mondschein"; „schöne, überraschende Ausblicke bei einer Biegung der Straße"; „das wogende Kornfeld"; „ihre Gesinnung glänzt hell wie ein strahlender Stern in der Nacht" . . .; „ich konnte den Dolch und Macbeths kleine, weiße Hand sehen", „in den Wolken schweben" usw. „der Hund hatte das drolligste Gesicht" usw. usw. „jauchzend, singend"; „piepsen"; „das beim Bewegen der Figuren entstehende Geräusch zeigte mir, wann die Reihe an mir war" usw.*)

(Sollte noch eine Spur von Gehör vorhanden sein? J. Hitz behauptet das Gegenteil.)

Und doch ist bekannt, daß Erinnerungen an Farben — wohl auch an Töne — selbst bei solchen Menschen, welche erst in späteren Jahren Gesicht und Gehör eingebüßt haben, bald verblassen und nach und nach ganz verloren gehen. Helene Keller hat aber schon im Alter von 19 Monaten Gesicht und Gehör verloren! Wie sollten ihr da Erinnerungen an Farben und Töne geblieben sein?! Es ist dies undenkbar. — Wenn sie mit derartigen Ausdrücken überhaupt irgendwelche Vorstellungen verbindet, so können es nur sog. Surrogatvorstellungen sein, die der Wirklichkeit in keiner Weise entsprechen!*) —

Auch meine Erinnerung reicht bis in das zweite Lebensjahr zurück. Farbige Bilder hat mein Gedächtnis aber aus jener Zeit nicht aufbewahrt. Im Alter von 6 Jahren war ich völliger Erblindung nahe. Während längerer Zeit konnte ich die Augen nicht öffnen. Die Fieberphantasien, welche mich damals beängstigten, habe ich heute noch nicht ganz vergessen. Farbige Bilder tauchen aber niemals vor mir auf. Sollte dies bei Helene Keller nach 23jähriger Blindheit anders sein?

Sie schreibt eben für Vollsinnige — allerdings meisterhaft — die Sprache der Vollsinnigen, d. h. sie wiederholt eine Menge Redewendungen, die sie oft gelesen oder die man ihr in die Hand „geschrieben" hat. Diese Sprache der Sehenden und Hörenden kann, soweit sie sich auf Gesichts- und Gehörswahrnehmungen bezieht, nicht das Geistesprodukt einer Taubblinden sein. Es widerspräche dies allen Gesetzen der Psychologie. —

Aber selbst wenn wir aus ihren Schriften alles ausscheiden, was sich auf Licht und Schall bezieht, also nicht auf eigener Wahrnehmung der taubblinden Schriftstellerin beruhen kann, so bleibt doch noch genug Eigenes übrig, das unsere höchste Bewunderung erregt und verdient.

Wenn auch wir in Illzach die amerikanische Prinzenschule, d. h. mehrere Lehrkräfte für ein taubstumm-blindes Kind, gehabt hätten, wäre es uns wohl auch gelungen, Magdalena Wenner intellektuell auf eine höhere Stufe zu heben. Sie hat, obgleich man ihr allein täglich nur eine Stunde widmen konnte, sehr Bemerkenswertes geleistet, besonders in der Geopraphie. — Was hätte sie aber hierzulande mit großem Schulwissen angefangen?! Wovon sollte sie später leben? Die praktischen Amerikaner haben sich letztere Frage auch vorgelegt, ehe sie mit Helene Keller das

*) Zu vergleichen das während der Drucklegung des Werkchens erschienene Büchlein von Rud. Brohmer, Taubstummenlehrer; „Wie soll man über Helen Keller denken?"

*) Es gilt dies natürlich von allen Blinden; eine besondere Blindensprache gibt es nicht. Eigentümlich und doch wieder erklärlich — ist nur, daß dichtende Blinde so gerne in Farben schwelgen. Der Mensch denkt am meisten an das, was er nicht hat und sucht doch Verluste zu verbergen. So erzählt Bismarck irgendwo, daß der blinde König von Hannover seine Gäste über seine Blindheit hinweg zu täuschen suchte. —

jetzt gelungene Experiment in Angriff nahmen. Um ihr für alle Fälle ein sorgenfreies Dasein zu sichern, hat der bekannte Erfinder des Telephons, Dr. Graham Bell, der Beschützer der amerikanischen Taubstummen, bei einer Bank ein kleines Vermögen für sie hinterlegt, (obwohl sie von Haus aus nicht arm ist), dessen Zinsen sie und ihre Begleiterin für immer sicherstellen. — So amerikanisch sind wir hier nicht. — Bei uns mußte deshalb daran gedacht werden, Magdalena Wenner dem Handwerk zuzuführen, um ihrem Leben einen Inhalt zu geben. — Seither sind noch 6 Taubblinde bei uns aufgenommen worden. Sie hatten aber alle zur Zeit des Eintritts schon das schulpflichtige Alter überschritten. Wir haben sie deshalb nur kurze Zeit in der Schule behalten und sie dann den Werkstätten — Bürstenbinderei und Korbmacherei — zur beruflichen Ausbildung übergeben. Immerhin wurde ihnen Gelegenheit geboten, die Blindenschrift und das Fingeralphabet zu lernen, um neue Mittel des Verkehrs mit der Außenwelt zu gewinnen.

Von den Taubblinden, auch von Helen Keller, wird in dem Kapitel „Orientierungsvermögen und Ferngefühl" noch wiederholt die Rede sein. —

Abb. 122. Taubblinde Bürstenbinderinnen.

L'insegnamento della Geografia in generale e specialmente nelle scuole dei ciechi.

Relazione letta al Congresso Italiano di Tiflologia a Roma (Acquario Romano) nella seduta pomeridiana del 3 Dicembre 1906.

Kongreßvortrag. Rom, den 3. Dezember 1906.

Signore, Signori!

Viviamo nel secolo del vapore e della elettricità! Qual differenza fra i tempi moderni ed i tempi antichi, od anche soltanto fra questo secolo e la prima metà del secolo scorso!

Tutte le relazioni tra uomo ed uomo sono centuplicate. Gli uomini tutti son, si può dire, cosmopoliti. Non vi sono più schiavi della gleba; ognuno può sopra tutto l' orbe terrestre cercare la sua fortuna ove meglio gli talenta. Le monete di ferro degli Spartani hanno ceduto il posto alle cambiali ed ai mandati telegrafici. Al giorno d' oggi la voce umana porta a migliaia di chilometri. Che movimento su questo grande teatro e quanti attori!

Ma quanti fra questi attori conoscono la scena sulla quale devono rappresentar la loro parte?

Queste poche considerazioni basterebbero, se pur fosse necessario, per additare il valore pratico della geografia.

Sotto l' aspetto fisico noi siamo i figli di questa terra, e come la madre esercita la massima influenza sui figli suoi, anche la nostra gran madre comune ha dato a tutti noi un' impronta speciale, talchè è impossibile rendersi conto dei caratteri particolari delle nazioni, senza conoscere il seno materno che le ha nutrite. — Chi studia la geografia, studia dunque le condizioni d'esistenza del genere umano.—

Ma la terra non è isolata nell' universo. Essa è unita da mille e mille legami e potentissimi affetti ad una innumerevole parentela, della quale subisce alla sua volta il potere; ed è alla armonica combinazione di queste varie influenze ch' essa deve ogni suo moto e persino il suo interno ordinamento. Chi fra noi, abitanti della terra, non ha già cercato la causa di quei fenomeni, che si succedono con esattezza matematica e che regolano ogni umana attività?! Già gli antichi Caldei volgevano con profonda ammirazione lo sguardo verso il cielo stellato; gli Egiziani avevano i loro osservatorii, cosicchè da 40 secoli la volta misteriosa del cielo non ha mai cessato di occupar l' attività scrutatrice dei più eletti ingegni di tutte le nazioni. — Ma gli antichi non avevano mezzi acconci a ciò; oggi invece, per mezzo di potentissimi strumenti possiamo definire le leggi che reggono il movimento armonico degli astri — e calcolare le loro orbite. Il fisico strappa persino al discreto raggio di luce o di calore il segreto della sua origine e lo costringe a palesargli la composizione chimica ed i movimenti della sua sorgente. E quando si chiuderà quella serie di scoperte che si succedono con una rapidità tale, che è quasi impossibile all' uomo di tenersi all' altezza di una sola scienza? È veramente posto un limite alle indagini degli scienziati? Si! La scienza descriverà e spiegherà tutto l' edificio, ne ricostruirà tutto il piano e ne spiegherà passo per passo tutta la costruzione; ma non ci svelerà mai ciò che ha preesistito all' edificio ed alla stessa materia di cui è formato. Giunta a quel punto, la scienza s' inchina dinanzi alla fede.

Ma non è forse l' opera che onora il suo autore? Studiando la creazione si studia adunque il creatore, — ed è in ciò che si appalesa il valore morale e religioso della geografia.

34*

Noi dobbiamo educare la gioventù all' amor della patria. Ma possiamo noi amare una cosa che non conosciamo? É soltanto la conoscenza del proprio paese che ci ispira l' amore della patria, definito dal Schiller „il più nobile fra gli affetti umani". —

Ho parlato fin qui dell' importanza materiale o pratica, e del valore ideale della geografia come scienza, senza occuparmi dei servigi importantissimi che rende alle scienze naturali — zoologia, botanica, geologia, fisica e meteorologia etc. — colle quali scienze tutte è collegata in modo da non poterne esser disgiunta. Ma di ciò non parlo, poichè anche questa utilità della geografia è piuttosto pratica o materiale. — Mi farò invece a considerarne il lato educativo che è il più importante. — Ogni insegnamento ed ogni studio non hanno per iscopo principale l' addensare variate cognizioni, benchè utilissime, — bensì lo sviluppo delle forze intellettuali e morali di cui l' anima umana è dotata. Lo sviluppo armonico di tutte le forze umane, fisiche intellettuali e morali è, secondo il Pestalozzi, il più alto scopo dell' istruzione, — mentre le cognizioni, come gli esercizi ginnastici, non sono che mezzi, i quali mirano a questo scopo ed hanno per se stessi soltanto un' importanza secondaria, come i pallini, che si aggiungono giorno per giorno al peso attaccato all' àncora di una calamita, non sono che mezzi per accrescerne la forza.

Ma in che cosa consiste dunque la virtù educativa della geografia e del suo insegnamento?

Quali sono le forze umane che col mezzo di essa si possono muovere e coltivare?

Naturalmente quelle che sono attive durante lo studio di questa materia, dunque anzitutto la memoria e, disgraziatamente, quasi esclusivamente la memoria, — a danno di ogni altra facoltà, specie dell' osservazione e del ragionamento! Qui sta, a mio modo di vedere, il principal difetto dell' insegnamento geografico attuale. — Invece di considerar la terra come organismo vivente, in cui tutti gli organi sono in intimo rapporto gli uni cogli altri ed hanno tutti funzioni determinate, benchè forse sconosciute, l' insegnamento geografiico considera generalmente la terra come cadavere e ne descrive aridamente forme e dimensioni, fa in una parola, dell' anatomia, invece di far della fisiologia. Egli è vero che la geografia è essenzialmente una scienza morfologica come per esempio l' anatomia o la botanica; ma come quest' ultima non dovrebbe limitarsi alla descrizione delle forme, sì bene condurre gli alunni alla scoperta dell' origine, delle funzioni e delle trasformazioni degli organi, della influenza che esercitano gli uni sugli altri e sulla vita umana e viceversa. In una parola, l' intuizione, l' osservazione diretta, dovrebbe essere la base, le cognizioni positive il materiale, il ragionamento la chiave ed i sentimenti morali e religiosi la corona dell' edificio. —

In questo modo la memoria perderebbe quel dannoso predominio che tiene generalmente nello studio della geografia, — e lo scopo educativo dell' insegnamento, lo sviluppo di tutte le forze, sarebbe raggiunto. —

Riepilogando il sin qui detto, l' insegnamento geografico deve aver per iscopo:

1. Di favorire l' esercizio dell' osservazione e lo sviluppo del raziocinio, di infondere nell' animo dei giovani l' amor patrio — e di render loro manifesta la magnificenza della creazione e, per conseguenza, la saviezza e la potenza del creatore. (Scopo educativo.)
2. Di fornire le loro menti delle cognizioni utili nella vita — e di quelle necessarie per comprendere altre materie collegate. (Scopo reale.)

Fino al secolo scorso la geografia non veniva insegnata che raramente e malamente nelle scuole secondarie; nelle scuole elementari non se ne parlava, perchè non ne era conosciuta l'importanza, benchè il grande Herder, uno dei classici tedeschi, avesse detto già nel secolo decimo ottavo: „Felice colui al quale il „trattenimento" geografico non ha solamente empito la memoria, ma coltivato l' animo ed aperto l' intelligenza!"

Dobbiamo al grande geografo Ritter, padre della geografia scientifica, di aver chiaramente stabilita la meta ed indicata la strada che vi conduce. D'allora in poi scienza e commercio fecero a gara nello spingerla avanti.

Una volta riconosciuta l' importanza della geografia, i pedagogisti si provarono ad ordinare un metodo razionale per impartire questo insegnamento. Gli uni credevano di averlo trovato nell' analisi, gli altri nella sintesi. — I primi prendevano come punto di partenza l' universo, parlavano poi della terra come corpo celeste, della sua forma, grandezza, delle sue divisioni e dei suoi movimenti, passavano insegnito ai continenti e terminavano il corso collo studio della patria, se rimaneva tempo a tanto. — Gli altri invece, e con loro tutti i pedagogisti moderni, ammettono come unico punto di partenza l' edificio della scuola, allargandosi successivamente al comune, al circondario, alla provincia, alla patria, all' Europa, alla terra e da ultmo — all' universo. —

Questi due sistemi, diametralmente opposti, se addottati esclusivamente, sono giusti e falsi tutti e due; ognuno è giusto per un piano dell' edificio — e falso per un altro.

Abbiamo veduto più sopra, che l'insegnamento geografico, come quello di ogni altra scienza, deve essere basato sull' osservazione diretta, sull' intuizione. Ma come sarebbe ciò possibile, prendendo le mose dalla terra considerata qual corpo celeste? Come far vedere o toccare la terra intera all' alunno, e fargli osservare le linee che i geografi hanno tirate convenzionalmente sul globo?

Quali sono i mezzi di cui si dispone, per far capire ad un cambino di 9 anni, che la terra si muove e non il sole, se per tanti e tanti secoli l' umanità tutta, compresi i più grandi astronomi, si è ingannata a questo rignardo?!

E come far osservare che la terra somiglia ad un arancio, se i giovani alunni hanno davanti alla loro porta delle elevazioni come sarebbero l' Etna o il Monviso, o se son nati ni una valle stretta e profonda? Non si domandi l' impossibile alla credulità delle giovini menti!

Ma, vi è il maestro, mi risponderanno, che lo dice e vi è forse anche un manuale, dove tutte le definizioni son stampate. L' allievo le impara facilmente a memoria, le recita stupidamente come un papagallo — e la scienza è salvata! — Ma un tal insegnamento resterà sempre senza base, non avendo l' alunno acquistato delle nozioni veramente reali. Si parlerà di monti, pendii, cime, vette, varchi, ghiacciai, torrenti, fiumi, canali, versanti, foci, isole penisole, capi, laghi, mari, golfi, coste spiaggie etc. etc. — e dove si prenderanno i termini di paragone?

Dove avrà l' allievo acquistato le nozioni reali che corrispondono a queste parole? Forse nell' universo? Qual' è il maestro che, dovendo fare una prima lezione di cose in una scuola di montagna, sceglierebbe per argomento una cosa affatto sconosciuta ai bambini, per esempio una nave da guerra, se i fanciulli non avessero nemmeno visto la più piccola navicella? — O qual altro maestro comincerebbe l' insegnamento della lingua con la spiegazione di Dante, col pretesto che ogni singolo suono è una parte dell' intera lingua, e che non si può comprendere una parte senza conoscere il tutto? Sarebbe un nonsenso, non è vero? E non è forse piu grande paradosso il voler parlare a bella prima — poichè in questo caso l' osservazione diretta è impossibile — dell' universo e della terra come corpo celeste a fanciulli di 8 a 9 anni? L' intuizione sola è la base di ogni vera istruzione.

Cerchiamo adunque di tracciare il primo insegnamento geografico conformemente à questa verità.

Ci si presenta per primo il quesito: A qual epoca dove principiare lo studio geografico? — Non spetta a noi maestri di determinarlo, perchè questo studio veramente pratico-intuitivo comincia ben prima che i fanciulli vengano mandati alla scuola o nei nostri istituti. Comincia col primo sguardo intelligente che il bambino veggente volge attorno a sè nella angusta camera in cui sta la sua culla, col primo rumore che eccita nel bambino cieco la curiosità di sapere donde ei venga, — di modo che si potrebbe quasi dire che le prime nozioni impresse nell' anima del pargoletto siano nozioni geografiche. —

E quando il bambino fa il primo passo, foss' anche tastando lungo il muro, che vita nuova per lui! Quanti viaggi di scoperta nella casa paterna!

Non vi ha un angolo della casa e del cortile che non venga minutamente esplorato dal piccolo geografo. — Non si arrampica egli su casse e letti sedie e tavole, carri e muri ed alberi per fare nuove scoperte, per vedere e toccare il dove, il come ed il perchè di ogni cosa?! E ben presto non vi è più un ripostiglio — per nascosto che porsa essere — il quale non sia perfettamente conoscinto in tutti i suoi particolari dal piccolo esploratore. — Egli conosce anche benissimo i prodotti delle varie provincie del suo piccolo regno: le frutta della dispensa e del giardino, lo zucchero della credenza e certi piccoli tesori, chiamati chicche, nascosti dalla madre in un tiretto — e tutto ciò senza professore nè libro di testo!

All' età di 6 anni egli è perfettamente orientato nel villaggio, nei campi e nel vicino bosco. Ei conosce il vicino ruscello, ove si bagna, ed i canali d' irrigazione, ove con tanto diletto giuoca al galleggiatore ed ove il babbo gli ha construito un piccolo molino; e siccome la casa del babbo è grande fuor di misura, ei se ne fabbrica un' altra che sia proporzionata al piccolo regno ch'egli conosce. —

Queste parole che, 27 anni or sono, io serissi sui veggenti per i maestri dei veggenti, sono, con qualche restrizione, giuste anche per i ciechi.

Il giardino del nostro istituto misura 30600 metri quadrati. Vi sono più di 500 alberi fruttiferi, delle viti ecc. I nostri fanciulli ciechi li conoscono generalmente benissimo, — quasi troppo bene!

Durante l' autunno, quando l' uva è matura, hanno già saputo trovare la porta del mio giardino privato. „Un senso profondo ha spesso il giuoco fanciullesco" ha detto il più gran poeta tedesco — e perchè non sarebbe questo giuoco ricco di ammaestramenti in ispecie per l' educatore? · Tutta l' educazione dev' essere conforme — alla natura del fanciullo, vale a dire che ne deve tener conto. — Seguiamo dunque questa strada che lo sviluppo naturale e spontaneo ci addita!

Come abbiamo visto, non spetta a noi di cominciare cogli alunni lo studio geografico; ma noi dobbiamo continuarlo e dirigerli giudiziosamente e sistematicamente nelle loro osservazioni. — La geografia deve dunque occupare il suo posto, se non sull' orario, almeno nelle lezioni di cose, fin dal primo giorno di scuola.

Nel nostro istituto l' insegnamento geografico prende le mosse dalla sala di scuola, passa poi a tutto l' edificio principale, che contiene le scuole e gli alloggi, poi agli altri edificii dello stabilimento. Ne abbiamo dieci — una casa speciale per ogni mestiere, la corderia, la spazzoleria, il laboratorio dei cestaii, quello dei seggiolaii, la stamperia, la casa dei capolavoranti etc.

Onde poter dare agli alunni una idea esatta, non solamente delle posizioni, ma anche delle forme di queste case, ho fatto il modello esatto di tutto l' istituto alla scala di 1: 200. — Un mezzo centimetro del modello corrisponde dunque ad un metro in natura.

(Ho esposto qui il modello delle 4 casa principali.) Gli allievi misurano le pareti delle stanze, le facciate delle case, le distanze tra loro, i viali del giardino etc. e paragonano tutto col modello. Così acquistano le nozioni delle forme, delle direzioni e della riduzione, acquistano insomma i concetti geografici fondamentali, sviluppati metodicamente sotto la direzione dell' educatore. — Come l' istituto si studiano i suoi dintorni, le strade vicine gli edifici principali etc. —

La casa comunale dà occasione di parlar del comune e della sua amministrazione, del sindaco, del consiglio comunale etc. Così la conoscenza elementarissima dell' ordinamento di questo primo nucleo amministrativo farà comprendere più tardi un organismo molto più complicato ed esteso, qual è lo stato.

In tutte le scuole di ciechi, nelle quali il disegno sopra cuscinetti di feltro ed il modellaggio in terra, plastilina o cera vengono insegnati, gli allievi si proveranno di riprodurre plasticamente i modelli — ed a disegnarne la base, la pianta o carta.

Ma i dintorni degli istituti non offrono generalmente tutti gli elementi geografici. Come e dove si mostrerebbe, per esempio a Milano, una giogaia una cima, un varco, un' isola, un porto di mare e via dicendo? —

Perciò è nécessario di modellare durante le lezioni, od almeno di aver ricorso ad un modello, che contenga tutti questi elementi in forme naturali, vere, non esagerate!

Noi ci serviamo per questo insegnamento fondamentale di un modello dei dintorni di Mülhausen e, sin dal 1881 — di una carta in rilievo di Genova, che ho modellata, 30 anni or sono, per allievi veggenti.*) Questo modello esatto, non esagerato, dà allo scolaro delle nozioni geografiche assolutamente corrette. Egli contiene tutti gli elementi della geografià, fuorchè un' isola. Vi è il mare, il golfo, il porto, il capo di San Benigno, vi sone le spiaggie di San Pier d' Arena e della Foce, le coste rocciose della Cava e della Strega, la piccola pianura del Bisagno, le colline d' Albaro, i monti, a pendii diversi, coronati dal forte Quezzi, le giogaie che, staccandosi dal forte Sperone, scendono verso il mare, formando l' anfiteatro della città. Vi sono delle valli principali con valli laterali, un piccolo lago artificiale, le mura della fortezza e varii forti staccati sulle cime dei monti etc. Questo modello permette dunque, non di spiegare, ma di far toccare tutte le forme di cui si parlerà più tardi — e di dotare l' alunno di un certo capitale di cognizioni reali e giuste — insomma di dargli l' alfabeto geografico. Così lo scolaro impara a leggere geograficamente. Senza quest' insegnamento fondamentale la maggior parte dei termini geografici restano per gli scolari — ciechi e veggenti — dei suoni vuoti di senso. Tengo a ripetere che ho modellato questa carta, 30 anni fa, per il primo insegnamento geografico in una scuola di veggenti.

Gli allievi, così preparati son adesso capaci di comprendere un modello dei Vosgi e della Foresta Nera (di cui disponiamo) e poi la mia carta in rilievo dell' Alsazia Lorena.

Siccome il campo accessibile all' osservazione diretta del cieco è molto ristretto, è venuto per noi il momento, in cui convien cambiar sistema. La sintesi deve cedere il posto all' analisi. —

È un principio fondamentale della pedagogia di procedere dal vicino al lontano; ma dal momento in cui l' osservazione diretta ed immediata divien

*) Ho misurato personalmente sui luoghi quasi tutte le altezze. —

impossibili, tutti i paesi si trovano, intellettualmente parlando, alla medesima distanza dall' alunno; tutti gli sono ugualmente sconosciuti. Convien dunque considerar adesso la terra come corpo celeste, passar in rassegna in modo elementarissimo la sua forma, le sue divisioni ed i suoi movimenti, e sottoporre ad un esame sommario il globo in rilievo, di cui ogni scuola dovrebb' esser provvista. Io vorrei vedere in ogni scuola di ciechi un gran globo in rilievo e poi per ogni allievo un piccolo globo di 10 à 12 centimetri di diametro. — Egli è perciò che ho modellato e fatto eseguire in gomma elastica un globo manuale per i ciechi. —

L' esame del globo e delle sue divisioni è necessario per comprendere le proiezioni cartografiche, cioè la carta. Dopo aver sottoposto la superficie terrestre ad un breve esame, specialmente dal punto di vista della distribuzione delle acque e delle terre, si studierà l' Europa e la patria in particolare, passando poi agli altri stati. In tutte le scuole, nelle quali è possibile di distribuire l' insegnamento geografico in più corsi, si dovrebbe suddividere la materia in due o tre circoli concentrici, cioè percorrere la prima volta l' Italia a volo d' uccello, studiandone per sommi capi la configurazione orizzontale e verticale e l' idrografia, ma senza entrare in particolari politici. Dal punto di vista politico-amministrativo il paese verrebbe diviso soltanto in grandi regioni (Piemonte, Lombardia etc.). Spetterebbe poi ad un secondo e terzo corso di compiere il quadro oro-idrografico e politico, dividendo gli antichi stati in provincie etc., trattando con maggiore minutezza delle parti più interessanti da un punto di vista qualunque. Come l' Italia, ma con meno particolari, si studierebbero anche gli altri paesi.

Questo modo di procedere offre vantaggi importantissimi.

1. Ogni corso successivo contiene o costituisce un riepilogo ed una amplificazione dei corsi precedenti e fa sì, che gli alunni non dimentichino ciò che hanno imparato nei primi anni.

2. Seguendo questo metodo, gli allievi studiano nel medesimo anno diversi paesi, e così si formano un giudizio più ordinato e più giusto delle diverse parti del mondo, che non se avessero a studiare un paese all' età di 10 ed un altro a 16 o' 18 anni con intelligenza molto più sviluppata ed un giudizio più maturo.

3. Questo metodo permette di dare alcune nozioni generali anche a quegli scolari, che non possono fare un lungo corso di studi. —

Devo ancora parlare dei mezzi d' insegnamento dei quali disponiamo al giorno d' oggi per questa materia; ma come si tratta specialmente d'un lavoro pesonale, al quale ho sacrificato durante cinque lustri quasi tutte le mie ore libere e le vacanze, voglio esser brevissimo.

Venticinque anni or sono, quelle scuole dei ciechi che credevano insegnare la geografia era piuttosto nomenclatura geografica — possedevano quasi esclusivamente un numero ristrettissimo di così dette „carte" murali, assi coperte di chiodi, cordicelle, fili di ferro etc. Erano quasi sempre caricature, che meritavano tutt' altro nome che quello di „carte" geografiche. —

Al Congresso generale di Francoforte nel 1882, ove fui relatore generale sull' insegnamento geografico, anch' io proposi ancora di modellare una vera carta murale dell' Europa centrale, proposta che fu votata all' unanimità. —

Il congresso m' incaricò dell' esecuzione di questa carta, ed io mi misi all' opera senza rendermi conto del fatto, che una carta murale in una scuola di ciechi è uno „sproposito," perchè essa esige un insegnamento individuale e rende impossibile l' insegnamento simultaneo in classi. Colla carta murale (anche se ne avessimo una di ogni paese) — noi, maestri dei ciechi, non possiamo occupare più d' un allievo per volta, e mentre insegniamo a quest' uno, tutti gli altri restano oziosi. — Nelle scuole dei veggenti invece è precisamente la carta murale, veduta da tutti, che rende possibile l' insegnamento simultaneo. —

Una volta riconosciuti questi fatti, mi misi à ingravare (incidere) in legno, ed a modellare delle forme (clichés) per stampare delle carte individuali, che possano e debbano esser messe nelle mani d' ogni allievo durante la lezione, affinchè tutti possano seguire l' insegnamento del professore. — Il nostro comitato mi autorizzò a far costruire un torchio potentissimo, il quale — cogli accessori — ci costò circa 5000 Lire. —

Oggi disponiamo di 87 forme (clichés) per un atlante geografico di altrettante carte per ciechi, di 40 forme per veggenti e di una ottantina di clichés per stampare delle immagini e dei disegni in rilievo. — (240 disegni ed immagini.)

Le carte per ciechi, che si trovano nell' esposizione, son adottate in tutti gli istituti tedeschi, austriaci, russi, danesi, scandinavi, ollandesi, svizzeri, in molte scuole francesi, inglesi, americane, ed in certi istituti dell' Africa del Sud, dell'

Oceania, della Nuova Zelanda e delle isole malaiche. — Ne ho anche mandato un certo numero di copie a Roma, Bologna, Torino e Genova.

L' associazione germanica per il miglioramento dell' istruzione dei ciechi ne ha avuto 34.000 copie. Edizioni speciali sono in oltre state esegnite per conto dei governi russo e danese e per diverse provincie tedesche ed austriache. In tutto abbiamo spedito fin oggi oltre a 100.000 carte e tavole per ciechi in tutte le parti del mondo civile.

Mi pare che queste cifre e questi fatti provino l' utilità dei mezzi d' insegnamento suaccennati. — Mi scuseranno, se ne ho parlato; non si tratta di una speculazione privata. Il modesto utile realizzato su questo lavoro personale va a beneficio del nostro conto di patronato.

Conchiudo esprimendo il desiderio, che la mia debole parola possa contribuire al progresso dell'insegnamento di questa materia interessantissima e di tanta utilità materiale ed educativa!

Carta in rilievo della Svizzera, modellata da una allieva veggente. (Genova 1877—78.)
Abb. 123. Modell der Schweiz. Klassenarbeit einer sehenden Schülerin 1877 78. (Genua.)

I ciechi in Germania.

Relazione letta al V Congresso Nazionale di Tiflologia (Acquario Romano) nella seduta pomeridiana del 6 Dicembre 1906.

Die Blinden in Deutschland

(d. h. Das deutsche Blindenwesen).

Kongreßvortrag, gehalten in Rom im Palaste des Acquario Romano am 6. Dezember 1906.

Signore! Signori!

Il 13 ottobre di quest' anno si è celebrato a Steglitz presso Berlino il centenario della fondazione del primo istituto germanico per ciechi, che fu fondato dal Re Federico Guglielmo III ed aperto sotto la direzione del Dottor Zeune alla vigilia della battaglia di Jena ed Auerstaedt, il 13 ottobre 1806. Il giorno della caduta del millenario impero germanico è anche il giorno della nascita della istruzione dei ciechi in Germania.

L'iniziativa di questa fondazione è dovuta a Valentin Haüy, il quale, dopo esser stato abbandonato e destituito da Napoleone I, aveva accettato l'invito dell' imperatore di Russia, di recarsi a San Pietroburgo per aprirvi un istituto consimile a quello da lui fondato a Parigi nel 1784, il quale era stato sepolto da Napoleone nell' asilo dei Quinze-Vingts, creato da San Luigi nel 1254 per i poveri ciechi della città di Parigi — e non per 300 cavalieri accecati in Egitto, come dice la leggenda.

La Germania si trova dunque al termine del primo secolo della istruzione dei ciechi. Già questo fatto giustificherebbe la scelta del nostro tema, anche se la Germania, per quanto riguarda l'istruzione pratica-professionale e specialmente il patronato, non marciasse alla testa delle nazioni. — Io, svizzero di nazionalità, lo dico senza sciovinismo.

Secondo la statistica vi sono nell' impero germanico 34500 ciechi. Nel 1900 il numero più o meno esatto era di 34334. Il numero totale corrisponde a 70 ciechi su 100000 abitanti.

Ad Amburgo ve ne sono soltanto 34 (33,58), nella Prussia in media 63 (62,69), nell' Alsazia-Lorena 58 e nel principato di Schwarzburg-Rudolstadt persino 106,39 su 100000 abitanti.

Non credo per altro che questa statistica sia esatta. — Della cecità si ha un concetto molto vario. — Per noi maestri un individuo è cieco quando la sua vista non gli permette più di fare i lavori ordinarii dei veggenti. Per gli oculisti invece la cecità è la perdita dell' ultimo raggio di luce. Hanno ragione letteralmente e dal punto di vista scientifico; ma abbiamo ragione anche noi di parlar di cecità, quando un disgraziato non può più lavorare come lavorano i veggenti, anche se distingue ancora il giorno dalla notte.

È anche naturale che i genitori abbiano una certa avversione d'iscrivere un bambino come cieco sulle liste di censimento e che molti ciechi non vogliano esser ritenuti tali. Credo dunque che il numero reale dei ciechi sia superiore a quello indicato dalla statistica. Questa m' ispirerebbe una fiducia assoluta soltanto, se il censimento fosse fatto in tutti gli stati da persone competenti e con criterii uniformi. — La percentuale della cecità nei diversi stati, data dalla statistica, è troppo disuguale per essere vera. Non crederò mai che un porto di mare, come Amburgo, ove le malattie veneree fanno tante vittime, sia talmente salubre, e che le campagne della Turingia siano così malsane per quel che riguarda la vista.

Non posso attribuire questa differenza enorme fra 33 e 106 che alla diversità di criterio adottata nei diversi stati dalle molte persone che attesero al censimento. Credo quindi il numero dei ciechi superiore a quello indicato dalla statistica. — Ma è difficile calcolare con dati approssimativi. — Teniamoci dunque alle cifre date dalla statistica ufficiale!

Fra i 34334 ciechi contati

I.	528	sono di età inferiore a 4 anni	
II.	729	„ all' età di 4 a 8 „	
III.	1742	„ „ „ „ 8 „ 15 „	
IV.	1362	„ „ „ „ 15 „ 20 „	
V.	2800	„ „ „ „ 20 „ 30 „	
VI.	3120	„ „ „ „ 30 „ 40 „	
VII.	3803	„ „ „ „ 40 „ 50 „	
VIII.	4989	„ „ „ „ 50 „ 60 „	
IX.	15261	„ „ „ di più di 60 „	
	34334		

Sono specialmente i ciechi della seconda, terza e quarta età (4 a 20 anni) che interessano i nostri istituti; il patronato ha da occuparsi della maggior parte degli altri.

I bambini ciechi al disotto di 4 anni hanno il loro posto naturale nella famiglia, o, se non ne hanno, in un orfanotrofio. I bambini di 4 a 8 anni possono esser ammessi nelle scuole preparatorie o Fröbeliane. — Spetta agli istituti propriamente detti di dar una istruzione sufficiente ai giovani ciechi di 8 a 20 anni.

Vi sono in Germania 35 istituti o scuole per ciechi con 2500 allievi; fin adesso 14000 ciechi sono passati per questi istituti.

Ogni provincia prussiana (ve ne sono 12) ha un istituto, fuorchè il Brandenburgo, la provincia Renana, la Westfalia e l'Assia-Nassavia, che ne hanno due. La prima di quelle provincie (il Brandenburgo) è naturalmente la sede dell' istituto reale, fondato a Berlino nel 1806, ma trasferito, 30 anni or sono, a Steglitz; il secondo istituto di questa provincia è destinato ai ciechi di Berlino e sostenuto da questa città di 3000000 d'abitanti. Nella provincia renana vi sono, da qualche anno, ugualmente due istituti provinciali, perchè vi è stata adottata la separazione confessionale, non da capo, ma di seguito. Ma il patronato, i lavoratorii per adulti e gli asili non hanno subito modificazione, perchè erano creati già prima della separazione — e forse anche perchè un fabbricante protestante ha dato un capitale di 750000 lire per la fondazione di un „Heim" od asilo per ragazze e donne di tutti i culti. Nella Westfalia la separazione confessionale data sin dalla fondazione dei due istituti. La provincia d'Assia-Nassavia ha due scuole, perchè questa provincia fu formata nel 1866 di tre stati annessi. — Tutti gli istituti prussiani, fuorchè quelli della provincia Renana e della Westfalia, sono comuni alle varie confessioni religiose.

La maggior parte delle scuole prussiane furono fondate da privati o da società filantropiche, ma molte fra esse passarono poi sotto l'amministrazione delle rispettive provincie. - Sono rimasti privati — ma sussidiati dalle provincie — gli istituti di Königsberg, Breslavia, Francoforte s. M. e Wiesbaden.

In tutto, la **Prussia** possiede i 16 istituti seguenti:

	fondato
Steglitz-Berlino (reale)	1806
Breslavia (privato)	1818
Francoforte s. M. (privato)	1837
Hannover (provinciale)	1843
Düren (prov. Renana, cat.) (provinciale)	1845
Königsberg (privato)	1846
Paderborn (cat.) (provinciale)	1847
Soest (prot.) (provinciale)	1847
Neu-Torney (Stettin) (provinciale)	1850
Bromberg (Posnania) (provinciale)	1853
Halle (Sassonia) (provinciale)	1857
Wiesbaden (privato)	1860
Kiel (provinciale)	1862
Berlino (comunale)	1878
Königstal (Danzig) (provinciale)	1886
Neuwied (prov. Renana, prot.) (provinciale)	1900

Gli istituti degli altri stati sono:

Regno di Sassonia	
Dresda, oggi Chemnitz (reale)	1809
Lipsia (privato)	1865
Stati della Turingia	
Weimar (governativo)	1858
Baviera	
Monaco (reale)	1826
Würzburg (privato)	1853
Norimberga (privato)	1854
Augusta (Augsburg) (privato)	1884
Wirtemberga	
Stoccarda (privato*)	1856
Heiligenbronn (convento)	1860
Granducato di Baden	
Ilvesheim (governativo)	1828
Assia	
Friedberg (governativo)	1850

*) Già nel 1823 l'istituto reale dei Sordomuti a Gmünd fù anche incaricato dell' educazione dei ciechi. Un' altra piccola scuola privata esisteva a Stoccarda sin dal 1827. Nel 1856 queste due scuole rudimentali furono riunite nell' istituto attuale di Stoccarda.

Alsazia-Lorena	fondato
Illzach-Mülhausen (privato*) .	1856
Still (Convento)	1895
Meclemburgo	
Neukloster (governativo) .	1864
Amburgo	
Amburgo	1830

Gli edificii di questi istituti rappresentavano nel 1903, secondo quanto è detto nella relazione presentata all' esposizione di San Luigi intorno all' istruzione pubblica in Germania, un

capitale . . . . . . di	lire	17500000
i mobili	„	1650000
e la suppellèttile didattica .	„	325000
Somma totale	lire	19475000

Oggi questa somma si sarà arrotondata in 20 milioni al meno, tra mobili ed immobili, senza tener calcolo dei **capitali** degli istituti privati e delle società di patronato, come pure degli edificii dei diversi „Heime" od asili, ciò che, credo, costituisca un altro valore di almeno 10 milioni.

Gli istituti governativi non hanno capitali, ma non ne hanno bisogno, poichè paga **tutto** lo stato. — Gli stati e le provincie sacrificano ogni anno 1800000 lire per gli istituti tedeschi. La beneficenza privata vi aggiunge altre 1500000 lire; somma totale dei sacrificii per la sola l'**educazione** dei ciechi 3300000 lire all' anno.

Gli istituti tedeschi sono assai frequentati. — Le amministrazioni pubbliche procurano nei limiti delle facoltà permesse dalla legge, di far entrare tutti i giovani ciechi nelle nostre scuole.

In Germania l'istruzione elementare è obbligatoria per tutti sino all' età di 14 anni; ma nella maggior parte degli stati quest' obbligo non è legalmente esteso ai ciechi. — Solo nei granducati di Sassonia-Weimar e di Baden e nel regno di Sassonia l'istruzione elementare è obbligatoria anche per tutti i ciechi.

Se in Germania tutti i ciechi dell' età di 8 a 20 anni entrassero nelle scuole speciali, noi dovremmo avere 3100 allievi invece di 2500. Ma non bisogna dimenticare, che molti ciechi sono istruiti a casa o nelle scuole pubbliche dei veggenti, e che molti altri lasciano le nostre scuole prima dei 20 anni. Vi sono poi anche dei ciechi idioti, che non potrebbero ritrarre giovamento in istituti sprovvisti di classi speciali per i deficienti. Si può dunque dire che quasi tutti i ciechi capaci d'istruzione frequentano una scuola o son istruiti a casa.

Ed ora vediamo ciò che si fa in questi istituti, e quale sia il loro indirizzo, — musicale, letterario o pratico-professionale.

L'insegnamento musicale non occupa il primo posto negli istituti germanici. Abbiamo tanti conservatorii, tante scuole normali, che formano dei musicisti, dei maestri di musica e degli organisti, che non vi è più posto per i ciechi. — Dappertutto in Germania, almeno nei villaggi e nelle piccole città, il maestro di scuola è anche organista d'ufficio. Accade di rado che si possa procurare un posticino d'organista ad uno dei nostri protetti, anche se quello ha fatto buonissimi studii al conservatorio. I maestri di scuola considerano il salario d'organista come aumento obbligatorio del loro stipendio. Nel nostro istituto alsaziano s'insegna più musica che in ogni altra scuola tedesca (siamo ancor un poco sotto l'influenza della tradizione francese), eppure abbiamo potuto collocare fin adesso soltanto tre organisti propriamente detti, uno a Strasburgo, l'altro a Belfort ed il terzo a Êpinal.

Non è forse così in altri paesi.

In Francia, per esempio, vi sono stati fin adesso molti istituti d'educazione per veggenti, diretti da frati e suore. Non fosse che per ragioni economiche, questi istituti impiegavano molti ciechi per l'insegnamento della musica. Le chiese cattoliche hanno sovente bisogno dell' organista anche durante le ore di scuola. Non tutte le amministrazioni scolastiche permetterebbero ai maestri di lasciar le loro scuole per assistere ad una ceremonia religiosa di battesimo, matrimonio, funerale ecc. Ciò spiega, almeno in parte, la relativa facilità in certi paesi di affidare a dei ciechi l'ufficio d'organista.

Allorquando io visitai per la prima volta l'Istituto Nazionale di Parigi nel 1881, il censore Levitte mi disse: „È strano che i Tedeschi non sappiano apprezzare la musica, la quale è pur sempre l'occupazione la più proficua per i ciechi. Essi vogliono sempre qualche cosa di diverso, son sempre protestanti; protestano contro tutto." Gli risposi con la domanda: „Quanti maestri di scuola sono anche organisti in Francia?" „„Maestri di scuola organisti? Non ve ne sono. Il maestro di scuola

*) Sino al 1870 i ciechi dell' Alsazia-Lorena avevano naturalmente il diritto di esser ammessi nell' Istituto Nazionale di Parigi; ma per quante ricerche io abbia fatte, non mi consta che vi sia mai stato ammesso anche un solo alsaziano.

35*

è impiegato dello stato o del comune; il governo non gli permetterebbe d'essere nello stesso tempo impiegato della chiesa."" „Ebbene, gli dissi, questo fatto spiega tutto. Da noi i maestri di scuola son per così dire organisti d'uffizio nelle chiese cattoliche come nelle chiese protestanti." — Allora il mio interlocutore forse cambiò d'idea; certo si tacque. —

Al congresso di Francoforte nel 1882 il direttore Meyer d'Amsterdam ci disse: „Noi altri Olandesi possiamo ben formare degli organisti, ma non possiamo collocarli." Poi raccontò la seguente storiella: „Qualche anno fa il pastore di un villaggio olandese venne da me e mi disse: „„Ho nella mia parrocchia un giovane cieco molto intelligente. Lo vorrei come organista; può ella e vuole istruirlo?"" „Certamente, gli risposi, se ella mi promette d'impiegarlo in qualità d'organista, quando avrà l'istruzione musicale necessaria." Lo promise, ed il cieco entrò nel nostro istituto. Dopo qualche anno scrissi al pastore: „Ora l'organista è pronto; egli aspetta il suo impiego!"

Il pastore mi rispose con una lettera desolata: „Io voleva impiegare il cieco, ma i contadini non lo vogliono. Mi dicono che il maestro di scuola ha quattordici figli vivi e che ha bisogno di guadagnare."

A Mülhausen noi abbiamo trascritto in Braille tutti i cantici religiosi ecc. adottati nelle chiese evangeliche e tutta la musica sacra della diocesi di Strasburgo; abbiamo un maestro di musica (cieco) ed una maestra semi-cieca con regolare diploma del conservatorio di Lipsia. — Un nostro allievo è da due anni il primo per l'organo e la composizione al conservatorio di Strasburgo; una ragazza, ancora nostra allieva, canta come solista nei più grandi concerti; ma il risultato pratico di tutti i nostri sforzi è minimo.

Quasi tutti gli altri istituti tedeschi hanno fatto la medesima esperienza. I pochi fra essi che riescono di tempo in tempo a collocare un organista, sono quelli che non hanno nè organo, nè maestro di musica. — Si avvera sempre il proverbio „Gunst geht über Kunst", cioè: „Val più un pò di protezione che molt' anni d'arte!"

Anche i Francesi sono sul punto di cambiar indirizzo. — I Parigini che hanno visto non lungi da loro i frutti dell' insegnamento musicale impartito nell' Istituto Nazionale, hanno fondato la „Scuola Braille" a St. Mandé, cioè l'istituto del Dipartimento della Senna, ove i lavori manuali occupano di gran lunga il primo posto.

La musica vi è considerata come una occupazione dilettevole e niente di più. Ultimamente un tedesco, impiegato in Francia come maestro di musica, ha scritto sul Blindenfreund che la maggior parte degli organisti ciechi in Francia si trova oggidì in una posizione disperata, poichè quasi tutti sono in pericolo di perdere il loro posto, per la legge di separazione. —

Mi pare quindi che anche in Francia l'istruzione musicale dei ciechi abbia fatto il suo tempo. — In Italia le condizioni d'esistenza dei musicisti ciechi saranno forse meno brutte; ma un collega italiano mi assicura che non son buone. In ogni caso non è nè possibile, nè opportuno di copiare tale quale una organizzazione che in altri paesi od altre provincie può aver dato risultati anche buoni. „Un basto non si adatta a ogni dorso."

Malgrado le difficoltà precitate io faccio pur dare delle lezioni di musica a quasi tutti i miei scolari ciechi, non perchè io li creda capaci di guadagnare il loro pane con quest' arte, ma perchè considero la musica — ben scelta e ben insegnata — come potentissimo mezzo d'istruzione estetica e come preparazione all' accordatura dei pianoforti.

È questo un lavoro che merita tutta la nostra attenzione; esso vien insegnato da qualche anno nella maggior parte degli istituti tedeschi. — Noi abbiamo una ventina d'accordatori nelle città d'Alsazia-Lorena, in Isvizzera, in Francia ed anche in America. — Quasi tutti hanno famiglia e guadagnano onorevolmente il loro pane, — almeno quelli che sono serii e valenti. Un accordatore che abbia lavoro continuo, guadagna da 2000 a 6000 lire l'anno. Per imparare l'accordatura non è assolutamente necessario di esser musicista; ma bisogna esser pratico ed abile, aver le mani esercitate — ed usare modi cortesi. Coloro fra i nostri accordatori che hanno avuto maggior fortuna a Mülhausen ed a Strasburgo, non sanno suonare una scala, ma hanno delle mani esercitate al lavoro. Il più abile di tutti era prima fabbro-ferraio. — I migliori musicisti temono sovente di degradarsi, facendo un lavoro manuale, una spazzola, un cesto ecc. e restano quindi goffi ed inabili a far la minima riparazione, e non riescono nell' accordatura. Chiunque voglia imparar l'accordatura, deve necessariamente imparare un altro lavoro manuale qualunque, anche se non avrà bisogno di praticarlo più tardi. Generalmente gli accordatori non possono farsi una clientela d'oggi a domani; se son poveri, l'altro lavoro può servire a tenerli a galla finchè si saranno formata la clientela; ed anche più tardi saranno contenti di aver una occupazione nel tempo che non avranno da accordare.

Val meglio esser al lavoratorio che non all'osteria.

Insegnamento letterario e scientifico.

L'insegnamento letterario e scientifico nella maggior parte delle scuole tedesche è serio, ma piuttosto limitato. Generalmente non va molto più in là di quello che s'imparte nelle scuole elementari (che hanno 8 corsi). — Dopo superato l'esame di proscioglimento all' età di 14 a 15 anni — gli alunni lasciano la scuola e passano nei laboratorii, ove già prima hanno lavorato da una a tre ore al giorno. — Son apprendisti durante 3 6 anni, ed in questo tempo ricevono ancora un certo numero di lezioni complementari piuttosto pratiche, aventi rapporto col mestiere (calcolo, contabilità, lettere d'affari ecc.). Pochi apprendisti prendono ancora delle lezioni di musica; il canto invece è obbligatorio per tutti.

I ciechi che vogliono fare degli studii più completi o superiori sono generalmente ridotti a prendere delle lezioni private o ad entrare nelle scuole dei veggenti, ove son ammessi caritatevolmente, purchè abbiano del danaro per farsi dare delle lezioni supplementari e per far copiare i libri di cui abbisognano.

Ma questi studii più completi non hanno gran valore pratico, perchè gli istituti tedeschi non vogliono la collaborazione d'insegnanti ciechi, fuorchè in qualche istituto per la sola musica. (Noi in Alsazia ne abbiamo 3 a 4 nel nostro istituto e 1 in un convento.) Venticinque anni or sono, tutta la Germania non contava che 5 maestri ciechi; 4 a Illzach-Mülhausen ed uno a Kiel, — e questi cinque vi avevano ottenuto i loro piccoli posti, perchè i primi direttori di questi istituti erano ciechi.

Al congresso di Francoforte nel 1882 il direttore Schild propose di aprire la carriera dell' insegnamento ad un numero ristretto di ciechi, forniti di doti particolari. La sua proposta fu respinta quasi all' unanimità. — Pel congresso d'Amsterdam nel 1885 io aveva preparato, col medesimo intento del direttore Schild, una memoria; ma per mancanza di tempo non vi ho potuto parlare. Non se ne parlò più sino al 1898, in cui io fui nominato relatore generale su quest' argomento pel congresso di Berlino.

Proposi di ammettere in ogni istituto un insegnante cieco sopra due veggenti, dichiarando esplicitamente che esigerei dai ciechi la stessa istruzione che si esige dai veggenti. La mia proposta non raccolse la maggioranza di voti.

A Parigi nel 1900 feci la medesima proposta: ma neppure quel congresso, composto in gran parte da ciechi e loro congiunti, la gradì, perchè io non escludevo i veggenti. Questi li credo assolutamente necessarii in un istituto di ciechi per l'insegnamento delle scienze „reali" (naturali) e soprattutto per la sorveglianza. Non bisogna sacrificare la maggioranza dei ciechi all' interesse di due o tre!

In Germania il governo Prussiano aveva frattanto proibito alle autorità scolastiche l'ammissione agli esami magistrali (di qualunque grado) di tutte le persone affette di malattia o difetto fisico qualunque. La proibizione riguardava specialmente i ciechi.

Per esser capito debbo aggiungere che in Germania, in Isvizzera e nell' Austria le università non hanno il diritto di dare ai loro studenti dei diplomi d'insegnante, di medico, avvocato ecc. Possono conferire il titolo di Dottore che è puramente onorifico.

Per conseguire il diploma d'insegnante in una scuola superiore pubblica, o di medico, bisogna passar gli esami dinanzi alla commissione esaminatrice dello stato; per esser avvocato o giudice, davanti al tribunale superiore della provincia o dello stato. Si può dunque esser dottore in filosofia senza esser ammesso all' insegnamento in una scuola pubblica; si può esser dottore in medicina senza poter praticare come medico. Di fatti abbiamo anche noi un certo numero di dottori ciechi senza posto. Molti professori delle università tedesche invece non sono dottori.

Io non poteva applaudire a questa esclusione dei ciechi, dettata forse in parte dall' egoismo dei veggenti, i quali non vogliono incaricarsi di tutta la sorveglianza. Io sono sostenitore del sistema misto. Continuai dunque a spingere l'insegnamento letterario più avanti che non si usa in Germania. Una nostra allieva si presentò agli esami a Basilea, ove fu esaminata con dieci veggenti, studenti dell' università, tutti forniti del diploma di licenza liceale. Riuscì la prima. — Su dieci materie ottenne il massimo della clasificazione ed anche in matematica le mancò solo un punto a quel massimo. — Attualmente questa ex-allieva insegna nel nostro istituto con mia piena sodisfazione.

Oggi, dopo aver preparato, direi creato, la suppellettile didattica necessaria, siamo dunque in grado d'innalzare il cieco al livello dei veggenti! Ma si resta dubbiosi sull' utilità di tale innalzamento, visto che i ciechi son esclusi dall' insegnare. — Pare tuttavia che gli sforzi fatti, perchè anche i ciechi possano insegnare, non siano rimasti completamente infruttuosi. Diversi istituti impiegano adesso „sottomano" dei sottomaestri od assistenti ciechi per l'insegnamento della musica e di alcuni lavori manuali.

Al giorno d'oggi gli istituti tedeschi occupano 165 maestri veggenti, compresivi i direttori, 5 maestri e 49 assistenti ciechi.

I maestri veggenti son assai ben retribuiti in Germania; sono pareggiati ai professori delle scuole tecniche e normali. — Cominciano ordinariamente con uno stipendio di 1500 a 1800 lire, che ascende poco a poco sino a 4500 lire, in qualche istituto anche a 6000 lire, più l'alloggio per una famiglia. I direttori possono arrivare a 7500 lire e l'alloggio, qualche volta anche il vitto. — Quasi tutti hanno diritto ad una pensione vitalizia corrispondente a $^3/_4$ dell' ultimo stipendio raggiunto.

I sottomaestri ciechi hanno da 500 a 1500 lire oltre il vitto.

Vi sono degli istituti tedeschi che spendono all'anno da 50000 a 60000 lire per stipendii e salari.

Negli istituti governativi lo stato paga tutto; le scuole private sono sussidiate dai diversi stati o dalle provincie.

Gli stati, le provincie ed i comuni (Berlino) spendono all' anno 1800000 lire per l'istruzione dei ciechi; la beneficenza privata ve n'aggiunge alte 1500000 lire. Somma totale 3100000 lire all'anno.

Mi pare che siano somme rispettabilissime.

Là dove le amministrazioni pubbliche pagano tutte le spese, le risorse fornite dalla beneficenza privata vanno esclusivamente a profitto del patronato. —

Noi insegniamo nelle scuole dei ciechi tutte le materie che vengono insegnate nelle altre scuole: La religione, la lingua materna (da noi a Mülhausen anche il francese), l'aritmetica, la geografia, la storia patria (da noi anche la storia universale), la storia naturale, la fisica, la modellazione in terra, plastilina o cera, il disegno (sopra cuscinetti di feltro), la ginnastica, la musica ed il canto.

Per la scrittura il nostro istituto si serve del sistema Braille sin dal 1857; negli altri istituti tedeschi questo sistema ebbe a lottare per vincere la scrittura latina. All' epoca del congresso di Francoforte nel 1882 fra 40 istituti tedeschi, austriaci e svizzeri, tre soli, cioè Kiel, Neukloster ed Illzach-Mülhausen, davano la preferenza alla scrittura Braille; nel 1885 al congresso d'Amsterdam i tre erano saliti a sette, e nel 1888 a Colonia i sette erano aumentati tanto da costituire la maggioranza; dopo il 1888 non si stampò più niente in caratteri latini. Ma le scuole austriache, ed in parte anche quelle della Germania del Sud, hanno conservato per la corrispondenza coi veggenti le lettere latine, scritte con caratteri ad aghi, mobili, sulla carta posata sopra cuscinetti di feltro. Questa scrittura porta il nome del suo inventore Klein, fondatore dell' istituto di Vienna (Kleinsche Stachelschrift).

Essa è poco leggibile — e ci vuole una eternità per scrivere una lettera. — Al Nord si è adottata per la corrispondenza coi veggenti la scrittura detta Hebold, che consiste in caratteri latini, scritti col lapis nelle finestre del regolo Braille. Ho costruito una tavola per scrivere la scrittura Braille unilaterale e bilaterale e la scrittura del Hebold (con la matita nera).

Gli allievi particolarmente intelligenti od agiati imparano anche a scrivere alla macchina Hammond, Remington ecc.

Per il calcolo la maggior parte degli istituti tedeschi non si serve di attrezzi speciali, come sarebbero il „cube-arithme" francese, le pinne inglesi (Taylor) o le nostre cifre in legno, ma si limita a farlo mentalmente, notando talvolta in Braille i risultati parziali per aiutare la memoria. A Mülhausen noi ci serviano anche della tavola Braille. — Scriviamo p. es. i fattori d'una moltiplicazione, come la scrittura ordinaria. Le cifre in rilievo si trovano dunque sul tergo della carta. Poi si volge il foglio per far le moltiplicazioni con le diverse cifre del moltiplicatore, scrivendo i prodotti da sinistra a destra; poi si volge nuovamente la carta per far l'addizione. La somma viene scritta come il problema, dimodochè abbiamo da un lato della carta il problema ed il risultato finale, e dall'altra parte le operazioni.

Il calcolo scritto è importantissimo. Non si può dare ad ogni alunno un „cube-arithme" od un apparecchio Taylor quando lascia l'istituto. Anche se ne avessero non li potrebbero portare in tasca per averli sempre alla loro disposizione. — Ma ogni cieco istruito dispone di una tavola Braille, forse anche di una piccola tavola tascabile, che basta per far le operazioni aritmetiche.

Per la dimostrazione delle frazioni e delle radici quadrata e cubica ho costruito degli apparecchi speciali, ed abbiamo anche una collezione di disegni e di modelli geometrici ecc.

Per l'insegnamento geografico, del quale ho già parlato nella seduto del 3 Dicembre, disponiamo di una suppellettile completissima, sia per l'insegnamento preparatorio, sia per la geografia propriamente detta. Tutti gli istituti dell' Europa centrale e settentrionale, come molti altri, si servono del mio atlante; ma tutti non hanno i modelli necessarii per l'insegnamento preparatorio.

Per le Scienze naturali da noi servono in primo luogo gli animali che teniamo nell' istituto - cani, gatti, cavalli, majali, pecore, galline, fagiani, piccioni ecc. Ho poi riunito una collezione di circa 120 animali impagliati, di quasi tutte le famiglie, compresivi i pesci, una collezione di rettili, di cochiglie, di modelli anatomici in gesso, di modelli d'animali; ci serviamo anche delle immagini fatte da me, ma prendiamo sempre le mosse dalle cose reali.

Il nostro giardino, di più di 30000 metri quadrati, è quasi un giardino botanico. Vi sono, oltre a 500 alberi fruttiferi, delle viti, dei cespugli e molti alberi di decorazione, dei fiori e delle verdure d'ogni specie. Certe piante vi sono coltivate esclusivamente per l'insegnamento. Le passeggiate giornaliere nei prati, nei campi e nei boschi danno occasione di mostrare le piante che non abbiamo in giardino. — Ho anche pubblicato una specie di vocabolario illustrato per l'insegnamento degli elementi della botanica: forme delle foglie ecc.

Per l'insegnamento della fisica possediamo gli apparecchi più necessarii ed i miei disegni, che si possono vedere nell' esposizione.

L'insegnamento della storia non esige niente di speciale, fuorchè dei libri — che abbiamo stampati — in tedesco ed in francese.

Vent' anni or sono l'insegnamento musicale s'impartiva in quasi tutti gli istituti tedeschi senza note scritte o stampate. Soltanto il nostro istituto disponeva della musica stampata a Parigi ed aveva pubblicato una collezione di canti.

Adesso la notazione musicale è generalmente adottata. Diverse scuole (Illzach, Düren, Berlino e Vienna), l'Associazione per il miglioramento dell' istruzione dei ciechi ed un cieco di Amburgo hanno pubblicato della musica in Braille, dimodochè oggi abbiamo ciò che ci è necessario per questo ramo d'insegnamento, senza dipendere da altri.

La ginnastica, così importante per i ciechi e da questi si poco apprezzata, vien insegnata in tutte le scuole tedesche. Quasi tutti hanno per questo insegnamento delle sale o halle speciali ed attrezzi moderni.

La suppellettile didattica 25 anni or sono, era limitata al minimo.

Le scuole tedesche non avevano altra materia di lettura che la Bibbia stampata da noi ancora sotto la dominazione francese, due volumetti di poesie di Schiller e due piccoli libri di lettura. Tutto sommato non era certo gran cosa. La stamperia d'Illzach-Mülhausen che aveva stampato esclusivamente la Bibbia tedesca (pel conto della società biblica di Stoccarda) era stata sciolta già nel 1865, prima dunque dell' annessione del nostro paese alla Germania. Nel 1881 non esisteva nei paesi di lingua tedesca che una stamperia privata a Steglitz-Berlino, ove furono stampati i primi libri di lettura, pubblicati dall' Associazione promotrice dell' istruzione dei ciechi. Nel 1882 il nostro istituto si provvide d'una nuova stamperia, allo scopo di pubblicare specialmente delle carte geografiche e delle immagini. Ma vi sono state stampate anche 33 opere diverse, tedesche e francesi, in 72 volumi, cioè per l'insegnamento religioso cattolico ed

evangelico	4	opere in	8	volumi
Per la grammatica tedesca	1	„ „	1	„
„ „ „ francese	2	„ „	6	„
Per la Storia (in tedesco)	2	„ „	4	„
„ „ „ (in francese)	1	„ „	8	„
„ „ Corrispondenza commerciale francese	1	„ „	12	volumetti
Storia della letteratura francese	1	„ „	3	volumi
Opere letterarie tedesche	10	„ „	20	„
„ „ francesi	2	„ „	3	„
Lingua spagnola	1	„ „	1	„
Aritmetica	1	„ „	1	„
Musica	4	„ „	5	„
	33	opere	72	volumi

In tutto abbiamo tirato dal 1882 a questa parte da 5000 a 6000 volumi e più di 100000 carte.

Al presente vi sono in Germania 13 stamperie per ciechi e 3 in Austria*, cosicchè adesso abbiamo dovizia, si può dire, di libri classici e letterarii, e sufficienza di libri per le scuole.

*) Ma tutte stampano quasi esclusivamente delle opere letterarie per adulti — poco per la scuola.

Dapprincipio si stampava con caratteri mobili; ma da molti anni abbiamo adottato il sistema Levitte, cioè i „clichés" in latta bianca o di zinco.

L'apparecchio a tasti del Hinze, imitazione poco modificata del Typwriter Hall, rende servigii importanti.

Insegnamento professionale.

Ho già parlato dell' accordatura, lavoro eccellente per un numero ristretto di ciechi d'„élite". Ma la maggioranza dei ciechi deve scegliersi un altro mestiere, far corde, cesti, panieri, spazzole, impagliar seggiole ecc. — Il primo di questi lavori, la corderia, è il migliore per ciechi stabiliti in campagna — se vogliono lavorare.

Cinque anni or sono un nostro antico apprendista cordaio, stabilito in un piccolo villaggio tra Mülhausen e Basilea, mi parlarva degli affari suoi in modo, che io fui indotto a dirgli: „Tu devi aver guadagnato almeno 3000 lire quest' anno." Sorridendo egli mi rispose: „Anche qualche cosa di più. Non darei la mia azienda per il più bel podere, se mio fratello (ugualmente cieco) fosse rimasto in vita." E tali informazioni me le confermava anche ultimamente.

Un altro cordaio stabilito in una piccola città della Lorena, mantiene onorevolmente la sua famiglia ed ha fatto dei risparmii, che gli permettono di comprare la materia prima alle migliori condizioni. Egli ha lavoro continuo. Ultimamente è stato premiato con medaglia all' esposizione d'agricoltura tenutasi a Forbach (Lorena). Ma bisogna muoversi — e non tutti vogliono muoversi — almeno da noi.

I nostri apprendisti fanno delle cordicelle, corde e funi di ogni genere e di tutte le dimensioni sino a 9 centimetri di diametro e 250 metri di lunghezza.

Ho cominciato questo lavoro, 20 anni fa, con un capolavorante cieco. Quando ci lasciò per aprire a Colonia un' azienda per conto suo, impiegai un maestro veggente che aveva diretto durante otto anni il laboratorio d' una delle prime fabbriche di corde della Germania.

La fabbricazione di spazzole

è stata introdotta nel nostro istituto 25 anni fa. Non eravamo i primi, ma neanche gli ultimi. — Oggi è praticata nella maggior parte degli istituti tedeschi. È generalmente meno proficua della fabbricazione di corde, ma esige meno spazio. — Un cieco povero potrebbe difficilmente stabilire una corderia in una città, ove il terreno è caro, mentre che una piccola stanza basta per far delle spazzole; ed anche gli ordigni di lavoro costano meno.

Anche le ragazze possono imparare questo lavoro; anzi in diversi istituti è riserbato alle allieve, perchè non superiore alle forze del loro sesso, mentre ai maschi è riserbato di fare delle corde o dei cesti, lavori che esigono delle forze maggiori.

I nostri primi capolavoranti spazzolai erano ciechi. — Dopo 3 a 4 anni eravamo in grado di fare 300 a 400 forme (numeri) di spazzole e scope di ogni genere e tutti gli articoli speciali usati nell' industria tessile della nostra regione. Sei dei nostri allievi, e fra questi una ragazza, sono stati impiegati in qualità di maestri spazzolai negli istituti di Nancy, Ilvesheim-Mannheim, Berna ecc. dove hanno introdotto e diretto questo lavoro.

Circa 30 altri lavorano per conto proprio in diverse località del paese, nel Granducato di Baden, in Francia ed in Isvizzera. Uno di essi che lavora con sua moglie quasi cieca, già maestra spazzolaia nell' istituto di Berna, ha fatto costruire — e pagato — quest' anno una casa con apposito lavoratorio. Noi facciamo anche le scope ecc. a setole incollate con la pece. Un crivello posto un centimetro al disotto del livello della pece bollente impedisce ai ciechi di bruciarsi.

I cestai che lavorano per conto proprio fuori dell' istituto sono generalmente ancora più numerosi, ma guadagnano meno degli spazzolai. Fanno cesti, panieri, bauli ecc. d'ogni genere; qualcuno fa anche dei mobili in canna d'India per veranda e giardino.

Tutti questi lavoranti sono quasi sempre anche impagliatori di sedie. Anzi vi sono dei ciechi che si occupano quasi esclusivamente d'impagliatura. Questo sarebbe un lavoro assai proficuo, se i ciechi trovassero lavoro continuo. In certe località ciò è possibile; ma generalmente i ciechi hanno bisogno d'un mestiere propriamente detto.

Per assicurare agli apprendisti impagliatori del lavoro continuo, il nostro istituto ha sempre occupato dei seggiolai o ebanisti veggenti, che fabbricano delle sedie. Il veggente fa dunque l'intelaiatura („la carcasse") della seggiola; il cieco la impaglia. La fabbricazione di carcasse non è dunque altro che una valvola di sicurezza contro lo sciopero. — Da noi tutti, maschi e femmine, cordai, spazzolai, cestai ed accordatori imparano l'impagliatura delle sedie.

I lavori di maglia fatti dalle cieche sono bellissimi, ma rendono poco; egli è perciò che tutte le allieve dovrebbero imparare l'impagliatura e, se possibile, il lavoro delle spazzole.

Per avere un buon lavoratorio ci vuole un buon maestro che abbia imparato perfettamente i lavori che deve insegnare. Noi paghiamo circa 6500 lire all'anno ai nostri capolavoranti, ossia in media 1600 lire, e vi sono degli istituti governativi che pagano il doppio.

Tutte le scuole tedesche insegnano il mestiere di panieraio e l'impagliatura; in quasi tutti si fanno delle spazzole, ed in una quindicina d'istituti s'insegna a fare la corda. Non in tutti il terreno disponibile basterebbe per installare una corderia (fabbrica di corde).

Nel 1900 gli istituti tedeschi hanno venduto dei manufatti per la somma totale di 1125000 lire. Si tratta dunque di lavoro serio e non di dilettantismo.

E questo lavoro è necessario, quando non si tratta di ciechi destinati o condannati a passare tutta la vita in un asilo, ma di artigiani che devono e vogliono guadagnare il loro pane fuori dell' istituto.

Noi abbiamo mandato a questa esposizione soltanto i lavori manuali che, generalmente, non si fanno negli istituti italiani: spazzole e corde.

Cinque anni or sono ho assistito anche al Congresso di Milano. L'esposizione di lavori manuali (non parlo dei lavori femminili) vi era povera. Qui ho potuto constatare il grande progresso fatto in questi ultimi anni, che mi fa tanto più rincrescere, che vogliano nuovamente cambiar indirizzo ed accordar il primo posto agli studii letterarii! Se ne pentiranno!

Avranno ben presto un proletariato di „scienziati" molto peggiore del proletariato „musicale", - perchè più istruito. Gli studii superiori dovrebbero esser riserbati esclusivamente ai più eletti ingegni. —

Gli americani che fin adesso avevano specialmente coltivato le lettere, cambiano sistema. John Hitz, amico e protettore di Helen Keller, presidente del Volta-Bureau a Washington, mi ha scritto ultimamente, che hanno fatto delle tristissime esperienze con questa istruzione puramente letteraria, e mi ha domandato il catalogo dei nostri manufatti. Un grandissimo laboratorio per 200 apprendisti operai ecc. è già stato fondato a Milwauke nel Wisconsin. Vi fanno dei cesti. Mi hanno mandato delle fotografie dei loro prodotti e mi hanno domandato consiglio.

Patronato.

Il patronato dei ciechi ha preceduto la loro istruzione. La prima casa per essi fondata a Parigi nel 1254 fu un asilo e non un istituto d'educazione. Nel medio evo ed ancora nella prima metà del secolo passato si trattava soltanto di mantenere degli sventurati, inutili alla umana società, e di toglierli dalla strada e dalle piazze pubbliche. Oggidì invece il compito del patronato è diverso. Si tratta adesso di sostenere, nella lotta per l'esistenza, degli uomini che sanno lavorare e vogliono lavorare, ma che non possono sempre sostenere la concorrenza dei veggenti.

Questo patronato può esercitarsi in diversi modi. I ciechi usciti dell' istituto possono esser

1. ricoverati in asili od ospizii simili a quello dei Quinze-Vingts;
2. collocati presso le loro famiglie, o, se non ne hanno, in altre famiglie, ove lavorino per conto proprio;
3. o si può far uso dell' uno e dell' altro sistema, secondo le circostanze, i bisogni ed i mezzi disponibili.

Io darei a questi tre sistemi di patronato i titoli: Ricovero, libertà, e sistema misto.

I francesi avevano, come già è stato detto, adottato il primo sistema per un numero ristrettissimo di ciechi. Ma essendosi mostrato sterile durante sei secoli, lo abbandonarono e scelsero il secondo sistema per i ciechi usciti dell' Istituto Nazionale; questo sistema del patronato libero fu anche adottato in Germania dopo la fondazione degli istituti d'educazione.

È nel Regno di Sassonia che questo sistema è stato portato all' ultima perfezione, grazie ai mezzi importanti, donde i Sassoni dispongono pel patronato (più di 100000 lire all'anno). — Possono dare annualmente da 300 a 600 lire ad ogni allievo uscito del loro istituto reale. — Ciò spiega come e perchè il secondo sistema porta il nome di „sistema sassone".

Al congresso di Parigi (1900) diversi francesi ne parlarono ed il presidente Dussouchet, profano in questa materia, domandò in che consista questo sistema sassone. Un Parigino gli rispose: „Questo sistema non val niente per noi, ma sarà eccellente, quando saremo ricchi." Mi pare che tale risposta sia vera anche per diversi altri paesi.

Eppure i risultati del sistema sassone puro non furono sempre sodisfacenti, specialmente nei paesi, i quali non hanno i mezzi di cui dispongono i Sassoni. Molti ciechi capaci di lavorare non potevano trovare del lavoro continuo e rimuneratore; e se il patronato non aveva mezzi sufficienti per aiutarli efficacemente, andavano perduti — specialmente le ragazze.

Egli è perciò che, già nel 1882, il mio amico e collega Helletsgruber, più tardi canonico della Diocesi di Linz in Austria, infranse il principio sassone, fondando a Linz un così detto „Heim" (Home), che vuol dire „a casa" o casa paterna, per ragazze cieche, le quali non potevano guadagnare il pane col loro lavoro manuale.

Questa innovazione „eretica" non venne generalmente salutata con plauso; ma poco più tardi anche diverse provincie tedesche (meno la Sassonia) crearono di questi „Heime" o lavoratori anche per maschi. — Sono case nelle quali i lavoranti ciechi prendono integralmente il guadagno prodotto dal loro lavoro e trovano un alloggio e, se lo desiderano, anche il vitto a prezzo modico. Pagano per tutto, fuorchè gli abiti, 300 a 360 marchi (375 a 450 lire) all' anno. Vi sono dei ciechi che possono guadagnar abbastanza per fare ancora delle economie; altri guadagnano il necessario.

I comuni pagano la pensione per coloro, che non sono in grado di guadagnarla interamente od in parte. Per tali ciechi il „Heim" diventa asilo. — Nel 1903 gli „Heime" tedeschi hanno pagato 162000 lire di mano d'opera a 300 operaie ed operai interni. Altri 600 non guadagnarono niente; furono dei ricoverati.

Questi „Heime" sono sovente costruiti con lusso. Diversi, creati da privati, sono monumenti della liberalità dei fondatori. L'„Anna-Heim" a Düren è costato al suo fondatore la somma di 750000 lire; per l'„Altenheim" (asilo dei vecchi) di Amburgo due Amburghesi hanno dato, l'uno 625000 lire, l'altro 125000 lire; un terzo Amburghese ha messo 625000 lire a disposizione dell' Imperatore per creare un „Heim" per ciechi di tutto l'impero. L'Imperatore vi ha aggiunto un magnifico terreno a Königswusterhausen; egli paga ogni anno anche la differenza tra le entrate e le uscite di questo „Heim". Tutte queste case accordano una relativa libertà ai loro ricoverati, che vi sono considerati come operai liberi. — Essi devono pagare la loro metà della polizza d'assicurazione legale contro l'invalidità, ed hanno diritto, come tutti gli operai tedeschi, alla rendita vitalizia legale, quando non possono più lavorare.

Se credono di poter trovare il pane fuori del „Heim", sono sempre liberi di lasciarlo, ma godono sempre del patronato, se non si conducono male.

In questi ultimi anni i „Heime" pullulano in Germania, in Isvizzera e nell' Austria come i funghi in autunno. Nel 1900 ne esistevano 26 in Germania; adesso il loro numero oltrepassa i 35.

Al Congresso di Breslavia nel 1901 il direttore dell' istituto reale di Steglitz chiamò persino questo genere di patronato il „sistema prussiano", opponendolo al sistema sassone. Aveva dimenticato che si tratta d'una copia con qualche variante dell' antico sistema francese.

Nel 1901 al Congresso di Halle un altro prussiano, il direttore del „Heim" di Königswusterhausen, sostenne che tutti i ciechi devono esser ricoverati nei „Heime", perchè, secondo lui, tutti son incapaci di provvedere completamente a se stessi.

Per me questa asserzione non è altro che la dichiarazione di fallimento dei nostri istituti. Se veramente questi signori non sono capaci d'assicurare l'indipendenza ad un solo allievo, allora, possono chiuder bottega.

Vorrei anch' io un „Heim", ma soltanto per gli scarsi d'intelligenza o deboli di corpo, e per le ragazze senza famiglia, — e spero anche di effettuare il mio desiderio.

Sono dunque partigiano, come la maggioranza dei colleghi tedeschi, del sistema misto. — L'indipendenza per tutti sarebbe il mio ideale; ma non potendosi sempre ottenerla, ho proposto, già 23 anni or sono, al Comitato del nostro istituto ed a funzionarii superiori la creazione di laboratorii speciali per adulti, — di un „Heim" in somma. — Non sono riuscito sin adesso, perchè generalmente si confonde ancora un istituto con un asilo.

In Germania il patronato dei ciechi non è centralizzato, benchè esista, da due anni, un patronato centrale a Berlino, che è almeno innocuo.

Ogni provincia prussiana ed ogni piccolo stato ha una società di patronato, la quale è quasi sempre stata fondata dal Direttore del rispettivo istituto. Questi direttori ne sono generalmente anche gli amministratori, perchè conoscono meglio di chicchessia i caratteri ed i bisogni dei loro antichi allievi.

Diverse fra queste società dispongono di mezzi rilevantissimi. — Ho già parlato della Sassonia; ma anche la provincia renana, che possiede dei „Heim suntuosi, dispone pel patronato da 200000 a 220000 lire all' anno. Pubblicherò sulla Rivista tutte le cifre che fino ad ora non ho potuto raccogliere.

Abbiamo anche i nostri congressi, che non sono „nazionali". I congressi „generali" si radunano ogni terzo anno. Non sono neanche congressi „pro ciechi", dei quali congressi tutte le persone di buona volontà possono essere membri; sono invece congressi degli insegnanti od educatori di ciechi (Blindenlehrerkongresse). — Altre persone vi possono assistere, ma non hanno il diritto di voto. I professori di qualunque nazione vi hanno invece i medesimi diritti senza pagamento di tasse.

Vi assistono quasi sempre tutti i direttori e molti professori tedeschi ed austriaci e dei delegati russi, qualche volta anche degli svizzeri, danesi, olandesi, inglesi, francesi ed italiani. Così il commendatore Vitali ha assistito ai Congressi d'Amsterdam e di Berlino (nel palazzo del Reichstag). Vitali a Berlino ha anche letto un discorso in italiano che io ho subito tradotto in tedesco per i colleghi che non conoscono la lingua del sì.

Il primo di questi congressi fu convocato a Vienna nel 1873, i seguenti a Dresda (1876), a Berlino (79), a Francoforte (82), ad Amsterdam (85), a Colonia (88), a Kiel (91), a Monaco (95), a Berlino (98), a Breslavia (1901) ed a Halle (1904). Il prossimo si riunirà a Amburgo nel 1907.

Il Congresso di Dresda ha fondato una „Società promotrice dell' istruzione dei ciechi" (Verein zur Förderung der Blindenbildung) alla quale società appartengono quasi tutti i colleghi, molte altre persone private e le amministrazioni pubbliche e municipali. I membri privati pagano 3 marchi (3.75 lire) all' anno, le amministrazioni da 50 a 100 marchi. Questa società che attualmente ha la sede a Annover, ha lo scopo di pubblicare e di vendere a buon prezzo (generalmente per la metà delle spese di produzione) libri ed altro materiale scolastico. Io le ho fornito p. es. 34000 carte geografiche per ciechi. — Il „Verein" ha inoltre pubblicato una serie completa di libri di lettura per la scuola, molte opere letterarie, una guida per le mie carte, della musica ecc.

Mi pare che gli italiani potrebbero imitare questo esempio tedesco.

In lingua tedesca si pubblicano il „Blindenfreund" (l'amico dei ciechi) per veggenti, e 6 giornali in Braille per ciechi. Questi ultimi sono stampati a Berlino, Amburgo, Königsberga e Vienna. Ogni istituto dispone di una biblioteca più o meno grande. Steglitz possiede circa 5000 volumi, il nostro istituto circa 3500.

Abbiamo poi una biblioteca centrale ad Amburgo. La Biblioteca paga le spese di spedizione, il cieco le spese di ritorno, che son alquanto ridotte.

Ho adempito, come meglio ho potuto, il mio dovere di relatore.

Per far dei progressi torna sempre utile di sapere ciò che fanno gli altri. La sventura della cecità è internazionale. Internazionale ed interconfessionale sia anche il rimedio. „Siam fratelli, siam stretti ad un patto!"

Das Orientierungsvermögen und das sog. Ferngefühl der Blinden und Taubblinden.

(Aus dem Internationalen Archiv für Schulhygiene Band IV Heft 1 [1907] [Wilhelm Engelmann Leipzig].)

In der vorausgehenden Schrift „Zur Blindenphysiologie" habe ich auf Grund langjähriger Erfahrung die Ergebnisse der durch Prof. Dr. Griesbach in unserer Anstalt vorgenommenen Untersuchungen (und Messungen) des Geruchs- und Gehörssinnes, sowie des extensiven Empfindungsvermögens der Haut (Raumschwellen) zu deuten und zu verwerten gesucht. Dagegen ist das Orientierungsvermögen der Blinden und Taubblinden, das sich zum Teil auf das Ferngefühl stützt, nur gestreift worden. Ich habe mich darauf beschränkt, der allgemein herrschenden Ansicht, daß die Fernwahrnehmungen vieler Blinden (es gibt auch solche ohne Ferngefühl) taktiler Natur seien, also auf dem Hautsinn beruhen, Ausdruck zu geben, ohne mich auf eine experimentelle Untersuchung der Natur, des Sitzes und der Tragweite des eigentlichen Ferngefühls einzulassen, und ohne dasselbe von dem Orientierungsvermögen, dem es, neben Gehör, Geruch und Getast der Hände und Füße, als Hülfsmittel dient, scharf zu trennen.

Die Ansicht, daß es sich beim Ferngefühl, wie schon der Name andeutet, nur um den Hautsinn für Luftdruck- und Temperaturunterschiede handeln könne, war und ist eben so allgemein verbreitet, daß man kaum an die Notwendigkeit dachte, dieselbe durch eingehende Untersuchungen zu begründen.

So ist denn auch seit dem Erscheinen der genannten Schrift (1902), welche im Original und durch Übersetzung in 4 fremde Sprachen die weiteste Verbreitung gefunden hat, bis vor kurzem kein ernstlicher Widerspruch gegen diese Auffassung erfolgt. Man begnügte sich mit der Tradition und glaubte, was man nicht sicher wußte. Die wenigen Experimente, welche gemacht worden sind, beschränkten sich in der Regel auf 2–3 Versuchspersonen. Selbst der erblindete Dr. Javal, früher Professor der Augenheilkunde an der Sorbonne, Membre de l'académie de médecine etc., hat sich nicht an diese harte Nuß gewagt, sondern sich darauf beschränkt, bei vielen Schicksalsgenossen über den „Sens des obstacles" Umfrage zu halten und ihre Antworten zu veröffentlichen. (Javal, „Entre aveugles", Paris 1903. Deutsche Ausgabe: „Der Blinde und seine Welt").

Erst in letzter Zeit hat L. Truschel, der als junger Lehrer von Oktober 1899 bis Mai 1902 in unserer Anstalt tätig war, auf Grund der hier gemachten Beobachtungen und Versuche in der „Experimentellen Pädagogik" von Dr. W. A. Lay und Prof. Dr. E. Meumann (III. Band, Heft 4) eine Arbeit veröffentlicht, welche eine ganz neue Hypothese aufstellt und die traditionellen Ansichten über das Ferngefühl zu widerlegen sucht. — Truschel glaubt, alle Fernwahrnehmungen und das ganze Orientierungsvermögen der Blinden ausschließlich auf reflektierte Schallwellen erster und zweiter Klasse (hörbare und „unhörbare"), also auf das Gehör zurückführen zu können und alle anderen Sinne in Nichtaktivität versetzen zu dürfen; — denn er sagt: „Der sogenannte ‚sechste Sinn' der Blinden beruht ausschießlich auf der Erregung der Gehörsorgane durch reflektierte Schallwellen." — Als einziges Organ des Ferngefühls anerkannte er das Ohr.

Auch er unterscheidet nicht scharf zwischen Orientierungsvermögen und „Ferngefühl". Tatsächlich sind es verschiedene Dinge. — Das Ferngefühl ist, wie wir sehen werden, wertvolles Hilfsmittel des Orientierungsvermögens, aber nicht dieses selbst. —

Es ist zu bedauern, daß Truschel von einem x-Sinn, x-Wellen spricht. Dieses x ist so geheimnisvoll, daß gar leicht wieder eine neue Legende von einem ganz besonderen xten Sinne der Blinden aufkommen könnte, während Truschel doch nur an einen ganz bestimmten und bekannten Sinn, das Gehör denkt; denn Erregung der Gehörsorgane durch reflektierte Schallwellen ist doch nichts anderes als bewußtes oder unbewußtes Hören.

Aus diesen Gründen sehe ich mich veranlaßt, gleich zu der Sache Stellung zu nehmen und auch die zurzeit noch herrschende Auffassung ausführlicher zu begründen, als dies bisher geschehen ist.

Gerne hätte ich diese Arbeit einem Kollegen aus einer anderen Anstalt überlassen, weil es mir peinlich ist, einem früheren Mitarbeiter entgegentreten zu müssen; — allein eine gründliche Nachprüfung ist eben doch nur hier auf Grund unserer Kenntnis der von Truschel geprüften Versuchspersonen möglich.

Truschel hat nach seinem Berichte fast ausschließlich Gehversuche neben Hindernissen (Bäumen, Pfosten usw.) und gegen solche, ferner ähnliche Versuche bei schräger Gangrichtung gegen eine Wand und von einer solchen angestellt. Was er über letztere Experimente sagt, die offenbar ohne die erforderliche Einrichtung vorgenommen worden sind, vermag ich auf Grund zahlreicher und sorgfältig ausgeführter Versuche, von denen später die Rede sein wird, nicht als richtig anzuerkennen. An den Ergebnissen der ersten Versuchsreihen A^1—A^3 habe ich nichts auszusetzen, als daß dieselben auf zu bekanntem Terrain gewonnen wurden. — Es wird noch von ähnlichen Versuchen die Rede sein, die wir mit besserer Einrichtnng auf ganz unbekanntem Gebiet vorgenommen haben und deren Ergebnisse deshalb z. T. weniger „günstig", aber jedenfalls zuverlässiger sind. — Immerhin hat Truschel das bis jetzt verzeichnete — recht karge — Beobachtungsmaterial nicht unwesentlich bereichert und zu weiteren Forschungen auf diesem Gebiete angeregt.

Das „Glauben" hört jetzt auf; man möchte wissen. Es kann mich nur freuen, daß mittelbar gerade aus unserer Anstalt wieder eine Arbeit hervorgegangen ist, die zur Fortsetzung der früheren Versuche über das Sensorium der Blinden nötigt. Leider vermag ich die Schlüsse, welche Truschel aus seinen Beobachtungen zieht, nicht anzuerkennen, schon weil er bezüglich der Hörschärfe und des Sehvermögens seiner Versuchspersonen zuweilen von falschen Voraussetzungen ausgeht. Es hat mir wiederholt den Eindruck gemacht, daß er folgenden Gedankengang eingehalten habe: „Dieser Blinde (z. B. Nr. 1) orientiert sich gut; folglich hat er feines Ferngefühl; folglich gehört er zu den „Feinhörigsten" (S. 154); folglich ist das Trommelfell Sitz des Ferngefühls." — Ferner: „Dieser Blinde (Nr. 11) lokalisiert rechts besser als links; folglich ist sein rechtes Ohr besser als das linke". Er sagt u. a.: „A. E. (Nr. 11) ist als Kind infolge Masererkältung beiderseits vollständig erblindet. Auch das linke Ohr hat gelitten."

Daß Nr. 1 mindestens ein fehlerhaftes Trommelfell hat*) und daß Nr. 11 noch einen schwachen Sehrest und auf beiden Ohren völlig gleiche Hörweite besitzt, war übersehen worden. —

Da hätten mindestens genaue Gehörsprüfungen vorausgehen müssen. — Wenn man ein neues Gebäude aufführen will, untersucht man in der Regel zuerst den Baugrund — in diesem Falle das Trommelfell.

Es wird später noch davon die Rede sein. —

Wir haben nicht jedes Experiment so wiederholen können, wie es gemacht worden sein soll, schon weil wir die benutzten Hindernisse nicht genau kennen. Auch scheint es uns bedenklich, die Blinden im bekannten Garten öfter genau denselben Weg zu denselben Hindernissen zu führen, weil schließlich gar leicht das Gedächtnis den Sinnesorganen zu Hilfe kommen kann. —

Unsere Gehversuche — abgesehen von langjähriger Beobachtung — sind größtenteils auf unbekanntem Terrain und auf andere Weise ausgeführt worden, als dies bisher geschehen ist. Wir haben es auch nicht bei solchen bewenden lassen, sondern Gehör, Geruch und Getast (Schwellenlängen) berücksichtigt, die Tragweite des Ferngefühls im geschlossenen Raume bei ruhiger Körperhaltung, also minimaler Luftbewegung und bei verschiedenen Temperaturen (mit offenen und verstopften Ohren) gemessen, das Unterscheidungsvermögen für sehr kleine Temperaturunterschiede und bei 22 Versuchspersonen auch den Drucksinn an je 20 Hautstellen geprüft, also das ganze Sensorium mit Ausnahme des Geschmacks untersucht, oder mindestens Griesbachs frühere Prüfungsergebnisse zum Vergleiche herangezogen. — Die Zahl unserer neuen Versuche beläuft sich auf 8000—9000. — Gestützt auf dieselben hoffe ich, die bekannten Tatsachen aus unserer, d. h. der allgemeinen Anschauung heraus mindestens besser erklären zu können, als

*) S. Griesbachs Tabellen Seite 108 und 88. — (Ohrenuntersuchung durch Ohrenarzt Dr. Lobstein.)

dies auf Grund der neuen Schallwellentheorie möglich ist. Unter allen Umständen liefert vorliegende Arbeit viel neues Beobachtungsmaterial.

Am Schlusse werde ich die Gründe zusammenfassen, welche gegen die akustische Hypothese und für unsere Anschauung sprechen. Es mag dann jeder selbst beurteilen, ob er das eigentliche „Ferngefühl“ auf akustische, oder aber auf taktile und thermische Einflüsse zurückführen will oder muß.

Nach Truschel soll also der Blinde die Nähe eines Gegenstandes, einer Mauer, eines Baumes, einer Küchentüre nur hören, laut oder leise, nicht durch den Tast- und Temperatursinn der Haut wahrnehmen oder in gewissen Fällen gar riechen. Dies widerspricht allen bisherigen Erfahrungen; es widerspricht meines Erachtens auch denjenigen, welche jeder Sehende schon an sich gemacht hat. Wenn wir uns in völlig dunklem Raum zurecht finden wollen, so benutzen wir alle uns zur Verfügung stehenden Sinne. Wir achten auf jedes allfällige Geräusch, auf den Schall der Tritte, auf den etwa im Raume herrschenden Geruch; wir tasten mit Händen und Füßen.

Sollte der Blinde freiwillig auf alle diese Hilfsmittel verzichten und sich nur auf das Gehör beschränken?! Ich glaube dies nicht und keiner von unseren intelligenten Blinden will es glauben.

Taubblinde.

Wenn für die Orientation wirklich nur das Gehör in Betracht käme, müßten ja die Taubblinden des Orientierungsvermögens vollständig entbehren; sie wären jeder freien Bewegung unfähig.

Wir haben hier bis jetzt Gelegenheit gehabt, 6 Taubblinde zu beobachten. Allerdings war keiner stockblind, alle aber stocktaub. — Sie machen natürlich, soviel als möglich, bei der Orientation von ihrem Sehrest, der für Unterricht und Arbeit wertlos ist, Gebrauch. Magd. Wenner, welche am wenigsten sieht, orientiert sich aber im finsteren Raume nach Aussage der Lehrerinnen besser als manche hörende Blinde. Sie hat allerdings den schwankenden Gang, den man bei Taubstummen sehr häufig und bei Taubstumm-Blinden fast immer findet. — Von unserer Prüfung ihres Ferngefühls wird später noch die Rede sein.

Truschel zitiert als Stütze seiner Annahme, daß nur das Gehör in Betracht komme, folgende Stelle aus einem Berichte über Helene Keller: „Sie tastet ihren Weg mit ziemlicher Unsicherheit selbst in Zimmern entlang, mit denen sie ganz bekannt ist.“

Aus ihrer Lebensgeschichte ließe sich aber manches anführen, das dieser Schilderung zu widersprechen scheint. Ich verweise nur auf den Satz (S. 35 der deutschen Übersetzung und S. 36 des englischen Originals): „So“ (d. h. nachdem sie gerechnet hatte) „war mein Gewissen für den Rest des Tages beruhigt und ich sprang rasch zu meinen Spielgefährten hinaus.“ ("I went out quickly to find my playmates.") Diese Stelle läßt doch — neben vielen anderen — eine gewisse Beweglichkeit voraussetzen, welche nicht dem Gehör gutgeschrieben werden kann. Ich habe mich übrigens an meinen Gewährsmann John Hitz in Washington, Direktor des Voltabureaus für das Taubstummenwesen in den Vereinigten Staaten, gewandt, welcher H. Keller seit langen Jahren persönlich kennt. Er kann also über das Orientierungsvermögen der Taubblinden immerhin glaubwürdige Auskunft geben. J. Hitz schreibt mir darüber am 5. März 1907.

„Persönlich habe ich nie wahrgenommen, daß sie „besondere“ Orientierungsanlagen hat. Sie bleibt stehen, sobald man sie in einer fremden Lokalität allein läßt. Im Hause verfehlt sie zuweilen ihre Richtung, wenn sie aus einem Zimmer in ein anderes geht.“ — Es ist doch natürlich, daß sie als gebildete Dame in einem fremden Hause nicht gleich alle Wände und Möbel abtastet. Das Verfehlen der Richtung beweist nichts gegen H. K.s Orientierungsvermögen. Das kommt auch bei den geschicktesten Blinden vor, wenn sie nach einem längeren Gespräch und mehrmaliger Drehung desorientiert sind. Wenn sie in meinem Zimmer mit mir sprechen und ich an meinem gewöhnlichen Platz sitze, wissen sie natürlich, sobald sie vor mir stehen, daß sie die Knabentüre links und die Mädchentüre hinter dem Rücken haben. Das genügt ihnen, um den richtigen Ausgang sofort zu finden. Anders ist es, wenn ich selbst den Platz wechsle. —

In einem zweiten, am 1. April eingegangenen Briefe wiederholt Hitz das Gesagte und bemerkt noch: „Ob ihre Trommelfelle noch existieren, weiß sie vermutlich gar nicht. Ich habe sie sofort um Auskunft gebeten, bin aber bis dato noch ohne Antwort. Sei dem wie es wolle, für irgendwelche Hörzwecke fungieren sie entschieden nicht. Auch haben sie (die Trommelfelle) keinen Einfluß auf ihren Orientierungssinn, indem sie sich benimmt wie die meisten der vernünftigen Blinden.“ .... „Beim Herumgehen im Hause und bei der Verrichtung von Hausarbeiten, wie Kehren, Abstäuben

Geschirrwaschen usw. ist Anwendung des Tastgefühls stets erkenntlich." —

Ob Hitz nur an den Tastsinn der Hände oder auch an den der Gesichtshaut im weitesten Sinne denkt, geht daraus nicht hervor.

Sichere Angaben über das eigentliche Ferngefühl enthält diese Auskunft also nicht. Helene Keller scheint sich aber doch zu orientieren, wenn sie im Haushalt beschäftigt werden kann. Daß das Orientierungsvermögen bei einer Person, welcher nur ein ernstlich in Betracht kommendes Sinnesorgan, die Haut, geblieben ist, sehr groß sei, kann man nicht erwarten.

Die Direktion der Bostoner Anstalt (Perkins Institution) schreibt mir über ihre Taubblinden: . . . „Sie haben immerhin einen guten Ortssinn ("a good sense of direction") und sie betätigen und üben denselben, indem sie sich in den Gebäuden, Höfen und Gärten und an jedem Ort frei bewegen, den sie oft genug besuchen, um ihn genau zu kennen (. . . . . "and exercise it in moving freely about the buildings and grounds and any place which they visit frequently enough to become acquainted with"), aber auf einer öffentlichen Straße oder an einem anderen fremden Ort würden sie sich verlieren. Es ist ihnen verboten, allein auf die Straße zu gehen. Ich denke daß es sich mit H. Keller auch so verhält."

Dies ist sehr wahrscheinlich. Das Gehör als solches kann sie ja vor nahenden Wagen, Automobilen usw. nicht warnen. Die Tragweite des eigentlichen „Ferngefühls" ist eben viel geringer als die des Gehörs und gibt keine Auskunft über die Natur der drohenden Gefahr. Hörende Blinde wären ja in derselben Lage, wenn ihnen nicht das Wagengerassel, Pferdegetrampel, das Tuten der Kraftwagen usw. schon auf größere Entfernung ankündigte, was sie zu erwarten uud wohin sie auszuweichen haben.

Ich lasse auch hörende Blinde nicht allein auf die Straße gehen (sie haben im Anstaltsgebiete Raum genug zur freien Bewegung); denn wenn ein solcher überfahren würde, fände man zwischen Basel und Weißenburg nicht Steine genug, um den „Dummkopf" zu steinigen, der dies erlaubte. Sobald ich nicht mehr für sie verantwortlich bin, können sie das halten wie sie wollen.

Mit derselben Bitte um Auskunft über H. Keller habe ich mich an Prof. Ferreri in Rom gewandt, der dort „Praktische Kurse über angewandte Psychologie" leitet (corso pratico di psicologia applicata alla Pedagogia) und sich viel mit Abnormenschulen beschäftigt, dem also, wie schon seine Schriften zeigen, solche Fragen nicht fremd sind. Ferreri hat sich 1904 einige Tage bei H. Keller aufgehalten, sie genau beobachtet und dem letzten italienischen Kongresse für das Blindenwesen (Congresso di Tiflologia), dem ich als Referent über andere Gebiete beiwohnte, Mitteilungen über sie gemacht. Auch hat er ein Buch über Helene Keller geschrieben. Es handelt sich dort aber um die geistige Ausbildung der Taubblinden und nicht um ihr Orientierungsvermögen. Auf eine schriftliche Anfrage hat er mir nun aber geantwortet, was folgt: „Das Orientierungsvermögen ist bei H. K. nicht sehr entwickelt („non è molto sviluppato"). Ich sprach darüber in Boston mit ihrer Lehrerin. Diese sagte mir, daß man dem Mädchen von frühester Jugend an alles viel zu leicht gemacht habe, also daß es zuviel geführt worden sei (... „perchè la ragazza è stata fino dalla tenera età assistita troppo")".

Er fährt dann fort: „Ich kann Ihnen aber das sagen, daß ich sie sehr oft (molte volte) längs einer Terrasse allein spazieren sah. Jedesmal, wenn sie an das Ende derselben kam, stand sie unversehens, plötzlich etwa 1 m vor dem Hindernis still; es ist also sicher, daß sie dasselbe durch taktile Eindrücke wahrnahm, da bei ihr Gehörseindrücke gänzlich ausgeschlossen sind. („Di Helene Keller poi posso dir questo, che l' ho veduta molte volte passeggiare lungo un terrazzo, ed ogni volta che arrivava alla estremità, si fermava quasi d' improvvisto a circa un metro dell' ostacolo; è certo dunque che lo sentiva per via di sensazioni tattili, essendo affatto escluse le acustiche").

Er fügt hinzu: „Daß das Ferngefühl mehr auf taktilen, als auf akustischen Reizen beruht, ist für mich außer Frage. (Scheint mir nicht bestritten werden zu können.) Die Fachschriftsteller sind darüber einig und das Zeugnis von Blinden, wie Dr. Romagnoli, ist wertvoll. Auch James und Javal sind dieser Ansicht."

(„Che il senso degli ostacoli dipenda però in gran parte da sensazioni tattili più che dalle acustiche mi pare indiscutibile. Gli autori sono in questo d' accordo e la testimonianza di ciechi, come del Dott. Romagnoli, è preziosa. Il James, il Javal son di questo persuasi.")

Es stimmt dies allerdings nicht ganz; denn Javal erkennt dem eigentlichen Gehör einen sehr großen Einfluß bei der Orientation zu, ohne sich auf eine experimentelle Prüfung des eigentlichen Ferngefühls einzulassen.

Er zitiert aber auch — nach James*) — das Buch des Blinden Hanks Lévy „Blindness and the Blind", in welchem dieser sagt, das Ferngefühl daure bei ihm fort, wenn er sich die Ohren verstopfe, höre aber auf, wenn er das Gesicht mit einem dichten Schleier verhülle. (Diese Versuche sind also nicht neu.) Es deckt sich dies mit den Aussagen fast aller unserer Blinden, denen man die Augen mit einem Tuche verbinden muß**). — Dann behauptet Lévy, daß der Schnee ihn nicht störe, daß also das Ohr mit dem „Fernsinn" nichts zu tun habe. Er nennt es „perceptio facialis", also Wahrnehmung durch das Antlitz. Derselbe Blinde erzählt ferner, daß Nebel sein Ferngefühl herabsetze. — Beeinflußt dieser die Schallwellen, das Trommelfell oder die Empfindlichkeit der Haut?

Nach Javal betrachten andere, die er nicht nennt, das Trommelfell als Organ des Ferngefühls, ohne an Erregung des Gehörs zu denken. Sie schreiben die Wahrnehmungen dem sich ändernden Luftdruck auf das Trommelfell zu. (Also Druckgefühl!)

Es tut mir leid, daß Javal „diese andern" nicht nennt; denn sie scheinen mir nicht gar zu weit neben das Ziel geschossen zu haben. — Jeder kennt die außerordentliche Empfindlichkeit des Gehörganges und des Trommelfells für Berührungen, also für Tastreize. Dieses erträgt zwar Kanonenschüsse und Donnerschläge; aber bei der leisesten Berührung desselben zucken wir zusammen. Wenn uns ein Ohrwurm über das Gesicht oder die Hände läuft, so ist dies erträglich; wenn er aber in den Gehörgang gerät, so kann es uns rasend machen. Und doch singt er nicht und trompetet nicht und trommelt nicht, sondern krabbelt nur im Ohr herum. Ich erinnere nur an die Redensart: „Einem einen Floh ins Ohr setzen".

Warum sollte das äußere Ohr nicht für Luftverdichtung und Luftstöße empfindlicher sein als für reflektierte Schallwellen bei „Grabesstille"? Dies dürfte die oft (nicht immer) eintretende Herabminderung des Ferngefühls durch Ohrenverschluß und auch das Experiment mit vor den Ohren durchlöcherten Papierbinden genügend erklären.

Daß auch der Blindenlehrer Hauptvogel an „die empfindlichste Stelle des Körpers", das Trommelfell, und doch nicht an Schall dachte, ist bezeichnend.

Doch kehren wir zu den Taubblinden zurück! Frau Andrep-Nordin, die in Wenersborg (Schweden) eine Anstalt für schwachsinnige und taubstumme Blinde leitet (sie hat letztes Jahr eine Woche auch bei uns hospitiert) schreibt mir über diesen Gegenstand (am 31. März):

„Wenn es wirklich so wäre, daß die Taubblinden ihrer Taubheit wegen überall anstoßen müßten, so wäre davon die natürliche Folge, daß bei uns, wo so viele blinde Blödsinnige zusammen mit den Taubblinden in engen Zimmern herumlaufen, ihre Gesichter davon immer Spuren trügen. Nicht wahr? Und das sieht man doch sehr, sehr selten! In unserem großen Sloydzimmer, wo 14 Webstühle stehen und wo es infolgedessen sehr eng ist, gehen die Taubblinden ebenso leicht herum wie die anderen, ohne anzustoßen. Wir haben auch unter den Zöglingen (58) zwei lebhafte, begabte Taubblinde von 10 und 12 Jahren, und daß sie nicht vorsichtig und langsam herumgehen, das können Sie sich gut vorstellen." Frau Andrep-Nordin hat 1904 auch Helene Keller besucht und längere Zeit beobachtet. Sie schreibt mir darüber: „Was Helene Keller betrifft, so kam sie mir wie eine jede andere, sehende Dame entgegen, um mich zu begrüßen, und es schien mir, daß sie sich ganz ruhig und frei bewegte im ganzen Hause, ohne anzustoßen und ohne mit ihren Händen die Gegenstände zu betasten." „Laura Bridgman, die ich auch vor 20 Jahren — während 3 Wochen studieren durfte, hatte man als Beschäftigung den Auftrag gegeben, jeden Morgen alle Gegenstände in „the Drawing-Room" abzustauben und alle Möbel wieder an ihre bestimmten Plätze hinzustellen. Sie löste diese Aufgabe wie ein mathematisches Problem. Wenn sie z. B. mit dem mittleren Tische anfing, so ging sie zuerst zum Ofen hin, machte acht Schritte rückwärts, dann fünf Schritte rechts, indem sie sagte: „Hier soll er stehen, hier ist sein Platz" usw. Nachher brauchte sie nicht immer zurück zum Ofen zu gehen, um den Ausgangspunkt zu finden. Sie konnte doch einem jeden Möbel nach ihrer Berechnung seinen richtigen Platz geben. Während dieser Arbeit bewegte sie sich vollständig frei und ohne anzustoßen. Und merken Sie wohl, daß sie den Geruch mit ihrem Gehör und Gesicht verloren hatte." (Dies ist auch bei unseren Taubblinden durchwegs der Fall.)

„Ich meine nämlich, daß der Geruch ein sehr

*) Principles of psychology, London.

**) Zuweilen scheint, wie wir sehen werden, das durch die Binde erzeugte Wärmegefühl die Hautsensibilität zu erhöhen und den Mangel wieder auszugleichen.

wichtiger Fernsinn für die Taubblinden ist." usw. So urteilt eine gewiß kompetente Beobachterin über das Orientierungsvermögen der Taubblinden — und die Schallwellentheorie.

Am Kongresse in Rom (Dez. 1906) hatte ich einen sehr geschickten taubblinden Drechsler, E. Malossi aus Neapel, gesehen. Ich wandte mich deshalb mit den nämlichen Fragen an seinen Direktor Commend. Martuscelli. Dieser schrieb mir, daß der Taubblinde meine Fragen selbst beantworten werde. Einige Tage später erhielt ich von diesem einen sechs Folioseiten langen Brief in Punktschrift. Er schreibt, wenn er den Brief wirklich ganz selbständig verfaßt hat, eine Sprache, der sich kein gebildeter Italiener zu schämen brauchte. — Ich kann hier nicht den ganzen Brief in Übersetzung wiedergeben, weil er manches berührt, das nicht zur Sache gehört.

Malossi hörte und sah ursprünglich und besuchte einige Zeit die Volksschule, aber — wie er sagt — ohne großen Nutzen, weil es ihm an Intelligenz gefehlt habe. Infolge einer Hirnhautentzündung verlor er in „einer Nacht" das Gesicht, das Gehör und das Sprachvermögen.

Das Bedürfnis nach Bewegung und Aussprache habe ihn dazu gebracht, sich im Hause zu orientieren, wobei ihm das Gedächtnis zu Hilfe gekommen sei. Ohne Püffe sei es anfänglich nicht abgelaufen. — Vokale habe er nicht mehr sprechen können, dagegen sei ihm die Aussprache der Konsonanten später wieder möglich geworden. In dem Institute „Principe di Napoli", in welches er später aufgenommen wurde, finde er sich völlig zurecht. Hindernisse am Ende von Gängen usw. bemerke er rechtzeitig. In einer ganz neuen Umgebung würde er sich aber nicht sofort orientieren können, ohne zu tasten und auch anzustoßen. (Wie hörende Blinde.) Seine Nerven und „Venen" und seine Haut seien aber so empfindlich geworden, daß er auch „Geräusche" wahrnehme, obwohl die Ohren völlig taub seien. — Das Ticken und Schlagen einer Wanduhr, das Tönen einer Glocke „fühle" er mit den Händen, wenn er diese Gegenstände berühre. Den Schritt eines ihm entgegenkommenden Menschen nehme er mit den Füßen wahr, wenn er selbst stillstehe usw. — Es ist klar, daß es sich hier um Wahrnehmung der Erschütterung durch den Tastsinn handelt. Auch dieser Taubblinde orientiert sich also mit Hilfe der Sinne, die ihm geblieben sind. Das Gehör ist ausgeschlossen, folglich auch die Schallwellen.

Da Commend. Martuscelli meine Frage nicht präcis genug beantwortet hatte, weil er eben auch das Orientierungsvermögen von dem eigentlichen Ferngefühl nicht trennte, fragte ich zum zweiten Male in bestimmterer Form bei ihm an. Darauf erhielt ich am 22. März folgende Antwort:

„Ich kann versichern, daß der Blinde Malossi, obgleich er völlig taub ist, wie jeder andere Blinde die Gegenstände wahrnimmt, welche sich ihm in den Weg stellen, vorausgesetzt, daß er langsam und vorsichtig gehe. (. . . posso affermarle, sulla nota quistione del „sesto senso", che il Malossi, quantunque anche perfettamente cieco, avverte, come ogni altro cieco, gli ostacoli che gli si presentano innanzi, benvero sempre, quando cammina piano e con cautela.)"

Der taubblinde Malossi schrieb mir dann auch einen zweiten Brief, der so interessant ist, daß ich mich veranlaßt sehe, ihn hier teilweise in Übersetzung wiederzugeben.

„Was die Frage betrifft, ob ich eine Mauer, eine Türe usw. wahrnehme, die sich in kleiner Entfernung von mir befindet, so kann ich bejahend antworten. Es ist der Tastsinn des Gesichts (il tatto del viso), der mir mehr oder weniger deutliche Eindrücke vermittelt. — Wenn ich durch einen Gang gehe und das Gesicht so halte, wie wenn ich schauen wollte, so läßt mich der Tastsinn wahrnehmen (il tatto mi fa accorgere), daß die Luft vor meinem Gesichte immer gleich frisch und „tremolierend" (fresca e tremolante) ist. Aber wenn ich in nächster Nähe einer Mauer stehe, so kommt mir die Luft weniger frisch und (tremolierend) vibrierend vor. (Unsere Blinden sagen dumpf oder „dunkel".) Dies bemerke ich nur, wenn ich langsam gehe."

„Mit dem Tastsinn des Gesichts*) kann ich unterscheiden, wo die Sonne steht, wo Feuer brennt usw. Wenn ich an eine Zimmertüre komme, merke ich mit den Händen an der Glastüre oder mit den Füßen auf der Schwelle, ob Lärm (rumore) darin ist. Wenn aber mehrere Personen darin sind, die sich ruhig verhalten, so merke ich eine von derjenigen der „stummen Luft" (aria muta) etwas verschiedene Wärme.

Wenn sich jemand vor mich stellt, so habe ich Wärmeempfindung (sento un punto di calore). Wenn einer von mir weg, oder an mir vorbei läuft, so nimmt der Tastsinn eine Luftbewegung wahr, erkennt daraus die Richtung, welche der Flüchtling

*) Die Italiener fassen unter „tatto" Gefühl und Getast zusammen.

37

genommen hat, und ich kann ihn verfolgen. Der Tastsinn ist im Gesicht viel empfindlicher als in den Händen, „weil dort mehr Blut ist".*) — Übrigens ist der Tastsinn (er meint hier Gefühl und Getast der Gesichtshaut) bei den Blinden viel besser entwickelt als bei den Sehenden, weil erstere, um das Gesicht zu ersetzen, darauf angewiesen sind, von den Wahrnehmungen des Tastsinns häufiger Gebrauch zu machen." (Also Nötigung und Übung.)**)

Aus dem Gesagten, das von allgemeinem Interesse sein dürfte, geht wieder hervor, daß dieser Taubblinde „Ferngefühl" besitzt und daß er es, wie alle anderen, dem Tast- und Temperatursinn der Gesichtshaut zuschreibt.

Von unserer Taubblinden Magdalena Werner wird später noch die Rede sein. Die Prüfung ihres Ferngefühls bestätigt das Vorausgehende vollauf. - Ihr Ferngefühl ist, wie wir später (S. 323) sehen werden, demjenigen einer Reihe von feinhörigen Blinden überlegen.

Aus allen diesen Berichten — wie aus unseren Erfahrungen — geht nun aber hervor, daß auch Taubblinde ein bald stärkeres, bald schwächeres Ferngefühl besitzen.

Eine allfällige Herabminderung desselben erklärte sich aus den Ursachen, welche den Verlust beider Hauptsinne herbeigeführt haben, falls diese Ursachen eine allgemeine Abstumpfung zur Folge hatten.

Gewisse Krankheiten, die oft zur Erblindung führen (S. 323), hinterlassen, wie es scheint, aber auch eine übergroße Hautsensibilität und können deshalb vielleicht als Mütter des Ferngefühls angesprochen werden. — Es ist somit von unserem Standpunkte aus nicht einzusehen, warum die Taubheit diese Hyperästhesie verhindern sollte. Unter allen Umständen wird aber die Schallwellenhypothese hinfällig, wenn Taubblinde auch nur ein minimales Ferngefühl besitzen. — Denn Ohren, welche lauten Schall, Trompetenstöße, Orgelton usw. nicht hören, werden doch wohl nicht durch so zarte, dem schärfsten Ohr entgehende „reflektierte Schallwellen" erregt werden können!!

*) Die Feststellung ist richtig; ob auch die Erklärung?

**) Der blinde Dr. Romagnoli sagt in seiner „Introduzione all' educazione dei ciechi": Il tatto dei ciechi è più sensibile inoltre alle eccitazioni anemestesiche e ai fremiti vibratori e di sorgenti di movimento collocate in distanza.

Weiteres über Ferngefühl und Hörschärfe.

Wenn „reflektierte Schallwellen" die ausschließlichen Erreger des Ferngefühls wären, dann müßte dasselbe doch ausschließlich von der Schärfe des Gehörs — Hörweite, Musikgehör und Lokalisation der Schallquelle — abhängig sein — und bei Taubblinden völlig verschwinden. Oder aber es müßte angenommen werden, daß die „reflektierten Schallwellen" eine vollständige Umwandlung (Vermehrung oder Verminderung der Wellenzahl pro Sekunde über die Grenzen der dem Ohr gesetzten Wahrnehmungsfähigkeit hinaus) erfahren, daß sie aufhören, Schallwellen zu sein — und daß somit das Trommelfell, sagen wir das Ohr, befähigt sei, außer Schallreizen und Tast- und Temperaturempfindungen, für die ja der äußere Gehörgang mit Einschluß des Trommelfells sehr feinfühlig ist, noch andere Reize aufzunehmen, also eigentlich „4 Herren" zu dienen. — Ist letzteres denkbar? Doch wohl nicht!

Schallwellen, direkte oder reflektierte, die selbst vom feinsten Ohr nicht mehr als solche empfunden werden, hören aber doch wohl auf, „Schallwellen" zu sein, selbst wenn ihre Schwingungszahl pro Sekunde, durch die ja ihre Existenz bedingt ist, sich nicht geändert hat. — Wenn es sich aber um wirkliche Schallwellen handelt, wenn also die Schärfe des Gehörs für ihre Wahrnehmung und Deutung allein maßgebend ist, dann müssen die Feinhörigsten auch das feinste Ferngefühl besitzen. Truschel ist derselben Ansicht; denn er bezeichnet (S. 154) diejenigen, welche sich am besten orientierten, einfach als die „Feinhörigsten", ohne ihre Ohren zu prüfen. — Nun haben aber, wie in der Schrift „Zur Blindenphysiologie" gesagt worden ist, hier vor 9 Jahren durch Prof. Dr. med. Griesbach Messungen der Hörweite und des Unterscheidungsvermögens der Schallrichtung stattgefunden.*) Mehrere von den durch Truschel zitierten Blinden sind damals geprüft worden. Nun habe ich nicht herausfinden können, daß die mit dem schärfsten Gehör begabten Blinden sich auch am besten orientierten oder noch orientieren. Gerade derjenige, welcher bezüglich der Hörweite allen geprüften Sehenden und Blinden überlegen war (Hörweite für Flüsterton links 45, rechts 40 m), ist (obwohl er nicht als geistig minderwertig be-

*) Vergleichende Untersuchungen über die Sinnesschärfe Blinder und Sehender, von Professor Dr. med. u. phil. H. Griesbach. Archiv f. d. ges. Physiologie Bd. 75, Bonn 1899.

zeichnet werden konnte) recht unbeholfen geblieben (s. Tab. LV).

Die erste von Truschels „feinhörigsten" Versuchspersonen aber, welche laut seiner Tabelle A¹—A³ den Standort (die Richtung) der Hindernisse mit fast absoluter Sicherheit erkannt haben soll, zeigt nach Griesbachs Untersuchungen, die z. T. in Gegenwart des Ohrenarztes Dr. Lobstein ausgeführt worden sind, ein sehr mittelmäßiges Gehör. (Hörweite links 25, rechts nur 17 m.) Die Untersuchung seiner Trommelfelle durch Dr. Lobstein hatte ergeben: „Trommelfell rechts mit Verkalkungen, links leicht eingezogen, sonst normal." Daher die rechtsseitige Schwerhörigkeit. (Also nicht Feinhörigkeit!) Auch starke, direkte Schalleindrücke, Trompetenstöße, Pfeifen, Trommeln usw., hat dieser sehr intelligente Blinde seinerzeit nur ungenau lokalisiert. Er hat sich im Durchschnitt um mehr als 11° geirrt, links um 7°, 53", rechts um 27°, 20", während der Fehlerdurchschnitt bei anderen, die ihm an Intelligenz und Orientierungsvermögen weit nachstehen, nur 7½° betrug. Sollten dieselben Ohren, welche die Richtung, aus der ein robustes Trompetensignal kam, nicht sicher zu erkennen vermochten, für so zarte reflektierte Schallwellen, die wir Sehende gar nicht wahrnehmen können, so außerordentlich empfindlich gewesen sein?

Die 3 Versuchspersonen Nr. 1 (J. K.), 2 (H. K.) und 9 (M. L.), die Truschel zu den „Feinhörigsten" zählt, besaßen laut Griesbachs Tabellen z. T. die weniger als normalen Hörweiten von

	links	rechts
Nr. 1	25 m	17 m
Nr. 2	27 m	27 m
Nr. 9	25 m	20 m

Alle drei haben vom Musikunterricht dispensiert werden müssen, weil sie, trotz langjähriger Versuche und teils normaler, teils bedeutender Intelligenz, nichts fertig brachten. — Truschel hat also „Feinhörigkeit mit Feinfühligkeit verwechselt. — Bei F. W. (Nr. 10), einem hervorragenden Musiker, von welchem Truschel behauptet, daß die linke Seite, also das linke Ohr, für so zarte Schallreize noch unempfindlich gewesen sei, weil er bis vor wenigen Jahren am linken Auge noch einen Schein gehabt habe, zeigen Griesbachs Tabellen, daß er linksseitig Schallquellen viel besser lokalisierte als mit dem rechten Ohr. (Durchschnittsfehler links 4°, 20′, rechts 10°, 27′). — Seine Hörweite ist nicht untersucht worden. Er ist aber außerordentlich musikalisch und hat ein sehr feines Gehör. (Seit 5 Jahren ist er einer der allerbesten Schüler des Straßburger Konservatoriums.) — Gerade seine geübten Gehörsorgane sollten für reflektierte Schallwellen außerordentlich empfindlich sein! Ich weiß aber, daß er sich viel weniger frei bewegt als mancher andere, dessen Gehör sehr mittelmäßig ist; er läßt sich gerne führen. Es ist dies aber aus seiner Ängstlichkeit zu erklären. Er ist von seiner sorglichen Mutter immer geführt worden und zwar wahrscheinlich an ihrem rechten Arm. So kam er als Kind nur selten in die Lage, auf linksseitige Reize achten zu müssen. Dies würde eine ungleiche Verteilung des Ferngefühls, d. h. eine Bevorzugung der rechten Seite, erklären, wenn eine solche wirklich vorhanden ist.*) Aus Griesbachs Tabellen könnte man, wie schon gesagt, auf das Gegenteil schließen. Mit dem schwachen Schein des linken Auges hat dies meines Erachtens nichts zu tun.

Wir haben hier einen Knaben mit schwachem Sehvermögen (J. Sch.), der das Licht kaum ertragen kann; er hat 2 Wasseraugen. Meistens schließt er dieselben nach Möglichkeit; oft muß man sie ihm verbinden; Stirn und Ohren bleiben in diesem Falle frei. Nun würde aber kein Mensch, der ihn im Hofe und in den Gärten zwischen den Bäumen herumrennen sieht, glauben, daß er nicht vollsinnig sei. Sein Schein kann ihn nicht leiten; er behauptet aber doch, er fühle sich sicherer, wenn die Augen frei seien. Auf die Frage „Warum?" antwortete er: „Weil ichs dann besser fühle". — Sein Gehör ist normal. Auf 30 m unterscheidet er noch ziemlich sicher im Flüsterton gesprochene einsilbige Zahlwörter und auch einige andere Einsilber, letztere aber weniger sicher. — In der Musik hat er es zu nichts gebracht. Man hat auch ihn davon dispensieren müssen. — Auch bei anderen Blinden hat, wie wir zeigen werden, ein Sehrest das Ferngefühl nicht beeinträchtigt.

Ich werde später zeigen, daß es sogar bei sehenden vorkommt und sogar stärker ist, als bei vielen Stockblinden.

James erzählt (nach Javal) von einem Arzte, welcher Gegenstände, die man in die Nähe seiner Ohren brachte, auf beiden Seiten gleich fühlte, obgleich ein Ohr beinahe völlig taub war. — Er zieht daraus den Schluß, daß es sich nur

*) Ich verweise auf das, was Ferreri über Helen Keller berichtet, S. 287, ferner auf die später während eines Besuchs erfolgte Prüfung dieses Blinden. Nr. 34.

um taktile und nicht um Gehörseindrücke handeln könne. –

Das Ferngefühl ist also von der Hörschärfe, bei den Taubblinden vom Gehör selbst, unabhängig.

Nach der Schallwellentheorie müßte es derselben **proportional** sein.

Natürlich wäre es unter dieser Voraussetzung sehr schwer, die Grenze zwischen „Hören“ und „Fühlen“ zu ziehen. Was für den Feinhörigen noch Hören bedeutete, würde beim Schwerhörigen schon Fühlen heißen. Dieselben Wellen würden also von einem Blinden als Schall im Ohr, von dem anderen als „Gefühl“ in der Stirngegend wahrgenommen. Ist dies denkbar? Kann man Sinneseindrücke so falsch lokalisieren? Kann man, beispielsweise, im Ohr fühlen, was man mit den Augen sieht?

Unser jetzt 57jähriger Musik- und Stimmlehrer, der von Jugend auf blind war, also Zeit hatte, sich den „x-Sinn“ anzueignen, und dessen Gehör infolge seiner Beschäftigung für feine Schallunterschiede geübt sein muß, will noch weniger als irgend ein anderer das Ohr als einziges Organ des Fernsinns gelten lassen. Auch er bezeichnet die Augengegend als die empfindende Stelle. Niedrige Hindernisse, wie Handwagen, Schubkarren, Stühle usw. bemerkt auch er nicht. Er geht allein von der Anstalt zur Straßenbahn und von dieser wieder zu seiner Wohnung in Wittenheim (viele Jahre wohnte er in Mülhausen), wobei er sich des Stocks als Tastorgan bedient, besonders um niedrige Hindernisse zu erkennen, und doch sind ihm schon böse Abenteuer passiert. Hindernisse in Kopfhöhe will auch er mit ziemlicher Sicherheit fühlen; er sei aber doch schon an Pferde gerannt. Diese scheinen also schlechte Reflektoren für Schall- und andere Wellen zu sein. — Und doch hat er, wie wir noch sehen werden, ein ausgezeichnetes Ferngefühl. Diese Beispiele mögen genügen!

Wenn alles nur auf „reflektierte Schallwellen“ zurückgeführt werden könnte oder müßte, so wäre gar nicht einzusehen, warum auch Blinde mit gutem Gehör und gutem Orientierungsvermögen, die sich aus geringer Entfernung gegen eine Mauer, eine Türe oder einen Baum bewegen, unter Umständen doch anstoßen; denn der Schall setzt, wie ich schon vor bald 6 Jahren geschrieben habe, und wie auch Heller betont, als Warner viel früher ein, als die erste zurückschlagende Luftwelle, oder die Luftverdichtung usw. — Der Schall legt ja in der Sekunde 331 m zurück. Wenn der Blinde 1 m vom Hindernis das erste Geräusch erregt, brauchen also die Schallwellen nur $^1/_{165}$ Sekunde, um zu diesem Hindernis (Reflektor) und zum Ohr zurück zu gelangen. Sie könnten also während der Annäherung infolge der fortschreitenden Verminderung des Abstandes mehr als 300 mal zwischen dem Blinden uud dem Baum usw. hin- und herschwirren. Dazu kämen nach Truschel noch die durch den „Tageslärm“ hervorgerufenen, reflektierten Schallwellen (x-Wellen zweiter Klasse).

Die erste und einzige durch die Bewegung des Körpers in einem Abstande von 1 m erzeugte Luftwelle dagegen könnte, wie wir sehen werden, erst 20 cm vor der Mauer und $^1/_5$ Sekunde vor dem Zusammenstoße dem Gesicht als Warner begegnen. –

Die reflektierten Schallwellen müßten also eine ganze Sekunde vor dem Zusammenstoß das Ohr, die einzige Luftwelle aber erst $^1/_5$ Sekunde vor demselben die Gesichtshaut warnen. Diese Luftwelle kommt also manchmal zu spät und ist, weil einzig, zu schwach — und die unhörbaren angeblichen x-Schallwellen zweiter Güte scheinen öfter auch von guten Ohren „überhört“ zu werden.

Einem Blinden, der aus größerer Entfernung gegen einen Baum rennt, sollten doch die „reflektierten Schallwellen“ 2—3 Sekunden lang als Warner dienen und er sollte nicht erst 20 30 cm vor dem Hindernis ausweichen, wo die Möglichkeit vorliegt, daß die rückströmende und seitlich ausweichende Luft die Warnung übernommen habe. —

Wirklich schwere Zusammenstöße kommen äußerst selten vor. Es ist mir eigentlich nur einer bekannt. Vor langen Jahren hat sich ein sonst geschickter und intelligenter Knabe an einem Wagen, den ein Fuhrmann einige Minuten unbewacht im Hof stehen ließ, ein vorstehendes Wasserauge ausgerannt. (Truschels Versuchsperson 7). Die Blinden senken übrigens meistens den Kopf, wenn sie sich nicht sicher fühlen, um Hut und Haarpolster des Kopfes der empfindlicheren Nase als Vorreiter dienen zu lassen. Ein lebhafter kleiner Wicht (Nr. 20) stellt sich, sobald er dem Wetter nicht traut, regelmäßig hinter einen „guten Kameraden“, um diesen als Puffer vorzuschieben. So stößt er tatsächlich nie an; der andere bekommt die Beulen.

Truschel unterscheidet, wie gesagt, reflektierte Schallwellen erster und zweiter Klasse. Zu ersteren zählt er diejenigen, welche als Schall wahrgenommen werden, zu der zweiten aber die unhörbaren, verirrten Wellen, welche — nach ihm — durch schwache Erregung der Gehörsorgane das eigentliche Ferngefühl bewirken sollen. Im ersteren Falle handelt es sich also um direktes Hören, und dieses beruht nicht immer auf reflektierten Wellen. Wenn ich, auf demselben Brett bleibend, quer durch das Zimmer gehe, so tönt dasselbe unter meinen Füßen verschieden, je nachdem ich an den Stellen der Querbalken oder über hohlen Räumen, in der Mitte oder am Ende des Bretts auftrete. Letzteres wirkt einfach als Saite. Seine Vibrationen pflanzen sich in der Luft fort und gelangen so ganz direkt und nicht durch Reflex zu meinem Ohr. Genau so verhält es sich mit der Änderung des Trittgeräusches in der Nähe einer Mauer. Auf die wirklichen Schalldifferenzen achtet der Blinde und benutzt sie zur Orientation neben dem Getast der Füße und der Hautempfindung. Die an der Mauer reflektierten Wellen, welche bei einer Schallgeschwindigkeit von 331 m in der Sekunde gleichzeitg mit den direkten ins Ohr gelangen würden, müßten doch von letzteren übertönt und verwischt werden.

Nach Truschel sollen Blinde bei der Annäherung an eine Mauer usw. Tonintervalle der Trittgeräusche festgestellt haben, die zwischen einer Sekunde und einer Septime, meistens aber zwischen einer Sekunde und einer Quart schwankten. Merkwürdigerweise wollen aber gerade alle unsere Musiker (No. 17, 34 und 35) nichts davon wissen. Die Entdeckung soll dem unmusikalischen Blinden mit verkalktem Trommelfell zu verdanken sein!

Ich glaube, daß selbst das geübte Ohr des Musikers und Stimmers aus Trittgeräuschen, Wagengerassel usw. nicht mehr und nicht weniger Tonintervalle herauszuhören vermöge, als das Auge des Malers bestimmte Farbentöne aus beliebiger Mischung aller Farben des Malkastens. —

In zweiter Linie kämen nach der akustischen Hypothese die an der Mauer reflektierten, unhörbaren Tritt-„Schallwellen" in Betracht, welche durch ihre schwache Einwirkung auf die Trommelfelle eine eigenartige, die Nähe eines Gegenstandes verratende Empfindung in der Stirn- und Augengegend, das Ferngefühl, auslösen sollen. — Auch diese zarten Wellchen würden aber bei der bekannten Schallgeschwindigkeit gleichzeitig mit den viel stärkeren direkten Trittschallwellen in das Ohr gelangen und durch letztere offenbar übertönt werden, wie das Licht der auch am Tageshimmel stehenden Sterne durch das stärkere Licht der Sonne überstrahlt und unsichtbar gemacht wird. Starke Sinnesreize verwischen die schwachen.

Ich schalte das Gehör für die **Orientierung** keineswegs aus, sondern schreibe ihm eine sehr große Wichtigkeit zu; denn ich habe in der Schrift „Zur Blindenphysiologie" ausdrücklich darauf hingewiesen, daß sich Blinde im Schnee, oder wenn der Boden mit anderen **schalldämpfenden** Stoffen belegt ist, leicht verirren.

Ich habe ferner kurz bemerkt, daß der Schall der Tritte in der Nähe einer Wand (einer Mauer, am Ende eines Ganges) sich ändert. Ich weiß aber auch, daß das Tastvermögen der unbedeckten Kopfhaut und der Füße für die Blinden nicht geringen Wert hat. Sie hören nicht nur den Schall der Tritte, der durch einen in der Nähe befindlichen Gegenstand verändert wird (Reflex oder Dämpfung), sondern sie „fühlen" auch die Beschaffenheit des Bodens (glatte Straße, Kies, Rasen, Steinboden, Holzboden, Teppich usw.), und diese Bodenbeschaffenheit leitet sie oft sicherer als das Ohr.

Sobald der Boden mit Schnee bedeckt ist, sind eben zwei Sinne größtenteils ausgeschaltet, das Gehör und das Getast der Füße.

Über die Wichtigkeit dieser beiden Sinne haben mir kürzlich zwei Blinde, mit denen ich früher nicht darüber gesprochen hatte, Mitteilungen gemacht, welche von Interesse sein können. Ein 16jähriger, sehr musikalischer früherer Zögling (Nr. 35) sagte mir: „Wenn ich an die Schwelle eines Hauses komme, knalle ich mit zwei Fingern. Ich merke dann sofort, ob der Hausgang einen Steinboden oder einen Holzboden hat. — Wenn ich in ein Zimmer trete und wissen möchte, ob sich jemand darin befindet, knalle ich wieder und höre sofort, ob der Raum leer ist oder nicht. Ich kann mich allerdings irren, wenn Kleider im Zimmer hängen" —

Ich glaube nicht, daß es sich in diesen Fällen um durch die Person oder die Kleider „reflektierte Schallwellen" handle. Durch das Gewicht der im Zimmer anwesenden Person (wie durch Möbel) wird einfach der Fußboden verhindert, in seiner ganzen Ausdehnung als Resonanzboden mit zu schwingen. Er wird vielmehr in verschiedene Teile zerlegt und dadurch wird der Schall verändert. Dies ist wohl Reflex. Die Gegenstände, welche wahrgenommen werden (Personen, Kleider) sind aber nicht die Reflektoren.

Derselbe Blinde behauptet auch, jedes Zimmer eines ihm bekannten Hauses an seinem spezifischen Geruche zu erkennen.

Viele Blinde behaupten ferner, schon beim Anklopfen an die Türe meines Arbeitszimmers zu hören, ob ich mich in demselben befinde oder nicht. — Ähnlich verhält es sich mit den Kleidern an der Wand. Für ungeübtere Ohren kann man das Experiment mit einer klingenden Stimmgabel wiederholen, die man mit dem Griffe auf eine Glas- oder Tischplatte stellt, indem man diese Platten bald frei schwingen läßt, bald mit Gegenständen beschwert usw.

Derselbe musikalische Blinde, den ich vor eine Wand stellte, sagte mir aber auch: „Ich „merke" (nicht „ich höre") die Wand." „Wo merkst du sie?" „Hier an der Stirn."

Ein anderer Blinder (E. Sch. Nr. 23), der vor 15 Jahren das Gesicht vollständig verloren hat, aber erst im Alter von 27 Jahren bei uns als Bürstenbinder in die Lehre getreten ist, antwortete mir auf die Frage, ob er oft anstoße: „Ja, das kommt zuweilen vor, wenn ich nicht recht aufpasse, oder wenn ich eine zu rasche Bewegung mache. Etwas entfernte oder seitlich stehende Hindernisse merke ich „gewöhnlich". (Der junge Mann orientiert sich sehr gut und bewegt sich frei.) „Ja, wie merken Sie denn die Hindernisse?" „He, an der Luft, die in Wellen zurückschlägt, bei Wind auch an dem plötzlichen Ausbleiben desselben."

(Ich muß hier nochmals wiederholen, daß ich nie mit ihm über diesen Gegenstand gesprochen hatte.)

„Wo bemerken Sie denn, daß etwas in der Nähe ist?" „Nun, hier an der Stirn und an den Schläfen." „Merken Sie auch kleinere Gegenstände?" „Nein! Dieselben müssen so hoch sein wie mein Kopf; mit den Kleidern fühlt man doch nichts!"

Er erzählte mir dann, daß er zu Hause in Lothringen allein auf das Feld gegangen sei, die Grundstücke der Eltern gefunden und dort gearbeitet und auch die Ziegen gehütet habe. „Wie haben Sie denn den Weg gefunden?" „Ich merkte es genau, wenn ich zur Brücke kam, weil die Straße dort etwas steigt; auch hörte ich die Enten und Gänse im Bache." (Getast der Füße und Gehör.) Das durch das Brückengeländer „reflektierte" Geschnatter scheint er nicht wahrgenommen zu haben.

„Ich kannte die Beschaffenheit des Weges in seinen verschiedenen Teilen, wußte, wo Kies lag (Getast), wo ein Baum stand, auf dem Vögel zwitscherten (Gedächtnis und Gehör) und fand so auch die seitlichen Feldwege" (Getast). —

„Ich achtete auf die Richtung der Luftströmungen und drehte mich im Felde, wenn ich die Richtung nicht verlieren wollte, immer so, daß der Wind, der ja selten ganz ruht, fortwährend dieselbe Stelle des Kopfes traf, den Nacken, die rechte oder linke Wange, die Stirn usw. (Gefühl). Wenn ich längere Zeit draußen gearbeitet hatte und nicht mehr wußte, in welcher Richtung das Dorf lag, knallte ich mit der Peitsche. An dem Knall, bezw. an dem Widerhall, erkannte ich die Richtung des Dorfes, Waldes usw." (Gehör). „Ich kannte jedes Haus in dem Dorfe und wußte, wer es bewohnte. Ich konnte jedes finden. Wenn man aufmerksam ist, hört man überall Geräusche, und jedes Haus hat, je nach Größe, Bauart und Bewohnern, einen eigenen Ton." (Also wieder Gehör.) „So konnte ich auch allein in die Nachbardörfer gehen." „Wenn ich in den Spezereiladen gehen wollte und meiner Sache nicht ganz sicher war, blieb ich an der Treppe stehen, bis jemand herauskam. Dann sagte mir sofort der Geruch, ob ich an der rechten Türe war." —

Dies alles spricht für die allgemeine Annahme, die ich vertrete (und die Truschel als populär bezeichnet), daß bei der Orientation der Blinden und Taubblinden alle ihnen gebliebenen Sinne mehr oder weniger beteiligt seien. Das eigentliche Ferngefühl kommt bei obigem Blinden nicht in Betracht. Ich werde zeigen, daß es sehr schwach sein muß, weil er bei ruhiger Körperhaltung Gegenstände in der Nähe seines Kopfes nicht bemerkt. —

Der Umstand, daß so viele Blinde, tatsächlich fast alle, die „Augengegend„ als Sitz des Ferngefühls bezeichnen, legt mir die Vermutung nahe, daß die unzähligen Nervenstränge, welche vom Stirn- und Jochbein aus der Außenseite des Augapfels und der so empfindlichen Bindehaut zugehen, mit im Spiele sein könnten. (Jeder kennt den Schmerz, welchen auch der kleinste Fremdkörper zwischen Augapfel und Augenlidern verursacht.) Augapfel und Bindehaut sind ja auch bei blinden Augen nur selten abgestorben. Warum sollten nicht diese Empfindungsnerven, welche ja keinem anderen Sinne dienstbar sind, für Druck- und Temperaturdifferenzen sehr empfindlich sein? Der Sehnerv, an den ich früher dachte, kommt wohl nicht in Frage.

Die Angriffsfläche, welche das Trommelfell allein der Außenwelt bietet, ist mir zu klein! Es spielt aber auch nach unserer Auffassung als Tastorgan eine wichtige Rolle. (Prof. Dr. Griesbach hat Truschel und mich darauf aufmerksam gemacht, daß der Vorhofnerv des Labyrinths, welcher das Gleichgewicht regle, auch bei dem Ferngefühl im Spiele sein könnte.)

Truschel hingegen glaubt alle Sinne außer dem Gehör, besonders aber die Tastempfindung der Gesichtshaut bei Luftdruck und Luftstoß und das Gefühl für Temperaturdifferenzen, von denen in der „Blindenphysiologie" die Rede war, ausschalten zu dürfen, besonders weil die Blinden seitlich stehende Gegenstände oft deutlicher und früher wahrnehmen als solche, welche in der Ganglinie vor ihnen liegen, „während doch" — nach seiner Meinung — „ganz entschieden das umgekehrte Verhältnis zu erwarten gewesen wäre." Dies beweist mir nichts! —

Luftwellen.

Wenn ein Körper sich vorwärts bewegt, muß er die Luft, welche vor ihm ist, verdrängen. Es entsteht also vor ihm eine Lufverdichtung (Luftstauung), hinter ihm eine momentane Luftverdünnung.

Radfahrer und Kraftwagenfahrer, welche die Luft rascher „spalten" müssen als Fußgänger, wissen dies noch besser als letzere.

Die Luft weicht aber nach allen Seiten, also in Form eines konischen Kugelausschnittes und nicht in prismatischer Form, wie durch eine Röhre, nur in der Richtung der Ganglinie aus. Diese Tatsache macht Truschels Voraussetzung, daß der Rückstoß gerade in der Ganglinie am stärksten und fühlbarsten sein müßte, hinfällig.

Es ist nun noch zu bedenken, daß sich der Mensch beim Gehen nicht kontinuierlich, sondern ruckweise fortbewegt, indem der Oberkörper beim jedesmaligen Aufsetzen eines Fußes eine raschere Vorwärtsbewegung ausführt und so fast halbkegelförmige Luftwellen erzeugt, welche genau denselben Gesetzen unterworfen sind, also denselben Weg zum Hindernis und zurück einschlagen, wie die Schallwellen, und jedenfalls stärker sind als diese, sich aber auch viel langsamer bewegen als der Schall. — Angenommen der Blinde *B* bewege sich in der Linie *B*, *a*, *b*, *c* zum Hindernis *H* mit einer mittleren Geschwindigkeit von 1 m pro Sekunde, so wird er, um die 4 m zu durchlaufen, 4 Sekunden brauchen.

B . . . . . | *H*
a *b* *c*

(123.) Fig. 1.

Wenn aber der Oberkörper im Augenblick des Aufsetzens der Füße eine Ruckbewegung (Stoß) von $1^1/_2$ m Geschwindigkeit in der Sekunde macht, so bekommen natürlich auch die durch diese Stöße erzeugten Wellen dieselbe Geschwindigkeit von $1^1/_2$ m.

Die erste von *B* ausgehende Welle von $1^1/_2$ m Geschwindigkeit braucht $2^2/_3$ Sekunden, um nach dem 4 m entfernten Hindernis *H* zu gelangen. Im Moment ihrer Ankunft ist der Blinde *B* (Meterschritte vorausgesetzt) noch 33 cm von *c*, also 1,33 m vom Hindernis *H* entfernt. Von diesen 1,33 m durchläuft der Blinde bis zur Begegnung mit der zurückkehrenden Welle $^2/_5$ = 53 cm und die reflektierte Welle $^3/_5$ = 80 cm.

Die Begegnung findet also 80 cm vor *H* statt.

Die zweite Welle geht von *a* aus. Sie hat bis zum Ziele *H* 3 m zu durchlaufen, was in 2 Sekunden geschieht. Sie kommt also bei *H* in dem Momente an, in welchem *B* bei *c* steht. Von dem letzten Meter durchläuft der Fußgänger *B* wieder $^2/_5$ = 40 cm und die rückströmende Welle $^3/_5$ = 60 cm. — Begegnung 60 cm vor *H*.

Die dritte Welle geht von *b* aus und braucht $^4/_3$ Sekunden bis *H*. In dieser Zeit ist *B* um 33 cm über *c* hinausgekommen. Es trennen ihn noch 67 cm vom Hindernis. Von diesen durchläuft der Wanderer wieder $^2/_5$ = 27 und die Welle $^3/_5$ = 40 cm. Begegnung 40 cm vor dem Hindernis.

Die letzte, von *c* ausgehende Welle ist in $^2/_3$ Sekunden am Ziele, *B* ist noch 33,3 cm davon entfernt. Auf die Rückströmung entfallen wieder $^3/_5$ = 20 cm, auf den Fußgänger $^2/_5$ = 13.

Begegnung bei 20 cm Abstand von *H*. — *B* begegnet also den Wellen, wenn wir von gegenseitiger Störung*) absehen, bei 80, 60, 40, 20 cm vom Hindernis. Die Wellen folgen sich also in Abständen von je 20 cm. Welle und Fußgänger zusammen durchlaufen in 1 Sekunde einen Weg von 2,5 m, die Abstände von 20 cm also in $^2/_{25}$ Sekunde. Zwölf Stöße in einer Sekunde dürften aber wohl nicht mehr als Stöße, sondern als ununterbrochene Einwirkung empfunden werden, ohne daß man an die Persistenz der Sinneseindrücke zu denken braucht. Wenn aber doch noch jemand an diesen Wellenstößen, die der Blinde als solche nicht empfindet, Anstoß nehmen sollte, so müßte ich ihn bitten, zu berücksichtigen, daß außer den durch die ruckweise (stoßweise) Fortbewegung des Rumpfes entstandenen Hauptwellen auch noch die durch die Beine erzeugten in Betracht kommen, welche größere Geschwindigkeit haben als erstere

*) Anmerkung: Diese Störung könnte erklären, warum beim Gehen seitlich vorn oder hinten stehende Objekte oft sicherer wahrgenommen werden als die in der Ganglinie.

(2 m statt $1\frac{1}{2}$), weil die Beine abwechselnd zeitweise auf dem Boden ruhen und doch nicht hinter dem Körper (1 m mittlere Geschwindigkeit) zurückbleiben können, diesen Zeitverlust also durch doppelt so rasche Fortbewegung (2 m) wieder einholen müssen. Jedes Bein macht für sich denselben Weg wie der Körper; beide zusammen machen ihn in gleicher Zeit zweimal, jedes einzelne also mit doppelter Schnelligkeit. Die so erzeugten, mit 2 m Sekundenschnelligkeit sich bewegenden Wellen folgen sich (nach obiger Berechnungsweise) nach ihrer Zurückwerfung in Abständen von 33 cm und in Zeitabschnitten von 0,11 Sekunden. Dadurch würden allfällige Empfindungslücken zwischen den Hauptstößen doch wohl ausgefüllt werden.

Die Zahl dieser warnenden Rückstoßwellen vermindert sich aber mit der Anfangsdistanz. In demselben Verhältnis muß auch die warnende Wirkung abnehmen!

Wenn die Bewegung erst bei *c* beginnt, findet nur noch eine Hauptwelle Zeit, den Bl. 20 cm vor dem Hindernis zu treffen und zu warnen. Schon nach $\frac{1}{5}$ Sekunde müßte der Zusammenstoß mit dem Hindernis erfolgen. Häufig bleibt tatsächlich diese schwache und späte Warnung unbeachtet, oder die Zeit von $\frac{1}{5}$ Sekunde reicht zur Wahrnehmung und Rückwärtsbewegung des Kopfes (wäre es auch nur durch Reflex) nicht aus und der Zusammenstoß findet statt, besonders wenn seitlicher Wind den Rückschlag stört. Die Prüfung der Blinden mit verschlossenen Ohren, von der noch die Rede sein wird, zeigt dies deutlich. Gerade bei sehr kurzem Anfangsabstand erfolgen nach meiner Beobachtung am meisten derartige „Begegnungen". Die „reflektierten Schallwellen" sollen aber auf 1—4 m Entfernung nach Truschels Tabellen deutlich wahrnehmbar sein. Während 1—4 Sekunden müßten also diese schwachen Erreger mit der Annäherung immer deutlicher (lauter) werden. Warum versäumen sie in solchen Fällen ihre Pflicht? Es kommt doch täglich vor, daß Blinde beim Spiel aus größerer Entfernung mit aller Wucht gegen einen Baum rennen und bei einem Abstand von 20—30 cm noch ausweichen wie Fledermäuse, etwa $\frac{1}{10}$ Sekunde, ehe bei dieser Geschwindigkeit der Zusammenstoß erfolgen müßte. (Es sind dies natürlich reine Reflexbewegungen; denn zu bewußtem Ausweichen ist die Zeit zu kurz). Ich schreibe dieses Ausweichen wieder den infolge Annäherung aus größerer Ferne sich häufenden Luftwellen zu. — Oder sollten in einem solchen Augenblick die schwachen reflektierten „*x*-Wellen", die kein Vollsinniger hört und von denen auch der Blinde nichts weiß, noch laut genug sprechen, um nicht vom Getrampel der Füße und dem Geschrei der spielenden Kinder übertönt zu werden? Es ist kaum glaublich!

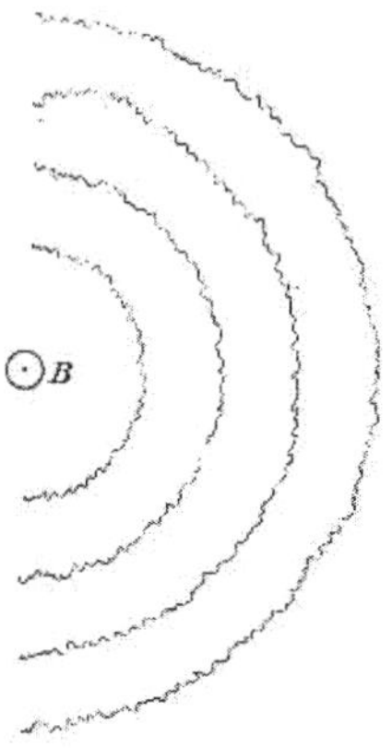

(125.) Fig. 2.

Wir haben bis jetzt nur den Verlauf der Wellen in der Richtung der Ganglinie geprüft. Anders ist es, wenn sich die Blinden nicht direkt gegen ein Hindernis, sondern an demselben vorbeibewegen. — Truschel sagt, daß in solchen Fällen ein Rückstoß „überhaupt nicht zustande kommen könne". Er übersieht eben, daß die Luft konisch ausweicht, also auch die seitlich vor dem Fußgänger stehenden Hindernisse trifft (Fig. 2). Es hängt dann nur von Richtung und Form der

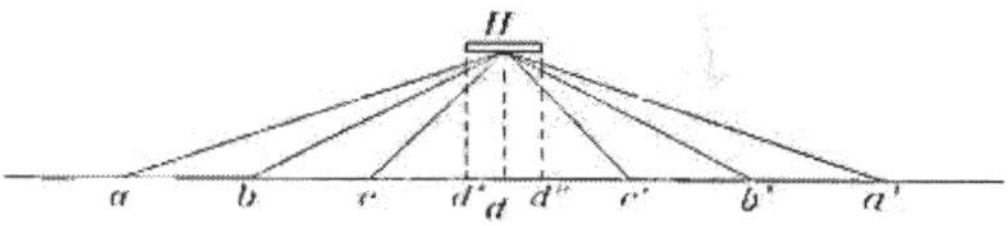

(126.) Fig. 3.

dem Blinden zugekehrten Fläche ab, ob Schall- oder Luftwellen ihm begegnen können. Wenn diese Fläche (Brett) gerade ist und mit der Ganglinie parallel läuft, können Schallwellen den Blinden nur an den Fußpunkten *d'*, *d*, *d''* treffen (Fig. 3). Die von *a*, *b* und *c* ausgehenden Wellen (die Schallwellen unterscheiden sich ja von gewöhnlichen Luftwellen nur durch ihre größere Schnelligkeit) müßten den Weg nach *a'*, *b'* und *c'* nehmen.

Vor *d'* und hinter *d''* könnten keine Schallwellen die Bahn kreuzen; an diesen Punkten aber könnten die durch das Auftreten in *d*, *d'* oder *d''* erzeugten Schallwellen zu ihrem Erreger zurückkehren, wenn das Brett die erforderliche Höhe hätte, oder so geneigt wäre, daß die vom Boden ausgehenden Schallwellen von dem Hindernis zum Ohr des Blinden reflektiert werden müßten. —

Die von *a*, *b* und *c* ausgehenden Schallwellen dagegen wären infolge ihrer Schnelligkeit von 330 m in der Sekunde schon über *a'*, *b'* und *c'* hinaus, ehe der Blinde bei ersteren Punkten auch nur den Fuß gehoben hätte. — Nach der Schallwellentheorie wären also Fernwahrnehmungen nur bei *d*, *d'* und *d''* möglich. Wir werden bald im experimentellen Teile sehen, daß dies nicht zutrifft.

Dagegen wäre es möglich, daß der Fußgänger jenseits *d* noch seitlich von den bei *a*, *b* und *c* erzeugten Luftwellen getroffen würde.

Der Wellenweg $aHa' = 2\sqrt{3^2+1^2} = 6{,}32$.

Nach der früheren Annahme, daß die Luftwelle eine Geschwindigkeit von 1,5, der Fußgänger eine solche von 1 m habe, braucht die Welle 6,32 : 1,50 = 4,2 Sekunden, um nach *a'* zu gelangen. Der Fußgänger wäre nach diesem Zeitabschnitte aber erst 0,3 hinter *c'*; er würde der ersten von *a* ausgehenden Luftwelle also nicht mehr begegnen. —

Die zweite, von *b* ausgehende Hauptwelle (von den durch die Beine erzeugten abgesehen) hätte von *b* nach *H* und *b'* einen Weg von $2\sqrt{2^2+1^2} = 2\sqrt{5} = 4{,}8$ m zu durchlaufen. Sie macht diesen Weg in $\frac{4{,}8}{1{,}5} = 3{,}2$ Sekunden. Der Fußgänger wäre in dieser Zeit aber erst 0,20 über *c'* hinausgekommen, würde also auch dieser Welle nicht mehr begegnen.

Der Weg der dritten Hauptwelle *cHc'* würde nach derselben Berechnung in 1,9 Sekunden durchlaufen. Der Fußgänger ist dann 0,20 vor *c'*.

Da es sich aber um eine halbkreisförmige Welle und nicht um einen Strahl handelt — und da der Blinde kein mathematischer Punkt ist, sondern einen gewissen Duschmesser hat, trifft also diese Welle den Blinden links seitlich im Nacken und an der Rückseite der linken Ohrmuschel. Wir werden später sehen, daß diese Körperstellen bei allen feinfühligen Knaben und auch bei den Mädchen, welche die Haare nicht hängen lassen, für taktile Reize sehr empfindlich sind. So erklären sich seitliche Wahrnehmungen von hinten — bei Bewegung neben einem Hindernisse. Das Brett wird aber, selbst wenn es in Kopfhöhe hängt, von feinfühligen Blinden schon vor *d* wahrgenommen, also an Stellen, wo Luftwellen nicht in Betracht kommen und wo Trittschallwellen über den Kopf hinausgeworfen werden müßten (Fig. 4). Solche Wahrnehmungen seitlich vor und neben dem Hindernis kann ich nur der Luftstauung, unter Umständen auch dem „Windschatten" zuschreiben. —

Das Brett oder die Seitenfläche eines vierkantigen Pfostens können aber auch mit der Ganglinie einen Winkel bilden, wie folgende Figuren es veranschaulichen.

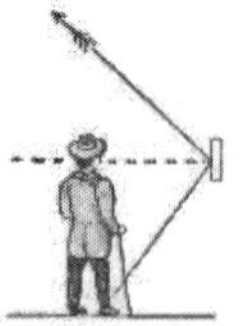

(127.) Fig. 4.

Die nächste Figur zeigt ein Hindernis (Pfosten) *H*, dessen Vorderfläche, als Linie gedacht, mit der Ganglinie einen spitzen Winkel bildet (Fig. 5). Reflektierte Schallwellen können nur bei *o* sich bemerkbar machen, wenn der Blinde dort aufträte, sonst überhaupt nicht. Die von *a* ausgehende Luftwelle würde nach *a'*, die von *b* nach *b'* und die von *c* nach *c'* reflektiert.

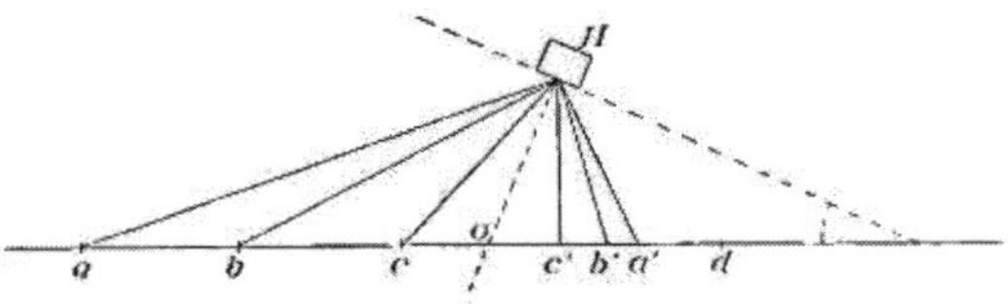

(128.) Fig. 5.

Der Weg aH ist $= \sqrt{3^2+1^2} = \sqrt{10} = 3{,}16$.

- - Ha' - - $\sqrt{1^2+0{,}45^2} = 1{,}095$.

Der Weg aHa' $= 4{,}255$.

Die Welle macht diesen Weg in 4,255 : 1,5 = 2,8 Sekunden. Wanderer und Luftwelle treffen sich also nicht. Der Weg *bHb'* beträgt nach derselben Berechnungsweise 3,27. Die Welle von *b* durchläuft ihn in 3,27 : 1,5 = 2,18 Sekunden. Sie trifft also Nacken und linkes Ohr des Blinden bei *b*.

Der Weg *cHc'* wird von der Welle in 1,55 Sekunden zurückgelegt. Sie erreicht den Fußgänger, der sich bei ihrem Eintreffen in *c'* schon in der Nähe von *a'* befindet, nicht mehr.

Und doch erfolgen, wie die Experimente zeigen werden, Wahrnehmungen schon vor dem Hindernis in der Gegend von *bc*.

Diese Wahrnehmungen vor *b'* kann ich wieder nur der Luftverdichtung (Stauung) zuschreiben. Daß selbst bei *o* reflektierte Schallwellen die Erreger des Ferngefühls nicht sein können, wird später gezeigt werden.

Wenn *H* auf dem Boden steht, kann allerdings in seiner Nähe eine Änderung des Trittgeräusches eintreten; es ist schon wiederholt darauf hingewiesen worden. In diesem Falle handelt es sich aber um direktes Hören und nicht um eine eigentümliche Empfindung in verschiedenen Teilen der Kopfhaut.

Wenn wir unter den bisherigen Voraussetzungen auf (Fig. 6) [längere Wand mit spitzerem Winkel] den Verlauf der Luftwellen betrachten, so finden wir:

I. aEa'.

$aE = \sqrt{2^2+1^2} = \sqrt{5} = 2,24$

$Ea' = \sqrt{1^2+0,7^2} = \sqrt{1,49} = 1,22$

Wellenweg 3,46;

V. bFb''.

$bF = \sqrt{2^2+0,75^2} = 2,22$

$Fb'' = \sqrt{0,75^2+0,58^2} = 0,95$

Wellenweg 3,17.

Zeit 2,1 Sekunden.

Während die b-Welle bei b' sich dem Wanderer linksseitig näherte, hat sie also vor b'', ja sogar vor c'' seinen Weg von links nach rechts gekreuzt, ihn also linksseitig von hinten getroffen. — Der

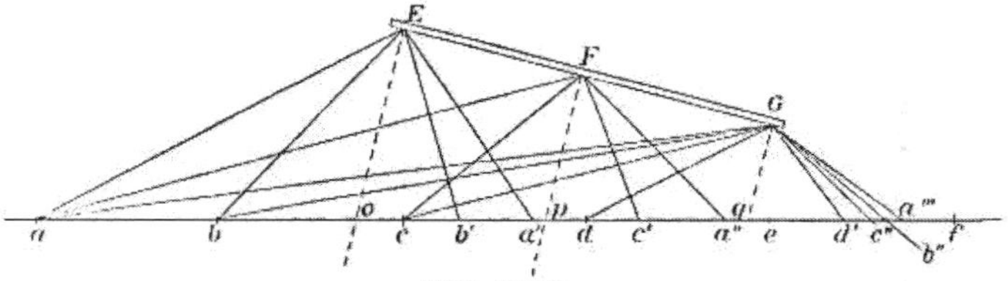

(129.) Fig. 6.

dividiert durch Wellengeschwindigkeit (1,50) = 2,3 Sekunden.

Während dieser Zeit hat der Fußgänger erst etwa b' erreicht. Die Welle trifft ihn nicht.

II. aFa''.

aF nach derselben Berechnung = 3,09

Fa'' = 1,06

Wellenweg 4,15.

Zeit 2,8 Sekunden. — Der Fußgänger ist erst etwa bei p. Die Welle trifft ihn nicht. —

III. aGa'''.

aG = 4,03

Ga''' = 0,66

Wellenweg 4,69. Zeit 3,1 Sekunden.

Der Fußgänger ist erst zwischen p und d. Die von a ausgehende Welle eilt nach obiger Voraussetzung der Wellengeschwindigkeit dem Fußgänger weit voraus, trifft ihn also nirgends.

IV. bEb'.

bE = 1,40

Eb' = 1,044

Wellenweg 2,44. Zeit 1,6 Sekunden.

Der Teil dieser Welle, welcher von E abprallt, kommt etwas zu spät. — Es ist aber zu berücksichtigen, daß die halbkreisförmigen Wellen successive in der ganzen Länge des Brettes und nicht nur an den Punkten E, F und G umgebogen werden, so daß die zwischen E und F reflektierten Teile der b-Welle den Fußgänger gleich hinter b' treffen müssen; denn bei b'' haben sie ihn schon überholt. — Dies geht hervor aus

Vorsprung wird noch größer bei

VI. bGb''.

VII. cFc'.

Wellenweg cF = 1,25

" Fc' = 0,81

2,06. Zeit 1,37 Sekunden.

Die Welle trifft den Fußgänger bei c'.

VIII. cGc''.

cG = 2,06

Gc'' = 66

Wellenweg 2,72. Zeit 1,8 Sekunden.

Die Welle ist voraus.

IX. dGd'.

$dG = \sqrt{1^2+0,5^2} = \sqrt{1,25} = 1,12$

$Gd'' = \sqrt{0,5^2+0,42^2} = \sqrt{0,25+0,17} = \sqrt{0,42} = 0,64$

Wellenweg 1,76.

Zeit 1,2 Sekunden.

Diese Welle trifft den Fußgänger noch links von hinten, wenn sich seine Vertikalachse im Momente des Überschreitens der Ganglinie durch den bei G reflektierten Wellenteil noch 16 cm vor d' befindet. Er hat aber, wie schon gesagt, einen gewissen Durchmesser, und es rücken auch die links vor G umgebogenen Wellenteile nach.

Der Fußgänger wird somit durch die von b, c und d ausgehenden Wellen linksseitig von hinten getroffen, von der letzten noch hinter e, d. h. hinter dem Ende des Brettes. Unsere Experimente (S. 302 305) werden bestätigen, daß dort noch Wahrnehmungen stattfinden, und die später folgende Prüfung des

Druckgefühls wird dies erklären. Aus **Luftwellen** lassen sich aber nicht erklären diejenigen Wahrnehmungen, welche beim Gehen in der Richtung *a*, *b*, *c* usw. in vielen Fällen schon bei *a* oder zwischen *a* und *c* gemacht werden. Ich vermag dieselben nur dem stärkeren Widerstand der durch die Wand eingeengten Luft zuzuschreiben. Der Vorgang ist derselbe wie beim Schusse gegen feste Ziele. Schallwellen aber kommen vor *o* und hinter *q* nicht in Betracht.

Nach der Schallwellentheorie könnten Wahrnehmungen überhaupt nur bei *o*, *p* und *q* erfolgen, vorausgesetzt, daß die Wand die erforderliche Höhe oder Neigung habe und daß der Blinde an diesen Punkten auftrete. Unsere zahlreichen und genauen Versuche haben uns aber gezeigt, daß die Wahrnehmung nur ausnahmsweise gerade an diesen Punkten einsetzte (s. S. 302—7). —

Etwas anders ist der Verlauf der **Luftwellen**, wenn die Wand *EFG* mit der Ganglinie am Ausgangspunkt einen spitzen Winkel bildet, sich also allmählich von derselben entfernt. Fig. 7 veranschaulicht dies.

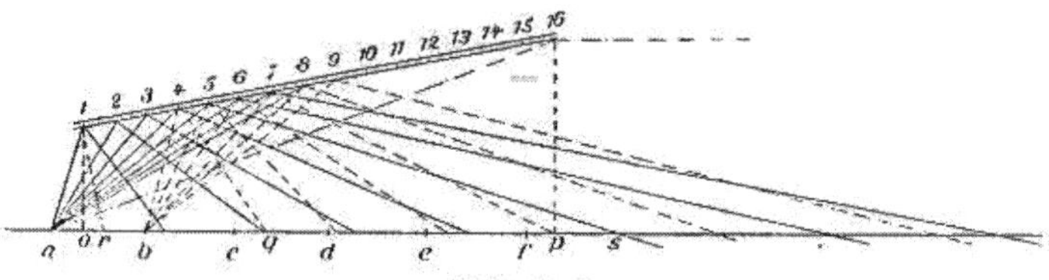

(130.) Fig. 7.

Ich habe nur den Weg der von *a* und *b* ausgehenden Wellen soweit verfolgt, als sie für unsere Frage in Betracht kommen. Die halbkreisförmige *a*-Welle trifft natürlich die Punkte von 1—16 und wird successive an allen diesen Punkten und zwischen denselben umgebogen. — Diejenigen Teile derselben, welche die Wand jenseits 8 treffen, kommen für uns aber nicht mehr in Betracht, weil sie die Ganglinie weit hinter dem Brett oder nicht mehr kreuzen. Der bei 16 umgebogene Teil der *a*-Welle würde der Ganglinie parallel verlaufen. —

Der bei 1 umgebogene Teil der *a*-Welle kreuzt die Bahn etwa 20 cm hinter *b*; denn:

die Strecke *a* bis 1 $(a-1) = \sqrt{0{,}33^2 + 1^2} = \sqrt{0{,}11 + 1} = \sqrt{1{,}11} = 1{,}05$

" " 1 bis *b* $(1-b) = \sqrt{1^2 + 0{,}86^2} = \sqrt{1 + 0{,}74} = 1{,}30$

Wellenweg 2,35

$$\text{Zeit } \frac{2{,}35}{1{,}30} = 1{,}6 \text{ Sekunden.}$$

Nach 1,6 Sekunden ist der Fußgänger aber schon 0,66 cm hinter *b*. Der erste Teil der Welle kommt also etwas zu spät.

Der bei 2 umgebogene Teil der Welle kommt nach *q* in 2,1 Sekunden.

Denn Strecke $a-2 = \sqrt{0{,}66^2 + 1{,}06^2} = \sqrt{0{,}44 + 1{,}12} = \sqrt{1{,}56} = 1{,}25$

" " $2-9 = \sqrt{1{,}06^2 + 1{,}61^2} = \sqrt{1{,}12 + 2{,}59} = \sqrt{3{,}71} = 1{,}92$

Wellenweg 3,17

$$\text{Zeit } \frac{3{,}17}{1{,}50} = 2{,}1 \text{ Sekunden.}$$

Die Vertikalachse des Fußgängers würde allerdings erst nach 2,2 Sekunden dort eintreffen. Der Körperdurchmesser und der vorgeneigte Kopf gleichen diese Differenz von 0,1 Sekunden aber aus. Der Fußgänger würde also bei *q* durch die *a*-Welle getroffen, und gleichzeitig trifft der erste Teil der *b*-Welle dort ein. Die übrigen Teile der *a*- und *b*-Wellen rücken nach und die hier nicht eingezeichneten *c*-, *d*-, *e*- und *f*-Wellen kommen hinzu, — und alle folgen dem Wanderer, wie die Zeichnung schon für *a* und *b* zeigt, weit über *f* hinaus, indem sie die linke Nackenseite und die Rückseite der Ohrmuschel treffen. — So erklären sich die Wahrnehmungen weit hinter *f* bei solchen Blinden, die im Nacken und auf der Rückseite der Ohrmuschel für Druck sehr feinfühlig sind. Hartfühlige Blinde, wie Mädchen, welche die Haare hängen lassen, merken dort, wie die Versuchsergebnisse zeigen werden, nichts mehr.

Die Wahrnehmungen vor *a* sind wieder der Luftstauung zuzuschreiben.

Nach der Schallwellentheorie könnten Wahrnehmungen nur im Augenblick des Auftretens bei *b*, *c*, *d*, *e* und *f*, oder, wenn man das „Tagesgeräusch“ zu Hilfe rufen wollte, beim ersten und letzten möglichen Lot auf die Wand, also bei *r* und *s* erfolgen. Daß dies nicht zutrifft, werden unsere zahlreichen und genauen Versuche zeigen. —

Es ist bis jetzt von dem Verlauf der Luftwellen bei mit der Wand paralleler, konvergierender und divergierender Ganglinie die Rede gewesen (_ /).

Den zweiten und dritten Fall finden wir vereinigt auf Fig. 8 und alle drei Fälle auf Fig. 9 (rundes Hindernis, Baum usw.).

in schiefer Richtung einfallenden könnten ihn überhaupt nie treffen. Es wäre nun der Einwand möglich, daß die vom „Tagesgeräusch" herrührenden, zerstreuten, von allen Seiten einfallenden Wellchen eine fortdauernde Wirkung hervorzurufen vermögen. Dann müßten sich diese beliebig schief einfallenden Wellen aber auch vor dem ersten und nach dem letzten möglichen Lot (auf die Wand) fühlbar

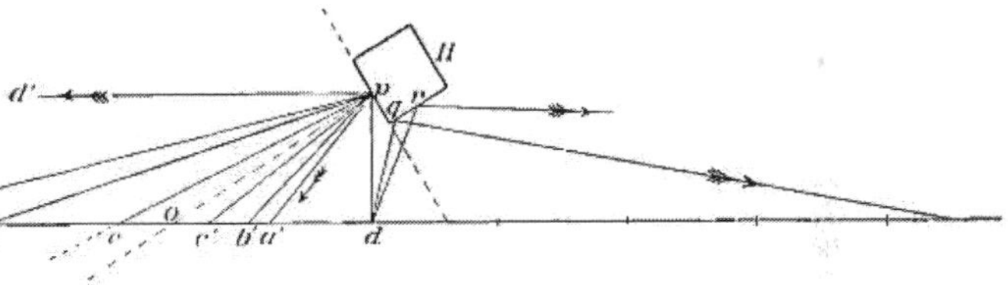

(131.) Fig. 8.

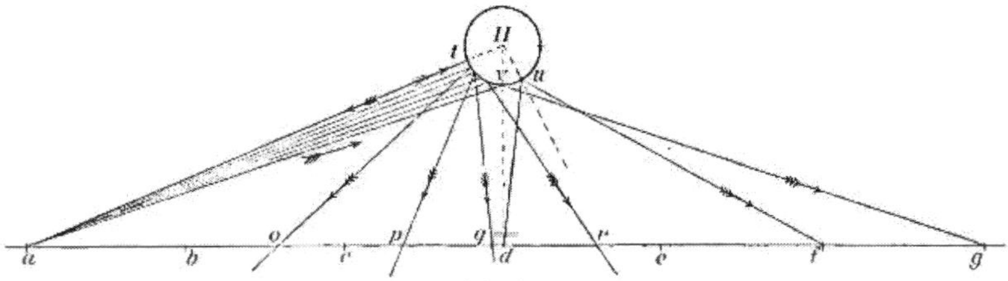

(132.) Fig. 9.

Nach dem Gesagten werden diese Zeichnungen keiner Erklärung und Berechnung mehr bedürfen.

Versuche.

Wir haben unsere Versuche bei schräger Gangrichtung neben einer Wand mit dem äußerst feinfühligen blinden Musiklehrer E. L. (Nr. 17) eröffnet, um festzustellen, ob die ersten und letzten Wahrnehmungen wirklich nur beim Überschreiten des ersten und letzten möglichen Lots auf die Wand, in den durch Fig. 6 und Fig. 7 veranschaulichten Fällen also bei *o* und *q*, bezw. bei *r* und *s* erfolgen, ferner ob die Wirkung zwischen diesen Endpunkten fortdauert, oder sich nur beim jedesmaligen Auftreten fühlbar macht und dann unterbrochen wird.

Wenn wirklich reflektierte schwache und deshalb unhörbare Schallwellen die Erreger des Ferngefühls wären, könnten außerhalb dieser Punkte keine und zwischen denselben nur im Momente des Auftretens Wahrnehmungen erfolgen; denn die in der Richtung des jeweiligen Lots, also senkrecht auffallenden Trittschallwellen müßten ja in $^1/_{165}$- $^1/_{100}$ Sekunden zu ihrem Erreger zurückkehren und die machen, also Fernwahrnehmungen bewirken. Truschel bestreitet dies und damit seine Theorie. Natürlich kommt es bei derartigen Versuchen auf die Höhe und Neigung der Wand an, ferner darauf, ob diese Wand aufgehängt ist oder auf dem Boden ruht. In letzterem Falle tritt bei der Annäherung natürlich eine Schallveränderung des Trittgeräusches ein, weil die „schwingende Saite" zwischen Wanderer und Wand sich verkürzt.

Handelt es sich dabei um Reflex unhörbarer Schallwellen, die nach der akustischen Theorie das eigentliche Ferngefühl bewirken sollen, oder ist es direktes Hören? Ich glaube letzteres. (Wenn die Wand aufgehängt ist, tritt diese Schallveränderung natürlich nicht ein.) —

Ich klopfe mit einem Finger auf die leere Tischplatte, sie tönt. Ich halte die linke Hand hochkant (oder ein Buch) darüber, ohne daß sie die Platte berührt. Diese tönt noch ganz gleich. Nun drücke ich mit der Hand irgendwo auf den Tisch. In einiger Entfernung davon tönt die Platte unwesentlich anders als früher; sobald ich aber in der Nähe der ruhenden Hand klopfe, tritt sehr deutliche Schalldämpfung ein. Die „schwingende Saite“ ist durch die Hand geteilt, verkürzt worden, wie die schwingende Violinsaite durch den Griff des Fingers. — So verhält es sich auch mit dem Gehen auf festem, besonders gefrorenem Boden gegen eine Mauer usw. oder längs derselben. — Der Blinde nimmt diese Schallveränderung ganz direkt durch das Gehör wahr. Mit dem Ferngefühl hat dies nichts gemein. — Beim Gehen auf einem Trottoir längs einer Hausmauer wird der Schall der Tritte natürlich durch den Wiederhall verstärkt, der zum Ohr gelangen kann. — Die Wirkung ist stark, weil das ganze, aus einem Stück gegossene Trottoir schwingt und seine Schwingungen auch mechanisch der Hausmauer mitteilt. — Bei einem ganz schmalen Trottoir käme der Wiederhall weniger zur Geltung, weil die meisten Wellen zu tief reflektiert würden. — Sobald eine seitliche Lücke eintritt, ändert sich natürlich der Ton. — Beim Gehen auf weichem Boden müßte jedenfalls tüchtig gestampft werden, um vernehmbare Geräusche hervorzurufen, deren reflektorische Wirkung auf das Trommelfell noch stark genug wäre, um den Blinden zu plötzlichem Halten zu veranlassen.

Wenn weicher Schnee liegt, versagt das Kunststück, wie schon gesagt, ganz, — obwohl es in unserem Hofe gerade dann an Schallquellen anderer Art und auch an Reflektoren (Mauern, Bäumen) nicht fehlt. Es geht beim Schneeballwerfen nicht so leise zu! Und doch hilft mein Ruf „rechts“, „links“, „vorwärts“, „rückwärts“ den verirrt herum-

Wenn beim Gehen neben der divergierenden Wand Fig. 7 am Punkte r sich wirklich reflektierte Schallwellen fühlbar machen sollten (ich sage fühlbar, nicht „hörbar“, weil sich die Nähe eines Gegenstandes auf der Kopfhaut fühlbar macht), so müßte die Wirkung bis s im Quadrat der Entfernung von der Wand abnehmen — und dort aufhören. Dies ist nicht der Fall. —

Wir haben die Versuche auf folgende Weise ausgeführt: Eine 0,8 m hohe Bretterwand stand auf dem Boden und war oben nach rückwärts geneigt, so daß sie mit der „Rasenfläche“ einen stumpfen Winkel von etwa 110° bildete. Der Blinde ging achtlos in schräger Richtung mehrere Meter neben der Wand her, bis er einen Baum bemerkte, an welchen sie gelehnt war. — Bei dieser Stellung der Wand hätte also ein Trittgeräusch und das seines Begleiters unfehlbar an sein linkes Ohr reflektiert werden müssen. Als er sich bückte, merkte er die Wand sofort und sagte: „Sie ist nicht hoch genug; so kann ich sie nicht ‚sehen‘!“ Höhere Mauern merkte er sofort auf mehr als 3 m Entfernung, sobald er sich beim Anfangspunkt befand. — Versuche, von denen noch die Rede sein wird, haben ergeben, daß sein Ferngefühl zweimal größere Tragweite hat als dasjenige der noch hier befindlichen, geschicktesten Versuchspersonen Truschels. —

Dieselben Versuche haben wir mit weiteren 16 Blinden, unter denen sich Truschels Versuchspersonen Nr. 6 (H. W.) 9 (M. L.) und 11 (A. E.) befanden, deren erste (Nr. 6 und 9) auch er zu

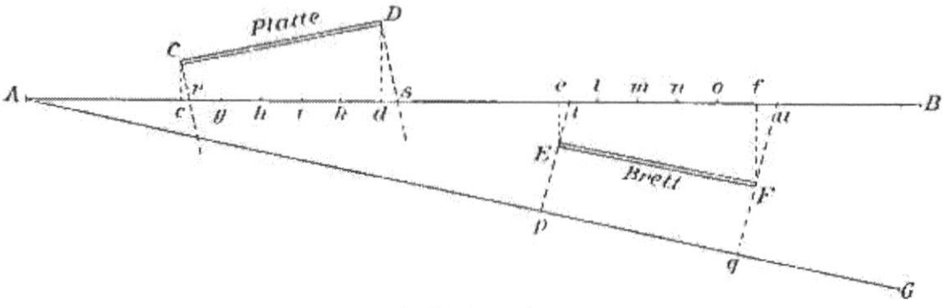

(133.) Fig. 10.

tastenden Blinden entschieden mehr, als die durch meine Stimme hervorgerufenen Reflexe. Auch ein bedeutungsloser Schrei würde in den meisten Fällen genügen, weil die Blinden mein Schulzimmer, also meinen Standort, kennen. Alles Weitere ergibt sich dann von selbst, nicht durch Reflex, sondern durch Reflexion oder Überlegung.

den „Feinhörigsten“ rechnet, auf einer baumlosen Wiese, 300—500 m von jedem bewohnten Hause wiederholt.

Eine 5 m lange und 80 cm breite Tischplatte wurde, wie bei den Versuchen mit E. L., auf den Boden gestellt, (Fig. 10) und schräg an zwei Pfähle C und D, gelehnt, so daß sie mit der Bodenfläche einen Winkel von etwa 110° bildete. Infolge der Schrägstellung stand der obere Rand nur etwa 77 cm über dem Boden. —

Die Ganglinie wurde durch eine von *A* nach *B* gespannte Schnur bezeichnet, welcher die Blinden folgten, so daß nicht eine zweite Person mitlaufen und auch Luft- und Schallwellen erregen mußte. Wenn man die Blinden führt, liegt doch die Gefahr nahe, daß der Experimentator da, wo er meint, daß eine Wahrnehmung erfolgen sollte, durch eine unwillkürliche Bewegung oder einen Laut den Blinden zum Halten veranlasse. Bei freiem Gang des Blinden längs der Schnur ist dies ausgeschlossen. Auch ist nicht zu vergessen, daß der „Experimentator", welcher einen Schritt hinter dem Blinden her läuft, die Wellenzahl jeder Art verdoppelt. Es kann also gar nicht festgestellt werden, welche Wellen der Blinde wahrnimmt, seine eigenen, oder die seines Begleiters.

Auf der anderen Seite der Ganglinie *A*—*B* wurde ein langes, 30 cm breites Brett (Bank) in Kopfhöhe und senkrechter Lage an den Pfählen *E* und *F* befestigt. Die Abständ *cC* und *cE* betrugen je 1 m, *dD* und *fF* aber 2 m.

Genau konnte die Ganglinie nicht eingehalten werden, weil die Schnur eben doch nicht steif war wie eine Eisenbahnschiene. Wir geben deshalb in vielen Fällen auch die Entfernung (in Klammer) von Platte und Brett an, in welcher Wahrnehmungen gemacht wurden.

Die Tischplatte war, wie gesagt, so gestellt (Winkel von etwa 110° zur Bodenfläche), daß vom Boden ausgehende, besonders aber vom „Tagesgeräusch" (Gespräche) herrührende, reflektierte Schallwellen unbedingt zu den Ohren der sich von *A* nach *B*, oder umgekehrt, bewegenden Blinden gelangen mußten, während die vom Oberkörper erzeugten Luftwellen in die Höhe geworfen wurden und sich, wenn sie nach 2—3 Sekunden die Bahn kreuzten (s. Fig. 5), schon über Kopfhöhe bewegten, also nicht mehr in Betracht kamen. — Die sekundären, durch die Beine oder durch die Mädchenröcke erzeugten Luftwellen, welche die Platte in mehr horizontaler Richtung trafen, konnten sich aber fühlbar machen. — Während der feinfühligste Knabe H. W. (Nr. 1) achtlos an der Platte vorbeiging, wurde diese von weniger feinfühligen Mädchen (mit langen Kleidern) bemerkt. —

I. Versuchsreihe.

Nr. 1. H. W. Zuerst wurde der so geschickte H. W. von *A* gegen *B* und zurück geschickt. An der breiten Tischplatte ging er achtlos vorbei, nahm aber das Brett bei *c* — und nicht erst bei *t*, (Kreuzungspunkt der bei *E* auf *EF* errichteten Senkrechten mit der Ganglinie), also nicht an der Stelle, wo Trittschallwellen ihn erreichen konnten, wahr. — Von solchen konnte überhaupt nicht die Rede sein, weil das Brett in Kopfhöhe senkrecht hing, die Wellen also vom Boden in einem Winkel von etwa 45° zu demselben emporsteigen und dann weit über den Kopf hinaus reflektiert werden mußten (Fig. 4). Es wurden noch weitere 15 Blinde auf dieselbe Weise geprüft. Ich gebe hier nur das kurze Protokoll:

Nr. 2. J. Sch. Gangrichtung *AB*. Er nimmt anscheinend nur die Pfähle *C* und *D* auf 1,20 und 2,40 wahr, ehe er die Punkte *c* und *d* erreicht hat. Das Brett bemerkt er erst in der Nähe von *m*, dessen Ende genau bei *f*.

Gangrichtung *BA*. Bemerkt Brett bei *f* (nicht vorher) und dessen Ende bei *c*. Platte bleibt unbeachtet.

Nach der Schallwellenhypothese hätte das in Kopfhöhe hängende Brett nicht beachtet werden können, wohl aber die Platte.

Nr. 3. E. L. macht auf beiden Seiten der Schnur keine Wahrnehmungen. Sie hat, wie eine spätere Tabelle zeigen wird, äußerst schwache Druckempfindung.

Nr. 4. A. S. (Augen bedeckt) spürt das Brett in beiden Gangrichtungen gleich anfangs.

Nr. 5. J. Schw. hat schwachen Schein (Augen bedeckt). Bemerkt Brett von dessen Anfang an, aber auf geringe Entfernung. Rückweg: Bemerkt Brett in der Mitte, Tischplatte nicht, aber die Pfähle.

Nr. 6. M. Br. (blind von Geburt an) bemerkt Platte nicht, das Brett aber 40 cm hinter *e* (zeigt auf den Pfahl).

Nr. 7. M. I. (blind von Geburt an) wendet nur beim Anfang des Brettes den Kopf. Nichts sicher wahrgenommen.

Nr. 8. M. W. *AB*. Sie spürt die Platte vom Anfang bis zum Ende, Brett bei *l*. Es dürften hier die durch den Frauenrock in der Tiefe, nicht die durch den Oberkörper erzeugten Luftwellen in Betracht kommen.

Rückweg (*BA*): Brett bei 1,60 m von *f* zwischen *o* und *n*. Sie spürt das Brett noch 2,50 m jenseits *c*, wo unbedingt keine reflektierten Schallwellen mehr hinkommen können. Das Ende der Platte bemerkt sie 0,50 m jenseits *c*. Auch hier gilt das eben Gesagte.

Nr. 9. E. J. (Auge mit Schein bedeckt) Gangrichtung *AB*: Markiert Platte 0,40 m nach Anfang, das Ende 0,31 m nach *d*, wo Schallwellen ausgeschlossen sind. Merkt Brett 0,50 m vor Anfang *c* auf 1,10 m Entfernung.

Rückweg *BA*: Brett erst fast bei *l* bemerkt. Dies wiederholt sich bei späteren Versuchen. Sie merkt links, wo sie kein Auge hat, weniger als auf der Seite, auf welcher ihr schwache Sehkraft bleibt.

Drucktabelle 4, Seite 331, zeigt, daß sie links äußerst hartfühlig ist. —

Nr. 10. E. Schn. Blind von Geburt an. Merkt nichts, obgleich sie sehr gut hört und feines Musikgehör besitzt.

Nr. 11. L. F. Gangrichtung *AB*. Merkt Platte 0,50 m nach Anfang bei 90 cm Entfernung. Schallwellen hätten ihn schon bei 30 cm treffen können. Ende genau bei *d*.

Gangrichtung *BA*. Er war neben Platte einen Schritt zu weit gegangen, kehrte aber nach *d* zurück. — Das Brett hing für den Kleinen zu hoch; er spürte nur den Pfahl bei *c*.

Nr. 12. A. E. (Truschels Versuchsperson Nr. 11).

Richtung *AB*. Bezeichnet Ende der Platte (also links) beim Fußpunkt *d*, Brett nach *l*.

Richtung *BA*. Lokalisiert das Brett falsch. Zeigt Platte zwischen *h* und *g*.

Da er noch etwas sieht, waren ihm die Augen mit Wattekissen bedeckt worden.

Nr. 13. M. L. (Truschels Versuchsperson Nr. 9).

Richtung *AB*. Bemerkt Platte bei 90 Abstand 50 cm nach *c*, das Ende 45 cm nach *d*; Brett zwischen *m* und *n*. — Er bemerkt die Leiter auf 5,50 m und sagt: „Ich glaube, daß dies noch von meinem Schein kommt.“ — Darauf werden ihm die Augen bedeckt. (Er unterscheidet nur „hell“ und „dunkel“.)

Richtung *BA*. Er bemerkt das Brett 60 cm vor dem Anfang *f*. Beim Ende sagte er, er merke etwas. Die rechtsstehende Platte wird genau an deren Anfang bei *d* gespürt, das Ende aber 80 cm jenseits *c*, wo Schallwellen ausgeschlossen sind.

Nr. 14. A. C.

Von *A* nach *B*.

Platte 110 nach Anfang. Ende (130) 121 nach Ende. Brett nicht.

BA. Nichts.

AB rechts der Schnur.

Platte wie vorher.

Brett am Anfang (Fußpunkt *c*).

Ende unbestimmt.

Nr. 15. K. St.

A nach *B*. Platte (120). Mitte. Ende (140). 200 nach *d*. Brett (140 Entfernung) 20 vor Anfang. Ende unbestimmt.

Nr. 16. A. M.

A nach *B*. Platte (90 Entfernung) 150 nach Anfang. Ende (140) 90 nach *d*. Brett (160) 30 nach *e*. Ende (240) 100 vor *f*.

II. Versuchsreihe. (Frl. Ramseier und Herr Lay.)

Bei diesen Versuchen mit denselben 16 Blinden wurde die Tischplatte senkrecht auf den Boden gestellt. Das Brett blieb aufgehängt wie früher. — Um die Versuchspersonen besser desorientieren zu können, wurde eine zweite Schnur von *A* nach *G* gespannt. Man führte die Blinden auf Umwegen bald nach *A*, in die Nähe von *B* oder *G*, bald an andere Stellen der beiden Ganglinien. — („Anfang“ bedeutet Fußpunkt des Lots vom Anfang der Platte oder des Brettes auf die Ganglinie.)

Nr. 1. H. W.

Gangrichtung *A* nach *G*. Er spürt den Anfang des Brettes 60 cm hinter dem Lot *qE* und das Ende 50 hinter *q*.

A nach *B*. Fühlt Platte 130 nach Anfang (jenseits *g*); Ende 40 cm hinter dem letzten möglichen Lot auf die Platte. Brett 30 nach Anfang; Ende genau.

B nach *A*. Merkt Brett erst bei *c*. (Es ist weiter oben schon gezeigt worden, daß Trittschallwellen von diesem in Kopfhöhe hängenden Brette nicht zum Ohr gelangen können. Während dieses Versuchs brauste aber ein Automobil in der Nähe vorbei. Dieses Geräusch hätte nach der Schallwellentheorie der Wahrnehmung förderlich sein sollen. Es war nicht der Fall.) Nach unserer Auffassung wirkt Lärm störend. Die Platte wurde erst 75 cm nach Anfang (fast bei *k*) und das Ende derselben wieder 30 jenseits *c* wahrgenommen, wo von der Platte reflektierte Trittschallwellen nicht hinkommen konnten.

G nach *A*. Bemerkt Anfang des Brettes bei *q*, Ende 40 cm jenseits *p*.

Nr. 2. J. Sch. (Augen verbunden).

A nach *B*. Platte 75 cm hinter *c* fast bei *g*. Ende genau. Brett (140 Abstand), 60 nach *e*; Ende nicht bemerkt.

A nach *G*. Platte bei 280 Abstand 170 nach Anfang. Brett bei 130 Abstand 150 nach *p*; Ende nach *q*, wo kein Lot mehr möglich.

B nach *A*. Brett 70 nach Anfang (gegen *o*), Ende bei *e*. Platte etwas vor *d*, Ende bei *c*.

Nr. 3. E. L.

A nach *B*. Brett wird von ihr gespürt bei *g* (100). Das Ende nicht sicher wahrgenommen.

B nach *A*. Brett am Ende (Fußpunkt). Platte in der Mitte und 100 über *c* hinaus gegen *A*.

A nach *G*. Platte am Ende *q* und noch 100 darüber hinaus, wo Schallwellen ausgeschlossen sind.

G nach *A*. Brett genau am Anfang. Ende nicht.

Nr. 4. A. S.

A nach *B*. Nichts wahrgenommen.

B nach *A*. Brett in der Mitte. Platte in der Mitte und noch 110 nach dem Ende (zwischen *c* und *A*).

G nach *A*. Brett am Ende; zeigt gegen den Pfahl.

Nr. 5. J. Schw. Rechtes Auge bedeckt (Geräusch).

A nach *G*. Brett genau am Anfang; Ende nicht bemerkt.

G nach *A*. Brett oder Pfahl 40 nach Anfang. Ende genau (Fußpunkt des Lots zur Ganglinie).

B nach *A*. Brett genau am Anfang *f*. Ende nicht lokalisiert. Platte in der Mitte und genau am Ende *c*.

Nr. 6. M. B. Von Geburt an blind. 36 Jahre alt (Geräusch).

A nach *B*. Nichts.
B nach *A*. „
A nach *G*. „
G nach *A*. „

Nr. 7. M. I. (Lärm in der Nähe).

A nach *B*. Nichts.
B nach *A*. „

Nr. 8. M. W. Lärm (leichter Wind NW.).

A nach *B*. Platte 50 nach Anfang. Ende genau. Brett 140 nach Anfang. Ende genau.

G nach *A*. Brett 100 nach Anfang; Ende nicht.

B nach *A*. Brett 120 vor Ende zwischen *l* und *m*. Platte bei 250 Abstand Mitte.

Nr. 9. E. J. Lärm (rechtes Auge bedeckt).

A nach *B*. Platte 20 nach Anfang; Ende 100 nach *d*. Brett nimmt sie nicht wahr.

A nach *G*. Brett Anfang und Ende genau.

B nach *A*. Brett genau Ende. Platte 120 nach Anfang Ende 100 nach *c* (gegen *A*).

Nr. 10. E. Schn. Blind von Geburt an.

A nach *B*. Nichts.
B nach *A*. „
A nach *G*. „
G nach *A*. „

Nr. 11. L. F.

A nach *B*. Platte genau bei *c*, nachdem er einen Schritt zurückgegangen ist. Ende genau bei *d*.

B nach *A*. Lokalisiert die Brettenden.

A nach *G*. Platte 40 vor der Verlängerung *Cc* bemerkt. Brett 40 vor und am Ende 30 nach dem Lot auf *EF* (*q*).

Nr. 12. A. E. Augen verbunden.

A nach *B*. Zeigt nach der Sonne. Platte nicht bemerkt. Brett 100 nach Anfang (*g*); Ende nicht.

B nach *A*. Brett 80 nach Anfang, Ende nicht. Platte in der Mitte.

A nach *G*. Platte etwa 2 m nach Anfang, Brett 50 vor Ende.

G nach *A*. Brett 60 nach Anfang; Ende nicht. Platte auf 3 m Abstand in der Mitte gespürt.

Nr. 13. M. L.

A nach *G*. Platte bei 3 m Abstand etwa 150 nach Anfang. Brett 110 nach Anfang, Ende nicht.

B nach *A*. Brett in der Mitte, Ende nicht. Platte im ersten Drittel, Ende nicht.

G nach *A*. Brett beim ersten Pfahl, Ende nicht. Platte auf 360 Abstand in der Mitte.

Nr. 14. A. G. Augen verbunden; er hat an einem Auge noch schwachen „Schein“.

A nach *G*. Brett genau am Anfang, Ende nicht.

G nach *A*. Brett genau am Anfang *q*. Ende nicht sicher wahrgenommen. Platte genau am Ende. Schallwellen ausgeschlossen.

B nach *A*. Brett am Anfang, Ende unbestimmt. Platte 160 vor Ende.

A nach *B*. Platte 120 nach Anfang und 100 nach Ende, Brett nicht sicher lokalisiert.

Nr. 15. K. St.

A nach *B*. Platte genau am Anfang *c*; Ende etwa 50 nach *d* (Wahrnehmung unbestimmt). Brett nicht wahrgenommen.

günstiger ausgefallen, als die der ersten Reihe mit geneigter Platte. —

III. Versuchsreihe. (Fig. 11.)

Ich habe schon auf den Übelstand aufmerksam gemacht, daß bei den bisherigen Versuchen das genaue Einhalten der Ganglinie an der schwankenden Schnur unmöglich war. — Deshalb habe ich am letzten Tage der Osterferien dickere Seile mit Hilfe von Flaschenzügen straff spannen lassen, so daß ein Abweichen von der Linie nicht mehr möglich war. — Es wurden 3 parallele Seile in Abständen von 4 m gespannt (*H G*, *A B*, *J K*)

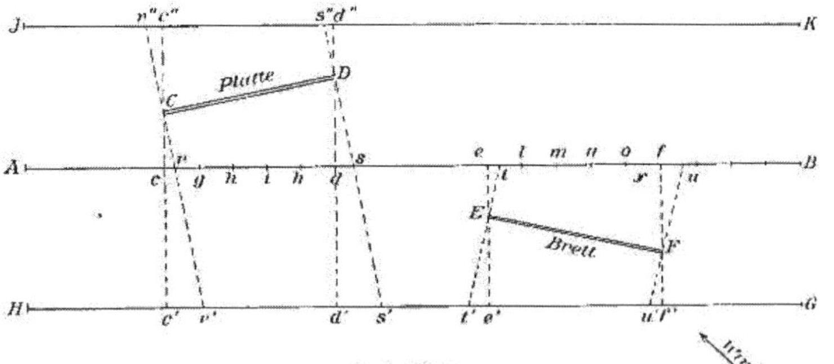

(133.) Fig. 11.

B bis Mitte *BA*. Brett genau am Anfang, Ende 60 nachher.

G nach *A*. Brett genau am Anfang, Ende ebenfalls.

Nr. 16. *A. M.* Augen wegen etwas „Schein" verbunden.

A nach *B*. Platte 10 nach Anfang. Ende bei 100 vorher bei *k*. Brett nicht.

B nach *A*. Brett 170 vor Ende. Platte in der Mitte. Ende unsicher.

G nach *A*. Brett 150 nach Anfang. Ende 100 nach *p*, also Wahrnehmung von seitlich rückwärts.

Ich ziehe aus diesen Versuchen noch keine Schlüsse, weil der Apparat immer noch mangelhaft war. Sie werden hier mitgeteilt, weil diese Vorversuche doch immerhin viel brauchbares Material geliefert und uns den richtigen Weg gezeigt, bzw. uns veranlaßt haben, den Apparat zu verbessern. Unter allen Umständen sind diese Versuche mit senkrecht stehender Platte [Fig. 11]. Die Platte *C D* und das Brett *E F* waren angebracht wie bei den letzten Versuchen.

Die Fußpunkte *c*, *d*, *e* und *f* auf *AB*, *c'*, *d'*, *e'* und *f'* auf *HG* und *c''* und *d''* auf *JK* wurden an den Seilen durch Ringchen aus roter Stickwolle bezeichnet, ebenso die Kreuzungspunkte der Senkrechten zu Platte und Brett *cr*, *ds* usw., also die Punkte *r*, *s*, *t*, *u*, *r'*, *s'*, *t'*, *u'*, *r''* und *s''*. — Nach der Schallwellentheorie müßten gerade an diesen Punkten die ersten bzw. letzten Wahrnehmungen erfolgen. — Außerhalb der Strecken *r's'*, *t'u'*, *rs*, *tu*, *r''s''*, wären solche nicht möglich. — Unsere eingehenden und genauen Versuche beweisen aber das Gegenteil. Es war reiner Zufall, wenn gelegentlich eine Wahrnehmung gerade bei diesen Punkten stattfand. — Diese Versuche wurden angestellt durch J. Lay und dem Verfasser in Gegenwart eines Hospitanten. Wir haben für dieselben nur noch die Versuchspersonen Nr. 1, 2, 8, 11, 13 und 14 ausgewählt. Auf die Zahl kommt es nicht mehr an. —

Der Wind hat bei diesen Versuchen offenbar eine bedeutende Rolle gespielt. Er wehte aus südwestlicher Richtung. Dieselbe ist auf Fig. 11 durch einen Pfeil bezeichnet. Auf der Linie *AB* wurde das Brett wiederholt genau da wahrgenommen, wo „Windschatten" eintrat oder aufhörte. An denselben Stellen mußten aber auch nach Fig. 6 und dem dazu Gesagten die ersten Luftwellen sich fühlbar machen. Bei der Platte wirkte der Wind auf dieser Ganglinie, ja sogar noch auf *HG* günstig, weil er schräg gegen dieselbe wehte und die durch den Körper hervorgerufene Luftbewegung verstärkte. —

Nr. 13. M. L. Rechtes Auge bedeckt.

Gangrichtung *B* nach *A*.

Er fühlt den Anfang des Brettes erst etwa 135 nach *u* (bei *x*), d. h. da, wo nach unserer Berechnung die erste von *B* ausgehende Luftwelle sich fühlbar machen kann.

$BF = \sqrt{4^2 + 2^2} = \sqrt{20} \quad = 4{,}48$

$Fx = \sqrt{2^2 + 0{,}5^2} = \sqrt{4{,}25} \quad 2{,}06$

Wellenweg 6,54

$$\frac{6{,}54}{1{,}50} = 4{,}36 = \text{Zeit.}$$

In 4,36 Sekunden kommt aber der Fußgänger von *B* etwa 36 cm über *f* hinaus. Dies entspricht ziemlich genau dem Punkte *x*. Auch tritt dort Windschatten ein. Schallwellen sind dort unmöglich, weil das Brett in Kopfhöhe hängt. Ende des Brettes 240 hinter Fußpunkt *e*, also 270 jenseits des Punktes *t*, wo Schallwelleneinwirkung unter allen Umständen ausgeschlossen ist, Luftwellen aber nachfolgen können (Fig. 5—9). Platte. Spürt Anfang 30 vor *s*, Ende 105 nach *r*. Er spürt also rechts Anfang und Ende der Platte außerhalb der für Schallwellen in Betracht kommenden Strecke *rs*!

Von *H* nach *G*.

Spürt Platte auf 5 m Entfernung schon 1 m vor dem Fußpunkt *c'* und 2,20 vor *r'*. Ende der Platte 150 nach Fußpunkt *d'* in der Nähe von *s'* (genau konnte das Ende der Wahrnehmung auf diese große Entfernung nicht festgestellt werden.

Brett. Markiert eine Wahrnehmung bei 330 vor dem Fußpunkt *c'* (unsicher). Steht sicher zwischen *t'* und *e'*; Ende 40 jenseits *f'*.

Von *K* nach *J*. Wind links hinten.

Brett links auf 650 und 550 nicht bemerkt.

Platte. Genau Fußpunkt *d''*, also vor *s''*. Ende 60 nach *r''*.

Von *A* nach *B*. Wind rechts vorn. Geht links des Seils.

Platte. Anfang 30 vor *c*, also 60 vor *r*; Ende 100 nach *s*.

Brett auf Abstand von 200 und 300 nicht.

2. Versuch (geht auf rechter Seite des Seils).

Platte 110 vor *r*; 130 nach *s*.

Brett 160 vor *t*; 200 nach *u* (rechtsseitig).

In allen diesen Fällen fanden also Wahrnehmungen außerhalb, zum Teil weit außerhalb der für die Schallwellenhypothese allein in Betracht kommenden Strecken *rs*, *tu*, *r's'*, *t'u'*, *r''s''* statt. — Bei dem hängenden Brett kann es sich um Trittschallwellen überhaupt nicht handeln.

(Ich habe diesen Blinden in erster Linie gewählt, weil ihn Truschel auf S. 154 unter Nr. 9 zu den „Feinhörigsten" zählt, andererseits aber (S. 120) von ihm sagt, sein Ferngefühl habe sich eines rechtsseitigen Sehrestes wegen nur linksseitig entwickelt.) —

Dieselben Versuche mit den vier weiteren Blinden Nr. 1, 2, 8 und 11 haben das oben Gesagte im wesentlichen bestätigt. Ich führe deshalb die Ergebnisse nur schematisch auf.

Nr. 8. L. W.

A nach *B*. Ganglinie links des Seils.

Platte. Anfang 50 nach *r*, Ende 80 nach *s*.

Brett. Spürt es von Anfang an, lokalisiert es aber richtig erst 80 nach *t* (hinter *l*). Ende 40 nach *u*.

2. Versuch (Ganglinie rechts des Seils)

Platte. Anfang zwischen *c* und *r*; Ende 130 nach *s*.

Brett. 110 vor *t*. Ende 60 nach *u*.

B nach *A*.

Brett zwischen *o* und *n*, aber falsch lokalisiert.

H nach *G*.

Brett. 90 hinter *t'*.

Nr. 2. J. Sch.

G nach *H*.

Brett. 20 nach *u'*. Ende zwischen *e'* und *f'*.

A nach *B* (geht links des Seils).

Platte. Anfang 30 nach *r*; Ende 30 nach *s*.

Brett. Nichts bemerkt, weil er die Hand vor das Gesicht hält, um sich gegen Sonne zu schützen, die ihn trotz der Wattekissen noch belästigt.

B nach *A*.

Brett an der Stelle, wo nach Fig. 7 die ersten Luftwellen wirksam sein können.

Platte. 100 nach *s* (zwischen *k* und *d*). Ende der Platte 40 nach *r* (jenseits *c*).

Weitere Versuche wurden aufgegeben, weil die Sonne den armen Jungen zu sehr belästigte, obwohl die Augen mit Watte bedeckt waren.

Nr. 1. H. W.

A nach *B*.

Platte zwischen *c* und *r*; Ende 60 nach *s*.

Brett. Anfang 100 vor *t*. Ende genau da, wo wieder Wind den Kopf traf (Ende des Windschattens). (190 vor *u*.)

G nach *H* (rechts vom Seil).

Brett. Zwischen *F'* und *u'*; Ende 150 nach *t'*.

Platte auf 6 m Entfernung bei *d'*. Ende bei *c'* (also an beiden Fußpunkten).

2. Versuch.

Brett bei *f'*, Ende 50 nach *t'*.

Platte genau *d'*, Ende 170 nach *r'*.

A nach *B*.

Platte. 110 vor *r*, Ende 40 nach *s*.

Brett. 10 hinter *t*.

Es trat plötzlich absolute Windstille ein; wohl deshalb wurde das Ende des Brettes nicht bemerkt.

Nr. 11. L. F. (siebenjährig).

A nach *B*.

Platte 40 vor *r*, Ende 20 nach *s*.

Brett genau bei *c*, Ende 170 vor *u*, d. h. wieder, sobald Windschatten aufhörte.

G nach *H*.

Brett genau bei *f'*, Ende 70 nach *t'*. (Auf dieser Seite prallte Wind vom Brett zurück.)

Platte. Anfang *d'*, Ende 80 nach *r'* (fast bei *c*).

B nach *A*.

Brett. 130 nach *u*; Ende 130 nach *t*.

Platte. 30 vor *s*, Ende 70 nach *r* (jenseits *c*).

Wir hatten für diese Versuche einen „stillen Ort" ausgesucht. Es fehlte aber auch am letzten Versuchstage nicht an „Tagesgeräusch"; denn 8–10 Knaben tummelten sich am und im nahen (50—80 m) Bach herum. Auch sprach ich öfter laut und anhaltend, wenn die Blinden sich den für die Schallwellentheorie in Betracht kommenden Punkten *r*, *s*, *t*, *u* usw. näherten. —

Während Truschel als Stütze seiner Schallwellentheorie die Beobachtung gemacht haben will, daß Wahrnehmungen immer genau an den Punkten erfolgten, von welchen aus das erste oder letzte Lot auf die schiefe Wand möglich war, bei unserer Einrichtung also an den Punkten *r*, *s*, *t*, *u*, *r'*, *s'*, *t'*, *u'*, *s''* und *r''*, haben wir solche Wahrnehmungen gerade an diesen Punkten nur **ausnahmsweise**, bei der letzten Versuchsreihe mit verbesserter Einrichtung überhaupt **niemals** feststellen können. Dieselben erfolgten in den meisten Fällen außerhalb (vor und hinter) und innerhalb der durch diese Punkte begrenzten Strecken, — d. h. also meistens an Stellen (außerhalb der Strecken), wo Tritt-Schallwellen als Erreger des Ferngefühls **nicht mehr** in Betracht kommen können, wo aber „taktile" Einwirkung durch Luftwellen, wie aus den Fig. 6—9 hervorgeht, möglich ist. —

Das hängende Brett wurde bei Gangrichtung B nach A (Fig. 11) wiederholt erst etwa 2 m hinter dem Anfang wahrgenommen. Es ist dies der Punkt, an welchem nach Fig. 7 die erste Luftwelle den Weg kreuzen konnte. Bei der herrschenden Windrichtung, die durch einen Pfeil angedeutet ist, trat aber ungefähr an derselben Stelle Windschutz („Windschatten") ein, der vielleicht wirksamer war als die Welle. Deshalb habe ich in solchen Fällen „Windschatten" eingetragen.

Über diese 3 Versuchsreihen ist folgendes zu sagen:

Wahrnehmung des aufgehängten Brettes kann unter keinen Umständen auf vom Boden ausgehende Schallwellen (Trittgeräusche) zurückgeführt werden, weil dieselben, wie an Fig. 4 gezeigt worden ist, weit über den Kopf hinausgeworfen werden mußten. Anderweitige Geräusche (Automobilgerassel, Lärm, den ein Bauer verursachte, welcher in der Nähe pflügte, Stimmen) wirkten nicht fördernd, sondern zuweilen geradezu störend (s. Automobil während des ersten Versuchs mit H. W.).

Die senkrecht stehende, 80 cm breite Platte konnte Trittgeräusche auf 1–3 m Entfernung kaum zu den Ohren eines Erwachsenen emporwerfen. Fig. 12, 13, 14. Die höchsten gehen nicht über 160 cm. Wäre das Brett nur 60 cm breit, so würden sich die höchsten Wellen nur auf 120 über die jeweilige Schallquelle erheben; bei einer Brettbreite von nur 30 cm (wie das aufgehängte Brett) könnten die reflektierten Wellen am Standort des Blinden die Höhe von 60 cm nicht übersteigen usw. — Er-

39*

wachsene haben die Platte aber doch wahrgenommen. —

Die schiefstehende Tischplatte dagegen (I. Versuchsreihe) mußte Trittgeräusche und allfällige andere Schallwellen zu den Ohren der Versuchspersonen reflektieren. Fig. 15.

Und doch fielen die Versuche mit senkrechter Platte günstiger aus! —

Nach der Schallwellentheorie könnten, wie gesagt, außerhalb der Strecken *r s*, *t u*, *r' s'*, *t' u'* und *r'' s''* **keine** Wahrnehmungen erfolgen. Unsere Versuche haben gezeigt, daß dies fast immer geschieht. Fast alle erfolgten außerhalb, einige in bedeutenden Abständen von den Endpunkten innerhalb, fast keine aber an den wesentlich in Betracht kommenden Endpunkten der Strecke selbst (bei der letzten Versuchsreihe mit verbesserter Einrichtung überhaupt keine einzige). Nach den Endpunkten (in der Gangrichtung) dauerten die Wahrnehmungen in der Regel länger an, als sie vor den Anfangspunkten eingesetzt hatten, besonders bei der Platte, wenn der Wind sich von den Blinden gegen dieselbe bewegte. Dies stimmt mit dem zu Fig. 6—9 bezüglich der Luftwellen Gesagten überein und **schließt Schallwellen aus.**

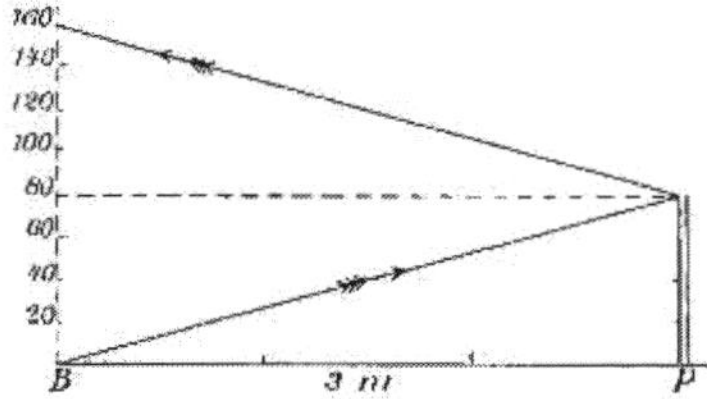

(134.) Fig. 12.

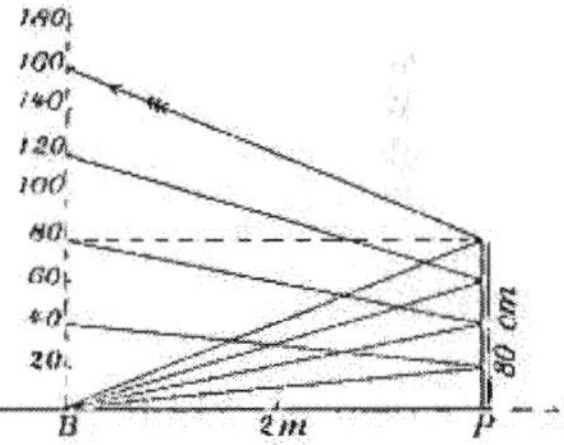

(135.) Fig. 13.

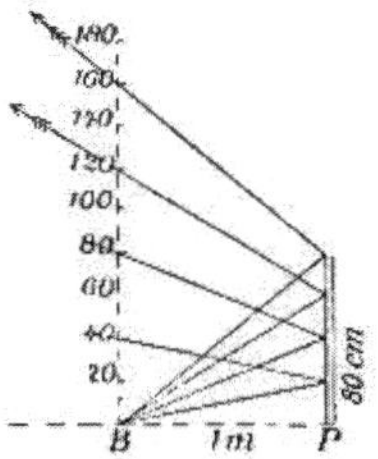

(136.) Fig. 14.

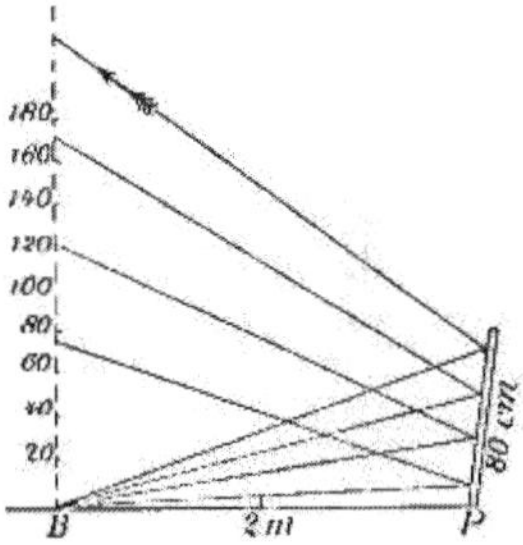

(137.) Fig. 15.

Aber auch die Wahrnehmungen innerhalb dieser Strecken *r s*, *t u*, *r' s'*, *t' u'* und *r'' s''* können, wie wir an derselben Stelle gesehen haben, eher den Luftwellen und direktem Hören, als unhörbaren, reflektierten Schallwellen zugeschrieben werden.

Absolut genau lassen sich Anfang und Ende der Wahrnehmungen allerdings auch mit Hilfe der zuletzt beschriebenen Vorrichtung nicht feststellen. Der Blinde kann beim Gehen etwas spüren, während er einen Fuß erhoben hat. (Nach der Schallwellentheorie wäre dies allerdings kaum möglich.) Er markiert aber die Wahrnehmung natürlich erst, wenn der Fuß wieder auf der Erde ruht; keiner ist auf einem Bein stehen geblieben. Auch bedarf es einer gewissen Zeit, bis die Wahrnehmung sicher zum Bewußtsein kommt. Nur der kleine, siebenjährige L. F. (Nr. 11) ist wiederholt, nachdem er stehen geblieben war, etwas rückwärts gegangen, indem er sagte: „Hier habe ich es zuerst gespürt." —

Orientation in bekanntem Gebiet.

Die Gehversuche im Anstaltsgebiete, auf welche Truschel seine Schallwellenhypothese stützt, haben in meinen Augen nicht den Wert, welchen er ihnen zuschreibt, weil man nie weiß, welchen Teil der „Wahrnehmungen" man auf Rechnung des Gedächtnisses, d. h. der Ortskenntnis zu setzen hat. —

Zu so gewagten Schlüssen berechtigen derartige Versuche meines Erachtens nicht.

Die Orientation im Anstaltsgarten ist nicht so schwer, wie sie scheinen möchte. Das Gebiet ist zwar 30600 Quadratmeter (3,06 h) groß; aber die Blinden kennen dasselbe aus dem heimatkundlichen Unterricht und den Anstaltsmodellen und Plänen; sie spazieren und spielen darin. Auch machen sie, wenigstens manche von ihnen, fortwährend und besonders zur Zeit der Obstreife, sehr viele Entdeckungsreisen. Sie finden überall Anhaltspunkte, die ihnen sofort verraten, wo sie sind. Man hat sie an ihren Standpunkt geführt, nicht getragen. Sie wußten also, in welchem Teil des Gartens sie sich befanden, und selbst wenn man sie durch Drehen zu desorientieren suchte, so konnten sie doch gewiß bald ihre Gangrichtung an allerlei Geräuschen erkennen. Der Tritt ihrer Kameraden auf Gartenwegen, ein Ruf auf der Seilerbahn, das Öffnen oder Schließen eines Fensters usw. im Hauptgebäude, das Bellen des angebundenen Hundes, das Gerassel von Wagen auf der Kingersheimerstraße, das Rollen eines Straßenbahnzuges, das Hämmern des benachbarten Schmieds, das Zwitschern der Vögel auf den Tannen usw. mußte sie sofort orientieren. Wir haben uns von dieser Tatsache durch Versuche überzeugt. Ein Knabe, der an seinen Standort im Zickzack getragen worden war, horchte nach allen Seiten. Nach wenigen Sekunden sagte er uns: „Dort ist das Hauptgebäude." Er hatte Geräusche gehört, welche ihm die Richtung genau zeigten. So erkläre ich mir nun auch ohne Zuhilfenahme von reflektierten Schall- oder „x-Wellen" Truschels Versuche am Kopfende der Seilerbahn. — Die Blinden mußten wissen, in welchem Teile des Gartens sie sich befanden, weil sie den Weg dorthin zu Fuß gemacht hatten. Sie wußten, daß sie irgendwo zwischen dem Hanfmagazin und der Umfassungsmauer standen; denn rechts und links von der Bahn ist Wiese; vor dem Kopfende derselben aber Gemüseland. Durch Umdrehen waren sie „desorientiert" worden (wenn man einen erwachsenen Menschen überhaupt drehen kann wie einen Kreisel, bis er nicht mehr weiß, „wo ihm der Kopf steht"), so daß sie augenblicklich die Lage der Mauer auch nicht angeben konnten. Sobald aber die Lokomotive an der ihnen wohlbekannten Stelle (nach einer Kurve) pfiff, mußten sie unbedingt auch wissen, wo die Mauer zu suchen war. Bei ihrer Kenntnis des Anstaltsplanes und des ganzen Gebietes war es ja nicht schwer, aus ihrem Standort und dem der Lokomotive auch den der Mauer zu erkennen. Der Schall mußte ja in ganz direkter Linie zu ihnen gelangen. — Die nach Truschel nun eintretende „x-Empfindung" dürfte also auf Suggestion zurückzuführen sein. Die indirekten Schallwellen, welche von der 74 m langen Seilerhalle an die Mauer geworfen und dort nochmals reflektiert wurden, also das Echo, kann man ja als Beihilfe gelten lassen. Daß aber so schwache zarte „x-Reize", von denen Truschel immer spricht, auf 7—8 m Entfernung noch deutlicher an das Trommelfell klopfen, als der direkte Pfiff der Lokomotive, glauben wir nicht. —

Auch ist noch folgendes zu berücksichtigen: In nächster Nähe des von Truschel bezeichneten Standorts der Blinden, den wir durch Ausmessen ermittelt haben, d. h. direkt vor und seitlich von demselben, zum Teil näher als die Mauer, stehen 7 größere Bäume, die dort unregelmäßig und eng gepflanzt sind, weil an dieser Stelle früher getrennte Grundstücke zusammenstoßen. Auf der Wiese zwischen der Schallquelle (Trambahn) und der Mauer stehen im ganzen 120 Bäume. Da konnte es an Reflexen nicht fehlen, und man sollte glauben, diese zum Teil in nächster Nähe reflektierten Wellen hätten die aus 7—8 m Entfernung seitlich von der Mauer kommenden doch mindestens stören müssen. Sollte dieser x-Wirrwarr wirklich mehr zur Orientation beigetragen haben, als der direkte Schall der Lokomotivpfeife?

Ich glaube da eher an reflektierte Schallwellen anderer Art. Die Blinden wußten offenbar, was Truschel beweisen wollte — und „taten ihm den Gefallen". Es ist mir in der ersten Zeit bei der Prüfung meiner Karten auch nicht besser ergangen.

Das Erkennen des Standorts von Bäumen in den anderen Teilen des Anstaltsgartens, auf das sich Truschel wesentlich stützt, ist auch für einen Sehenden mit verbundenen Augen nicht allzuschwer. Dieselben sind in Reihen von 5 m Abstand gepflanzt. Die Entfernungen in den Reihen betragen 10 m.

. . . . Zum Zwecke der Be-
. . . . . . wässerung und Düngung
. . . . wird der Boden in ihrer
. . . . Nähe von Zeit zu Zeit aufgegraben. Er bleibt dort also uneben, bald erhöht, bald vertieft.

Sobald aber ein Baum gefunden ist, weiß der Blinde genau, wo die anderen stehen. —

(Ähnlich verhält es sich mit den Pfosten der Seilerbahn, welche das Gebiet in zwei ungleiche

Hälften teilt.). Wenn man sich einem solchen Baume auf 1—1½ m nähert, kann man dies in der Regel mit den Füßen ganz gut fühlen. Der Tastsinn der Füße dürfte deshalb zuweilen den reflektierten Schallwellen, den „x-Wellen", die bei weichem Boden mit Rasenbedeckung doch nur sehr schwach sein konnten, nicht unerheblich nachgeholfen haben. Der Rest darf wohl auf Rechnung direkter Gehörswahrnehmungen (Rauschen des Windes an den Stämmen und in den Zweigen, Änderung des schwachen Schalls der Schritte in der Nähe von Gegenständen), ferner auf Rechnung des Hautsinns (Luftverdichtung und Rückschlag, „Windschatten", also Temperaturdifferenz) gestellt werden.

So ergibt sich für mich bezüglich der x-Schallwellen zweiter Klasse, welche von T. als Erreger des Ferngefühls angesprochen werden, die Gleichung $x = o$.

Gehversuche bei verstopften Ohren.

Um den Anteil des Gehörs bei der Orientation der hörenden Blinden einigermaßen zu ermitteln, haben wir mit zwei geschickten Zöglingen im Garten Gehversuche bei verschlossenen Ohren gemacht. Leider konnten wir der schlechten Witterung wegen nicht einen abgelegenen, unbekannten Ort aufsuchen. —

Wir haben zu diesen Versuchen die Knaben H. W. (Nr. 1) (Truschels Versuchsperson Nr. 6) und J. Sch. (Nr. 2) ausgewählt. Ersterer ist ganz blind vom zweiten Jahre an; letzterer sieht noch etwas. Er hat aber, wie schon gesagt, Wasseraugen, die das Licht nicht ertragen können. Wir müssen ihn deshalb möglichst so setzen, daß er dem Fenster den Rücken kehrt. Oft muß man ihm auch die Augen verbinden. — Er bewegt sich aber auch bei verbundenen Augen mit der größten Schnelligkeit und Sicherheit zwischen allen Hindernissen durch, die nicht zu tief liegen, — besitzt also trotz seines schwachen Sehvermögens feine Fernwahrnehmung. (Dies spricht gegen Truschels Erklärung der „Einseitigkeit" F. W.'s)

Für einige Vorversuche (deren Ergebnisse nicht einzeln notiert worden sind) wurden diesen beiden 12- und 15jährigen Knaben die Ohren mit nasser Watte verstopft; dann wurden ihnen noch trockene Wattepolster auf die Ohren gelegt, welche durch ein ganz dünnes Gummiband, das weder Reibung noch Geräusch verursachen konnte und das Gesicht nicht berührte, festgehalten wurden. — Die Versuche fanden auf feuchtem, weichem, mit Rasen bedecktem Boden statt. Der Schall der Tritte kann so kaum wahrnehmbar gewesen sein! Jedenfalls dürften schwache, von diesen Geräuschen herrührende, an den Bäumen reflektierte Schallwellen kaum mehr den Weg durch die Watte zu den Trommelfellen gefunden haben. (Beide besitzen normale Hörweite, aber kein gutes musikalisches Gehör.)

Starke Geräusche, Pfiff der Lokomotive, Krähen des Hahns, lautes Sprechen usw. blieben aber doch vernehmbar. Beide Knaben reagierten sofort auf den Pfiff der Lokomotive und das Krähen des Hahns und markierten in der Richtung der Schallquellen Hindernisse, wo keine waren.

Dagegen lokalisierten sie Gegenstände, welche vor ihnen in der Ganglinie oder schwach seitlich standen, auch ohne das Gehör sicher auf kleinere Entfernungen, besonders wenn der Wind von vorn kam. Diese Versuche waren durch Herrn Lay und Frl. Ramseier gemacht worden. Sie wurden am Abend desselben unfreundlichen 9. März in meiner Gegenwart wiederholt. Die Ohren der beiden Knaben wurden wieder in ähnlicher Weise verstopft und verbunden wie am Morgen. — — Das Verschließen der Ohren mit einem Finger wäre das einfachste und sicherste Mittel, wenn man eine Gewähr dafür hätte, daß die Blinden nicht in Momenten der Unsicherheit die Finger von Zeit zu Zeit etwas zurückzögen, um Schalleindrücke zu empfangen.

Das Verschließen mit der flachen Hand ist meines Erachtens unpraktisch, weil es Ohrenrauschen verursacht, das ich nur auf Luftdruck und den Blutstrom in der Hand zurückzuführen vermag. — Kautschukzapfen einzusetzen wagte ich ohne Mitwirkung eines Arztes nicht. So blieb nur die Watte übrig, die allerdings, wie wir gesehen haben, starke Töne nur abschwächt, nicht aber ganz abhält. Es erklärt dies, wie schon früher angedeutet, die nach der Desorientation sofort wieder eintretende Orientation in dem bekannten Gebiete. Zuerst wurde H. W. durch Lehrer Lay auf allerlei Umwegen an seinen Standort getragen, um ihn völlig zu desorientieren. Es gelang dies aber aus oben angedeuteten Gründen nur für etwa ¼—½ Minute. —

Die Versuche fanden in folgender Weise statt: Lehrer Lay übernahm die Führung, die Lehrerin Frl. Ramseier wohnte als zweite Beobachterin und „Zeugin" bei; ich selbst führte das Protokoll, welches nachher gemeinsam geprüft wurde.

Die Prüfung des völlig blinden, etwas nervösen,

leicht stotternden, sonst aber intelligenten Knaben (H. W. Nr. 1), der zwar gut hört, aber wenig musikalisches Gehör besitzt, ergab in 20 Fällen folgende Resultate:

a. Gangrichtung gegen die Hindernisse (Bäume usw.). 10 Fälle.

In 7 Fällen zeigte er (trotz Ausschaltung des Gehörs für schwächere Reize) sichere Wahrnehmungen und richtige Lokalisation (Angabe der Lage der Hindernisse). — In zwei Fällen wäre er angestoßen, wenn man ihn nicht rechtzeitig gehalten hätte. Eines dieser Hindernisse war ein 3—4 cm dicker Pfahl (Rebstecken), der nur bis zu seiner Mundhöhe reichte. Das zweite Mal war es ein 13 cm dicker Stamm. Die Windrichtung war aber in diesem Falle ungünstig (von vorn links). — Am sichersten orientierte er sich, wenn der Wind direkt von vorn kam, also das Gesicht voll traf, so daß Windstille eintrat, sobald er sich den Stämmen näherte. — Wir haben 4 solche Fälle notiert, in welchen sichere Lokalisation in einer mittleren Entfernung von 1,52 m (von 0,30—4 m) erfolgte. — In einem Falle zeigte sich sichere Wahrnehmung (stehen bleiben) auf 1 m rechts vorn, aber falsche Lokalisation. In zwei Fällen hatte der Blinde den Wind im Rücken. Wahrnehmung bei 1 m bzw. 0,70 m Entfernung. — An einer Stelle, wo der Wind durch einen kleinen Hügel abgehalten wurde, erfolgte die Wahrnehmung 0,50 m vom Baume.

b. Freier Gang.

Für 10 weitere Versuche wurde dem Knaben die Gangrichtung freigestellt. Zuerst bemerkte er einen Baum mit dichtem Gezweig, der rechts gegen den Wind hinter ihm stand. Er befand sich im „Windschatten". Die Entfernung betrug aber mehrere Meter. Wir wollen diese Wahrnehmung als unsicher bezeichnen. — Sicher wahrgenommen wurden 7 Hindernisse auf Entfernungen von 1,5, 2,5, 0,5, 2,5, 1,1, 1,5 m. — Drei von ihnen standen vorn, seitlich, rechts, — eines rechts hinten und eines links hinten. — An zwei Hindernisse in der Ganglinie (Wind quer zu derselben) stieß er an. Das eine war wieder der dünne, niedere Pfahl, das andere Frl. Ramseier (die ihm nicht auswich). —

Am besten lokalisierte er jetzt die Gegenstände, welche auf der rechten Seite standen, von welcher der Wind kam (Windschatten). Bei falschen Lokalisationen betrug der Fehler in beiden Fällen 90°. Er zeigte nach der Richtung, in welcher er den „Windschatten" fühlte, ohne sich um die Richtung zu kümmern, aus welcher er kam. — An linksstehenden, dünnen Hindernissen ging er wiederholt bei 1 m Entfernung achtlos vorbei. (Windschatten war unmöglich und die durch seine Bewegung erzeugten Luftwellen wurden durch den von hinten rechts kommenden Wind abgelenkt, so daß sie ihn im Nacken nicht treffen konnten.) x-Wellen scheint er also von dort nicht erhalten oder sie nicht empfunden zu haben, obwohl die durch das Brausen des Windes an den Stämmen und in den Zweigen entstandenen Schallwellen gerade von diesen linksstehenden Objekten zu ihm hätten reflektiert werden müssen. —

Ich schreibe also alle diese Wahrnehmungen bei verbundenen und verstopften Ohren wesentlich dem Luftdruck oder Rückschlag und der Temperaturdifferenz (Abkühlung durch Wind, Wärmegefühl bei Windstille [Windschatten]) zu. Das Ohr war für den Schall der Tritte auf feuchtem, mit Rasen bedecktem Boden, wie für das Rauschen des Windes ausgeschaltet — und doch fanden in den meisten Fällen Wahrnehmungen statt!

Ein ähnliches, wenn auch weniger günstiges Resultat hatten die Versuche mit J. Sch. Ihm waren die Ohren mit Borvaselin und Watte verstopft und auch noch mit trockener Watte verbunden worden. Da er, wie gesagt, noch ein geringes Sehvermögen hat, mußten auch die Augen mit Wattekissen bedeckt werden. Offenbar mußte er sich erst an diese Vermummung gewöhnen; denn die 3 ersten Hindernisse blieben unbemerkt; auch das 5te wurde nicht beachtet. Dann wurden aber bei Gangrichtung gegen die Hindernisse 5 Wahrnehmungen bei Durchschnittsentfernungen von 2 m gemacht. Der Wind schien auch hier den bei H. W. beschriebenen Einfluß zu haben. — Bei freier Wahl der Gangrichtung geht (J. Sch. Nr. 2) kreuz und quer zwischen den ziemlich eng gepflanzten Bäumen durch, stößt aber einmal an. Den andern Bäumen weicht er aus, obwohl nur 3 als „bemerkt" markiert werden konnten. — Auch seine Gangrichtung wurde, wie bei H. W., durch den Wind auffällig beeinflußt. Er kam immer wieder in Versuchung, sich mit dem Wind gegen die nahe Seilerhalle zu bewegen.

Es muß hier noch bemerkt werden, daß die Empfindlichkeit der Haut durch die niedrige Temperatur offenbar herabgesetzt war. Wir selbst hatten nach den Versuchen beinahe kein Gefühl mehr in den Fingern.*) — Auch ist nicht zu vergessen, daß diese Versuche in demselben Spital krank sind, wie diejenigen Truschels, weil sie auf bekanntem Gebiete und zwischen engstehenden Bäumen stattfanden, wo auch der Tastsinn der Füße mitwirken konnte und wiederholt tatsächlich zu Rate gezogen worden ist. So markierte J. Sch. fest ein nicht vorhandenes Hindernis, als er an eine von einer unterirdischen Dohle herrührende, etwas erhöhte Stelle kam. Er tastete dann mit den Füßen, weil er offenbar glaubte, den Erdwulst am Fuße eines Baumes vor sich zu haben. Wie der Tastsinn ihn in diesem Falle irregeführt hatte, so konnte er ihn in anderen Fällen aber auch richtig leiten und vor dem Anstoßen bewahren.

Die Verminderung oder das Ausbleiben rein seitlicher Wahrnehmungen kann sowohl dem Fehlen des Gehörs, als auch der Bedeckung der Ohrmuscheln, des äußeren Gehörganges mit Trommelfell und eines Teils der Schläfen (bei J. Sch. auch der Augen) und des Nackens zugeschrieben werden. Die Empfindung setzte wieder ein, sobald der Wind eine Gesichtsseite von vorn, oder eine Nackenseite von hinten treffen konnte. (Ich verweise auf die früher beschriebenen Gehversuche an Brett und Platte und die Zeichnungen 5—9, ferner auf die später folgenden Messungen des Temperatursinns und bes. des Druckgefühls). —

In vielen Fällen, besonders bei Wind, läßt sich nicht genau feststellen, ob die Blinden die Baumstämme oder die schützenden Kronen wahrnahmen. Dieser Mangel haftet allen derartigen Versuchen in der Nähe von Bäumen an.

Nach der Prüfung sagten mir die beiden Blinden, die es offenbar ärgerte, daß sie doch 2 3mal angestoßen waren (sie sind auf ihr Orientierungsvermögen stolz): „Ja, wenn wir die Ohren freigehabt hätten, wären wir sicher jedem Hindernis ausgewichen!“ Ich glaube es ihnen gern; denn sie haben sich auch so gut orientiert. Man hatte ihnen eben (außer dem Gesicht) auch den zweiten wichtigen Orientierungssinn, das Gehör, entzogen und die Druckempfindlichsten Teile der Kopfhaut (Seitenteile des Nackens, Ohrmuschel, Gehörgang, Trommelfell, Schläfen, Augenbrauen und Wimpern), von der Luft abgeschlossen und taktilen Einflüssen unzugänglich gemacht. Was dies zu bedeuten hat, werden besonders die Druckmessungen zeigen. Und doch war es ihnen noch besser ergangen, als es uns ergeht, wenn man uns nur den Gebrauch eines einzigen Sinnes, des Gesichts, für kurze Zeit unmöglich macht.

Die Tatsache aber, daß sie bei verstopften und verbundenen Ohren die meisten Hindernisse doch noch spürten, beweist uns, daß das Trommelfell nicht das einzige Organ des Ferngefühls sein kann.

Dies würde auch der Fall sein, wenn unter solchen Umständen nur eine einzige sichere Wahrnehmung erfolgt wäre! —

*) Von dem Einfluß der Lufttemperatur wird später noch die Rede sein.

Versuche auf unbekanntem Gebiet.

Es ist schon darauf hingewiesen worden, daß die Versuche in unserem Garten deshalb nicht beweiskräftig sind, weil den Blinden das Terrain und die Entfernung der Bäume von einander zu gut bekannt waren. — Deshalb haben wir auf einer mit Bäumen bepflanzten, abgelegenen Wiese an der Ill, die den Blinden völlig unbekannt war, Gehversuche angestellt. —

In einer nicht ganz geraden Reihe standen 12 Bäume sehr verschiedener Dicke (von 3—50 cm). Längs dieser Baumreihe wurde ein dünnes Seil etwas schräg so gespannt, daß die Abstände der Bäume von demselben zwischen 100 und 350 cm schwanken. Ich bezeichne diese Abstände bei jedem Baume.

I. Reihe.

Nummer	Beschreibung	Dicke	Abstand
1	Blühender Kirschbaum	15	100 cm
2	„ „	22	140 „
3	Kahles Bäumchen mit Pfahl	10	150 „
4	„ „ „	10	180 „
5	Blühender Kirschbaum	25	200 „
6	Kahles Bäumchen mit Pfahl	10	250 „
7	Blühender Kirschbaum	20	300 „
8	Kahles Bäumchen mit Pfahl	8	320 „
9	Blühender Kirschbaum	26	350 „
10	Kahles Bäumchen mit Pfahl	10	250 „
11	Kahler Nußbaum	50	200 „
12	Blühender Kirschbaum	20	180 „

II. Reihe.

In dieser Reihe standen 8 Bäume. Das Seil wurde so gespannt, daß es die Stämme auf der ganzen Linie fast berührte, erstere somit möglichst in der Ganglinie standen. Wahrnehmung der Bäume mit der Hand und direkte Zusammenstöße wurden aber vermieden, ohne daß ein Begleiter den Blinden auf dem Fuße zu folgen brauchte. Wir traten erst hinzu, wenn der Blinde eine Wahrnehmung durch Stehenbleiben markierte. Dies gilt für beide Reihen. —

Nr. 1 war ein blühender Kirschbaum von etwa 10 cm Dicke
Nr. 2 war ein kahles Bäumchen mit Pfahl, zusammen 10 „ „
N. 3 war ein kahles Bäumchen ohne Pfahl 4 „ „
Nr. 4 war ein blühender Kirschbaum 25 „ „
Nr. 5 war ein kahles Bäumchen mit Pfahl, zus. etwa 13 „ „
Nr. 6 war ein kahles Bäumchen mit Pfahl 12 „ „
Nr. 7 war ein blühender Kirschbaum 16 „ „
Nr. 8 „ „ „ „ 16 „ „

Bei der ersten Reihe wurde je ein Lot von den Stämmen auf das Seil gefällt und notiert, wie weit vor dem Lot die Blinden den Baum spürten und wie weit hinter dem Lot die Wahrnehmung noch andauerte. —

Der Boden war weich, wenn auch ausgetrocknet, und mit etwa 10 cm hohem Gras bedeckt. — Das nächste Haus befand sich in einer Entfernung von 400 500 m. —

Der sehr schwache Wind drehte sich während der Versuche, die 4 Stunden in Anspruch nahmen, mehrmals. — Ich werde die Ergebnisse tabellarisch ordnen und am Schlusse auf eigentümliche Erscheinungen hinweisen, die besondere Beachtung heischen. — 0 bezeichnet Wahrnehmungen am Fußpunkt des Lots. Wo nichts bemerkt wurde, stehen Querstriche; ? bezeichnet unsichere Wahrnehmung.

Baum-Nr.	Versuchspersonen 1 H. W.		2 J. Sch.		11 L. F.		5 J. Schw.		19 P. R.		20 R. B.		3 E. L.†		22 A. St.†		26 E. Z.		9 E. J.†	
	vor Lot	hinter Lot	vor Lot	hinter Lot	vor Lot	hinter Lot	vor Lot	hinter Lot	vor Lot	hinter Lot	vor Lot	hinter Lot	vor Lot	hinter Lot	vor Lot	hinter Lot	vor Lot	hinter Lot	vor Lot	hinter Lot
									I. Reihe:											
1		80		100	100	100	0	200	0	0		—	0	0	0	0	—			50?
2	80	80	100	250	200	200	100	250	0	0									100	
3	50	90		50	0	150	150	50		30										
4	60	50	50	250			0	50												—
5	80	150	100	250	120	200	50	250	0	0			0	0	0	0			300	
6			50	150	0	200	0	100		50										
7	150	150	50	300	200	200	50	100	0	0									350	—
8							0	0	?	?										
9	550	270	250	350	250	**		100	200					—			—	—	550	—
10	0	250	120	?			100	—					—							—
11	450	350	250	*	200	250	350	850	100	100				Krone 350?		350		100	250	—
12	500	300	80	200	200	250	0	100	0	0			300		300		0	0	300	
									II. Reihe:											
8	150	100	—	—	200	200	—	100	30										—	—
7	550	300	50	—	300	200	0		0	0								—	0	0
6	220	100	0		50	150	250		0	0			—		—	—		50	100	
5	100	100	100	—	100	100	250	100	0	0	—	—	—	—	—		—		0	0
4	600	150	50		300	200	0		0	0		—	0	0	0	0	150		100	
3	300	100	50		50	100	0		0	0		—		—			—			
2	300	100	110		150	200	250	100	0	0		—					0	0		
1	300	100	120		250	200	0		50	—		—		—	—		100		100	

*) An Krone gestoßen.
**) Er zeigt zwischen 11 u. 12 auf einen 12 m entfernten blühenden Baum auf der linken Seite und bemerkt deshalb die hinter ihm stehenden Bäume 11 u. 12 nicht.
†) Mädchen.

Umgekehrte Gangrichtung.

Baum-Nr.	Versuchspersonen 21 Ph. B.		8 L. W.†		Baum-Nr.	Versuchspersonen 1 H. W. Mit verstopften Ohren		24 C. S.†		18 Die Taubblinde† Mag. Wenner	
	vor Lot	hinter Lot	vor Lot	hinter Lot		vor Lot	hinter Lot	vor Lot	hinter Lot	vor Lot	hinter Lot
					II. Reihe:						
1	30	0	100	80	8	300	400	—		170	
2	40		250	150	7	300	250			?	?
3	?	?	130		6	200	0	—			50
4	130		100	100	5	100	0	—		0	0
5			100	?	4	400	0			200*	
6	0	30	150	120	3	200	100	—		50	
7	0	0	160	200	2	300	100		—	50	—
8	75	50	200	200	1	751	150		—	300*	—
					I. Reihe:						
12	—	—	—	100	1			—			
11	200	150	200	200	2	500*		—			—
10	—	—	?	?	3	?	?				—
9			250	250	4	200		—			—
8			—	—	5	500*	—	—			—
7	—	—	—		6	300	—	—		—	50
6	200	40		—	7	—	—	—	—	—	—
5	200	50	100	?	8	300	—		—		—
4		—		80	9	—	—	—	—	550*	0
3			0	0	10	0	400	—		0	0
2			150	150	11	?	?	—		—	—
1	—	100	60	160	12	**	—	—	—	—	—

†) Mädchen. *) Krone.

Auch die Feinfühligsten sind wiederholt achtlos an Stämmen vorbeigegangen, weil sie das Gesicht nach der andern Seite drehten. Sie wußten eben auf dem unbekannten Terrain und besonders auch, weil zwei Schnüre gespannt waren, nie, auf welcher Seite sie die Hindernisse zu erwarten hatten. So zeigte H. W., als er in der ersten Reihe mit offenen Ohren bei Punkt 8 stillstand, auf eine 750 cm entfernte Baumkrone (7 der II. Reihe) und übersah deshalb den hinter seinem Rücken stehenden Stamm Nr. 8 in der Nähe seiner Ganglinie. — Dasselbe wiederholte sich bei verstopften Ohren zwischen 11 und 12. Die Entfernung der lokalisierten Baumkrone betrug 1200 cm.

Nr. 8 (L. W.) zeigt zwischen 12 und 11 auf einen 1100 cm rechts stehenden, blühenden Baum. An Nr. 8 geht sie vorüber, weil sie nach rechts, statt nach links schaut und in einer Entfernung von etwa 700 cm die Krone eines Baumes der II. Reihe bemerkt. In der II. Reihe wiederholt sich dasselbe zwischen 4 und 5. Sie zeigt auf den 1200 cm entfernten Baum Nr. 5 der I. Reihe. Genau hinter dem Rücken stehende Gegenstände werden bei ruhiger Körperhaltung, wie wir noch sehen werden, **niemals** wahrgenommen. — Die Baumkronen machten sich immer auf größere Entfernung fühlbar als die Stämme. Die dünnen Bäumchen wurden deshalb so oft übersehen, weil sie kahl waren. Die feinfühligeren Blinden markierten meistens Anfang und Ende der Krone und den Stamm noch besonders. Die großen Zahlen sind wohl immer dem Einfluß der Kronen zuzuschreiben. Das Verstopfen der Ohren hatte wieder keinen wesentlichen Einfluß auf das Lokalisationsvermögen. H. W. bemerkte bei verschlossenen Ohren (nasse Wattezapfen) auf 1200 cm Entfernung eine Baumkrone. Daß bei ihm die zweite Kolonne meistens leer ist, kommt davon her, daß man ihn wegen Ermüdung aller Teilnehmer nach vierstündiger Arbeit nach dem Ende der Wahrnehmungen nicht mehr fragte. —

Die taubblinde Magd. Wenner zeigte immerhin noch viel mehr Ferngefühl als die hörenden, sehr intelligenten und lebhaften R. B., E. L., A. St., E. Z. und C. S. —

Daß das Ferngefühl, diese wohl krankhafte Hyperästhesie der Kopfhaut, rein individuell ist, zeigen diese Tabellen deutlich. — Es sind unter den Hartfühligen solche, die nie gesehen haben und 2 Kinder, die durch Schrotschüsse geblendet worden sind.

Ein allfälliger Sehrest hat keinen Einfluß auf das Ferngefühl. I. Sch., I. Schw., E. I. und M. W. sehen noch etwas. Die Augen waren ihnen während der Versuche mit schwarzen Wattekissen bedeckt worden. — Die andern, darunter alle Hartfühligen sind stockblind. Mehrere von diesen zeigen keine Spur von Ferngefühl, aber großes Orientierungsvermögen. Die Bäume der I. Reihe, welche 100—350 cm von der Ganglinie entfernt waren, werden durchschnittlich vor und hinter dem Lot meistens länger lokalisiert als die der zweiten Reihe, welche nur etwa 50 cm von der Ganglinie entfernt standen. — Ich verweise auf das zu Fig. 9 Gesagte. —

Dem Winde will Truschel „keinen wesentlichen" Einfluß auf die Orientation zugestehen. Dies spricht meines Erachtens mehr gegen seine akustische Theorie als gegen unsere Annahmen. Wir wissen, daß starker Wind die direkten Schallwellen des lautesten Pfiffs oder Rufs bedeutend abschwächt und ablenkt, ja sogar eine Flintenkugel aus ihrer Bahn bringt, und diesen „schwachen", „zarten", nur vom Tagesgeräusch herrührenden reflektierten Schallwellen gegenüber sollte starker Wind machtund harmlos sein?! Unsere Blinden (und ihre Führer) behaupten aber übereinstimmend, daß starker Wind sie störe, wie starke Geräusche, von denen ich noch zu sprechen haben werde. Wind von einer Seite stört am wenigsten, wohl weil eine Gesichtsseite und ein Ohr unberührt bleiben. — Mäßig starker Wind kann aber, wie wir Seite 311 gesehen haben, der Orientation auch förderlich sein. Plötzliche Unterbrechung desselben verrät die Nähe und Richtung eines Hindernisses; plötzliches Einsetzen des Windes zeigt das Ende eines Hauses, einen Mann, das Offenstehen einer Türe usw. deutlicher den Wiederhall der Tritte. Das Rauschen des Windes in den Bäumen, an Mauern und Fensterladen ist jedenfalls vernehmlicher als die unhörbaren sog. „Schallwellen". — (Übrigens finde ich die Unterscheidung von Windstärken *a*, *b*, *c* doch etwas „künstlich". Auch die Windrichtung ändert sich zwischen unseren vielen Gebäuden von Schritt zu Schritt.)

Ein heute 54jähriger früherer Zögling der Anstalt, der im französischen Jura wohnt, und dort, wie hierher, allein reist (er ist auch Stimmer), hat mir heute erzählt, wie er sich auf wohlbekannter Straße bei Blamont während eines Schneesturmes verirrt habe, weil er die Straße nicht mehr fühlte und weil das Ohr, auf das er sich hauptsächlich verläßt, seinen Dienst versagte. Er erzählte mir auch, wie der oben zitierte Lothringer: „Ich finde mich im ganzen Dorfe, auf dem Felde und in der Nachbarschaft zurecht; allerdings gehe ich nie ohne Stock aus, der mir niedrige Hindernisse entdecken hilft. Man muß aber überall seine Anhaltspunkte (des points de repère) haben". (Beschaffenheit des Weges, Hausecken, Bäume, Brunnen usw.) Er verläßt sich also auf Gehör, Gestalt, Gefühl usw., wie alle andern, wenn er — als Klavierstimmer auch dem Ohr den Vorrang einräumt, aber nur dem aufmerksam gebrauchten eigentlichen Gehör.

Ich forderte ihn dann auf, sich die Ohren fest zu verstopfen. Er tat es mit beiden Zeigefingern. Nachher sagte er mir: „Ich habe aber doch „gefühlt", daß sie neben mich getreten sind und mir die Hand vor die Stirn gehalten haben." — Es hatte während dieses Augenblicks völlige Ruhe geherrscht. — Die sog. „perceptio facialis" scheint also doch noch nicht abgetan zu sein!

Prüfung des eigentlichen Ferngefühls im Zustand der Ruhe.

Bei den bis jetzt in unserem Garten und anderswo ausgeführten Versuchen und den daran geknüpften Erörterungen hat das eigentliche **Ferngefühl** als **Hilfsmittel** der Orientation immer eine Rolle gespielt, aber nicht die einzige.

Die Hindernisse standen fest. Die Blinden bewegten sich in deren Nähe, erzeugten also hörbare Geräusche und Luftbewegungen; sie spürten den Wind und tasteten mit den Füßen. Unter solchen Umständen läßt sich nicht genau feststellen, welcher Anteil an der Orientation direktem Hören, welcher dem Tastsinn der Füße und welcher dem eigentlichen Ferngefühl, dem Hautsinn, zuzuschreiben sei. Wir kennen die Summe, nicht aber die Summanden.

Um die Tragweite dieses Ferngefühls, also einen der Summanden, genauer feststellen zu können, müssen wir die andern nach Möglichkeit ausschalten. Wenn der Blinde im geschlossenen Raume ruhig auf einem Stuhle sitzt, hört er weder den Schall seiner Tritte, noch spürt er Wind und Windstille, noch erzeugt er selbst Luftströmungen und Wellenstöße, vorausgesetzt, daß er den Kopf ruhig halte. — Gelingt es unter solchen Umständen, kleinere Gegenstände geräuschlos und ohne — als solche fühlbare — Windstöße zu erregen, in die Nähe seines Kopfes zu bringen, so können wir die hervorgerufenen Empfindungen, falls solche eintreten, ausschließlich dem Ferngefühl zuschreiben. Für die Natur des Ferngefühls ist dies aber nicht entscheidend. Wir sind dann immer noch berechtigt, diese Fernwahrnehmungen als Tast- und Temperaturempfindungen der unbedeckten Kopfhaut — mit Einschluß des Augapfels, — des äußeren Gehörganges und des Trommelfells zu betrachten.

Aber auch die „Schallwellentheorie“ kommt bei solchen Versuchen zu ihrem Rechte; denn unter den geschilderten Umständen müßten auch die unhörbaren, vom „Tagesgeräusche herrührenden“, durch die Luft schwirrenden, schwachen Schallwellen, nachdem sie von den Gegenständen in der Nähe des Kopfes, den „Reflektoren“, zurückgeworfen worden wären, ungestört durch starken, direkten Schall, auf die Trommelfelle einwirken können. —

Falls sich dann die Wahrnehmungen der Blinden aus den bekannten Gesetzen über die Zurückwerfung des Schalls erklären lassen, so ist für die Schallwellen-Hypothese viel gewonnen; sie fällt aber, wenn die Wahrnehmungen der Blinden mit diesen Gesetzen in Widerspruch stehen. —

Nun hängt der Reflex von Schallwellen meines Erachtens nicht nur von Lage, Form und Größe des Reflektors, sondern auch von seiner Natur, dem Stoffe desselben, ab. — Eine Glasplatte muß besser reflektieren als Holz, Pappendeckel, oder gar als eine poröse Filzplatte, welche bekanntlich den Schall dämpft*). Ich habe noch nie Geigen-, oder Klavier-Resonanzböden aus Filz gesehen, wohl aber Filzpantoffeln in Krankenzimmern. — Reflektoren aus Glas, Holz oder Pappe müssen deshalb wirksamer sein als solche aus Filz, somit auch deutlicher und auf größere Entfernungen wahrgenommen werden, — wenn reflektierte Schallwellen wirklich die Erreger des Ferngefühls sind.

Mit solchen „Reflektoren“ haben wir in einem Zimmer mit dem feinfühligen Knaben (Nr. 1 H. W.) Versuche angestellt. Die Glasplatte (eingerahmtes Bild) maß 14 qdcm, die doppelt zusammengeleimte und lackierte Pappe, sowie die 2 cm dicke Filzplatte (Zeichenkissen) maßen je 9 qdcm. — Der Gegenstand aus Holz (flaches Lineal) war nur 4 cm breit, aber 50 cm lang.

*) Nach den im physikalischen Institut der Technischen Hochschule zu Karlsruhe durch H. Sieveking und A. Behm ausgeführten Untersuchungen (Annalen der Physik, Vierte Folge, Band 15) vermindert eine 3 cm dicke Filzplatte die Schallintensität um 19 % (von 400 auf 324). 81 % der Schallstärke dringen also durch und werden nicht reflektiert. Ob auch nur die restierenden 19 % zurückgeworfen werden, ist fraglich. Filz ist also unter allen Umständen ein sehr schlechter Reflektor.

Die erste Versuchsreihe wurde bei Geräusch angestellt. Die andern Blinden spazierten und plauderten in den Gängen, welche das Zimmer auf zwei Seiten rechtwinklig umschließen. An Schallwellen, welche zurückgeworfen werden konnten, hat es also nicht gefehlt.

Die genannten Gegenstände wurden dem Blinden, welcher ruhig auf einem Stuhl saß, also selbst weder Trittgeräusch, noch starke Luftbewegung erzeugte, sehr langsam und vorsichtig von vorn, von beiden Seiten, von hinten und von oben immer näher gegen den Kopf gebracht, bis er ihre Gegenwart spürte. Der Experimentator stand in Filzpantoffeln auf einem Teppich. Es wurden auf diese Weise 40 Versuche gemacht.

Vor dem Gesicht fühlte H. W. (Nr. 1)

Glas in einer Durchschnittsentfernung von	39	cm
Holz (Lineal) in einer „ „	20	„
Pappe in einer „ „	34	„
Filz „ „ „ „	39	„

Es zeigte sich also kein Unterschied zwischen Filz und Glas.

Auf d. linken Seite fühlte er durchschn.	Filz bei	21	cm
„ „ rechten „ „ „ „	„ „	25	„
Über dem Kopfe „ „ „	Glas „	0	„
„ „ „ „ „ „	Filz „	0	„
Hinter „ „ „ „ „	Glas „	0	„
„ „ „ „ „ „	Filz „	0	„

Er fühlte also über und hinter dem Kopfe nichts, bis man die Haare berührte. —

Ein einziges Mal drehte er sich nach der rechten Seite um, als das rechts weit vorspringende Glas den Hinterkopf fast berührte, indem er sagte, er habe am Rande der Ohrmuschel etwas „gespürt“ (nicht „gehört“)*).

Sobald die Platten seitlich hingen, drehte er regelmäßig das Gesicht nach der Seite, auf welcher er etwas zu spüren glaubte, ohne sicher zu sein. Es machte uns bei ihm und den andern immer den Eindruck, daß sie seitliche Wahrnehmungen mit dem ganzen Gesicht kontrollieren wollten. — Auch Trugwahrnehmungen kamen mehrmals vor; er meinte Dinge zu spüren, die nicht vorhanden waren. —

*) Es wird sich später zeigen, daß H. W. im Nacken und auf der Rückseite der Ohrmuscheln für Druck sehr feinfühlig ist. Auch baut er diese „Fühler“ weit ins Reich hinaus. —

Die Versuche wurden abends spät bei absoluter Stille wiederholt. Von reflektierten Schallwellen konnte unter diesen Umständen kaum die Rede sein, — und doch ergaben diese Versuche günstigere Resultate. Die oben genannten Gegenstände wurden vor dem Gesicht in einer mittleren Entfernung von 58 cm und seitlich bei 31 bis 40 cm gefühlt. Über und hinter dem Kopf wurde auch in diesen Fällen nichts wahrgenommen. Wenn reflektierte Schallwellen in Frage kämen, hätte die Stille ungünstig einwirken, bezw. die Wahrnehmung aufheben müssen. Das Umgekehrte war der Fall! Auch hätten seitliche Gegenstände die Schallwellen direkter auf das Trommelfell werfen, also aus weiterer Ferne wahrgenommen werden müssen als solche vor dem Gesicht. Wieder war das Umgekehrte der Fall! Eine Glasplatte hätte die Schallwellen unbedingt besser zurückwerfen müssen als ein Filzkissen, das überdies viel kleiner war (9,9 qdcm statt 14,9 qdcm). Es zeigte sich nicht der geringste Unterschied. —

Schall wird auch von oben und von hinten wahrgenommen. — Hinten und oben war aber die Fernempfindung gleich null. Und doch werden seitliche Hindernisse, wenn der Blinde sich an denselben vorbeibewegt, nach Truschels Tabellen und unseren Untersuchungen noch wahrgenommen, wenn sie 1—3 m seitlich schräg hinter ihm stehen! — Schallwellen können also dieses Ferngefühl nicht bewirken!

Die Tragweite desselben hing wesentlich von der Schnelligkeit der Bewegung der Objekte gegen Gesicht und Ohren ab. Je rascher das Glas oder der Filz gegen die empfindenden Teile bewegt wurden, desto schneller trat die Empfindung ein. (Luft-Druck oder -Zug.) Bei sehr langsamer, gleichmäßiger Annäherung wurden sie zuweilen seitlich erst bei 10—15 cm Entfernung gespürt.

Es hatte sich nun aber bei diesen Versuchen doch ein Übelstand gezeigt. Der Blinde hörte bei absoluter Stille (2. Reihe) zuweilen ganz direkt das Rauschen der Kleider, wenn der die Gegenstände führende Arm sich bewegte, konnte also in solchen Fällen erraten, aus welcher Richtung dieselben kommen würden. — So oft er uns sagte, er habe vorn, rechts oder links etwas „gehört“, wurden die Ergebnisse nicht notiert. —

Er unterschied, wie alle andern, genau zwischen „hören“ und „spüren“ oder „fühlen“. — Die Versuche waren in einem Zimmer von $5^1/_2$ auf $6^1/_2$ m gemacht worden, in welchem Möbel stehen, wo also fremde Einwirkungen möglich waren. Sie wurden deshalb in der Turnhalle auf folgende Weise wiederholt:

Filz und Glas (auf andere Gegenstände haben wir verzichtet, weil das Material, wie schon gezeigt worden ist, nicht in Betracht kommt) wurden an etwa 6—8 m lange Schnüre gehängt, deren Enden zwei Kollegen hielten. Die Platten wurden dann dem Blinden sehr langsam, bald von oben, bald von unten vor das Gesicht und die Ohren gebracht. Leider schwankten aber die Platten an der Schnur, erzeugten also in der Nähe des Gesichtes Wind, der die Ergebnisse offenbar zugunsten unserer Anschauung beeinflußte. Wir notierten deshalb dieselben nicht. Das Schwanken der Platten hätte die durch sie „reflektierten Schallwellen“ zerstreuen, das Ergebnis also ungünstig beeinflussen müssen. — Das Gegenteil trat ein. Schwankende Platten wurden viel früher bemerkt als ruhige. — Die Schnur wurde dann durch eine lange dünne Stange ersetzt. Nun ergaben 43 Versuche mit Nr. 1 (H. W.) folgende mittlere Resultate:

	Glasplatte		Filz	
Vorn	(4 Versuche)	38 cm	(11 Versuche)	40 cm
Links	(4 „)	40 „	(8 „)	37 „
Rechts	(6 „)	38 „	(6 „)	36 „
Hinten		0 „		0 „

Die Versuche waren zuerst mit Glas, dann mit Filz gemacht worden. Gegen das Ende zeigte sich Ermüdung und deshalb verminderte Aufmerksamkeit. Von **hinten** fanden auch bei diesen Versuchen, wie bei allen folgenden, **keine** Wahrnehmungen statt. — Während derselben herrschte „Tagesgeräusch“, das ich noch durch Orgelspiel etwa 15 m von dem zu prüfenden Blinden verstärken ließ. An Schallwellen, welche durch die Glas- und Filzplatten auf die Trommelfelle reflektiert werden konnten, fehlte es also nicht! — Die sehr verschiedenen „Reflektoren“ (Glas und Filz) bewirkten wieder keinen Unterschied. — Es wurde dann an derselben Stelle und auf dieselbe Weise das Ferngefühl einiger Blinden geprüft, die sich sehr gut orientieren und sich zum Teil so frei und elastisch bewegen, daß man ihnen die Blindheit nicht ansieht.

Das sehr gewandte, von Geburt an blinde Mädchen E. L. (Nr. 3), dessen freie Bewegungen bei kleinen Aufführungen jedermann in Erstaunen setzen, zeigte beinahe keine Spur von Ferngefühl. Vorn und rechts konnte man ihr die Platten bis auf 5 cm nähern, ohne daß sie dieselben wahrnahm; links machte sie Wahrnehmungen auf 5–15 cm Entfernung. Sieben Versuche rechts ergaben ein Mittel von nur 7 cm. — Wir prüften deshalb nachträglich noch ihr Gehör. Dabei zeigte sich, daß dasselbe nicht ganz normal, daß aber das rechte Ohr besser ist als das linke. Auf 15 m verstand sie mit ersterem alle im Flüsterton gesprochenen Wörter, mit dem linken aber nicht. Dies spricht meines Erachtens wieder gegen die Schallwellenhypothese; denn gerade rechts zeigte sie schwächeres Ferngefühl. —

Der Lothringer E. Sch., von dem schon die Rede war, und der sich vorzüglich orientiert, zeigte, wenn er ruhig saß, keine Spur von Ferngefühl. Auf 3 cm merkte er die Platten weder vor, noch neben dem Gesicht.

Ferngefühl und Orientierungsvermögen sind also nicht identisch! —

Der von Truschel unter Nr. 11 als stockblind aufgeführte A. E. (Nr. 12), welcher nach seinen Tabellen fast nur rechts stehende Bäume usw. wahrgenommen und die linksseitigen Hindernisse übersehen haben soll, zeigt schwaches Ferngefühl. — Links und rechts konstant 10 cm, vorn bei offenen Augen (Filz) etwa 25, bei geschlossenen Augen aber nur 5–10 cm. Das Schließen der Augen hat ihn offenbar gestört; es war aber nötig!

Als wir ihm die Filzplatte bei 25–30 cm vor das Gesicht hielten und fragten, ob er etwas merke, antwortete er: „Ich würde es schon merken, wenn etwas gegen mich käme, wenn nicht jemand da vor mir stände." ‚Weshalb merkst du, daß jemand vor dir steht?' „Weil es dunkel ist. Ich sehe den Schatten der Dinge, wenn ich mich ihnen nähere." Tatsächlich unterscheidet er mit beiden Augen „hell" und „dunkel" und lokalisiert auch die Lichtquellen. Wir haben dies mit zwei Bogenlampen in einem Zimmer genau festgestellt. Bei Truschels Versuchen scheint also die ungleiche Beleuchtung der rechts und links stehenden Objekte eine Rolle gespielt zu haben, während er den Jungen „vollständig erblindet" glaubte. Die angeblich einseitig (rechtsseitige) Entwicklung des Ferngefühls dieses Blinden sucht T. damit zu erklären, daß auch sein linkes Ohr gelitten habe. Davon hat Griesbach seinerzeit bei den Gehörprüfungen nichts entdeckt. In seinen Tabellen ist für beide Ohren genau dieselbe Hörweite (17 u. 17) verzeichnet, und wir haben festgestellt, daß er jetzt selbst auf 34 m starke Flüstertöne mit beiden Ohren gleich gut unterscheidet. Die Voraussetzungen Truschels sind also in bezug auf Gesicht und Gehör falsch — folglich auch seine Schlüsse. —

Eine sehr interessante Versuchsperson ist der 15jährige Knabe J. Sch. (Nr. 2), der, wie wir früher gesehen haben, sich vorzüglich orientiert und ein sehr feines Ferngefühl hat, obwohl er noch so viel sieht, daß er auf 5 m Entfernung einen Baum oder eine Person in unbestimmten Umrissen wahrnimmt. (Dies widerspricht, wie auch der folgende Fall, Truschels Ansicht, daß sich das Ferngefühl des blinden Musikers F. W. einseitig entwickelt habe, weil ihm bis vor einigen Jahren auf dem linken Auge ein Schein geblieben sei.) S. Seite 291.

Nr. 2 (J. Sch.) hat, wie schon gesagt, Wasseraugen, welche das Licht nicht ertragen können, weshalb er sie möglichst schließt oder verbinden läßt.*) —

Bei ihm ergaben 30 Versuche in der Turnhalle folgende Durchschnittszahlen:

	Glasplatte	Filz
Vorn	(4 Versuche) 43 cm	(7 Versuche) 30 cm
Links	(4 „) 32 „	(5 „) 32 „
Rechts	(4 „) 40 „	(4 „) 43 „
Hinten	(2 „) 0 „	

Die Versuche „vor dem Gesicht" wurden, namentlich bei der zweiten Versuchsreihe (mit Filz), durch die Schmerzen beeinträchtigt, welche ihm die fest anliegenden, mit schwarzer Seide überzogenen Wattekissen in den Augen verursachten. Er hielt fortwährend beide Hände vor das Gesicht, bedeckte also einen Teil desselben, während die Ohren völlig frei blieben. — Wimpern und Augenbrauen waren aber festgehalten. Deshalb wirkt das Bedecken der Augen in allen Fällen störend.

Nr. 14 (A. C.). Das Sehvermögen als solches hat, wie obige Zahlen zeigen, das Ferngefühl nicht geschwächt. Es wäre aber offenbar noch größer gewesen, wenn Wimpern und Brauen mitgewirkt hätten.

Dasselbe sehen wir noch deutlicher bei A. C., der mit dem linken Auge die Filzplatte noch auf 150 cm wahrnimmt, die durchsichtige Glasplatte, sobald er sich auf das Gesicht verläßt, aber nur auf 15 cm. — Es ist dies derselbe junge Mann, welcher bei der Untersuchung des Getasts mit dem Aesthesiometer die kleinsten Raumschwellen

*) Seither ist ihm ein Auge herausgenommen worden.

zeigte, sich mithin als der „Feinfühligste" erwies. -- Unsere Vorversuche bei offenem Auge (35) ergaben für seitliche Wahrnehmungen (diejenigen vor dem Gesichte lasse ich weg, weil der Anteil des Sehvermögens nicht festzustellen ist):

	Glas	Filz
Links	(5 Versuche) 6 cm	(5 Versuche) 7 cm
Rechts	(5 „) 12 „	(5 „) 8 „
Hinten	(5 „) 0 „	(5 „) 0 „

(Sein Gehör ist sehr scharf, rechts und links 40.)

Diese Versuche hatten im Laufe des Nachmittags im Turnsaal über der Bürstenbinderei stattgefunden. An Tagesgeräuschen jeder Art fehlte es also nicht. Abends gegen 10 Uhr, als absolute Stille herrschte, wurden die Experimente wiederholt. Der Blinde bekam ein mit schwarzer Seide überzogenes Wattekissen auf das noch empfindliche linke Auge. —

Wir fanden

mit	Glas	Filz
Vorn	(4 Versuche) 43 cm	(7 Versuche) 45 cm
Links	(4 „) 46 „	(6 „) 42 „
Rechts	(4 „) 36 „	(6 „) 28 „
Hinten	(3 „) 0 „	(2 „) 0 „

Die linke Seite, auf welcher ihm etwas Augenlicht geblieben, ist also empfindlicher als die rechte. — Sein Sehrest schadet also seinem Ferngefühl wieder nicht!

Mehrmals hörte er auch die Reibung der Schnüre an der Stange und teilte es uns mit. Diese Versuche wurden nicht gezählt. Um solche Gehörswahrnehmungen unmöglich zu machen, wurden Schnüre und Stange mit Seife bestrichen. —

Nr. 13 (M. L.) (Truschels Versuchsperson Nr. 9) hat rechts schwachen Schein, kann aber auf 20 cm ein weißes Blatt auf dunklem Grunde nicht unterscheiden. Es verlohnt sich deshalb nicht, von diesem Sehrest zu sprechen. -

Die Versuche ergaben mit Filz:

Vorn	(4 Versuche) 44 cm
Links	(7 „) 29 „
Rechts	(7 „) 20 „

Später wurde aber auch ihm das Auge, welches noch eine Spur von Sehkraft aufweist, mit einem Wattekissen bedeckt.

Die Versuche ergaben bei völliger Stille um zehn Uhr abends:

	Glas	Filz
Vorn	(4 Versuche) 46 cm	(5 Versuche) 43 cm
Links	(7 „) 30 „	(4 „) 32 „
Rechts	(8 „) 24 „	(6 „) 24 „
Hinten	(2 „) 0 „	(1 „) 0 „

Sobald man spricht, erfolgen weniger Wahrnehmungen (nach der Schallwellentheorie sollte das Umgekehrte der Fall sein), wohl infolge verminderter Aufmerksamkeit. Rechts lokalisiert er etwas weniger gut als links. Daß eine so schwache Lichtempfindung, die für die Orientation wertlos ist, diesen Unterschied hervorrufe, glaube ich nicht. J. Sch. und A. C. berechtigen mich zu diesem Unglauben. Sein Gehör ist auf beiden Seiten normal.

M. L. sagt übrigens wie alle andern, daß starke Geräusche ihn stören. Wenn ein Zug bei dem Garten der Eltern vorbeibrause (der Vater ist Bahnwärter), so müsse er still stehen, weil er sonst überall anstoße. — Da sollte es an Reflexen doch nicht fehlen.

Nr. 15 K. St. Dieser bald 17jährige Blinde, der im Alter von 6 Jahren erblindet ist, wurde mit Filz geprüft.

14 Versuche ergaben:

Vorn	25 cm
Links	21 „
Rechts	13 „
Hinten	0 „

Sein Ferngefühl ist schwach, obwohl dasselbe Zeit genug gehabt hätte, sich zu entwickeln. - -

Nr. 8 (L. W.). Bei diesem von Geburt an stockblinden Mädchen zeigten 30 Versuche mit offenen Ohren:

	Glas	Filz
Vorn	(5 Versuche) 22 cm	(5 Versuche) 22 cm
Links	(5 „) 27 „	(5 „) 33 „
Rechts	(5 „) 26 „	(5 „) 26 „

Mit verstopften Ohren.

	Glas	Filz
Vorn	(5 Versuche) 30 cm	(5 Versuche) 30 cm
Links	(5 „) 23 „	(5 „) 14 „
Rechts	(5 „) 27 „	(5 „) 20 „

Ihr Ferngefühl ist dem Gehör nicht proportional; denn letzteres ist außergewöhnlich scharf. Merkwürdigerweise hat die Prüfung bei verstopften Ohren vorn ein günstigeres Resultat ergeben als die andere.

Bei dem äußerst feinfühligen Korbmacher A. C., von dem schon die Rede gewesen ist, war das Verhältnis wieder umgekehrt. - Bei 30 Versuchen mit verschlossenen Ohren lokalisierte er

Vorn	bei 10 Versuchen	nur auf	8 cm
Links	„ 10 „	„ „	6 „
Rechts	„ 10 „	„ „	4 „

Er merkte die Gegenstände zwar regelmäßig auf größere Entfernungen, erkannte aber deren Lage nicht. —

Bei ihm scheint also das äußere Ohr, d. h. nach unserer Auffassung der Gehörgang, eine bedeutende Rolle zu spielen. —

Übrigens entsprechen diese Zahlen ziemlich genau denen der ersten Versuchsreihe bei offenen Ohren.

Nr. 5 J. Schw. (17 Jahre). Im Alter von einem Jahre angeblich infolge Sturzes auf den Kopf erblindet.

15 Versuche ergaben:

Vorn	(5 Versuche)	18 cm
Links	(5 „)	16 „ (15)
Rechts	(5 „)	17 „

Nr. 26 (E. Z.) 7 Jahre alt. Vor $2^1/_2$ Jahren an Hirnhautentzündung erblindet.

Vorn	(5 Versuche)	8 cm
Links	(5 „)	7 „
Rechts	(5 „)	3 „

Nr. 31 (K. K.). (Truschels Versuchsperson 13). Bei K. K. wurden 59 Versuche gemacht und zwar mit Glas, Filz und Holz (Brettchen gleicher Größe).

Sie ergaben:

	Glas	Filz	Holz
Vorn	(6 Vers.) 14 cm	(7 Vers.) 22 cm	(6 Vers.) 36 cm
Links	(6 „) 19 „	(6 „) 19 „	(6 „) 20 „
Rechts	(6 „) 16 „	(6 „) 23 „	(6 „) 19 „
Hinten	(2 „) 0 „	(2 „) 0 „	

Auch hier haben die verschiedenen Stoffe keinen wesentlichen Unterschied in der Feinheit der Fernempfindung bewirkt. Das Glas steht als Reflektor an letzter Stelle. Die kleine Differenz zwischen Holz und Filz kann wohl auf Rechnung des Zufalls gesetzt werden. Sie gleicht sich übrigens beim folgenden wieder aus. (Hörweite nach Griesbach normal, 25 : 25.)

Nr. 21 (Ph. B.) zehnjährig und von Geburt an blind, zeigt bei 51 Versuchen folgendes Ferngefühl:

	Glas	Filz	Holz
Vorn	(5 Vers.) 46 cm	(6 Vers.) 41 cm	(6 Vers.) 33 cm
Links	(6 „) 42 „	(6 „) 36 „	(6 „) 36 „
Rechts	(4 „) 36 „	(6 „) 35 „	(6 „) 34 „

Hinten, wie immer, nichts. —

Nr. 20 (R. B.). Der intelligente Knabe R. B. (9 Jahre) ist vor etwa 3 Jahren durch Unfall (Schrotschuß) erblindet. Er erinnert sich durchaus nicht mehr, gesehen zu haben; auch weiß er nichts von dem Schusse und seinen unmittelbaren Folgen.

Er ist äußerst lebhaft und bewegt sich frei. Sein Orientierungsvermögen ist gut (er findet sich überall zurecht); sein Ferngefühl ist dagegen sehr schwach. — Dasselbe wurde nur mit der Glasplatte geprüft und ergab die minimalen Ziffern von

Vorn	(6 Versuche)	etwa 2 cm
Links	(6 „)	„ 7 „
Rechts	(5 „)	„ 4 „
Hinten		0 „

Auch hier decken sich Orientierungsvermögen und Ferngefühl keineswegs. —

Nr. 11 (L. F.), ein sehr intelligenter, achtjähriger Knabe, bewegt sich ungern allein, oder dann im engsten Kreise, und doch ist das Ferngefühl bei ihm viel bedeutender als bei R. B. (Nr. 20). Sein Musikgehör ist gering. Er wurde nur mit Glas geprüft.

Vorn	(5 Versuche)	42 cm
Links	(5 „)	27 „
Rechts	(5 „)	26 „
Hinten		0 „

Nr. 26 (Eg. Z.) jetzt siebenjährig, ist vor 2 Jahren an Gehirnentzündung erblindet. Er rennt beim Spiel wie wild durch das Anstaltsgebiet, wobei es ihm auf eine Beule mehr oder weniger allerdings nicht ankommt. Auf die der Kameraden scheint er zuweilen fast eifersüchtig zu sein. Sein Ferngefühl ist aber sehr schwach. — Auch lokalisiert er fast immer falsch, zeigt rechts, was links steht usw. Sein linkes Ohr scheint von der Krankheit etwas gelitten zu haben. — 15 Versuche wurden gemacht. Vor dem Gesicht erfolgten Wahrnehmungen auf etwa 15—20 cm, seitlich, rechts und links, nur auf 5 cm.

Nr. 19 (P. R.), ein zehnjähriger, sehr schwach begabter Knabe (Spitzkopf), orientiert sich im ganzen großen Anstaltsgebiete außerordentlich gut. Er spaziert überall herum, ohne je anzustoßen. Sein Ferngefühl ist gut.

Vorn	(5 Versuche)	30 cm
Links	(5 „)	28 „
Rechts	(6 „)	25 „
Hinten		0 „

Nr. 27 (M. K.), ein sehr intelligentes, zehnjähriges Mädchen, das zu Hause sehr verzärtelt worden war, ist ängstlich und orientiert sich wohl deshalb viel schlechter als R. B. und E. Z., deren Ferngefühle noch viel schwächer sind.

Vorn	(5 Versuche)	18 cm
Links	(5 „)	9 „
Rechts	(5 „)	10 „

Nr. 9 (E. J.). Ein äußerst intelligentes, sechzehnjähriges Mädchen, sieht rechts noch genug, um den Weg zu finden. Das linke Auge hat man ihr kürzlich herausnehmen müssen. — Ihr Temperaturgefühl ist, wie wir sehen werden, schwach. Druckgefühl seit der Operation einseitig.

Sie fühlte eine Holzplatte.

Vorn	auf	23 cm
Links	„	21 „
Rechts	„	14 „

Den Unterschied zwischen der rechten und der linken Seite schreibe ich nicht auf Rechnung des rechtsseitigen Sehrests (weil ein solcher in allen anderen Fällen ohne Einfluß geblieben ist), sondern auf eine durch das allmähliche Anschwellen des linken Auges erzeugte Hyperästhesie.

Nr. 4 (A. S.). Dieses sehr schwächliche, mit Skoliose behaftete, von frühester Jugend an blinde, jetzt zwölfjährige Mädchen zeigt schwaches Ferngefühl.

Vorn	(5 Versuche)	11 cm
Links	(5 „)	11 „
Rechts	(5 „)	12 „

Die drei Mädchen Nr. 30 (F. Z.), Nr. 29 (E. M), Nr. 24 (C. S.) zeigen bei je 15 Versuchen keine Spur von Ferngefühl.

Nr. 30 (F. Z.) kann sich mit Hilfe der Augen zurechtfinden. Nr. 29, zwölfjährig, ist von Geburt an blind. Für Temperaturunterschiede und Druck ist ihre Gesichtshaut, wie wir später sehen werden, nicht feinfühlig. Ein Ohr hat gelitten, das andere ist gut.

Nr. 24 (C. S.) ist vor einem Jahre durch einen Schrotschuß geblendet worden. Für Temperatur ist sie feinfühlig, weniger für Druck. Die linke Gesichtsseite, welche etwas stärker verletzt wurde als die rechte, ist hartfühliger. Das Gehör ist normal.

Eine sehr interessante Versuchsperson ist der im zweiten Lebensjahre völlig erblindete, jetzt 56jährige Musiklehrer E. L. (Nr. 17.)

Nr. 17 (E. L.). Er will weder Hut noch schwarze Schutzbrille, die er trägt, um seine eingefallenen Augen zu decken, ablegen. — Wie alle, dreht er immer das Gesicht nach dem Gegenstande, sobald er dessen Annäherung vermutet. Es kostet Mühe, ihn zur Ruhe zu bringen, weil er dann „nichts sehe“. —

Der Unterschied war aber doch nicht groß. Er glich offenbar den Ausfall durch größere Aufmerksamkeit wieder aus.

Bei beliebiger Drehung des Kopfes, aber mit Hut und Brille, ergaben sich folgende Mittel:

	Glas		Filz	
Vorn	(6 Versuche)	70 cm	(6 Versuche)	54 cm
Links	(7 „)	59 „	(6 „)	44 „
Rechts	(7 „)	47 „	(6 „)	36 „
Hinten	(0 „)	0 „	(0 „)	0 „

Bei ruhiger Kopfhaltung:

Vorn	(6 Versuche)	73 cm	(7 Versuche)	62 cm
Links	(6 „)	57 „	(7 „)	46 „
Rechts	(6 „)	56 „	(7 „)	37 „
Hinten	(0 „)	0 „	(0 „)	0 „

Zum erstenmal tritt hier ein kleiner Unterschied zwischen Filz und Glas zutage. Derselbe dürfte aber auf die etwas größere Oberfläche der Glasscheibe (11 qdcm gegen 9 qdcm), vielleicht auch auf Ermüdung während der Versuche, zurückzuführen sein. Es wurde zuerst mit Glas geprüft. —

Bei **fest verschlossenen** Ohren (mit den Fingern) betrug die Fernempfindung vor dem Gesicht noch 70 cm. Seitlich sanken die Distanzen auf 25 und 30, wenn die Ohren mit den Fingern fest verschlossen wurden, hörten aber nicht auf.

Der Blinde schrieb dies aber nicht dem Mangel an Gehörswahrnehmungen zu, sondern meinte, man werde durch diesen Druck auf die Ohren ganz „dumm im Kopfe“. Auch war ja ein Teil der Gesichtshaut und der Gehörgang mit Trommelfell durch die Hände bedeckt, also auch für Luft unzugänglich. — Auf die Frage, ob nicht vielleicht doch das Ohr in Betracht komme, (bei ihm als Musik- und Stimmlehrer war diese Frage doppelt angebracht) antwortete er: **„Ich höre doch auch von hinten, aber ich merke nichts!“**

Er fühlte sich im Turnsaal durch die Wände beengt und meinte, daß er im Freien alles auf viel größere Entfernung wahrnehmen würde, besonders beim Gehen. Immer wieder bezeichnet er die Augengegend als Sitz des Ferngefühls. —

Einige Tage später wurden ihm beide Ohren mit nasser Watte verschlossen. (Früher hatte er sie mit den Zeigefingern verstopft.) — Die Wattepfropfen erzeugten natürlich Ohrenrauschen, wohl weil die Luft vor dem Trommelfell verdichtet wird. Auch wirkte, bei ihm besonders, das Kältegefühl störend. Man ließ ihn allein gehen, bis er sich an die Watte „gewöhnt“ hatte, d. h. bis der Ausgleich des Luftdrucks und der Temperatur erfolgt war.

Um die Mitte des Saales zu räumen, hatte man 3 Recksäulen zu den Leitern und Leiterträgern an

41

das hintere Ende des Saales gerückt. E. L. schlängelte sich mit verstopften Ohren zwischen allen diesen Hindernissen durch, ohne auch nur ein einziges Mal anzustoßen und ohne mit den Händen zu tasten. -- Dann wurden die Versuche mit den Platten wiederholt (also sitzend und mit verstopften Ohren).

30 Versuche vorn, rechts und links ergaben mit

	Glas		Filz
Vorn	(5 Versuche) 42 cm		(5 Versuche) 36 cm
Links	(5 „) 35 „		(5 „) 30 „
Rechts	(5 „) 31 „		(5 „) 22 „

Hinten, wie immer, o.

Das Ferngefühl hört also auch in diesem Falle bei **verstopften** Ohren, wie bei den früher besprochenen Gehversuchen im Garten **nicht** auf, wenn es auch aus Gründen, die schon angedeutet worden sind (Verminderung der Angriffsfläche um den äußerst empfindlichen Gehörgang mit Trommelfell) abgeschwächt erscheint. Der absolut schalldichte Verschluß mit den Fingern hatte bei den ersten Versuchen mit E. L. vorn keinen Unterschied bewirkt (70, und 70). —

Wir haben diese Versuche mit E. L. Nr. 17 später nochmals wiederholt.

Zuerst wurden ihm nur die Augen mit einem weichen, mehrfach zusammengelegten Tuche verbunden. 17 Versuche ergaben:

Vorn	(7 Versuche)	62 cm
Links	(5 „)	53 „
Rechts	(5 „)	50 „

Dann wurden Stirn, Augen und Ohren auf gleiche Weise verbunden. Darauf bemerkte er: „So ist es schön warm, so wird es noch besser gehen."

Tatsächlich fanden wir:

Vorn	(2 Versuche)	76 cm
Links	(2 „)	58 „
Rechts	(2 „)	67 „

Er sagte dann: „So ist es schön ‚hell'; es muß doch von den Augen herkommen. Versuchen Sie es doch mit doppeltem Verband!"

Man holte ein zweites Tuch und wickelte es ihm auch wieder um Stirn und Ohren. Fünf weitere Versuche zeigten aber, daß auch so keine wesentliche Veränderung eintrat. -- Er verlangte dann ein schwarzes Tuch, weil es immer noch „hell" sei. Es muß hier bemerkt werden, daß er überhaupt nur bis zum zweiten Jahre gesehen hat, und daß seine Augäpfel ganz verkümmert sind. Und doch weist dieser stockblinde Musiker immer und immer wieder auf die Augen hin. —

Mit diesem schwarzen Tuche wurden ihm Augen und Stirn verbunden; die Ohren blieben frei. Das Resultat entsprach wieder der ersten Reihe (mit weißem Tuch verbundenen Augen).

Die Farbe des Tuches war somit belanglos.

Vorn	(5 Versuche)	64 cm
Links	(5 „)	50 „
Rechts	(5 „)	47 „

Des Rätsels Schlüssel bieten auch diese Ergebnisse nicht. Bedeckung der Ohren schädigte die Empfindlichkeit so wenig als die doppelte Bedeckung des Gesichts. Uns scheint, daß das Wärmegefühl einfach die Hautsensibilität erhöht und so den Ausfall gedeckt habe. Spätere Versuche bei erhöhter Lufttemperatur haben dies bestätigt. — Übrigens kann Luftdruck durch ein Tuch nicht aufgehoben werden. —

Da das Tuch über die Nase ging, blieb auch auf beiden Seiten derselben ein Zugang zu der Augengegend für die aufsteigende Luft offen. —

In dieser Vermutung wurden wir durch Versuche mit einer älteren Blinden Nr. 22 A. St., die nie gesehen hat, bestärkt. —

15 Versuche mit unverbundenen Augen (sie hat keine Augäpfel mehr) ergaben:

Vorn	(5 Versuche)	54 cm
Links	(5 „)	36 „
Rechts	(5 „)	32 „

So oft sie etwas zu spüren glaubte, drehte sie das Gesicht nach der betreffenden Richtung und hustete leicht. Plötzlich sagte sie dann: „Da ist es!" auf die Frage, warum sie huste, antwortete sie: „Ich spüre so Wärme im Gesicht, wenn etwas in der Nähe ist."

Für sie kommt somit Reflex der ausgehauchten (ausgehusteten) Luft in Betracht. Sie schreibt also das Ferngefühl thermischen Hautreizen zu. —

Die sehende Lehrerin Frl. Ramseier unterzog sich dann derselben Probe bei fest verschlossenen Augen.

Sie schrak plötzlich zurück, als man ihr die Glasplatte auf 12—15 cm näherte, weil sie den eigenen Atem im Gesicht (um die Augen) spürte. —

Ob derselbe Reizfaktor auch auf größere Entfernung (60—80 cm) noch in Betracht kommt, bleibt fraglich. —

Diese Beobachtung hat uns aber später veranlaßt, auch das Temperaturgefühl Blinder und Sehender einer vergleichenden Prüfung zu unterziehen.

Auch ist später eine Nachprüfung des Ferngefühls bei wärmerer Witterung vorgenommen worden. — (S. S. 324.)

Sehr interessant und zum Teil rätselhaft waren die Versuche mit der taubblinden Magdal. Wenner (Nr. 18). Sie besitzt rechts noch einen Rest von Sehvermögen, ist aber seit dem 4. Jahre stocktaub. Ein Trommelfell ist bis auf einen kleinen, verdickten Ansatz verschwunden; das andere zeigt eine große Quernarbe und ist verknorpelt, für Schallwahrnehmungen also unbrauchbar. — Bei den ersten 15 Versuchen zeigte sie sich ängstlich, wohl weil man ihr das rechte Auge noch mit einem Wattekissen bedeckte.

Diese Versuche ergaben denn auch ein sehr geringes Ferngefühl von

Vorn	(5 Versuche)	7 cm
Links	(5 „)	7 „
Rechts	(5 „)	7 „

Wir verstopften ihr dann auch noch die Ohren mit nasser Watte, nicht um das Gehör auszuschalten, sondern um den Zutritt der Luft zum Gehörgang zu verhindern.

Nun ergaben weitere 15 Versuche

Vorn	11 cm
Links	12 „
Rechts	10 „

Wir konnten uns dieses bessere Resultat mit verstopften Ohren auch nach unserer Auffassung nur aus der anfänglichen Befangenheit erklären.

Die Versuche wurden deshalb 2 Tage später bei offenen Ohren wiederholt.

Die erste Versuchsreihe gab wieder geringe Resultate:

Vorn	14 cm
Links	7 „
Rechts	9 „

Die folgende, also 4. Reihe, (offene Ohren), entspricht wieder fast genau den bei verstopften Ohren gefundenen Zahlen.

Vorn	(5 Versuche)	16 cm
Links	(5 „)	11 „
Rechts	(5 „)	13 „

Der rechtsseitige Sehrest hat also das Ferngefühl wieder nicht beeinflußt; er könnte es höchstens gestärkt haben. Mehrmals wurde beobachtet daß sie die Gegenstände erst bemerkte, wenn man dieselben etwas rasch wieder vom Kopfe entfernte. Dies war auch bei andern der Fall. Die plötzliche Luftverdünnung scheint sich fühlbar gemacht zu haben. Mit Schallwellen hat dies jedenfalls nichts zu tun!

Die auffällige Übereinstimmung der zweiten und vierten Versuchsreihe (mit verstopften und mit offenen Ohren) könnte die Vermutung nahelegen, daß ihre Ohren auch für taktile Reize unempfindlich seien. Bei den ästhesiometrischen Messungen zeigte sie vor Jahren an den Händen die längsten Schwellen, also die größte Hartfühligkeit, während sich diejenigen auf Stirn und Jochbein dem Durchschnitt näherten. Die Prüfung ihres Drucksinns wird ergeben, daß derselbe sich an den Händen als sehr gering, im Gesicht, an den Ohren und im Nacken aber als fein erweist. Dagegen ist ihr Geruchssinn auf $^{7}/_{30}$ der normalen Riechschärfe herabgemindert. (S. Griesbachs Tabellen.) —

Wenn man sie durch das Wattekissen des geringen Sehrests beraubt, bleibt ihr tatsächlich nur die Haut als Eingangstor für Eindrücke der Außenwelt, und ein wichtiger Teil derselben ist noch durch das Wattekissen bedeckt. — Reflektierte Schallwellen können bei ihr, so wenig als bei Laura Bridgemann, Helen Keller, Malossi und andern die Erreger des zwar geringen, aber immerhin vorhandenen Ferngefühls sein.

Wir haben übrigens, wie schon gezeigt worden ist, Blinde mit scharfem Gehör, die keine Spur von Ferngefühl zeigen. [Nr. 23 (E. Sch.), Nr. 20 (R. B), Nr. 26 (E. Z.), Nr. 3 (E. L.), Nr. 29 (E. M.), Nr. 24 (C. S.) u. a.].

Magd. Wenner hat infolge von Scharlach, also durch eine Hautkrankheit Gesicht und Gehör verloren. In solchen Fällen scheint immer Ferngefühl vorhanden zu sein.

Nr. 32. S. Sch. ist an Masererkältung (wieder Hautkrankheit) erblindet und wohl deshalb fein- und fernfühlig. — 34 Versuche in 2 Reihen haben folgende Mittel ergeben:

Vorn	(10 Versuche)	59 cm
Links	(10 „)	50 „
Rechts	(10 „)	51 „
Hinten	(4 „)	0 „

Da sie nur zu Besuch hier ist, hat sie an den früher gemachten Gehversuchen nicht teilgenommen. —

Ergebnisse der Versuche bei ruhiger Körperhaltung.

1. Das eigentliche Ferngefühl ist von der Hörschärfe, ja vom Gehör selbst, **unabhängig**. — Schwerhörige und Taubblinde besitzen es; Feinhörige besitzen es **nicht**. — Da, wo es vorhanden ist, verschwindet es auch bei verstopften Ohren nicht.

2. Gegenstände, die sich hinter und über dem Kopfe befinden, werden im Zustand der Ruhe

niemals wahrgenommen. Töne, also Schallwellen, gelangen aber auch von oben und hinten ins Ohr.

3. Filz wird „gefühlt" wie Glas, Holz oder Pappe; als Schallwellenreflektoren könnten diese Stoffe aber **unmöglich** gleich wirksam sein.

Diese Ergebnisse **widersprechen** also den **Gesetzen der Akustik, folglich auch der Schallwellentheorie.**

Prüfung des Ferngefühls bei höherer Temperatur.

Während der bisherigen Versuche in den kalten Märztagen herrschte im Turnsaale eine Temperatur von 7–10°. — Nun ist ja bekannt, daß wir bei Kälte die Empfindung in den Händen und wohl auch im Gesicht beinahe verlieren. Ein heizbarer leerer Raum stand uns aber nicht zur Verfügung. Ich habe schon anläßlich der Gehversuche im Garten mit Nr. 1 und 2 auf den ungünstigen Einfluß der Kälte hingewiesen (S. 311). Leider haben wir nicht auch unter denselben Temperaturverhältnissen eine Prüfung des Drucksinns vorgenommen. — Ich dachte damals noch nicht daran. — Um den Einfluß der Wärme auf die Empfindlichkeit der unbedeckten Kopfhaut zu ermitteln, haben wir die oben beschriebenen Versuche mit Platten in der Turnhalle Ende Mai bei einer Temperatur von 22–23° mit 14 Personen wiederholt, welche auf den Druckversuchstabellen (S. 330–32) figurieren. Es wurden, wie bisher, vorn, rechts und links je 5, mit jeder Person also 15 Versuche vorgenommen. Die Einzelergebnisse teile ich nicht mehr mit, sondern beschränke mich darauf, die Durchschnittszahlen den im März bei 7–10° Wärme gefundenen gegenüber zu stellen.

Die Versuchsreihen bei warmer Witterung zeigten eine bedeutende Zunahme der Empfindlichkeit, also des **Ferngefühls,** besonders bei Personen, welche immer frösteln und nie genug Wärme bekommen. Auf Schallwellen läßt sich dieser Unterschied **wieder nicht** zurückführen; denn wir hören bekanntlich im Winter bei großer Kälte nicht schlechter als im Sommer; vielleicht dringt dann der Schall sogar noch weiter.

Ergebnisse.

(Reihenfolge der Druckversuchstabellen (S. 330–32).

Nr. 17	(E. L.)	Bei 7–10°	Wärme	59 cm	Bei	23°	91 cm
„ 1	(H. W.)	„ 7–10°	„	39 „	„	23°	57 „
„ 2	(J. Sch.)	„ 7–10°	„	34 „	„	23°	48 „
„ 20	(R. B.)	„ 7–10°	„	4 „	„	23°	4 „
Nr. 21	(Ph. B.)	Bei 7–10°	Wärme	38 cm.	Bei	23°	54 cm
„ 11	(L. F.)	„ 7–10°	„	32 „	„	23°	34 „
„ 29	(E. M.)	„ 7–10°	„	0 „	„	23°	0 „
„ 14	(A. C.)	„ 7–10°	„	40 „	„	23°	38 „
„ 3	(E. L.)	„ 7–10°	„	0 „	„	23°	7 „
„ 41	(A. St.)	„ 7–10°	„	41 „	„	23°	61 „
„ 8	(M. W.)	„ 7–10°	„	27 „	„	23°	53 „
„ 29	(E. J.)	„ 7–20°	„	19 „	„	23°	34 „
„ 24	(C. S.)	„ 7–10°	„	0 „	„	23°	5 „
„ 27	(M. K.)	„ 7–10°	„	12 „	„	23°	29 „
				345			515

Dies bedeutet eine mittlere Zunahme von 49,2 %.

Daran mag ein Teil auf Rechnung größerer Aufmerksamkeit geschrieben werden. Die Blinden beobachten sich jetzt offenbar genauer als anfänglich.

Nachträgliche Versuche an früheren Zöglingen.

Als vorstehende Arbeit schon gesetzt war, führte das Anstaltsjubiläum, Mitte Juli, eine Anzahl früherer Zöglinge hierher, von denen zwei ganz besonders interessant sind, weil sie zu den wichtigsten Versuchspersonen Truschels gehörten.

A. G. Nr. 33 (Truschels Versuchsperson Nr. 7) hat s. Z., wie es scheint, etwas widerwillig an die Schallwellenhypothese „geglaubt", weil auch er, wie natürlich, die Orientation von dem eigentlichen Ferngefühl nicht zu trennen vermochte. Er ist aber durch Selbstbeobachtung daran irre geworden, weil er, wenn er sich einem Gegenstande nähere, einen „plötzlichen **Druck im Gesicht**" empfinde und zwar immer an der Stelle der Kopfhaut, vor welcher sich der Gegenstand befinde, — bald vorn, bald rechts, bald links, bald seitlich hinten. — Wenn er auch nur die Hand vor einen Teil des Gesichtes bringe (er tat es in meiner Gegenwart), so empfinde er den **„Druck"** an der betreffenden Stelle. — Ferner will er die Beobachtung gemacht haben, daß starker **Sonnenbrand** auf die Gesichtshaut das Ferngefühl beinahe aufhebe. Er werde dadurch „wie geblendet". — Da er bei Sonnenschein genau so gut höre wie im Schatten, so könne nur die **Haut** Organ des Ferngefühls sein.

Sein Gehör ist gut; nach Griesbachs Tabellen links 30, rechts 40 Meter Hörweite für Flüstertöne. — Riechschärfe 0,7. Sein Ferngefühl ist stark.

15 Versuche bei einer Temperatur von 25° C. ergaben:

Vorn	(5 Versuche)	57 cm	
Links	(5 „)	51 „	Mittel 53
Rechts	(5 „)	52 „	
Hinten	3	0	

Die Druckempfindlichkeit (s. Drucktabelle 6, S. 332) entspricht wieder diesem Ferngefühl. — Sie ist fein. Fast überall wurde das feinste Iltishärchen Nr. I gespürt.

Nr. 34 (F. W.) ist der hervorragende Musiker, von dem S. 291 schon die Rede war (Truschels Versuchsperson Nr. 10). Er ist seit fünf Jahren einer der allerbesten Schüler des Straßburger Konservatoriums. Truschel behauptet von ihm, daß sein Ferngefühl sich eines linksseitigen schwachen „Scheins" wegen einseitig entwickelt habe.

Soweit die **Orientation** in Betracht kommt, mag dies zutreffen. Über die Ursachen dieser Erscheinung habe ich mich auf S. 291 schon ausgesprochen. Bezüglich des eigentlichen Ferngefühls haben wir diese Einseitigkeit nicht feststellen können. — Sein schwaches Ferngefühl entspricht seinem ausgezeichneten Gehör keineswegs; — wohl aber läßt es sich aus der Druckempfindlichkeit erklären (Drucktabelle 6).

Bei 25° Wärme betrug sein Ferngefühl bei ruhiger Körperhaltung.

I. Reihe bei 25° C.:

Vorn	(5 Versuche)	30 cm
Links	(5 „)	26 „
Rechts	(5 „)	29 „
Hinten		0

II. Reihe bei 22—23° C.:

Vorn	(5 Versuche)	22 cm
Links	(5 „)	17 „
Rechts	(5 „)	17 „
Hinten		0

Er erklärte sich diesen Unterschied aus Schlaflosigkeit während der vorausgegangenen Nacht. Auch die Temperaturdifferenz dürfte mitgespielt haben.

Vorn nahm er die Platten in der Regel auf größere Entfernungen wahr, lokalisierte sie aber unsicher oder falsch.

Diese Unsicherheit schreibe ich der Einseitigkeit des Druckgefühls auf Stirn und Wangen zu. — Während er auf der linken Stirnseite und auf dem linken Jochbein das Tasthärchen Nr. I spürte, war für die rechte Seite Nr. IV erforderlich! (Die völlig blinde Seite war also unempfindlicher als die andere.) — So erkläre ich mir die unsichere oder falsche Lokalisation vor dem Gesicht und das gelegentliche Anstoßen bei sehr vorsichtiger Bewegung. Es erinnert mich dies an das Sehen durch eine Brille mit ungleichen Gläsern. — Die Ohrmuscheln zeigen aber auf beiden Seiten dieselbe Druckempfindlichkeit und die Tragweite des Ferngefühls ist, wie obige Tabellen I und II zeigen, auf beiden Seiten gleich.

Am besten lokalisierte er die Platten, wenn man sie seinem Kopfe nicht rein seitlich, sondern etwas schräg so näherte, daß sie auch auf die sehr empfindlichen Rückseiten der abstehenden Ohrmuscheln und die Nackenseiten wirken konnten. So erklären sich auch seine seitlichen Wahrnehmungen von hinten beim Gehen.

Nr. 35 (H. J.) ist der junge Musiker (z. Z. auch guter Schüler des Straßburger Konservatoriums) welcher die Bedeckung der Fußböden usw. durch Knallen mit den Fingern zu erkennen sucht (S. 293). Er verläßt sich also bei der **Orientation** auf das eigentliche Gehör und sein gutes Ferngefühl.

In bezug auf letzteres ergaben 30 Versuche bei 25° C.:

Vorn	(10 Versuche)	57 cm
Links	(10 „)	35 „
Rechts	(10 „)	49 „
Hinten		0

Sein feines Druckgefühl (Drucktabelle 6) entspricht diesem Ergebnisse.

Ferngefühl Sehender.

Man wird diesen Titel drollig finden; denn es herrscht allgemein die Ansicht, daß nur Blinde Ferngefühl (den „sechsten Sinn") besitzen, weil nur sie dasselbe bei der Orientation verwerten. Truschel glaubt sogar, allen denen, welche noch Tag und Nacht unterscheiden — und solchen, die noch an einem Auge schwachen „Lichtschein haben", für die betreffende Seite — das Ferngefühl ganz oder größtenteils absprechen zu dürfen. — Auch ich bin der Ansicht, daß bedeutendes Ferngefühl, das ich wesentlich als Folge gewisser Erblindungs**ursachen** betrachte, bei Sehenden nur ausnahmsweise vorkommen könne. Dagegen ist im Grunde nicht einzusehen, warum nicht auch bei Vollsinnigen ein schwächerer Grad von Hyperästhesie vorkommen sollte, der noch Ferngefühl auf geringere Distanz ermöglichte.

So sind meine Kollegen R. Ramseier und J. Lay, die mir bei den Versuchen geholfen haben, auf den Gedanken gekommen, daß sie am Ende eines anstrengenden Schuljahres, sowie infolge der Festvorbereitungen und der vielen Experimente mit andern — nervös und aufmerksam genug sein müßten, um die Glas- oder Filzplatten auf geringe Entfernung auch zu spüren. — Tatsächlich zeigten beide Ferngefühl, wenn sie die Platten auch nicht immer richtig lokalisierten.

Die Prüfung ergab bei je 15 Versuchen bei 22° Wärme:

R. R.	Vorn	(5 Versuche)	20 cm	
	Links	(5 „)	22 „	Mittel 19
	Rechts	(5 „)	15 „	
	Hinten		0	
J. L.	Vorn	(5 Versuche)	22 cm	
	Links	(5 „)	22 „	
	Rechts	(5 „)	27 „	Mittel 24
	Rechts seitlich hinten		25 „	
	Links „ „		17 „	

(Ihre Druckempfindlichkeit entspricht diesem Ergebnisse. Sie fühlten an allen wesentlich in Betracht kommenden Hautstellen das Tasthärchen Nr. I.

Diese beiden Sehenden zeigen also zur Zeit immerhin größeres Ferngefühl als eine Reihe von **Stockblinden**, denen es ganz fehlt.

Dadurch wird aufs neue bewiesen, daß ein Sehrest das Ferngefühl nicht beeinflußt, daß von einem „sechsten Sinn der Blinden" und von einem Sinnenvikariate, d. h. dem Eintreten eines „neuen" Sinns für einen verlorenen, oder von der Stärkung der anderen Sinne durch den Verlust des Gesichts, **nicht die Rede sein kann.**

Temperaturgefühl.

Bis jetzt ist das Temperaturgefühl der Blinden meines Wissens nicht genau untersucht worden. Um festzustellen, ob fein- oder fernfühlige Blinde für **Temperaturdifferenzen** besonders empfindlich seien, habe ich folgende Versuche angestellt.

In einem ungeheizten Raume (Modellierraum) wurden zwei gleich große Holzkübel aufgestellt. Über die Handhaben wurden schmale Leisten genagelt. Beide Kübel wurden bis 12 cm unterhalb der Leisten mit Wasser von 39° Wärme gefüllt. Dann veranlaßte ich 12 Personen, 10 Blinde und 2 Sehende, beide Hände in das Wasser zu stecken und sich so über die Kübel zu beugen, daß der obere Stirnrand auf den Leisten ruhte. — Sie blieben so $^1/_4$ Minute über den Kübel gebeugt. — Ich forderte sie dann auf, mir zu sagen, welches Wasser wärmer sei. Bei den 4 ersten Versuchspersonen (3 Blinden und 1 Sehenden) teilten sich die Ansichten. Zwei sprachen sich für Nr. I, zwei für Nr. II aus. — Die 8 folgenden Personen (7 Blinde und 1 Sehende) bezeichneten ausnahmslos Nr. I als wärmer. Tatsächlich hatte sich das Wasser in Nr. II auf 36, in Nr. I aber nur auf $36^1/_2$° abgekühlt. Diese Differenz von einem halben Grad wurde von allen deutlich empfunden. — Einzelne verließen sich ausschließlich auf das Gesicht, andere auf Gesicht und Hände. — Irgendwelche Überlegenheit der Blinden war nicht festzustellen. — Auch zeigte sich bei diesen ersten Versuchen kein Unterschied zwischen fein- und hartfühligen Blinden, d. h. zwischen solchen mit gutem, mit schwachem oder ohne Ferngefühl. — Wahrscheinlich war der Temperaturunterschied von 0,5° zu groß, d. h. so groß, daß alle ihn wahrnehmen konnten. Die Versuche wurden deshalb bei kleineren Temperaturdifferenzen (2—3 Zehntelgrad) wiederholt.

Das Wasser des ersten Kübels (I) hatte anfänglich eine Temperatur von 46°, das des zweiten (II) eine solche von 46,3°; — nach und nach kühlte es sich bei I auf 36,4° und bei II auf 36,6° ab. — Die Temperatur ist im Laufe der Versuche 13 mal gemessen worden, um nötigenfalls dafür sorgen zu können, daß die Wärmedifferenz konstant blieb. — Das Wasser kühlte sich natürlich fortwährend ab. — Bei dieser dritten Versuchsreihe wurde wieder, wie bei der ersten, der obere Stirnrand auf die 12 cm über dem Wasserniveau angebrachten Querleisten gelegt. Die Hände blieben aber außerhalb des Wassers. —

Zuerst vermochte ein Sehender (J. L.) den Unterschied zwischen 46° und 46,3° nicht zu erkennen.

Die Temperatur war unterdessen bei I auf 45,3°, bei II auf 45,6° gesunken.

Bei der ersten Versuchsreihe mit Blinden bezeichneten 7 männliche Versuchspersonen II, 4 andere I als wärmer und 2 fanden keinen Unterschied. —

Bei der zweiten Versuchsreihe (Anfangstemperatur I 41,7°, II 42°) mit denselben Personen bezeichneten wieder 7 Nr. II als wärmer; 5 sprachen sich für I aus und 2 waren wieder unsicher. — Nie geirrt haben sich bei den letzten beiden Versuchsreihen Nr. 13 (M. L.), Nr. 23 (E. Sch.), Nr. 14 (A. C.), Nr. 11 (L. F.) und Nr. 21 (Ph. B.). — Einmal geirrt haben sich Nr. 25 (E. B.), Nr. 5 (J. Schw.), Nr. 2 (J. Sch.), Nr. 20 (R. B.), Nr. 2 (H. W.). Immer unsicher war Nr. 19

(P. R.) und **immer geirrt** hat sich Nr. 26 (E. Z.). Er zeigt kein Ferngefühl. —

Unter den 5 Blinden, die sich nie geirrt haben, besitzen 4, nämlich 13, 14, 11 und 21, gutes Ferngefühl. Nr. 23 hingegen besitzt es nicht (trotz guten Orientierungsvermögens). — Bei Nr. 1 und Nr. 2 kann ich den Irrtum nur dem Mangel an Aufmerksamkeit zuschreiben. Nr. 19 ist schwach begabt; immerhin machte er keine falsche Angabe. Nr. 26 (E. Z.) ist überhaupt hartfühlig, wenn auch sehr intelligent (Gehirnentzündung). Als die Mädchen an die Reihe kamen, hatte sich das Wasser auf 38,9° und 39,2° abgekühlt. — Es wurden wieder an jedem Kübel je 2 Versuche gemacht. Von 12 Mädchen haben sich 7 nie geirrt, Nr. 4 (A. S.), Nr. 24 (C. S.), Nr. 27 (M. K.), Nr. 28 (F. F.), Nr. 8 (L. W.), Nr. 22 (A. St.) und Nr. 18 (M. W.); einmal geirrt haben sich 3, nämlich Nr. 30 (F. Z.), Nr. 3 (E. L.) und Nr. 10 (E. Schn.); doppelt geirrt hat sich Nr. 9 (E. J.). (Von 6 Sehenden, die zum Vergleiche auch geprüft wurden, haben sich nicht geirrt 2, einmal geirrt 3 und doppelt geirrt 1.) —

Die Taubblinde M. W. (Nr. 18), welche außer Gesicht und Gehör auch den Geruchssinn fast vollständig verloren hat und sich bei den ästhesiometrischen Messungen so hartfühlig zeigte, bemerkte sofort mit der größten Sicherheit eine Temperaturdifferenz von 0,2°. — Das Temperaturgefühl scheint also von den Druckempfindungskreisen ganz unabhängig zu sein. — Die Feinfühligkeit der Taubblinden M. W. für Temperaturdifferenzen könnte die Vermutung nahe legen, daß ihr Ferngefühl **darauf** beruhe. Allein C. S. (Nr. 24), die bei den Versuchen im Feld kein Hindernis spürte, hat sich auch nicht geirrt, während E. J. (Nr. 9), welche regelmäßig das kältere Wasser als wärmer bezeichnete, mittelmäßiges Ferngefühl zeigte. Bei den übrigen, die sich in der Temperatur nicht irrten, ist teils mäßiges, teils gutes Ferngefühl vorhanden. — **Auf thermische Einflüsse allein läßt sich letzteres also auch nicht zurückführen, obgleich solche — bei diesem mehr, bei einem andern weniger — mitzuwirken scheinen.**

Extensives Empfindungsvermögen oder „Ortssinn" (Raumschwellen).

Es ist gezeigt worden, daß das Ferngefühl der Hörschärfe **nicht** proportional, sondern von derselben ganz unabhängig ist; ferner haben wir gesehen, daß es sich aus Temperaturempfindungen allein auch nicht genügend erklären läßt. — Nun lag aber die Vermutung nahe, daß es mit dem extensiven Empfindungsvermögen, dem Ortssinn, in näherer Beziehung stehen und den „Raumschwellen"*) **umgekehrt proportional** sein könnte. — Mehrere von unseren Versuchspersonen sind, wie schon gesagt, vor Jahren durch Prof. Dr. Griesbach mit seinem Ästhesiometer (Federnder Tasterzirkel) geprüft worden. — Die meisten von ihnen waren aber damals noch nicht hier, oder sie waren an den Prüfungstagen abwesend. Ich habe deshalb Griesbach gebeten, seine Versuche zu ergänzen.

Zur Prüfung habe ich die „Feinfühligsten" und Hartfühligsten ausgewählt. Es wurde diesmal der Augengegend besondere Aufmerksamkeit geschenkt, d. h. die Prüfung auf die **Augenlider**

*) Über die Konstanz der Schwelle im anatomischen und ihre Variabilität im physiologischen Sinne ist Näheres in Griesbachs Arbeiten nachzulesen; eine populäre Darstellung findet sich in „Woche" 1906 No. 33. —

Die Messungen ergaben folgende Schwellenlängen:

Versuchspersonen		Stirn	Äußerer Augenwinkel des Jochbeins	Ob. Augenlid	Daumenballen	Lesefingerspitze	Ringfingerspitze	Bemerkungen
Nr. 17	Ed. L. . .	10,2	7,5	2,5	—	3	1,9	Feinstes Ferngefühl.
	M. K. . .	5,2		3,5		—		Sehend.
	S. L. . .	5	—	2,4	—	—	—	Sehend.
Nr. 20	R. B. . .	7	5,5	3,5	6	2,5	1,3	Keine Spur von Ferngefühl. (Durch Schrotschuß erblindet.)
Nr. 1	H. W. . .	5,5	4	2,2	5	2,4	1,6	Blind vom 2. Jahre an. Feines Ferngefühl.
Nr. 3	El. L. . .	7,8	6	5	—	2,3	1,6	Blind von Geburt an. Sehr schwaches Ferngefühl.
Nr. 21	Ph. B. . .	7	6	*	5	1,7	1,7	Blind von Geburt an. Gutes Ferngefühl.
Nr. 24	C. S. . .	8,8	5,4	3	—	2	0,4	Kein Ferngefühl. Durch Schrotschuß erblindet.

*) Die Schwelle der Augenlider konnte wegen Zuckungen nicht ermittelt werden.

und den äußeren Augenwinkel des Jochbeins ausgedehnt. — Zuerst kam der blinde Musiklehrer E. L. (Nr. 17) an die Reihe, der das feinste Ferngefühl zeigt. Zum Vergleich unterzog ich mich (M. K.) derselben Prüfung (Stirn und Augenlid). Auch eine sehende junge Dame, S. L., ließ sich dazu herbei. —

Die Tabelle zeigt bei den Sehenden, mindestens auf der Stirn (wie bei früheren Messungen), kleinere Schwellen, also feineres extensives Empfindungsvermögen, als bei den Blinden. — Auch die Abstumpfung des Getasts durch das Lesen tritt hier am Lesefinger wieder deutlich zutage. Prüfung des Druck-„Sinnes", von der noch die Rede sein wird, zeigt dies ebenso deutlich. Besonders interessant sind die Schwellen der Augenlider. Die mit feinem Ferngefühl Begabten 1 und 17 zeigen solche von nur 2,2 und 2,5; auf der Stirn dagegen sind die Schwellen bei Nr. 1 normal, bei Nr. 17, der das feinste Ferngefühl zeigt, aber enorm groß (10,2). - -

Das Ferngefühl läßt sich also aus dem Durchschnitt der Schwellenlängen der Stirn nicht erklären. Dagegen können uns vielleicht die bei Nr. 1 und 17 so kleinen Schwellen der Augenlider, verbunden mit der immer wiederkehrenden Behauptung der Blinden, daß sie alles im Gesicht spüren, als Wegweiser dienen.

Fraglich bleibt noch, ob die Schwellenlängen, also die Maße für das extensive Empfindungsvermögen, den Ortssinn, auch dem intensiven Empfinden, dem Drucksinn, entsprechen. —

Druckempfindung.

Als die Versuchsperson 17 (E. L.) unter der leisesten Berührung der Stirn mit den Spitzen des Ästhesiometers förmlich zusammenzuckte, erwartete ich, daß die Schwellen außerordentlich klein sein müßten. Das Gegenteil war der Fall. — Bei den folgenden Versuchspersonen war nichts Auffälliges zu bemerken. Die Sensibilität von E. L. (Nr. 17) für Druckempfindung scheint mir aber doch zu beweisen, daß letztere von den Empfindungskreisen, d. h. den Raumschwellen, unabhängig ist. — Um die Hautsensibilität für Druck, den „Drucksinn", einigermaßen festzustellen, d. h. um die Empfindlichkeit der „Feinfühligen" mit derjenigen der „Hartfühligen" zu vergleichen, wandte ich die Methode von v. Frey an. Es wurden Haare verschiedener Dicke an Stäbchen befestigt und auf 3 cm Länge abgeschnitten. Je nach ihrer Stärke wurden sie, bei dem biegsamsten beginnend, mit den Nummern I—VII versehen, wie folgt:

I. Iltishaar, Beugungswiderstand*) 0,001 Gramm.
II. Feinstes Mädchenhaar, Beugungswiderstand . . . . 0,002 „
III. Stärkeres Mädchenhaar, Beugungswiderstand . . . . 0,003 „
IV. Fuchshaar (Sommerhaar vom Halse), Beugungswiderstand 0,01 „
V. Bockhaar (Bart)**), Beugungswiderstand . . . . . . 0,02 „
VI. Feinstes Pferde-Mähnenhaar, Beugungswiderstand . . . 0,1 „
VII. Dickeres Pferdehaar (Schweifhaar), Beugungswiderstand 0,5 „

Ihre Stärke beträgt also der Reihe nach 1, 2, 3, 10, 20, 100, 500 Milligramm.

Diese Haare setzte ich den Versuchspersonen auf verschiedene Stellen der Kopfhaut und der Hände und drückte leicht, bis diese Tasthaare sich bogen. Wenn I nicht, oder nur zuweilen, empfunden wurde, griff ich zu II; wenn auch dieses zu schwach war, zu III, IV, V usw., bis regelmäßig 5 Wahrnehmungen erfolgten. Sobald Nr. I an einer Körperstelle ohne Unterbrechung 5 mal wahrgenommen wurde, so finden wir in den folgenden Tabellen die Zahl 5 neben der Ortsbezeichnung in Kolonne I. Waren I, II und III zu schwach, IV aber ausreichend, so finden wir die Ziffer 5 (Zahl der Wahrnehmungen) Kolonne IV usw. — Für die Hände kamen nur IV, V, VI und VII in Betracht.

Ich habe die Wahrnehmung absichtlich dadurch erschwert, daß ich nicht mehrmals nacheinander auf denselben Körperteil, sondern in bunter Reihenfolge auf 16 verschiedene Stellen der Kopfhaut und 4 der Hände drückte, so daß die Versuchspersonen nie wußten, wo sie den Hautreiz zu erwarten hatten. Es waren deshalb bei mehreren Personen 200—350 Versuche erforderlich, ehe für jede der 20 Körperstellen das Haar gefunden war, welches dort bei fünfmaliger Berührung auch 5 Wahrnehmungen bewirkte. — [Feinere Haarnummern wurden zuweilen 2—3 mal wahrgenommen, wenn ich eigentliche „Druckpunkte" (z. B. Stellen über dem Nervenapparat eines Haarbalges) traf.]

*) Der Beugungswiderstand ist durch Prof. Dr. Griesbach auf einer Präzisionswage im Laboratorium festgestellt worden.

**) Anfänglich hatte ich N. V. als feinstes ausgewählt. Es zeigte sich aber bald bei den Versuchen, daß es viel zu grob war.

Den Durchmesser der Haare habe ich nicht feststellen können, weil mein Mikroskop keine Meßvorrichtung hat. Es ist dies aber auch belanglos, weil es sich ja nur um relative und nicht um absolute Maße der Druckempfindung (Druckschwellen) handelt.

Besondere Aufmerksamkeit schenkte ich den Augenbrauen und den Wimpern, weil ich diese steifen Härchen im Verdacht habe, daß sie als Tastorgane (sogar als Multiplikatoren) für sehr feine Luftreize dienen. Die leiseste Berührung dieser steifen Fühler wird empfunden, besonders wenn es „gegen den Strich" oder „wider die Haare" geht. — Ich habe hartfühligen Blinden ein sehr feines, biegsames Ziegenhaar senkrecht auf verschiedene Hautstellen gesetzt und es krumm gedrückt. Sie spürten nichts; sobald ich aber mit demselben eine Augenbraue oder Wimper berührte, wurde dies lebhaft empfunden. — (Später zeigte es sich, daß für Wimpern, Augenbrauen, innere und äußere Ohrmuschel und Nacken bei fast allen Versuchspersonen das feinste Iltishaar ausreicht.) — Auch der stockblinde E. L. (Nr. 17), der immer den Kopf bewegt, wenn er etwas „sehen" will (weil er sonst nichts „sehe"), ist auf den Gedanken gekommen, daß er diese Bewegungen nur mache, „damit sich die Wimpern an der Luft reiben." —

Alle diese Haare (Brauen, Wimpern, Härchen im Gesicht und auf den Händen usw. wachsen schief aus der Haut heraus. Der Nervenapparat der Haarwurzel liegt — nach Zoth*) — unmittelbar über derselben. Das Haar bildet einen ungleicharmigen Hebel, dessen kleinerer Arm etwa 2 mm tief in der Haut steckt und dessen längerer Arm 8—20 mm, sagen wir 10 mm, aus derselben herausschaut. —

Der leiseste Druck auf den längeren, freien Hebelarm muß also den kürzeren, das Wurzelstück, gegen den Nervenknoten drücken oder von demselben abziehen, und zwar muß dieser Druck oder Zug d nach den bekannten Hebelgesetzen — mittlere Länge zu 10 mm angenommen — am kurzen Arm verfünffacht erscheinen ($d = 1$; $10 \times 1 = 2 \times 5 = 10$). — Wenn wir annehmen, daß der Druck (Luftstoß) d gleichzeitig auf 600 Brauen oder Wimpern ausgeübt wurde, so müßte also die Wirkung $5 \times 600 = 3000$ d entsprechen.

So ließe sich vielleicht die Luftwellenwirkung auf die Augengegend erklären. — Ähnlich verhält es sich auch mit dem äußeren Gehörgang. Auch dieser ist, wenigstens teilweise, mit solchen Fühlern oder Multiplikatoren bedeckt. Das feinste Haar (Iltishaar usw.), das vorsichtig in den Gehörgang eingeführt wird, verursacht sofort unerträgliches Kitzeln, während es auf glatten Stellen der Kopfhaut kaum oder nur schwach empfunden wird. — Die leiseste Berührung des Trommelfells mit einem solchen Härchen müßte beinahe als Schlag empfunden werden. Da alle Blinden schon zuckten oder laut auflachten, wenn ich mit dem feinsten Härchen (!) die innere Ohrmuschel und besonders die Gehörgangmündung berührte, wagte ich es nicht, das Haar bis zum Trommelfell einzuführen. — Ohne Ohrenspiegel ließe sich auch die berührte Stelle kaum ermitteln. Es wäre wohl kaum möglich, mit diesen feinen, welligen Härchen bis zum Trommelfell vorzudringen, ohne die Wand des Gehörganges zu streifen. — Dies kennzeichnet die außerordentliche **Tastempfindlichkeit** dieser Körperstellen. — Ob auch die unter den Augenbrauen liegenden Stirnhöhlen eine Rolle spielen, mag dahingestellt bleiben. Möglich wäre es, weil nach unserer Erfahrung starker Stockschnupfen das Ferngefühl herabmindert, wenn nicht aufhebt und weil die Stirnhaut gerade an den in Betracht kommenden Stellen am empfindlichsten ist. Man könnte mir nun entgegenhalten, daß durch Verbinden der Stirn und Augen, sowie durch das Verstopfen der Ohren mit nasser Watte dieser haarige Tast- und Multiplikationsapparat außer Tätigkeit gesetzt werden müsse. Für den Gehörgang trifft dies zu. Es erklärt sich daraus die nach dem Verstopfen der Ohren öfter eintretende Herabminderung des Ferngefühls. Bei Stirn und Augen kommt es wesentlich auf die Art des Verbandes an. Ein solcher aus Stoff kann natürlich keinen Luftdruck abhalten. Auch bleibt neben der Nase immer ein Zugang zu den Wimpern, zu den Ohrmuscheln und dem Nacken frei. — Nur das Gefühl für Temperaturwahrnehmungen wird dadurch größtenteils außer Tätigkeit gesetzt. So erkläre ich mir die Tatsache, daß bei sehr feinfühligen Blinden das Verbinden des Gesichts mit einem Taschentuche bei unseren Versuchen keinen wesentlichen Einfluß auszuüben schien. Auch spannen sie in solchen Fällen eben die Aufmerksamkeit aufs äußerste an, um doch Wahrnehmungen zu machen, — während sie, sobald sie sich unbeobachtet glauben, d. h. wenn die Aufmerksamkeit nachläßt, mit verbundenem Gesicht sich schlecht orientieren und oft anstoßen. —

*) S. Mell, Lexikon des Blindenwesens.

1. **Druckversuche.**

	Versuchspersonen													
	Nr. 17 E.L. 56 Jahre							Nr. 1 H.W. 12 Jahre						
	Tasthaar-Nr.							Tasthaar-Nr.						
	I	II	III	IV	V	VI	VII	I	II	III	IV	V	VI	VII
1. Stirn	5							5						
2. Augenbrauenhaut		5						5						
3. Augenbrauen		5						(5)						
4. Ob. Augenlid				5				5						
5. Wimpern	(5)							(5)						
6. Äuß. Augenwinkel			5					5						
7. Wange	5							5						
8. Nasenspitze						5		5						
9. Lippenrot				5					5					
10. Kinn			5					5						
11. Ob. Ohrmuschelrand	5							5						
12. Ohrläppchen	5							5						
13. Innenseite d. Ohrmuschel	(5)							(5)						
14. Gehörgangmündung	(5)							(5)						
15. Rückseite d. Ohrmuschel	5							5						
16. Nacken	5							5						
17. Handrücken							5				5			
18. Lesefingerspitze							5				5			
19. Ringfingerspitze						5					5			
20. Daumen							5							
Mittlere Tragweite des Ferngefühls bei ruhiger Körperhaltung in Zentimetern	Bei 7—10° Wärme: 59; Bei 23°: 91							Bei 7—10°: 39; Bei 23°: 57						

	Versuchspersonen													
	Nr. 2 J. Sch. 14 Jahre							Nr. 20 R.B. 7 Jahre						
	Tasthaar-Nr.							Tasthaar-Nr.						
	I	II	III	IV	V	VI	VII	I	II	III	IV	V	VI	VII
1. Stirn	5										5			
2. Augenbrauenhaut		5							5					
3. Augenbrauen	(5)								5					
4. Ob. Augenlid	5													
5. Wimpern	(5)													
6. Äuß. Augenwinkel	5									5				
7. Wange	5										5			
8. Nasenspitze	5								5					
9. Lippenrot			5									5		
10. Kinn	5										5			
11. Ob. Ohrmuschelrand				5								5		
12. Ohrläppchen	5							5						
13. Innenseite d. Ohrmuschel	(5)							(5)						
14. Gehörgangmündung	(5)							(5)						
15. Rückseite d. Ohrmuschel	5								5					
16. Nacken	5										5			
17. Handrücken						5							5	
18. Lesefingerspitze							5						5	
19. Ringfingerspitze							5				5			
20. Daumen							5						5	
Mittlere Tragweite des Ferngefühls bei ruhiger Körperhaltung in Zentimetern	Bei 7—10°: 34; Bei 23°: 48							Bei 7—10°: 4						

Aus der Feinfühligkeit der Ohrmuscheln (Innen- und Rückseite) und des Gehörganges erklärt sich aber auch, wie früher schon angedeutet, Truschels Beobachtung, daß eine Papierbinde um die Ohren das Ferngefühl verringerte und daß dieses wieder zunahm, wenn vor den Ohren Löcher in die Binde geschnitten wurden, so daß die Ohrmuscheln frei blieben. Schall wird durch einen Papierstreifen

2. **Druckversuche.**

	Versuchspersonen													
	Nr. 21 Ph.B. 11 Jahre							Nr. 13 M.L. 21 Jahre						
	Tasthaar-Nr.							Tasthaar-Nr.						
	I	II	III	IV	V	VI	VII	I	II	III	IV	V	VI	VII
1. Stirn	5					Augen völlig eingesunken, Prüfung der Augenlider und Wimpern deshalb unsicher		5						
2. Augenbrauenhaut	5							5						
3. Augenbrauen	(5)							(5)						
4. Ob. Augenlid				5				5						
5. Wimpern		5						(5)						
6. Äuß. Augenwinkel	5							5						
7. Wange	5							5						
8. Nasenspitze	5							5						
9. Lippenrot				5							5			
10. Kinn	5											5		
11. Ob. Ohrmuschelrand	5								5					
12. Ohrläppchen	5							5						
13. Innenseite d. Ohrmuschel	(5)							(5)						
14. Gehörgangmündung	(5)							(5)						
15. Rückseite d. Ohrmuschel	5							5						
16. Nacken	5							5						
17. Handrücken						5								
18. Lesefinger							5							5
19. Ringfinger				5								5		
20. Daumen						5								5
Mittlere Tragweite des Ferngefühls bei ruhiger Körperhaltung in Zentimetern	Bei 7—10°: 38; Bei 23°: 54							Bei 7—10°: 33						

	Versuchspersonen													
	Nr. 11 L.F. 8 Jahre							Nr. 29* E.M. 12 Jahre						
	Tasthaar-Nr.							Tasthaar-Nr.						
	I	II	III	IV	V	VI	VII	I	II	III	IV	V	VI	VII
1. Stirn	5								5					
2. Augenbrauenhaut	5								5					
3. Augenbrauen	(5)								5					
4. Ob. Augenlid	3 (zuckt)									5				
5. Wimpern	(5)							(5)						
6. Äuß. Augenwinkel	5								5					
7. Wange	5								5					
8. Nasenspitze	5								5					
9. Lippenrot		5								5				
10. Kinn	5									5				
11. Ob. Ohrmuschelrand		5							5					
12. Ohrläppchen	5								5					
13. Innenseite d. Ohrmuschel	(5)							(5)						
14. Gehörgangmündung	(5)							(5)						
15. Rückseite d. Ohrmuschel	5										5			
16. Nacken		5											5	
17. Handrücken						5							5	
18. Lesefinger				5									5	
19. Ringfinger				5							5			
20. Daumen				5									5	
Mittlere Tragweite des Ferngefühls bei ruhiger Körperhaltung in Zentimetern	Bei 7—10°: 32; Bei 23°: 34							Bei 7—10°: 0; Bei 23°: 0						

3. Druckversuche.

	Versuchspersonen													
	Nr. 19 P. R. 10 Jahre							Nr. 14 A. C. 25 Jahre						
	Tasthärchen-Nr.							Tasthärchen-Nr.						
	I	II	III	IV	V	VI	VII	I	II	III	IV	V	VI	VII
1. Stirn	5								5					
2. Augenbrauenhaut		5							5					
3. Augenbrauen		5						5						
4. Ob. Augenlid			5					5						
5. Wimpern	(5)							1.5						
6. Äuß. Augenwinkel	(3)	5						1.5						
7. Wange	5										5			
8. Nasenspitze	5								5					
9. Lippenrot				5						5				
10. Kinn	5									5				
11. Ob. Ohrmuschelrand		5								5				
12. Ohrläppchen	5							5						
13. Innenseite d. Ohrmuschel	(5)							5						
14. Gehörgangmündung	(5)							5						
15. Rückseite d. Ohrmuschel	5							5						
16. Nacken		5										5		
17. Handrücken						5							8	
18. Lesefinger						5								5
19. Ringfinger				5										5
20. Daumen						6								5
Mittleres Ferngefühl bei ruhiger Körperhaltung in Zentimetern	Bei 7—10°: 27							Bei 7 10°: 4; Bei 23°: 38						

	Versuchspersonen													
	Nr. 5 J. Schw. 16 Jahre							Nr. 3* E. L. 12 Jahre						
	Tasthärchen-Nr.							Tasthärchen-Nr.						
	I	II	III	IV	V	VI	VII	I	II	III	IV	V	VI	VII
1. Stirn	5									5				
2. Augenbrauenhaut				5					5					
3. Augenbrauen	(5)							(5)						
4. Ob. Augenlid				5				5						
5. Wimpern	(5)							(5)						
6. Äuß. Augenwinkel	5								5					
7. Wange			5							5				
8. Nasenspitze	5									5				
9. Lippenrot				5						5				
10. Kinn						5			5					
11. Ob. Ohrmuschelrand	5												5	
12. Ohrläppchen	5										5			
13. Innenseite d. Ohrmuschel	(5)							(5)						
14. Gehörgangmündung	(5)							(5)						
15. Rückseite d. Ohrmuschel	5												5	
16. Nacken		5												5
17. Handrücken							5						5	
18. Lesefinger							5						5	
19. Ringfinger						5						5		
20. Daumen						5							5	
Mittleres Ferngefühl bei ruhiger Körperhaltung in Zentimetern	Bei 7—10°: 15							Bei 7—10°: 0; Bei 27°: 7						

nicht abgehalten; letzterer kann sogar als Mikrophon wirken. Den Luftwellen wird aber der direkte Zugang zu den Ohrmuscheln abgeschnitten. Durch das Loch in der Binde können sie wieder zu denselben gelangen. Dieses Experiment beweist also mehr für unsere (bisher allgemeine) Auffassung als für die Schallwellenhypothese. —

Die Tabellen auf Seiten 330 -32 zeigen die Ergebnisse der Druckversuche.

Nr. 32, S. Sch., eine frühere Schülerin, ist, wie

4. Druckversuche.

	Versuchspersonen													
	Nr. 22* A. St. 44 Jahre							Nr. 8* L. W. 20 Jahre						
	Tasthaar-Nr.							Tasthaar-Nr.						
	I	II	III	IV	V	VI	VII	I	II	III	IV	V	VI	VII
1. Stirn	5							5						
2. Augenbrauenhaut	5							5						
3. Augenbrauen	(5)							(5)						
4. Ob. Augenlid	?							5						
5. Wimpern	?							(5)						
6. Äuß. Augenwinkel	5								5					
7. Wange	5							5						
8. Nasenspitze	5							5						
9. Lippenrot				5						5				
10. Kinn	5									5				
11. Ob. Ohrmuschelrand				5					5					
12. Ohrläppchen			5					5						
13. Innenseite d. Ohrmuschel	(5)							(5)						
14. Gehörgangmündung	(5)							(5)						
15. Rückseite d. Ohrmuschel		5						5						
16. Nacken	5							5						
17. Handrücken						5						5		
18. Lesefinger							5					5		
19. Ringfinger						6					4			
20. Daumen							7						5	
Mittleres Ferngefühl bei ruhiger Körperhaltung in Zentimetern	Bei 7—10°: 41; Bei 23°: 61							Bei 7- 10°: 27; Bei 23°: 53						

	Versuchspersonen													
	Nr. 9* E. J. 16 Jahre							Nr. 24* C. S. 13 Jahre						
	Tasthaar-Nr.							Tasthaar-Nr.						
	I	II	III	IV	V	VI	VII	I	II	III	IV	V	VI	VII
1. Stirn		r. 5		1.5							5			
2. Augenbrauenhaut	(2)	r. 5	1.5						5					
3. Augenbrauen		r. 5	1.5						5					
4. Ob. Augenlid		5							5					
5. Wimpern	(5)							(5)						
6. Äuß. Augenwinkel	5								5					
7. Wange	5										r. 5		1.5	
8. Nasenspitze	r. 5										5			
9. Lippenrot			5							5				
10. Kinn	5									5				
11. Ob. Ohrmuschelrand						5				5				
12. Ohrläppchen			1.5			1.5		5						
13. Innenseite d. Ohrmuschel	r. 5	5				1.5		(5)						
14. Gehörgangmündung	(5)							(5)						
15. Rückseite d. Ohrmuschel			1.3		1.5					5				
16. Nacken							5						5	
17. Handrücken				5								5		
18. Lesefinger						5							5	
19. Ringfinger				5									5	
20. Daumen				5									5	
Mittleres Ferngefühl bei ruhiger Körperhaltung in Zentimetern	Bei 7—10°: 19; Bei 23°: 34							Bei 7—10°: 0; Bei 23°: 5						

5. **Druckversuche.**

	Versuchspersonen													
	Nr. 18* Mag. Wenner (Taubblind)							Nr. 27* M. K. 10 Jahre						
	Tasthaar-Nr.							Tasthaar-Nr.						
	I	II	III	IV	V	VI	VII	I	II	III	IV	V	VI	VII
1. Stirn	5								5					
2. Augenbrauenhaut	5							5						
3. Augenbrauen	(5)							(5)						
4. Augenlid		5							5					
5. Wimpern		5						(5)						
6. Äuß. Augenwinkel		5							5					
7. Wange		5							5					
8. Nasenspitze	5								5					
9. Lippenrot				5					5					
10. Kinn				5				5						
11. Ob. Ohrmuschelrand		5									5			
12. Ohrläppchen		5								5				
13. Innenseite d. Ohrmuschel	(5)							(5)						
14. Gehörgangmündung	(5)							(5)						
15. Rückseite d. Ohrmuschel	5										5			
16. Nacken				5									5	
17. Handrücken						5							5	
18. Lesefinger							5							5
19. Ringfinger						5				5				
20. Daumen						5				5				
Mittleres Ferngefühl bei ruhiger Körperhaltung in Zentimetern	Bei 7—10°: 11							Bei 7—10°: 12; Bei 23°: 29						

weiter oben schon gesagt, nachträglich während eines Besuchs auf Fern- und Druckgefühl geprüft worden, als obiges schon gesetzt war. — Auch ihr Druckgefühl entspricht ihrem guten Ferngefühl (Mittel 53 cm). Sie spürte auf Stirn, Augenbrauen, Wimpern, Augenwinkel, Wange, Kinn, in der Ohrmuschel, an der Gehörgangmündung und auf der Rückseite der Ohrmuschel das Härchen Nr. 1, auf

6. **Druckversuche.**

	Versuchspersonen													
	Nr. 32 S. Schm.*							Nr. 33 A. G.						
	Tasthärchen Nr.							Tasthärchen Nr.						
	I	II	III	IV	V	VI	VII	I	II	III	IV	V	VI	VII
1. Stirn	5							5						
2. Augenbrauenhaut	5							5						
3. Augenbrauen	(5)							(5)						
4. Ob. Augenlid	5							5						
5. Wimpern	(5)			*				(5)						
6. Äuß. Augenwinkel	5			*				5						
7. Wange (Jochbein)	5			Trägt die Haare aufgebunden					5					
8. Nasenspitze		5						5						
9. Lippenrot			5								5			
10. Kinn	5									5				
11. Ob. Ohrmuschelrand										5				
12. Ohrläppchen		5							5					
13. Innens. der Ohrmuschel	(5)							(5)						
14. Gehörgangmündung	(5)							(5)						
15. Rücks. der Ohrmuschel	5*							5						
16. Nackenseiten	5*							5						
17. Handrücken						5					5			
18. Lesefinger							5							5
19. Ringfinger						5								5
20. Daumen						5								5
Mittleres Ferngefühl bei ruhiger Körperhaltung in Zentimetern	Bei 20°: 53 cm							Bei 25° C.: 53 cm						

	Versuchspersonen													
	Nr. 34 F. W.							Nr. 35 H. J.						
	Tasthärchen Nr.							Tasthärchen Nr.						
	I	II	III	IV	V	VI	VII	I	II	III	IV	V	VI	VII
1. Stirn	1.5			r.5				5						
2. Augenbrauenhaut	5							5						
3. Augenbrauen	(5)							(5)						
4. Ob. Augenlid		5						5						
5. Wimpern	(5)							(5)						
6. Äuß. Augenwinkel	5							5						
7. Wange (Jochbein)	1.5		r.5					5						
8. Nasenspitze		5						5						
9. Lippenrot			5								5			
10. Kinn			5							5				
11. Ob. Ohrmuschelrand		5	Nackenmitte						5					
12. Ohrläppchen	5							5						
13. Innens. der Ohrmuschel	(5)							(5)						
14. Gehörgangmündung	(5)							(5)						
15. Rücks. der Ohrmuschel	5							5						
16. Nackenseiten	5		5					5						
17. Handrücken							5					5		
18. Lesefinger							5						5	
19. Ringfinger						5							5	
20. Daumen							5							5
Mittleres Ferngefühl bei ruhiger Körperhaltung in Zentimetern	Bei 25° C.: 28 cm							Bei 25° C.: 47 cm						

der Nasenspitze und am Ohrläppchen Nr. II, auf dem Lippenrot Nr. III. Auch ihr Nacken ist feinfühlig, weil sie die Haare hoch trägt. Handrücken, Daumen und Ringfinger erforderten Nr. VI und der Lesefinger, wie gewöhnlich, Nr. VII. Erblindungsursache: Masern. — S. Drucktabelle 6.

Zu diesen **Druckversuchen** ist folgendes zu bemerken:

Am hartfühligsten ist stets der Lesefinger. Dies ist schon in meiner Schrift „Zur Blindenphysiologie", gestützt auf Griesbachs Messungen, gezeigt worden. Dann folgen in der Regel die andern Finger und der Handrücken.

Auf der Kopfhaut ist die Verteilung der Sensibilität für Druck sehr verschieden. Hartfühlig ist in der Regel das Lippenrot. Dann folgte meistens, nicht immer, der obere Rand der Ohrmuschel. (Reibung der Haare.) Die Empfindlichkeit der Nase ist individuell sehr verschieden. Die eigentliche Spitze, wo die Haut direkt auf dem Knorpel liegt, zeigt sich in der Regel hartfühliger als die Querlinie über den Nasenflügeln. — Wange und Stirn sind ungefähr gleich empfindlich. Der untere Teil der Stirn in der Nähe der Augenbrauen ist empfindlicher als der obere Teil. Krankhafte Auswüchse scheinen besonders feinfühlig zu sein. Die Wangen sind in der Jochbeingegend empfindlicher als weiter unten. Das Kinn ist bei einzelnen Blinden sehr feinfühlig, bei andern wieder sehr hart. —

Personen, welche durchschnittlich sehr feines Druckgefühl haben, zeigen wieder sehr unempfindliche Stellen (Nr. 17 Nase, Nr. 13 Kinn usw.).

Die Verschiedenheiten sind so groß, daß ich an „Normaldruckschwellen" nicht mehr glaube.

Sogar bei einer und derselben Person sind die Gesichtsseiten ungleich empfindlich. So mußte bei Nr. 29 (E. J.) auf Druckversuchstabelle 4 immer zwischen rechts (r.) und links (l.) unterschieden werden. Während die rechte Seite noch als feinfühlig bezeichnet werden kann, ist die linke Seite von der Mittellinie ab außerordentlich hartfühlig. Der Unterschied ist sogar an der Nase festzustellen. Am auffälligsten tritt er auf der Stirn und an den Ohren zutage. Auf der rechten Stirnseite unmittelbar neben der Mittellinie über der Nasenwurzel fühlt sie regelmäßig Nr. II, zuweilen auch I. Geht man aber weiter nach links, so ist keine zusammenhängende Serie von Wahrnehmungen mehr zu erhalten. — Die Innenseite der rechten Ohrmuschel fühlt, wie bei allen andern Versuchspersonen, schon das Härchen I sehr lebhaft. Für das linke Ohr dagegen ist das Pferdehaar VI erforderlich! Gerade auf der rechten, empfindlicheren Seite hat das Mädchen noch einen Sehrest, während das linke, abgestorbene Auge vor 3 Monaten herausgenommen werden mußte. — Diese Einseitigkeit scheint eine Folge der Operation zu sein. Im Dunkeln stieß sie nach ihrer Aussage auch vor der Operation links leicht an. Der rechtsseitige Sehrest hat also auch bei ihr das Ferngefühl nicht beeinträchtigt.

Intensives und extensives Empfinden, Druckgefühl- und Raumschwellen, scheinen einander fast umgekehrt proportional zu sein!

Diejenigen Hautstellen, welche von Natur die größten Raumschwellen aufweisen, sind für Druck in der Regel sehr empfindlich, diejenigen Körperteile hingegen, welche von Natur kleine Schwellen haben, sind für Druck hartfühlig. —

Finger und Lippen zeigen die kleinsten Raumschwellen, (bei Blinden 1–3 mm). Für Druck sind sie aber außerordentlich hartfühlig (Härchen IV—VII); auf der für Druck sehr feinfühligen Stirn (Härchen I) dagegen findet man Raumschwellen von über 10 mm (Nr. 17). — Die druckempfindlichsten Stellen der Kopfhaut sind der Gehörgang und die Innenseite der Ohrmuschel. An das Trommelfell, dessen Sensibilität bekannt ist, wagte ich mich, wie gesagt, nicht. Schon die Berührung der inneren Ohrmuschel und besonders der Gehörgangmündung bewirkte bei allen Versuchspersonen lebhaftes Zucken oder helles Auflachen. So sind wir wohl berechtigt, diese Körperteile als **feinste Tastorgane** des Menschen zu bezeichnen.

Als Tastorgan (für Druck, Luftwellen), nicht als Gehörsorgan, kommt das äußere Ohr mit Einschluß des Trommelfells für das **Ferngefühl** in Betracht! Dieser Umstand erklärt mir, warum Truschel an das Gehör dachte. Wenn ein Druck von einigen Milligramm, ausgeübt mit einem Härchen, dessen Querschnitt 0,01–0,02 qmm beträgt, selbst von den Hartfühligsten so lebhaft empfunden wird, so dürfte er auf nervöse Leute noch viel intensiver wirken.

Der Druck einer Luftwelle auf 0,01 qmm Hautfläche ist nun allerdings sehr viel kleiner als der eines noch so feinen Iltishaars; aber er wirkt gleichzeitig auf alle Teile des Gesichts, oder mindestens auf eine Kopfseite. Es findet also Multiplikation statt. Setzen wir den Druck einer Luftwelle auf 0,01 qmm = d, und nehmen wir die innere Fläche eines Ohrs mit Einschluß des Gehörganges und des Trommelfells zu 30 qcm, oder 3000 qmm = 300000 Hundertstelquadratmillimeter an, so beträgt die durch die Welle nur auf die innere Ohrenfläche ausgeübte Druckdifferenz 300000 d. Dasselbe gilt aber von dem ganzen Gesicht. So steigt der Druckkoeffizient für die ganze Angriffsfläche auf viele Millionen. Ich glaube, daß eine so vervielfachte, minimale, unmeßbare Luftdruckdifferenz für sehr feinfühlige, mit krankhafter Hyperästhesie behaftete Menschen, mindestens wahrnehmbar sein könne. — (Von der Wirkungsweise der Brauen und Wimpern ist schon die Rede gewesen.)

Obige Tabellen weisen auch entschieden auf einen Zusammenhang zwischen Druckempfindlichkeit und Ferngefühl hin.

Leider ist bei mehreren Versuchspersonen, die völlig eingefallene Augen haben oder mit denselben fortwährend zucken, die Prüfung der Augenlider, zuweilen auch der Wimpern, unmöglich gewesen. Deshalb erschien auch eine Addition der Ziffern jeder Kolonne untunlich.

Da es mir ferner nicht möglich gewesen ist, ein Tasthärchen zu finden, das auf Wimpern — meistens auch Brauen — auf der Innenseite der Ohrmuschel und an der Gehörgangmündung nicht auch von den Hartfühligsten äußerst lebhaft empfunden worden wäre, so daß an diesen Körperstellen ein Unterschied zwischen Empfindlichen und Hartfühligen nicht festgestellt werden konnte, obgleich er offenbar vorhanden ist, dürfen die Ziffern, welche sich auf die genannten Stellen beziehen, nicht in Rechnung gebracht werden. Ich habe sie deshalb eingeklammert. — Es zeigt sich dann, daß für die Hartfühligen, die auch kein Ferngefühl haben (Nr. 3, 20, 29 u. 24), in Kolonne I nichts oder so gut wie nichts mehr übrig bleibt. Bei allen Fernfühligen dagegen bleiben in Kolonne I noch 4—11 Ziffern stehen.

Von besonderer Wichtigkeit scheint, wohl infolge ihrer großen Angriffsfläche, die Stirn zu sein. Alle diejenigen, welche auf der Stirn das Härchen I regelmäßig spüren, haben Ferngefühl. —

Je **mehr sich die „Fünfer“ nach rechts in den folgenden Kolonnen zerstreuen, desto geringer ist das Ferngefühl.** Bei dem kleinen Wildfang E. Z. (Nr. 26), der eine sehr feine Haut hat und wohl deshalb feinfühlig ist, scheint es nur an Aufmerksamkeit zu fehlen. Es kommt ihm eben auf eine Beule oder ein Loch im Kopfe nicht an.

Nr. 23 (E. Sch.) der mehrmals genannte Lothringer, ist recht feinfühlig, zeigt aber im Zustand der Ruhe, also bei minimaler Luftbewegung kein Ferngefühl, obwohl er sagt, er merke die Nähe der Gegenstände „an der Luft“. Er verläßt sich eben, wie wir gesehen haben, bei der Orientation mehr auf das Gehör, das Getast der Füße, das Temperaturgefühl und den Geruch. Jeder braucht eben, was er hat, oder was er will. — Nr. 22 (A. St.) dagegen hat gutes Ferngefühl, weiß es aber nicht zu gebrauchen. Die Taubblinde M. Wenner (Nr. 18) hat im Gesicht feines Druckgefühl, auch ihr Temperaturgefühl ist sehr gut; ihr extensives Empfinden dagegen ist, wie wir gesehen haben, sehr schwach. Sie hatte s. Z. unter allen geprüften Sehenden und Blinden die größten Raumschwellen. Ihr Ferngefühl ist aber viel besser als das der feinhörigen Blinden Nr. 3, 29, 24 und 20. — Es beträgt 11 cm. Mit den Gehörsorganen hängt dasselbe natürlich **nicht** zusammen. —

Besondere Beachtung verdienen die Rückseite der Ohrmuschel und der Nacken. Bei den Knaben gehören diese Stellen fast ausnahmslos zu den feinfühligsten. (Nr. 17 I u. I; Nr. 11 I; Nr. 13 I u. I; Nr. 1 I u. I; Nr. 2 I u. I; Nr. 21 I u. I; Nr. 19 I u. II), bei den Mädchen hingegen (sind in den Tabellen durch * bezeichnet) sind gerade diese Teile in der Regel außerordentlich hartfühlig. (Nr. 27 IV u. VI; Nr. 18 I u. IV; Nr. 9 III, I. V u. VII; Nr. 3 VI u. VII; Nr, 22 IV u. I; Nr 29 IV u. VI; Nr. 24 III u. VI.) Ich schreibe diese Hartfühligkeit der Mädchen den herabhängenden Haaren oder Zöpfen zu, welche die genannten Stellen fortwährend reiben, also abstumpfen und den Luftzutritt verhindern. — Die drei Mädchen, welche auch an der Rückwand des Ohrs und im Nacken eine gewisse Feinfühligkeit zeigen (18, 22, 32 und 8), lassen die Haare nicht hängen, und Nr. 24 (C. S.), die an der Rückseite der Ohrmuscheln nicht ganz hartfühlig ist (III), trug früher einen Zopf. — Mit der größeren oder geringeren Feinfühligkeit der Rückseite der Ohrmuschel und des Nackens hängen aber auch beim Gehen die seitlichen Wahrnehmungen von **rückwärts** zusammen. — (Bei ruhiger Körperhaltung wird, wie wir gesehen haben, von hinten **nichts** wahrgenommen.) Wir haben S. 313 und 314 gesehen, daß die Knaben beim Gehen neben Bäumen vor und hinter dem Lot Wahrnehmungen machten (1, 2, 11, 5, 19, 21). Dagegen kommen sichere Wahrnehmungen hinter dem Lot nur bei den Mädchen vor, welche die Haare aufgesteckt tragen (22, 8 und 18) und im Nacken oder an der Rückseite der Ohrmuschel feines Druckgefühl zeigen. — Dieselben seitlichen Wahrnehmungen von rückwärts haben wir (S. 310—11) auch bei den Knaben 1 und 2 beobachtet, mit denen bei offenen, sowie mit verstopften und bedeckten Ohren Gehversuche im Garten gemacht wurden. Beide sind im Nacken und an der Rückwand der Ohrmuschel außerordentlich feinfühlig. — Sie machten seitlich von rückwärts Wahrnehmungen, obgleich die Vorderseiten der Ohrmuscheln mit Watte bedeckt waren. —

Ich glaube deshalb den Satz aufstellen zu dürfen: **Das Ferngefühl ist fast ausnahmslos dem Druckgefühl (Drucksinn) proportional.** — Es beruht also wesentlich auf **taktilen**, zu einem kleinen Teil auf thermischen Reizen.

Da besonders sehr gesunde Blinde und solche, die durch Unfall erblindet sind, wenig oder kein Ferngefühl zeigen, kann ich es nur als durch Krankheit erzeugte Hyperästhesie ansehen.

Hautkrankheiten verschiedener Art scheinen mir stark mitzuspielen. Unsere Feinfühligsten Nr. 17, 13 und 32 und andere, die wir früher als feinfühlig kannten, sind an den Masern, die taubblinde M. W. ist an Scharlach erblindet, Nr. 21, 22 und vielleicht auch Nr. 1 an der Augenentzündung der Neugeborenen, die ja mit gewissen Hautkrankheiten verwandt ist. Es wäre doch gut denkbar, daß Haut- und ähnliche Krankheiten eben auch eine abnorme Sensibilität der Haut zurückließen. Bekanntlich schreibt man allgemein den „Blindgeborenen" große Fein- und Fernfühligkeit zu. — Erblindung in den ersten Tagen wird aber gewöhnlich mit angeborener Blindheit verwechselt. Es wäre nicht nur vom physiologischen, sondern auch vom hygienischen Standpunkte aus lohnend, wenn in allen Anstalten Messungen des Druck- und Ferngefühls unter Berücksichtigung der Erblindungsursachen vorgenommen würden. So könnte man vielleicht nach und nach auch die Wurzel des „Ferngefühls" sicher feststellen. — Der hier angewandte Apparat (Platten und Tasthärchen) ist ja sehr einfach und kostet nichts. Aus wenigen Fällen dürfen natürlich allgemeine Folgerungen noch nicht gezogen werden, so einleuchtend die Sache auch erscheinen mag. —

Nebenbei sei noch bemerkt, daß sich der einfache Haar-Tastapparat auch zu Ermüdungsmessungen zu eignen scheint. Ich habe wiederholt bemerkt, daß die Wahrnehmungen gegen das Ende der sehr anstrengenden Versuchsreihen immer unsicherer wurden, so daß ich eine Unterbrechung eintreten lassen mußte, wenn ich nicht zu einer steiferen Haarnummer greifen wollte. Nr. 17 spürte nach Freizeit das Härchen Nr. I auf der Stirn. Nachdem er einige Musikstunden gegeben hatte, war Nr. IV erforderlich!

Griesbach hat entdeckt, daß Ermüdung die Raumschwellen vergrößert. Sein Ästhesiometer ist also zu Ermüdungsmessungen vorzüglich geeignet. — Druckmessungen dürften aber die Schwellenmessungen vorteilhaft ergänzen.

Auch steht das Ästhesiometer nicht jedem Lehrer zur Verfügung; jeder wüßte es auch nicht zu gebrauchen. Den Haartastapparat kann sich aber jeder ohne Kosten anfertigen, und seine Handhabung ist außerordentlich einfach. Es müßte ja nur festgestellt werden, welches Haar (I VII) vor dem Unterricht und welches nach demselben an einer Körperstelle, z. B. auf der Stirn, regelmäßig empfunden wird. — So könnten die Ermüdungsmessungen „popularisiert" werden und allen Schulen, auch denen auf dem Lande, wo keine Schulärzte sind, zugute kommen. — Die Schulhygiene müßte dadurch gewinnen. —

Zusammenfassung.

So ist denn das ganze Sensorium der Blinden in den Kreis der Beobachtung und Untersuchung gezogen worden. Die früher hier durch Griesbach ausgeführte Prüfung des Geruchsinns wurde berücksichtigt, die durch denselben Forscher und einen Ohrenarzt vorgenommenen Ohren- und Gehörsuntersuchungen wurden, wo nötig, ergänzt. Dasselbe ist von Griesbachs Messungen der Raumschwellen (des extensiven Hautsinnes) zu sagen. Dazu kam eine Prüfung des Temperatursinns und endlich des intensiven oder Druck-Empfindungsvermögens der Haut (Drucksinn). —

Die Tragweite des Ferngefühls wurde untersucht bei ruhiger Körperhaltung (also bei minimaler Luftbewegung) und verschiedener Lufttemperatur und ebenso beim Gehen, also bei stärkerer Luftbewegung. — Ich glaube nicht, daß bis jetzt derartige Untersuchungen in diesem Umfange stattgefunden haben; wenigstens auf dem Kontinent und in Amerika ist dies nicht geschehen. — Dagegen sollen (nach Zeitungsberichten) in neuester Zeit englische Gelehrte, nicht Blindenlehrer, das Ferngefühl zum Gegenstand des Studiums gemacht haben und zum Schlusse gekommen sein, daß die Fernempfindung taktiler Natur sei. Genaueres habe ich leider nicht erfahren können. — Auch die kurzen Zeitungsnotizen sind mir nicht zu Gesicht gekommen.

So macht sich demnach auf vielen Seiten das Bestreben geltend, endlich den Vorhang zu lüften, der das Wesen des Ferngefühls zu verhüllen scheint. Man hat zwar schon lange allgemein geglaubt, daß es nur ein „verfeinerter" Hautsinn sei, ohne diesen „Glauben" auf genaue Untersuchungen stützen zu können. Unser skeptisches Zeitalter will sich aber nicht immer mit dem „Glauben" begnügen; es möchte wissen. So bedeutet es denn schon einen Fortschritt, wenn wir auf Grund zahlreicher, systematischer Beobachtungen auch nur „zu wissen glauben". — Auf dieser Stufe stehen wir heute. Ich „glaube", daß die Ergebnisse der beschriebenen 8000 9000 Versuche Knospenansätze zu weiteren Arbeiten bieten und vorläufig folgende Deutungen zulassen:

1. Das Ferngefühl ist **nicht jedem Blinden eigen**; aber auch bei Sehenden kann es vorkommen. Seine Tragweite ist bei denen, die es besitzen, **sehr verschieden**. — Von der Zeit der Erblindung hängt es nicht ab, wohl aber, höchst wahrscheinlich, von den Erblindungsursachen. — Es kann deshalb nicht anerzogen werden; wohl aber kann Übung die Aufmerksamkeit schärfen. —

2. Das Ferngefühl ist mit dem Orientierungsvermögen nicht identisch. Wir dürfen es nur als Hülfsmittel des letzteren betrachten. —

3. Ein besonderer (sechster) Sinn mit eigenem Sinnesorgan ist das Ferngefühl nicht. Es handelt sich nur um aufmerksamen Gebrauch der den Blinden und Taubblinden gebliebenen Sinnesorgane. Geruch und Geschmack kommen nicht in Betracht.

Es bleibt somit nur die Wahl zwischen dem **Hautsinn** (Gefühl und Getast der Gesichtshaut mit Einschluß des äußeren Ohrs und des Nackens) und der Erregung der Gehörsorgane durch (unhörbare) „reflektierte Schallwellen".

Gegen die Schallwellenhypothese sprechen folgende Gründe:

1. Keinem intelligenten Blinden scheint es bis jetzt eingefallen zu sein, das Ferngefühl einer Erregung der Gehörsorgane (also dem Gehör) zuzuschreiben. Alle bezeichnen Stirn- und Augengegend als Sitz desselben. (Nur wenige scheinen an das Trommelfell als Tastorgan gedacht zu haben.) Sollten wirklich alle Blinden diese schwachen Reize so falsch lokalisieren, d. h. die Gesichtshaut mit dem ganzen Hörapparate verwechseln?! (Wenn sie dem heißen Ofen mit den Händen zu nahe kommen, ziehen sie doch diese und nicht die Füße zurück, und wenn ein Tasthaar sie im Ohr kitzelt, greifen sie nicht an die Stirn.)

2. Die Schärfe des Gehörs (Hörweite, Lokalisationsvermögen und musikalisches Gehör) beeinflußt das Ferngefühl nicht! Wenn es auf Schallwellen beruhte, so müßte es der Hörschärfe proportional sein.

Auch die Intelligenz hat nichts damit zu tun. —

3. Blinde, denen man die Ohren verstopft, verlieren das Ferngefühl nicht.

4. **Auch Taubblinde** besitzen es nach allem, was mir mitgeteilt worden ist und nach unseren Versuchen, — wie hörende Blinde (Laura Bridgmann, H. Keller, E. Malossi, Magd. Wenner, Taubblinde in Wenersborg). Dasselbe kann bei Taubstumm-Blinden jedenfalls nicht dem Gehör zugeschrieben werden. — (Daß es auch bei ihnen, wie bei hörenden Blinden, unter Umständen fehlen kann, ist selbstverständlich.)

5. Versuche bei absoluter Stille ergaben günstigere Resultate als solche bei Geräusch (Lärm in der Bürstenbinderei und im Hauptgebäude, Orgelspiel, Automobillärm usw.). — Wenn Schallwellen die Erreger wären, hätte es umgekehrt sein müssen.

6. Schallwellen können nicht durch porösen Filz zurückgeworfen werden wie durch Glas, Holz oder lackierte Pappe; dies widerspricht den Naturgesetzen. Die Blinden reagierten aber in gleicher Weise auf **alle** diese Stoffe. —

7. Bei ruhiger Körperhaltung (also minimaler Luftbewegung) im geschlossenen Raume werden Gegenstände vor dem Gesicht auf größere Entfernung wahrgenommen als seitliche Objekte, während gerade letztere dem Ohr die Schallwellen direkter zuführen müßten.

8. Über und **hinter** dem Kopfe befindliche Gegenstände werden bei ruhiger Körperhaltung **niemals** wahrgenommen, während Töne, also Schallwellen, auch von oben und **hinten** in das Ohr gelangen. —

9. Beim **Gehen** neben mit der Ganglinie konvergierenden oder divergierenden Wänden (also wenn Luftwellen entstehen) erfolgen Wahrnehmungen fast **nie** an den Punkten, wo sie nach der Schallwellenhypothese erfolgen müßten, d. h. an den Kreuzungspunkten des ersten und letzten möglichen Lots auf die Wände mit der Ganglinie. (Zu vergleichen Fig. 10 und 11 und das dazu Gesagte, S. 305—8.) — Die meisten Wahrnehmungen erfolgten z. T. weit

außerhalb der für Schallwellen in Betracht kommenden Strecken!

Reflektierte, unhörbare Schallwellen **können** deshalb nicht die Erreger des Ferngefühls sein!

Für die Annahme, daß der unbedeckte Teil der Kopfhaut (Stirn, Augengegend, Schläfen, Ohrmuscheln, Gehörgang mit Trommelfell und Nacken), ferner Brauen und Wimpern, als Organe des Ferngefühls angesehen werden **müssen**, daß dasselbe somit auf abnormer Hautsensibilität (auch Nervosität) für Druck- und Temperaturdifferenzen beruhe, sprechen folgende Gründe:

1. Alle intelligenten und fernfühligen Blinden, die ich bis jetzt, d. h. seit 26 Jahren, darüber befragt habe, sind der Ansicht, daß sie mit dem Antlitz („an der Luft") ein in der Nähe befindliches Hindernis „fühlen" oder „spüren". Kein einziger hat an das Gehör gedacht (selbst Truschels „feinhörigste" Versuchspersonen Nr. 1, 2 und 9 konnten es ja nach seinem Zeugnis kaum „glauben", als er es ihnen sagte); keiner will begreifen, daß er Erregung der Gehörsorgane im Gesicht spüren soll.

2. Gegenstände vor dem Gesicht werden, wie schon gesagt, im Zustand der Ruhe auf größere Entfernung wahrgenommen als seitliche Objekte.

3. Alle Versuchspersonen drehen immer dem Gegenstande das Gesicht zu, sobald sie dessen seitliche Annäherung wahrzunehmen glauben, ohne sicher zu sein. (Sie suchen durch Kopfbewegungen, Zwinkern mit den Wimpern, Hauchen, Husten usw. Luftbewegung, also Luftreflex, an den nahen Gegenständen zu erzeugen; -- um Schallwellen wahrzunehmen „hält man ein Ohr hin".)

4. Auch Blinde mit verstopften Ohren und **Taubblinde**, deren **einziges** Aufnahmeorgan die **Haut** ist, haben Ferngefühl.

5. Wenn fernfühlige Blinde sich gegen Objekte oder an diesen vorbei bewegen, also kräftige Luftströmung und Luftwellen erzeugen, spüren sie dieselben auf **viel** größere Entfernungen, als wenn man ihnen solche Gegenstände (im Zustand der Ruhe) sehr langsam und stetig in die Nähe des Kopfes bringt, so daß nur minimale Luftbewegung erfolgt (Ruhe 0—90 cm; Bewegung **100 bis 700 cm**).

6. Wenn diese Gegenstände (Platten) rascher (mit der Geschwindigkeit des Schritts) dem Kopfe genähert oder von demselben entfernt werden, oder wenn sie an der Stange schwanken, so fühlen sie dieselben wieder auf größere Distanzen.

7. Beim **Gehen** werden auch, selbst bei verstopften und verbundenen Ohren, 1—3 m seitlich **rückwärts** stehende Gegenstände (Bäume usw.) wahrgenommen, sobald die an denselben abgeprallten, nachrückenden Luftwellen die Rückseite der Ohrmuschel und den Nacken treffen können, falls diese Körperteile druckempfindlich sind (s. S. 305 usw.) Blinde, die im Nacken und an der Rückseite der Ohrmuschel hartfühlig sind, spüren auch beim Gehen seitlich hinter ihnen zurückbleibende Gegenstände nicht (Mädchen mit hängenden Haaren).

(Im Zustand der Ruhe wird, wie wir gesehen haben, auch von den Feinfühligsten bei 7—10° hinten **nichts** wahrgenommen; bei 23° Wärme zeigte der im Nacken und auf der Rückseite der Ohrmuschel für Druck so feinfühlige H. W. (Nr. 1) hinten eine Spur von Ferngefühl.)

8. Neben schräg zur Ganglinie stehenden Platten (Fig. 10 und 11) erfolgen beim Gehen Wahrnehmungen **vor dem ersten möglichen Lot und besonders noch weit hinter dem letzten** (S. 300—308), wo Schallwellen ausgeschlossen sind und nur noch nachrückende Luftwellen (Fig. 5—9) wirksam sein können. —

9. Senkrecht stehende Platten werden besser gespürt als geneigte.

10. Auch ein in Kopfhöhe aufgehängtes Brett, von welchen Trittschallwellen nicht in das Ohr reflektiert werden können, wird wahrgenommen. —

11. Wärme vergrößert in der Regel das Ferngefühl; Kälte setzt es herunter. -- Das Gehör ist aber von der Lufttemperatur unabhängig!

12. Alle Blinden mit „gutem" Ferngefühl unterschieden auch minimale Temperaturdifferenzen von 0,2—0,3° mit Sicherheit. (Einige für Druck hartfühlige allerdings auch.)

13. Hautkrankheiten scheinen die Hautsensibilität, somit das Ferngefühl, zu erhöhen, wie andere Krankheiten in der Regel größere Empfindlichkeit der betroffenen Organe zurücklassen. — (Rheumatiker usw.)

14. **Das Ferngefühl ist fast ausnahmslos dem Druckgefühl proportional** (s. Drucktabellen).

Ich vermag deshalb in dem Ferngefühl nur eine krankhafte, vielfach von Haut- und ähnlichen Krankheiten zurückgebliebene, abnorme Hautsensibilität (Hyperästhesie) für Druck- und vielleicht auch für Temperaturunterschiede zu erkennen.

Auch Nervosität infolge großer Anstrengung scheint es sogar bei Sehenden zu erzeugen. Es beruht also meines Erachtens in erster Linie auf **taktilen**, in zweiter auf thermischen Reizen, also auf dem **Hautsinn**.

Alles spricht für diese Annahme und alles gegen die Schallwellenhypothese.

Bis etwas Besseres gefunden wird, halten wir deshalb an der bisherigen Auffassung fest. —

Zur **Orientation** genügt das Ferngefühl allein als Hilfsmittel nicht, wie auch sein Fehlen dieses Vermögen nicht aufhebt. —

Das eigentliche Gehör (für wirkliche Geräusche jeder Art und Schalldifferenzen), der Tastsinn der Füße, oft auch der Geruch, besonders aber das Ortsgedächtnis, haben denselben, wenn nicht höheren Wert.

Jeder braucht zur Orientation eben was er hat, oder was ihm im gegebenen Falle am besten dient. —

Der **Taubblinde** verfügt meistens nur über die **Haut** als Aufnahmeorgan, weil ihm sehr oft auch noch der Geruchssinn fehlt.

So ist und bleibt denn das **Orientierungsvermögen** der Blinden und Taubblinden das Zusammenwirken der ihnen gebliebenen Sinne, ihrer Intelligenz und ihres Gedächtnisses.

Nachtrag zu Seite 333, Spalte I.

Die Hartfühligkeit des oberen Ohrmuschelrandes erklärt sich aus der Reibung der Haare, wie bei den Mädchen, welche diese hängen lassen, die geringe Druckempfindlichkeit des Nackens und der Rückseite der Ohrmuschel. Bei Knaben, welche abstehende Ohrmuscheln haben und die Haare kurz tragen, ist auch der obere Ohrmuschelrand feinfühlig. Zu vergleichen Nr. 17 (E. L.), Nr. 1 (H. W.), Nr. 5 (J. Schw.) [Drucktabelle 1], Nr. 21 (Ph. B.), [Drucktabelle 2].

Bericht über die Jubelfeier.

Im Jahre 1905 war beschlossen worden, im Sommer 1906 eine öffentliche Jubelfeier zu veranstalten und zu derselben die hohen Behörden, alle Anstaltsfreunde und Wohltäter, sowie die Lehrer und Leiter der Schwesteranstalten einzuladen. — Der im März 1906 erfolgte, unerwartete Tod des Herrn Schatzmeisters Ernst Zuber und die schwere Krankheit des ehrwürdigen Präsidenten und Wohltäters H. Spœrry-Mantz, der uns am 7. August ebenfalls entrissen wurde, veranlaßten uns dann aber, das Fest mindestens zu vertagen. Aus dem Jubeljahr war ein Trauerjahr geworden! Es hatte bei der Verwaltung die Absicht bestanden, anläßlich des Anstaltsjubiläums auch der 25jährigen Tätigkeit der Hauseltern zu gedenken.

Dieses Fest mußte, wie schon gesagt, um ein Jahr verschoben werden. Dagegen wollten die Beamten sowie die jetzigen und früheren Zöglinge der Anstalt den 26. Juli 1906 nicht vorübergehen lassen, ohne sich des Tages zu erinnern, an welchem die jetzigen Hauseltern vor 25 Jahren die Leitung des Werkes übernommen hatten. — Außer dem Verwaltungsrate wurden durch unser Lehrpersonal nur frühere Zöglinge zu dieser in aller Stille vorbereiteten, anspruchslosen Feier eingeladen. Sie sollte ein Familienfest sein ohne Lärm und Pomp.

Während der Aufführung eines Festspiels, das zum Teil von der früheren Schülerin Elma Schmied in Olten und zum Teil von Herrn Dr. med. Munzinger in Olten für diesen Anlaß gedichtet worden war, überreichten frühere und jetzige Schüler und Angestellte dem Jubilar eine Nachbildung (aus Bronze) des Pestalozzistandbildes in Yverdon. Der Verwaltungsrat stiftete ihm ebenfalls ein wertvolles Andenken, und der kranke Herr Präsident Spœrry-Mantz schickte noch von seinem Sterbebette aus eine prachtvolle Blumenspende.*)

Glückwünsche gingen ferner ein von der hohen Landesregierung, sowie von allen deutschen und den meisten österreichischen, schweizerischen, dänischen, schwedischen und holländischen Anstalten und den meisten früheren Zöglingen usw. Das Kuratorium der israelitischen Anstalt „Hohe Warte“ in Wien ernannte den Jubilar zum Ehrenmitgliede.

Im März 1906 wurde auch die Herausgabe einer „Festschrift“ in Aussicht genommen, welche die Anstaltsgeschichte und eine Sammlung der meisten pädagogischen Arbeiten des Anstaltsdirektors enthalten sollte.

Für den Druck derselben war eine Summe von höchstens 3500 M. vorgesehen. Die Anstaltsgeschichte hat aber mehr Raum beansprucht, als man anfänglich glaubte; auch sind unterdessen neue, größere Arbeiten des Verfassers (zwei im Dezember 1906 am ital. Kongresse in Rom gehaltene Vorträge und die Abhandlung über Orientierungsvermögen und Ferngefühl, S. 284) hinzugekommen, so dass die vorgesehenen Druckkosten sich mehr als verdoppelt haben.

Unter solchen Umständen glaubte unsere Verwaltung auf eine öffentliche Jubelfeier, die wieder mit großen Unkosten verbunden gewesen wäre, verzichten zu sollen.

Die Anstaltsinsassen wollten aber doch den 19. April, an welchem vor 50 Jahren die kleine Anstalt in dem heutigen Portnerhause eingeweiht

*) Das Festspiel und die Musikstücke sind in Punktschrift übertragen und gedruckt worden. Das Buch wird zu Weihnachten allen denen geschenkt werden, welche auf irgend eine Weise mitgewirkt haben.

43*

worden war, nicht ohne Sang und Klang vorübergehen lassen. — Wir beschränkten uns aber auf einige Liedervorträge und eine kleine Abendunterhaltung im engsten Familienkreise. Auch die hohe Regierung hatte nur indirekt Kenntnis von der Bedeutung des Tages erhalten. Wir wurden dann aber doch durch folgendes Telegramm überrascht, geehrt und erfreut:

„Der Blindenanstalt Illzach, die heute in das zweite Halbjahrhundert eintritt, wünsche ich in dankbarer Anerkennung der geleisteten Dienste gedeihliche Entwicklung ihrer menschenfreundlichen Arbeit.

Gez. Staatssekretär v. Köller,
Staatsminister."

Diesem Telegramm schloß sich ein herzliches Glückwunschschreiben des Herrn Ministerialrats Dr. P. Albrecht, Direktors des K. Oberschulrats an.

Am 1. Mai beschloß dann unsere Verwaltung doch, besonders für frühere Zöglinge, die ein Fest erwarteten und sich auf dasselbe freuten, am 13. Juli noch eine intime Jubiläumsfeier zu veranstalten, aber, außer früheren Zöglingen, nur die Aufsichtsbehörden zu derselben einzuladen. Deshalb ergingen auch keine Einladungen an Lehrer und Leiter der Schwesteranstalten. Viele von ihnen erhielten aber doch auf Umwegen Kenntnis von unserem bescheidenen Festchen und sandten uns am genannten Tage Glückwunschschreiben oder Telegramme. Solche liefen ein aus Steglitz-Berlin, Hannover, Hamburg, Neuwied, Wiesbaden, Friedberg (Hessen), Breslau, Halle, Frankfurt, Bromberg, Königsberg, Leipzig, Chemnitz, Stuttgart, München, Augsburg, Nürnberg, Wien (Hohe Warte), Purkersdorf-Wien, Linz, Prag, Brünn und Genua. Am Tage des Festes waren Eingang, Treppen und Versammlungssaal mit grünen Pflanzen geschmückt. Auf Fahnen hatten wir verzichtet, um der Feier den Charakter des Familienfestes zu wahren.

Als Vertreter der hohen Regierung haben uns mit ihrer Gegenwart beehrt Herr Ministerialrat Dr. P. Albrecht, Direktor des Kaiserl. Oberschulrats, und Herr Polizeipräsident Dr. Dieckhoff mit Gemahlin aus Mülhausen. Der Verwaltungsrat war vertreten durch den Herrn Präsidenten Ed. Alb. Schlumberger und die Herren J. Rieder (Wesserling), Math. Mieg-Kroh, Edmond Schlumberger, Henry Schlumberger-Schlumberger u. Henri Spœrry. Herr Jean Vaucher-Spœrry war durch Abwesenheit von Mülhausen an der Teilnahme verhindert. Mehrere dieser Herren hatten ihre Damen mitgebracht. Als Gast war erschienen Herr Prof. Dr. Griesbach, der durch seine physiologischen Untersuchungen mit der Anstalt in Verbindung steht. Anwesend waren ferner die beiden Religionslehrer der Anstalt, Herr Pfarrer Lutz-Illzach und Herr Pfarrer Iltis-Kingersheim. Frühere Zöglinge waren herbeigeeilt aus ganz Elsaß-Lothringen, Baden, Frankreich und den entlegensten Gebirgsgegenden der Schweiz. Alle haben einen vorzüglichen Eindruck gemacht. Mehrere frühere Schüler, die gerne gekommen wären, waren durch dringende Arbeit am Erscheinen verhindert. Dieser Grund des Wegbleibens hat uns besonders gefreut.

Das Festchen wickelte sich nach folgendem Programm ab, bei dessen Ausführung nur jetzige und frühere Zöglinge tätig waren:

1.	Erster Satz (Allegro) aus Sonate Nr. 4 (Orgel)	F. Mendelssohn
2.	Rezitativ und Arie des Gabriel aus der Schöpfung (Sopransolo)	Haydn
3.	„WARUM" Aus den Phantasiestücken (Klavier). .	Schumann
4.	Festspiel mit Gesang und Kinderreigen	F. Ludwigs
5.	Ansprachen.	
6.	Choralvorspiel: Jerusalem, du hochgebaute Stadt (Orgel)	J. S. Bach
7.	Gott in der Natur (Vierstimmiger Frauenchor mit Klavierbegleitung, gesungen als Doppelquartett)	Fr. Schubert
8.	Hommage à Händel (Duo für zwei Klaviere) . .	Jgn. Moscheles
9.	Lobgesang für gem. Chor, Soli, Orgel und Klavier .	Ad. Köchert
10.	Choralvorspiel (Orgel), gespielt durch den Komponisten, einen früheren Zögling	F. Walter.
11.	Chorgesang: Lobe den Herrn, den mächtigen König der Ehren!	

Zuerst ergriff Herr Präsident Schlumberger das Wort zu einer Ansprache folgenden Inhalts:

„Hochgeehrte Herren, Damen, Freunde und Gönner der Blindenschule zu Illzach!

Es ist eine große Ehre und Freude für den Verwaltungsrat, Sie heute hier begrüßen zu können. Seien Sie uns herzlich willkommen! Wir begehen heute eine Doppelfeier. Es sind jetzt 50 Jahre, seitdem die Blindenanstalt in Illzach gegründet wurde, und 26 Jahre sind es jetzt, daß unser hochverehrter Herr Direktor die Leitung der Schule übernommen hat.

Wir hatten vorgehabt, eine große Festlichkeit zu veranstalten, um diese beiden Jubiläen würdig zu feiern, sind aber durch schmerzliche Trauerfälle in unserem Verwaltungsrate daran verhindert worden. Deshalb haben wir uns entschlossen, heute nur ein kleines, intimes Familienfest zu veranstalten, dagegen aber ein Werk herauszugeben, welches ein dauerndes Andenken an den heutigen Tag sein wird. Dieses Werk ist die Geschichte unserer Anstalt von ihrem Entstehen an bis zum Jahre 1907. Den zweiten Teil dieses Werkes bilden die Vorträge und pädagogischen Arbeiten aller Art, welche unser hochverdienter Herr Direktor an vielen Kongressen gehalten, oder als Beilagen zu den Jahresberichten und in Fachblättern veröffentlicht hat — und die, im Verein mit seinen Lehrmitteln, seinen Weltruf begründet haben. Das stattliche Buch enthält viele künstlerisch ausgeführte Abbildungen und wird gewiß neues Interesse für die Blindensache wecken. Der Verfasser der Geschichte ist unser lieber Direktor selbst, und ich spreche ihm für seine hervorragende Arbeit, die uns im Manuskript vorgelegen hat, unsern besten Dank aus.

Ich danke S. M. dem Kaiser für den „Roten Adlerorden“, welcher unserm Direktor bereits vor zehn Jahren verliehen wurde und für das Wohlwollen, welches die hohe Regierung unserer Anstalt stets zeigte.

Dem Herrn Direktor des Oberschulrats, Ministerialrat Dr. Albrecht danke ich, daß er sich nach hier bemüht und auf diese Weise einmal mehr das Interesse bewiesen hat, welches er für unsere Anstalt hegt.

Weiter danke ich dem Herrn Polizeipräsidenten und Kreisdirektor, der immer zur Stelle ist, wenn es sich darum handelt, unserer Schule seine Freundschaft zu beweisen.

Ich danke ebenfalls der Lebensgefährtin unseres Direktors, denn sie hat viel dazu beigetragen, die Blindenanstalt auf ihrer Höhe zu erhalten; keine Mühe hat sie gespart; Tag und Nacht ist sie auf dem Posten gewesen.

Und jetzt noch ein Wort des Dankes für unsere Lehrer und Lehrerinnen, die alle mit großer Opferwilligkeit und Bescheidenheit ihre mühevolle Arbeit verrichten. Sie wissen, daß wir gerne mehr für sie tun möchten, daß es uns aber bei unseren beschränkten Mitteln unmöglich ist. Desto lobenswerter sind ihre Bemühungen.

Zum Schluß richte ich an Euch, frühere und jetzige Schüler und Schülerinnen unserer Anstalt die Bitte, den Namen Kunz in Eurem Herzen zu behalten, wie Ihr denjenigen Eures Vaters darin eingeschlossen habt; denn Herr Kunz ist für jeden von Euch ein zweiter Vater — der Blindenvater. Dieser Name ist für unsern Direktor der schönste Name, den er verdient hat.“

Es ergriff darauf der Direktor des Oberschulrats, Herr Ministerialrat Dr. Albrecht, das Wort, um für die freundliche Begrüßung zu danken und namens des kaiserlichen Statthalters und im Auftrage des Herrn Staatssekretärs v. Köller die Glückwünsche der Landesregierung zu überbringen. Diesen Wünschen schloß er den Dank an für die Männer, die in echtem Bürgersinn und in warmer Christenliebe die Anstalt vor 50 Jahren ins Leben gerufen und seither erhalten und gepflegt hätten; den aus diesem Kreis durch den Tod Abgerufenen zollte er die verdiente Ehre und dankte den noch für die Anstalt sorglich bemühten. Des weiteren sprach er auch dem Vorsteher der Anstalt öffentlichen Dank aus, dessen Wirken auf dem Gebiete der Blindenbildung allgemein anerkannt werde und der auch hier durch hingebende Tätigkeit für seine Zöglinge den schönen Namen des Blindenvaters erworben habe. In ehrender Anerkennung dieser weit über die Anstalt von Illzach hinausgehenden Tätigkeit habe der kaiserliche Statthalter ihm den Titel „Professor“ verliehen. Das darüber ausgefertigte Patent überreichte Dr. Albrecht am Schluß seiner Ausführungen mit seinem Glückwunsch dem so Geehrten.

Der Direktor dankte in kurzen Worten für die der Anstalt und ihrem Personal bezeugte Anerkennung und wies auf den Unterschied zwischen dem Gewollten und dem Erreichten hin, der zur Bescheidenheit mahne. Dann richtete er einige herzliche Worte an die früheren Zöglinge, welche draußen den ungleichen Konkurrenz- und Existenzkampf erfolgreich bestehen, indem er eine Parallele zog zwischen diesen stillen, unscheinbaren Kämpfern und den umjubelten Siegern des Schlachtfeldes. Schließlich forderte er die jetzigen Zöglinge auf, denen unter ihren Schicksalsgenossen nachzueifern, welche sich draußen durch Fleiß und ernste Lebensführung ein bescheidenes und doch geachtetes Plätzchen inmitten der sehenden Menschheit erobert haben.

An die eigentliche Feier schloß sich ein „besseres Nachtessen“ und an dieses eine musikalisch-deklamatorische Abendunterhaltung an, die sich schließlich zur Morgenunterhaltung auswuchs, weil jeder etwas dazu beitragen wollte.

Ein gemeinsamer Ausflug in den Wald, wo gekocht wurde, schloß das einfache Fest ab, das gerade durch diese Einfachheit an „heimeliger“ Gemütlichkeit gewann. Einige frühere Zöglinge reisten bald nach dem Feste wieder ab; andere blieben noch bis zum Beginn der Sommerferien und darüber hinaus in dem Hause, in welchem sie ihre Jugend verlebt hatten. Zahlreiche Dankbriefe beweisen uns, daß sie sich hier wieder wohl fühlten.

Weitere Arbeiten des Verfassers.

A. Schriften über geographischen Unterricht in Schulen für Sehende.

M. KUNZ. **Das Modell im Dienste des geographischen Unterrichts**, Separatabdruck aus Dr. Dittes Pädagogium I. Wien und Leipzig. 1879 . . . . M. 0.80

M. KUNZ. **Dell' applicazione del metode intuitivo all' insegnamento della geografia.** — Con 8 diesegni ed una fotografia . . . . „ 1.60
Verlag v. E. Löscher (Turin, Florenz, Rom). 1880.

Anschauung und Veranschaulichung im geographischen Unterricht. 1904.

B. Veranschaulichungsmittel für Blinde.

1. Geographie.

Blinden-Atlas. (Eingeführt in allen deutschen, russischen, holländischen, österreichischen, schweizerischen, den meisten französischen, italienischen, belgischen und vielen englischen, einigen amerikanischen, australischen, afrikanischen [Worcester im Kapland] und neuseeländischen Anstalten.

Das Blatt . . . . M. 0.30
Der ganze Atlas in Schachtel . . . . „ 26.—

*1. Planigloben (und Planetenbahnen).
2. Planigloben, ältere Ausgabe (gravierte Form).
3. Europa, ältere Ausgabe (gravierte Form).
*4. Europa, neue Ausgabe (modellierte Form).
5. West- und Mitteleuropa.
6. West- und Mitteleuropa (vertiefte Flüsse). [Auftrag der Königl. dänischen Anstalt in Kopenhagen].
7. Plan der Blindenanstalt und der Ortschaft Illzach.
8. Elsaß-Lothringen und Schwarzwald nebst angrenzenden Gebieten Frankreichs und der Schweiz.
9. Elsaß-Lothringen (physikalisch), Skizze.
10. Elsaß-Lothringen, Eisenbahnkarte.
11. Elsaß-Lothringen, politisch (Bezirke und Kreise).
12. Deutschland (ganz Mitteleuropa, physikalisch).
13. Deutschland (politisch).
14. Südwestdeutschland (physikalisch, mit Namen in Schwarzdruck).
15. Südwestdeutschland (politisch, mit Namen in Schwarzdruck).
16. Nordwestdeutschland (physikalisch).
17. Nordwestdeutschland (politisch).
18. Nordostdeutschland.
19. Südostdeutschland (politisch, physikalisch und Kriegshäfen).
*20. Deutsches Reich, physikalisch.
21. Deutsches Reich, politisch.
*22. Ostdeutschland.
*23. Südwestdeutschland.
*24. Nordwestdeutschland (physikalisch).
*25. Nordwestdeutschland (Gesamtkarte).
*26. Thüringen.
27. Ostpreußen. [Auftrag der Blindenanstalt Königsberg.]
28. Brandenburg. [Auftrag der Blindenanstalt Steglitz-Berlin.]
29. Schleswig-Holstein. [Auftrag der Blindenanstalt Kiel.]
30. Regierungsbezirk Aachen (physikalisch). [Auftrag der Blindenanstalt Düren.]
31. Regierungsbezirk Aachen, politisch (ebenso).
32. Der Kreis Neuwied. [Auftrag der Prov.-Blindenanstalt Neuwied.]
33. Frankreich, ältere Ausgabe mit Provinzialgrenzen.
*34. Frankreich, physikalisch und politisch.
35. Frankreich, erweiterte Ausgabe mit Namen in beiden Sprachen.
36. Plan von Paris und Umgebung (zur Geschichte).
37. Spanien und Portugal (ältere Ausgabe, gravierte Form).
*38. Spanien und Portugal (einfachere Ausgabe, schärferer Druck).
39. England (ältere, kleinere Ausgabe).
*40. England (größere Ausgabe).
41. Italien, ältere Ausgabe, gravierte Form (erste Karte des Atlasses).
*42. Italien, neuere Außgabe (modellierte Form).
43. Plan des alten Rom (zur Geschichte).
*44. Die Schweiz (physikalisch).
45. Die Schweiz (politisch).
46. Österreich-Ungarn (ältere, politische Ausgabe).
47. Österreich-Ungarn (allgemeine Ausgabe).

Die mit * bezeichneten Blätter sind im Auftrag des „Vereins zur Förderung der Blindenbildung" bearbeitet, oder von ihm übernommen worden. Der genannte Verein gibt dieselben unter dem Ankaufspreise ab.

48. Österreich-Ungarn (Ausgabe für Österreich).
49. Österreich-Ungarn (allgemeine Ausgabe, politisch).
50. Steiermark. [Auftrag der Anstalt in Graz.]
51. Teilkarte von Österreich-Ungarn (von Melk bis Budapest).
52. Alpenseen (als Ergänzungsblatt zu den Karten der Alpenländer).
*53. Dänemark und seine Kolonien.
54. Dänemark mit vertieften Flüssen, Eisenbahnen, Leuchttürmen, Leuchtschiffen und Rettungsstationen. [Auftrag der Königl. Blindenanstalt in Kopenhagen.]
*55. Skandinavien.
*56. Holland und Belgien.
*57. Rußland.
58. Plan von St. Petersburg.
59. Physikalische Karte von Rußland.
60. Politische Karte von Rußland. (58. 59 und 60 sind im Auftrage und für Rechnung des Marien-Vereins in St. Petersburg [Kanzlei I. M. der Kaiserin] bearbeitet worden.)
*61. Balkanhalbinsel.
62. Griechenland (Geschichtskarte).
63. Afrika, politisch (gravierte Form).
*64. Afrika, physikalisch-politisch.
*65. Deutsch-Ost-Afrika.
*66. Asien, physikalisch.
67. Asien, politisch.
68. Hinterindien und Inseln. (Franz. und holländische Kolonien. Holland in demselben Maßstabe zum Vergleiche.)
69. Kleinasien und Syrien (historisch).
70. Palästina, physikalisch. } Beilage zu Schollen-
71. Palästina, politisch. } bruchs Bibl. Geschichte.
*72. Palästina, größere Ausgabe.
73. Palästina für Sehende und Blinde.
*74. Karte zur alten und biblischen Geschichte. (Von der Rhône bis zum Kaspischen Meere; von Straßburg bis Theben.)
75. Dieselbe, einfachere Ausgabe.
*76. Dieselbe, einfachere Ausgabe ohne Gebirge.
*77. Nord-Amerika (ältere Ausgabe, gravierte Form).
78. Nord-Amerika (neuere Ausgabe, schärferer Druck).
79. Teilkarte der Vereinigten Staaten (Osten).
80. Süd-Amerika (ältere Ausgabe).
*81. Süd-Amerika (neuere, größere Ausgabe).
*82. Australien.
83. Australien, mit vertieften Flüssen (Englische Manier).
*84. Stiller Ocean.
85. Derselbe mit schärferer Gradteilung.
86. Zeichnung zur Erklärung der Jahreszeiten.
87. Griechenland (Ausgabe für die Griechen).

Reliefglobus aus Gummi.

II. Naturkunde.

Naturgeschichtliche Reliefabbildungen.

a) **Zoologie**, erschienen sind 36 Blätter; roh M. 0.30
„ doppelseitig lackiert (waschbar) „ 0,50
„ „ „ und ausgekittet . . . . „ 0.60

Zoologie mit natürlicher Bedeckung (Wolle oder Seide) . . . . M. 0.70
„ mit solcher Bedeckung in den Naturfarben . . . . „ 1.—

Blatt 1. Löwe, Tiger.
„ 2. Elephant.
„ 3. Pferd im Trabe.
„ 4. Kameel.
„ 5. Edelhirsch und Damhirsch.
„ 6. Wale: Narwal, Delphin, Lamantin (Sirene).
„ 7. Elster, Häher, Alpendohle, Nebelkrähe.
„ 8. Haushahn, Auerhahn.
„ 9. Truthahn, Birkhahn, Perlhuhn, Rebhuhn.
„ 10. Goldfasan, Silberfasan.
„ 11. Argus.
„ 12. Afrikanischer Strauß, amerikanischer Strauß.
„ 13. Trappe, Kasuar.
„ 14. Storch, Marabu, Flamingo. (In zwei Stellungen.)
„ 15. Kampfhahn, Kibitz, Schnepfe, kleine Rohrdommel, Möve.
„ 16. Kranich, Ibis, Purpurreiher, Stachelreiher, Rohrdommel.
„ 17. Pelikan, Schwan.
„ 18. Ente, Gans.
„ 19. Krokodil.
„ 20. Alligator.
„ 21. Alpensalamander, Olm, Kammmolch, Sirene.
„ 22. Barsch, Zander.
„ 23. Meerschwalbe (fliegender Fisch).
„ 24. Barbe, Goldfisch, Stichling, Grundel und Salm.
„ 25. Thunfisch und Schwertfisch.
„ 26. Donauwels, Sardelle, Hering.
„ 27. Hecht und Hornhecht.
„ 28. Glattbutt, Heringskönig, Klumpfisch.
„ 29. Aal, Zitteraal und Schnabelfisch.
„ 30. Gemeiner Stör, Hausen.
„ 31. Menschenhai, Sägefisch.
„ 32. Zitterrochen (Torpedo) und Stachelrochen.
„ 33. Hummer, Flußkrebs, Scorpion, Kreuzspinne, Tarantel, Assel, Floh.
„ 34. Tintenfisch (Sepia).
„ 35. Seepolyp.
„ 36. Schlangenstern und vergrößerter Körper desselben, gemeiner Seestern.

Anmerkung: Man hat diesen Bildern den Vorwurf gemacht, daß sie unlackiert nicht haltbar genug seien und daß die gefirnißten sich anfühlen wie Blech. Diese Übelstände sind beseitigt, seit es gelungen ist, den Bildern eine *natürliche* Bekleidung aus Woll- oder Seidefasern zu geben.

b) **Botanik.** 1 Heft, Blattformen und Blütenstände. 10 Tafeln mit 104 Abbildungen und Erklärungen . . . . M. 3.-

c) **Reliefabbildungen für den physikalischen Unterricht.** Bis jetzt erschienen 28 Tafeln mit ca. 150 Zeichnungen, à Tafel. . . . . . . „ 0.30
Kammräder, Fallgesetz und Wurfbahnen, Parallelogramm der Kräfte. Anwendung desselben auf Zug,

Schub; Keil, Kniehebelpresse und schiefe Ebenen. Hebelgesetze. Rollen, Flaschenzüge, Schnell- und Decimalwage, Blasebälge, Pumpen, Feuerspritze, Heber, Barometer, Orgelpfeifen; Spiegelung von Licht und Wärme. Flach-, Konkav- und Konvexspiegel. (Konstruktionen.) Lichtbrechung, Entstehung der „Farben", Linsen, Auge, Brillen und optische Instrumente (Konstruktionen), Schneeflocken.

C. Schreibapparate.

35. **Preis-Schreibtafel** für einseitige und doppelseitige Punkt- und Heboldschrift: Messingrahmen und Stahllineale, großes Format . . . M. 17.
Taschenschreibtafel für Folioformat, Punkt- und Flachschrift . . . . „ 5.—
Vorlage für Heboldschrift (Schriftführer). „ 0.20

D. Rechenapparate.

Bruchrechenapparat . . . . „ 3.—
Apparat zur Veranschaulichung der Quadrat- und Kubikwurzel . . . . „ 6.—

E. Lehrmittel für Sehende und Blinde.

Heimatrelief von Mühlhausen und Umgegend (Wandkarte) unbemalt . . . . M. 15.—
Schichtenrelief von Mülhausen und Umgegend.
Wandrelief von Genua (Zur Veranschaulichung aller geographischen Grundbegriffe) . . . . . . „ 20.—
(Nach eigenen Höhenmessungen ohne Überhöhung modelliert.)
Wandrelief von Süd-Tirol . . . . „ 15.—

F. Lehrmittel für Sehende.

Höhenschichten-Reliefatlas für Sehende. M. 2.80
Karten: Europa, Asien, Afrika, Australien, Nord-Amerika, Süd-Amerika, Indien, Palästina, Spanien und Portugal, Italien, Balkan-Halbinsel, Deutschland, Frankreich, England, Schweiz, Österreich, Skandinavien.
Relief-Atlas in natürlicher Modellierung zum Ausfüllen durch die Schüler. (Bis jetzt sind erschienen: die Schweiz, Italien, Europa, Deutschland, Asien, Süd-Amerika, Frankreich, Spanien und Portugal, England, Balkan-Halbinsel, Steiermark, Palästina, Elsaß-Lothringen, Skandinavien, West- und Mittel-Europa.)
Mit Namen . . . . „ 0.30
Ohne Namen . . . . „ 0.25
(Durch den Buchhandel oder die Anstalt zu beziehen.)
Schichtenreliefkarte von Mittel-Europa . . . M. 0.30
Reliefkarte von Palästina.
Koloriert, mit Namen . . . . „ 0.50
„ weiß, mit Namen . . . . „ 0.30
„ weiß . . . . „ 0.25

Bücher und Musikalien, welche seit 1882 in der Anstaltsdruckerei erschienen sind.

I. Religion.

1. **Biblische Geschichte** von Oberschul- und Ministerialrat Schollenbruch, Mittelstufe (im Punktreliefdruck) 1 Band (2. Auflage), solid gebunden . . . . M. 6.—
2. **Biblische Geschichte** von Oberschul- und Ministerialrat Schollenbruch, Oberstufe (in doppelseitigem Punktreliefdruck, 4 Bände (2. Auflage) . . . . „ 24.
3. **Grubemann,** Andachtsbuch, Illzacher Liniendruck . . . . „ 5.50
4. Diözesankatechismus von Bischof Dr. Stumpp

II. Deutsche Sprache und Literatur.

5. **K. Gerock,** Der letzte Strauß. (2 Ausgaben für Protestanten und Katholiken. Erstere enthält die Reformationsgedichte) . . . . „ 6.—
6. **Gedichte von Walter von der Vogelweide.** Urtext und Vokabular . . . . „ 4.—
7. **Dr. Reiche,** Führer auf dem Lebensweg, oder klassische Lehren der Moral, 316 Seiten, Kurzschrift 2 Bände . . . . „ 9.
8. **Caroline Gaß-Neßler,** Aus dem Seeleben einer Blinden, Gedichte . . . . „ 4.50
9. **Caroline Gaß-Neßler,** Poetisches Kindergärtlein . . . . „ 3.50
10. **Göthe,** Iphigenie in Tauris . . . . „ 5.-
11. **Johanna Spyri,** Heidi's Lehr- und Wanderjahre, 2 Bände, 1 Band allein M. 5.—, 2 Bände „ 9.-
12. **Johanna Spyri,** Heidi kann brauchen was es gelernt hat. 2 Bände . . . . „ 9.
13. **Pestalozzi,** Lienhard und Gertrud, 5 Bände „ 25.
14. **L. Schorsch,** Ein Königskind (Kaiserin Adelheid, Gemahlin Otto's I.) . . . . „ 6.—
15. **Konrad Ferdinand Meyer,** Hutten's letzte Tage (nur für Protestanten) . . . . „ 4.
16. **Kuoni,** Verwaist aber nicht verlassen. 2 Bände „ 10.—
17. **Dr. Bruno Stehle.** Musterbeispiele zum Unterricht in der deutschen Satzlehre. 1 Band „ 5.
18. **Marryat,** Die Kinder des Waldes, aus dem Englischen v. Kretschmar. 2 Bände in Kurzschrift . . . . „ 12.
19. **Festspiel,** Lieder, Musikstücke (Jubiläumsbuch) . . . .

III. Französische Sprache und Literatur.

20. **Plœtz,** französisches Elementarbuch. 4 Bände. (1 Band Grammatik, 2 Bände Übungen, 1 Band Lesebuch) . . . . „ 20.
21. **Breitinger,** Professor, Elementarbuch, 2 Bd. „ 10.—
22. „ „ Syntaxe française, 2 Bd. „ 10.—
23. **Janin,** Chrestomathie des écoles.
Band I z. Z. vergriffen. „ 8.-
„ II . . . . „ 8.—
24. **Choix de poésies françaises** (Victor Hugo, Delavigne, Lamartine) . . . . „ 6.
25. **Dr. Vogel,** Correspondance commerciale française, 12 Bändchen zu M. 3.- . . . . „ 35.—

44

26. **Marcillac,** Histoire de la littérature française, 3 Bände . . . . M. 15.—
27. **La predicacion en la montaña.** (*Spanisch.*)

IV. Geschichte (deutsch und französisch).

28. **Plœtz,** Auszug aus der Geschichte (erschienen: Das Mittelalter) . . . . „ 5.—
29. **Plœtz,** Hauptdaten der Weltgeschichte.
    Altertum . . . . „ 2.50
    Neuzeit . . . . „ 3.—
30. **Duperrex** (professeur à l'Université de Lausanne), Cours d'histoire générale.
    Histoire romaine, vol. I . . . . „ 6.—
    „ „ II . . . . „ 6.—
    Histoire moderne, vol. I . . . . „ 6.—
    „ „ II . . . . „ 6.—
    „ „ III . . . . „ 6.—
    „ „ IV . . . . „ 6.
    Histoire moderne, vol. V . . . . M. 6.
    „ „ VI . . . . „ 6.—

V. Rechnen.

Wiedemann, Rechenbuch. 2 Bände . . . . „ 10.—

VI. Musik.

31. **Die Musikzeichen der Sehenden,** entworfen von Krage (Düren), ausgeführt von M. Kunz. Beilage zu Urbach's Klavierschule. 2. Auflage „ 3.—
32. **Weihnachtsoratorium,** von J. F. Müller . . „ 2.50
33. **Gemischte Chöre,** Musik und Text . . . . . „ 5.—
34. **Locher, Carl,** Orgelexperte in Bern. Erklärung der Orgelregister und ihrer Klangfarben. (Mit Zeichnungen von M. Kunz) 2 Bände . . . . „ 10.

(Das Buch ist bis jetzt in sechs Sprachen erschienen.)

Alle diese Lehrmittel und Bücher können von der Anstalt bezogen werden.

Beilage.

Neugriechische Bearbeitung der Blindenphysiologie

von

Fräulein **Irene Lascaridi,**
Leiterin der ersten griechischen Blindenanstalt in Athen.

Περὶ τῆς Φυσιολογίας τῶν Τυφλῶν.

Ὑπὸ **M. Kunz,**
Διευθυντοῦ τῆς ἐν Ἴλλτσαχ-Μιλχάουζεν τῆς Ἀλσατίας Σχολῆς Τυφλῶν.

Μετάφρασις Ει. Λ.

Εἰς εὐρυτάτους κύκλους εἶναι διαδεδομένη ἡ θεωρία τοῦ ὅτι, ἡ ἀπώλεια μιᾶς ἐκ τῶν αἰσθήσεων ἐπιφέρει τοιαύτην ἐνίσχυσιν τῶν λοιπῶν αἰσθητηρίων ὀργάνων, ὥστε ταῦτα νὰ καθίστανται ἱκανὰ ν' ἀναπληρώνουν (κατὰ μέγα τοὐλάχιστον μέρος) τὴν ἐλλείπουσαν αἴσθησιν, χρησιμεύοντα οὕτως εἰπεῖν ὡς ἀντικαταστᾶται αὐτῆς.

Συμφώνως πρὸς τὴν θεωρίαν ταύτην πολλάκις ἀναφέρεται ὁ ἀντικαταστάτης τῶν αἰσθήσεων «Sinnenvicariat». Οὕτω πιστεύεται, ὅτι ἡ ἀπώλεια τῆς ὁράσεως ὀξύνει τὴν ἀκοήν, ἰδίως δὲ τὴν ἀφήν, εἰς ὅλως ὑπερφυσικὸν βαθμόν. Καὶ μάλιστα εἶχα ποτὲ ἀναγνώσει εἴς τι μαθητικὸν βιβλίον, ὅτι πρὸ ἐτῶν τυφλός τις εἶχε διορισθῇ ράπτης τῆς Αὐλῆς βασιλέως τινός, ἕνεκα τῶν ὡραιοτάτων ποικιλοχρόων στολῶν, τὰς ὁποίας τῷ εἶχε κατασκευάσει· διὰ τὸν λόγον ὅτι, διὰ τοῦ αἰσθητηρίου ὀργάνου τῆς ἀφῆς, ἦτο εἰς θέσιν νὰ διακρίνῃ τὰς λεπτοτέρας ἀποχρώσεις.

Εὑρισκόμην τότε ἐν τῇ ἡλικίᾳ ἐκείνῃ καθ' ἣν πιστεύει τις πᾶν ὅ, τι ἀναγνώσει. Διὰ τοῦτο εἶχα σχηματίσει τὴν γνώμην, ὅτι οἱ τυφλοὶ δύνανται νὰ «ψηλαφίζουν» τὰ χρώματα. Κατὰ τὴν μετέπειτα διδασκαλικήν δρᾶσίν μου εἰς μέσας καὶ ἀνωτέρας σχολὰς βλεπόντων δὲν παρέλιπα, ὅταν εἰς τὸ μάθημα τῆς Φυσικῆς ἦτο ὁ λόγος περὶ φωτὸς ἢ θερμότητος, νὰ προσελκύω ὀπαδοὺς τῆς δοξασίας ταύτης καὶ τὸ μόνον τὸ ὁποῖον ἐζήτουν ἦτο νὰ εὕρω βάσιμόν τινα ἐξήγησιν τοῦ παραδόξου τούτου «γεγονότος».

Ἐν τέλει ἐνόμισα ὅτι εὗρον τοιαύτην ἐν τῇ ἀνίσου βαθμοῦ θερμότητι τῶν διαφόρων χρωματιστῶν ὑφασμάτων. Μ' ὅλα ταῦτα δὲν ἠδυνάμην νὰ παραδεχθῶ, ὅτι τὰ χρώματα αὐτὰ καθ' ἑαυτὰ ἦσαν καταληπτὰ διὰ τῆς ἀφῆς, διότι ἐσκεπτόμην ὅτι τότε καὶ τὰς ὀσμὰς ἔπρεπε νὰ εἶναι τις εἰς θέσιν νὰ ψηλαφίζῃ, ἐπίσης δὲ τοὺς ἤχους νὰ βλέπῃ ἢ νὰ αἰσθάνηται καὶ τὴν γεῦσιν νὰ τὴν ἀντιλαμβάνηται διὰ τοῦ δέρματος. Ἀλλ' ὡς πρὸς τὸ «γεγονὸς» καθ' ἑαυτὸ δὲν ἐτόλμουν ν' ἀμφιβάλλω. Νομίζω δὲ ὅτι δὲν ἤμην ἐγὼ μόνος ὁ ἔχων τὴν ἁπλότητα νὰ τὸ πιστεύῃ. Τοὐλάχιστον παιδαγωγός τις, σπουδαίαν κατέχων θέσιν, διϊσχυρίζετο ἐπὶ παρουσίᾳ μου πρὸ 18 περίπου ἐτῶν, ὅτι εἶχε γνωρίσει μίαν τυφλήν, ἡ ὁποία ἦτο εἰς θέσιν νὰ διακρίνῃ τὰ χρώματα διὰ τῆς χειρός. Ἐπειδὴ ὅμως, ἐντοσούτῳ, συνεπείᾳ πολυετοῦς δράσεως ἐν σχολῇ τυφλῶν, εἶχα τραπῆ εἰς τὸ μέρος τῶν αἱρετικῶν, ματαίως προσεπάθησα νὰ μεταπείσω τὸν κύριον αὐτόν, συμφώνως μὲ τὰς νέας ἀντιλήψεις μου, λέγων, ὅτι ἡ περὶ ἧς ὁ λόγος τυφλὴ θὰ διέκρινε τὰ χρώματα διὰ τῶν ὀφθαλμῶν, ἔχουσα ἴσως ἀκόμη τὴν ἀντίληψιν τοῦ φωτὸς ἢ ὅτι θ' ἀνεγνώριζε τὰ ποικιλόχροα ὑφάσματα ἐξ ἄλλων σημείων διευθύνσεως, μεγέθους καὶ στερεότητος τῆς κλωστῆς, λεπτότητος τοῦ ποιοῦ κτλ.. Καὶ μάλιστα τῷ ἐξήγησα πῶς τοῦτο συμβαίνει καὶ παρ' ἡμῖν, ὅπου ἐντελῶς τυφλὰ κοράσια ἐργάζονται ὡσαύτως μὲ ὑλικὰ τῶν ποικιλωτέρων χρωματισμῶν (μάλλινα καὶ βαμβακερὰ πλεξίματα, ψῆκτρας κτλ.). Τὰ πάντα ματαίως! Ἔμεινε πιστὸς εἰς τὴν δοξασίαν του καὶ ἐφαίνετο ὡς νὰ ἤθελε νὰ μοῦ εἴπῃ: «Κατὰ πᾶσαν πιθανότητα οἱ ἄνθρωποί σας ἔχουν ἀκόμη μείνει πολὺ ὀπίσω.»

Ὅταν κανεὶς γνωρίζῃ ποία ἀσωτία ἐπιδαψιλεύεται εἰς αὐτὰ ἀκριβῶς τὰ χρώματα εἰς πολλὰς (ἰδίως λατινικὰς καὶ σλαυϊκὰς) σχολὰς τυφλῶν διὰ νὰ διεγείρηται ὁ θαυμασμὸς καὶ ἡ ἔκπληξις τῶν βλεπόντων, δὲν πρέπει πλέον ν' ἀπορῇ πῶς σχηματίζονται αἱ πεποιθήσεις αὐταί. Οὕτω λ. χ. βεβαίως ποτὲ δὲν εἶχα εἰδεῖ τοιαύτην ἀφθονίαν χρωματισμῶν, ὡς πρὸ ἑνὸς ἔτους εἰς τὰς τεχνικὰς ἐργασίας θηλέων τῆς σχολῆς τυφλῶν Νεαπόλεως (Συνέδριον διδασκάλων τῶν τυφλῶν ἐν Μιλάνῳ). Γεγονὸς προσέτι εἶναι ὅτι δὲν καταπολεμοῦνται πάντοτε μετὰ τῆς πρεπούσης ζέσεως αἱ τοιαῦται τελείως ἀνεστραμμέναι θεωρίαι, αἵτινες συχνότατα ἐκφράζονται ὑπὸ τῶν ἐπισκεπτομένων τὰς τῶν τυφλῶν σχολάς. Ἀπαντᾷ τις τόσας παραλόγους προκαταλήψεις βλαπτούσας τοὺς τυφλούς, ὥστε πολλάκις πτοεῖται νὰ ἐκμηδενίσῃ καὶ αὐτὰς τὰς γελοιωδεστέρας πλάνας, αἵτινες ἐνισχύουσαι τὴν πεποίθησιν εἰς τὴν ἱκανότητα τῶν ἀομμάτων, δύνανται ὅμως νὰ διαφημίσουν αὐτούς.

Ποσάκις ἀκούει τις παρ' ἀνθρώπων δυναμένων νὰ διηγῶνται τὰ πλέον ἀπίστευτα καὶ ἀδύνατα πράγματα σχετικῶς πρὸς τὴν λεπτότητα τῆς ἀφῆς τῶν τυφλῶν, τὰς ἐρωτήσεις: «Καὶ εἶναι λοιπὸν ἱκανοὶ νὰ εὑρίσκουν τὴν κλίνην των, τὸν νιπτῆρά των κτλ.; Δύνανται νὰ τρώγουν καὶ νὰ ἐνδύωνται μόνοι των; Ὥστε εὑρίσκουν τὸ στόμα των; Δύνανται νὰ ὁμιλοῦν;» κτλ. κτλ.

Πῶς ν' ἀπορήσῃ τις, ἐὰν εὐτράπελός τις διδάσκαλος τυφλῶν, ὄχι μόνον δὲν καταστρέφει τὰς φαντασιοπληξίας τῶν τοιούτων ἀνθρώπων, οἵτινες ἐπιδεικνύουν αὐτὰς μετὰ τοσούτου ἐνδιαφέροντος ἀλλὰ μάλιστα προσθέτει καὶ ἄλλας;! Κάκιστον βεβαίως τοῦτο, ἀλλ' ὅμως εὐνόητον. Φανερὸν προσέτι εἶναι ὅτι ὑπάρχουν τυφλοί, προσπαθοῦντες δι' ὑπερβολῶν καὶ ἀπάτης νὰ προσδώσουν ποιάν τινα σπουδαιότητα εἰς τὸ ἄτομόν των.

Ὅτε πρὸ εἰκοσαετίας ἀντήλλαξα τὴν διεύθυνσιν σχολῆς βλεπόντων μετὰ σχολῆς τυφλῶν, ὡς ἤδη ἀνέφερα, ἐξηκολούθουν καὶ ἐγώ, ὅπως τόσοι ἄλλοι, νὰ ὑποστηρίζω τὴν δοξασίαν τῆς «ψηλαφητῆς» ἀναγνωρίσεως χρωμάτων, ἀπὸ τὴν ὁποίαν ὅμως δὲν ἤρκεσαν αὐτοὶ οὗτοι οἱ τυφλοὶ νὰ μὲ μεταπείσουν.

Προστούτοις εἶχα πολλάκις ἀναγνώσει καὶ ἀκούσει, ὅτι οἱ τυφλοὶ ἠδύναντο ἀπταίστως νὰ διακρίνουν καὶ αὐτὰς ἀκόμη τὰς μᾶλλον ἀνεπαισθήτους λεπτὰς ἀνωμαλίας, αἵτινες διὰ τὴν ψηλαφίζουσαν χεῖρα τῶν βλεπόντων δὲν ἦσαν πλέον αἰσθηταί. Διὰ τὸν λόγον τοῦτον ἔθετα ἐπὶ τὴν ἀφὴν τῶν μαθητευομένων ἀπεριορίστους ἀπαιτήσεις.

Ὅτε τὸ ἐν Φρανκφούρτῃ ἐπὶ τοῦ Μ. (1882) Συνέδριον τῶν Διδασκάλων τῶν Τυφλῶν, κατὰ τὸ τέλος τῶν ἀνακοινώσεών μου περὶ διδασκαλίας τῆς γεωγραφίας, μοὶ ἀνέθεσε νὰ κατασκευάσω χάρτας διὰ τοὺς τυφλούς, ἐπὶ τῇ βάσει, ἣν εἶχα ἀναπτύξει καὶ ὅτε μετ' ἀναρίθμητους δοκιμὰς ἔφερα αὐτοὺς εἰς τὸ ποθούμενον τέρμα, ἤμην ἀρκούντως ὑπερήφανος ἐκτυπώνων τριχοειδεῖς λεπτῶς ἀνυψουμένας γραμμάς, παριστώσας ποταμοὺς ὡς καὶ στιγμάς, δηλούσας πόλεις καὶ σύνορα. Ἐξήτασα τὰ χάρτινα φύλλα μὲ κλειστοὺς ὀφθαλμοὺς καὶ ἠδυνήθην νὰ παρακολουθήσω κάθε γραμμήν, παρ' ὅλην τήν, ἕνεκα τῆς ἐπὶ σκληροῦ ξύλου χαρακτικῆς ἐργασίας, σκλήρυνσιν τῶν δακτύλων μου. Ὅτε ὅμως ἠθέλησα νὰ μεταχειρισθῶ τοὺς χάρτας κατὰ τὴν διδασκαλίαν τάξεως μεγαλειτέρων εὐφυῶν κορασίων (ἓν ἐκ τῶν ὁποίων εἶναι ἤδη πρὸ ἐτῶν ἐνεργὸς διδασκάλισσα), ἡ εὐαισθησία τῆς ἀφῆς δὲν ἦτο ἐπαρκής. Δὲν τὰ ἔβγαζαν πέρα. Κατ' ἀρχὰς τὸ ἀπέδωσα εἰς ἔλλειψιν καλῆς θελήσεως καὶ δυσηρεστήθην. Τότε μοῦ ἔκαμαν τὴν «χάριν» νὰ μὲ ἀπατήσουν, ὑποκρινόμεναι, διὰ νὰ μ' εὐχαριστήσουν, ἀντιλήψεις τὰς ὁποίας οὔτε εἶχαν οὔτε ἦτο δυνατὸν νὰ ἔχουν. Ἀντελήφθην τὸ παιγνίδι καὶ ἀμέσως παρεχώρησα τὴν διδασκαλίαν τῆς γεωγραφίας εἴς τινα διδάσκαλον, οὗτινος οἱ ὀφθαλμοὶ δὲν ἐθαμβοῦντο ἐκ τῆς πρὸς τὰ τέκνα τοῦ πιθηκείου στοργῆς καὶ εἰς ὃν οἱ μαθηταί, χωρὶς φόβον τοῦ νὰ τὸν λυπήσουν, εἶπον τὴν ἀλήθειαν, τὴν ὁποίαν τοιουτοτρόπως ἠδυνήθην νὰ μάθω καὶ ἐγώ.

Οἱ χάρται οὗτοι ἐστάλησαν πρὸς ἐξέτασιν εἰς ὅλας σχεδὸν τὰς Εὐρωπαϊκὰς σχολὰς τυφλῶν. Πανταχόθεν κατέφθανον ὅμοιαι περίπου ἀπαντήσεις: «Θαυμάσιοι, ἀλλὰ πολὺ λεπτοί»· «περίφημοι, ἀλλ' ἀψηλαφήσιμοι» κτλ. «Ὁ Κ. ἀνεδείχθη εἰδήμων εἰς τὴν γεωγραφικὴν ἀναπαράστασιν, ἂν καί» . . . . Οὕτως ἐξεφράσθη ὁ πρόεδρος τοῦ γεωγραφικοῦ τμήματος εἰς τὸ συνέδριον τοῦ Ἀμστελοδάμου. Χωρὶς «ἂν» καὶ «ἀλλά» δὲν ἠδύναντο ν' ἀποφανθοῦν. Οἱ πάσης χώρας συνάδελφοί μου τότε μόνον ηὐχαριστήθησαν, ὅταν (πρὸς τὴν ὀρθὴν ἀναπαράστασιν τῶν ὀρέων) τοὺς παρουσίασα γραμμὰς ποταμῶν καὶ σειρὰς στιγμῶν ἀντιληπτῶν τοῖς πᾶσι καὶ διὰ χειρονακτιοφόρου ἀκόμη χειρός, ὁδηγούντων δὲ καὶ αὐτὸν τὸν ἀναισθητότερον δάκτυλον ὡς αἱ σιδηροδρομικαὶ γραμμαὶ τοὺς τροχούς. Μόνον μετὰ τὴν ἐπίτευξιν τοῦ σημείου τούτου, εὗρεν ὁ ἤδη 83 πίνακας περιλαμβάνων Ἄτλας ἐπιδοκιμασίαν, εἰσαχθεὶς εἰς τὰς περισσοτέρας σχολὰς τυφλῶν ὅλων τῶν πολιτισμένων λαῶν τῆς γῆς. (Μέχρι τοῦδε ἐζητήθησαν περὶ τὰς 100000 φύλλα· 30000 ἐκ τοῦ [γερμανο-αὐστριακο-δανικοῦ] Συλλόγου πρὸς διάδοσιν τῆς μορφώσεως τῶν τυφλῶν.)

Ὥστε καὶ εἰς τὴν περίπτωσιν ταύτην ἠναγκάσθην νὰ ὑποβιβάσω σημαντικῶς τὰς ἐπὶ τῆς δοξασίας μου στηριζομένας μεγάλας ἀπαιτήσεις ἐπὶ τοῦ αἰσθητηρίου τῆς ἀφῆς, ὅπως δυνηθῶ νὰ φανῶ χρήσιμος εἰς τὴν πλειότητα τῶν τυφλῶν. Τὴν ἰδίαν ὡσαύτως πεῖραν ἔλαβα καὶ μὲ τὰ ὑποδείγματα τῆς Ζωολογίας καὶ Βοτανικῆς, πρὸ πάντων δὲ μὲ τὰ σχήματα διὰ τὴν διδασκαλίαν τῆς Φυσικῆς. Ἐχρειάσθη ν' ἀποτυπωθοῦν ἐπανειλημμένως ἐντελῶς νέα, ἕως ὅτου νὰ κατορθωθῇ ὁ ἀπαιτούμενος καὶ καταληπτὸς εἰς τὴν ἀφὴν βαθμός. Τὴν σήμερον, μετὰ εἰκοσαετῆ πεῖραν, ζητῶ ἀπὸ τὴν ἀφὴν πολὺ ὀλιγώτερα, ἐνῷ ἀπὸ τὴν ἀντοχὴν τοῦ ἐξογκουμένου χάρτου πολὺ περισσότερα παρὰ εἰς τὰς ἀρχάς.

Ἡ διὰ στιγμῶν Βραΐλλειος γραφή, ἡ φέρουσα τὸ ὄνομα τοῦ τυφλοῦ ἐφευρέτου αὐτῆς Λουδοβίκου Βράϊλλ, μᾶς παρέχει πρὸ καιροῦ πειραματισμένον τὸ μέτρον τῆς ἁπτικῆς εντάσεως.

Ἀκόμη πρὸ 20—22 ἐτῶν καθ' ἅπασαν τὴν Γερμανίαν ἦτο ἐν χρήσει ἡ δι' ἀναγλύφων κεφαλαίων Λατινικῶν στοιχείων γραφὴ (A B C D κτλ.), ἐν ᾗ ἀπὸ τοῦ 1859—1863 ἐτυπώθη ἐνταῦθα ἡ Γερμανικὴ Βίβλος. Ἡ γραφὴ αὕτη, ἣν οἱ μὲν νεαροὶ τυφλοί, ἐνόσῳ οἱ δάκτυλοί των δὲν ἦσαν ἀκόμη ἀνεπτυγμένοι, ἠδύναντο ὅπως δήποτε ν' ἀναγνώσουν βραδέως, ἐνῷ μετέπειτα μόνον μετὰ μεγάλου κόπου, ἐὰν κατὰ μέγα μέρος δὲν ἐγνώριζον ἤδη ἐκ στήθους τὸ περιεχόμενον, ἦτο μᾶλλον προσδιωρισμένη διὰ τὸν βλέποντα διδάσκαλον ἢ διὰ τοὺς τυφλούς. Κατὰ τὴν παρέλευσιν τῶν 20 τελευταίων τούτων ἐτῶν ἡ γραφὴ αὕτη, παρὰ τὴν ζωηρὰν ἀντίστασιν πολλῶν διδασκάλων τῶν τυφλῶν, κατηργήθη ἐντελῶς καὶ ἐν Γερμανίᾳ καὶ ἐν Αὐστρίᾳ, ἀντικατασταθεῖσα ὑπὸ τῆς διὰ στιγμῶν γραφῆς.

Τὴν βάσιν τῆς γραφῆς ταύτης ἀποτελοῦν δύο κάθετοι σειραὶ στιγμῶν, ἑκάστη τῶν ὁποίων ἔχει ἀνὰ τρεῖς στιγμάς (⠿).

Αἱ κωνικὸν ἔχουσαι σχῆμα στιγμαὶ αὗται Δ Δ πρὸ εἴκοσιν ἐτῶν μετρώμεναι ἀπὸ κορυφῆς εἰς κορυφὴν ἀπεῖχον 3 χιλ. ἀπ' ἀλλήλων. (Ἀπὸ τῆς βάσεως μετρώμεναι 4 χιλ.) Αἱ διὰ τοὺς δακτύλους τῶν τυφλῶν πρέπουσαι ἀποστάσεις αὗται εἶχον εὑρεθῆ κατὰ τρόπον ὅλως ἐμπειρικόν. Κατόπιν δι' οἰκονομίαν χώρου ἐπλησίασαν εἰς $2^3/_4$ μέχρι $2^1/_2$ χιλ. καὶ μάλιστα εἰς τὴν Γαλλίαν ὑπεχώρησαν εἰς $2^1/_4$ μέχρι 3 εἰς τὴν βάσιν· ἀλλ' ὅμως εὑρέθησαν εἰς τὴν ἀνάγκην ν' ἀναγνωρίσουν, ὅτι εἶχαν ὑπερβῆ τὸ ὅριον τῆς ἀφῆς τῶν περισσοτέρων τυφλῶν, ἀναφορικῶς τῆς ἀναγνωστικῆς ἱκανότητος αὐτῶν. Οἱ τυφλοί μας μετὰ μεγάλης δυσκολίας ἀναγινώσκουν τὴν ἐν τῇ γραφῇ ταύτῃ ἔκδοσιν τῶν Γάλλων κλασικῶν. Διὰ τοῦτο τώρα ἐν Γερμανίᾳ, Αὐστρίᾳ κτλ. ἐπανῆλθον πάλιν εἰς τὸ παλαιὸν μέτρον τῆς ἐκ 3 χιλ. ἀποστάσεως ἀπὸ τῆς μιᾶς ἄκρας (ἢ κορυφῆς) εἰς τὴν ἄλλην. Ἡ ὀλιγωτέρα τῶν 3 χιλ. ἀπόστασις ἦτο πολὺ βραχεία πρὸς ταυτόχρονον ἀντίληψιν· ἀπῃτοῦντο χρονοτριβοῦσαι ἀκανόνιστοι ψηλαφήσεις (ἐπανειλημμέναι πιέσεις τῶν στιγμῶν) αἵτινες καθίστων ἀδύνατον τὴν ἐλευθέραν ἀνάγνωσιν. Διὰ νὰ γίνουν λοιπὸν ταυτοχρόνως αἰσθηταὶ πλειότεραι ἀμβλεῖαι κορυφαί, ἀπαιτεῖται ὑπὸ τῆς ἁπτικῆς ἱκανότητος τῶν τυφλῶν ἡ ἀπόστασις τῶν 3 χιλ.

Τοῦτο εἶναι τὸ συμπέρασμα εἰς ὃ μετὰ μακροχρόνιον πεῖραν κατέληξαν αἱ Σχολαὶ τῶν Τυφλῶν.

Πολυάριθμοι μετρήσεις διὰ τοῦ διαβήτου πρὸς εὕρεσιν τοῦ τελευταίου ὁρίου, ἤτοι τῆς ἐλαχίστης ἀποστάσεως κατὰ τὴν ὁποίαν δύο αἰχμαὶ ἐξακολουθοῦν ἀκόμη νὰ εἶναι αἰσθηταὶ ὡς δύο καὶ ὄχι ὡς μία μόνη δὲν ἔλαβον χώραν ἐπὶ τυφλῶν, παρὰ εἰς ἐλαχίστας περιστάσεις, ὁπότε πάλιν εἰς ὀλίγα ἢ ἓν καὶ μόνον ὑποκείμενον, ὡς λ. χ. ὑπὸ τῶν Weber, Czermak, Goltz, Gärttner, Goldscheider, Uhthoff, Hocheisen καὶ κατὰ τοὺς καθ' ἡμᾶς χρόνους ὑπὸ τοῦ Dr. Th. Heller.

Ἐπίσης ἐξητάσθησαν αἱ αἰσθητήριοι δυνάμεις τῶν δύο τυφλο-κωφαλάλων Laura Bridgmann καὶ Helen Keller ὑπὸ ψυχολόγων Ἀμερικανῶν. Καὶ κατὰ τὰς τελευταίας ταύτας περιπτώσεις ἡ δοκιμὴ ἐγίνετο μόνον ἐπὶ ἑκάστου προσώπου μεμονωμένως. Πλὴν τούτου ὅλαι αἱ μετρήσεις ἐξετελέσθησαν δι' ἀτελεστάτων ὀργάνων, ἤτοι συνήθων διαβητῶν, μὴ καταδεικνυόντων τὴν ἔντασιν τῆς πιέσεως ἡ ὁποία ἐντούτοις ἐπιῤῥεάζει οὐσιωδῶς τὸ ἀποτέλεσμα (Καθότι, κατὰ τον καθηγητὴν Griesbach, διὰ τῆς μεγαλειτέρας πιέσεως αὐξάνει ἡ ἐντύπωσις). Καὶ μ' ὅλα ταῦτα ἐκ τοῦ ἀτελοῦς καὶ ἐν μέρει λίαν σφαλεροῦ ὀργάνου τούτου ἐξήχθησαν τόσα γενικὰ συμπεράσματα!

Ἐνῷ οἱ παλαιότεροι ἐρευνηταὶ ἀποφαίνονται μετὰ μεγάλης ἐπιφυλακτικότητος, ὅσον ἀφορᾷ τὴν ὑπεροχὴν τῆς ἐντάσεως τῆς ἀφῆς τῶν τυφλῶν ἐπὶ τῆς τῶν βλεπόντων, ὅπως ὁ Uhthoff (ἐπὶ ἑνὸς μόνον ὑποκειμένου) καὶ ὁ Heller ἐπὶ περισσοτέρων (κυρίως ὁμιλεῖ διὰ δύο ἄτομα) ἅτινα ἐξήτασε εὑρίσκει μετά τινος ἀμφιβολίας χωρὶς νὰ κοινοποιήσῃ ὡρισμένα ἀποτελέσματα «ὀξύτητα τῶν αἰσθήσεων ὅπως δήποτε ὄχι σημαντικήν». Προσθέτει δὲ αὐτολεξεί: Ἐπειδὴ τὰ πειράματα, ἐκτελούμενα τῇ βοηθείᾳ αἰσθησιοδιαβήτου, ἀπαντῶσι τὰς αὐτὰς ἀτελείας, ἃς καὶ αἱ μέχρι τοῦδε δοκιμαὶ ἐπὶ τῶν αἰσθήσεων, δὲν ἐπιχειρῶ ν' ἀναγράψω τὰ εὑρεθέντα πορίσματα». Δὲν πληροφορούμεθα λοιπὸν ποῦ στηρίζεται ἡ ἀβεβαία αὐτοῦ γνώμη περὶ τῆς «ὄχι σημαντικῆς ὑπεροχῆς» τῶν τυφλῶν. Ἐπίσης καὶ ἐπὶ τῆς Helen Keller δὲν εὑρέθη τι τὸ ἰδιάζον.

Ὥστε μέχρι τοῦδε κανεὶς δὲν ἔφθασεν εἰς τελειοτικήν τινα ἀπόδειξιν καὶ οὔτε ἦτο ποτὲ δυνατὸν νὰ φθάσῃ, ἀφ' ἑνός, διότι αἱ μετρήσεις περιωρίσθησαν εἰς πολὺ μικρὸν ἀριθμὸν ὑποκειμένων, ἀφ' ἑτέρου δὲ διότι ἐξετελέσθησαν δι' ἀκαταλλήλων ὀργάνων.

Διὰ τὸν λόγον τοῦτον μεγάλως ἐχάρην ὅτε ὁ Κύριος Griesbach, καθηγητὴς ἰατρ. καὶ φιλ. πρόεδρος τοῦ γερμανικοῦ Συλλόγου πρὸς ἐπιμέλειαν τῆς ὑγιεινῆς τῶν σχολείων, μ' ἠρώτησεν, ἐὰν συγκατατιθέμην εἰς τὸ νὰ κάμῃ σειρὰν μετρήσεων ἐπὶ τῶν μαθητῶν τῆς Σχολῆς μας, ὅπως δυνηθῇ νὰ παραβάλλῃ τὴν ὀξύτητα τῶν αἰσθήσεων τῶν τυφλῶν πρὸς τὴν τῶν ἀρτίων συνομηλίκων των.

Ὅτε μὲ ποιάν τινα δυσπιστίαν ὡμίλησε περὶ τοῦ «ἀντικαταστάτου τῶν αἰσθήσεων» καὶ τῆς ἀποδιδομένης μεγάλης ὑπεροχῆς τῆς ἀφῆς, τῆς ἀκοῆς καὶ τῆς ὀσφρήσεως τῶν τυφλῶν πρὸς τὰς αὐτὰς αἰσθήσεις τῶν βλεπόντων, τῷ ἐδήλωσα ἀπεριφράστως, ὅτι βασιζόμενος ἐπὶ τῆς ἀτομικῆς μου πείρας δὲν ἐπίστευα εἰς αὐτὸν καὶ ὅτι οἱ πλεῖστοι τῶν τυφλῶν μόλις καὶ μετὰ βίας θὰ ἠδύναντο νὰ αἰσθανθοῦν ὡς δύο τὰς βελόνας τοῦ αἰσθησιομέτρου αὐτοῦ ἐπὶ τῆς ἄκρας τοῦ ἀναγινώσκοντος δακτύλου, εἰς ἀπόστασιν μόλις ὀλιγωτέραν τῶν δύο χιλιοστῶν του μέτρου.

Ὁ Καθ. Griesbach ἤρξατο λοιπὸν τῶν πειραμάτων αὐτοῦ, ἄνευ ἀκλονήτου πεποιθήσεως διὰ τὴν παλαιὰν δοξασίαν τοῦ «ἀντικαταστάτου» ἀλλὰ καὶ ἄνευ τῆς προθέσεως τοῦ νὰ τὴν διασαλεύσῃ. Τῷ παρεχώρησα ὅλους τοὺς μαθητάς, ἀφήσας καθ' ὁλοκληρίαν εἰς αὐτὸν τὴν ἐκλογὴν τῶν ὑποκειμένων διὰ ν' ἀποκλείσω πᾶσαν δυνατὴν ὑποψίαν τοῦ ὅτι ἠθέλησα νὰ ἐπιρρεάσω τὸ ἀποτέλεσμα διὰ τῆς ἐκλογῆς μαθητῶν ἀδεξίων ἢ πολὺ λεπτὴν ἐχόντων τὴν ἀφήν[1]). Ἐν ἀγνοίᾳ λοιπὸν τῶν προσώπων, ἐξέλεξε πράγματι μαθητὰς τῶν ποικιλωτέρων κλίσεων καὶ μάλιστα κατὰ τὸ πλεῖστον μὴ ἔχοντας ἀκόμη ἀρχίσει τὴν ἐκμάθησιν βιοτεχνίας τινός, ἀλλ' ἁπλῶς παραπλησίως τῶν μαθημάτων διδασκομένους χειροτεχνίας καὶ μουσικήν.

Τῇ βοηθείᾳ τοῦ νέου αὐτοῦ αἰσθησιομέτρου — μετὰ παραλλήλων τριχοειδῶν βελονῶν[2]) — ἐξήτασε τὴν ἐλαχίστην ἀπόστασιν (Raumschwellen) καθ' ἣν αἱ πιέσεις τῶν βελονῶν εἶναι ἀκόμη ἀδιστάκτως αἰσθηταὶ ὡς δύο ἐπὶ τοῦ δέρματος ἐρεθισμοὶ καὶ τοῦτο ἐπὶ τοῦ μετώπου, ἐπὶ τοῦ μέσου τοῦ ζυγωματικοῦ τόξου, τῆς ἄκρας τῆς ῥινός, τοῦ ἐρυθροῦ τοῦ κάτω χείλους, τοῦ θέναρος (τοῦ ὑπὸ τὸν ἀντίχειρα κρεώδους τῆς χειρός) καὶ τοῦ δείκτου ἀμφοτέρων τῶν χειρῶν.

Ἡ ὄσφρησις ἐξητάσθη διὰ τοῦ ὀσφραντομέτρου τοῦ Zwaardemaker εἰς τὸ ἐπίμηκες οἰκοδόμημα τῆς σχοινοποιΐας, ἡ ἀπόστασις τῆς ἀκοῆς εἰς τὸν ἐκ 40 περίπου μέτρων μακρὸν διάδρομον τῆς πτέρυγος τῶν κορασίων, ἡ δὲ διεύθυνσις τοῦ ἤχου ἐν τῷ κήπῳ διὰ γνώμονος.

Πρὸς σύγκρισιν προσεκλήθησαν μαθηταὶ τῆς ἀνωτέρας Δημοτικῆς Σχολῆς καὶ τοῦ Γυμνασίου, ὡς καὶ μαθητευόμενοι ἐκ τῶν ἐργοστασίων τῆς Μυλχάουζεν, ἐξετασθέντες ἀπαράλλακτα ὡς οἱ τυφλοί. Τ' ἀποτελέσματα τῶν λαβουσῶν χώραν χιλιάδων μετρήσεων εἶναι καταγεγραμμένα ἐπὶ 89 πινάκων καὶ δὴ εἰς τρόπον, ὥστε χάριν συγκρίσεως οἱ βλέποντες καὶ οἱ τυφλοὶ ν' ἀντιπαρίστανται.

I. Διάκρισις τῆς διευθύνσεως τοῦ ἤχου.

Κατὰ τὴν ἑορτὴν τοῦ Ἰωβιλαίου τῆς Σχολῆς Τυφλῶν τῆς Λωζάννης (1894) ὁ γνωστὸς ὀφθαλμιατρὸς Καθ. Marc Dufour ἀνεκοίνωσεν ὅτι κατὰ τὰς παρατηρήσεις του οἱ τυφλοὶ ἠδύναντο ἀκριβέστερον τῶν βλεπόντων νὰ διακρίνουν τὴν διεύθυνσιν τοῦ ἤχου καὶ ἐπὶ τῇ βάσει ταύτῃ ἔθεσε τὸ ἐρώτημα, ἂν δὲν θὰ ἦτο καλὸν νὰ εἰσαχθῇ ἡ τοποθέτησις τυφλῶν ἐπὶ τῶν πλοίων, ὅπως ἐν καιρῷ ὁμίχλης καθορίζωσιν ἀκριβέστερον, ἀφ' ὅτι τοῦτο εἶναι δυνατὸν εἰς τοὺς βλέποντας, τὴν διεύθυνσιν τῶν εἰδοποιητηρίων σημείων ἄλλων πλοίων ἢ λιμένων. Χωρὶς νὰ εἴπῃ ποίαν ἐξεταστικὴν μέθοδον μετεχειρίσθη, ἀναφέρει, ὅτι δοθέντος τοῦ ἤχου, οἱ 19 ἐξετασθέντες τυφλοὶ ἐλανθάσθησαν ὡς πρὸς τὴν διεύθυνσιν αὐτοῦ μόνον 6°, ἐνῷ οἱ ἐπὶ συγκρίσει ἐξετασθέντες βλέποντες 13°.

Δὲν μᾶς εἶπεν ὑπὸ ποίας περιστάσεις ἐγένοντο αἱ δοκιμαὶ αὗται καὶ μετὰ ποῖον ἀριθμὸν παρατηρήσεων ἐξήγαγε τὸ ἀνωτέρω συμπέρασμα. Ὁ Καθ. Griesbach ἐξήτασεν ἐπισταμένως 28 τυφλοὺς καὶ 28 βλέποντας. Ἕκαστον τῶν 56 ἀτόμων τούτων ὑπεβλήθη εἰς ἐννέα δοκιμάς, ἀνὰ τρεῖς μὲ ἕκαστον οὖς (ἐνῷ ἐναλλὰξ τὸ ἓν ἐσφραγίζετο διὰ βρεγμένου βάμβακος) καὶ τρεῖς μὲ ἀμφότερα τὰ ὦτα.

Τρεῖς ἀλάνθαστοι ὑποδείξεις ἔδωσαν:

α) Διὰ τοῦ ἀριστεροῦ ὠτός: 1 βλέπων, οὐδεὶς τυφλός.

β) Διὰ τοῦ δεξιοῦ ὠτός: Οὐδείς.

γ) Δι' ἀμφοτέρων τῶν ὤτων: 3 βλέποντες, 1 τυφλός.

Ὁ μέσος ὅρος τῶν σφαλμάτων ἦτο διὰ τὸ ἀριστερὸν οὖς εἰς τοὺς τυφλοὺς 16°23″, εἰς τοὺς βλέποντας 17°9″.

Διαφορὰ εἰς ὄφελος τῶν τυφλῶν 0°46″.

Διὰ τὸ δεξιὸν οὖς: εἰς τοὺς τυφλοὺς 19°53″, εἰς τοὺς βλέποντας 17°40″.

Διαφορὰ εἰς ὄφελος τῶν βλεπόντων 2°13″.

Δι' ἀμφότερα συγχρόνως τὰ ὦτα: εἰς τοὺς τυφλοὺς 11°47″, εἰς τοὺς βλέποντας 10°7″.

Διαφορὰ εἰς ὄφελος τῶν βλεπόντων 1°40″.

Τὸ μέσον ὅλων τῶν δοκιμῶν δίδει διὰ τοὺς 28 τυφλοὺς ἕνα μέσον ὅρον ἐκ 15°35″, διὰ τοὺς 28 βλέποντας 15°.

Εἰς καθὲ 252 δοκιμὰς ὑπέδειξαν τὴν διεύθυνσιν τοῦ ἤχου ἀλανθάστως τυφλοὶ μὲν 68 φοράς, βλέποντες δὲ 82 φοράς.

Δι' ἀμφοτέρων τῶν ὤτων, ἐξαιρέσει δύο προσώπων ἑνὸς βλέποντος καὶ ἑνὸς τυφλοῦ, ἐξήχθησαν καλλίτερα ἀποτελέσματα ἢ διὰ μόνου τοῦ ἑνός. Δὲν προέκοψε λοιπὸν σημαντικὴ διαφορὰ μεταξὺ τυφλῶν καὶ βλεπόντων, ὅσον ἀφορᾷ τὴν διάκρισιν τῆς διευθύνσεως τοῦ ἤχου. Ἓν διάφορον χιλιοστῶν εἶναι εἰς ὄφελος τῶν βλεπόντων.

II. Ἔντασις τῆς ἀκοῆς.

Οἱ λεπτομερέστατοι καὶ ὡς ἐπὶ τὸ πλεῖστον διπλοῖ πίνακες XVIII—LXXI τοῦ ἔργου τοῦ Griesbach μᾶς πληροφοροῦν διὰ τὴν ἔντασιν τῆς ἀκοῆς, τὴν δύναμιν τῆς ὀσφρήσεως καὶ τὴν λεπτότητα τῆς ἀφῆς βλεπόντων τε καὶ τυφλῶν.

[1]) Αἱ φυσιολογικαὶ ἔρευναι ὀφείλουν, κατὰ τὴν γνώμην μου, ν' ἀφίνωνται τοῖς φυσιολόγοις. Οἱ ψυχολόγοι καὶ οἱ παιδαγωγοὶ δὲ περιορίζονται εἰς τὸ νὰ ὑποδεικνύουν τὰ ἐξαγόμενα.

[2]) Κλῖμαξ χιλιοστῶν διὰ τὴν ἀπόστασιν καὶ γραμμαρίων πρὸς ἀκριβῆ διάγνωσιν τῆς πιέσεως.

Τὰ πειράματα τῆς ἐντάσεως τῆς ἀκοῆς βλεπόντων τε καὶ τυφλῶν ἔλαβον χώραν, ὡς ἀνωτέρω εἴπομεν, ἐντὸς μακρῶν διαδρόμων. Εἰς τόνον δυνατοῦ ψιθυρισμοῦ προεφέρθησαν ἀριθμοὶ μεταξὺ 1 καὶ 100 ὡς καὶ λέξεις μονοσύλλαβοι. Οὕτω ἐξητάσθησαν 49 βλέποντες καὶ 19 τυφλοί.

Πλεῖστοι τυφλοὶ ἀπεκλείσθησαν τῆς δοκιμῆς, καθ' ὅτι τ' ἀκουστικά αὐτῶν ὄργανα δὲν ἠδύναντο νὰ θεωρηθῶσιν ὡς ὁμαλά.

Ὁ καλλίτερον τῶν ἄλλων ἀκούων τυφλὸς ἠδυνήθη μὲ τὸ ἓν οὖς ν' ἀκούσῃ τὰς λέξεις εἰς αὐτὴν ἀκόμη τὴν ἀπόστασιν τῶν 45 μέτρων καὶ εἰς 40 μ. μὲ τὸ ἄλλο· σχεδὸν ὅμως τὴν αὐτὴν ἀπόστασιν ἀκοῆς ἐπέδειξε καὶ εἷς βλέπων.

Ὁ μέσος ὅρος τῆς ἀποστάσεως τῆς ἀκοῆς ἦτο ἐπὶ 19 τυφλῶν καὶ 49 βλεπόντων δεξιὰ καὶ ἀριστερὰ 26 μέτρα ἀκριβῶς.

Ὥστε ἡ ἀκοὴ οὐδὲν ἐκέρδισεν ἐκ τῆς ἀπωλείας τῆς ὁράσεως. Τὸ μουσικὸν οὖς βεβαίως δὲν ἔχει καμμίαν σχέσιν μὲ τὴν ἀπόστασιν τοῦ ἤχου καὶ τὴν διάκρισιν τῆς διευθύνσεως τοῦ ἤχου. Τὸ βέβαιον εἶναι ὅτι ὑπάρχουν βαρήκοοι ἄνθρωποι, οὐδόλως ἢ μόλις ἀντιλαμβανόμενοι τῆς ὁμιλίας τῶν ὁμοίων των, ἀκούοντες τὰ φωνήεντα, ἀλλ' ὄχι καὶ τὰ σύμφωνα, οἵτινες διακρίνουν μετ' ἀκριβείας τοὺς μουσικοὺς φθόγγους, ἂν καὶ τοὺς ἀντιλαμβάνονται πολὺ ἀσθενέστερον τῶν ὁμαλὴν ἐχόντων τὴν ἀκοήν. Ἀλλ' ὁ ἀσθενέστερος μουσικὸς φθόγγος εἶναι πάντοτε «δυνατώτερος» ἑνὸς (βωβοῦ) συμφώνου. Τὰ διάφορα μέρη τοῦ ἐσωτερικοῦ ὠτὸς εἶναι τελείως ἀνεξάρτητα τοῦ ὀφθαλμοῦ, τόσον ἀνεξάρτητα ὅσον τὸ κλειδοκύμβαλον ἀπὸ τὰ δίοπτρα τοῦ κατέχοντος αὐτό. Οὐδεὶς πεπειραμένος διδάσκαλος τυφλῶν, μὴ διδάσκων κατ' ἐκλογὴν μόνον μουσικῶς διατεθημένους τυφλούς, θέλει ποτὲ ὑποστηρίξει, ὅτι ὁ μέσος ὅρος τῶν τυφλῶν ἔχει τὸ μουσικὸν οὖς πλέον ἀνεπτυγμένον τῶν βλεπόντων. Ἀληθὲς εἶναι μόνον, ὅτι ἐν τῇ Σχολῇ Τυφλῶν καταβάλλομεν περισσοτέρους κόπους πρὸς ἀνάπτυξιν παντοειδῶν κλίσεων καὶ ὅτι προσλαμβάνομεν ἅπαντας τοὺς μαθητὰς εἰς τὸ μάθημα τῆς μουσικῆς, μὴ ἀπαλλάσσοντες αὐτοὺς τούτου, εἰ μὴ μετ' ἀποτυχίαν πάσης προσπαθείας.

III. Δύναμις ὀσφρήσεως.

Αὕτη ἐμετρήθη διὰ τοῦ ὀσφραντομέτρου τοῦ Zwaardemaker, τὸ ὁποῖον ὁ Griesbach περιγράφει ἐν τῷ πονήματι αὐτοῦ.

Ἐντὸς ὑαλίνου σωλῆνος εὑρίσκεται ἐλαστικὸς τοιοῦτος καὶ ἐντὸς τούτου ἄλλος πάλιν σωλὴν ὑάλινος, τοῦ αὐτοῦ μήκους καὶ μετὰ λαβίδος (ὀσφραντήριος σωλήν). Ἐνόσῳ τὸ ἐλαστικὸν εἶναι ἐξωτερικῶς καὶ ἐσωτερικῶς κεκαλυμμένον δι' ὑάλου, δὲν ἀντιλαμβάνεταί τις ὀσμῆς.

Μόλις ἀνασυρθῇ ἓν ἑκατοστὸν πρὸς τὰ ἔξω ὁ ὀσφραντήριος σωλήν, εἰς τὸ ἐσωτερικὸν μένει τεμάχιον τοῦ ἐλαστικοῦ σωλῆνος τοῦ αὐτοῦ μήκους ἀκάλυπτον, μεταδίδον τὴν ἰδιάζουσαν ὀσμήν του εἰς τὸν πρὸς ὄσφρησιν διὰ τῆς λαβίδος τοῦ σωλῆνος εἰσπνεόμενον ἀέρα. Ἀναλόγως τῆς ἀπαιτουμένης μεγαλειτέρας ἢ ὀλιγωτέρας ἀνυψώσεως τοῦ σωλῆνος, μέχρις ὅτου ἡ ὀσμὴ γίνῃ ἀντιληπτή, ὑπολογίζεται ὁ βαθμὸς τῆς δυνάμεως τοῦ αἰσθητηρίου τῆς ὀσφρήσεως.

Ἐξητάσθησαν ἀμφότεροι οἱ ῥώθωνες.

Ἕως ὅτου γίνῃ ἀντιληπτὴ ἡ ὀσμὴ τοῦ ἐλαστικοῦ ἐχρειάσθη νὰ ἐξαχθῇ ὁ σωλὴν ἐπὶ 20 τυφλῶν κατὰ μέσον ὅρον ἀριστερὰ 1.56 ἑκ. δεξιὰ 1.94 ἑκ.· ἐπὶ 40 βλεπόντων ἤρκεσαν 1.16 ἑκ. καὶ ἐπὶ 24 ἑτέρων βλεπόντων 1.14 ἑκ.

Διὰ τοὺς τυφλοὺς λοιπὸν ὁ μέσος ὅρος εἶναι ἑκατοστὰ	1.75,
διὰ τοὺς βλέποντας ἑκατοστὰ	1.15,
Διαφορὰ εἰς ὄφελος τῶν βλεπόντων ἑκατοστὰ	0.60.

IV. Λεπτότης ἁφῆς.

Ἤδη φθάνομεν εἰς τὸ οὐσιῶδες, τὴν δύναμιν τῆς ἁφῆς, δι' ἣν σχετικῶς πρὸς τοὺς τυφλοὺς ἐμυθεύθησαν τ' ἀπιστευτότερα θαυματουργήματα. Ποτὲ κανεὶς δὲν ὑπεστήριξεν, ὅτι ὁ τυφλὸς ὀσφραίνεται ἢ ἀκούει τὰ χρώματα, ἀλλ' ὅτι τὰ ἅπτεται πολλάκις. Μ' ὅλα ταῦτα δὲν θὰ ἦτο ἓν καὶ τὸ αὐτό;

Τὸ ζήτημα ἦτο λοιπὸν νὰ ἐξακριβωθῇ, εἰς ποίαν ἐλαχίστην ἀπόστασιν δύο νυγμοὶ ταυτοχρόνως ὑπὸ βελονῶν ἐμποιούμενοι ἐγένοντο ἀκόμη αἰσθητοὶ ἐπὶ τοῦ δέρματος ὡς δύο ἐρεθισμοὶ καὶ δὲν ἀντελαμβάνοντο ὡς εἷς. Ἡ δοκιμή, ὡς εἴπομεν, ἐπηκολούθησε διὰ τοῦ νέου αἰσθησιομέτρου τοῦ Griesbach (παράλληλα τριχοειδεῖς βελόναι μετὰ χιλιοστομέτρου).

Ἐγένετο ἐπὶ τοῦ μετώπου (Glabella), τοῦ μέσου τοῦ ζυγωματικοῦ τόξου (Jugum), τῆς ἄκρας τῆς ῥινός, τοῦ ἐρυθροῦ τοῦ κάτω χείλους, τοῦ θέναρος (Daumenballen) καὶ ἐπὶ τῶν ἄκρων ἀμφοτέρων τῶν δεικτῶν. Ἔλαβον χώραν, ἄλλαι ἐν ἡμέρᾳ ἀργίας, ἄλλαι κατόπιν μαθημάτων καὶ ἄλλαι κατόπιν ὡρῶν τεχνικῆς ἐργασίας, ἐπεξετάθησαν δὲ ἐπὶ 37 τυφλῶν καὶ 56 βλεπόντων. Κατ' ἀρχὰς ἐξητάσθησαν 10 τυφλοὶ καὶ 15 βλέποντες, μετὰ διανοητικὴν ἐργασίαν (διδασκαλίαν). Οἱ διὰ τὴν ἐλαχίστην ἀπόστασιν εἰς χιλιοστὰ ἐξαχθέντες μέσοι ὅροι εἶναι οἱ ἑξῆς:

1.

	Μέτωπον	Μεσ. ζυγωμ. τόξον	Ἄκρον ῥινός	Ἐρυθρὸν χεῖλος	Θέναρ	Ἀριστερὸς δείκτης	Δεξιὸς δείκτης
	Χιλιοστά						
Τυφλοί	4.5	4.9	1.86	1.72	4.8	1.49	1.91
Βλέποντες	4.2	4.4	1.55	1.36	4.1	1.36	1.38
Διαφορὰ εἰς ὄφελος τῶν βλεπόντων	0.3	0.5	0.31	0.36	0.7	0.13	0.53

Καθ' ὅλας λοιπὸν τὰς περιπτώσεις αὐτὰς οἱ βλέποντες εἶχον λεπτοτέραν ἁφὴν ἢ ὅτι οἱ τυφλοί. Ἡ διαφορὰ τοῦ δείκτου τῆς δεξιᾶς χειρός, ὅστις κυρίως μᾶς ἐνδιαφέρει, εἶναι 0.53, δηλαδὴ περισσότερον τοῦ ἑνὸς τρίτου τῶν ὁλικῶν ἐξαγομένων τῆς ἐλαχίστης ἀποστάσεως τῆς ἁφῆς τῶν βλεπόντων. Ἡ ἐξέτασις 15 τυφλῶν καὶ 15 βλεπόντων ἐν ἡμέρᾳ ἀργίας ἐφανέρωσε τὰς ἑξῆς ἐλαχίστας ἀποστάσεις:

II.

	Μέτωπον	Μεσ. ζυγωμ. τόξον	Ἄκρον ῥινός	Χεῖλη	Θέναρ	Ἀριστερὸς δείκτης	Δεξιὸς δείκτης
	Χιλιοστά						
Τυφλοί	3.6	3.7	1.7	1.5	3.77	1.29	1.55
Βλέποντες	2.46	2.59	0.85	1.01	2.41	0.72	0.65
Διαφορὰ εἰς ὄφελος τῶν βλεπόντων.	1.14	1.11	0.85	0.49	1.36	0.57	0.90

Ἡ διαφορὰ ἐνταῦθα εἶναι ἀκόμη αἰσθητοτέρα, οὖσα διὰ τὸ θέναρ σχεδὸν 1½ χιλ. καὶ διὰ τὸν ἀναγινώσκοντα δάκτυλον 9/10 χιλ. Διὰ νὰ δύνανται οἱ τυφλοὶ νὰ αἰσθάνωνται ἀκόμη τὰς δύο ἄκρας τῶν βελονῶν διὰ τοῦ παραδεδεγμένως τόσον εὐαισθήτου ἀναγινώσκοντος δακτύλου (δείκτου τῆς δεξιᾶς χειρός) ἔπρεπε νὰ διασταλοῦν αὗται δύο φορὰς περισσότερον (1.55 ἀντὶ 65) ἢ διὰ τοὺς βλέποντας.

Ἡ ἐξέτασις 16 ἀκόμη τυφλῶν καὶ 19 βλεπόντων μετὰ πολύωρον (διὰ τοὺς τυφλοὺς 2—2½ ὥρας) ἀσχολίαν ἐν τοῖς ἐργαστηρίοις ἔδωσε τὰ ἑξῆς ἀποτελέσματα:

III.

	Μέτωπον	Μεσ. ζυγωμ. τόξον	Ἄκρον ῥινός	Χεῖλη	Θέναρ	Ἀριστερὸς δείκτης	Δεξιὸς δείκτης
	Χιλιοστά						
Τυφλοί	5.97	5.84	2.275	2.—	6.—	1.7	2.—
Βλέποντες	4.20	4.40	1.50	1.32	4.43	1.5	1.4
Διαφορὰ εἰς ὄφελος τῶν βλεπόντων.	1.77	1.41	0.775	0.68	1.57	0.2	0.6

Τὸ ἴδιον καὶ πάλιν ἐκπληκτικὸν φαινόμενον! Μετρήσεις ἐν καιρῷ ἀργίας ἐπὶ 15 τυφλῶν καὶ 13 βλεπόντων (ἐξαιρέσει ἑνὸς καὶ μόνου ἐξ αὐτῶν, ὡς ἐν τῷ κατωτέρῳ πίνακι) δίδουν:

IV.

	Μέτωπον	Μεσ. ζυγωμ. τόξον	Ἄκρον ῥινός	Χεῖλη	Θέναρ	Ἀριστερὸς δείκτης	Δεξιὸς δείκτης
	Χιλιοστά						
Τυφλοί	3.2	3.2	1.5	1.4	3.15	1.2	1.37
Βλέποντες	2.5	2.5	0.9	0.9	2.93	1.1	1.15
Διαφορὰ εἰς ὄφελος τῶν βλεπόντων.	0.7	0.7	0.6	0.5	0.22	0.1	0.22

Ὥστε καὶ ἐν αὐτῇ τῇ περιπτώσει ἡ ἀναλογία δὲν παραλλάσσει οὐσιωδῶς. Μέσος ὅρος τῆς ἐλαχίστης ἀποστάσεως τῆς ἁφῆς 7 τυφλῶν ἡλικίας 12—16 ἐτῶν κατόπιν χειροτεχνικῆς ἐργασίας (ψαθοποιΐας, δικτυοποιΐας κτλ.) καὶ 7 βλεπόντων τῆς αὐτῆς ἡλικίας κατόπιν ἐργασίας ἐν ἐργαστηρίοις:

V.

	Μέτωπον	Μεσ. ζυγωμ. τόξον	Ἄκρον ῥινός	Χεῖλη	Θέναρ	Ἀριστερὸς δείκτης	Δεξιὸς δείκτης
	Χιλιοστά						
Τυφλοί	5.5	6.1	2.20	1.8	5.6	1.51	1.77
Βλέποντες	4.1	4.5	1.67	1.4	4.6	1.41	1.30
Διαφορὰ εἰς ὄφελος τῶν βλεπόντων.	1.4	1.6	0.53	0.4	1.—	0.1	0.47

Ὡσαύτως μετὰ διανοητικὴν ἐργασίαν:

VI.

	Μέτωπον	Μεσ. ζυγωμ. τόξον	Ἄκρον ῥινός	Χεῖλη	Θέναρ	Ἀριστερὸς δείκτης	Δεξιὸς δείκτης
	Χιλιοστά						
Τυφλοί	4.3	4.7	1.9	1.8	4.9	1.49	2.01
Βλέποντες	4.3	4.6	1.71	1.47	4.2	1.3	1.3
Διαφορὰ εἰς ὄφελος τῶν βλεπόντων.	—	0.1	0.19	0.33	0.7	0.19	0.71

Ἡ ἐξέτασις 2 τυφλῶν κορασίων καὶ 2 βλεπουσῶν ὑπηρετριῶν τῆς αὐτῆς ἡλικίας παρουσιάζει (διὰ τὰς τυφλὰς ἐν ἡμέρᾳ ἀργίας) τοὺς ἑξῆς ἀριθμοὺς ἐλαχίστων ἀποστάσεων:

VII.

	Μέτωπον	Μεσ. ζυγωμ. τόξον	Ἄκρον ῥινός	Χεῖλη	Θέναρ	Ἀριστερὸς δείκτης	Δεξιὸς δείκτης
	Χιλιοστά						
Τυφλοί	3.75	4.—	1.75	0.5	2.5	1.12	1.75
Βλέποντες	2.75	3.25	1.25	1.35	3.5	0.8	0.8
Διαφορὰ εἰς ὄφελος τῶν βλεπόντων.	1 —	0.75	0.50	0.15	1.—	0.32	0.95

Ἐνταῦθα ἡ διαφορὰ εἶναι τοσοῦτον μᾶλλον ἐκπληκτική, ὅσον ἀμφότεραι αἱ τυφλαὶ εἶχον ὅλως ἰδιάζοντως λεπτοὺς καὶ ὁμαλοὺς δακτύλους κατεγίνοντο δὲ μόνον μὲ πλέξιμον (ὡς καὶ ὀλίγην σχολικὴν ἐργασίαν), ἐνῷ αἱ πρὸς σύγκρισιν προσληφθεῖσαι ὑπηρέτριαι εἶχον τὰς χεῖρας σκληράς, ἀσχοληθεῖσαι ἄλλοτε ἐν τῇ ἐξοχῇ καὶ εἰς ἀγροτικὰς ἐργασίας. Ὥστε αἱ ἀποστάσεις τῆς ἁφῆς εἰς τὰς τυφλὰς αὐτὰς εἶναι ἐπὶ τοῦ δείκτου τῆς δεξιᾶς χειρὸς πλέον ἢ διπλάσιαι τῶν τῶν βλεπόντων! Ἐντελῶς ὅμως ἀκατανόητα (σχετικῶς πρὸς τὴν ἀρχὴν τῆς παλαιᾶς δοξασίας) μᾶς ἐφάνησαν τὰ ἐξαχθέντα ἀποτελέσματα τῶν ἐξετασθεισῶν δύο τυφλοκωφαλάλων, ἐκ τῶν ὁποίων ἰδίως ἡ μία, Μαγδαληνὴ Βέννερ, ἀναγινώσκει ἐλευθέρως καὶ ἀντιλαμβάνεται τοῦ γεωγραφικοῦ χάρτου, ὅπως ὀλίγοι ἐκ τῶν ἀρτίας τὰς αἰσθήσεις των ἐχόντων.

Ἐὰν ἡ φύσις ἀντικαθιστᾷ πράγματι διὰ τῆς μιᾶς χειρὸς ὅ,τι ἀφαιρεῖ διὰ τῆς ἄλλης, ἔπρεπεν αἱ τρεῖς εἰς τὰ κοράσια ταῦτα ὑπολειπόμεναι αἰσθήσεις νὰ ἦσαν ἐξαιρετικῶς ἀνεπτυγμέναι, μ' ὅλα ταῦτα εἰς αὐτὰ ἀκριβῶς εὑρίσκομεν τὰ ὀλιγώτερον εὐνοϊκὰ ἀποτελέσματα, δηλαδὴ ὄχι μόνον τὴν ἐλαχίστην ὄσφρησιν (3.5 καὶ 2.75), ἀλλὰ καὶ ἐπὶ τοῦ ἀναγινώσκοντος δακτύλου τὴν μεγίστην ἀπόστασιν, δηλαδὴ

Μαγδ. Β. Κατόπιν διδασκαλίας	7	7	4	3.5	1	2.5	3.5
Μαγδ. Β. Ἐν καιρῷ διακοπῶν	5	5	2	2	3.5	1.5	2
Θ. Χ. Μετὰ ἐργόχειρον (πλέξιμον)	10	12	3.5	3	8	2.5	3

Καὶ ποῦ εἶναι λοιπὸν τώρα ὁ ἀντικαταστάτης τῶν δύο ἀπωλεσθεισῶν αἰσθήσεων; Ἐγὼ δὲν τὸν εὑρίσκω!

Ἡ Μαγδαληνὴ Β. ὀφείλει τὰς σημαντικὰς της γνώσεις, ὄχι εἰς ἀντικαταστάτην τινά, δοθέντα ὑπὸ τῆς φύσεως διὰ τῆς ἐνισχύσεως τῶν τριῶν ὑπολειφθεισῶν αἰσθήσεων εἰς ἀντάλλαγμα τῆς ἐλλειπούσης ὁράσεως καὶ ἀκοῆς (καθότι καὶ ἡ ὄσφρησις καὶ ἡ ἁφὴ δεικνύονται ἀρκούντως ἐξασθενημένα παρ' αὐτῇ) ἀλλὰ μόνον εἰς τὴν μεγάλην αὐτῆς εὐφυΐαν καὶ εἰς τὴν ἐπιτυχίαν τοῦ δυσχερεστάτου ἔργου τῶν παιδαγωγησάντων αὐτήν.

Ἐν τῷ πονήματι τοῦ Griesbach οἱ πίνακες LXXII—LXXXIX ἀναφέρονται εἰς πλέον τῶν 3000 πειραματισμῶν διεξαχθέντων ἐπὶ βλεπόντων τε καὶ τυφλῶν, ὅπως καθορισθῇ ἡ ἐπανάληψις καὶ ἡ διεύθυνσις τῶν ψευδεντυπώσεων τῆς ἁφῆς. Ἐπειδὴ αὗται εἶναι σχεδὸν ἄσχετοι πρὸς τὸν «ἀντικαταστάτην τῶν αἰσθήσεων» ἤτοι πρὸς τὴν ὀξύτητα αὐτῶν, δύναμαι τοσοῦτον μᾶλλον νὰ τοὺς διατρέξω, ὅσον κατὰ τὴν περίπτωσιν ταύτην δὲν φαίνεται νὰ ὑφίσταται διαφορὰ μεταξὺ τυφλῶν καὶ βλεπόντων. Ἂς ἐπανέλθωμεν λοιπὸν εἰς τοὺς πίνακας τῆς ἐντάσεως τῆς ἁφῆς.

Οὗτοι δεικνύουν παντοῦ μεγαλειτέρους βαθμοὺς ἀποστάσεων, ἤτοι ὀλιγωτέραν εὐαισθησίαν τῆς ἁφῆς, διὰ τοὺς τυφλοὺς ἢ ὅτι διὰ τοὺς βλέποντας καὶ μάλιστα ἡ διαφορὰ εἶναι πάντοτε προφανεστέρα εἰς τὸν δεξιὸν δείκτην. Ἐνῷ ἡ διαφορὰ εἰς ὄφελος τῶν βλεπόντων εἶναι κατὰ μέσον ὅρον, διὰ τὸν ἀριστερὸν δείκτην 0.24 χιλ. προχωρεῖ δεξιὰ μέχρι τῶν 0.90 χιλ. Ἐὰν ἁπλῶς συγκρίνωμεν τοὺς δείκτας τῶν τυφλῶν εὑρίσκομεν κατὰ μέσον ὅρον ἀποστάσεις τῆς ἁφῆς ἀριστερὰ μὲν 1.66 χιλ. δεξιὰ δὲ 2.02 χιλ.

Ἐν ἡμέραις διακοπῶν αἱ ἀποστάσεις αὗται ἐλαττοῦνται εἰς 1.20 χιλ. ἕως 1.50 χιλ.· ὅπως δήποτε ὁ δεξιὸς δείκτης τῶν τυφλῶν κατὰ μέσον ὅρον διακρίνει ὀλιγώτερον καλὰ τοῦ ἀριστεροῦ, ἐνῷ εἰς τοὺς βλέποντας τοιαύτη διαφορὰ δὲν ἀπαντᾶται. Μόνον εἰς 4 ἐκ τῶν 37 ἐξετασθέντων τυφλῶν εὑρίσκομεν ἀριστερὰ μεγαλειτέρας ἀποστάσεις ἢ δεξιά· εἶναι δὲ οὗτοι οἱ κατὰ τὸ πλεῖστον ἢ καὶ ἀποκλειστικῶς μόνον διὰ τοῦ δείκτου τῆς ἀριστερᾶς χειρὸς ἀναγινώσκοντες. Ἐπὶ 10 ἄλλων αἱ ἀποστάσεις τῆς ἁφῆς εἶναι ὅμοιαι ἀριστερὰ καὶ δεξιά. Οἱ τυφλοὶ οὗτοι ἢ ἀναγινώσκουν δι' ἀμφοτέρων τῶν δεικτῶν, τοῦ ἑνὸς σχεδὸν ταυτοχρόνως παρακολουθοῦντος τὸν ἄλλον, ἢ ἦλθον ἐν τῇ Σχολῇ ἐν προκεχωρημένῃ σχετικῶς ἡλικίᾳ καὶ ἠναγκάσθησαν νὰ μάθουν ἀνάγνωσιν χωρὶς νὰ εὑρίσκουν εὐχαρίστησιν εἰς αὐτήν. Εἰς ὅλους τοὺς λοιποὺς οἵτινες κυρίως ἀναγινώσκουν διὰ τῆς δεξιᾶς χειρὸς (ἀντιγράφοντες ἀναγινώσκουν ὅλοι διὰ τῆς ἀριστερᾶς χειρὸς καὶ γράφουν διὰ τῆς δεξιᾶς) αἱ ἀποστάσεις εἶναι δεξιὰ μεγαλείτεραι ἢ ἀριστερά.

Εἶναι λοιπὸν ἀναμφισβήτητον ὅτι ὁ ἀναγινώσκων δάκτυλος, τοῦ ὁποίου τὴν ἱκανότητα θαυμάζουν τόσον οἱ μὴ εἰδήμονες, εἶναι πραγματικῶς ὀλιγώτερον εὐαίσθητος ἐκείνου ὅστις ἁπλῶς τὸν βοηθεῖ καὶ τοῦτος βεβαίως πάλιν πλεὸν ἐσκληρυμένος τῶν ἀέργων συναδέλφων του. Ἐκ τούτου ἐξάγεται ὅτι ἡ ἀνάγνωσις ἀμβλύνει τὴν ἁφήν, ἐπειδὴ τὰ ἄκρα τῶν δακτύλων διὰ τῆς ἐξακολουθητικῆς τριβῆς ἐπὶ τῶν ἀνυψωμένων στιγμῶν γίνονται σκληρὰ καὶ τυλώδη, παχυνομένης τῆς ἐπιδερμίδος. Οἱ ἄριστοι ἀναγνῶσται, οἵτινες φθάνουν σχεδὸν ὡς πρὸς τὴν ταχύτητα τὴν ἀνάγνωσιν τῶν βλεπόντων, ἔχουν ἐπὶ τοῦ ἀναγινώσκοντος δακτύλου ἀποστάσεις ἀπὸ 2 ἕως 2.6 καὶ 3 μάλιστα χιλιοστῶν. Πίνακες Griesbach LV, LIX, LI, XXVIII.)

Ἰδίως κάμνει ἐντύπωσιν ἡ ἀμβλύτης τῆς ἁφῆς αὐτῶν, ὅταν σκεφθῇ τις, ὅτι εἰς τοὺς ἐξετασθέντας βλέποντας, τοὺς μὴ ἀναγινώσκοντας γραφὴν τυφλῶν, ὁ μέσος ὅρος τοῦ ἀριθμοῦ τῶν ἐλαχίστων ἀποστάσεων εἶναι διὰ τὸν δείκτην μόνον 1.1 χιλ. Οἱ τυφλοὶ οἱ ἔχοντες τὰς μᾶλλον πρὸς τὰς τῶν βλεπόντων πλησιαζούσας ἀποστάσεις, δηλ. 1.5 χιλ. περίπου ἀναγινώσκουν κατὰ κανόνα ὀλίγον καὶ κακῶς, ἢ τοὐλάχιστον χειρότερα τῶν σκληρὰν ἐχόντων τὴν ἁφήν. Δὲν εἶναι ἡ χονδρὰ ἐργασία ἡ βλάπτουσα τὴν ἁφήν, ὡς μέχρι τοὐδὲ ἰσχυρίζοντο· καθότι οἱ ἔχοντες τὰς ἐλαχίστας ἀποστάσεις, 0.5 καὶ 0.8 χιλ. (XLVII καὶ LVII) ἦσαν καλαθοποιοί. Ἀμφότεροι ἀναγινώσκουν κακῶς μ᾽ ὅλον ὅτι εἶναι εὐφυέστατοι.

Ἤδη τίθεται τὸ ζήτημα: «Διατί οἱ «λεπτὴν» ἔχοντες τὴν ἀφὴν βλέποντες, δὲν δύνανται καθόλου ἢ μόνον μετὰ δυσκολίας νὰ διακρίνουν τὴν γραφὴν τῶν τυφλῶν, ἐνῷ οἱ «ἐσκληρυμένην» ἔχοντες τὴν ἀφὴν τυφλοί, ἀναγινώσκουν αὐτὴν τόσον εὐχερῶς, ὥστε θὰ ἠδύνατό τις νὰ πιστεύσῃ, ὅτι ἀπαγγέλουν;»

Ἡ τὴν σήμερον ἐν χρήσει γραφὴ Braille ἀποτελεῖται, ὡς ἀρχῆθεν εἴπομεν, ἐκ στιγμῶν ἐξεχόντων καὶ κωνικῶν, τῶν ὁποίων αἱ ἀμβλεῖαι ἄκραι ἀπέχουν ἀπ᾽ ἀλλήλων $2^1/_4$—3 χιλ. (Ἀνέφερα ἤδη, ὅτι αἱ μικρότεραι ἀποστάσεις ἐγκατελείφθησαν ἐκ νέου καὶ ἐν Γερμανίᾳ καὶ ἐν Αὐστρίᾳ. Τὰ σχήματα εἶναι:

= é

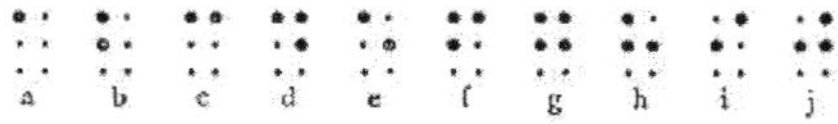

Διὰ ν᾽ ἀποτελεσθῇ ἡ δευτέρα ἐκ δέκα ψηφίων σειρά, προστίθεται εἰς τὴν πρώτην κατακόρυφον στήλην μία ἀκόμη στιγμὴ πρὸς τὰ κάτω:

(a + • = k. b + • = l. c + • = m κτλ.)

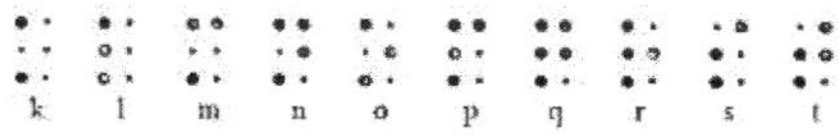

Διὰ τὴν τρίτην σειρὰν προστίθεται ἀκόμη μία στιγμὴ κάτω, ἀλλὰ εἰς τὴν δευτέραν κατακόρυφον στήλην:

(k + • = u. l + • = v. n + • = y. u + • = z)

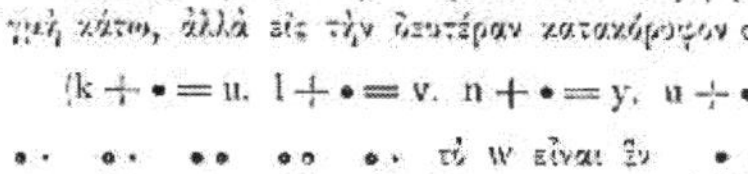

[3] Ἐπὶ τῇ βάσει ταύτῃ τῆς διὰ συστηματικῆς διατάξεως στιγμῶν γραφῆς Braille κατηρτίσαμεν τὸ ἀκόλουθον Ἑλληνικὸν ἀλφάβητον:

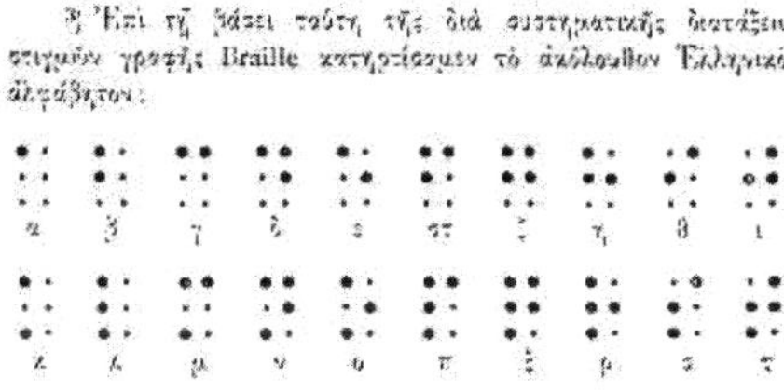

Διὰ τὰς διφθόγγους, τὰς στίξεις, τοὺς ἀριθμοὺς κτλ. κτλ. ὑπάρχουν ἰδιαίτεροι συνδιασμοὶ ἐπὶ τῇ αὐτῇ πάντοτε βάσει τῶν ἓξ στιγμῶν • Σημ. μεταφρ.

Ὅθεν εἰς τὰ βιβλία αἱ μεταξὺ τῶν ψηφίων ἀποστάσεις εἶναι μόλις μεγαλείτεραι ἀπὸ τὰς τῶν στιγμῶν ἑνὸς ψηφίου, λ. χ. = nur (λέξις γερμανικὴ σημαίνουσα «μόνον»). Διὰ τοῦτο ἡ ἐκ 15—17 χιλ. πλάτους καμπυλότης τοῦ δακτύλου, ὅταν εὑρίσκηται εἰς τὸ μέσον τῆς μικρᾶς ταύτης λέξεως «nur», δὲν καλύπτει μόνον τὸ = u, ἀλλ᾽ ἀκόμη καὶ τὴν δευτέραν κατακόρυφον στήλην τοῦ n καὶ τὴν πρώτην τοῦ r. Ἀφοῦ οἱ δάκτυλοι ἔχουν τὰς κάτωθεν ἄκρας καμπύλας,

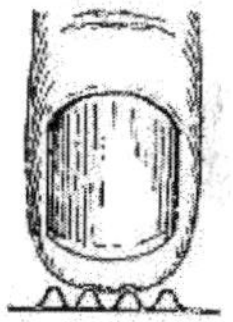

αἱ στιγμαὶ τοῦ ἐν τῷ μέσῳ εὑρισκομένου u θὰ ἐμπηχθοῦν βαθύτερον, δηλ. θὰ γίνουν αἰσθητότεραι ἢ αἱ στιγμαὶ τῶν παρακειμένων n καὶ r.

Ὁ λεπτὴν ἔχων τὴν ἀφὴν δάκτυλος αἰσθάνεται καὶ αὐτὰς τὰς παραπλησίως τὸ δέρμα ἐρεθιζούσας ἐξοχάς, συγχίζει δὲ τὰ ψηφία δηλ. δὲν γνωρίζει ποῖαι εἶναι αἱ στιγμαὶ αἱ ἀποτελοῦσαι ἓν καὶ μόνον ψηφίον· ἀπ᾽ ἐναντίας ὁ διὰ τοὺς ἀσθενεῖς ἐρεθισμοὺς ἀναισθητῶν δάκτυλος, οὐδόλως ἢ ἐλάχιστα ἀντιλαμβάνεται τῶν παραπλησίων ἀσθενεστέρων ἐξοχῶν. Ὅπως ἀπαλλάξω τοὺς εἰς προχωρημένην ἡλικίαν τυφλωθέντας ἀπὸ τὴν σύγχυσιν τῶν ψηφίων κατὰ τὴν ἀνάγνωσιν, ἥτις διὰ τοὺς τοιούτους τυφλούς, ἂν ὄχι ἀδύνατος, εἶναι ὅμως δυσχερεστάτη, ἐχάραξα δι᾽ αὐτοὺς ἀκριβῶς ἀνάγλυφα ψηφία (δι᾽ ὧν ἐτύπωσα καὶ ἓν βιβλίον) εἰς τὰ ὁποῖα αἱ στιγμαὶ συνδεόμεναι ἀποτελοῦν σχήματα

Ἐντούτοις εἰς τοὺς πίνακας τοῦ Griesbach ἀπαντῶμεν εἰς 33 ἐκ 37 τυφλῶν (καὶ μόνον εἰς 5 ἐκ 56 βλεπόντων) τὴν ἑξῆς παρατήρησιν: «Αἱ ἀσθενεῖς πιέσεις δὲν διεγείρουσι τὴν αἴσθησιν τῆς ἀφῆς» · ἢ «εἰς πίεσιν κατωτέραν τῶν 2 ἢ καὶ τῶν 5 γραμμαρίων ὁ τυφλὸς δὲν

δύναται νά ἐκφέρῃ ὡρισμένην γνώμην διά τάς ἐντυπώσεις του» κτλ.

Τὴν τελειωτικὴν ἀνακάλυψιν ταύτην χρεωστοῦμεν εἰς τὸ τριχοειδές, διὰ πιέσεως αἰσθησιόμετρον τοῦ Griesbach. Διά τοῦ συνήθους διαβήτου, ὅστις ἐχρησιμοποιήθη ἄλλοτε δι' ὀλίγας τινάς μετρήσεις, δὲν ἦτο δυνατὸν νά εὑρεθῇ ἡ ἀλήθεια αὕτη.

Οἱ τέσσαρες τυφλοί, παρά τῶν ὁποίων ἐλλείπουν αἱ παρόμοιοι παρατηρήσεις, δὲν ἦσαν τότε πολὺ προχωρημένοι εἰς τὴν ἀνάγνωσιν, δηλ. ἀνεγίνωσκον, ὅταν ἦσαν ἠναγκασμένοι ἢ εἶχον μόλις ἀρχίσει ν' ἀναγινώσκουν. Ἡ ἐπιδερμὶς λοιπὸν τῶν δεικτῶν αὐτῶν δὲν εἶχεν ἀκόμη σκληρυνθῇ. Μεταξὺ τούτων εὑρίσκομεν πάλιν εἰς τὴν περίπτωσιν XLVII ἀναγεγραμμένην τὴν ἐλαχίστην ἀπόστασιν (ἀρ. 1 χιλ. δεξ. 0.5 χιλ.).

Ἐνταῦθα πρέπει νά παρενθέσωμεν, ὅτι ἡ ἱκανότης τοῦ ἀναγινώσκειν δὲν δύναται νά ληφθῇ ὡς μέτρον τῆς ἐπιτηδειότητος τῶν χειρῶν. Οἱ κάλλιστοι ἀναγνῶσται εἶναι κατὰ κανόνα οἱ ἀνεπιτηδειότεροι τεχνῖται. Ἐκ τῶν ἀνωτέρω δῆλον γίνεται, ὅτι πρὸς ἐκμάθησιν τῆς διὰ τῶν δακτύλων ἀναγνώσεως, δὲν ἀπαιτεῖται λέπτυνσις, ἀλλ' ἀπ' ἐναντίας σκλήρυνσις τῆς ἀφῆς.

Διά τοῦτο οἱ βλέποντες δὲν δύνανται ν' ἀναγνώσουν διά τῶν δακτύλων τὴν γραφὴν τῶν τυφλῶν, διότι αἰσθάνονται πολὺ ζωηρῶς καὶ τὰς παραπλησίους ἀσθενεστέρας ἐντυπώσεις τῶν στιγμῶν τῶν ψηφίων, δηλ. αἰσθάνονται πλέον τοῦ δέοντος.

Ὁ ἰταλὸς ἰατρὸς Dr. Ferrai, ὑπεστήριξε πρό τινος, ὅτι παρὰ τοῖς κωφαλάλοις ἡ ἀφὴ ὀξύνεται μὲ τὴν ἡλικίαν[4]. Δὲν μᾶς λέγει μέχρι ποίου βαθμοῦ.

Ὅταν τις ἀφηρημένος ἢ βυθισμένος εἰς σκέψεις περιφέρεται ἀνά τάς ὁδοὺς κοσμοβρυθοῦς πόλεως, «βλέπει» ὁλόκληρον τὸ πλῆθος ἔμπροσθέν του, δεξιά καὶ ἀριστερά καὶ μ' ὅλα ταῦτα εἰς τὸ τέλος δὲν ἔχει τίποτε εἰδῆ, διότι τὸ βλέμμα του, ἐπεκταθὲν εἰς μεγάλην ἀκτῖνα, δὲν προσηλώθη εἴς τι ὡρισμένον. Εἰς τὴν αὐτὴν θέσιν εὑρίσκεται ὁ εὐαίσθητος δάκτυλος ἐπὶ τῆς στιγμοβριθοῦς γραφῆς τῶν τυφλῶν· ἀφ' ἑτέρου ὁ σκληρυνθεὶς δάκτυλος δύναται νά παραβληθῇ πρὸς τὴν ἐξασθενημένην ἀκοήν, ἥτις ἐκ τῆς μουσικῆς μιᾶς ὀρχήστρας δὲν διακρίνει παρὰ τοὺς θορυβοῦντας φθόγγους τῶν σαλπίγγων καὶ τοὺς τυμπανισμούς. Ἡ ἄσκησις φέρει τὴν τελειότητα ἡ δὲ ἄσκησις εἰς τὴν περίπτωσίν μας οὐδὲν ἄλλο εἶναι εἰ μὴ σκλήρυνσις τῆς ἐπιδερμίδος καὶ πρὸς αὐτὴν συνδεομένη ἐξασθένησις τῆς εὐαισθησίας τῆς ἀφῆς, ἐὰν αὕτη δύναται ὅπως δήποτε νά καθορισθῇ δι' αἰσθησιομετρικῶν μετρήσεων. Εἰς εὐρεῖς κύκλους ἀνθρώπων ἀδυνατούντων ν' ἀποχωρισθῶσιν εὐκόλως ἀπὸ τῶν παλαιῶν πεποιθήσεών των, ὁ ἰσχυρισμὸς οὗτος θά θεωρηθῇ ὡς αἵρεσις. Ἀλλ' οὗτος λαμβάνει ὑπόστασιν κατ' ἀνάγκην ἐκ τῶν ἐρευνῶν τοῦ Καθ. Griesbach καὶ ἐκ τῆς ἀτομικῆς μου γνώσεως τῶν εἰς τάς ἐρεύνας ὑποκειμένων ἀτόμων. Πλὴν τούτου ἐπιβεβαιοῦται καὶ ἐκ τοῦ γεγονότος, ὅτι οἱ τυφλοί, ὅταν θέλουν νά κάμουν διάκρισιν ὑφασμάτων (μετάξης, ἐρίου, βάμβακος), κατά κανόνα δὲν ποιοῦνται χρῆσιν τοῦ δακτύλου δι' οὗ ἀναγινώσκουν.

Δὲν ἀποκρύπτω ἄλλως τε, ὅτι ὁ ἴδιος πρὸ ὀλίγου ἀκόμη καιροῦ ἐθεώρουν τοὺς καλλιτέρους ἀναγνώστας ὡς ἐξαιρετικῶς λεπτὴν ἔχοντας τὴν ἀφὴν καὶ ὅτι μόλις κατὰ πρῶτον μὲ πάλλουσαν καρδίαν κατέγραψα τὰς ἀνωτέρω λέξεις, μοὶ ἐφάνη ὡς νά διέπραττα ἱεροσυλλίαν. Ἐντούτοις δὲν ἐγνώριζα πῶς νά ἐξηγήσω τὸ ὅτι συνήθως οἱ ἄριστοι ἀναγνῶσται διεκρίνοντο ἐπὶ ἀδεξιότητι, ὄχι μόνον εἰς τὰ ἐργόχειρα καὶ τὰς τεχνικὰς ἐργασίας, ἀλλὰ καὶ εἰς τὴν ἐξυπηρέτησιν τῶν καθημερινῶν ἀναγκῶν τοῦ βίου.

Μόνον μετὰ ἐντεταμένην ἐξέτασιν τῶν πινάκων τοῦ Griesbach ἠνεῴχθησαν οἱ ὀφθαλμοί μου.

Κατὰ τὰς ἐν τῇ Σχολῇ μας γενομένας μετρήσεις παρελείφθη δυστυχῶς ἡ ἐξέτασις τῶν ἄκρων ἁπάντων τῶν δακτύλων ἀμφοτέρων τῶν χειρῶν. Συμφώνως πρὸς τὰ μέχρι τοῦδε λεχθέντα αἱ ἐλάχισται ἀποστάσεις τῆς ἀφῆς θά ἦσαν κατά πᾶσαν πιθανότητα πολὺ μικρότεραι εἰς τοὺς μὴ ἀναγινώσκοντας δακτύλους ἢ εἰς τὸν δείκτην. Τὴν εἰκασίαν μου ταύτην ἐπιβαιοῦν οἱ κατωτέρω πίνακες, οἵτινες περιέχουν τὰ ὑπὸ τοῦ Griesbach σταλέντα μοι ἀποτελέσματα τῶν μετρήσεων, ἃς ἐπελήφθη κατὰ τὰς διακοπὰς τῆς Πεντηκοστῆς τοῦ 1902 ἐπὶ 2 τυφλῶν καὶ 3 κωφαλάλων τῆς ἐν Βαϊμάρῃ Σχολῆς Κωφαλάλων καὶ Τυφλῶν. Τὴν φορὰν ταύτην πρὸς συμπλήρωσιν τῆς ῥηθείσης παραλείψεως ἐξητάσθησαν ὅλοι οἱ δάκτυλοι. Ἐκ «γενετῆς» τυφλοὶ ἡλικίας 12 καὶ 13 ἐτῶν.

	Μέτωπον	Μέσ. Συγκρ. τόξον	Ἄκρον ῥινός	Ἀντίχειρ		Μικρός		Παράμεσος		Μέσος		Δείκτης	
				ἀριστερά	δεξιά	ἀριστερά	δεξιά	ἀριστερά	δεξιά	ἀριστερά	δεξιά	ἀριστερά	δεξιά
	Χιλιοστά												
Ἐτῶν 12	5.6	8.—	4.—	2.2	2.2	1.3	1.4	1.2	1.2	2.0	2.—	1.6	2.3
Ἐτῶν 13	5.6	7.5	4.—	2.7	2.2	1.2	1.3	1.2	1.2	1.5	1.5	2.—	2.5
Μέσος ὅρος	5.5	7.75	4.—	2.45	2.2	1.25	1.35	1.2	1.2	1.75	1.75	1.75	2.4

Μέσος ὅρος τῶν ἐλαχίστων ἀποστάσεων τῆς ἀφῆς ὅλων τῶν δακτύλων 1.745 χιλ.

Μέσος ὅρος τῶν 7 μὴ ἀναγινωσκόντων δακτύλων 1.45 χιλ.

Κωφάλαλοι ἡλικίας 10, 12 καὶ 13 ἐτῶν.

[4] Ἐὰν τὸ τοιοῦτον ἠδύνατο νά ἐφαρμοσθῇ καὶ εἰς τοὺς ἀκούοντας, ἡ δυσκολία τῆς ἐκμαθήσεως τῆς γραφῆς τῶν τυφλῶν κατὰ τὴν προχωρημένην ἡλικίαν θὰ ἐξηγεῖτο.

	Μέτωπον	Μεσ. ζυγωμ. τόξου	Ἄκρον ῥινός	Ἀντίχειρ ἀριστερά	Ἀντίχειρ δεξιά	Μικρός ἀριστερά	Μικρός δεξιά	Παράμεσος ἀριστερά	Παράμεσος δεξιά	Μέσος ἀριστερά	Μέσος δεξιά	Δείκτης ἀριστερά	Δείκτης δεξιά
	Χιλιοστά												
Ἐτῶν 10	8.5	12.5	1.5	2.5	2.5	2.—	2.—	2.—	2.—	2.2	2.2	2.2	2.2
Ἐτῶν 12	8.1	12.—	1.—	2.—	2.—	2.2	2.2	2.5	2.5	2.2	2.3	2.—	2.—
Ἐτῶν 13	8.5	10.5	3.5	2.5	2.5	2.5	2.2	2.5	2.5	2.3	2.2	2.5	2.5
Μέσος ὅρος	8.23	11.7	[illegible]	2.33	2.33	2.23	2.13	2.33	2.33	2.23	2.23	2.23	2.23

Μέσος ὅρος τῶν ἐλαχίστων ἀποστάσεων τῆς ἀφῆς ὅλων τῶν δακτύλων 2.26 χιλ.

Σημειωτέον, ὅτι αἱ μετρήσεις αὗται ἔλαβον χώραν ἐν καιρῷ διακοπῶν καὶ ὅτι τὰ παιδία πρoτοῦ ὑποβληθοῦν εἰς αὐτὰς δὲν εἶχον κουρασθῆ, οὔτε διανοητικῶς, οὔτε σωματικῶς.

Ἐνῷ εἰς τοὺς κωφαλάλους δὲν ὑφίσταται οὐσιώδης τις διαφορὰ μεταξὺ τῶν ἐλαχίστων ἀποστάσεων τῆς ἀφῆς τῶν διαφόρων δακτύλων (οἱ μέσοι ὅροι κυμαίνονται μεταξὺ 2.13 καὶ 2.33), εὑρίσκομεν εἰς τὸν ἀναγινώσκοντα δάκτυλον τῶν τυφλῶν ἀπόστασιν ἀφῆς 2.4 χιλ., ἐνῷ οἱ μὴ ἀναγινώσκοντες δάκτυλοι, μὴ λαμβανομένου ὑπ' ὄψιν τοῦ ἀμβλεῖαν ἔχοντος τὴν ἀφὴν ἀντίχειρος, δίδουν ἕνα μέσον ὅρον ἐξ 1.44 χιλ.· οὗτος πλησιάζει τὸν ἐν τῷ πίνακι IV μέσον ὅρον ἀμφοτέρων τῶν δεικτῶν τῶν βλεπόντων (1.13 χιλ.).

Αἱ μετρήσεις αὗται καταδεικνύουν πρὸς τούτοις, ὅτι οἱ κωφάλαλοι ὄχι μόνον δὲν ἐκέρδισαν εἰς ἀφὴν ὅ,τι ἀπώλεσαν εἰς ἀκοήν, ἀλλ' ἀπεναντίας ὑπολείπονται καὶ ταύτης.

Κατὰ τὸν πίνακα II. παρὰ τοῖς βλέπουσιν ὁ μέσος ὅρος μετώπου, μέσου ζυγωματικοῦ τόξου καὶ ἄκρου ῥινὸς εἶναι 1.97 χιλ. ἐνῷ παρὰ τοῖς ἄνω κωφαλάλοις 7.97 χιλ.

Καὶ τοῦτο λοιπὸν ὠνόμαζον μέχρι τοῦδε ἀντικαταστάτην τῶν αἰσθήσεων!

Θὰ ἠδύνατό τις ἴσως νὰ ὑποθέσῃ, ὅτι ὑποβιβάζω τὴν ἀφὴν καὶ τὴν διὰ τεχνικὰς ἐργασίας ἱκανότητα τῶν τυφλῶν. Μετὰ πλειότερον εἰκοσαετοῦς ἐργασίας, γενομένης μετ' αὐτῶν καὶ δι' αὐτούς, νομίζω, ὅτι ἡ μομφὴ αὕτη δὲν θὰ μοὶ ἥρμοζεν. Ἐκ πείρας γνωρίζω, ὅτι τὴν σήμερον εἴμεθα εἰς θέσιν νὰ φέρωμεν τὸν ὁμαλῶς προικισμένον τυφλὸν καὶ ἐπιστημονικῶς εἰς τὸ ὕψος τῶν βλεπόντων συνομηλίκων του καὶ ὅτι σχετικῶς πρὸς τὴν τεχνικὴν ἱκανότητα καὶ ἐπιτηδειότητα, εἰς τοὺς προσιτοὺς εἰς αὐτὸν κλάδους οὗτος οὐδόλως σχεδὸν ὑστερεῖ τῶν βλεπόντων. Ἡ ἀφὴ κατορθώνει πολὺ περισσότερα καὶ πολὺ ὀλιγώτερα ἀφ' ὅτι ὁ μὴ εἰδήμων πιστεύει συνήθως. Ὡς ἐπὶ τὸ πλεῖστον οἱ τυφλοὶ θεωροῦνται ἐναλλάξ ὡς μάγοι καὶ ὡς ἠλίθιοι. Δὲν εἶναι ἐντούτοις οὔτε τὸ μὲν οὔτε τὸ δέ, ἀλλ' ἁπλῶς ἄνθρωποι μὲ περιωρισμένας δυνάμεις (διότι ὅταν πάσχῃ τὸ ἓν μέλος πάσχουν καὶ τὰ λοιπά), οἵτινες ἐντούτοις, ὄχι δι' ὑπερφυσικῶν μέσων, ἀλλὰ δι' ἐπιμελοῦς μορφώσεως, διὰ ζήλου καὶ δι' ὑπομονῆς, δύνανται ν' ἀντικαταστήσουν ὅ,τι ἡ φύσις τοὺς ἐστέρησε. Τὸ πόσον ἐσφαλμένως κρίνονται οἱ τυφλοὶ (καὶ ἐν γένει ἡ ἁπτικὴ αὐτῶν δύναμις) καὶ ὑπὸ ἐξεχόντων ἀκόμη ἀντιπροσώπων τῆς ἐπιστήμης, δεικνύουν οἱ ὑπὸ τοῦ Griesbach ἀναφερόμενοι λόγοι ἑνὸς Wundt, κατὰ τὸν ὁποῖον ἡ ἀφή, ἥτις εἰς τοὺς βλέποντας μένει πάντοτε στάσιμος εἰς χθαμαλὴν βαθμίδα ἀναπτύξεως, εἰς τοὺς ἐκ γενετῆς τυφλοὺς τελειοποιεῖται εἰς βαθμόν, «δυνάμενον, ὡς πρὸς τὴν ἱκανότητα τοῦ διακρίνειν, νὰ μετρηθῇ τοὐλάχιστον μὲ τὰς μοίρας τῆς ἐμμέσου ὁράσεως τῶν πλαγίων τμημάτων τοῦ ἀμφιβληστροειδοῦς χιτῶνος»[5]. Τοῦτο εἶναι ὑπερβολικῶς πολὺ καὶ ὑπερβολικῶς ὀλίγον! Ὅταν προχωροῦντες διὰ μέσου ὁδοῦ ἢ δάσους ἀτενίζομεν κατ' εὐθεῖαν πρὸ ἡμῶν, βλέπομεν, χωρὶς νὰ τὸ θέλωμεν, διὰ τῶν πλαγίων τμημάτων τοῦ ἀμφιβληστροειδοῦς χιτῶνος δεξιὰ καὶ ἀριστερὰ καὶ ἄνω καὶ πρὸ ἡμῶν ἑκατομμύρια συγκεχυμένως διαγεγραμμένων ἀντικειμένων, ἅτινα ἀναμφιβόλως δὲν εἶναι προσιτὰ εἰς τὴν ἀφὴν τῶν τυφλῶν. Ὅσα ὅμως σώματα δύνανται νὰ δοθῶσιν εἰς τοὺς τυφλοὺς καὶ νὰ περικλεισθῶσι διὰ τῶν χειρῶν αὐτῶν, γίνονται ἀντιληπτὰ ὑπὸ τῆς ἀφῆς, οὐχὶ ὡς φαίνονται, ἀλλ' ὡς ἔχουσιν· ἐνῷ, ἐὰν κινούμενοι περὶ αὐτὰ τὰ παρατηρήσωμεν διὰ τῶν ὀφθαλμῶν, ἀντιλαμβανόμεθα ἀπὸ δευτερολέπτου εἰς δευτερόλεπτον διαφορετικῶν σχημάτων, καθότι ὁ ὀφθαλμὸς βλέπει μόνον προοπτικῶς καὶ ἐν προβολῇ. Μία σφαῖρα διὰ τὴν ψηλαφίζουσαν χεῖρα εἶναι καὶ μένει σφαῖρα, ἐνῷ διὰ τὸν ὀφθαλμὸν εἶναι μία ἀνίσως φωτισμένη καμπύλη ἐπιφάνεια. Διὰ τοῦτο ὁ ἐπὶ ἐπιπέδου ἰχνογραφίας ἐπιτυχῶς σκιασμένος κύκλος, προκαλῶν ὀπτικὴν ἀπάτην, φαίνεται εἰς τὸν ὀφθαλμόν, ὅστις στηρίζεται ἐπὶ τῆς βάσεως ἀπείρων πειραματισμῶν τῆς ἀφῆς, ὡς σφαῖρα.

Διὰ τὸν λόγον τοῦτον, ὅσα σφαιρικὰ σώματα εἶναι ἀπρόσιτα εἰς τὴν ἀφήν, ἐπὶ ἑκατοντάδας ὅλας ἐτῶν ἐθεωροῦντο ὑπὸ τῆς ἀνθρωπότητος ὡς ἐπιφάνειαι κυκλοτερεῖς (ἥλιος, σελήνη κτλ.).

Πρό τινων ἐτῶν ἔλαβα ἐκ Βιέννης μερικὰ γεγλυμμένα (κοῖλα) γύψινα σχήματα ἀναγλύφων μεταλλίων ἱστορικῶν προσώπων. Τὰ παρετήρουν ἐπὶ μακρόν, ὁπότε ἐξαίφνης ἀντελήφθην, ὅτι ἔβλεπα τὰ πρόσωπα πότε ὡς ἐξέχοντα καὶ πότε ὡς εἰσέχοντα. Ὅπως πεισθῶ, ὅτι ἡ ἀπάτη αὕτη δὲν ἦτο συνέπεια ἰδιότητός τινος τῶν ὀφθαλμῶν μου, ἀλλὰ καὶ ὅπως ἀποδείξω εἴς τινας βλέποντας πόσον εὐκόλως ἀπατᾷ ἡ ὅρασις, ἐτοποθέτησα τὰ κοῖλα ταῦτα σχήματα ἐπὶ τοίχου, εἰς τρόπον ὥστε νὰ εἶναι ἐκ τῶν ἔμπροσθεν ἀπὸ ἀποστάσεώς τινος ὁρατά, χωρὶς νὰ δύνανται νὰ ψηλαφισθῶσι. Κατόπιν ἐκάλεσα δύο βλέποντας συναδέλφους καὶ τοὺς ἔδειξα τὰ θαυμάσια «ἀνάγλυφα». Συνεμερίσθησαν τὸν θαυμασμόν

---

[5] Wundt, Menschen- und Thierseele, S. 167.

μου καὶ κατόπιν μόνον παρετήρησαν, ὅτι ἔκαμνον μίαν παράδοξον ἐντύπωσιν, ὁπότε γελῶν τοὺς εἶπα νὰ ἐξετάσουν τ' ἀντικείμενα πλησιέστερον. Τότε φυσικὰ ἀνεκάλυψαν, ὅτι τὰ σχήματα ἦσαν γεγλυμμένα (κοῖλα) καὶ ὄχι ἀνάγλυφα. Βεβαίως δὲν θὰ εἶχον ἀπατηθῆ, ἐὰν ἐλάμβανον ὑπ' ὄψιν τὴν διεύθυνσιν τοῦ φωτός, δηλ. τὴν θέσιν τοῦ παραθύρου. Τὸ αὐτὸ μοὶ συνέβαινεν ἑκάστοτε ὅτε προσήλουν τὸ βλέμμα ἐπὶ μακρότερον χρόνον εἰς τὸ ὄπισθεν μέρος (κοῖλον) τῶν ἐντύπων ἀναγλύφων τῶν ζωολογικῶν πινάκων. Τοιαῦται λανθασμέναι ἀντιλήψεις δὲν ἀπαντῶνται εἰς τὴν ἀφήν. Ὁ εἰς τὸ ἅπτεσθαι ἐξησκημένος τυφλός, ὅστις ψηλαφίζει προσεκτικῶς μίαν ἀκριβῆ ἀναπαράστασιν ὀρέων λ. χ. τῶν Βοσγίων ἢ τῶν Ἄλπεων, ἀποκτᾷ πολὺ ἀκριβεστέραν καὶ «πλαστικωτέραν» ἀντίληψιν τοῦ συνόλου τῶν ὀρέων τούτων ἢ ὁ βλέπων ταξειδιώτης, ὅστις χιλιάκις μεταβαίνει διὰ τοῦ σιδηροδρόμου ἀπὸ Βασιλείας εἰς Στρασβοῦργον καὶ τ' ἀνάπαλιν ἢ ταξειδεύει ἀνὰ τὰς Ἄλπεις, βλέπει δὲ τὰ ὄρη μόνον ἐκ τῶν πλαγίων (ἐν προβολῇ ἐπὶ τῆς καθέτου πεδιάδος), ποτὲ δ' ἐκ τῶν ἄνω, ὡς ἓν σύνολον (ἐν προβολῇ ἐπὶ τῆς ὁριζοντίου ἐπιφανείας χάρτου). Μόνον ὅτι αἱ ἀντιλήψεις εἶναι διαφορετικαί.

Ἐν γένει αἱ ἀντιλήψεις τῆς ἀφῆς δὲν δύνανται νὰ παραβληθοῦν πρὸς τὰς τῆς ὁράσεως· διαφέρουν τόσον ἀπ' ἀλλήλων, ὅσον ἡ ζωγραφικὴ ἀπὸ τῆς πλαστικῆς, ἀλλ' ὅμως ὅπως καὶ αὗται ἔχουν τὴν αὐτὴν ἀξίαν. Ὁ βλέπων πράττει χίλια πράγματα, ἅτινα ὁ τυφλὸς δὲν θὰ ἦτο εἰς θέσιν νὰ πράξῃ, ὅπως καὶ ὁ τυφλὸς κάμνει πολλά, τὰ ὁποῖα ὁ βλέπων δὲν θὰ κατώρθωνεν ἐν τῷ σκότει, καθότι πᾶσα λελογισμένη δρᾶσις ἢ ἐργασία εἶναι ἐπίῤῥοια τοῦ ἐνδιαθέτου βίου, ὅστις ὅσον ἀφορᾷ τὰ σώματα βασίζεται, εἰς μὲν τὸν ἄρτιον κυρίως εἰς τὴν ἀντίληψιν τῆς ὁράσεως, ἐνῷ εἰς τὸν τυφλὸν εἰς τὰς αὐτοτελεῖς καὶ μεμονωμένας ἀντιλήψεις τῆς ἀφῆς. (Δοκιμαὶ ὁράσεως ἐπὶ ἀναβλεψάντων μετὰ ἐγχείρησιν τυφλῶν ἐκ γενετῆς). Ὁ ὀφθαλμὸς περιβάλλει ἐξ ὡρισμένης ἀποστάσεως τὸ μεγαλείτερον καὶ τὸ ἐλάχιστον ὡς ἓν σύνολον, κατόπιν δὲ μόνον τὸ ἐξετάζει ἀναλυτικῶς· ἡ ἀφὴ τὰ μὲν πολὺ μικρὰ ἀντικείμενα δὲν τ' ἀντιλαμβάνεται, τὰ δὲ πολὺ μεγάλα καὶ μὴ δυνάμενα νὰ περικλεισθοῦν διὰ τῆς χειρός, ἢ παρουσιάζοντα πολύπλοκα σχήματα, κατανοεῖ μόνον βαθμηδόν, καὶ κατ' ὀλίγον. Ἡ ὅρασις αὐτὴ καθ' ἑαυτὴν παρέχει ὁμάδας ἀντιλήψεων, τῶν ὁποίων τὰ μέλη κεῖνται ἐν ἐπιπέδῳ πλησίον ἀλλήλων· ἡ ἀφή, ὅταν πρόκηται περὶ μεγαλειτέρων ἀντικειμένων, παρέχει σειρὰς ἀντιλήψεων, τῶν ὁποίων τὰ τμήματα ἀκολουθοῦν ἄλληλα ἐγκαίρως καὶ συσσωματοῦνται μόνον μετὰ ψυχικὴν πρᾶξιν (σύνθεσιν)· ἡ ὅρασις εἶναι αἴσθησις ἐπιφανείας, ἡ δὲ ἀφὴ αἴσθησις σώματος.

Ὁ ἐκ γενετῆς τυφλὸς δύναται νὰ ἔχῃ ἀκριβεῖς ἀντιλήψεις σωμάτων, ἀλλὰ πολὺ δυσκολώτερον ἐπιφανειῶν, ὁ ἄνευ ἀφῆς γεννώμενος (δὲν γνωρίζω ἐὰν ὑπάρχουν τοιοῦτοι), θ' ἀπέκτα βεβαίως διὰ τῆς ὁράσεως ὀρθὰς ἀντιλήψεις ἐπιφανειῶν, ἀλλ' οὐδόλως σωμάτων. Εἰς τοὺς ἀρτίους τὰς αἰσθήσεις ἔχοντας, αἱ ἀντιλήψεις ὁράσεως καὶ ἀφῆς συγχωνεύονται τόσον στενῶς εἰς μίαν καὶ μόνην εἰκόνα, ὥστε αἱ ἀντιλήψεις τῆς ὁράσεως ἀναπλάττουν καὶ τὰς συγγενεῖς ἀντιλήψεις τῆς ἀφῆς καὶ τ' ἀνάπαλιν.

Ὅταν «βλέπωμεν» τὴν πρὸς ἡμᾶς ἐστραμμένην ἐπιφάνειαν μιᾶς οἰκίας, δηλ. ὅταν δεχώμεθα τὰς ἀπ' αὐτῆς ἀντανακλωμένας ἀκτῖνας τοῦ φωτός, λέγομεν: «βλέπω τὴν οἰκίαν», διότι δὲν ἀποχωρίζομεν πλέον ἀπ' ἀλλήλων τὴν διὰ τῆς ἀφῆς ἀντίληψιν τοῦ σώματος ἀπὸ τὴν τῆς ἐπιφανείας. Ὥστε ἡ ὅρασις καὶ ἡ ἀφή, ἀνήκουσαι ἡ μὲν εἰς τὴν δέ, ἀλλ' ὡς ἐκ τῆς φύσεώς των προσδιωρισμέναι δι' ὅλως διαφορετικὰς ἀντιλήψεις τοῦ ἔξω κόσμου, δύνανται νὰ συμπληρώσουν, ἀλλ' οὐδέποτε ν' ἀναπληρώσουν ἀλλήλας. Δὲν δύναται λοιπὸν νὰ γίνῃ λόγος περὶ ἀλληλοαντικαταστάσεως τῶν αἰσθήσεων τούτων, ἂν καὶ ὡς ἐκ τῆς στενῆς μεταξύ των σχέσεως, ὑπεδείχθη ἤδη ἡ ὅρασις ὡς ψηλάφησις ἐξ ἀποστάσεως. Πολὺ ὀλιγώτερον ἀκόμη δύναται ἡ ἀκοὴ ν' ἀναπληρώσῃ τὴν ὅρασιν· διότι ἀμφότεραι αἱ αἰσθήσεις αὗται εἶναι ἐντελῶς διάφοροι ἀλλήλων.

Διὰ μόνης τῆς ἀκοῆς τὸ περιβάλλον δὲν γίνεται ἀντιληπτόν, ὅσον καλὰ καὶ ἂν ὑποτεθῇ, ὅτι καθορίζεται δι' αὐτῆς ἡ διεύθυνσις τοῦ ἤχου. Ἡ ἀπόστασις τῆς ἠχοπαραγωγοῦ πηγῆς δὲν ὁρίζεται ὑπὸ τοῦ ὠτὸς αὐτοῦ, ἀλλ' ὑπολογίζεται (κατὰ τὸ πλεῖστον λίαν ἀορίστως) ἀναλόγως τῆς ἐντάσεως τοῦ ἤχου. Ἐνῷ διὰ τῆς ὁράσεως καὶ τῆς ἀφῆς κερδίζονται αἱ διὰ τὴν ἐκτίμησιν ταύτην θεμελιώδεις ἀντιλήψεις τοῦ περιβάλλοντος.

Ὁ τυφλὸς ἀποκτᾷ φυσικὰ τὰς ἀτελεῖς ἀντιλήψεις του περὶ τῶν μεγαλειτέρων χώρων διὰ τῆς ἀφῆς, διὰ τὸ ὁποῖον λαμβάνονται ὑπ' ὄψιν οἱ πόδες, ὡς ὄργανα τῆς ἀφῆς, ἐν συνδιασμῷ μὲ τὸ μυϊκὸν σύστημα (μῆκος τῶν βημάτων). Ἐντούτοις, ἀμφότεραι αἱ αἰσθήσεις αὗται δὲν παρέχουν ἀπ' εὐθείας τὰς ἀντιλήψεις τοῦ χώρου, ἀλλὰ μόνον ὕλην δι' αὐτάς. Καὶ πάλιν ἐν τῇ περιπτώσει ταύτῃ σπουδαῖον μέρος κατέχει ἡ εὐφυΐα, βοηθουμένη ὑπὸ τοῦ ἀριθμοῦ καὶ τοῦ χρόνου. Ἐνόσῳ ἡ ἀκοὴ χρησιμεύῃ εἰς τὴν μεταξὺ ἀλλήλων συνεννόησιν τῶν ἀνθρώπων, εἶναι ἁπλῶς προσδιωρισμένη εἰς τὸ ν' ἀντιλαμβάνηται συστάδος κατὰ συνθήκην φθόγγων (λέξεων κτλ.), ἐκφραζόντων ἀναπαραστάσεις καὶ ἰδέας. Οἱ διδάσκαλοι τῶν τυφλῶν ὑποπίπτουν ἀναμφιβόλως συχνότερον τοῦ πρέποντος εἰς τὴν ἀπάτην τοῦ νὰ πιστεύουν, ὅτι αἱ λέξεις γεννοῦν ἀντιλήψεις χώρων καὶ ἀντικειμένων· κάμνουν πολλὴν θεωρίαν καὶ ἐλαχίστην πραγματογνωσίαν. Ἄλλως τὸ πρῶτον εἶναι ὁπωσδήποτε καὶ εὐκολώτερον. Ὥστε περὶ πραγματικῆς ἀναπληρώσεως τοῦ ὀφθαλμοῦ ὑπὸ τοῦ ὠτὸς δὲν δύναται νὰ γίνῃ λόγος, τὸ δὲ ὅτι δὲν ἐνισχύεται ἤτοι δὲν λεπτύνεται ἡ ἀκοή, ἀναφορικῶς πρὸς τὸν περιβάλλοντα χῶρον, διὰ τῆς

2*

ἀπωλείας τῆς ὁράσεως, ἀπεδείχθη διὰ τῆς ἐξετάσεως τοῦ καθορισμοῦ τῆς διευθύνσεως καὶ τῆς ἀποστάσεως τοῦ ἤχου.

Ἡ μεγαλειτέρα προσοχή, ἣν ὁ τυφλὸς ἐφιστᾷ εἰς τοὺς παραμικροὺς θορύβους, οἵτινες δύνανται νὰ τὸν καθοδηγήσουν ἢ τὸν καταστήσουν προσεκτικόν, δὲν ἐπιῤῥεάζει, ὡς φαίνεται, τὰ ὄργανα τῆς ἀκοῆς του. Ἀκριβῶς, διότι ἡ προσοχὴ δὲν εἶναι στιγμὴ φυσιολογική, ἀλλὰ ψυχολογική.

Ἡ θεωρία λοιπὸν τοῦ ὅτι ἡ ἀπώλεια μιᾶς αἰσθήσεως ἐνισχύει ἀφ' ἑαυτῆς καὶ πάντοτε, δηλ. ἐκ φυσικῆς ἀνάγκης, τὰς λοιπὰς αἰσθήσεις, ὅτι λόγου χάριν ἡ ἐκ τῆς ἀχρηστίας τῶν νεύρων τῆς ὁράσεως ἐν διαθεσιμότητι ὡσαύτως μένουσα ἐνεργητικότης μεταβαίνει ἐπὶ τῶν λοιπῶν νεύρων τῶν αἰσθήσεων, ἀπαράλλακτα, ὅπως ἡ περιουσία θνήσκοντος παιδίου κληρονομεῖται ὑπὸ τῶν ἀδελφῶν του, αὐξανομένης τῆς περιουσίας τούτων, ἔπρεπεν ἐπίσης, κατόπιν τῶν ἐρευνῶν τοῦ καθ. Griesbach (τῶν ἀφορωσῶν τὴν ὄσφρησιν, τὴν ἀκοὴν καὶ τὴν ἀφήν), νὰ περιπέσῃ εἰς λήθην ὡς ἀνυπόστατος.

Ὁ ἴδιος λέγει εἰς τὰ τελειωτικὰ συμπεράσματα αὐτοῦ, ἅτινα παραθέτω πρὸς σύγκρισιν:

1. Εἰς τὴν ἱκανότητα τοῦ διακρίνειν διὰ τῶν ἐντυπώσεων τῆς ἀφῆς, ἐν καιρῷ ἀργίας, δὲν παρουσιάζεται, κατὰ γενικὸν κανόνα, οὐσιώδης τις διαφορὰ μεταξὺ τυφλῶν καὶ βλεπόντων· ἐλαχίστη διαφορὰ εἶναι εἰς ὄφελος τῶν βλεπόντων.
2. Εἰς τοὺς ἐκ γενετῆς τυφλοὺς ἡ δύναμις τῆς ἀφῆς εἶναι κατά τι ἐλάσσων τῆς τῶν βλεπόντων· ὑπάρχουν μεμονωμέναι περιπτώσεις, καθ' ἃς οἱ ἐκ γενετῆς τυφλοὶ ἔχουν καὶ τὰς λοιπὰς αἰσθήσεις ἀσθενεῖς.
3. Οἱ τυφλοὶ ἔχουν πρὸ πάντων ἀμβλυτέραν τῶν βλεπόντων τὴν ἀφὴν εἰς τὴν ἄκραν τοῦ δείκτου, εἰς πολλὰς δὲ περιπτώσεις παρουσιάζεται εἰς τοὺς τυφλοὺς μία διαφορὰ εἰς τὴν ἔντασιν τῆς ἀφῆς ἀμφοτέρων τῶν δεικτῶν.
4. Διὰ τοὺς τυφλοὺς ἀπαιτεῖται, ἰδίως εἰς τὴν χεῖρα, μεγαλειτέρα πίεσις ἢ διὰ τοὺς βλέποντας, πρὸς ἐκδήλωσιν σαφοῦς ἀντιλήψεως τῆς ἀφῆς.
5. Εἰς τὸν καθορισμὸν τῆς διευθύνσεως τοῦ ἤχου δὲν παρουσιάζεται καμμιὰ διαφορὰ μεταξὺ τυφλῶν καὶ βλεπόντων.
6. Ὁ καθορισμὸς τῆς διευθύνσεως τοῦ ἤχου ποικίλλει εἰς τοὺς τυφλοὺς ἐξ ἴσου σημαντικῶς, ὅσον καὶ εις τοὺς βλέποντας, εἶναι δὲ εἰς ἀμφοτέρους ἐντελῶς ζήτημα ἰδιοσυγκρασίας.
7. Κατὰ γενικὸν κανόνα, ὁ καθορισμὸς τῆς διευθύνσεως τοῦ ἤχου ὁρίζεται ἀσφαλέστερον ὑπὸ τυφλῶν τε καὶ βλεπόντων, ἀκουόμενος δι' ἀμφοτέρων τῶν ὤτων ἢ διὰ μόνου τοῦ ἑνός.
8. Εἰς τὴν ἀπόστασιν τοῦ ἤχου δὲν ὑφίσταται διαφορὰ μεταξὺ τυφλῶν καὶ βλεπόντων.
9. Οὐδεμία σχέσις ὑπάρχει μεταξὺ ἀποστάσεως τοῦ ἤχου καὶ καθορισμοῦ διευθύνσεως αὐτοῦ, οὔτε παρὰ τυφλοῖς, οὔτε παρὰ βλέπουσι.
10. Εἰς τὴν αἴσθησιν τῆς ὀσφρήσεως δὲν ὑφίσταται διαφορὰ μεταξὺ τυφλῶν καὶ βλεπόντων.
11. Αἱ χειροτεχνίαι κουράζουν πολὺ περισσότερον τοὺς τυφλοὺς ἢ τοὺς βλέποντας τῆς αὐτῆς ἡλικίας.
12. Ἡ χειροτεχνικὴ ἐργασία κουράζει τοὺς τῆς αὐτῆς ἡλικίας τυφλοὺς περισσότερον τῆς διανοητικῆς ἐργασίας, ἐνῷ διὰ τοὺς βλέποντας τῆς αὐτῆς ἡλικίας δὲν συμβαίνει τοῦτο.
13. Οὐσιώδεις διαφοραὶ εἰς τὴν συνεπείᾳ διανοητικῆς ἐργασίας κόπωσιν, δὲν παρουσιάζονται εἰς συνομήλικας τυφλοὺς καὶ βλέποντας· ἐλάχισται διαφοραὶ εἶναι εἰς ὄφελος τῶν βλεπόντων.
14. Μεταξὺ τυφλῶν καὶ βλεπόντων ὑπάρχουν ἄτομα πολύ, ὀλίγον ἢ οὐδόλως ὑποκείμενα εἰς ψευδεντυπώσεις· ἐκ τῶν ἐξετασθέντων μερῶν τοῦ δέρματος αἱ πλεῖσται κατὰ κανόνα παρουσιάζονται ἐπὶ τοῦ μέσου τοῦ ζυγωματικοῦ τόξου, αἱ δ' ἐλάχισται ἐπὶ τοῦ ἄκρου τῶν δακτύλων.
15. Ὁ ἀριθμὸς τῶν ψευδεντυπώσεων εἰς τυφλοὺς καὶ βλέποντας προβαίνει μὲ αὔξοντα ἀριθμὸν ἐρεθισμῶν καὶ μεγαλειτέραν πίεσιν.
16. Εἰς τοὺς τυφλοὺς καὶ εἰς τοὺς βλέποντας παράγονται συχνότερον ψευδεντυπώσεις δι' ὀξειῶν ἢ δι' ἀμβλειῶν αἰχμῶν — κτλ.

Ὁ καθ. Griesbach ἐξεφράσθη εἰς αὐτὰς τὰς γραμμὰς μετ' ἐξαιρετικῆς προσοχῆς καὶ τοῦτο διὰ νὰ μὴ ἐκληφθῇ ὡς προκατειλημμένος ἀντίπαλος τῆς παλαιᾶς δοξασίας· καθ' ὅτι πραγματικῶς οἱ πίνακές του δεικνύουν τὴν δύναμιν καὶ τὴν εὐαισθησίαν τῆς ἀφῆς πολὺ ἀνωτέραν εἰς τοὺς βλέποντας· εἰς τὸν δείκτην τῆς δεξιᾶς χειρὸς ἡ ὑπεροχὴ αὕτη κυμαίνεται μεταξὺ 0.42 καὶ 0.90 χιλ. καὶ ἀναφορικῶς πρὸς τὸν μέσον ὅρον τῶν ἐλαχίστων ἀποστάσεων τῆς ἀφῆς τῶν βλεπόντων, ἀπὸ 40 ἕως 138 τοῖς ἑκατόν.

		Βλέποντες (Εἰς χιλιοστά)	Τυφλοί (Εἰς χιλιοστά)	Διαφορά (Εἰς χιλιοστά)	Τοῖς ἑκατόν
Πίνακες LX καὶ LXII	Ἀργία	0.95	1.37	0.42	44
Πίνακες LIX καὶ LXI	Χειροτεχνία	1.40	2.—	0.60	43
Πίναξ XLII	Ἀργία	0.65	1.55	0.90	138
Πίναξ XLII	Διανοητικὴ ἐργασία	1.36	1.91	0.55	40

Αὐταὶ εἶναι »ἐλάχισται διαφοραὶ εἰς ὄφελος τῶν βλεπόντων!

Εἰς τὸν ῥίπτοντα ἓν βλέμμα ἐπὶ τῶν ἀριθμῶν τούτων ἐπέρχονται ἀσυνειδήτως αἱ λέξεις: «Εἰς τὸν ἔχοντα δοθήσεται, ἵνα ἀφθονώτερα ἔχῃ καὶ παρὰ τοῦ μὴ ἔχοντος ληφθήσεται καὶ ἐκεῖνο ὅπερ ἔχει.»

Ἀκριβεστέρας ἐξετάσεως ἀξιοῦν προσέτι αἱ παράγραφοι 11 καὶ 13 τῶν συμπερασμάτων τοῦ Griesbach.

Καὶ μὲν ἡ παράγραφος 11 συμφωνεῖ μὲ τ' ἀποτελέσματα τῶν μετρήσεων, δὲν ἔχει ὅμως τὴν σημασίαν, ἣν θὰ ἠδύνατό τις νὰ τῇ ἀποδώσῃ καὶ ἣν ἤδη τῇ ἀπέδωκαν.

Ἔχει ὡς ἑξῆς: «Αἱ χειροτεχνίαι κουράζουν πολὺ περισσότερον τοὺς τυφλοὺς ἢ τοὺς βλέποντας τῆς αὐτῆς ἡλικίας.»

Ὁ ἀκόλουθος πίναξ LXII μᾶς δίδει τὰ ἐξαγόμενα τῶν ἐξετασθέντων ἐν ὥρᾳ ἀργίας, ἤτοι ἐν ὁμαλῇ καταστάσει, βλεπόντων, εἰς χιλιοστά:

2.5 + 2.5 + 0.9 + 0.9 + 2.93 + 1.1 + 0.95 = 11.78.

ἐν καταστάσει κοπώσεως, κατόπιν χειροτεχνικῆς ἐργασίας (πίναξ LXI) εὑρίσκομεν διὰ τοὺς βλέποντας:

4.2 + 4 + 4 + 1.55 + 1.32 + 4.43 + 1.5 + 1.4 = 18.70.

Η διαφορὰ μεταξὺ τῆς ὁμαλῆς καταστάσεως καὶ τῆς κοπώσεως εἶναι λοιπὸν 6.92 χιλ. ἢ 59% τῆς ὁμαλῆς ἐλαχίστης ἀποστάσεως τῆς ἀφῆς.

Ὁ παράγων τῆς κοπώσεως, ἀριθμὸς διὰ τοῦ ὁποίου ὁ μέσος ὅρος θὰ ἔπρεπε νὰ πολλαπλασιασθῇ, ὅπως εὑρεθῇ ἡ ἀξία τῆς κοπώσεως, εἶναι ἴσος πρὸς 1.587.

Εἰς τοὺς τυφλοὺς τὸ ἄθροισμα τῶν ἐλαχίστων ἀποστάσεων τῆς ἀφῆς, ἐν ὁμαλῇ καταστάσει ἀναπαύσεως κατὰ τὸν πίνακα LX, εἶναι:

3.2 + 3.2 + 1.5 + 1.4 + 3.15 + 1.2 + 1.37 = 15.02.

κατόπιν χειροτεχνικῆς ἐργασίας ὡς ὁ πίναξ LIX:

5.97 + 5.84 + 2.275 + 2 + 6 + 1.7 + 2 = 25.78.

Διαφορὰ μεταξὺ ὁμαλῆς καταστάσεως καὶ κοπώσεως 10.76 = 71.7%.

Παράγων κοπώσεως: 1.716.

Ἡ διαφορὰ λοιπὸν δὲν εἶναι πολὺ σημαντικὴ καὶ ἰδίως ἀναφερομένη εἰς τὴν μήκυνσιν τῶν ἄλλως τε ἤδη μεγάλων ἐλαχίστων ἀποστάσεων τῆς ἀφῆς ἐπὶ τοῦ μετώπου, τοῦ μέσου τοῦ ζυγωματικοῦ τόξου καὶ τοῦ θέναρος. Μετὰ διανοητικὴν ἐργασίαν ἡ σχέσις αὕτη ἀναστρέφεται καταπληκτικῶς. Διὰ τοῦτο ἡ παράγραφος 13 δὲν συμφωνεῖ μὲ τοὺς ἀριθμούς.

Οἱ τυφλοὶ ἐν ὁμαλῇ καταστάσει ἔχουν κατὰ τὸν πίνακα XXXVI τὰς ἀκολούθους ἐλαχίστας ἀποστάσεις τῆς ἀφῆς:

3.6 + 3.7 + 1.7 + 1.5 + 3.79 + 1.29 + 1.55 = 17.13.

Μετὰ διανοητικὴν ἐργασίαν: πιναξ XXXV:

4.5 + 4.9 + 1.86 + 1.72 + 4.80 + 1.49 + 1.91 = 21.18.

Διαφορὰ μεταξὺ ὁμαλῆς καταστάσεως καὶ κοπώσεως 4.05 = 23.6%.

Παράγων κοπώσεως 1.236.

Διὰ τοὺς βλέποντας κατὰ τὸν πίνακα XXXVIII: ἐν ὁμαλῇ καταστάσει ἀναπαύσεως:

2.3 + 2.4 + 0.9 + 0.9 + 2.4 + 0.83 + 0.8 = 10.53.

Μετὰ διανοητικὴν ἐργασίαν: πίναξ XXXVII:

4.2 + 4.4 + 1.55 + 1.36 + 4.1 + 1.36 + 1.38 = 18.35.

Διαφορά: 7.82 = 74.2%.

Παράγων κοπώσεως: 1.743.

Ἡ ἀναλογία τοῖς ἑκατὸν εἶναι ἐνταῦθα, κατὰ λόγον ἐκπληκτικόν, τρεῖς φορὰς μεγαλειτέρα ἢ παρὰ τοῖς τυφλοῖς, ἐνῷ, κατὰ τὴν παράγραφον 13 τοῦ πονήματος τοῦ Griesbach, δὲν ὑφίστανται οὐσιώδεις διαφοραί, αἱ δὲ ἐλάχισται ὑπάρχουσαι εἶναι εἰς ὄφελος τῶν βλεπόντων.

Μόνον φυσιολογικῶς δὲν δύναται νὰ ἐξηγηθῇ τὸ φαινόμενον τοῦτο· θὰ εἶναι ἀνάγκη νὰ ληφθοῦν ὑπ' ὄψιν καὶ ψυχολογικαὶ στιγμαί.

Ἁπλῶς δύναται ν' ἀποδοθῇ εἰς τὴν μεγαλειτέραν ἔντασιν τῆς προσοχῆς τῶν βλεπόντων μαθητῶν (πολλοὶ τυφλοὶ κλίνουν εἰς τὰς ὀνειροπολίας), κατὰ πᾶσαν πιθανότητα δὲ καὶ εἰς τὴν κόπωσιν τῶν ὀφθαλμῶν, οἵτινες λ. χ. κατὰ τὰ γράφειν ἐργάζονται μετὰ τῆς χειρός, ἐνῷ ὁ τυφλός, γράφων καθ' ὑπαγόρευσιν ἢ ἀπὸ μνήμης, κυρίως οὐδὲν αἰσθητήριον ὄργανον, ἀλλὰ μόνον τοὺς μῦς τοῦ πήχεως ἐντείνει.

Ἐκ τῶν ἀριθμῶν αὐτῶν δὲν πρέπει νὰ ἐξαχθοῦν γενικὰ συμπεράσματα, καθότι δὲν δύναται πλέον νὰ ἐξακριβωθῇ ὁ βαθμὸς καὶ τὸ εἶδος τῆς διδασκαλίας, τῆς προηγηθείσης τῶν μετρήσεων.

Ὅπως δήποτε τὰ μέχρι τοῦδε λεχθέντα οὐδεμίαν βάσιν ἔδωκαν πρὸς ὑποστήριξιν τῆς παραδοχῆς ἀντικαταστάτου τῶν αἰσθήσεων. Ὥστε μόνον πρὸς τὴν γεῦσιν δυνάμεθα ἀκόμη ν' ἀποβλέψωμεν. Ὁ καθ. Griesbach δὲν ἐξήτασε τὰ ὄργανα τῆς αἰσθήσεως ταύτης. Δὲν ἦτο δὲ καὶ εὔκολον νὰ ἐξευρεθοῦν διεγερτήρια, διὰ τῶν ὁποίων τὰ ὄργανα τῆς ἐν λόγῳ αἰσθήσεως νὰ ἐνεργοῦν κατὰ τὸν αὐτὸν τρόπον, ἀλλὰ μὲ διάφορον ἔντασιν. Τοῦτο τελευταίως ἐδοκιμάσθη ὑπὸ Ἰταλοῦ ἰατροῦ, τῇ βοηθείᾳ τοῦ ἠλεκτρικοῦ ῥεύματος καὶ διαφόρων διαλύσεων (πικρᾶς, γλυκείας, ἁλμυρᾶς). Τ' ἀποτελέσματα ὅμως δὲν φαίνονται νὰ εἶναι ἐντελῶς ἀσφαλῆ, ὅπως δήποτε οὐδεμίαν κατέδειξαν ὑπεροχὴν τῶν τυφλῶν. Διὰ τὸ δυνατὸν τῆς ἐξακριβώσεως τῶν ἀποτελεσμάτων τούτων, ἀναγκαῖον πρὸ πάντων θὰ ἦτο νὰ γνωρίζῃ τις, ὄχι μόνον τὴν ἔντασιν τοῦ ῥεύματος καὶ τὴν ποσότητα τῶν διαλυομένων οὐσιῶν, ἀλλὰ καὶ (ἕνεκα τῆς παρατάσεως τῶν ἐντυπώσεων) τὴν διάρκειαν τῶν διαλειμμάτων μεταξὺ ἑκάστης δοκιμῆς, ὡσαύτως δὲ καὶ τὴν διάταξιν τῆς σειρᾶς. Εἰς ἐμὲ ἐντούτοις δὲν τυγχάνει γνωστὸν οἱ τυφλοὶ νὰ διακρίνωνται ἐπὶ ἐξαιρετικῇ εὐαισθησίᾳ τῆς γεύσεως, ἄλλως βεβαίως θὰ εἶχεν ἤδη τις προτείνει τὴν τοποθέτησιν αὐτῶν ἐπὶ πλοίων καὶ ὡς ἐπιθεωρητῶν τῶν μαγειρείων ὄχι δὲ μόνον ὡς ὁδηγῶν ἐν καιρῷ ὁμίχλης. Βεβαίως τὸ πρῶτον ἐπάγγελμα θὰ τοῖς ἦτο πλέον εὐχάριστον. Ἴσως ὅμως διὰ λόγους οἰκονομικοὺς νὰ μὴ ἀπέδωσαν καὶ εἰς τὴν γεῦσιν δυνάμεις ὑπερφυσικάς. Ὡσαύτως δὲν ἐδοκιμάσθη ἡ εὐαισθησία τῶν νεύρων τοῦ δέρματος, σχετικῶς πρὸς τὰς ἀλλαγὰς τῆς θερμοκρασίας καὶ τὰς πιέσεις τοῦ ἀέρος. Θὰ ἤξιζεν ἴσως νὰ συμπληρωθῶσιν αἱ σοφαὶ δοκιμαὶ τοῦ Th. Heller.

Ὡς γνωστὸν οἱ παντελῶς τυφλοί, οἱ ἐλευθέρως κινούμενοι, ὀλίγον σχετικῶς συγκρούονται κατὰ πρόσωπον. Τὰ παιδία τῆς Σχολῆς μας τρέχουν εἰς τὰς διὰ δένδρων φυτευμένας καὶ ὑπὸ κτιρίων καὶ τοίχων κατὰ μέγα μέρος περικλειομένας αὐλάς, καθὼς καὶ εἰς τὸν κῆπον, σχεδὸν ὡς νὰ ἔβλεπον. Βεβαίως ἀπὸ καιροῦ εἰς καιρὸν συμβαίνει νὰ συγκρούωνται (ἄλλως τε ὁ κόσμος δὲν ἐπλάσθη διὰ τυφλούς), κατὰ κανόνα ὅμως «ἀντιλαμβάνονται» τοῦ ἐμποδίου ἐγκαίρως καὶ δύνανται νὰ τὸ ἀποφύγουν. Πολλοὶ νομίσαντες, ὅτι τὸ πρὸ καιροῦ παραδεδεγμένον γεγονὸς τοῦτο, δὲν ἠδύνατο νὰ ἐξηγηθῇ διὰ τῆς χρησιμοποιήσεως τῶν γνωστῶν αἰσθήσεων, εὑρέθησαν εἰς τὴν ἀνάγκην νὰ μυθευθῶσι διὰ τοὺς τυφλοὺς καὶ ἕκτην αἴσθησιν, τὴν καλουμένην «αἴσθησιν διαστήματος». Πρὸ ἑνὸς περίπου αἰῶνος ἰδιοτελεῖς κερδοσκοπίαι ὑπέθαλψαν τὴν παραλογίαν ταύτην, παραγαγοῦσαι ἄφθονα καὶ ποικιλλόχρωα ἄνθη, ἅτινα ὅμως δὲν ἐκαρποφόρησαν. Πράγματι, ὅπως καὶ ὁ Th. Heller τὸ ἀπέδειξε, δὲν πρόκειται περὶ ἄλλου τινὸς ἢ περὶ τῆς προσεκτικῆς χρήσεως τῶν γνωστῶν αἰσθήσεων, ἰδίως δὲ τῆς εὐαισθησίας τῆς ἀφῆς τοῦ δέρματος τοῦ προσώπου (πίεσις τοῦ ἀέρος) καὶ τῆς ἀκοῆς· ἐπίσης καὶ ἡ ἀντίληψις τῶν ἀλλαγῶν τῆς θερμοκρασίας, καθὼς καὶ ἡ ὄσφρησις λαμβάνονται συχνὰ ὡς συμπλήρωμα. Αὐτοὶ οἱ ἴδιοι οἱ τυφλοὶ δὲν εἰξεύρουν νὰ εἰποῦν πόθεν ἀναγνωρίζουν τὰ ἐμπόδια, πρὶν ἀκόμη ἐγγίσωσιν αὐτά· ἀκριβῶς διότι τὰ «αἰσθάνονται». Ἐντούτοις μόλις δι' οἱονδήποτε λόγον ἀναγκασθῇ τις νὰ ἐπιδέσῃ τοὺς «ὀφθαλμούς» των ἢ μόλις τὸ ἔδαφος καλυφθῇ διὰ χιόνος (ἢ δι' οἱασδήποτε ὕλης καταπνιγούσης τὸν ἦχον, γίνονται ἀβέβαιοι. Ὅταν ἡ γῆ εἶναι ἐστρωμένη διὰ χιόνος καὶ αὐτοὶ ἀκόμη οἱ δεξιώτεροι χάνουν τὸν δρόμον των εἰς τὴν γνωστοτάτην εἰς αὐτοὺς αὐλήν των. Πῶς λοιπὸν ἐξηγεῖται τὸ γεγονός, ὅτι ἡ ἐπίδεσις τῶν «ὀφθαλμῶν» καὶ ὡς ἐκ τούτου μέρους τοῦ μετώπου ἐπηρεάζει τὴν σταθερότητα τῶν τυφλῶν; Μήπως συμβαίνει τοῦτο ἐπειδὴ ἓν τμῆμα τοῦ δέρματος τοῦ προσώπου εἶναι κεκαλυμμένον καὶ ἡ εἰς τὸν ἀέρα ἐκτεθημένη ἐπιφάνεια εἶναι ὡς ἐκ τούτου σμικρυμένη;

Περὶ τούτου ἔπρεπε νὰ μᾶς πληροφορήσουν δοκιμαὶ γινόμεναι ἐντὸς ἀερολουτρῶν, δηλ. ὅταν ἡ εἰς τὸν ἀέρα ἐκτεθημένη ἐπιφάνεια εἶναι μεγαλειτέρα.

Ἢ μήπως τὰ μὴ τελείως φονευμένα ὀπτικὰ νεῦρα παίζουν μ' ὅλα ταῦτα τὸ μέρος των;

Δὲν εἶναι, ἴσως δυνατὸν νὰ εἶναι ταῦτα μᾶλλον εὐαίσθητα εἰς τὰς διαφορὰς τῆς θερμοκρασίας καὶ εἰς τὴν αἰφνιδίαν ἐνίσχυσιν τῆς ἀντιστάσεως τοῦ ἀέρος, ἢ τὰ αἰσθητήρια νεῦρα τοῦ δέρματος; (Ὡς διδάσκαλος τῶν τυφλῶν ἀπευθύνω τὰς ἐρωτήσεις ταύτας πρὸς τοὺς Κυρίους Ἰατρούς.)

Φανερὸν εἶναι, ὅτι μετὰ ταχεῖαν προσέγγισιν εἴς τι ἐμπόδιον (δένδρον ἢ τοῖχον), δὲν δύναται παρὰ νὰ ἐπακολουθήσῃ στιγμιαία πύκνωσις τοῦ ἀέρος ἢ καὶ ἀναστροφὴ τοῦ ῥεύματος. Πᾶς ὁπλίτης γνωρίζει ὅτι ἡ πρὸς τὰ ὀπίσω ὤθησις τοῦ ὅπλου του αὐξάνει, ὅταν πυροβολῇ πρὸς στερεὸν ἂν καὶ λίαν μεμακρυσμένον τέρμα (100—200 μ.). Καὶ αὐτοὶ ἀκόμη οἱ ἄνευ φύλλων κλάδοι δένδρου ἢ θάμνου αὐξάνουν τὴν ἀντίστασιν τοῦ ἀέρος τὸν ὁποῖον διαπερᾷ ἡ βολή. Αἰσθάνονται ἆρά γε καὶ οἱ βλέποντες ἐπίσης ἀσφαλῶς, ὅσον οἱ τυφλοί, τὴν πίεσιν ταύτην τοῦ ἀέρος κατὰ ταχεῖαν προσέγγισιν εἴς τι ἐμπόδιον; (Εἰς βραδεῖαν προσέγγισιν καὶ ὁ τυφλὸς συγκρούεται πολὺ εὐκολώτερον.) Σχεδὸν δὲν δύναμαι νὰ τὸ πιστεύσω. Ζήτημα ὅμως μένει, ἂν πρόκηται ἐνταῦθα περὶ σκέψεως τῶν τυφλῶν, ὑπὸ φυσιολογικὴν τῆς λέξεως ἔννοιαν, καὶ ἂν ἡ διαφορὰ προκύπτει εἰς τοὺς τυφλοὺς ἐκ τῆς μεγαλειτέρας προσοχῆς, ἣν προκαλεῖ ἡ ψυχολογικὴ αὐτῶν στιγμή. Ἀτομικῶς πιστεύω τὸ τελευταῖον.

Ὁ ἦχος τοῦ κρότου τῶν βημάτων, ὅστις παραλλάσσει εἰς τὴν προσέγγισιν εἰς τοῖχον ἢ ἄλλο τι ἐμπόδιον, ὑπὸ ἔποψιν προειδοποιήσεως, ἔχει ἴσως σπουδαιότητα μεγαλειτέραν (τουλάχιστον ἀρχίζει ταχύτερον) ἢ ὅτι αἱ ἐντυπώσεις τῆς πιέσεως ἐπὶ τοῦ δέρματος τοῦ προσώπου. Τοῦτο μᾶς ἀποδεικνύει ἡ ἀβεβαιότης, ἥτις παρουσιάζεται μόλις ἐκτάκτως καλυφθῇ τὸ δάπεδον δωματίου ἢ ἡ γῆ (χιών).

Ἡ καλουμένη «αἴσθησις διαστήματος» ἢ «τοῦ συνόλου» δὲν εἶναι ἄλλο, παρὰ ἡ ὁλικὴ ἐντύπωσις συμπάντων τῶν αἰσθητηρίων ὀργάνων, ἥτις μόλις παρουσιασθῇ ἡ ἀνάγκη, προειδοποιεῖ εἰς τὴν προσέγγισιν ἑνὸς κινδύνου καὶ τὸν τυφλὸν καὶ τὸν βλέποντα· ὥστε ἐπίσης καλῶς θὰ ἠδύνατο ν' ἀποκαλεσθῇ καὶ «εἰδοποιητήριος αἴσθησις».

Μέχρι τοῦδε λοιπόν, ὡς ἀνωτέρω ἐλέχθη, δὲν ἀνεκινήθη (φυσιολογικῶς) τὸ ζήτημα τῆς παραβολῆς τῆς γεύσεως μεταξὺ τυφλῶν καὶ βλεπόντων. Ἀλλὰ καὶ ἀκριβεῖς πειραματισμοί, ἐὰν εἰς αὐτὴν τὴν περίπτωσιν ἤθελον καταδείξει τὴν ὑπεροχὴν τῶν τυφλῶν, βεβαίως τοῦτο μόλις θὰ ἦτο ἱκανὸν νὰ καλύψῃ τὸ διὰ τῶν ἀποδείξεων τοῦ Griesbach εἰς τὰς λοιπὰς αἰσθήσεις εὑρεθὲν ἔλλειμμα. Ὥστε καὶ τότε δὲν θὰ ἠδύνατο νὰ γίνῃ λόγος περὶ ἐνισχύσεως πασῶν τῶν αἰσθήσεων διὰ τῆς ἀπωλείας μιᾶς καὶ μόνης· ἄλλως ἔπρεπεν ὡσαύτως καὶ ἡ ἀπώλεια τῆς ἀκοῆς νὰ ἐπαυξάνῃ τὴν εὐαισθησίαν καὶ ὀξύτητα τῶν λοιπῶν αἰσθήσεων, ἡ δὲ ἀπώλεια τῶν δύο πρωτευουσῶν αἰσθήσεων θὰ ἔπρεπε νὰ διεγείρῃ τὰς λοιπὰς εἰς βαθμὸν ὅλως ἐξαιρετικόν. Ὅτι δὲν ἀληθεύει τοῦτο, ὅσον ἀφορᾷ τοὺς τυφλοκωφαλάλους, μας καταδεικνύουν τ' ἀποτελέσματα τῶν ἐπ' αὐτῶν γενομένων μετρήσεων. Ὁ ἀβέβαιος καὶ ταλαντευόμενος βηματισμὸς τῶν πλείστων κωφαλάλων (ὅλοι σχεδὸν περιπατοῦν ὡς μεθυσμένοι), ἔπρεπε νὰ μᾶς φανερώσῃ, ὅτι καὶ ἡ αἴσθησις τῆς ἰσοῤῥοπίας ἔχει πάθει, δηλαδὴ ὅτι καὶ ἡ ὑ δ ρ ο σ τ ά θ μ η ἐν τῷ λαβυρίνθῳ τοῦ ὠτὸς ἔχει διαταραχθῆ, τὸ ὁποῖον ἀφ᾽ ἑτέρου μᾶς ἐπιτρέπει νὰ παραδεχθῶμεν πιθανὸν συμπέρασμα ὡς πρὸς τὴν πολλάκις ἄγνωστον αἰτίαν τῆς κωφότητος. Ἐσχάτως καὶ δύο Ἰταλοὶ ἰατροὶ ὁ Dr. Carlo Ferrai ἐκ Γενούης («Sul compenso sensoriale nei sordomuti») καὶ ὁ Dr. Cesare Rossi ἐκ Κόμου («Sulle durate del processo psichico elementare e discriminativo nei sordomuti») ἐπεχείρησαν ἐρεύνας ἐπὶ μ ε γ ά λ ο υ ἀ ρ ι θ μ ο ῦ κωφαλάλων ἐν συγκρίσει πρὸς ἀκούοντας καὶ κατέληξαν εἰς τὸ αὐτὸ συμπέρασμα. Ὁ πρῶτος ἐξήτασε τὴν ἀφήν, τὴν μυϊκὴν δύναμιν, τὴν αἴσθησιν πόνου (δι᾽ ἠλεκτρικοῦ ῥεύματος) τὴν ὄσφρησιν καὶ τὴν γεῦσιν (πικρόν, γλυκύ, ἁλμυρόν). Εἰς τὰ «συμπεράσματά» του τονίζει ἀναφερόμενος εἰς τὸν Griesbach, ὅτι παρὰ τοῖς κωφαλάλοις ὁ ἀντικαταστάτης τῶν αἰσθήσεων ἔχει τόσην ὑπόστασιν, ὅσην καὶ παρὰ τοῖς τυφλοῖς. Ὁ δεύτερος λέγει, βασιζόμενος ἐπὶ ξένων καὶ ἀτομικῶν παρατηρήσεων, ὅτι ἡ ὅ ρ α σ ι ς τῶν κωφαλάλων συγκρινομένη πρὸς τοὺς ἀκούοντας, ἂν δὲν εἶναι ἀσθενεστέρα τοὐλάχιστον δὲν ὑπερβαίνει τὴν ὅρασιν τούτων. Δὲν λησμονεῖ δὲ καὶ τὰς πολλὰς περιπτώσεις, καθ᾽ ἃς ἡ κωφότης εἶναι συντροφευμένη καὶ μὲ τύφλωσιν.

Ὅταν πάσχῃ ἓν μέλος, πάσχουν καὶ τὰ λοιπά! Καθ᾽ ὅτι αἱ πλεῖσται σωματικαὶ ἀνωμαλίαι εἶναι συνέπειαι τῆς αὐτῆς αἰτίας. Πῶς θὰ ἠδύνατό τις νὰ ἐξηγήσῃ ἄλλως τὴν τόσον συχνὴν συνάντησιν τυφλώσεως καὶ κωφότητος. Ἐπὶ σειρὰν ἤδη ὅλην ἐτῶν ἐκ τῶν παρ᾽ ἡμῖν τυφλῶν 5—6 % εἶναι καὶ κωφοὶ ἢ ἁπλῶς βαρύκοοι, ἐνῷ συνήθως, μεταξὺ 1000 ἀτόμων μόλις περισσότεροι τῶν 3 κωφῶν παρουσιάζονται (3 τοῖς χιλίοις). Τοῦτο δὲν δύναται βεβαίως νὰ καθορισθῇ μετ᾽ ἀκριβείας καθότι ἡ «κωφότης» εἶναι μία ἀντίληψις τόσον ἐλαστική, ὅσον καὶ ἡ τύφλωσις. Διὰ τὸν ὀφθαλμιατρὸν τυφλὸς εἶναι ὁ μὴ δυνάμενος νὰ κάμῃ διάκρισιν μεταξὺ νυκτὸς καὶ ἡμέρας, ἐνῷ διὰ τὸν διδάσκαλον πᾶς μὴ βλέπων ἀρκετά, ὅπως ἐργασθῇ τῇ βοηθείᾳ τῶν ὀφθαλμῶν του. Διὰ τοῦτο καὶ θεωρῶ τὰς στατιστικὰς τυφλῶν τε καὶ κωφαλάλων ἀβασίμους, ἐνόσῳ δὲν καθορίζεται ὡρισμένος τις βαθμός. Οἱ γονεῖς φοβοῦνται ὡς ἐπὶ τὸ πλεῖστον νὰ καταγράφουν ἐπὶ τῶν δελτίων τῶν ἀπογραφῶν τῶν κατοίκων τὰς λέξεις «τυφλός» ἢ «κωφός».

Χάρις εἰς τὰς λεπτομερεῖς καὶ εὐσυνειδήτους ἐξετάσεις τοῦ Griesbach καὶ ἄλλων ἀκόμη ἐρευνητῶν, ἡ δοξασία τοῦ ἀντικαταστάτου τῶν αἰσθήσεων ἔπρεπε νὰ πέσῃ ἀφ᾽ ἑαυτῆς, ὡς τόσαι ἄλλαι πεποιθήσεις, αἵτινες ἐπὶ ἑκατοντάδας ὅλας ἐτῶν ἐπεκράτουν εἰς τὴν μίαν ἢ τὴν ἄλλην ἐπιστήμην, ἐξαλειφθεῖσαι κατόπιν τῶν ἀποτελεσμάτων πιστικῶν ἐρευνῶν.

Ποῖος θὰ ἐλυπεῖτο διὰ τοῦτο;! Τὸν ἀπόκληρον τῆς τύχης ὑπηρετεῖ τις κυρίως ἐὰν δὲν ὑ π ο β ι β ά ζ ῃ, ἀλλ᾽ ο ὔ τ ε ὑ π ε ρ τ ι μ ᾷ τὰς δυνάμεις του.

Οὕτως ἐπὶ μακρὸν ἴσως ἀκόμη τὸ φάσμα τῆς παλαιᾶς δοξασίας θὰ ἐξακολουθήσῃ νὰ διέπῃ τὰς παιδαγωγικὰς καὶ διαφόρους λοιπὰς πεποιθήσεις· ἀλλ᾽ ὅμως δὲν θ᾽ ἀργήσῃ ὁ καιρός, καθ᾽ ὃν ὀλίγον κατ᾽ ὀλίγον θὰ περιέλθῃ εἰς λήθην!

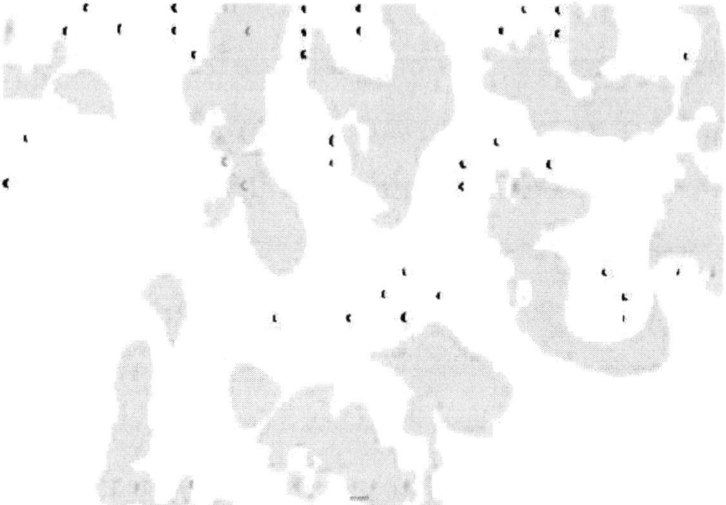

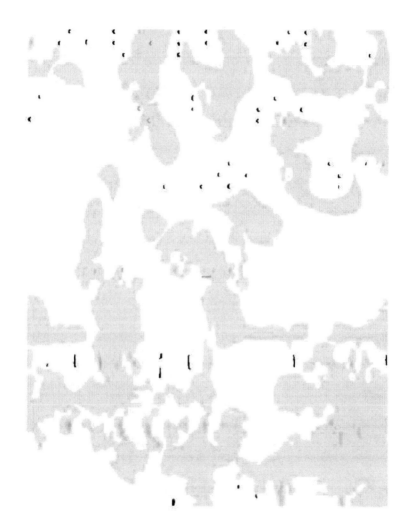

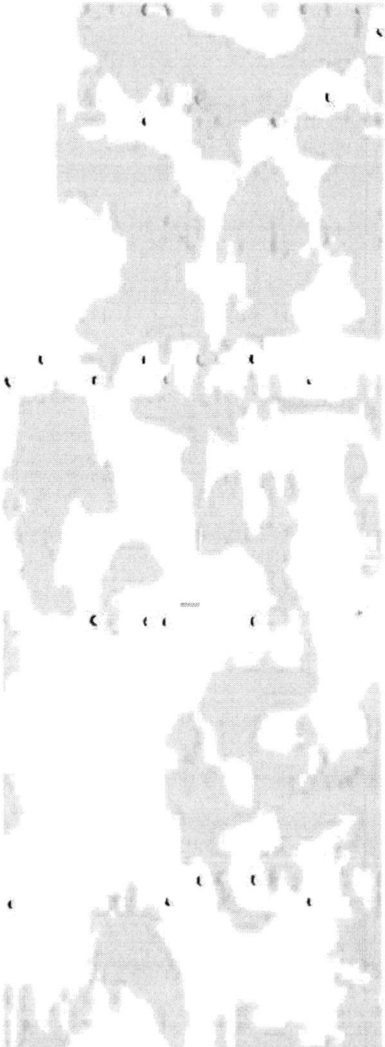

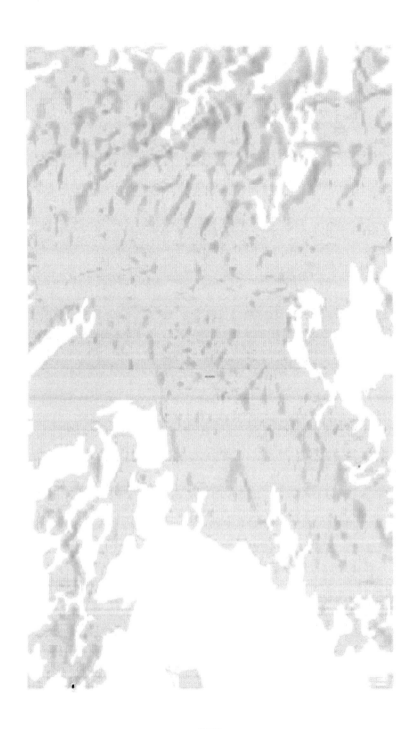

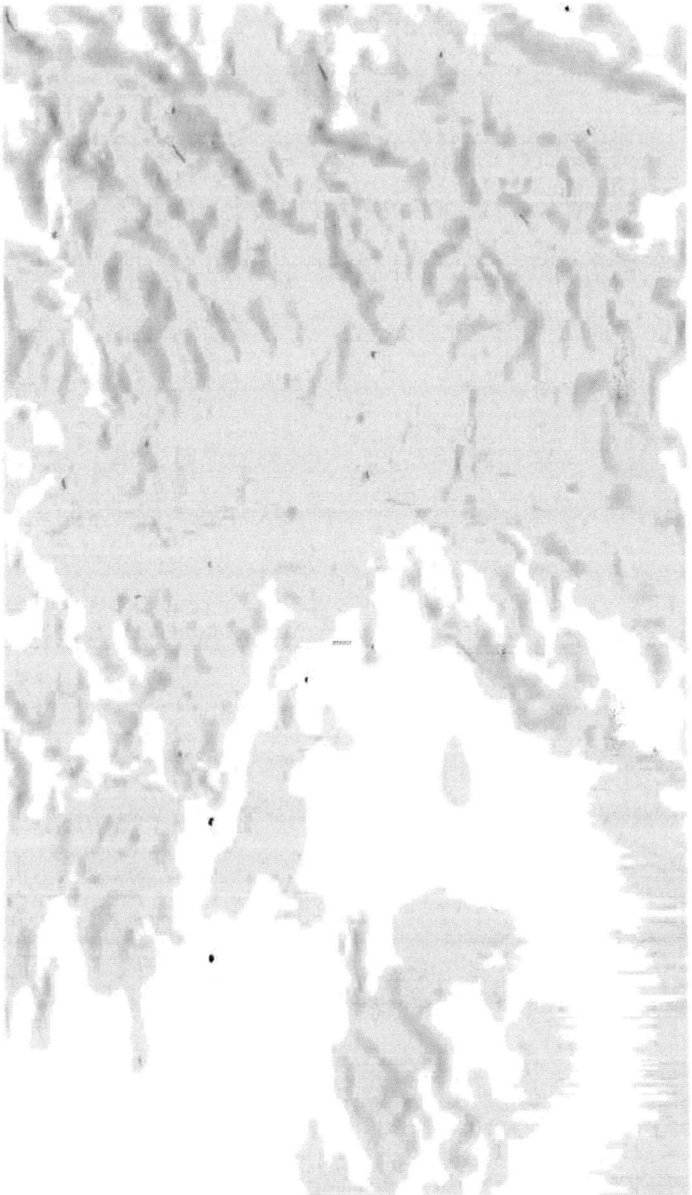

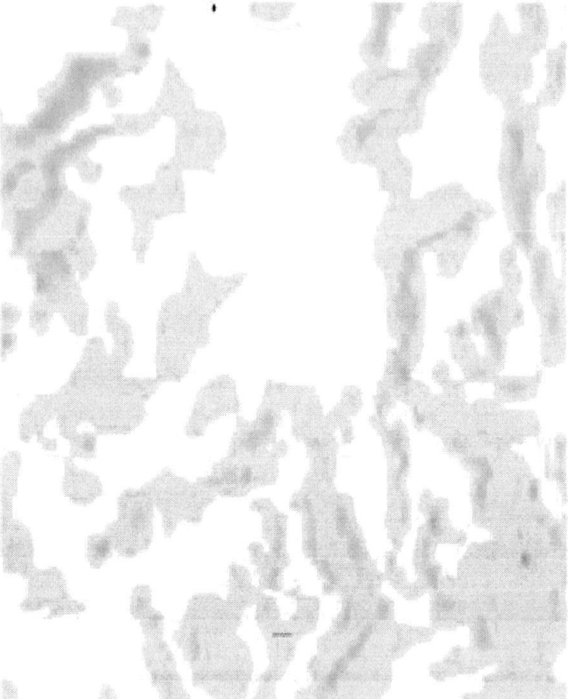

BLINDEN-ANSTALT ILLZACH

bei MÜLHAUSEN (Elsass-Lothringen)

BRUSSEL - WETTSTREIT I

STUTTGART 1890
Ausstellung
FUR
GESUNDHEITSLEHRE

LÉOPOLD II ROI DES BELGES

AUSSER WETTBEWERB
Hors concours
ERSTES
DANKESDIPLOM

NEWCASTLE-UPON-TEYNE 1887

GOLDENE MEDAILLE
WELTAUSSTELLUNG MELBOURNE
1888 1889
CENTENNIAL INTERNATIONAL EXHIBITION MELBOURNE

ERSTER PREIS
in der
SECTION: ERZIEHUNG u. UNTERRICHT

Diplom I. Classe (Goldene Medaille) FREIBURG i/B. 1887
FRIEDRICH ERBGROSSHERZOG VON BADEN

Blindenlehrmittel Einzige Medaille für

KUNZ
GENOVA
1875

VI. EUROPÄISCHER BLINDENLEHRER - CONGRESS
KÖLN
1888

MEDAGLIA
D'ORO

EINZIGE

KÖLN B. BLINDENLEHRER CONGRESS
1888
GR GOLDENE MEDAILLE

STAATSMEDAILLE

LYON 1894
LUGDUNUM

WELTAUSSTELLUNG

FÜR MITARBEIT

ANSCHREIBTAFEL 1890

STRASSBURG
1895

GOLDENE MEDAILLE

ANDESAUSSTELLUNG
AGRAM
GR. EHRENDIPLOM
höchste Auszeichnung

2 Ehrendiplome mit Medaillen.

GEOGRAPHISCHER
Weltcongress
BERN 1891

GRAND PRIZE
LOVISIANA·PVRCHASE
EXPOSITION

Lehrmittel-Verlag

der

Blindenanstalt Illzach-Mülhausen

1903—07

A. Veranschaulichungsmittel für Blinde.

I. Geographie.

1. **Blinden-Atlas** von M. Kunz. (Eingeführt in allen deutschen, russischen, holländischen, österreichischen, schweizerischen, den meisten französischen, italienischen, belgischen und vielen englischen, einigen amerikanischen, australischen, afrikanischen [Worcester im Kapland] und neuseeländischen Anstalten.

Das Blatt	M.	0.30
Der ganze Atlas in Schachtel	»	26.—

*1. Planigloben (und Planetenbahnen).
2. Planigloben ältere Ausgabe (gravierte Form).
3. Europa ältere Ausgabe (gravierte Form).
*4. Europa neue Ausgabe (modellierte Form).
5. West- und Mitteleuropa.
6. West- und Mitteleuropa (vertiefte Flüsse). [Auftrag der Königl. dänischen Anstalt in Kopenhagen].
7. Plan der Blindenanstalt und der Ortschaft Illzach.
8. Elsass-Lothringen und Schwarzwald nebst angrenzenden Gebieten Frankreichs.
9. Elsass-Lothringen (physikalisch), Skizze.
10. Elsass-Lothringen, Eisenbahnkarte.
11. Elsass-Lothringen politisch (Bezirke und Kreise).
12. Deutschland (ganz Mitteleuropa physikalisch).
13. Deutschland (politisch).

Die mit * bezeichneten Blätter sind im Auftrag des «Vereins zur Förderung der Blindenbildung» bearbeitet, oder von ihm übernommen worden. Der genannte Verein gibt dieselben unter dem Ankaufspreise ab.

14. Südwestdeutschland (physikalisch, mit Namen in Schwarzdruck).
15. Südwestdeutschland (politisch, mit Namen in Schwarzdruck).
16. Nordwestdeutschland (physikalisch).
17. Nordwestdeutschland (politisch).
18. Nordostdeutschland.
19. Südostdeutschland (politisch, physikalisch und Kriegshäfen).
*20. Deutsches Reich, physikalisch.
21. Deutsches Reich, politisch.
*22. Ostdeutschland.
*23. Südwestdeutschland.
*24. Nordwestdeutschland (physikalisch).
*25. Nordwestdeutschland (Gesammtkarte).
*26. Thüringen.
27. Ostpreusen. [Auftrag der Blindenanstalt Königsberg.]
28. Brandenburg. [Auftrag der Blindenanstalt Steglitz-Berlin.]
29. Schleswig-Holstein. [Auftrag der Blindenanstalt Kiel.]
30. Regierungsbezirk Aachen (physikalisch). [Auftrag der Blindenanstalt Düren.]
31. Regierungsbezirk Aachen, politisch (ebenso).
32. Der Kreis Neuwied. [Auftrag der Prov.-Blindenanstalt Neuwied.]
33. Frankreich, ältere Ausgabe mit Provinzialgrenzen.
*34. Frankreich, physikalisch und politisch.
35. Frankreich, erweiterte Ausgabe mit Namen in beiden Sprachen.
36. Plan von Paris und Umgebung (zur Geschichte).
37. Spanien und Portugal (ältere Ausgabe, gravierte Form).
*38. Spanien und Portugal (einfachere Ausgabe, schärferer Druck.)
39. England (ältere, kleinere Ausgabe).
*40. England (grössere Ausgabe).
41. Italien, ältere Ausgabe, gravierte Form (erste Karte des Atlasses).
*42. Italien, neuere Ausgabe (modellierte Form).
43. Plan des alten Rom (zur Geschichte).
*44. Die Schweiz (physikalisch).
45. Die Schweiz (politisch).
46. Oesterreich-Ungarn (ältere, politische Ausgabe).
47. Oesterreich-Ungarn (allgemeine Ausgabe).
48. Oesterreich-Ungarn (Ausgabe für Oesterreich).
49. Oesterreich-Ungarn (allgemeine Ausgabe, politisch).
49. Oesterreich-Ungarn (Ausgabe für Oesterreich, politisch).
50. Steiermark. [Auftrag der Anstalt in Graz.]
51. Teilkarte von Oesterreich-Ungarn (von Melk bis Budapest)
52. Alpenseen (als Ergänzungsblatt zu den Karten der Alpenländer
*53. Dänemark und seine Kolonien.
54. Dänemark mit vertieften Flüssen, Eisenbahnen, Leuchttürmen, Leuchtschiffen und Rettungsstationen. [Auftrag der Königl. Blindenanstalt in Kopenhagen.]
*55. Skandinavien.
*56. Holland und Belgien.
*57. Russland.
58. Plan von St. Petersburg.

59. Physikalische Karte von Russland.
60. Politische Karte von Russland. (58. 59 und 60 sind im Auftrage und für Rechnung des Marien-Vereins in St. Petersburg [Kanzlei I. M. der Kaiserin] bearbeitet worden.)
*61. Balkanhalbinsel.
62. Griechenland (Geschichtskarte).
63. Afrika, politisch (gravierte Form).
*64. Afrika, physikalisch-politisch.
*65. Deutsch-Ost-Afrika.
*66. Asien, physikalisch.
67. Asien, politisch.
68 Hinterindien und Inseln. (Franz. und Holländische Kolonien Holland in demselben Masstabe zum Vergleiche.)
69. Kleinasien und Syrien (historisch).
70. Palästina, physikalisch. } Beilage zu Schollenbruchs Bibl.
71. Palästina, politisch } Geschichte,
*72. Palästina, grösserere Ausgabe.
73. Palästina für Sehende und Blinde.
*74. Karte zur alten und biblischen Geschichte. (Von der Rhône bis zum Kaspischen Meere; von Strassburg bis Theben.)
75. Dieselbe, einfachere Ausgabe.
*76. Dieselbe, einfachere Ausgabe ohne Gebirge.
*77. Nord-Amerika (ältere Ausgabe, gravierte Form).
78. Nord-Amerika (neuere Ausgabe, schärferer Druck).
79. Teilkarte der Vereinigten Staaten (Osten).
80. Süd-Amerika (ältere Ausgabe).
*81. Süd-Amerika (neuere, grössere Ausgabe).
*82. Australien.
83. Australien, mit vertieften Flüssen (Englische Manier).
*84. Stiller Ocean.
85. Derselbe mit schärferer Gradteilung.
86. Zeichnung zur Erklärung der Jahreszeiten.

2. **Reliefglobus aus Gummi** von M. Kunz. Vergriffen... M. 3.—
Eine neue Ausgabe erscheint, sobald 300 Stück bestellt sind.

II. Naturkunde.

3. **Naturgeschichtliche Reliefabbildungen** von M. Kunz.

a) Zoologie, erschienen sind 36 Blätter; roh	M.	0.30
» doppelseitig lackiert (waschbar)	»	0.50
» » » und ausgekittet	»	0.60
» mit natürlicher Bedeckung (Wolle od. Seide)	»	0.70
» mit solcher Bedeckung in den Naturfarben	»	1.—

Blatt 1. Löwe, Tiger.
» 2. Elephant.
» 3. Pferd im Trabe.
» 4. Kameel,
» 5. Edelhirsch und Damhirsch.
» 6. Wale: Narwal, Delphin, Lamantin (Sirene).
» 7. Elster, Häher, Alpendohle, Nebelkrähe.

Blatt 8. Haushahn, Auerhahn.
» 9. Truthahn, Birkhahn, Perlhuhn, Rebhuhn.
» 10. Goldfasan, Silberfasan.
» 11. Argus.
» 12. Afrikanischer Strauss, amerikanischer Strauss.
» 13. Trappe, Kasuar.
» 14. Storch, Marabu, Flamingo. (in zwei Stellungen.)
» 15. Kampfhahn, Kibitz, Schnepfe, kleine Rohrdommel, Möve.
» 16. Kranich, Ibis, Purpurreiher, Stachelreiher, Rohrdommel.
» 17. Pelikan, Schwan.
» 18. Ente, Gans.
» 19. Krokodill.
» 20. Alligator.
» 21. Alpensalamander, Olm, Kamm-Molch, Sirene.
» 22. Barsch, Zander.
» 23. Meerschwalbe (fliegender Fisch).
» 24. Barbe, Goldfisch, Stichling, Grundel und Salm.
» 25. Thunfisch und Schwertfisch.
» 26. Donauwels, Sardelle, Hering.
» 27. Hecht und Hornhecht.
» 28. Glattbutt, Heringskönig, Klumpfisch.
» 29. Aal, Zitteraal und Schnabelfisch.
» 30. Gemeiner Stör, Hausen.
» 31. Menschenhai, Sägefisch.
» 32. Zitterrochen (Torpedo) und Stachelrochen.
» 33. Hummer, Flusskrebs, Scorpion, Kreuzspinne, Tarantel, Assel, Floh.
» 34. Tintenfisch (Sepia).
» 35. Seepolyp.
» 36. Schlangenstern und vergrösserter Körper desselben, gemeiner Seestern.

Anmerkung: Man hat diesen Bildern den Vorwurf gemacht, dass sie unlackiert nicht haltbar genug seien und dass die gefirnissten sich anfühlen wie Blech. Diese Uebelstände sind beseitigt, seit es gelungen ist, den Bildern eine *natürliche* Bekleidung aus Woll- oder Seidefasern zu geben.

4. *b*) Botanik. 1 Heft, Blattformen und Blütenstände. 10 Tafeln mit 104 Abbildungen und Erklärungen............. M. 3.—

5. **Reliefabbildungen für den physikalischen Unterricht**, von M. Kunz. Bis jetzt erschienen 25 Tafeln mit ca. 130 Zeichnungen, à Tafel.............................. M. 0.30

Kammräder, Fallgesetz und Wurfbahnen, Parallelogramm der Kräfte. Anwendung derselben auf Zug, Schub, Keil, Kniehebelpresse und Schiefe Ebenen. Hebelgesetze. Rollen, Flaschenzüge, Schnell- und Decimalwage, Blasebälge, Pumpen, Feuerspritze, Spiegelung von Licht und Wärme. Flach-, Concav- und Convexspiegel. Constructionen. Lichtbrechung, Entstehung der «Farben»,

Linsen, Auge, Brillen und optische Instrumente (Constructionen), Schneeflocken. (Für den Bau des Auges und den Sehvorgang interessieren sich intelligente Blinde u. Halbblinde ganz besonders.

B. Bücher und Musikalien.

III. Religion.

6.	**Biblische Geschichte** von Oberschul- und Ministerialrat Schollenbruch, Mittelstufe (im Punktreliefdruck) 1 Band (2. Auflage), solid gebunden...............	M. 6.—
7.	**Biblische Geschichte** von Oberschul- und Ministerialrat Schollenbruch, Oberstufe (in doppelseitigem Punktreliefdruck), 4 Bände (2. Auflage)............	» 24.—
8.	**Grubemann**, Andachtsbuch, Illzacher Liniendruck..	» 5.50
9.	(Der 1887 für unsere katholischen Zöglinge gedrukte Diöcesankatechismus wird nicht verkauft.).	

IV. Deutsche Sprache und Literatur.

10.	**K. Gerock**, Der letzte Strauss. (2 Ausgaben für Protestanten und Katholiken. Erstere enthält die Reformationsgedichte)................................	» 6.—
11.	**Gedichte von Walter von der Vogelweide.** Urtext und Vocabular von M. Kunz.......................	» 4.—
12.	**Dr. Reiche**, Führer auf dem Lebensweg, oder klassische Lehren der Moral, 316 Seiten, Kurzschrift 2 Bände..................................	» 9.—
13.	**Caroline Gass-Nessler**, Aus dem Seelenleben einer Blinden, Gedichte.............................	» 4.50
14.	**Caroline Gass-Nessler**, Poetisches Kindergärtlein...	» 3.50
15.	**Gœthe**, Iphigenie in Tauris.......................	» 5.—
16.	**Johanna Spyri**, Heidi's Lehr- und Wanderjahre. 2 Bände, 1 Band allein M. 5.—, 2 Bände............	» 9.—
17.	**Johanna Spyri**, Heidi kann brauchen was es gelernt hat. 2 Bände..................................	» 9.—
18.	**Pestalozzi**, Lienhard und Gertrud, 5 Bände.........	» 25.—
19.	**L. Schorsch**, Ein Königskind (Kaiserin Adelheid, Gemahlin Otto's I.)............................	» 6.—
20.	**Konrad Ferdinand Meyer**, Hutten's letzte Tage (nur für Protestanten)................................	» 4.—

V. Französische Sprache und Literatur.

21.	**Plœtz**, französisches Elementarbuch. 4 Bände (1 Band Grammatik, 2 Bände Uebungen, 1 Band Lesebuch)..	» 20.
22.	**Breitinger**, Professor, Elementarbuch, 2 Bände.....	» 10.—
23.	» » Syntaxe française, 2 Bände...	» 10.—

24. **Janin**, Chrestomathie des écoles.
Band I z. Z. vergriffen........ M. 8.—
» II........................... » 8.—

25. **Choix de poésies françaises** (Victor Hugo, Delavigne, Lamartine)..................................... » 6.—

26. **Dr. Vogel**, Correspondance commerciale française, 12 Bändchen zu M. 3.—............................ » 35.—

27. **Marcillac**, Histoire de la littérature française, 3 Bände » 15.—

Spanisch.

28. **La predicacion en la montaña.**

VI. Geschichte (deutsch und französisch).

29. **Plœtz**, Auszug aus der Geschichte (erschienen: Das Mittelalter)..................................... M. 5.—

30. **Plœtz**, Hauptdaten der Weltgeschichte.
Altertum..................... » 2.50
Neuzeit...................... » 3.—

31. **Duperrex** (professeur à l'Université de Lausanne), Cours d'histoire générale.
Histoire romaine, vol. I........................ » 6.—
» » II........................ » 6.—
Histoire moderne, vol. I........................ » 6.—
» » II........................ » 6.—
» » III........................ » 6.—
» » IV........................ » 6.—
» » V........................ » 6.—
» » VI........................ » 6.—

VII. Rechnen.

32. **Bruchrechenapparat**, von M. Kunz.

33. **Apparat zur Veranschaulichung der Quadrat- und Kubikwurzel**, von M. Kunz.
Ein Rechenbuch (Aufgabensammlung) **ist in Arbeit.**

VIII. Musik.

34. **Die Musikzeichen der Sehenden**, entworfen von Krage (Düren), ausgeführt von M. Kunz. Beilage zu Urbach's Klavierschule. 2. Auflage................ » 3.—

35. **Weihnachtsoratorium**, von F. F. Müller........... » 2.50

36. **Gemischte Chöre**, Musik und Text............... » 5.—

Im Druck:

37. **Locher, Carl**, Orgelexperte in Bern. Erklärung der Orgelregister und ihrer Klangfarben.
(Das Buch ist bis jetzt in sechs Sprachen erschienen.)

38. **Preis-Schreibtafel** für einseitige und doppelseitige Punkt- und Heboldschrift; Messingrahmen und Stahllineale, grosses Format, von M. Kunz............. M. 17.—
39. **Taschenschreibtafel** für Folioformat, Punkt- und Flachschrift von M. Kunz........................ » 5.—
40. **Vorlage für Heboldschrift** (Stiftführer).......... » 0.20

Die Preisschreibtafel wird jetzt in Aluminium hergestellt. Wenn genügende Bestellungen eingehen, ist vorauszusehen, dass sie für 12 M. abgelassen werden kann.

C. Lehrmittel für Sehende und Blinde.

41. **Wandrelief von Süd-Tirol,** von M. Kunz.......... M. 15.—
42. **Wandrelief von Genua** (Zur Veranschaulichung aller geographischen Grundbegriffe), von M. Kunz....... » 30.—

(Nach eigenen Höhenmessungen ohne Ueberhöhung modelliert.)

D. Lehrmittel für Sehende.

Preisgekrönt durch den geographischen Weltkongress in Bern 1891 (Auf das deutsche Reich entfielen 7 Preise: Justus Perthes-Gotha, Dietrich Reimer-Berlin usw.) 2 Silberne Medaillen Paris 1900. (Klasse 13 und 14, Prägeverfahren und Kartographie.) — Die *Blindenlehrmittel* kamen dort *nicht* in Wettbewerb.

43. **Höhenschichten-Reliefatlas für Sehende,** von M. Kunz, neue Auflage........................ M. 2.80
    Karten: Europa, Asien, Afrika, Australien, Nord-Amerika, Süd-Amerika, Indien, Palästina, Spanien und Portugal, Italien, Balkan-Halbinsel, Deutschland, Frankreich, England, Schweiz, Oesterreich, Skandinavien.
44. **Relief-Atlas** in natürlicher Modellierung zum Ausfüllen durch die Schüler, M. Kunz. (Bis jetzt sind erschienen: die Schweiz, Italien, Europa, Deutschland, Asien, Süd-Amerika, Frankreich, Spanien und Portugal, England, Balkan-Halbinsel, Steiermark, Palästina.) Elsass-Lothringen.
    Mit Namen.. » 0.30
    Ohne Namen.. » 0.25
    (Durch den Buchhandel oder die Anstalt zu beziehen.)
45. **Schichten-Reliefkarte von Mittel-Europa,** von M. Kunz.. » 0.30
46. **Reliefkarte von Palästina,** von M. Kunz.
    Kotoriert, mit Namen........................ » 0.50
    » weiss, mit Namen.................... » 0.30
    » weiss.................................. » 0.25

Nachtrag

zum

Lehrmittelverzeichnis (November 1907).

Zu **A I.** Karte von Griechenland. (Neue Ausgabe für die Griechen).

Zu **A II. 5.** (Physikalische Abbildungen.)

Tafel 26: Heber und Barometer.

Tafel 27 und 28: Orgelpfeifen (auch als Beilagen zu C. Lochers Orgelbuch).

Zu **B. IV. 20 a.** Dr Bruno Stehle, Schulrat: 20 Musterbeispiele zum Unterricht in der deutschen Satzlehre.

20 b. Kuoni: « Verwaist, aber nicht verlassen ». Kurzschrift. 2 Bände......... M. 10.—

Zu **B IV 20 c.** Marryat, die Kinder des Waldes, übersetzt von Kretschmar, I. Band........................ » 5.—

20 d. Festspiele und Musikstücke. Jubiläumsheft....... » 4.—

Zu **B VI 30 a.** Plœtz, Hauptdaten, Mittelalter........... M. 2.50

Zu **B VII, Nr. 33 a.** Wiedemann, Rechenbuch, 2. Schuljahr, 4 Hefte à........ M. 2.—

(Aufgaben zum schriftlichen Rechnen auf der Brailletafel).

Zu **B VIII, Nr. 37.** Locher, Carl, « Orgelregister und Klangfarben », mit 10 Illustrationen, 2 Bände.......... M. 11.—

Zu **C, Nr. 58.** Kunz & Barthel. Heimatrelief von Mülhausen und Umgegend (Wandkarte) unbemalt............... M. 15.—

Zu **D, Nr. 44.** Reliefatlas für Sehende.

Neu: Elsass-Lothringen, Skandinavien, West- und Mittel-Europa.

E. Pädagogische Aufsätze in Schwarzdruck.

47. M. Kunz. **Das Modell im Dienste des geographischen Unterrichts**, Separatabdruck, aus Dr. Dittes Pädagogium I. .... M. 0.80

48. » **Dell' applicazione del metode intuitivo all' insegnamento della geografia.** — Con 8 disegni ed una fotografia. .... » 1.60
Verlag v. E. Löscher (Turin, Florenz, Rom).

49. » **Das Bild in der Blindenschule**, Kieler Kongressarbeit .... » 1.—

50. » **Der geographische Unterricht in der Blindenschule** (Frankfurter Kongressarbeit) » 1.—

51. » **Ist es ratsam, Blinde zu Sprachlehrern auszubilden? Wenn ja, wie kann dies geschehen?** (Berliner Kongressvortrag) ... » 1.—

52. » **Faut-il confier l'éducation des aveugles à des aveugles, etc.?** (Pariser Kongressvortrag) » 1.—

53. » **Bilder und Zeichnungen in der Blindenschule** .... » 1.—

54. » **Ernstes und Heiteres von zwei Kongressen** (Paris u. Mailand), Breslauer Kongressvortrag » 1.—

55. » **Zur Geschichte der Blindenfürsorge und Blindenbildung**, I. Teil .... » 1.—

56. » **Zur Blindenphysiologie (« Das Sinnenvicariat ») — Vergleichende Messungen der Sinnenschärfe Blinder und Sehender**, von Dr. med. und phil. Griesbach, gedeutet von M. Kunz (Separatabdruck aus der « Wiener Medizinischen Wochenschrift »). (Diese Arbeit ist auch in der « Dresdener Wochenschrift für Therapie und Hygiene des Auges », im « Blindenfreund », im « Valentin Haüy » in Paris und im « Amico dei ciechi » in Florenz erschienen) .... » 1 –
Eine englische Uebersetzung ist in Washington besorgt worden und eine neugriechische Uebersetzung ist dem Jubiläumsbuche beigeheftet.

57\. M. KUNZ. **Rückblick, Umblick, Ausblick.** Einleitender Kongressvortrag, Halle 1904.

58\. » **Anschauung und Veranschaulichung im geographischen Unterricht** .... M. 0.50

59\. » **Der Hochdruck für Blinde** (Schrift, Karten, Bilder). — Leipzig 1906 .... » 1.—

60\. » **«Fisiologia dei ciechi»** (Il così detto Vicariato dei Sensi). — Rom 1906. » 1 —

Unter der Presse:

61\. » **L'insegnamento della geografia nella scuola dei ciechi.** — Kongressvortrag, gehalten in Rom am 3. Dez. 1906.

62 » **«I ciechi in Germania».** — Kongressvortrag, gehalten in Rom am 6. Dez. 1906.

63\. » **Orientierungsvermögen und Ferngefühl der Blinden und Taubblinden.** — (Internationales Archiv für Schulhygiene 1907, Heft 1 und 2)

64\. » **Jubiläumsbuch der Anstalt.** (360 Grossquartseiten, 143 Abbildungen u. 5 Hochdruckbeilagen).
Ungebunden .... » 10.—
Gebunden .... » 12.—

GOLD MEDAL
LOVISIANA PVRCHASE
EXPOSITION

Weltausstellung in ST. LOUIS 1904 (Unterrichtsausstellung):
Grosser Preis
und **goldene Medaille** für Mitarbeit.

ATHEN 1904: Internationale Lehrmittelausstellung
Grosser Preis.

Druck von Breitkopf & Härtel, Leipzig.

Druck:
Customized Business Services GmbH
im Auftrag der KNV-Gruppe
Ferdinand-Jühlke-Str. 7
99095 Erfurt